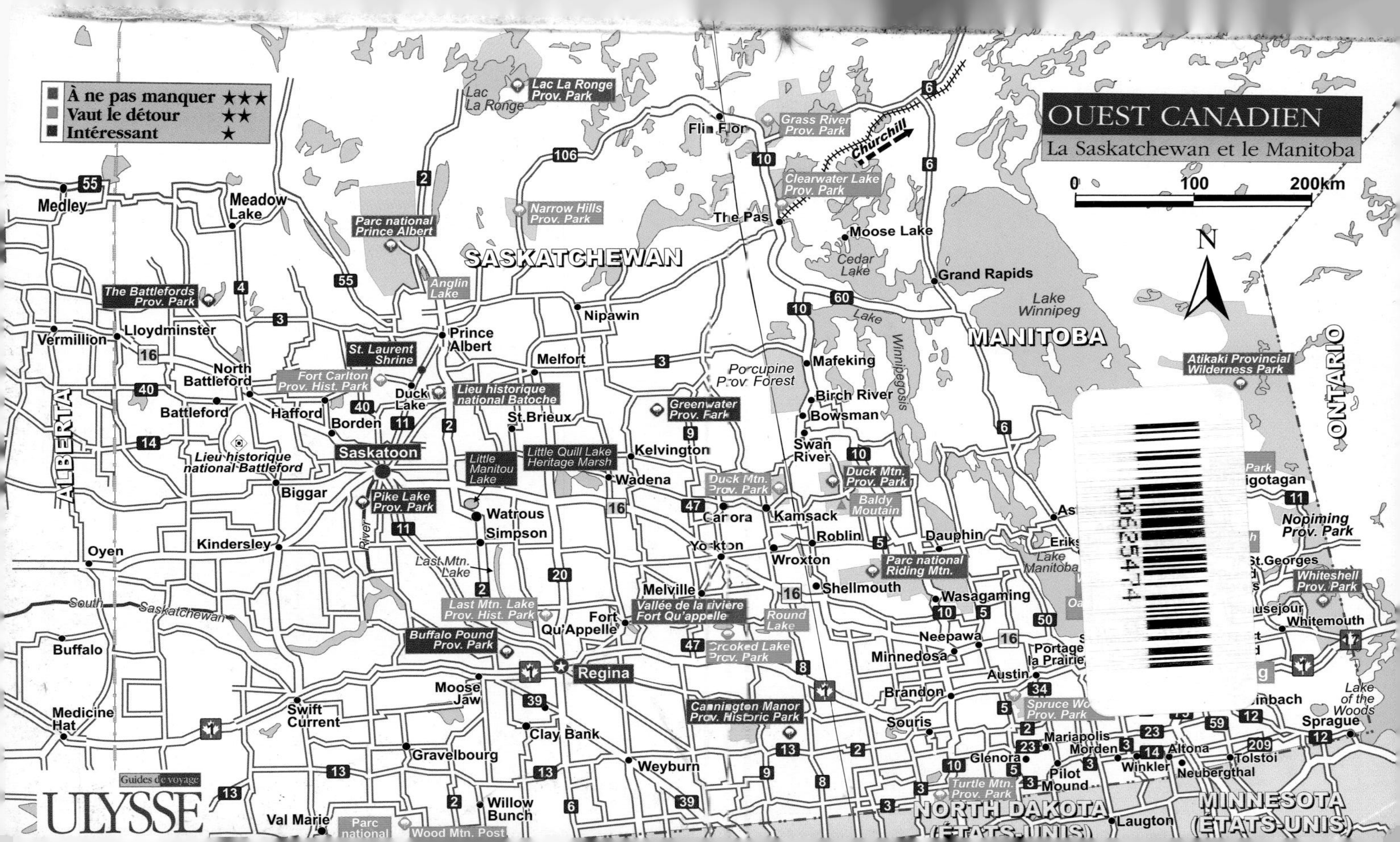
OUEST CANADIEN
La Saskatchewan et le Manitoba
À ne pas manquer ★★★
Vaut le détour ★★
Intéressant ★
0 100 200km
N
SASKATCHEWAN
MANITOBA
ALBERTA
ONTARIO
NORTH DAKOTA (ÉTATS-UNIS)
MINNESOTA (ÉTATS-UNIS)
Lac La Ronge Prov. Park
Narrow Hills Prov. Park
Parc national Prince Albert
Anglin Lake
The Battlefords Prov. Park
St. Laurent Shrine
Fort Carlton Prov. Hist. Park
Lieu historique national Batoche
Lieu historique national Battleford
Little Manitou Lake
Little Quill Lake Heritage Marsh
Pike Lake Prov. Park
Last Mtn. Lake Prov. Hist. Park
Buffalo Pound Prov. Park
Vallée de la rivière Fort Qu'appelle
Round Lake
Crooked Lake Prov. Park
Cannington Manor Prov. Historic Park
Greenwater Prov. Park
Duck Mtn. Prov. Park
Baldy Mountain
Parc national Riding Mtn.
Grass River Prov. Park
Clearwater Lake Prov. Park
Atikaki Provincial Wilderness Park
Nopiming Prov. Park
Whiteshell Prov. Park
Spruce Woods Prov. Park
Turtle Mtn. Prov. Park
Parc national
Wood Mtn. Post
Porcupine Prov. Forest
Lac La Ronge
Cedar Lake
Lake Winnipegosis
Lake Winnipeg
Lake Manitoba
Last Mtn. Lake
Lake of the Woods
South Saskatchewan River
Churchill
Medley
Meadow Lake
Vermillion
Lloydminster
North Battleford
Battleford
Hafford
Borden
Duck Lake
Prince Albert
Nipawin
Melfort
St.Brieux
Saskatoon
Biggar
Kindersley
Oyen
Buffalo
Medicine Hat
Swift Current
Val Marie
Gravelbourg
Moose Jaw
Clay Bank
Willow Bunch
Weyburn
Regina
Fort Qu'Appelle
Melville
Watrous
Simpson
Wadena
Kelvington
Canora
Yorkton
Kamsack
Roblin
Wroxton
Shellmouth
Flin Flon
The Pas
Moose Lake
Grand Rapids
Mafeking
Birch River
Bowsman
Swan River
Dauphin
Wasagaming
Neepawa
Minnedosa
Brandon
Souris
Austin
Portage la Prairie
Glenora
Mariapolis
Pilot Mound
Morden
Winkler
Altona
Neubergthal
Tolstoi
Sprague
Whitemouth
St.Georges
Laugton
6
10
106
2
55
4
3
16
40
11
14
20
47
9
60
5
50
34
23
13
39
8
12
59
209
17
Guides de voyage
ULYSSE

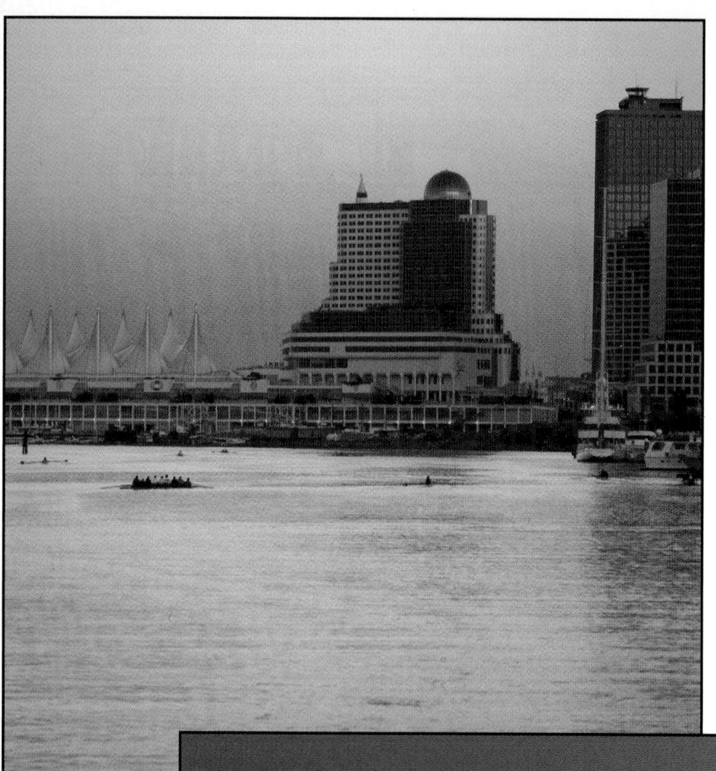

Espoir et promesse de la tombée du jour sur une ville prospère, Vancouver. - *Walter Bibikow*

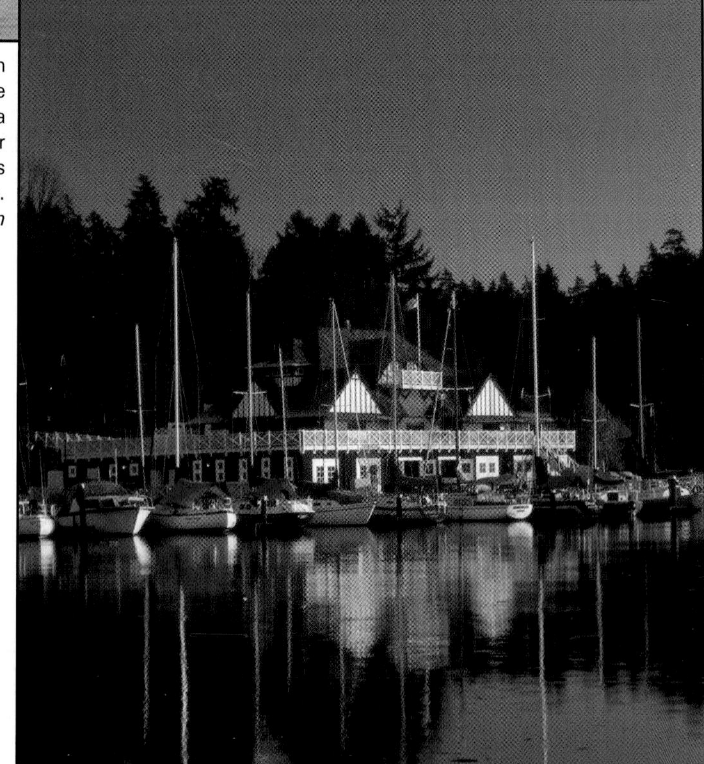

Même en plein cœur de Vancouver, la nature et la mer ne sont jamais loin. - *Michel Gascon*

Ouest canadien

4e édition

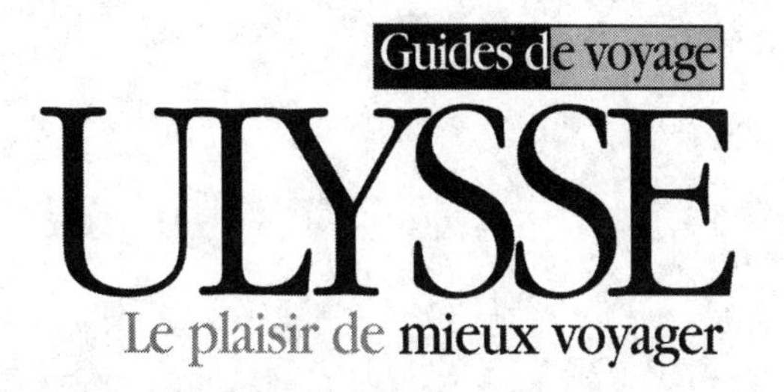

Nos bureaux

Canada: Les Guides de voyage Ulysse, 4176, rue Saint-Denis, Montréal (Québec) H2W 2M5, ☎(514) 843-9447, ⇄(514) 843-9448, info@ulysse.ca, www.guidesulysse.com

Europe: Les Guides de voyage Ulysse SARL, 127, rue Amelot, 75011 Paris, France, ☎01 43 38 89 50, ⇄01 43 38 89 52, voyage@ulysse.ca, www.guidesulysse.com

États-Unis: Ulysses Travel Guides, 305 Madison Avenue, Suite 1166, New York, NY 10165, info@ulysses.ca, www.ulyssesguides.com

Nos distributeurs

Canada: Les Guides de voyage Ulysse, 4176, rue Saint-Denis, Montréal (Québec), H2W 2M5, ☎(514) 843-9882, poste 2232, ⇄(514) 843-9448, www.guidesulysse.com, info@ulysse.ca

Belgique: Interforum Bénélux, 117, boulevard de l'Europe, 1301 Wavre, ☎(010) 42 03 30, ⇄(010) 42 03 52

France: Interforum, 3, allée de la Seine, 94854 Ivry-sur-Seine Cedex, ☎01 49 59 10 10, ⇄01 49 59 10 72

Suisse: Interforum Suisse, ☎(26) 460 80 60, ⇄(26) 460 80 68

Pour tout autre pays, contactez Les Guides de voyage Ulysse (Montréal).

Données de catalogage avant publication de la Bibliothèque nationale du Canada (voir p 4).

Bibliothèque nationale du Québec
Dépôt légal - Premier trimestre 2003
ISBN 2-89464-501-5

Imprimé au Canada

"Then the locomotive whistle sounded again and a voice was heard to cry: 'All aboard for the Pacific.' It was the first time that phrase had been used by a conductor from the East... The official party obediently boarded the cars and a few moments later the little train was in motion again, clattering over the newly laid rail and over the last spike and down the long incline of the mountains, off towards the dark canyon of the Fraser, off to broad meadows beyon, off to the blue Pacific and into history."

Pierre Berton
The Last Spike

Le sifflet de la locomotive fendit l'air une fois de plus, et une voix retentit : «En voiture pour le Pacifique!» C'était la première fois qu'un conducteur de la Côte Est lançait ces mots... Les dignitaires montèrent docilement à bord du train et, quelques instants plus tard, le petit convoi se remit en mouvement. On pouvait l'entendre cliqueter et hoqueter sur les rails nouvellement posés, tandis qu'il franchissait le dernier crampon, dévalait les longues pentes montagneuses, s'engouffrait dans le sombre canyon du Fraser et piétinait les amples prés jusqu'au bleu Pacifique, faisant son entrée triomphale dans l'histoire.

Recherche et rédaction
Julie Brodeur
Alexis de Gheldere
Paul-Eric Dumontier
Jacqueline Grekin
Mark Heard
Stephanie Heindenreich
Paul Karr
Pierre Longnus
Jennifer McMorran
Lorette Pierson
Corinne Pohlmann
François Rémillard

Éditrice
Jacqueline Grekin

Traduction
Pierre Corbeil
Pierre Daveluy
Cindy Garayt

Collaboratrice à la mise à jour
Amber Martin

Directeur de production
André Duchesne

Correcteurs
Pierre Daveluy
Marie-Josée Guy (Alberta)

Adjointe à l'édition
Isabelle Lalonde
Assistants
Julie Brodeur
Pierre Ledoux

Cartographe
Isabelle Lalonde

Infographiste
André Duchesne

Illustratrices
Lorette Pierson
Myriam Gagné
Jenny Jasper
Marie-Annick Viatour

Photographes
1re de couverture
Robert Glusic
(PhotoDisc)
Pages intérieures
M. Michaelnuk
(Megapress Images)
Walter Bibikow
Michel Gascon
Derek Caron
Sean O'Neill
Tibor Bognár
Troy et Mary Parlee

Directeur artistique
Patrick Farei (Atoll)

Remerciements
L'équipe des Guides de voyage Ulysse est très reconnaissante aux nombreux *Westerners* de l'avoir aidée à la production de ce guide. Nous tirons particulièrement notre chapeau à Lana Cheong (Tourism Vancouver Island); Heather McGillivray (Tourism Victoria); Kate Colley Lo (Tourism Vancouver); Danielle Oberle (Tourism Calgary); Kathy Cooper et Shannon Harrison (BC Rockies); ainsi qu'à Kelly Reid (Tourism Development Services Penticton & Wine Country). Merci aussi à Marla Daniels, Elinor Fish, Tammy Campbell, Nancy Cameron, Lynda Trudeau et Sharon Williams, Karen Cook, Jennifer Groundwater, Colette Fontaine, David Freeman, Chris Brown, Blain Sepos, Jennifer Senycz, Virginia Haar, Casie Murdoch, Mary Ann Bell, ainsi qu'à Sue et Drew.

Les Guides de voyage Ulysse reconnaissent l'aide financière du gouvernement du Canada par l'entremise du Programme d'aide au développement de l'industrie de l'édition (PADIÉ) pour ses activités d'édition.

Les Guides de voyage Ulysse tiennent également à remercier le gouvernement du Québec – Programme de crédit d'impôt pour l'édition de livres – Gestion SODEC.

Données de catalogage avant publication de la Bibliothèque nationale du Canada

Vedette principale au titre

Ouest canadien

(Guide de voyage Ulysse)
Comprend un index.

ISSN 1486-3472
ISBN 2-89464-501-5

1. Canada (Ouest) - Guides. 2. Colombie-Britannique - Guides. 3. Alberta - Guides. I. Collection.

FC3203.G49 917.11'044 C99-301661-8

Tableau des symboles

≡	Air conditionné
🐕	Animaux permis
⊛	Baignoire à remous
⊘	Centre conditionnement physique
⛵	Coup de cœur Ulysse pour les qualités particulières d'un établissement
ℂ	Cuisinette
½p	Demi-pension
ℑ	Foyer
pc	Pension complète
pdj	Petit déjeuner inclus dans le prix de la chambre
≈	Piscine
ℝ	Réfrigérateur
❂	Relais santé (spa)
ℜ	Restaurant
bc	Salle de bain commune
bc/bp	Salle de bain commune et privée*
⌂	Sauna
⇄	Télécopieur
☎	Téléphone
tlj	Tous les jours

*Sauf indication contraire, tous les lieux d'hébergement ont des salles de bain privées.

Classification des attraits

★	Intéressant
★★	Vaut le détour
★★★	À ne pas manquer

Les prix mentionnés dans ce guide s'appliquent au tarif pour un adulte.

Classification de l'hébergement

Les tarifs mentionnés dans ce guide s'appliquent, sauf indication contraire, à une chambre standard pour deux personnes, en haute saison.

$	50$ ou moins
$$	de 51$ à 100$
$$$	de 101$ à 150$
$$$$	de 151$ à 200$
$$$$$	201$ ou plus

Classification des restaurants

Les tarifs mentionnés dans ce guide s'appliquent, sauf indication contraire, à un dîner pour une personne, excluant le service et les boissons.

$	10$ ou moins
$$	de 11$ à 20$
$$$	de 21$ à 30$
$$$$	31$ ou plus

Tous les prix mentionnés dans ce guide sont en dollars canadiens.

Sommaire

Sommaire (suite)

Liste des cartes

Liste des cartes (suite)

Légende des cartes

	Aéroport		Plage
	Église		Station de ski
	Gare ferroviaire		Stationnement
	Gare routière		Terrain de golf
	Glacier		Traversier (ferry)
	Information touristique		Traversier (navette)
	Montagne		

Écrivez-nous

Tous les moyens possibles ont été pris pour que les renseignements contenus dans ce guide soient exacts au moment de mettre sous presse. Toutefois, des erreurs peuvent toujours se glisser, des omissions sont toujours possibles, des adresses peuvent disparaître, etc.; la responsabilité de l'éditeur ou des auteurs ne pourrait s'engager en cas de perte ou de dommage qui serait causé par une erreur ou une omission.

Nous apprécions au plus haut point vos commentaires, précisions et suggestions, qui permettent l'amélioration constante de nos publications. Il nous fera plaisir d'offrir un de nos guides aux auteurs des meilleures contributions. Écrivez-nous à l'adresse qui suit, et indiquez le titre qu'il vous plairait de recevoir (voir la liste à la fin du présent ouvrage).

Les Guides de voyage Ulysse
4176, rue Saint-Denis
Montréal (Québec)
Canada H2W 2M5
www.guidesulysse.com
texte@ulysse.ca

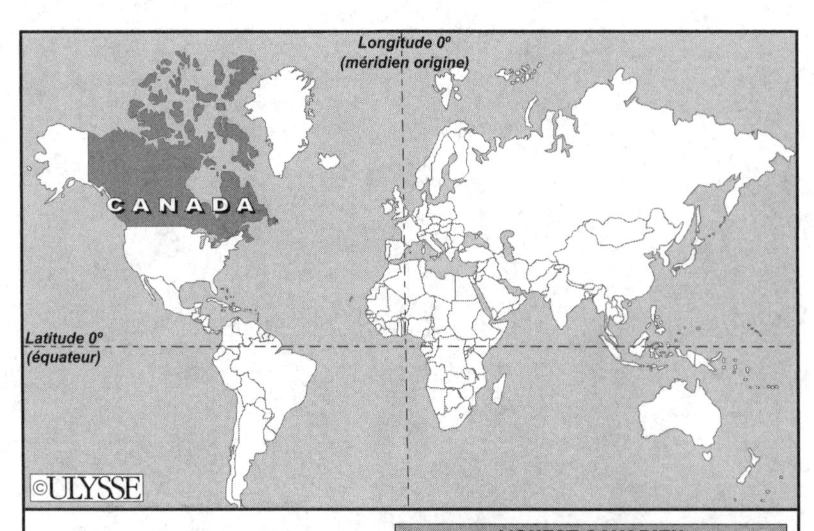

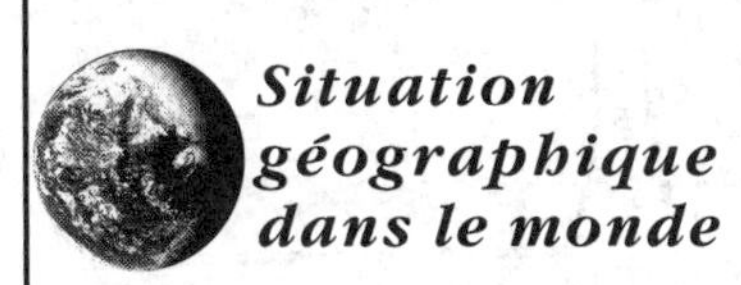

Situation géographique dans le monde

L'OUEST CANADIEN	
Colombie-Britannique	**Alberta**
Capitale: Victoria Population: 3 900 000 hab. Superficie: 950 000 km²	Capitale: Edmonton Population: 2 600 000 hab. Superficie: 661 000 km²
Saskatchewan	**Manitoba**
Capitale: Regina Population: 990 000 hab, Superficie: 651 900 km²	Capitale: Winnipeg Population: 1 114 000 hab. Superficie: 64[illegible] km²

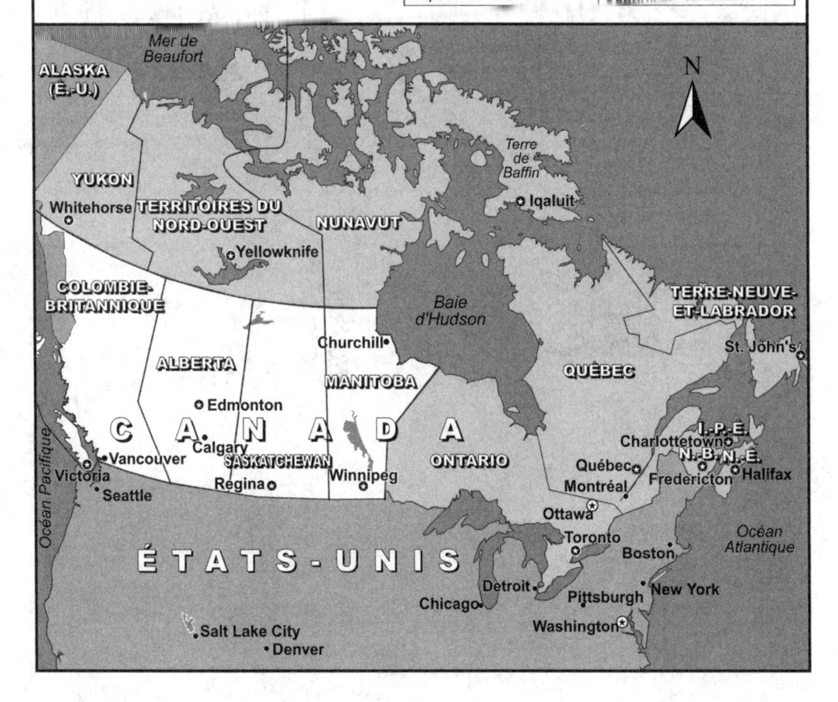

ALBERTA
WHEAT POOL
STAVELY
PION
PIONE

L'Ouest canadien est une région difficile à délimiter de façon précise.

Certains y regroupent la Colombie-Britannique et l'Alberta, d'autres y incluent les territoires qui s'étendent à l'ouest de l'Ontario (généralement reconnus comme le centre du pays) et d'autres encore subdivisent cette grande région en trois parties, à savoir les Prairies, les Rocheuses et la Côte Ouest. Nous avons retenu dans ce guide la définition la plus large, afin de vous faire apprécier toute la palette des différents paysages de cette partie du Canada. Ce guide couvre donc les provinces de la Colombie-Britannique, de l'Alberta, de la Saskatchewan et du Manitoba.

La fabuleuse chaîne des montagnes Rocheuses figure naturellement sur tout itinéraire de voyage dans ce coin de pays. Mais un tel périple resterait incomplet sans la visite de Calgary et de son fameux Stampede; des plaines ondulantes du sud de l'Alberta, de la Saskatchewan et du Manitoba; des magnifiques lacs et rivières du nord de ces provinces; de la métropole de la côte du Pacifique (Vancouver) ou de l'éblouissant littoral, des Gulf Islands et des vallées fruitières du sud de la Colombie-Britannique.

La région couverte par ce guide n'est connue des Européens que depuis 200 ans. Ce n'est en effet que vers la fin du XVIIIe siècle que les fils de l'explorateur français La Vérendrye aperçurent les Rocheuses, et c'est pendant la dernière décennie du même siècle que George Vancouver explora, pour le compte des Britanniques, la côte du Pacifique, le long de ce qui allait devenir la Colombie-Britannique. Le peuplement en est encore plus récent; il remonte à un peu plus de 100 ans dans le cas de l'Alberta, qui n'existe en tant que province, tout comme la Saskatchewan, que depuis 1905. Des peuples amérindiens habitaient ces territoires depuis au moins 11 000 ans, mais leur population n'a jamais été importante, ne comptant que 220 000 personnes dans tout le Canada à l'arrivée du découvreur Jacques Cartier, en 1534.

Géographie

Ce guide porte sur les quatre provinces les plus occidentales du Canada: la Colombie-Britannique, au bord du Pacifique, essentiellement occupée par d'importantes chaînes de montagnes; l'Alberta, qui commence sur le versant oriental des Rocheuses et s'étend vers l'est le long de la grande prairie centrale canadienne jusqu'à la province voisine: la Saskatchewan; enfin, toujours vers l'est, le Manitoba, coincé entre la Saskatchewan et l'Ontario. Ces provinces sont bordées au sud par les États-Unis (États de Washington sur la côte, puis de l'Idaho, du Montana, du North Dakota et du Minnesota à l'intérieur). L'Alaska longe la partie nord-ouest de la Colombie-Britannique, alors que le territoire canadien du Yukon borde sa partie nord. Les Territoires du Nord-Ouest, sous juridiction de l'État fédéral canadien, bordent le nord de l'Alberta et de la Saskatchewan ainsi que la partie nord-est de la Colombie-Britannique. Le Nunavut, ce territoire sous juridiction inuite depuis 1999, partage sa frontière méridionale avec le Manitoba.

La Colombie-Britannique est la plus grande de ces provinces avec 950 000 km², alors que l'Alberta couvre 660 000 km², la Saskatchewan 651 900 km² et le Manitoba, la plus petite, 650 000 km².

Sculptée par de nombreux fjords, très découpée et parée de centaines d'archipels, la côte de la Colombie-Britannique s'étire sur 7 000 km, sans compter le littoral des îles. La plus importante de celles-ci est l'île de Vancouver, de la grandeur des Pays-Bas, sur laquelle est située Victoria, la capitale provinciale. Bien qu'elle porte le même nom, Vancouver n'est pas située sur cette île, mais en face, sur le continent. Au nord s'étend l'archipel de la Reine-Charlotte. Malgré son territoire très maritime, les trois quarts du territoire de la Colombie-Britannique s'élèvent à plus de 930 m d'altitude, en plus de la Chaîne côtière, cette barrière montagneuse se dressant à 3 000 m qu'on aperçoit depuis la côte. De nombreuses chaînes de montagnes se succèdent de l'ouest à l'est, jusqu'à la fameuse cordillère des Rocheuses, dont les sommets peuvent atteindre 4 000 m. Cette chaîne de montagnes est dénudée du côté est, ce qui lui a valu son nom.

Au cours du précambrien, l'océan Pacifique couvrait la plus grande partie de l'Ouest canadien. Sur une période de quelque 500 millions d'années, l'océan avança puis se retira, laissant derrière lui des dépôts sédimentaires sur l'assise de roche précambrienne du Bouclier canadien, qui compte parmi les plus anciennes formations rocheuses sur Terre. Les organismes microscopiques nourris par la mer moururent alors, créant une énorme quantité de matière en décomposition qui donna naissance aux imposants gisements pétrolifères de l'Alberta. Lorsque survint le crétacé, il y a de cela quelque 75 millions d'années, l'océan Arctique avait déjà inondé la majorité des terres albertaines et avait formé une vaste mer intérieure dénommée Bearpaw.

Les dinosaures abondaient sur les rivages de cette mer subtropicale et sur les rives des fleuves qui s'y déversaient. Ils y vécurent pendant plusieurs millions d'années jusqu'au jour, il y a environ 70 millions d'années, où la plaque du Pacifique entra en collision avec la plaque nord-américaine, se trouvant du même coup soulevée jusqu'à former les chaînes de montagnes qui chevauchent aujourd'hui l'Alberta et la Colombie-Britannique. Peu à peu, ce phénomène géologique eut pour effet de modifier le climat, rafraîchissant l'atmosphère et faisant périr les dinosaures dans la foulée. C'était il y a 63 millions d'années. Puis, il y a près d'un million d'années, quatre calottes glaciaires polaires gagnèrent à leur tour les plaines et, en se retirant, sculptèrent les rivières et les lacs qui composent aujourd'hui le paysage de l'Alberta, de la Saskatchewan et du Manitoba.

Les cours d'eau en question divisèrent la province en régions naturelles. Le fleuve Mackenzie et les rivières Peace et Athabasca permettent l'agriculture jusqu'aux forêts boréales avant de se jeter dans l'océan Arctique. Ce sont toutefois surtout les rivières North Saskatchewan et Red Deer qui assurent l'irrigation des terres cultivées. Tout comme les rivières South Saskatchewan, Oldman et Bow, elles se jettent dans la baie d'Hudson.

Faune et flore

La faune et la flore des montagnes Rocheuses font l'objet d'un texte spécifique placé au début du chapitre décrivant cette région (voir p 371).

En Colombie-Britannique, malgré le peu d'espace laissé à la plaine, 56% du territoire est couvert de forêts. Le long de la côte, sur Haida Gwaii (les îles de la Reine-Charlotte) ainsi que sur le littoral ouest de l'île de Vancouver, on trouve une forêt tellement luxuriante qu'on l'appelle «forêt pluvieuse du Nord» (Northern Rain Forest) pour faire pendant aux forêts tropicales humides. Les sapins de Douglas *(Douglas firs)* et les cèdres rouges *(western red cedars)* s'y retrouvent en abondance, de même que le géant épicéa de Sitka *(Sitka spruce)*. Le sapin de Douglas peut y atteindre 90 m de hauteur et 4,5 m de diamètre. Cette forêt reçoit jusqu'à 4 000 mm de pluie par année, et l'on y retrouve des arbres ayant plus de 1 000 ans. La plupart des vieux sapins de Douglas ont toutefois été abattus au cours du siècle dernier. L'hinterland, plus élevé en altitude et plus sec, fait place aux vastes forêts de pins, d'épinettes et de sapins-cigües *(hemlocks)*.

En altitude, on trouve une forêt de type subalpin. Là réside le mélèze de Lyall, le seul conifère au Canada qui perd ses aiguilles en automne, après être devenues jaunes. Elles repoussent au printemps.

Les Gulf Islands les plus méridionales, protégées par l'île de Vancouver, connaissent un climat relativement sec et doux, à un point tel qu'on y trouve des cactus comme le figuier de Barbarie. Cette zone voit éclore des fleurs toute l'année, et plus particulièrement en avril et en mai.

Du sud-est de l'Alberta jusqu'à l'Ontario, les prairies recouvrent le sol. L'herbe y est omniprésente, sauf aux abords des rivières, où elle cède le pas aux cotonniers et aux saules. On trouve même des cactus dans les zones les plus méridionales. Les plaines s'élèvent et ondulent vers l'ouest jusqu'aux contreforts des Rocheuses, où poussent le tremble *(aspen)*, l'épinette blanche *(white spruce)*, le pin de Murray *(lodgepole pine)* et le sapin de Douglas.

Une tremblaie canadienne marque la transition entre les prairies du Sud et la forêt du Nord. La tremblaie et les plaines s'étendent sur la plus grande partie de cette région. Au-delà, plus de la moitié du territoire se couvre d'une forêt boréale émaillée de lacs, de marais et de tourbières. Dans la forêt boréale, il est fréquent qu'une invasion de parasites ou des feux de forêt permettent l'implantation d'un bois provisoire qui amorcera la régénération de la forêt originelle. L'épinette blanche, le pin de Murray et le sapin baumier *(balsam fir)* sont ici les essences les plus communes. On trouve enfin dans ce coin de pays des terres jonchées de framboisiers et d'amélanchiers *(Saskatoon berries)*.

Les eaux du Pacifique, réchauffées par le courant du Japon, se maintiennent à une température plus élevée que celles de l'Atlantique, refroidies par le courant du Labrador. Une faune et une flore marine particulières s'y trouvent donc. Par exemple, c'est le seul endroit au Canada où l'on rencontre la loutre de mer *(sea otter)*, bien qu'une chasse intensive ait failli l'éliminer complètement. Les otaries *(eared seals*, *fur seals* ou *sea lions)* sont également propres à la côte du Pacifique. L'otarie du Nord *(Northern sea lion)* fait fréquemment l'objet de campagnes de dénigrement de la part des pêcheurs, car elle serait le principal prédateur des saumons. Il est vrai que certaines otaries peuvent peser jusqu'à une tonne et ne semblent jamais cesser de manger.

Mais d'autres animaux se régalent aussi des saumons, si abondants sur la côte et dans les rivières, où ils remontent pour frayer: les grizzlis, ces gros ours généralement solitaires, qui s'assemblent pourtant pour festoyer lorsque le saumon abonde dans les rivières. Fin gourmet, le grizzli ne dégustera que les œufs et la tête! Les loups, les ours noirs, les ratons laveurs, les mouettes *(gulls)* et les pygargues à tête blanche se chargeront du reste. Mentionnons au passage que la côte du Pacifique recèle la plus importante population d'aigles à tête blanche *(bald eagles)* du Canada, un oiseau pratiquement disparu de la côte Atlantique.

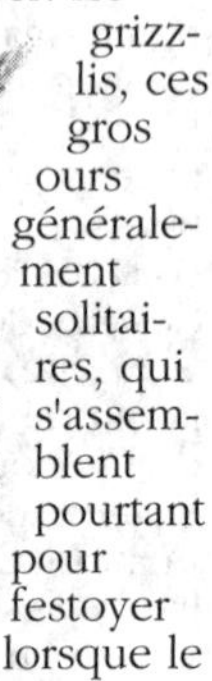
Framboisier

De nombreux épaulards *(orcas)* habitent, quant à eux, les eaux dans lesquelles baigne l'île de Vancouver, et il n'est pas rare de les apercevoir depuis les traversiers qui emmènent les voyageurs vers cette grande île. Il s'agit du seul mammifère marin qui se nourrisse d'animaux à sang chaud: phoques, bélugas (baleines blanches) et autres baleines plus petites. Ainsi s'explique probablement son surnom anglais de *killer whale* (baleine meurtrière).

L'automne venu, certains mammifères marins migrent de l'Alaska vers la Basse-Californie (Baja California), au Mexique, comme la baleine grise *(gray whale)*. Le printemps les voit remonter en Alaska.

Les forêts abritent une grande quantité de couguars, surtout dans l'île de Vancouver, où ils se nourrissent essentiellement de cerfs à queue noire *(Columbia blacktail deers)*.

Une impressionnante variété d'oiseaux et de mammifères habite les Prairies. Certaines espèces aviaires parmi les plus notoires sont l'aigle à tête blanche, qui vit autour des lacs septentrionaux, de même que le faucon des Prairies *(white prairie falcon)* et le faucon pèlerin *(peregrine falcon)*, souvent aperçus dans les plaines, fondant sur leur proie du haut des airs ou faisant une pause sur un piquet de clôture en bordure de la route. Enfin, le couloir de migration des cygnes trompettes *(trumpeter swans)* passe par l'Alberta.

Les lacs et rivières foisonnent de truites, dont on compte huit espèces différentes.

Histoire

Premières Nations

Les premiers habitants de l'Ouest canadien seraient ceux qui sont venus s'y installer il y a au moins 11 000 ans, lorsque le glacier Wisconsin se retira, ce qui ne veut pas dire qu'ils n'occupaient pas déjà le territoire américain avant cette date. Ce peuple trouva ici de nombreux troupeaux de bisons et autres gibiers, mais aussi de petits fruits sauvages et des racines comestibles. Ils avaient soin de ne rien perdre de ces précieuses ressources, utilisant les peaux des bêtes pour se vêtir, pour conserver leurs biens et pour s'abriter, transformant les os en outils, les cornes en cuillères et les bois de cerf en manches et en anses, se servant des plantes pour guérir leurs maux et des tendons comme fil. Ils employèrent aussi la glaise pour confectionner divers récipients.

Cette vaste immigration en plusieurs phases ne peut être associée tout de go à l'implantation en Amérique des tribus amérindiennes de la Côte Ouest. Certaines théories suggèrent en effet que ces dernières tribus origineraient plutôt des îles du Pacifique et auraient rejoint par mer à une date plus récente (vers les années 3000 avant J.-C.) les côtes du Canada et des États-Unis. Les tenants de cette théorie se basent à la fois sur les langues parlées ainsi que sur les arts et traditions des ces peuples qui ne sont pas sans rappeler celles des Autochtones des différents archipels du Pacifique.

Au XVIIIe siècle, cinq familles d'Amérindiens occupent le territoire entre la baie d'Hudson et les montagnes Rocheuses. La partie du Bouclier canadien recouverte de vastes forêts est le domaine des Ojibwés. Le sud des actuelles provinces du Manitoba et de la Saskatchewan est habité par les Assiniboines dans les plaines et les prairies, et par les Cris de l'Ouest dans les plaines et les forêts. Au sud et à l'ouest de ces deux derniers groupes, vivent les Pieds-Noirs (Blackfoots) et, complètement au nord, les Athabascans. Tous ces peuples seront bouleversés par l'arrivée des premiers colons européens, que ce soit par conflit direct avec ces colons ou avec un autre groupe autochtone déplacé par ces derniers, ou encore à cause de profonds changements dans la nature qui les entoure, par exemple la quasi-extinction des troupeaux de bisons des Prairies.

L'arrivée de négociants autour de la baie d'Hudson eut entre autres effets de faire circuler des outils en métal et des armes jusque dans les mains de certains Autochtones, avant même qu'ils n'aient aperçu un seul Européen. Le cheval était inconnu de ces peuples, et son apparition au début du XVIIIe siècle, à la suite de la conquête espagnole du Mexique, modifia pour toujours leurs méthodes de chasse. C'est ainsi que tomba en désuétude le

Des traités en Alberta

Le traité n° 6, signé par les Cris, les Assiniboines et les Ojibwés en 1876, marqua la cession de toutes les terres du centre de l'Alberta. L'année suivante, le traité n° 7 fut signé par les Pieds-Noirs, les Kainahs, les Péganes et les Sarsis (Sarcee). Toutes les terres situées au sud de celles visées par le traité n° 6 furent ainsi à leur tour cédées. Puis vint le tour, avec le traité n° 8, signé en 1899, des terres septentrionales des Beavers, des Cris, des Esclaves et des Chipewyans.

traditionnel «saut de bisons», qui consistait à refouler les troupeaux jusqu'à une falaise pour les y faire plonger.

L'histoire du Canada est marquée par une longue série de traités signés entre Amérindiens et Blancs. Dans l'Ouest, cette série débute au XIXe siècle, alors que les peuples autochtones, acculés à l'acculturation, se voient dans l'obligation de céder une partie de leur territoire à la Confédération canadienne. C'est alors que l'on commença à créer les réserves, qui abritent encore beaucoup de ces populations. Dans la plupart des cas, l'étendue des réserves fut établie selon un rapport de cinq habitants au mille carré (environ 2,5 km^{2}).

Lorsque les premiers colons européens arrivent sur la côte ouest du territoire qui deviendra la Colombie-Britannique, les Nootkas, les Coast Salishs, les Kwakiutls, les Bella coolas, les Tsimshians, les Haidas et les Tlinkits peuplent déjà ces terres. À l'intérieur du territoire, on retrouvait les Tagishs, les Tahltans, les Testsauts, les Carriers, les Chilcotins, les Salishs de l'Intérieur, les Nicolas et les Kootenays. Il semble que l'esclavagisme ait eu cours au sein des Salishs de l'Intérieur, chez qui trois classes sociales existaient.

Au moment de l'arrivée des premiers Blancs à la fin du XVIIIe siècle, la région de Vancouver est habitée par les Salishs (les autres familles linguistiques de la côte du Pacifique sont les Haidas, les Tsimshians, les Tlingits, les Nootka-Kwakiutls et les Bellacoolas). Tout comme leurs compatriotes, les Salishs profitent du climat exceptionnellement doux de la région et de l'abondance des ressources à portée de main: bélugas, saumons, phoques, petits fruits. Cet environnement favorable, conjugué à la barrière des montagnes toutes proches, permet à l'ensemble des tribus de la côte du Pacifique de constituer une population relativement nombreuse et nettement plus dense que celle des autres nations amérindiennes du centre et de l'est du Canada.

En 1820, on dénombre quelque 25 000 Salishs vivant le long du fleuve Fraser, de son embouchure, au sud de Vancouver, jusqu'aux hautes terres des Rocheuses. Tout comme les autres tribus, les Salishs sont sédentaires et vivent dans de longues habitations faites de troncs de cèdre rouge et regroupées en village. Ils échangent avec les autres tribus autochtones de la Côte lors des *potlachs*, ces célébrations cérémonielles au cours desquelles on s'offre des présents et fête pendant des semaines entières.

À la recherche d'une route pour la traite des fourrures

Le territoire qu'on appelle aujourd'hui les Prairies, et qui forme les provinces du Manitoba, de la Saskatchewan et de l'Alberta, avait été concédé en 1670 par la Couronne britannique à la Compagnie de la Baie d'Hudson, qui en assurait la gestion économique et politique.

La Compagnie de la Baie d'Hudson contrôlait le commerce sur l'ensemble de la Terre de Rupert, qui englobait toutes les terres se drainant dans la baie d'Hudson et couvrait, de ce fait, une grande partie du Canada actuel. Les négociants de la Compagnie de la Baie d'Hudson accusaient toutefois la concurrence des traiteurs de pelleteries français, communément appelés «voyageurs», qui n'hésitaient pas à pénétrer à l'intérieur des terres jusqu'à la source des fourrures, plutôt que d'attendre que les Autochtones ne les leur apportent aux postes de traite.

En 1691, Henry Kelsey, de la Compagnie de la Baie d'Hudson, fut le premier à poser les yeux sur la frontière orientale de l'Alberta. Encouragés par des rapports favorables sur ce territoire, les traiteurs de pelleteries indépendants de Montréal formèrent, en 1787, la Compagnie du Nord-Ouest, puis créèrent le premier poste de traite de l'Alberta, le fort Chipewyan, sur le lac Athabasca.

Ces postes de traite vinrent à servir de bases d'exploration, et, en 1792, Alexander Mackenzie traversa l'Alberta en empruntant la rivière Peace, devenant ainsi le premier homme à atteindre le Pacifique par le continent. Pour les compagnies, le seul et unique intérêt de l'Ouest tenait au commerce des pelleteries; cet état de fait devint même plus prononcé encore lorsque les compagnies du Nord-Ouest et de la Baie d'Hudson fusionnèrent en 1821. Mais vers la fin des années 1860, la population des castors commença à décliner, et les négociants se tournèrent plutôt vers le bison, tant et si bien qu'après 10 ans de chasse et de commerce il ne restait que bien peu de ces majestueux mammifères qui erraient jadis à l'état sauvage. Cet état de fait eut de dures conséquence pour les Amérindiens, dont la survie dépendait du bison. Ils n'eurent d'autre choix que de s'entendre avec les autorités canadiennes; ils donnèrent leurs terres et furent confinés sur des réserves.

D'autre part, les compagnies vouées au commerce des pelleteries n'avaient d'yeux, comme on l'a déjà dit, que pour les fourrures et, bien qu'elles fussent des autorités administratives, ne se souciaient nullement de faire régner l'ordre sur leur territoire. Cette nonchalance ne tarda pas à attirer les trafiquants de whisky étasuniens au nord de la frontière. À la suite de la diminution des troupeaux de bisons, les Autochtones étaient mis à mal, et le plus souvent exploités par les Américains, sans parler de l'effet abrutissant du whisky sur leur population. Divers soulèvements, dont l'un qui conduisit au «massacre des monts Cypress» (voir p 508), entraînèrent la création de la «police montée» du Nord-Ouest, et c'est alors que débuta la «marche vers l'ouest». Au départ du fort Garry, à Winnipeg, la police se fit conduire à travers les plaines par James Macleod. Sa présence mit fin au commerce illégal du whisky à Fort Whoop-Up en 1874, après quoi elle s'employa à construire quatre forts dans le sud de l'Alberta, entre autres le fort Macleod et le fort Calgary.

Qui plus est, ces compagnies firent tout pour décourager la colonisation de la région pour laisser libre court au commerce des fourrures. À cette époque, les États-Unis, qui venaient de terminer leur guerre civile, ne cachaient pas leurs intentions de conquérir la partie britannique de l'Amérique du Nord, aujourd'hui le Canada. Ils avaient acheté l'Alaska en 1867 de la Russie, et le Minnesota adopta en 1868 une résolution favorisant l'annexion des Prairies canadiennes.

Ces velléités étasuniennes inquiétaient au plus au point les dirigeants de la nouvelle confédération canadienne de 1867, qui finirent par s'entendre avec la Grande-Bretagne et la Compagnie de la Baie d'Hudson pour acquérir les Territoire du Nord-Ouest en 1868.

Cette annexion se fit cependant sans aucune consultation avec les populations établies dans les Prairies, à majorité métisse. Les Métis résistèrent et empêchèrent le gouverneur nommé par le Canada d'occuper ses fonctions.

Leur chef, Louis Riel, tenta d'obtenir la reconnaissance des titres de son peuple, mais le gouvernement canadien fit la sourde oreille. Riel se rendit alors maître du Manitoba avec ses cavaliers, ce qui obligea Ottawa à négocier. Finalement, on créera la province bilingue du Manitoba le 15 juillet 1870. Elle n'est dotée, à cette époque, que d'un minuscule territoire, plus petit que la Belgique, et de la plupart des pouvoirs dont bénéficient les autres provinces, sauf ceux reliés aux ressources naturelles et à l'aménagement du territoire. Ces circonstances allaient influencer jusqu'à nos jours les relations entre le gouvernement canadien et ce qui allait devenir les trois provinces des Prairies, le Manitoba, la Saskatchewan et l'Alberta.

Une quinzaine d'années plus tard, les Métis rappelleront leur chef en exil, Riel, pour faire face à une situation semblable, cette fois en Saskatchewan. Ottawa est cependant en meilleure position et dispose de troupes qui materont la révolte. Riel sera accusé de trahison en vertu d'une vieille loi britannique, puis pendu.

Isolement de la côte du Pacifique

C'est George Vancouver (1757-1798) qui, au nom du roi d'Angleterre, prendra possession du territoire où se développera la ville de Vancouver. Le capitaine Vancouver venait ainsi mettre fin aux prétentions des Russes et des Espagnols sur la région. Les premiers, installés en Alaska, auraient bien voulu prolonger leur empire vers le sud, alors que les seconds, déjà bien établis en Californie, auraient voulu faire de même vers le nord. Des explorateurs espagnols auraient même pénétré brièvement dans le Burrard Inlet dès le XVIe siècle. Mais ce pays du bout du monde ne devait pas attiser suffisamment les convoitises pour déclencher des guerres sanglantes, et il fut laissé à lui-même encore longtemps.

Cet isolement et ce caractère impénétrable n'étaient pas que marins, car les montagnes Rocheuses constituaient un obstacle pratiquement infranchissable sur le plan terrestre. Comment traverser l'immense continent nord-américain au départ de Montréal, suivre les lacs et les rivières du Bouclier canadien, s'épuiser dans les Prairies infinies pour aboutir à un mur haut de plusieurs milliers de mètres qu'il fallait à tout prix franchir afin d'apercevoir le Pacifique? C'est l'aventurier et richissime marchand de fourrures Simon Fraser qui sera le premier, en 1808, à atteindre le site de Vancouver depuis l'intérieur des terres. Mais cette percée tardive sera de bien courte durée, car Fraser devra se replier rapidement sur ses postes de traite des Rocheuses, n'arrivant pas à conclure d'accords commerciaux viables avec les tribus autochtones du Pacifique.

Aussi les Salishs de la région de Vancouver continueront-ils encore longtemps à évoluer paisiblement sans que leurs mœurs soient bousculées par les Blancs. Mis à part la visite sporadique de quelques navires russes, espagnols ou britanniques venus échanger des peaux contre des tissus et des objets de l'Orient, les Autochtones, en cette année 1808, conservent intactes les traditions de leurs ancêtres. On peut même affirmer que l'influence des Européens demeurera minime avant le milieu du XIXe siècle, alors que le territoire s'ouvre lentement à la colonisation.

En 1818, un accord entre la Grande-Bretagne et les États-Unis crée le condominium de l'Oregon, une vaste zone réservée à la traite des fourrures le long du Pacifique entre la Californie, au sud, et l'Alaska, au nord. On éloigne ainsi une fois pour toutes les gouvernements russe et espagnol. Les employés de la Compagnie du Nord-Ouest ratissent la vallée du fleuve Fraser à la recherche de bêtes à fourrure. Ils doivent affronter les Autochtones du Pacifique, auxquels ils viennent soutirer une précieuse ressource, et doivent s'adapter aux cours d'eau tumultueux des Rocheuses, qui rendent le transport par canot pratiquement impossible. À la suite de l'absorption de la Compagnie du Nord-Ouest par la Compagnie de la Baie d'Hudson, un important comptoir de traite de fourrures voit le jour à Fort Langley en 1827, situé le long du fleuve Fraser et à quelque 90 km à l'est du site actuel de Vancouver, qui demeurera vierge durant quelques décennies encore.

Contrairement aux Prairies, qui furent tout simplement annexées à la confédération canadienne en 1868, la Colombie-Britannique, qui était déjà une colonie de la Grande-Bretagne, put négocier son rattachement à la Confédération. Auparavant isolée sur la côte du Pacifique, elle avait pour principal partenaire économique la Californie. Avec l'accroissement de sa population pendant la ruée vers l'or de l'hinterland en 1858, certains habitants espéraient même en faire un pays indépendant. Mais ces espoirs s'estompèrent à la fin de cette période de prospérité, car la population de la Colombie-Britannique diminua, pour ne compter en 1871 que 36 000 habitants. La Grande-Bretagne avait déjà fusionné sa colonie de l'île de Vancouver à celle de la Colombie-Britannique en prévision de leur intégration à la nouvelle confédération canadienne.

Le Canada promit à la Colombie-Britannique que le chemin de fer transcanadien la desservirait dès 1881, et, en 1871, elle accepta d'entrer dans la Confédération. Pourtant, toutes sortes de problèmes retardèrent la construction de la voie ferrée; en 1873, devant la récession sévissant au Canada et les retards importants dans la construction du chemin de fer, la Colombie-Britannique menaça de se séparer. Ce n'est que le 7 novembre 1885 que le chemin de fer fut achevé entre Montréal et Vancouver, avec quatre ans de retard.

Colonisation du territoire

Au fur et à mesure de l'expansion du chemin de fer, de plus en plus de paysans s'établirent sur ces terres qu'on appelait «Territoire du Nord-Ouest». Ce territoire ne disposait cependant pas d'un gouvernement provincial responsable. On se souvient que le Canada avait annexé les Prairies sans leur donner le statut de province, sauf pour une petite partie qui devint la province du Manitoba. Inévitablement, le Canada dut créer, en 1905, les provinces de l'Alberta et de la Saskatchewan, et agrandir le territoire du Manitoba.

La majorité des colons arrivèrent lorsque le chemin de fer du Canadien Pacifique atteignit Fort Calgary en 1883, de même que huit ans plus tard, en 1891, lorsque la ligne septentrionale du Grand Trunk Railway parvint à Edmonton. Des éleveurs étasuniens et canadiens s'approprièrent d'entrée de jeu d'immenses pans de territoire assortis de permis de pâturage, certaines propriétés, comme dans le cas du Cochrane Ranch, à l'ouest de Calgary, comptant 40 000 ha. Une grande partie de ces terres sans fin fut également attribuée à des *homesteaders* (colons auxquels l'État concédait, sous certaines conditions, 65 ha de terres).

Aux yeux des habitants de la Côte Est, l'Ouest n'était que ranchs, rodéos et terres bon marché, mais la réalité se traduisait plus souvent qu'autrement par une hutte en mottes de gazon et une grande solitude. S'il est vrai qu'il pouvait légalement devenir propriétaire d'un lopin de terre pour 10$, le *homesteader* devait d'abord cultiver le sol et posséder un certain nombre de têtes de bétail. Malgré tout, les innombrables promesses d'avenir qu'offrait ce coin de pays attiraient sans cesse de nouveaux arrivants de partout, si bien qu'entre 1901 et 1911 la population de l'Alberta passa de 73 000 à 375 000 habitants.

Les années difficiles

La vie était très dure dans l'Ouest canadien au début du XXe siècle. Par exemple, les mines de charbon de l'Alberta et de la Colombie-Britannique étaient les plus dangereuses de l'Amérique: à la fin du XIXe siècle, on y comptait 23 accidents mortels par million de tonnes extraites, alors qu'aux États-Unis on n'en comptait que six. Pour les fermiers venus cultiver le blé, les tarifs de transport ferroviaire très élevés, l'absence de dessertes ferroviaires locales, un prix du blé trop bas, des années de mauvaises récoltes et des tarifs douaniers trop élevés pour protéger l'industrie naissante dans le centre du Canada se conjuguaient pour créer une vie de misère et de désespoir. En Colombie-Britannique, 7 000 mineurs firent la grève pendant deux ans, de 1912 à 1914, pour l'amélioration de leurs conditions de travail, une grève finalement brisée par l'intervention de l'Armée canadienne. Certains aménagements améliorèrent la situation, comme l'établissement en 1897 du tarif du Crow's Nest Pass pour le transport du grain. Mais c'est la Première Guerre mondiale qui créera temporairement la prospérité, de 1914 à 1920, provoquant une augmentation du prix des matières premières et du blé.

L'agitation des travailleurs n'en cessa pas pour autant, et, en 1919, les syndicats ouvriers de l'Ouest créèrent leur propre centrale, One Big Union, qui se donna pour objectif l'abolition du capitalisme tout en appuyant les bolcheviks russes. Une grève générale à Winnipeg allait toutefois rapidement faire éclater la division au sein même des travailleurs quant aux buts à poursuivre et exposer la détermination du Canada à ne pas laisser le pays adopter l'idéologie marxiste. Les années 1920 permirent par la suite à l'Ouest de connaître la prospérité, et les provinces des Prairies purent poursuivre l'aménagement de leur territoire, étant alors essentiellement des provinces agricoles.

La grande crise de 1929 affecta naturellement l'Ouest canadien, et plus particulièrement les Prairies, qui virent leurs revenus agricoles diminuer de 94 % entre 1929 et 1933! La concentration quasi exclusive de la culture du blé les affecta une fois de plus très durement.

Cette période vit l'éclosion de deux mouvements politiques issus de l'Ouest canadien qui y demeurèrent presque totalement confinés, le Crédit social *(Social Credit)* et le CCF *(Cooperative Commonwealth Federation)*. La doctrine du Crédit social, qui prônait la libération des petits fermiers et ouvriers de l'emprise capitaliste en fournissant du crédit sans intérêt, fut poussée à son paroxysme par William Aberhart, élu premier ministre de l'Alberta en 1935. Son gouvernement osa défier le système capitaliste comme jamais aucun autre gouvernement provincial ne l'avait fait (et comme aucun ne le fera par la suite): en 1936, l'Alberta refusa de rembourser des obligations échues, coupa unilatéralement de moitié les intérêts qu'elle payait sur ses emprunts, se mit à émettre sa propre monnaie, empêcha les saisies pour défaut de paiement et alla même jusqu'à imposer à la presse provinciale de publier le point de vue du gouvernement canadien.

Une à une, ces lois albertaines furent annulées par le gouvernement fédéral ou la Cour suprême du Canada, mais Aberhart réussit à faire croire à la population qu'elle était victime d'une conspiration du gouvernement canadien allié aux capitalistes, si bien qu'il fut réélu en 1940. Il décéda en 1943 et fut remplacé par Ernest Manning, élu en 1944; celui-ci fit rentrer le Crédit social dans la légalité et élimina du parti toute la rhétorique anticapitaliste. Il régla tous les conflits en suspens concernant la dette de l'Alberta, avec pour résultat que cette province put de nouveau bénéficier des capitaux des investisseurs. En 1947, d'importants gisements de pétrole sont découverts, et, dès lors, la province profite d'une prospérité sans précédent grâce aux investissements étrangers dans l'industrie du pétrole et du gaz, et grâce aux royautés qu'elle en retire.

Quant au CCF, il atteint le sommet de sa puissance en 1933, alors qu'il devient l'opposition officielle en Colombie-Britannique. Émanation du Parti socialiste, des syndicats ouvriers et des associations de fermiers, ce parti ne prit jamais le pouvoir, mais influença l'agenda politique et donna finalement naissance au Nouveau Parti démocratique *(New Democratic Party* ou *NDP)*.

Au début du XXe siècle, l'activité économique de Vancouver se déplace graduellement de Gastown vers les terrains du Canadien Pacifique. Cependant, les industries du bois et de la pêche continuent encore à faire vivre la majorité de la population, qui loge dans des campements de fortune autour de la grande ville. En 1913, la ville a l'allure d'un adolescent dégingandé qui pousse trop vite. C'est alors qu'une crise économique majeure survient, mettant un terme pour un temps au bel optimisme des lieux. L'ouverture du canal de Panamá en 1914 et la fin de la Première Guerre mondiale permettront à Vancouver de se sortir lentement de cette crise, seulement pour y être replongée lors du krach mondial de 1929.

Les temps modernes

Les deux partis originaires de l'Ouest, le Crédit social et le CCF, ne réussirent jamais à jouer un rôle important au fédéral. L'arrivée de John Diefenbaker à la tête du gouvernement fédéral en 1957, premier dirigeant canadien issu de l'Ouest (Saskatchewan), acheva de marginaliser ces partis. Sous la gouverne de ce premier ministre, véritable représentant de l'Ouest, ainsi que sous celle du premier ministre libéral qui lui succéda, Lester B. Pearson, qui comprit réellement la nécessité de donner plus de pouvoirs aux provinces, les revendications de l'Ouest pouvaient sembler chose du passé. Elles reprirent cependant avec une vigueur renouvelée dans les années 1970, alors que le pétrole, dont l'Alberta est très riche, devint un enjeu mondial et que le premier ministre Trudeau tenta diverses manœuvres pour affaiblir les provinces, imposant des politiques impopulaires comme le transfert au fédéral des pouvoirs sur les ressources naturelles ou le bilinguisme pancanadien, même dans les provinces de l'Ouest où le fait francophone avait été presque éliminé depuis deux générations.

À la fin des années 1970, le boom pétrolier de l'Ouest, combiné au ralentissement économique en Ontario et au Québec, fit de l'Alberta la province aux plus hauts revenus *per capita*, et elle connut presque le plein-emploi. Ces performances records lui firent perdre beaucoup de crédibilité quant à ses revendications pour un plus grand contrôle sur son pétrole et son gaz. La cassure avec le gouvernement central s'amplifia, et, à l'élection fédérale de 1980, la

Colombie-Britannique et l'Alberta ne firent élire aucun député du parti au pouvoir. Ce dernier, le Parti libéral, dirigea donc le Canada jusqu'en 1984 sans aucun représentant de ces deux provinces. Le sentiment d'aliénation de l'Ouest culmina avec le Programme énergétique national, mis de l'avant par le gouvernement Trudeau en 1980. Ce programme prévoyait que le gouvernement fédéral s'approprierait une part de plus en plus importante du prix du pétrole et du gaz naturel canadien, les provinces et les producteurs ne recevant qu'une mince part des profits générés par la flambée des cours mondiaux.

Cette appropriation par le fédéral de ressources naturelles privées, réglementées par les provinces depuis la Confédération, fut fortement dénoncée en Alberta et fut un des facteurs de la chute du gouvernement libéral fédéral en 1984, avec le rapatriement de la Constitution sans l'accord du Québec survenu en 1982. Des mouvements séparatistes de l'Alberta recevaient même, au début des années 1980, l'appui de 20% de la population et firent élire un député au parlement albertain en 1981.

Le gouvernement conservateur de Brian Mulroney, successeur fédéral du gouvernement libéral de Pierre E. Trudeau, qui avait gouverné le Canada presque sans interruption pendant 17 ans, élimina le Programme énergétique national tant honni, mais il ne put conserver la faveur populaire dans l'Ouest après son deuxième mandat. Les raisons de ce rejet sont celles qui lui firent perdre les élections de 1993: incapacité de réduire le déficit hérité du laxisme du gouvernement Trudeau, corruption à grande échelle et incapacité à convaincre la population des avantages de ses décisions importantes, comme l'Accord du libre-échange nord-américain et, surtout, les accords constitutionnels du Lac Meech.

Canalisant les éléments séparatistes albertains ainsi que l'extrême droite déçue par la mollesse du gouvernement Mulroney, Preston Manning, un Albertain, avait fondé à Vancouver, en 1987, le Reform Party (Parti de la réforme). Ce parti prône entre autres la réduction des dépenses du gouvernement fédéral et l'élimination des services en français dans les provinces de l'Ouest. Aux élections fédérales de 1993 et de 1997, l'Ouest appuya massivement le Reform Party.

En même temps, en réaction directe au rejet des accords du Lac Meech par le Canada anglais, les Québécois accordaient un appui massif au Bloc québécois, parti qui prône l'indépendance du Québec. Celui-ci devient même l'opposition officielle au sein du Parlement fédéral, alors que le Reform Party prit cette place lors des élections de 1997.

Cette élection et la répartition parlementaire qui en résulte illustrent le risque de désintégration du Canada. Une fois de plus, l'Ouest se retrouve hors du gouvernement, comme à l'époque du gouvernement Trudeau. En s'alliant au Québec, cette région pourrait cependant jouer un rôle important dans la redéfinition du Canada.

La question d'une éventuelle sécession de la Colombie-Britannique a été soulevée vers la fin des années 1980, et a depuis refait surface à maintes reprises. Sa santé économique dépendant davantage de l'Asie que du Canada, cette province ne manifeste en effet qu'un intérêt restreint pour tout ce qui se passe à Ottawa. Qui plus est, ses industries reposent dans une très grande mesure sur l'exploitation de ressources naturelles régies par la province elle-même, exception faite des pêcheries. Le sentiment est d'ailleurs partagé, puisque Ottawa ne s'ingère guère dans les affaires de la province et ne s'attarde que rarement aux problèmes de la Colombie-Britannique. De ce fait, les interminables débats constitutionnels irritent au plus haut point les habitants de cet «État» dans l'État.

À l'heure actuelle, un parti social-démocrate (de gauche), le Nouveau Parti démocratique (NDP), gouverne la Saskatchewan et le Manitoba. Tandis que les citoyens de la Colombie-Britannique avaient élu dans les années 1990 un gouvernement néo-démocrate (Nouveau Parti démocratique – NPD) (les partis de droite, soit les conservateurs, et de gauche, soit les néo-démocrates, alternent depuis une bonne trentaine d'années dans la province, les deux tendances politiques se succédant au pouvoir par le jeu du suffrage), en 2001 un gouvernement libéral fut porté au pouvoir. Pendant la première année de leur mandat, et faisant face à un déficit budgétaire de deux milliards de dollars, les libéraux diminuèrent les impôts sur le revenu, annoncèrent l'abolition de nombreux postes dans la fonction publique provinciale, comprimèrent les dépenses en santé et en services sociaux, et ne se firent pas d'amis non plus dans les syndicats en déclarant illégales les grèves du corps enseignant.

En 2000, le Reform Party est devenu la Canadian Alliance, un nouveau parti avec un nouveau chef, Stockwell Day. En 2002, après une brève période avec Day comme prodige du parti et une période prolongée de luttes internes plutôt embarrassantes, les membres du parti remplacèrent Day par Stephen Harper, maintenant le chef de l'opposition officielle à Ottawa. Même si la force du parti est encore largement efficace dans l'Ouest canadien, aux élections fédérales de 2000 seulement deux membres de l'Alliance furent élus en Ontario.

Au provincial, l'Alberta est quant à elle dirigée en ce moment par un des gouvernements les plus à droite au Canada, les conservateurs de Ralph Klein.

Système politique canadien

Le document constitutionnel à la base de la Confédération canadienne de 1867, l'Acte de l'Amérique du Nord britannique, a instauré une division des pouvoirs entre deux ordres de gouvernement. Ainsi, en plus du gouvernement canadien, situé à Ottawa, les 10 provinces canadiennes possèdent respectivement un gouvernement ayant des pouvoirs de légiférer dans certains domaines. À l'origine, le Pacte con-fédératif prévoyait une répartition décentralisée des pouvoirs; depuis une cinquantaine d'années cependant, l'État canadien a eu tendance à s'immiscer de plus en plus dans les champs de juridiction initialement réservés aux provinces, créant des tensions entre le gouvernement de certaines provinces et le gouvernement fédéral.

Calqué sur le modèle britannique, le système politique canadien, tout comme celui des provinces, accorde le pouvoir législatif à un parlement élu au suffrage universel selon le mode de scrutin uninominal à majorité simple. Ce mode de scrutin conduit généralement à une alternance au pouvoir entre deux formations politiques. En plus de la Chambre des communes, le gouvernement fédéral possède également une Chambre haute, le Sénat, qui fut départie peu à peu de ses pouvoirs réels et dont l'avenir reste maintenant incertain.

Économie

Au début des années 1980, l'Alberta était la plus riche province canadienne, suivie de la Colombie-Britannique. Alors que l'Alberta se trouve toujours en tête du peloton, la deuxième est désormais l'Ontario. En 1998, le produit national brut (PNB) *per ca-*

pita en Colombie-Britannique s'est retrouvé sous la moyenne canadienne: selon les analystes, en auraient été responsables des facteurs comme la chute des prix et la faible demande pour des produits tels que le bois d'œuvre, le poisson et les minerais, sur lesquels la prospérité de la province s'appuie; la période de récession prolongée au Japon, un important marché d'exportation; et la politique économique du gouvernement provincial dans les années 1990, qui lui aliéna les appuis des chefs d'entreprise.

Plus récemment (2002), l'United States Commerce Department (le ministère du commerce étasunien) a imposé une surtaxe de 29% sur les importations de bois d'œuvre résineux en provenance du Canada, pour compenser les subsides dont bénéficient les producteurs de bois canadiens et pour faire obstacle à la politique contractuelle des prix du bois d'œuvre. Les moulins à scie de la Colombie-Britannique, et tous ceux qui en dépendent pour gagner leur vie, furent durement touchés par cette surtaxe.

En Colombie-Britannique, seulement 2% du sol est utilisé pour l'agriculture, mais d'une manière très efficace. On y trouve surtout des fermes laitières et des centres d'élevage de volailles. La culture des petits fruits, des légumes et des fleurs occupe aussi une place non négligeable. Dans la vallée de l'Okanagan, on trouve de nombreux vergers et vignobles, tandis que, dans le centre de la province, s'étendent de très grands ranchs où l'on élève des bovins et des ovins.

L'industrie forestière demeure le secteur économique le plus important en Colombie-Britannique, avec plus de 30% de son produit intérieur brut. Le tourisme arrive maintenant en deuxième place, et le secteur des mines en troisième.

L'Alberta, la Saskatchewan et le Manitoba sont d'importants producteurs de céréales (les Prairies produisent presque tout le blé canadien). L'économie du Manitoba, en plus de compter sur l'agriculture, est aussi basée sur un fort secteur des services et sur l'industrie minière, entre autres 75% de métaux tels que le cuivre, le zinc et surtout le nickel dont elle est le premier producteur mondial.

Outre le blé, la Saskatchewan produit du canola, du seigle, de l'avoine, de l'orge et du lin. Ses terres font aussi vivre d'importants troupeaux de porcs et de bovins, tandis que les denses forêts du nord de la province alimentent très bien l'industrie du bois. Son sous-sol est quant à lui riche en minéraux, sans oublier le pétrole, l'uranium, le charbon et le gaz naturel. De plus, la province compte parmi les plus grands exportateurs de potasse au monde.

L'Alberta est la province qui compte le plus de ranchs destinés à l'élevage du bœuf. La plus grande partie du rendement des terres de l'Alberta repose d'ailleurs sur quelque 4 millions de têtes de bétail. Ces ranchs sont concentrés dans le sud de la province et au pied des Rocheuses, là où la sécheresse du sol et les pentes importantes feraient obstacle à la culture.

L'industrie pétrolière figure toujours au premier plan de l'économie albertaine, représentant plus de 10% du produit intérieur brut, et ce, bien que le boom soit terminé. Au second rang vient le tourisme; le gaz naturel, le charbon, les minerais, les ressources forestières et l'agriculture complètent le tableau.

Population

Sur ce vaste territoire qu'est l'Ouest canadien, la population totale oscille autour de 9,2 millions. En majorité d'origine britannique, amérindienne et française, cette population compte un fort pourcentage d'immigrants de l'Europe ou de l'Asie venus s'installer ici au début du XXe siècle ou plus récemment.

La population totale de la Saskatchewan est de 1 024 000; tout comme la province de Terre-Neuve-et-Labrador, la Saskatchewan voit sa population diminuer. Cette population a ceci de particulier que, contrairement aux autres provinces canadiennes, la majorité des habitants sont de descendance autre que britannique, française ou amérindienne. Ses origines diverses se composent principalement d'Allemands, d'Ukrainiens, de Scandinaves, de Hollandais, de Polonais et de Russes.

Le Manitoba compte, pour sa part, 1 150 000 habitants, dont 60% vivent dans l'agglomération de la capitale, Winnipeg. Fait à noter, le Manitoba est, en dehors de l'Ukraine même, le plus important centre de culture ukrainienne au monde. On y trouve aussi une importante population mennonite. Sans oublier bien sûr les 128 000 Manitobains d'origine métisse ou amérindienne.

La majorité de la population albertaine, soit près de 3 millions de personnes, vit dans le sud de la province, alors que 20% de la population totale habite les régions rurales. L'agglomération d'Edmonton compte plus de 938 000 personnes; celle de Calgary, plus de 952 000. De plus, les moins de 40 ans comptant pour près des deux tiers de la population de la province, l'Alberta a, par conséquent, une des populations les plus jeunes du monde occidental. Le groupe ethnique le plus important vivant en Alberta se compose de descendants des *homesteaders*, originaires des îles Britanniques et attirés ici au tournant du XXe siècle. Le second est celui des Allemands, dont la migration a porté sur une longue période. Les huttériens allemands d'aujourd'hui vivent en communautés fermées dans diverses régions du centre et du sud de la province; on les reconnaît à leurs vêtements traditionnels, tout à fait distinctifs. Le troisième groupe en importance est celui des Ukrainiens, qui avaient quitté leur sol natal devant la promesse de terres gratuites. Le quatrième est celui des Français, les traiteurs de pelleteries et les missionnaires français ayant été les premiers habitants permanents de l'Alberta. Parmi les autres groupes, qu'il suffise de mentionner les Chinois, les Scandinaves et les Hollandais.

La population de la Colombie-Britannique est de plus de 4 millions, soit 13% de la population canadienne, dont plus de la moitié vivent à Victoria et à Vancouver, qui compte près de 2 millions d'habitants (la ville elle-même compte 543 000 habitants). L'agglomération de Victoria accueille pour sa part 312 000 personnes. Près de 90% du territoire appartient à l'État (gouvernement provincial).

Dans ses premières années, la Colombie-Britannique accueillait déjà une population aux origines variées, mais la saveur dominante était nettement britannique, un héritage de l'époque coloniale. La ruée vers l'or de l'hinterland de 1858 avait aussi attiré des Américains et un premier contingent de Chinois qui allait bientôt créer le Chinatown de Vancouver, le nombre d'habitants ayant considérablement augmenté à la suite de l'achèvement du chemin de fer du Canadien Pacifique (1886), qui employait à l'époque une nombreuse main-d'œuvre d'origine asiatique. Bientôt, une communauté japonaise allait voir le jour, diversifiant ainsi le portrait «Pacifique» de la ville. Aujourd'hui, la communauté asiatique de Vancouver, la plus importante du Canada, compte 300 000 personnes. Des immigrants venus d'Europe (en particulier l'Allemagne, la Pologne, l'Italie et la Grèce) s'ajoutèrent à la population de Vancouver au cours du XXe

siècle, formant une mosaïque culturelle particulièrement riche. Aujourd'hui, les Vancouverois de descendance britannique forment moins du tiers de la population totale. Il ne faudrait pas oublier les Canadiens français, qui sont environ 60 000.

Dans ces provinces, seulement un faible pourcentage des habitants peuvent s'exprimer dans les deux langues officielles du Canada, le français et l'anglais. Le reste de la population ne parle généralement qu'anglais.

L'Ouest a été colonisé en l'espace de quelques années seulement par des hommes et des femmes aux racines très variées, et, en l'absence de précurseurs à même de les absorber ou de les aliéner, ces nouveaux venus eurent tôt fait de découvrir que la géographie et l'histoire des lieux avaient donné naissance à une sous-culture canadienne dans l'Ouest. En tant que population, ils ont toujours été inspirés par leur avenir commun plutôt que par leurs passés disparates.

Amérindiens

Après avoir frôlé la disparition totale à cause des maladies auxquelles les premiers Européens les ont exposés à la fin du XIXe siècle, les Amérindiens de l'Ouest connaissent maintenant une forte croissance de leur population. En 1870, on dénombrait pas moins de 80 000 Autochtones en Colombie-Britannique. En 1934, des maladies telles que la scarlatine, la tuberculose et la variole, pour lesquelles leur système immunitaire n'avait pas développé d'anticorps, ont fait chuter le nombre d'Amérindiens sous les 24 000. Ils étaient près de 140 000 en 1996, ce qui représentait environ 3,5% de la population totale de la province.

Totem

Même si l'on assiste à une augmentation importante de la population autochtone, on ne peut parler d'une véritable renaissance, puisque entre-temps plusieurs des Premières Nations ont disparu à jamais, à l'instar des Salishs de la Côte Ouest, qui peuplaient autrefois la région de Vancouver, emportant avec eux leurs rites et leurs traditions. D'autres communautés sont, malgré leur grande visibilité, encore bien fragiles.

Les deux tiers des Amérindiens de l'Ouest vivent sur des réserves. Certaines de ces terres sont grandes comme la Suisse, alors que d'autres n'ont même pas la superficie de l'île de la Cité à Paris. C'est notamment le cas de la réserve Capilano de North Vancouver, complètement encerclée par la ville, qui couvre à peine trois coins de rue. Les réserves sont des «créations» de la Loi sur les Indiens adoptée en 1867 par le gouvernement fédéral canadien, et ne correspondent pas toujours au territoire traditionnel des différentes tribus autochtones. Certaines d'entre elles sont aménagées à l'emplacement d'anciennes missions d'évangélisation catholiques ou protestantes, alors que d'autres sont le résultat d'un rejet vers des zones lointaines et parfois inhospitalières. Toutes les réserves sont gérées par un conseil de bande redevable au ministère canadien des Affaires indiennes et du Nord.

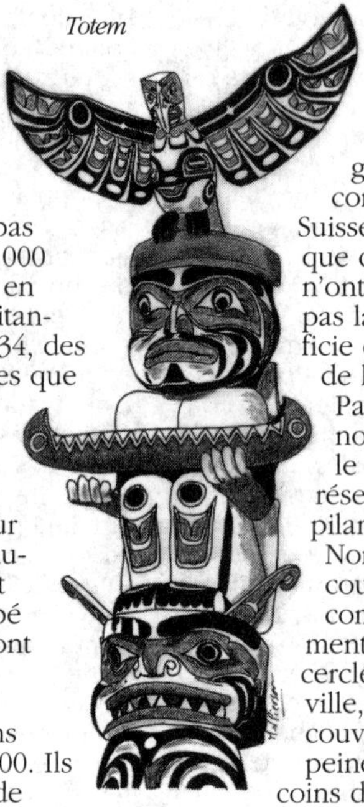

Les Autochtones qui habitent une réserve ont droit à certains avantages. Ainsi, ils ne paient pas d'impôt sur le revenu ni de taxes sur les biens et services. Ils ont aussi droit à l'éducation gratuite du niveau primaire jusqu'à l'université inclusivement. Enfin, les soins de santé tels que l'examen des yeux, l'achat de lunettes et les soins dentaires sont payés par l'État. Jusque dans les années 1950, la Loi sur les Indiens avait également pour objet de dépouiller les Autochtones de leurs cultures traditionnelles. Ainsi les langues, les cérémonies et les rituels amérindiens étaient-ils interdits. Les enfants étaient séparés de leurs familles, pour être envoyés dans des pensionnats où ils apprenaient à devenir de «bons petits Blancs» parlant anglais et s'habillant à l'occidentale, au point qu'à leur retour à la maison père et fils ne se comprenaient même plus.

Depuis 1960, les Autochtones de la Colombie-Britannique tentent tant bien que mal de faire revivre leur culture et leurs traditions. Les artistes haidas des îles de la Reine Charlotte se sont fait con-naître dans le monde entier par leurs sculptures, notamment leurs totems et leurs bijoux. En outre, plusieurs nations autochtones sont impliquées dans la défense des magnifiques forêts de la province, qui représentent, pour les uns, un lieu de paix et d'équilibre, et pour les autres, une ressource à exploiter pour faire des bardeaux, des meubles et du papier. Les manifestations pour préserver l'intégrité de l'île de Vancouver ont donné lieu à de multiples échauffourées entre Amérindiens et écologistes, d'un côté, et bûcherons, de l'autre (les fameux *loggers*).

Le seul traité signé en Colombie-Britannique dans les temps modernes prit effet en 2000, soulevant une vive controverse: la nation Nisga'a a été dédommagée. Quelque 2 000 km^2 de terres lui furent cédées dans la basse vallée de la rivière Nass, dans le nord de la Colombie-Britannique, en plus des droits d'exploitation du sous-sol et des pouvoirs de gouvernement autonome. En 2002, la nation Haida a intenté une action en justice contre le gouvernement par laquelle elle réclame le titre de propriété de Haida Gwaii, également connue sous le nom des Queen Charlotte Islands (îles de la Reine-Charlotte), un archipel qu'elle habite, avec des non-Autochtones, en retrait de Prince Rupert, dans le nord de la Colombie-Britannique aussi. Quelque 50 autres revendications de terres de la part des Premières-Nations sont en cours dans la province.

La situation des Autochtones des Prairies est moins reluisante que celle de leurs compatriotes de la Colombie-Britannique. Relégués sur des terres ingrates à la fin du XIXe siècle, après avoir cédé leurs vastes territoires de chasse ancestraux, ces anciens nomades, sédentarisés de force, ne se sont jamais vraiment adaptés à leur nouveau mode de vie. Un grave problème de drogue et d'alcool mine ses communautés.

La disparition progressive des territoires de chasse traditionnels a donné lieu à des revendications territoriales agressives dans la plupart des provinces canadiennes. Avec l'aide de l'Assemblée des Premières-Nations, un organisme regroupant plusieurs chefs de bande, les Amérindiens du Canada tentent de faire avancer leur cause auprès des autorités gouvernementales, tant fédérales que provinciales.

Culture

Bon nombre de Canadiens entretiennent un sentiment troublant d'amour-haine à l'égard du géant étasunien voisin. La culture populaire étasunienne reste omniprésente dans leur quotidien. Elle fascine mais inquiète à la fois, si bien que beaucoup d'énergie est investie à définir ce qui distingue vraiment la culture

Le hockey

Le sport national du Canada est sans contredit le hockey sur glace. À l'origine, la Ligue nationale de hockey (LNH) comptait six équipes dont deux au Canada: à Montréal et à Toronto. Plus tard, dans les années 1960 et 1970, des expansions allaient doubler le nombre de franchises pour le porter finalement à 21 équipes. La ligue nationale compte aujourd'hui 28 équipes réparties dans deux associations. Edmonton fait partie de la deuxième vague d'expansion, alors que l'Association mondiale de hockey (AMH) se jumela avec la Ligue nationale de hockey.

Les Oilers d'Edmonton et trois autres équipes de l'Association mondiale se joignirent donc aux équipes de la Ligue nationale à temps pour la saison 1979-1980. Les Oilers formaient une jeune équipe bien dirigée qui savait aller chercher de bonnes recrues lors des repêchages amateurs. Le propriétaire de l'équipe avait d'ailleurs annoncé que son équipe remporterait la Coupe Stanley, c'est-à-dire le trophée des vainqueurs des séries d'après-saison, en cinq ans ou moins. Cette prédiction était audacieuse dans une ligue où les dynasties établies de Montréal et de New York se transmettaient l'une à l'autre le titre de champion.

Mais ces équipes vieillissaient et les Oilers bâtissaient l'avenir. Leur capitaine, un certain Wayne Gretzky, allait bientôt être surnommé «La Merveille», en raison de sa supériorité naturelle par rapport à tout autre joueur. Il accumula record sur record et compta même cinq buts en une seule partie, le 30 décembre 1981. Ce jour-là, il devenait le premier joueur à inscrire 50 buts en si peu de temps: 39 parties. Il termina la saison avec 92 buts et 120 passes (cela ne s'était jamais vu).

Pourtant, les fans des Oilers durent attendre que leurs joueurs mûrissent, et ce n'est qu'en 1984 qu'ils brisèrent enfin la domination des Islanders de New York, qui venaient de remporter quatre coupes consécutives. La suite était inévitable: cinq Coupes Stanley en sept ans, une pluie de records et la satisfaction pour l'équipe de gagner encore le précieux trophée en 1990, alors que Gretzky jouait pour l'équipe de Los Angeles depuis deux ans.

Depuis ces années de gloire, les équipes canadiennes sont restées compétitives, mais ont moins souvent remporté les grands honneurs de la compétition. L'argent a pris le pas sur la passion, et désormais ce sont les équipes à gros budget pouvant s'offrir les meilleurs joueurs (tous millionnaires à très peu d'exception près) qui arrivent à faire main basse sur la Coupe Stanley. Le hockey canadien souffre particulièrement de ce nouveau contexte business puisque ses marchés sont plus petits que ceux des mégalopoles américaines, sans compter la faiblesse du dollar canadien vis-à-vis de la devise américaine. Les équipes de Québec et de Winnipeg ont dû déménager aux États-Unis au début des années 1990 pour ces raisons.

Notez que Wayne Gretzky s'est retiré de la compétition en 1999, avec plus de records que quiconque auparavant. Après avoir jonglé avec l'idée de rebaptiser Edmonton sous le nom de Gretzkyville, la ville a finalement décidé de donner plutôt son nom à une autoroute. Pourquoi pas! Au fond, c'est bien vrai, les routes sont parfois très glacées par les froides journées d'hiver du Grand Nord albertain!

canadienne-anglaise de celle du géant du Sud. Pourtant, des artistes fort talentueux, qui ont souvent d'ailleurs pu s'acquérir une réputation internationale, ont façonné des courants culturels propres au Canada anglais.

Nous nous attacherons ici à identifier les éléments de culture distinctifs de l'Ouest canadien, avec l'espoir que le voyageur tentera de s'y attarder lors de son séjour. Mais il gardera en mémoire la jeunesse de ce territoire.

Culture amérindienne

De tout ce que les Amérindiens du Canada nous ont légué, la culture totémique est probablement le trésor le plus important. Cette culture atteint apparemment son apogée au milieu du XIXe siècle, et l'on peut imaginer la fascination qu'exercèrent sur les premiers arrivants européens en Colombie-Britannique ces ensembles de 30 ou 40 totems au bord des rivières, accueillant les visiteurs dans chacun des villages amérindiens. Ces totems n'étaient pas vénérés comme des idoles, mais ils comportaient des éléments associés aux croyances amérindiennes. Emily Carr, célèbre peintre de la Colombie-Britannique (voir p 31), visita nombre de villages amérindiens et s'inspira de la culture totémique pour créer quelques-uns de ses plus beaux tableaux.

Malheureusement, comme presque tout ce que les Amérindiens produisaient, les totems ne résistaient pas aux intempéries, et ceux qu'on peut observer aujourd'hui sont conservés dans des musées ou dans des parcs; quelques totems se dressent aussi sur le territoire de la Gwaii Haanas National Park Reserve, sous la protection bienveillante des Haida Watchmen. Par ailleurs, l'art amérindien était très relié aux croyances indigènes, toujours suspectes pour les missionnaires européens qui ont tout fait pour en détourner les Amérindiens. Cela contribua à enlever toute signification à l'art amérindien pour les Autochtones eux-mêmes, qui s'en désintéressèrent. Des efforts furent entrepris dans les 1960 et 1970 pour faire revivre la culture amérindienne du nord-ouest de la Colombie-Britannique avec le projet KSAN, centré sur le village de Hazelton (voir p 343).

Peinture

Emily Carr

Au début du XXe siècle, Emily Carr, qui avait beaucoup voyagé à travers la Colombie-Britannique, produisit des tableaux d'une grande beauté qui reflètent la splendeur des paysages de la côte du Pacifique et révèlent un peu l'esprit amérindien. Ses verts et ses bleus traduisent l'atmosphère séduisante de la

Colombie-Britannique. La Vancouver Art Gallery lui rend hommage en lui consacrant plusieurs salles (voir p 97). Pionnière sur la Côte Ouest, elle fut suivie des artistes comme Jack Shadbolt et Gordon Smith, eux aussi porteurs de cette vision particulière qu'ont les habitants de la côte pour les paysages qui les entourent.

Art sino-canadien

Les Canadiens d'origine chinoise forment la plus importante communauté ethnique de la Colombie-Britannique. Ils sont répartis en deux groupes distincts. D'un côté se trouvent les Cantonais, installés au Canada à la suite de la construction du chemin de fer transcontinental du Canadien Pacifique à la fin du XIXe siècle. Ils ont souffert de la misère et du racisme ambiant jusque dans les années 1960, en plus d'être confinés à des métiers ingrats pendant trop longtemps. De l'autre côté prennent place les riches immigrants de Hong Kong.

Cette dualité se reflète dans les œuvres d'art de tous genres issues de la communauté sino-canadienne. Plus encore, certains artistes d'origine chinoise veulent développer davantage leur individualité et ne plus être associés à un groupe ethnique en particulier, comme en témoigne l'œuvre de l'artiste Diana Li baptisée *Communication* (tirée de l'exposition «Self not Whole», présentée en 1991 au Centre culturel chinois de Vancouver). Enfin, d'autres artistes veulent plutôt exorciser les injustices du passé à l'égard de la communauté chinoise, à l'instar de Sharyn Yuen, qui a rappelé, dans son installation intitulée *John Chinaman* (1990), le sort peu enviable réservé aux Sino-Canadiens dans les années 1920.

Littérature

L'une des premières œuvres littéraires de l'Ouest fut la chronique d'exploration de **David Thompson**, *David Thompson's Narrative of his Explorations in Western North America 1784-1812* (Récit des voyages d'exploration de David Thompson dans le nord-ouest de l'Amérique). **Earle Birney** naquit, pour sa part, en Alberta et y grandit, de même qu'en Colombie-Britannique. Il croyait que la géographie relie l'homme à son histoire, un credo manifeste dans sa poésie axée sur l'appréhension du sens de l'espace et du temps.

Originaire du Yukon, territoire des chercheurs d'or du XIXe siècle, et né en 1898 d'un père ayant participé à la ruée vers le Klondike, **Pierre Berton**, qui vécut longtemps à Vancouver, a écrit plusieurs récits inspirés des temps forts de l'histoire canadienne, entre autres *The Last Spike*, qui raconte la construction du chemin de fer pancanadien à travers les Rocheuses jusqu'à Vancouver.

Emily Carr, célèbre pour ses peintures qui témoignent si fortement de la côte pacifique canadienne, a terminé son premier livre à 70 ans, quelques années seulement avant sa mort. Les quelques livres qu'elle a écrits sont tous autobiographiques et campent une atmosphère qui reflète la Colombie-Britannique et témoignent de sa grande connaissance des Amérindiens, de leurs coutumes et de leurs croyances.

Robert Kroetch et **Rudy Wiebe** comptent parmi les écrivains albertains les plus respectés. Kroetch s'impose d'abord et avant tout comme un conteur, et sa trilogie *Out West* porte un regard approfondi sur quatre décennies d'histoire albertaine. *Alberta* est à la fois un guide de voyage et un merveilleux recueil d'histoires et d'essais qui capture l'essence de la terre et de la population de cette province. *Seed Catalogue* s'ajoute à la liste de ses excellents ouvrages. Rudy Wiebe, quant à lui, n'est pas

Douglas Coupland

Vancouver peut être fière de son dernier auteur-vedette, Douglas Coupland, qui, en 1991, alors âgé de 30 ans, a publié son premier roman: *Generation X*. Cette œuvre allait consacrer une nouvelle appellation utilisée autant par les sociologues que par les agences de publicité pour décrire cette nouvelle génération instruite et chômeuse: la génération X.

Le roman *Microserfs* (1995) s'avère tout aussi sociologique, mais cette fois c'est l'univers des jeunes génies de l'informatique qu'il décrit, tout en s'amusant avec de grands pans de la culture populaire américaine, d'une manière ironique où se mêle un brin d'admiration, ce qui est assez typique des rapports du Canada anglais avec les États-Unis.

Life After God (1995) explore la spiritualité du monde moderne et l'impact d'une génération qui a été élevée sans la religion. *Girlfriend in a Coma* (1997) critique le progrès social à travers l'histoire d'une femme qui se réveille après un coma de 18 ans, pour s'apercevoir que rien ne s'est amélioré.

Parmi les autres ouvrages de Coupland figurent *Polaroids From the Dead* (1996) et *Shampoo Planet* (1993). Son roman le plus récent a pour titre *Miss Wyoming* (2000).

Coupland s'est récemment mis à observer le monde qui l'entoure. *City of Glass*, un beau livre publié en 2000, présente le point de vue de Coupland sur sa ville natale, Vancouver. S'adonnant de plus en plus à la photographie, Coupland a publié dernièrement le livre intitulé *Souvenir of Canada* (2002), un récit amusant sur la vie en tant que Canadien.

natif de l'Alberta, mais il y a vécu la plus grande partie de sa vie. En mennonite qu'il était, la vision morale que lui a inculquée son éducation religieuse constitue le trait le plus marquant de sa plume. *The Temptations of Big Bear*, qui lui a valu le Prix du Gouverneur Général du Canada, dépeint la désintégration de la culture amérindienne qu'a entraînée la croissance de la nation canadienne.

En 1945, la Franco-Manitobaine **Gabrielle Roy** fera publier l'un des grands classiques de la littérature canadienne-française: *Bonheur d'occasion*. Plusieurs aures écrits suivront et en feront l'un des meilleurs écrivains canadiens.

Nancy Huston est née à Calgary et y a grandi durant 15 ans. Puis, il y a plus de 20 ans, elle a choisi, après un séjour de cinq ans à New York, de s'exiler à Paris, où elle a terminé ses études doctorales en sémiologie sous la direction de Roland Barthes. Lauréate du Prix du Gouverneur Général du Canada en 1993, elle est devenue, avec *Cantique des Plaines* (coédition Actes Sud/Leméac, 1993), un écrivain majeur de la Francophonie. Depuis, elle a publié entre autres le *Tombeau de Romain Gary* (coédition Actes Sud/Leméac,

1995), une autre œuvre magistrale.

Américaine mais établie en Colombie-Britannique depuis 1956, **Jane Rule** évoque, quant à elle, dans ses écrits, cette mentalité propre à l'Ouest, dans sa globalité autant canadienne qu'américaine. Mais c'est pour son engagement à rapprocher les communautés homosexuelle et hétérosexuelle qu'on salue généralement son travail.

Il faut aussi mentionner les poètes **Patrick Lane**, de Colombie-Britannique, et **Sid Marty**, de l'Alberta.

Au théâtre, la pièce *Ecstasy of Rita Joe*, de **George Ryga**, dramaturge de Vancouver, marque en 1967 un renouveau pour le Canada anglais. Cette pièce traite du choc provoqué par la rencontre des sociétés amérindiennes, tournées vers la nature, avec la société occidentale déshumanisée. Il faut aussi citer l'œuvre percutante de **Brad Fraser**, dramaturge albertain qui, avec sa pièce *Unidentified Human Being Remains or the True Nature of Love* (Des restes humains non identifiés ou la vraie nature de l'amour), analyse les rapports amoureux contemporains en milieu urbain. Cette pièce a été adaptée au cinéma par Denys Arcand sous le titre *Love and Humain Remains.*

Musique

Le Conseil de la radiodiffusion et des télécommunications canadiennes (CRTC) contrôle tous les diffuseurs du pays pour s'assurer, entre autres, du contenu canadien de leur programmation. À titre d'exemple, une chanson étrangère ne peut passer en ondes plus de 18 fois à l'intérieur d'une même semaine. Bien qu'elles puissent sembler contraignantes, de telles mesures ont largement contribué à promouvoir les productions musicales et

Vancouver: la Hollywood du Nord

Le fait que le dollar américain soit plus fort que le dollar canadien a permis à Vancouver de devenir la Hollywood du Nord. Les producteurs d'Hollywood affluent vers Vancouver, où ils peuvent faire leurs films ou leurs émissions télévisées pour environ la moitié du prix qu'il leur en coûterait à Los Angeles ou à San Francisco.

La diversité de son paysage a couvert Vancouver de toutes sortes d'honneurs (!). Ces dernières années, la ville s'est fait passer aussi bien pour Washington, D.C., Chicago et Milwaukee que la Floride dans plusieurs films et téléséries. Selon la British Columbia Film Commission, la Colombie-Britannique serait le troisième centre de production et site de tournage en importance en Amérique du Nord, après New York et Los Angeles. En 2001, il y a eu près de 200 productions dans la province, pour des revenus totalisant 1,1 milliard de dollars, dont 857 millions en productions étrangères.

Cette industrie est peut-être lucrative, mais cela a amené quelques résidants de Vancouver à se demander porquoi leur charmante ville n'a jamais apparu jusqu'à maintenant sous son vrai nom dans un film!

télévisuelles canadiennes sous toutes leurs formes et langues, et ont donné aux artistes canadiens l'occasion de se faire valoir en toute équité dans une région du monde trop souvent subjuguée par le géant endormi qu'est son voisin du Sud.

L'Ouest canadien est un lieu de culture doté d'orchestres, d'opéras et de théâtres. Dans le cas de l'Alberta toutefois, la culture est sans doute davantage marquée par la musique country. Ce genre musical a connu une renaissance, et, en s'insérant dans le courant dominant, il s'est vu grimper à l'assaut des palmarès aussi bien country que pop. **Wilf Carter**, de Calgary, s'est taillé une place de choix sur la scène américaine en tant que cow-boy iodleur. La chanteuse **k.d. lang**, de Consort (Alberta), a également accédé au rang de superstar dans les années 1990 en remportant un Grammy. À ses débuts avec les Reclines, elle était surtout connue pour ses tenues extravagantes et son style bastringue, mais ses grands atouts sont désormais sa voix exceptionnelle et l'art avec lequel elle mêle le pop et le country. Fait relativement rare dans le milieu du spectacle, elle a toujours eu le courage de vivre son homosexualité au grand jour. Toujours en chanson, **Jann Arden** vient également d'Alberta. Mentionnons aussi **Daniel Lavoie**, un chanteur populaire franco-manitobain établi au Québec.

Loreena McKennitt, dont les disques mettant en vedette la musique celtique ont été vendus par millions dans plus de 40 pays, est née et a été élevée à Morden, Manitoba. Elle vivrait actuellement à Stratford, Ontario. **Chantal Kreviazuk**, une chanteuse et pianiste qui a remporté un Juno (l'équivalent canadien des Grammy Awards américains), est originaire de Winnipeg, tout comme les **Crash Test Dummies**, dont le premier grand succès, en 1991, fut la chanson «Superman's Song», qui trotta dans la tête de tous les jeunes à l'époque.

Pour la Saskatchewan, sa fille la plus célèbre est de loin la chanteuse populaire folk **Joni Mitchell**. Née Joan Anderson à Fort McLeod, en Alberta, Joni Mitchell a grandi à Saskatoon, en Saskatchewan, avant de traverser, beaucoup plus tard, la frontière pour se rendre aux États-Unis, où elle a réellement trouvé son bonheur, en plus de la gloire et de la richesse.

La Colombie-Britannique, plus particulièrement la cosmopolite Vancouver, a opté pour une variété quelque peu accrue et a vu naître en son sein quelques vedettes importantes sur la grande scène musicale. **Bryan Adams**, entre autres, quoique originaire de Kingston (Ontario), a fini par s'établir à Vancouver, et ce rocker jouit depuis un certain temps déjà d'une renommée mondiale. Quant à la chanteuse **Sarah McLachlan**, originaire d'Halifax (Nouvelle-Écosse), elle vit désormais à Vancouver, où elle a fondé sa propre maison de production, Nettwerk.

Née en 1964 à Nanaimo, au nord de Victoria, la pianiste et interprète **Diana Krall** est maintenant une superstar dans le monde du jazz. Sa voix captivante a apporté un vent de changement aux classiques de ce style musical et lui a procuré une foule de fans nouvellement initiés au jazz. Elle fut récipiendaire de trois Junos en 2002 pour son dernier album, *The Look of Love*. Elle avait déjà remporté un Grammy pour la meilleure performance vocale jazz en 1999 avec l'album *When I Look in Your Eyes*.

Cinéma et télévision

La faible valeur du dollar canadien, vis-à-vis du dollar américain, a valu à Vancouver le surnom de «Hollywood North». En effet, les producteurs d'Hollywood, également installés sur la Côte Ouest du continent nord-américain, se précipitent à Vancouver, où ils peuvent tourner, pour la moitié de ce qu'il en coûterait dans les rues de Los Angeles ou de San Francisco, leurs films et leurs émissions de télévision. La diversité du décor de la ville lui a valu tous les honneurs. Au fil des ans, Vancouver est donc devenue tour à tour Washington, D.C., Chicago, Milwaukee ou encore Santa Fe.

Architecture

Une géographie fortement contrastée, voire antagoniste, entre la Colombie-Britannique, d'une part, et les Prairies d'autre part, a donné naissance à deux discours très différents en architecture, comme d'ailleurs dans les autres arts. Ainsi, à l'omniprésence des forêts et des montagnes sur le tiers du territoire de l'Ouest canadien, à laquelle il faut ajouter un climat océanique beaucoup plus doux que dans le reste du Canada, s'opposent les plaines dénudées, l'une des régions climatiques les plus rudes du pays, où la neige abondante est poussée par des vents violents pendant les longs mois d'hiver.

Les Autochtones ont dû s'adapter les premiers à ces pôles extrêmes, développant pour les uns une architecture sédentaire, ouverte sur la nature et sur la mer, et pour les autres une architecture de nomades, conçue avant tout pour se protéger du froid et du vent. Les Salishs et les Haidas ont pu, grâce à la douceur du climat dans les régions côtières et à la présence de différentes essences de bois faciles à sculpter, ériger des structures complexes et raffinées. Leurs mâts totémiques, installés devant de longues habitations faites de troncs de cèdre rouge soigneusement équarris, étaient encore alignés sur les plages des îles de la Reine-Charlotte vers la fin du XIXe siècle. Ces villages linéaires offraient à chacun un accès direct aux ressources de l'océan.

L'ornementation des maisons traditionnelles, qui rappelle parfois celle de la Polynésie, laisse croire à de possibles liens entre les Autochtones de la Colombie-Britannique et les habitants des îles lointaines du Pacifique.

De l'autre côté des montagnes Rocheuses, les habitants des Prairies ont, quant à eux, mis à profit les peaux des bisons, qui leurs serviront à la fois à se vêtir, à se loger et même à se défendre, sous la forme de boucliers. Leurs habitations, facilement démontables, sont communément appelées «tipis». Elles consistent en une mince structure conique faite d'un assemblage de troncs d'arbrisseaux, sur laquelle est posée une série de peaux cousues à l'aide de tendons d'animaux.

Les premiers Européens à exploiter les territoires de l'Ouest canadien se réfugieront dans des forts de pieux qui serviront également de postes de traite des fourrures en temps de paix. Ces forts rectangulaires ont été érigés à la frontière entre l'Alberta et la Colombie-Britannique au cours de la première moitié du XIXe siècle afin de se protéger des Amérindiens belliqueux. Ils ont fait l'objet de reconstitutions intéressantes en différents endroits.

Sur la Côte Ouest, la paix et la douceur de vivre vont bientôt permettre l'implantation d'une architecture loyaliste venue du Haut-Canada, comme en témoigne la présence à Victoria de la St. Ann Schoolhouse (1848) et de la Wentworth Villa (1862). Ces structures sont revêtues de clins de bois peints en blanc et sont percées de fenêtres à guillotines dotées de petits carreaux. Elles vont toutefois rapidement céder la place, dans la seconde moitié du XIXe siècle, à une architecture victorienne exubérante qui exploite à fond l'abondance d'un bois tendre, facile à scier et à tourner mécaniquement. Des nombreux moulins à scie de la Colombie-

Britannique, sortiront notamment des balcons néogothiques, des corniches néo-Renaissance, des lucarnes Second Empire et des pignons Queen Anne. L'influence de la Californie, située à quelques centaines de kilomètres au sud, se fait sentir à partir de 1880 avec la présence de multiples oriels sur les façades. Ces larges fenêtres en forme de trapèzes réparties sur plusieurs niveaux débordent au-dessus des trottoirs, permettant de pourvoir les intérieurs d'un éclairage naturel abondant.

La construction du chemin de fer transcontinental du Canadien Pacifique et l'ouverture de mines de charbon en Alberta et en Colombie-Britannique vont provoquer la naissance de nombreuses villes champignons qui connaîtront par la suite des sorts divers. Toutes arborent dans leurs premières années d'existence une architecture de type *boomtown*, caractérisée par des rangées de bâtiments possédant une structure en bois préfabriquée, souvent importée de l'est du Canada, et une fausse façade carrée dissimulant un espace intérieur sans envergure. Cette façade sera parfois dotée d'une corniche proéminente ou d'un parapet aux contours amusants.

L'inauguration du chemin de fer transcontinental est également marquée par le licenciement des milliers d'ouvriers d'origine chinoise qui avaient contribué à sa construction. Ceux-ci s'établissent par la suite dans les villes de la Côte Ouest, où ils développent une architecture hybride, ajoutant aux édifices nord-américains, de profondes loggias cantonaises et des toitures de tuiles faîtières (Chinese School de Victoria, 1909). Cet amalgame marque le début d'une influence orientale qui se perpétue de nos jours dans l'ensemble de la région.

Soucieuses de se débarrasser au plus vite de l'image du Far West arriéré et rustre qui leur est accolée, les jeunes villes de l'Ouest promises à un bel avenir se tournent, à partir de 1890, vers les pierres locales et importées (grès rouge d'Écosse, grès beige de Calgary, granit gris du Québec, calcaire de l'Indiana) et vers le style néoroman de Richardson, alors en vogue dans le reste de l'Amérique du Nord. Le Stephen Avenue Mall de Calgary est toujours bordé de ces immeubles massifs en pierre bossagée, agrémentés de multiples arcs cintrés encadrés de colonnettes aux chapiteaux d'allure médiévale. Dans le même esprit, mais dans un style plus proche des Beaux-Arts, Vancouver, qui ne compte pas plus de 120 000 habitants en 1912, voit alors s'élever le plus haut gratte-ciel de l'Empire britannique (Sun Tower).

La compagnie ferroviaire du Canadien Pacifique, qui avait entrepris de développer un réseau d'hôtels de luxe à travers le Canada dès l'achèvement de son chemin de fer transcontinental en 1886, s'intéresse très tôt à l'Ouest canadien. Elle y implantera des hôtels et des gares qui respecteront le style Château, devenu, avec les années, la marque de commerce de l'entreprise, et le style «national» du pays. Le Banff Springs Hotel, édifié en 1903, et l'Empress Hotel de Victoria (1908), tous deux dotés de hauts toits pentus et ornés de détails Renaissance, assimilables à la fois aux châteaux de la Loire et aux manoirs écossais, en sont les meilleurs exemples.

Ces palaces contrastent avec les modestes maisons de ferme des Prairies, érigées à la hâte par des immigrants d'Europe centrale venus s'y installer nombreux au début du XXe siècle. Certaines de ces habitations, aujourd'hui abandonnées ou reconverties en musées, reprenaient dans leurs grandes lignes l'architecture traditionnelle des vieux villages allemands, hongrois, polonais ou ukrainiens.

Ainsi le paysage rural était-il autrefois ponctué de toits à croupe revêtus de chaume ou de tuiles orangées. Dans les villages, il n'était pas rare d'apercevoir des églises de bois coiffées de dômes bulbeux.

Depuis cette époque, les ranchs d'élevage bovin et les fermes de l'Alberta sont devenus des entreprises colossales. La résidence du propriétaire, souvent recouverte d'une simple couche d'aluminium blanc, est entourée de plusieurs bâtiments de ferme modernes également recouverts de métal. Le centre de chaque village est dominé, non plus par le clocher de son église, mais plutôt par les immenses élévateurs de grains qui avoisinent la voie ferrée.

Au début du XXe siècle, les habitants de souche anglaise et écossaise de la Colombie-Britannique développent un goût pour la nature clémente qui les entoure, tout en s'entichant de la deuxième partie du nom de leur province. Ce patriotisme les incitera à aménager, à Vancouver et à Victoria en particulier, de beaux jardins anglais où peuvent pousser des fleurs qui

Les cathédrales des Prairies

Il y avait jadis un élévateur de grains et un village tous les 16 kilomètres, le long de la ligne ferroviaire qui suit le tracé de la route 61, de même que partout ailleurs dans les Prairies. Cet ancien plan d'aménagement, dont les origines remontent aux années 1880, reposait sur le fait qu'un fermier et sa charrette hippomobile chargée de céréales ne pouvaient parcourir qu'une dizaine de milles (soit 16 km) en une journée. Or, l'avènement des semi-remorques a éliminé le besoin d'un aussi grand nombre d'élévateurs de grains, et la disparition progressive des subsides gouvernementaux en matière de transport a entraîné la construction obligée d'une nouvelle génération d'élévateurs de grains à grand débit, plus perfectionnés, qui peuvent contenir plus de céréales, en assurer le séchage et le nettoyage, de même que le chargement plus rapide à bord des wagons. En conséquence, les anciens élévateurs de grains disparaissent à une vitesse telle qu'il n'en restera plus un dans 25 ans, et peut-être même plus tôt. Quant aux villages des Prairies dont l'assiette fiscale en dépendait largement, ils perdent dans la foulée un élément majeur de leur histoire. Le Provincial Museum of Alberta est d'ailleurs en quête de vieilles photographies qu'il compte utiliser pour immortaliser ces cathédrales d'antan avant qu'elles ne s'envolent à tout jamais en fumée (on en dénombrait plus que 1 153 dans l'ensemble des Prairies à l'été de 1997). À Inglis, Manitoba, un groupe de bénévoles dévoués est allé encore plus loin, en restaurant toute une série d'élévateurs de grains, qui fut par la suite classée Site historique national.

ne survivraient pas ailleurs au Canada. Au milieu de ces espaces verts magnifiques, ils font ériger de vastes demeures néo-Tudor et Arts and Crafts. Ces deux styles procèdent d'un mouvement dit de «retour aux sources» des immigrants d'origine anglo-saxonne. Le style néo-Tudor s'inspire des manoirs érigés dans la campagne anglaise à l'époque d'Henri VIII. Ceux-ci sont caractérisés par un parement de brique rouge, par des fenêtres en baie dotées de meneaux de pierre, de même que par des arcs brisés surbaissés.

Quant au mouvement Arts and Crafts (arts et métiers), que l'on pourrait qualifier à la fois d'engouement pour l'artisanat rural britannique et de rejet de l'industrialisation des grandes villes, il se définit par une architecture organique, faite de rallonges recouvertes de différents matériaux, allant de la structure à colombages jusqu'aux murs de gros cailloux de plage. Le tout est savamment étudié afin de produire des compositions pleines de charme. Les architectes Maclure et Fox de Vancouver ont excellé dans ce domaine (Walter Nichol House, 1402 The Crescent, Shaughnessy Heights, Vancouver).

Les bâtiments publics érigés à la même époque adoptent cependant des styles plus urbains qui conviennent davantage à leurs fonctions. Encore là, les modes et les architectes d'origine britannique sont mis à contribution. Sir Francis Rattenbury est le champion de cette ère de grande prospérité, lui qui a tracé les plans des Parliament Buildings de Victoria et ceux de l'ancien palais de justice de Vancouver, qui abrite désormais la Vancouver Art Gallery.

La crise économique aiguë qui frappe la Colombie-Britannique et les Prairies au cours des années 1920 et 1930 se reflète par une assez faible représentation de l'Art déco, populaire à cette époque dans le reste du monde occidental. On notera toutefois quelques réalisations dignes de mention comme la St. James Anglican Church (Adrian Gilbert Scott, 1935) et surtout le Marine Building (McCarter and Nairne, 1929), deux bâtiments situés à Vancouver.

La fin de la Seconde Guerre mondiale marque le début d'une nouvelle ère de prospérité, d'une ampleur sans précédent, dans l'ensemble de la région. La naissance de l'indus-trie pétrolière en Alberta et la migration de plusieurs milliers de Canadiens vers la Côte Ouest, où le climat est si doux et la qualité de vie si remarquable, vont stimuler la recherche architecturale. Rapidement, Vancouver devient l'un des principaux laboratoires de l'architecture moderne au Canada. Influencés encore une fois par la Californie toute proche, mais aussi par le Japon des Shoguns et par l'art haida, les architectes de la Côte Ouest empruntent une voie originale.

En se servant du bois puis du béton, des concepteurs tels que Robert Berwick, C.E. Pratt, Ron Thom et, plus récemment, Arthur Erickson dessinent alors des bâtiments selon le système élémentaire de la poutre et du pilier, qu'ils accrochent ensuite aux montagnes de la Chaîne côtière. Les lignes pures de ces structures se fondent dans la verdure luxuriante qui envahit les pièces de séjour. Les baies vitrées mur à mur qui comblent les vides mettent en valeur les panoramas de l'océan Pacifique (maison Berwick, 1560 Ottawa Avenue, Vancouver, Robert Berwick, architecte, 1939; maison Gordon Smith, The Byway, Vancouver, Erickson et Massey, architectes, 1965). Jusque-là, seules les habitations des ports de pêche de l'île de Vancouver s'étaient quelque peu ouvertes sur la mer.

En Alberta, la richesse des années 1970 et 1980 entraîne un développement fulgurant des villes d'Edmonton et de Calgary. Les gratte-ciel poussent alors comme des champignons, modifiant considérablement leur profil en l'espace de 10 ans seulement. À Calgary, on met en place un réseau de passerelles aériennes entre les immeubles, baptisé «+15», qui permet d'éviter qu'on ne souffre d'hypo-thermie! De plus, les deux villes concurrentes étalent désormais leur banlieue tentaculaire sur plusieurs kilomètres dans la campagne environnante. La culture nord-américaine moyenne les enveloppe pleinement, comme en témoigne éloquemment le West Edmonton Mall, ce méga-centre commercial où les «enseignements» de Disneyworld et de Las Vegas se mélangent dans un tourbillon de mercantilisme clinquant.

Toutefois, depuis 1985, des créateurs, tel Douglas Cardinal, grand architecte d'origine amérindienne originaire de Red Deer, tentent de développer un discours qui correspond davantage à la spécificité des plaines de l'Alberta. Les formes ondoyantes des bâtiments de Cardinal, que l'on dirait sculptés par les vents violents qui balaient les Prairies, sont maintenant connues à l'échelle internationale (Musée canadien des civilisations de Gatineau, 1989).

Dans un même ordre d'idées, le centre d'interprétation de Head-Smashed-In Buffalo Jump (voir p 496), réalisé par Robert LeBlond, se fond en parfaite symbiose dans l'environnement.

Deux événements ont aussi attiré le regard du monde sur la région au cours des années 1980. L'Expo 86 laissera à Vancouver un magnifique palais des congrès en forme de grand voilier, tandis que les Jeux olympiques d'hiver de 1988 seront l'occasion de doter Calgary d'un stade en forme de selle de cheval (d'où le nom de Saddledome, voir p 463), illustrant ainsi clairement que l'interaction entre l'architecture et la géographie se perpétue encore de nos jours dans l'Ouest canadien.

Concord Pacific Place, située sur le site de l'Expo 86 à Vancouver, a été élue «la communauté la mieux planifiée de la Colombie-Britannique» par l'Urban Development Institute en l'an 2000. Son plan directeur est vraiment une grande réussite. Pour obtenir de plus amples renseignements sur ce projet, faites un saut au Concord Pacific Place Presentation Centre.

Renseignements généraux

Le présent chapitre s'adresse aux voyageurs qui désirent bien planifier leur séjour dans l'Ouest canadien.

Formalités d'entrée

Passeport et visa

Pour la plupart des citoyens des pays de l'Europe de l'Ouest, un passeport valide suffit, et aucun visa n'est requis pour un séjour de moins de trois mois au Canada. Il est possible de demander une prolongation de trois mois. Un billet de retour ainsi qu'une preuve de fonds suffisants pour couvrir le séjour peuvent être requis. Pour connaître la liste des pays dont le Canada exige un visa de séjour, consultez le site Internet de **Citoyenneté et Immigration Canada** *(www.cic.gc.ca)* ou prenez contact avec l'ambassade canadienne la plus proche.

Prolongation sur place

Il faut adresser sa demande **par écrit** au moins un mois **avant** l'expiration du visa (date généralement inscrite dans le passeport) à l'un des centres de Citoyenneté et Immigration Canada. Votre passeport valide, un billet de retour, une preuve de fonds suffisants pour couvrir le séjour ainsi que 75$ pour les frais de dossier (non remboursables) vous seront demandés. **Avertissement:** dans certains cas (études, travail), la demande doit obligatoirement être faite **avant** l'arrivée au Canada. Communiquez avec **Citoyenneté et Immigration Canada** *(☎416-973-4444, www.cic.gc.ca)*.

Douane

Si vous apportez des cadeaux à des amis canadiens, n'oubliez pas qu'il existe certaines restrictions.

Pour les **fumeurs** *(au Canada l'âge légale pour acheter des produits de tabac est de 18 ans sauf en Colombie-Britannique ou il faut être âgé d'au moins 19 ans)*, la quantité maximale est de 200 cigarettes, 50 cigares, 200 g de tabac ou 200 bâtonnets de tabac.

Pour les **alcools** *(au Canada, l'âge légal pour acheter et consommer de l'alcool est de 18 ans, sauf au Manitoba et l'Alberta ou il faut être âgé d'au moins 19 ans)*, le maximum permis est de 1,5 litre de vin (en pratique, on tolère deux bouteilles par personne), 1,14 litre de spiritueux et, pour la bière, 24 canettes ou bouteilles de 355 ml.

Il existe des règles très strictes concernant l'importation de **plantes** ou de **fleurs**; aussi est-il préférable, en raison de la sévérité de la réglementation, de ne pas apporter ce genre de cadeau. Si toutefois cela s'avère «indispensable», il est vivement conseillé de s'adresser au service de Douane-Agriculture de l'ambassade du Canada de votre pays **avant** de partir.

Si vous êtes un étranger et que vous voyagez avec un **animal de compagnie**, il vous sera demandé un certificat de santé (document fourni par un vétérinaire) ainsi qu'un certificat de vaccination contre la rage. **Avertissement:** la vaccination de l'animal devra avoir été faite **au moins 30 jours avant** votre départ et ne devra pas être plus ancienne qu'un an.

Remboursement de taxes aux visiteurs: il existe une possibilité de vous faire rembourser les taxes perçues sur vos achats (voir p 62).

Ambassades du Canada à l'étranger

Pour la liste complète des services consulaires à l'étranger, veuillez consulter le site Internet du gouvernement canadien: ***www.dfait-maeci. gc.ca/travel/consular.***

Belgique
avenue de Tervueren, 2
1040 Bruxelles
métro Mérode
☎ ***741 06 11***
⇌ ***741 06 43***

France
35 av. Montaigne, 75008 Paris
métro Franklin-Roosevelt
☎ ***01.44.43.29.00***
⇌ ***01.44.43.29.99***

Suisse
Kirchenfeldstrasse, 88
C.P. 3005, Berne
☎ ***357 32 00***
⇌ ***357 32 10***

Consulats au Canada

Les consulats peuvent fournir une aide précieuse aux visiteurs qui se trouvent en difficulté (par exemple en cas d'accident ou de décès, fournir le nom de médecins ou d'avocats, etc.). Toutefois, seuls les cas urgents sont traités. Il faut noter que les coûts relatifs à ces services ne sont pas défrayés par les missions consulaires.

Belgique

Consulat honoraire de Belgique
Birks Place
688 W. Hastings St., bureau 570
Vancouver, BC, V6B 1P1
☎ ***(604) 684-6838***
⇌ ***(604) 684-0371***

107-4990 92nd Ave.
Edmonton, AB, T6B 2V4
☎ ***(780) 496-9565***

15 Acadia Bay Winnipeg, MB, R3T 3J1
☎ ***(204) 261-1415***

Suisse

Consulat général de Suisse
World Trade Centre
999 Canada Place
Vancouver, BC, V6C 3E1
☎ ***(604) 684-2231***
⇌ ***(604) 684-2806***

1245 Henderson
Winnipeg, Manitoba
☎ ***(204) 338-4242***

France

Consulat général de France
1130 W. Pender St.,
bureau 1100
Vancouver, BC, V6E 4A4
☎ ***(604) 681-4345***
⇌ ***(604) 681-4287***
http://consulfrance-vancouver.org

Renseignements touristiques

Le Manitoba, la Saskatchewan, l'Alberta et la

Colombie-Britannique possèdent respectivement un ministère du Tourisme chargé de promouvoir leur développement touristique. La diffusion d'information touristique au grand public s'effectue par l'intermédiaire de bureaux régionaux appelés Travel InfoCentres. Vous pourrez y obtenir diverses brochures concernant les attraits, les restaurants et les hôtels de la région visitée. Aussi, en plus de ces nombreux centres d'information, la plupart des grandes villes possèdent également leur propre office de tourisme. Ces offices de tourisme sont ouverts toute l'année, contrairement à certains Travel InfoCentres, ouverts, pour leur part, en haute saison seulement. Vous trouverez les adresses des divers bureaux d'information régionaux dans la section «Renseignements pratiques» de chaque chapitre.

Avant de partir

Les personnes qui désirent obtenir de la documentation générale sur les provinces de l'Ouest avant leur départ peuvent contacter les organismes suivants:

Canada

www.canadatourism.com

Colombie-Britannique

Hello BC
Suite 601, 6th Floor
1166 Alberni St., Vancouver, BC, V6E 3Z3
☎(250) 387-1642
☎(604) 435-5622 à Vancouver
☎800-435-5622
www.hellobc.com

Super, Natural British Columbia
PO Box 9830, Station Province-Government, Victoria, BC, V8W 9W5
☎800-663-6000
www.travel.bc.ca

Alberta

Travel Alberta
PO Box 2500, Edmonton, AB, T5J 2Z4
☎(780) 427-4321
☎800-661-8888
⇄(780) 427-0867
www.travelalberta.com

Saskatchewan

Tourism Saskatchewan
1922 Park St., Regina, SK, S4P 4L9
☎(306) 787-2300
☎877-237-2273
⇄(306) 787-5744
www.sasktourism.com
On peut joindre Tourism Saskatchewan toute l'année. Pour les centres provinciaux d'information touristique dispersés le long des grands axes routiers de la province, les horaires varient.

Les heures d'ouverture des bureaux de tourisme locaux varient beaucoup, mais les plus grands restent ouverts toute l'année.

Tourism Regina
été: lun-ven 8h à 19h, sam-dim et jours fériés 10h à 18h
hiver: lun-ven 8h à 17h
route transcanadienne
☎(306)-789-5099
☎800-661-5099
www.tourismregina.com
Tourism Regina se trouve à l'extrême périphérie est de la ville et n'est accessible qu'en voiture, mais il est bien approvisionné et le service est courtois.

Tourism Saskatoon
6-305 Idylwyld Dr. N., Saskatoon
☎(306)242-1206
☎800-567-2444
www.tourismsaskatoon.com
Tourism Saskatoon se trouve au centre-ville, dans l'ancienne gare ferroviaire du Canadien Pacifique.

Manitoba

Travel Manitoba
155 Carleton St., 7th Floor
Winnipeg, MB, R3C 3H8
☎(204) 945-3777
☎866-264-8622
www.travelmanitoba.com

Winnipeg Tourism
lun-ven 8h30 à 16h30
279 Portage Ave., Winnipeg
☎(204) 943-1970
☎800-665-0204
www.tourism.winnipeg.mb.ca

Manitoba Travel Ideas Centre
21 Forks Market Rd., Winnipeg
☎(204) 945-3777
☎800-665-0040

Quelques représentations diplomatiques canadiennes possèdent également au sein de leur ambassade un département de tourisme qui peut également fournir des brochures d'ordre général sur les provinces. Voici l'une d'entre elles:

France

Ambassade du Canada
Service tourisme
35 av. Montaigne, Paris 75008
métro Franklin-Roosevelt
lun-ven 10h à 17h
☎ ***01.44.43.29.00***
⇄ ***01.44.43.29.99***

Au ☎ ***01.44.43.25.07***, un système automatisé permet d'obtenir rapidement de l'information touristique 24 heures sur 24.

Sur Minitel : ***3615 Canada.***

Vos déplacements

En avion

D'Europe

Il existe deux possibilités: le vol direct sans escale à partir d'une des capitales européennes ou le vol avec escale à Montréal, Toronto ou Calgary. Les vols directs représentent, bien sûr, la formule la plus intéressante, car ils mettent nettement moins de temps à rejoindre Vancouver que ceux avec escale à Montréal ou à Toronto (comptez en moyenne 10 heures 30 min au départ de Paris au lieu de 13 heures pour les vols avec escale). Dans certains cas cependant, surtout si vous disposez de beaucoup de temps, il peut s'avérer intéressant de combiner un vol nolisé pour Montréal ou Toronto avec un des très nombreux vols effectués par les compagnies canadiennes.

Pour plus de renseignements :

Canada
Air Canada
☎ ***800-361-8620***
www.aircanada.ca

France
Air Canada
106 bd Haussman, 75008 Paris
☎ ***0 825 880 881***

Belgique
Air Canada
boul. Maurice Lemonnier, 131
1000 Bruxelles
☎ ***513.91.50***

Suisse
Air Canada
1-3 rue Chantepoulet
Genève
☎ ***4122/731 4980***

Du Canada

Quotidiennement, des vols à destination de Vancouver, ainsi que vers d'autres destinations canadiennes, sont proposés à partir de toutes les villes importantes du Canada. Les vols partant de l'est du pays doivent souvent faire une escale à Montréal ou à Toronto.

Les compagnies aériennes suivantes offrent des vols réguliers vers Vancouver à partir de villes canadiennes importantes:

Air Canada
☎ ***888-247-2262***
www.aircanada.ca

Tango
www.flytango.ca

WestJet
☎ ***888-937-8538*** ou
☎ ***800-538-5696***
www.westjet.ca

Jetsgo
☎ ***866-440-0441***
www.jetsgo.net

Pendant la haute saison, **Air Transat** *(☎ 866-847-1919, www.airtransat. com)* propose aussi beaucoup de vols en direction de Vancouver. Évidemment, la disponibilité et le coût de ces vols varient.

Air Canada Jazz *(www.flyjazz. com)*, le regroupement des transporteurs régionaux d'Air Canada dont fait partie **Air BC**, offre des vols à l'intérieur de la Colombie-Britannique.

Aéroports

Aéroport international de Vancouver

L'aéroport international de Vancouver *(☎ 604-207-7077, www.yvr.ca)*

Tableau des distances (km)

par le chemin le plus court

	Banff (Alb.)	Calgary (Alb.)	Dawson Creek (Alb.)	Edmonton (Alb.)	Flin Flon (Man.)	Jasper (Alb.)	Kamloops (C.-B.)	Lethbridge (Alb.)	Medicine Hat (Alb.)	Prince Albert (Sask.)	Prince George (C.-B.)	Regina (Sask.)	Saskatoon (Sask.)	Vancouver (C.-B.)	Victoria (C.-B.)
Banff (Alb.)															
Calgary (Alb.)	129														
Dawson Creek (Alb.)	1022	893													
Edmonton (Alb.)	407	278	597												
Flin Flon (Man.)	1260	1130	1547	950											
Jasper (Alb.)	267	396	964	365	1317										
Kamloops (C.-B.)	480	609	1399	802	1739	435									
Lethbridge (Alb.)	345	216	1109	512	1165	612	825								
Medicine Hat (Alb.)	414	285	893	581	1001	681	894	164							
Prince Albert (Sask.)	884	755	1172	575	375	942	1364	790	626						
Prince George (C.-B.)	644	773	1341	744	1694	377	525	989	1058	1319					
Regina (Sask.)	872	743	1371	774	748	1139	1352	62[illegible]	458	373	1518				
Saskatoon (Sask.)	742	613	1110	513	517	880	1222	64[illegible]	484	142	1257	261			
Vancouver (C.-B.)	819	948	1738	1141	2078	774	339	10[illegible]3	1227	1703	777	1685	1561		
Victoria (C.-B.)	886	1014	1804	1207	2144	840	405	11[illegible]9	1293	1769	843	1751	1627	66	
Winnipeg (Man.)	1465	1336	1885	1288	756	1732	1945	12[illegible]5	1051	834	2032	593	775	2278	2344

Exemple: la distance entre Edmonton (Alb.) et Saskatoon (Sask.) est de 513 km.

ıeille les vols inter-ıationaux en provenance d'Europe, des États-Unis et d'Asie, ainsi que divers vols nationaux en provenance d'autres provinces canadiennes. Actuellement, 19 compagnies desservent cet aéroport. Il est situé à environ 15 km du centre-ville. À partir de l'aéroport, il faut compter 30 min en voiture ou en autobus pour se rendre au cœur de la ville. Outre les nombreux taxis et limousines qui peuvent vous conduire jusqu'au centre-ville pour environ 30$, l'entreprise **Airporter** *(comptez 12$ par personne pour un aller simple ou 18$ pour un aller-retour. Les départs ont lieu toutes les 20 min de 9h à 20h et toutes les 30 min de 21h à 23h30; ☎604-946-8866 ou 800-668-3141, www.yvrairporter.com)* propose un service de navette entre la gare d'autocars, les quais d'embarquement pour les croisières et les traversiers *(départ, toutes les 20 min de 9h à 20h et toutes les 30 min de 21h à 23h30)* ainsi que les principaux hôtels du centre et l'aéroport.

Pour vous rendre au centre-ville en utilisant le transport en commun, prenez l'autobus n° 100 en direction du centre-ville et de l'est de la ville, ou l'autobus n° 404 à destination de Richmond, de Delta et d'autres destinations au sud de la ville. Il en coûte entre 2$ et 4$ selon l'heure et la destination choisies.

Avertissement: bien que vous ayez déjà payé toutes les taxes nécessaires à l'achat de votre billet d'avion, l'aéroport de Vancouver vous demandera 5$ (par passager) pour des vols à l'intérieur de la province et du Yukon, 10$ (par passager) pour des vols ailleurs en Amérique du Nord et 15$ (par passager) pour des vols internationaux, que vous devrez verser comptant au moment de votre départ. Une façon peu sympathique de vous remercier de votre visite.

Outre les services courants des aéroports internationaux (boutiques hors taxes, cafétéria, restaurants, etc.), vous pourrez y trouver un bureau de change. Plusieurs entreprises de location de voitures y sont également représentées, entre autres Avis, Thrifty, National, Hertz, Alamo Rent-A-Car et Budget.

Aéroport international de Victoria

L'aéroport international de Victoria (*☎250-953-7500*), situé à 27 km du centre-ville, est le second en importance en Colombie-Britannique. On y trouve un bureau de change ouvert chaque jour de 6h à 21h. Plusieurs entreprises de location de voitures sont représentées à l'aéroport. Des taxis et des limousines peuvent vous conduire jusqu'au centre-ville pour près de 40$. L'entreprise **AKAL Airpot Shuttle** *(13$ aller simple, 23$ aller-retour; ☎250-386-2525)* fait la navette entre l'aéroport

Les compagnies aériennes

Air Canada	**☎888-247-2262**
Air France	**☎800-667-2747**

et la plupart des hôtels du centre-ville.

Aéroport international de Calgary

L'aéroport international de Calgary *(☎403-735-1200, www.calgaryairport.com)* est le plus important aéroport de la province de l'Alberta. On y trouve un bureau de change ouvert chaque jour de 6h à 21h. Des taxis et des limousines peuvent vous conduire jusqu'au centre-ville pour un peu plus de 25$. L'**Airport Shuttle Express** *(tlj 4h à 2h; 14$ centre-ville; ☎403-509-4799 ou 888-438-2992)* fait la navette entre l'aéroport et le centre-ville. Plusieurs entreprises de location de voitures y sont également représentées, entre autres Avis, Thrifty, Dollar, Economy, Hertz, Budget et Discount.

Brewster *(☎430-762-6700 ou 800-661-1152, www.brewster.ca)* va à Banff *(40$)*, Lake Louise *(47$)* et Jasper *(75$)*, tandis que **Banff Airporter** *(40$; ☎888-449-2901 ou 403-762-3330)* offre une navette de l'aéroport jusqu'à Banff.

L'aéroport impose une taxe de 12$ (Airport Improvement Fee) qui est comprise dans le prix du billet d'avion.

Aéroport international d'Edmonton

L'aéroport international d'Edmonton (☎780-890-*8382 ou 800-268-7134, www.edmontonairports.com)* est le second en importance en Alberta. Des taxis et des limousines peuvent vous conduire jusqu'au centre-ville pour un peu plus de 30$. Un autobus fait la navette entre l'aéroport et le centre-ville : **Sky Shuttle** *(13$ aller simple, 20$ aller-retour; ☎780-465-8515 ou 800-268-7134)*. Plusieurs entreprises de location de voitures y sont également représentées, entre autres Avis, Thrifty, Tilden, Budget et Hertz. L'aéroport impose une taxe de 15$ (Airport Improvement Fee) qui est comprise dans le prix du billet d'avion.

Aéroport international John G. Diefenbaker de Saskatoon

L'aéroport John G. Diefenbaker *(☎306-975-8900, www.yxe.ca)* est situé à 7 km au nord de la ville de Saskatoon. Comptez environ 12$ pour la course en taxi jusqu'au centre-ville puisqu'il n'y a pas de navette.

Aéroport international de Regina

L'aéroport international de Regina *(☎306-761-7561, www.-yqr.ca)* se trouve aux abords sud-ouest du centre-ville, à environ 5 km (15min); un taxi jusqu'au centre-ville coûte 10$.

Aéroport international de Winnipeg

L'aéroport de Winnipeg *(☎204-987-9402, www.-waa.ca)* se trouve à environ 5 km du centre-ville. Air Canada a un bureau à l'intérieur de l'aéroport.

En train

Pour les visiteurs disposant de plus de temps, le train est un des moyens les plus agréables et les plus impressionnants pour découvrir l'Ouest canadien. La société **VIA Rail** *(☎888-842-7245, www.-viarail.ca)* assure le transport de passagers entre les différentes provinces canadiennes. Ce moyen de transport peut soit être utilisé en formule combinée avec l'avion (divers forfaits sont proposés par Air Canada) ou être employé comme moyen de transport exclusif au départ des grandes villes de l'Est canadien,

VIA Rail: le plaisir de découvrir le Canada en train

En cette terre d'Amérique où l'automobile est reine, on oublie souvent à quel point le train peut s'avérer une façon à la fois différente et agréable d'explorer le Canada. Installé bien confortablement, on y a tout le loisir de contempler un paysage qui, à bien des égards, peut nous apparaître comme étant tout à fait nouveau.

Les trajets

Les trains de **VIA Rail**, modernes et rapides (ils peuvent atteindre jusqu'à 150 km/h), relient les villes du Canada en des temps fort appréciables.

Une belle façon de parcourir l'ouest du territoire canadien est d'opter pour le ***Canadien***, qui part de Toronto et file jusqu'à Vancouver en traversant les forêts de l'Ontario et les plaines des Prairies, et en franchissant les montagnes de l'Ouest. Le ***Skeena*** propose une route tout aussi spectaculaire, partant de Jasper, dans les Rocheuses, et franchissant les cols de montagnes en longeant la superbe rivière Skeena, jusqu'à Prince Rupert. Le ***Hudson Bay*** vous conduit, quant à lui, vers le nord du Manitoba, dans une belle région sauvage où il vous sera peut-être possible d'observer une aurore boréale, un ours polaire ou une baleine. Enfin, le ***Malahat*** effectue des voyages de jour sur l'île de Vancouver entre Victoria et Courtenay, dévoilant de magnifiques panoramas.

Classe économique ou première classe?

En classe économique, les wagons sont munis de sièges confortables et de larges allées. Certains trains sont pourvus d'un wagon Skyline, dans lequel un café et un salon vous permettent de vous divertir en compagnie d'autres passagers. Ces wagons comportent de grandes fenêtres d'où vous pouvez admirer le paysage.

Si vous aimez être traité aux petits soins, optez pour la première classe: la classe Bleu d'Argent du *Canadien* comprend le coucher dans une chambre confortable des wagons-lits, l'accès exclusif à la voiture Parc et à plusieurs voitures avec dôme vitré qui dévoilent les paysages traversés, ainsi que les repas gastronomiques du wagon-restaurant.

De la mi-mai à la mi-octobre, entre Prince Rupert et Jasper, VIA Rail propose sa prestigieuse classe Totem à bord du *Skeena*, où vos repas vous seront servis à votre place. Vous aurez, de plus, accès à la voiture Parc, qui, avec son toit en dôme vitrée, offre une vue complète et magnifique sur les Rocheuses. À l'étage de cette voiture, un confortable salon vous permet de vous détendre en compagnie d'autres voyageurs privilégiés.

Les rabais possibles

VIA Rail offre plusieurs types de rabais:

Jours hors-pointe, hors saison touristique (jusqu'à 40% selon les destinations), sur les réservations à l'avance (cinq jours).

Rabais pour étudiants à temps plein (35% en classe économique).

Rabais pour personnes de 60 ans et plus (10% applicable également les jours hors pointe).

Tarifs spéciaux pour enfants (de 2 à 11 ans, à moitié prix; gratuit pour les moins de deux ans accompagnés d'un adulte).

Par ailleurs, le Canrailpass vous donne la possibilité de voyager à travers tout le Canada au moyen d'un billet unique. Ce billet permet 12 jours de voyage, peu importe la distance parcourue, sur une période de 30 jours. Il coûte 719$ en haute saison et 448$ en basse saison.

Un laissez-passer nord-américain, valide sur tous les trains de VIA Rail et d'Amtrak, est disponible pour une période de 30 jours en classe économique.

Pour tout renseignement complémentaire, appelez votre agence de voyages ou le bureau de VIA Rail de votre région ou encore visitez le site Internet: ***www.viarail.ca.***

comme Montréal ou Toronto. Cette dernière formule exige cependant que vous disposiez de beaucoup de temps (prévoyez un minimum de cinq jours pour un trajet entre Montréal et Vancouver).

La formule **Canrailpass** s'avère particulièrement intéressante, car, outre son prix avantageux, elle permet de voyager à travers tout le Canada au moyen d'un billet unique. Ce dernier permet de voyager sans limite sur tout le réseau ferroviaire canadien pendant 12 jours, mais doit être utilisé dans une période limitée à 30 jours à compter du premier voyage. Au moment de mettre sous presse, le Canrailpass coûtait ***719$*** en haute saison et ***448$*** en basse saison. De plus, le Canrailpass donne également droit à un tarif spécial pour une location de voiture.

À Montréal
VIA Rail
☎(514) 989-2626

À Québec
VIA Rail
☎(418) 692-3840

À Paris
Express Conseil
☎01 44 77 87 94

Au Canada
VIA Rail
☎800-VIA-RAIL ou renseignez-vous auprès de votre agent de voyages.

En Suisse
VIA Rail
Touring Club Suisse
☎22-737-1313
⇌22-737-1590

Les trains en provenance des États-Unis et de l'Est canadien s'arrêtent à la nouvelle gare intermodale **Pacific Central Station** de Vancouver *(VIA Rail Canada, 1150 Station St., ☎800-561-8630),* où il est également possible de prendre l'autobus ou le réseau de surface de transports en commun, le ***SkyTrain***. Le train ***Le Canadien*** de VIA Rail se rend à Vancouver trois fois par semaine en provenance de Toronto. La liaison Edmonton-Vancouver constitue un voyage très spectaculaire à travers les montagnes Rocheuses et le long de rivières et vallées; les gens pressés devraient toutefois s'abstenir puisqu'il faut compter 24 heures pour effectuer ce trajet. Il s'agit d'un voyage touristique et non pas d'une liaison pour les gens d'affaires. Il en coûte moins de 200$ pour l'aller simple; cependant, il vaut mieux s'informer auprès de VIA Rail pour connaître les différents prix selon les saisons.

BC Rail *(1311 W. 1st St., North Vancouver, ☎604-984-5246 ou 800-663-8238, www.bcrail. com).* Cette gare est desservie surtout par les trains du nord de la Côte Ouest, et les horaires varient selon les saisons.

L'été, la compagnie ferroviaire **Great Canadian Railtour Company Ltd.** offre les **Rocky Mountaineer Railtours** *(784$/pers., 729$/pers. en occupation double; ☎604-606-7245 ou 800-665-7245, ⇌606-7250, www.rockymountaineer.com)* entre Calgary et Vancouver.

En voiture

Le bon état général des routes et l'essence trois fois moins chère qu'en Europe font de la voiture un moyen idéal pour visiter en toute liberté l'Ouest canadien. De très nombreuses routes relient les États-Unis au Canada ainsi que l'Est canadien aux autres provinces. La plus célèbre d'entre toutes est bien sûr l'impressionnante route transcanadienne, qui relie Saint John's (province de Terre-Neuve et Labrador) et Victoria, en Colombie-Britannique. Le permis de conduire des pays d'Europe de l'Ouest est valide tant au Canada qu'aux États-Unis. Tandis que le voyageur en provenance des États-Unis n'aura aucune difficulté à s'habituer au code de la route en vigueur au Canada, il n'en sera pas de même pour le visiteur européen. En effet, le code de la route est sensiblement différent entre les deux continents et nécessite quelques adaptations pour l'automobiliste de la «Vieille Europe». Voici quelques conseils destinés aux Européens.

Il n'y a pas de priorité à droite en Amérique du Nord. Ce sont les panneaux de signalisation qui indiquent à chaque intersection la priorité. Les panneaux marqués «Stop» sur fond rouge sont à respecter scrupuleusement! Il faut que vous marquiez l'arrêt complet, même s'il vous semble n'y avoir aucun danger apparent.

Les feux de circulation sont situés le plus souvent de l'**autre côté de l'intersection**. Faites attention où vous marquez l'arrêt.

Les conducteurs de l'Ouest canadien sont très respectueux des piétons et leur cèdent systématiquement le passage, même dans les grandes villes. Les passages piétonniers sont généralement surmontés d'un panneau jaune. Quand vous croiserez l'un de ces panneaux, vérifiez bien qu'aucun piéton ne s'apprête à traverser.

Contrairement au Québec, le virage à droite au feu rouge est permis lorsque la voie est libre.

Lorsqu'un autobus scolaire (de couleur jaune) est à l'arrêt (feux clignotants allumés), **vous devez obligatoirement vous arrêter quelle que soit votre direction**. Le manquement à cette règle est considéré comme une faute grave!

Le port de la ceinture de sécurité est obligatoire tant au Canada qu'aux États-Unis.

Presque toutes les autoroutes sont gratuites partout dans l'Ouest canadien, et il n'existe que quelques ponts à péage. La vitesse y est généralement limitée à 100 km/h. Sur les routes principales, la vitesse est de 90 km/h, et de 50 km/h dans les zones urbaines.

Le Canada étant un pays producteur de pétrole, l'essence y est nettement moins chère qu'en Europe. À certains postes d'essence (surtout en ville), il se peut qu'après 23h on vous demande de payer d'avance. Cela est fait par souci de sécurité.

Bien que les routes soient en général très bien dégagées en hiver, il faut tout de même considérer le danger que représentent les conditions climatiques (vents violents, bancs de neige).

Il faut vous souvenir que la faune est très présente au Canada. Ainsi, même à quelques minutes de route de Calgary, il est fort possible que vous arriviez face à face avec un cerf. Soyez bien attentif et ralentissez. S'il vous arrivait de frapper un gros animal, vous êtes tenu de téléphoner à la Gendarmerie royale du Canada (GRC) pour qu'elle vienne le ramasser. Pour ce faire, faites le **0** pour parler au téléphoniste.

Certaines routes du nord de la Colombie-Britannique, de l'Alberta, de la Saskatchewan et du Manitoba ne sont pas pavées. Par conséquent, assurez-vous que votre véhicule est équipé pour affronter ces terrains difficiles (par exemple, quatre roues motrices).

Location de voitures

Un forfait incluant avion, hôtel et voiture ou simplement hôtel et voiture peut être moins cher que la location sur place. Nous vous conseillons de comparer. De nombreuses agences de voyages travaillent avec les entreprises les plus connues (Avis, Budget, Hertz et autres) et proposent des promotions avantageuses souvent accompagnées de primes (par exemple, rabais pour spectacles).

Sur place, vérifiez si le contrat comprend le kilométrage illimité ou non et si l'assurance proposée vous couvre complètement (accident, dégâts matériels, frais d'hôpitaux, passagers, vols).

Certaines cartes de crédit, les cartes Or par exemple, vous assurent automatiquement contre les collisions et le vol du véhicule; avant de louer un véhicule, vérifiez que votre carte vous offre bien ces deux protections.

Avertissement:
Il faut avoir un minimum de 21 ans et posséder son permis depuis **au moins un an pour louer une voiture**. De plus, si vous avez entre 21 et 25 ans, certaines entreprises de location imposeront une franchise collision de 500$ et parfois un supplément journalier. À partir de l'âge de 25 ans, ces conditions ne s'appliquent plus.

Une carte de crédit est indispensable pour le dépôt de la garantie si vous ne voulez pas bloquer d'importantes sommes d'argent. La carte de crédit doit être au même nom que le permis de conduire.

Dans la majorité des cas, les voitures louées sont dotées d'une transmission automatique.

Les sièges de sécurité pour enfants sont en supplément dans la location.

Accidents et pannes

En cas d'accident grave, d'incendie ou d'autre urgence, composez le **☎911** ou le **0**. Si vous vous trouvez sur l'autoroute, rangez-vous sur l'accotement et faites fonctionner vos feux de détresse. En cas de location, vous devrez avertir au plus tôt l'entreprise de location. N'oubliez jamais de remplir une déclaration d'accident (constat à l'amiable). En cas de désaccord, demandez l'aide de la police.

En traversier

La compagnie de traversiers de la Colombie-Britannique, **BC Ferries**, dessert 47 ports le long de la côte et dans les îles. La traversée jusqu'à l'île de Vancouver dure entre 90 min et deux heures. De plus courtes traversées vous entraînent jusqu'aux Gulf Islands ou jusqu'à la Sunshine Coast, au nord-ouest de

Vancouver. Pour une véritable croisière, vous pouvez vous embarquer à Port Hardy, à la pointe nord de l'île de Vancouver, jusqu'à Prince Rupert, par l'Inside Passage. De là, plusieurs excursions sont possibles dans les îles de la Reine-Charlotte. Pour information, contactez:

BC Ferries
☎888-BCFERRY
☎(250) 386-3431
www.bcferries.bc.ca

Consultez également la section «Pour s'y retrouver sans mal» de chacun des chapitres de ce guide.

En autocar

Bien répartis et peu chers, les autocars couvrent la majeure partie du territoire canadien. Plusieurs compagnies se partagent le territoire.

La compagnie **Greyhound** *(☎800-661-8747, www.greyhound.ca)* du Canada dessert l'Ouest canadien par l'intermédiaire d'autres compagnies locales.

Il est à noter que des rabais s'appliquent automatiquement aux billets réservés une journée à l'avance. Les tarifs pour adultes à destination de certaines villes sont les suivants:

Vancouver-Calgary :
aller simple 125,51$, aller-retour 251,02$

Calgary-Regina :
aller simple 93,14$, aller-retour 186,29$

Regina-Winnipeg :
aller simple 67,41$, aller-retour 134,82$

Une façon plus économique de voyager dans les grands espaces canadiens sans se ruiner est l'International Coach Pass, qui permet l'exploration du Canada selon des tarifs forfaitaires s'appliquant sur des séjours variant entre sept jours et deux mois. Les billets peuvent être achetés au Canada ou en Europe:

Belgique
☎(32) 2 512 38 13

France
☎01.44.41.89.89

Il est interdit de fumer sur toutes les lignes. Les animaux ne sont pas admis. En général, les enfants de cinq ans et moins sont transportés gratuitement. Les personnes de 60 ans et plus ont droit à des rabais.

Décalage horaire

L'Ouest canadien couvre quatre fuseaux horaires différents. En Colombie-Britannique, il est neuf heures plus tôt qu'en Europe de l'Ouest, tandis qu'en Alberta il est huit heures plus tôt. Lorsqu'il est midi à Montréal, par exemple, il est 9h à Vancouver et 10h à Calgary.

Horaires et jours fériés

Horaires

Magasins

En règle générale, les magasins respectent l'horaire suivant:

Lun-mer *10h à 18h*;
jeu-ven *10h à 21h*;
sam *9h* ou *10h à 17h*;
dim *12h à 17h*.

On trouve également un peu partout dans l'Ouest canadien des magasins généraux d'alimentation de quartier *(convenience stores)*, qui sont ouverts plus tard et parfois 24 heures par jour.

Banques

Les banques sont ouvertes du lundi au vendredi de 10h à 15h. Plusieurs d'entre elles sont ouvertes les jeudis et les vendredis jusqu'à 18h, voire 20h. Le réseau des banques possédant des guichets automatiques en fonction jour et nuit est bien développé.

Bureaux de poste

Les grands bureaux de poste sont ouverts de 9h à 17h du lundi au vendredi. Il existe de nombreux bureaux de poste répartis un peu partout, soit dans les centres commerciaux, dans les *convenience stores* ou même dans les pharmacies; ces bureaux sont ouverts selon l'horaire des commerçants.

Jours de fête et jours fériés

Voici la liste des jours fériés dans les provinces de la Colombie-Britannique de l'Alberta, de la Saskatchewan et du Manitoba. À noter que la plupart des services administratifs et les banques sont fermés ces jours-là.

Nouvel an
1er et 2 janvier

Vendredi Saint
fête mobile

Lundi de Pâques
fête mobile

Fête de la Reine (Victoria day)
troisième lundi de mai

Fête de la Confédération
1er juillet

Congé civique général
5 août

Fête du Travail
premier lundi de septembre

Action de grâce
deuxième lundi d'octobre

Jour du Souvenir
11 novembre (seuls les banques et les services gouvernementaux fédéraux sont fermés)

Noël
25 décembre

Boxing Day
26 décembre

Services financiers

Monnaie

L'unité monétaire est le dollar canadien ($), lui-même divisé en cents. Un dollar = 100 cents. Il existe des billets de banque de 5, 10, 20, 50 et 100 dollars, de même que des pièces de 1, 5, 10 et 25 cents ainsi que de 1 et 2 dollars.

Change

La plupart des banques changent facilement les devises européennes, mais presque toutes demandent des **frais de change**. En outre, on peut s'adresser à des bureaux ou à des comptoirs de change qui, en général, n'exigent aucune commission. Ces bureaux ont souvent des heures d'ouverture plus longues. La règle à retenir: **se renseigner et comparer**.

Chèques de voyage

N'oubliez pas que les dollars canadiens et américains sont différents. Aussi, si vous ne songez pas à vous rendre aux États-Unis lors d'un même voyage, il serait préférable de faire émettre vos chèques en dollars canadiens.

Les chèques de voyage sont acceptés, en général, dans la plupart des grands magasins et dans les hôtels, mais il vous sera plus commode de les encaisser dans les banques ou dans les bureaux de change.

Cartes de crédit

La carte de crédit est acceptée un peu partout, tant pour les achats de marchandises que pour la note d'hôtel ou l'addition au restaurant. Son avantage principal réside surtout dans l'absence

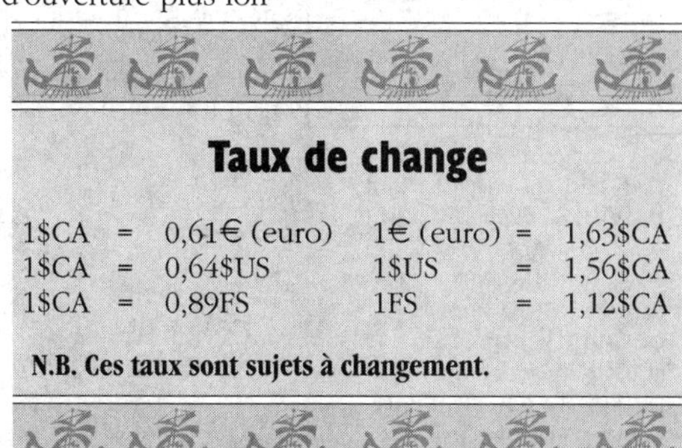

Taux de change

1$CA	= 0,61€ (euro)		1€ (euro)	=	1,63$CA
1$CA	= 0,64$US		1$US	=	1,56$CA
1$CA	= 0,89FS		1FS	=	1,12$CA

N.B. Ces taux sont sujets à changement.

de manipulation d'argent, mais également dans le fait qu'elle vous permettra (par exemple lors de la location d'une voiture) de constituer une garantie et d'éviter ainsi un dépôt important d'argent. De plus, le taux de change est généralement plus avantageux. Les cartes de crédit les plus utilisées sont Visa, MasterCard et American Express.

La carte de crédit représente aussi un bon moyen d'éviter les frais de change. Ainsi, les personnes pour lesquelles il est possible de faire un retrait directement de leur carte de crédit peuvent surpayer leur carte et faire des retraits directement à partir de celle-ci. Cette procédure vous évite de transporter de grande quantité d'argent liquide ou d'utiliser des chèques de voyage. De plus, comme la plupart des hôtels et restaurants acceptent les cartes de crédit, vous évitez toute manipulation d'argent liquide tout en bénéficiant du taux officiel de la journée, et ce, sans frais.

Banques

Il existe de nombreuses banques, et la plupart des services courants sont rendus aux voyageurs. Pour ceux qui ont choisi un long séjour, notez qu'une personne **non résidente** ne peut ouvrir un compte bancaire courant. Dans ce cas, pour avoir de l'argent liquide, la meilleure solution demeure encore d'être en possession de chèques de voyage ou d'une carte de crédit surpayée. Le retrait de votre compte à l'étranger constitue une solution coûteuse, car les frais de commission sont élevés. Par contre, plusieurs guichets automatiques accepteront votre carte de banque européenne, et vous pourrez alors retirer de l'argent dans votre compte. Les personnes qui ont obtenu le statut de résident, permanent ou non (immigrants, étudiants), peuvent ouvrir un compte de banque. Il leur suffira, pour ce faire, d'apporter leur passeport ainsi qu'une preuve de leur statut de résident.

Climat et habillement

L'Ouest canadien offre un climat qui varie grandement de région en région. Ainsi, la région de Vancouver bénéficie, en quelque sorte, d'un microclimat dû à sa situation géographique entre le Pacifique et les Rocheuses. La température de Vancouver oscille entre 0°C et 15°C l'hiver, et l'été voit le mercure monter de quelques degrés. Le reste de la région, en raison de l'altitude des Rocheuses et du vent des Prairies, a un climat très varié. Les hivers sont froids et secs, alors que le mercure peut atteindre 40°C au-dessous de zéro, mais la moyenne est de 20°C sous le point de congélation. Notez que les villes de Saskatoon et de Winnipeg enregistrent, l'hiver, les températures les plus froides de tout le sud du pays. Les étés sont secs, alors que la température frise les 25°C dans la plaine et se maintient plus bas en altitude. Un autre élément particulier à la région est le chinook, un vent chaud qui peut même faire fondre la neige.

Hiver

De décembre à mars, c'est la saison idéale pour les amateurs de sports d'hiver (ski, patinage et autres). Durant cette saison, il faut porter des vêtements chauds (manteau, écharpe, bonnet, gants, chandail de laine et bottes). La ville de Vancouver a un hiver généralement pluvieux, donc n'oubliez pas votre imperméable. Notez également que, pour le sud de la Colombie-Britannique, le mercure tombe rarement sous le point de congélation.

Printemps et automne

Le printemps est bref (de la fin mars à la fin mai) et annonce la période du dégel, pendant laquelle les rues sont souvent détrempées. L'automne, le climat est souvent frais; aussi, pour ces saisons d'entre-deux, ne regretterez-vous pas d'avoir emporté un chandail, une écharpe, des gants de laine, un coupe-vent et, bien sûr, un parapluie.

Été

De la fin mai à la fin août, il peut faire chaud. Munissez-vous de t-shirts, de chemises et de pantalons légers, de shorts et de lunettes de soleil; un tricot est souvent nécessaire en soirée. Si vous comptez faire de la randonnée en montagne, n'oubliez pas de calculer l'effet refroidissant de l'altitude, et emportez un coupe-vent.

Assurances

Assurance-annulation

L'assurance-annulation est normalement offerte par l'agent de voyages au moment de l'achat du billet d'avion ou du forfait. Elle permet le remboursement du billet ou du forfait dans le cas où le voyage devrait être annulé, en raison d'une maladie grave ou d'un décès. Les gens n'ayant pas de problèmes de santé ont peu de chances d'avoir recours à une telle protection. Elle demeure par conséquent d'une utilité relative.

Assurance contre le vol

La plupart des assurances-habitation au Canada protègent une partie des biens contre le vol, même si celui-ci a lieu à l'extérieur de la maison. Si une telle malchance vous arrivait, n'oubliez toutefois pas d'obtenir un rapport de police, car sans lui vous ne pourrez pas réclamer votre dû. Les personnes disposant d'une telle protection n'ont donc pas besoin d'en prendre une supplémentaire, mais, avant de partir, assurez-vous d'en avoir bel et bien une.

Assurance-maladie

L'assurance-maladie est sans nul doute la plus importante à se procurer avant de partir en voyage, et il est prudent de bien savoir la choisir, car cette police doit être la plus complète possible. Au moment de l'achat de la police, il faudrait veiller à ce qu'elle couvre bien les frais médicaux de tout ordre comme l'hospitalisation, les services infirmiers et les honoraires des médecins (jusqu'à concurrence d'un montant assez élevé) ainsi qu'une clause de rapatriement, pour le cas où les soins requis ne peuvent être administrés sur place. En outre, il peut arriver que vous ayez à débourser le coût des soins en quittant la clinique; il faut donc vérifier ce que prévoit la police dans ce cas. S'il vous arrivait un accident durant votre séjour, vous devriez toujours garder sur vous la preuve que vous avez contracté une assurance-maladie, ce qui vous évitera bien des ennuis.

Le programme d'assurance-maladie du Québec rembourse aux résidants québécois les frais d'hospitalisation, à l'exception des suppléments, de même que les honoraires des médecins, selon le tarif du Québec; aussi est-il recommandé de prendre une assurance privée pour couvrir la différence. En cas d'accident ou de maladie, conservez vos reçus afin d'être remboursé par la Régie de l'assurance-maladie du Québec.

Santé

Pour les personnes en provenance d'Europe ou des États-Unis, aucun vaccin n'est nécessaire. D'autre part, il est vivement recommandé, surtout pour les séjours de moyen ou long terme, de souscrire à une assurance-maladie (voir ci-dessus). Il existe différentes formules, et nous vous conseillons de les comparer. Emportez vos médicaments, surtout ceux qui exigent une ordonnance. Sauf indication contraire, l'eau est potable partout dans l'Ouest canadien.

L'été, prenez garde aux coups de soleil. Surtout lorsqu'il vente, la brûlure des rayons solaires peut être plus difficile à ressentir, mais non moins dommageable. N'oubliez pas votre crème solaire et votre chapeau!

Urgences

Partout au Canada, vous pouvez obtenir de l'aide en faisant le ☎**911**. Certaines régions, à l'extérieur des grands centres, ont leur propre numéro d'urgence; dans ce cas, faites le **0** pour parler au téléphoniste.

Sécurité

En prenant les précautions courantes, il n'y a pas lieu d'être inquiet outre mesure pour sa sécurité. Si toutefois la malchance était avec vous, n'oubliez pas que le numéro de secours est le ☎**911** ou le **0**.

Postes et télécommunications

Postes

Le service postal à travers tout le pays est assuré par **Postes Canada**. Un timbre pour envoyer une lettre au Canada coûte 0,48$, 0,65$ pour les États-Unis et 1,25$ pour tous les autres pays. Vous pouvez vous procurer ces timbres dans les bureaux de poste, bien sûr, ainsi que dans certaines pharmacies et épiceries.

Télécommunications

Il y a deux indicatifs régionaux en Alberta: le **403** pour Calgary ainsi que pour le sud de l'Alberta et certaines parties du centre de la province, et le **780** pour Edmonton ainsi que pour le nord de l'Alberta et certaines parties du centre de la province.

Il y a deux indicatifs régionaux en Colombie-Britannique. L'indicatif régional pour la basse partie continentale et la région de Vancouver est le **604**. L'indicatif régional pour l'île de Vancouver, ainsi que pour l'est, le centre et le nord de la province est le **250**.

L'indicatif régional pour le Manitoba est le **204**.

L'indicatif régional pour la Saskatchewan est le **306**.

Vous n'avez pas besoin de composer ces indicatifs s'il s'agit d'un appel local, sauf pour les villes de Vancouver et Whistler où vous devez signaler l'indicatif en tout temps, même si vous vous trouvez à l'intérieur de la zone de l'indicatif régional 604. Pour les appels interurbains, faites le 1, suivi de l'indicatif de la région que vous appelez, puis le numéro de l'abonné que vous désirez joindre.

Les numéros de téléphone précédés de **800**, **866**, **877** ou **888** vous permettent de communiquer avec l'abonné sans encourir de frais si vous appelez depuis le Canada et souvent même depuis les États-Unis. Si vous désirez joindre un téléphoniste, faites le 0.

Beaucoup moins chers à utiliser qu'en Europe, les appareils téléphoniques se trouvent à peu près partout. Il est facile de s'en servir, et certains fonctionnent même avec des cartes de crédit. Pour les appels locaux, la communication coûte 0,25$ pour une durée illimitée. Pour les interurbains, munissez-vous de pièces de 25 cents, ou bien procurez-vous une carte à puce d'une valeur de 10$, 15$ ou 20$ en vente dans les kiosques à journaux. Il est maintenant possible de payer par carte de crédit, ou en utilisant la carte «Allô» pré-payée, mais sachez que, dans ces cas, le coût des communications est beaucoup plus élevé.

Pour appeler en Belgique, faites le 011-32 puis l'indicatif régional (Anvers 3, Bruxelles 2, Gand 91, Liège 41) et le numéro de votre correspondant.

Pour appeler en France, faites le 011-33, puis le numéro à 10 chiffres de votre correspondant en omettant le premier zéro. **France Direct** *(☎800-872-7835)* est un service qui vous permet de communiquer avec un téléphoniste de France et de faire porter les frais à votre compte de téléphone en France.

Pour appeler en Suisse, faites le 011-41, puis l'indicatif régional (Berne 31, Genève 22, Lausanne 21, Zurich 1) et le numéro de votre correspondant.

Enfants

Comme ailleurs au Canada, où que vous vous rendiez dans l'Ouest canadien, des services sont offerts aux personnes voyageant avec des enfants, que ce soit pour les transports ou les loisirs. Dans les transports, en général, les enfants de cinq ans et moins ne paient pas. Il existe aussi des rabais pour les 12 ans et moins. Pour les activités ou les spectacles, la même règle s'applique parfois. Renseignez-vous avant d'acheter les billets. Dans la plupart des restaurants, des chaises pour enfants sont disponibles, et certains proposent des menus pour enfants. Quelques grands magasins offrent aussi un service de garderie.

Calgary est la seule ville en Amérique du Nord à posséder le statut d'«ami des enfants». En effet, par l'initiative du **Child & Youth Friendly Calgary** (*Kabanoff Centre, 8e étage, 1202 Centre St., Calgary, AB, T2P 1A7, ☎403-266-5448, www.childfriendly.ab.ca*) chaque site touristique, restaurant, etc. a été coté par des enfants.

Aînés

Des rabais très avantageux pour les transports et les spectacles sont souvent offerts aux aînés. N'hésitez pas à les demander ou contactez le **Canadian Association of Retired Persons** *(27 Queen St. E., Toronto, ON, M5C 2M6, ☎416-363-8748, ⇄416-363-8747, www.fiftyplus.net).*

Personnes à mobilité réduite

Il n'existe pas actuellement d'organisme pancanadien répertoriant les établissements accessibles aux personnes à mobilité réduite qui voyagent. Pour des renseignements sur l'accès aux personnes en fauteuil roulant aux divers attraits, banques, églises, parcs, restaurants, magasins et théâtres, procurez-vous le guide *Accessibility Awareness Vancouver Guide.* Vous le trouverez au **BC Coalition of People with Disabilities** *(204-456 W. Broadway, Vancouver, BC, V5Y 1R3, ☎875-0188).*

Pour plus de renseignements, vous pouvez aussi contacter les organismes suivants:

Canadian Foundation For Physically Disabled Persons
731 Runnymede
Toronto, ON, M6N 3V7
☎(416) 760-7351
⇄(416) 760-9405
www3.sympatico.ca/whynot/

Disabled Peoples International
3516 42A Ave. NW
Edmonton, AB, T6L 4N7
☎(780) 462-4853
www.dpi.org

Vie gay

En 1977, le Québec fut le deuxième État du monde, après les Pays-Bas, à avoir inscrit dans sa charte le principe de non-discrimination pour orientation sexuelle. Les provinces canadiennes ont suivi son exemple plus tard, la plus récente étant l'Alberta.

L'attitude des Canadiens envers l'homosexualité est en général ouverte et tolérante. Au fil des années, diverses législations, particulièrement au niveau fédéral, dans la province de l'Ontario et au Québec, modernisent quelque peu les règles de société envers les gays, reflétant en cela une opinion publique favorable, particulièrement au Québec. Quelques administrations, comme les douanes canadiennes, font parfois preuve d'un obscurantisme moyenâgeux, allant jusqu'à bloquer, au Canada anglais, l'importation d'œuvres de Marcel Proust! La librairie Little Sisters, à Vancouver, mène un courageux combat juridique contre ces fonctionnaires qui s'approprient le rôle de censeur.

En gros, les zones rurales seraient plus homophobes que les agglomérations urbaines, et l'Ouest canadien n'est pas si tolérant envers les gays et lesbiennes. Par contre, les Prairies comptent aussi leur nombre d'homosexuels célèbres qui incluent la chanteuse country **k.d. lang**. La ville de Vancouver a le plus grand nombre de communautés gays et lesbiennes établies dans l'Ouest canadien, principalement dans le West End.

Colombie-Britannique

Little Sisters Book and Art Emporium
1235 Davie St., Vancouver, BC, V6T1Z2
☎***(604) 669-1753***
☎***800-567-1662***
⇄***(604) 685-0252***
www.littlesistersbookstore.com

Gay Lesbian Transgendered Bisexual Community Centre
1170 Bute St., Vancouver, BC, V6Z2L9
☎***(604) 684-4901***

Alberta

Gay & Lesbian Community Centre of Edmonton
9912 106th St. NW, Suite 45, Edmonton, AB, T5K1C5
☎***(780) 488-3234***
⇄***(780) 482-2855***
www.freenet.edmonton.ab.ca/glcce/

Gay & Lesbian Community Services
223 12th Ave. SW, Suite 205a, Calgary, AB, T2R0G9
☎***(403) 234-8973***

Saskatchewan

Gay & Lesbian Community of Regina
2070 Broad St., Regina, SK, S4P1Y3
☎***(306) 569-1995***
www3.sksympatico.ca/glcr1/

Manitoba

Rainbow Resource Centre
#1-222 Osborne St. S., Winnipeg
☎***(204) 284-5208***
☎***888-339-0005***
⇄***(204) 478-1160***
www.mts.net/~wglrc/

Gay/Lesbian Info Line
☎***(204) 284-5208***
☎***888-399-0005***
⇄***(204) 478-1160***

Attraits touristiques

Chacun des chapitres de ce guide vous entraîne à travers l'Ouest canadien. Y sont abordés les principaux attraits touristiques, suivis d'une description historique et culturelle. Les attraits sont cotés selon un système d'étoiles vous permettant de faire un choix si le temps vous y oblige.

★	**Intéressant**
★★	**Vaut le détour**
★★★	**À ne pas manquer**

Le nom de chaque attrait est suivi d'une parenthèse qui vous donne ses coordonnées. Le prix qu'on y retrouve est le droit d'entrée pour un adulte. Informez-vous car plusieurs endroits offrent des rabais pour les enfants, les étudiants, les aînés et les familles. Plusieurs de ces attraits sont accessibles seulement pendant la saison touristique, tel qu'indiqué dans cette même parenthèse. Cependant, même hors saison, certains de ces endroits accueillent les visiteurs sur demande, surtout en groupe.

Hébergement

Le choix est grand, et, suivant le genre de tourisme que l'on recherche, on choisira l'une ou l'autre des nombreuses formules proposées. En général, le niveau de confort est élevé, et souvent plusieurs services sont disponibles. Les prix varient selon le type d'hébergement choisi; sachez cependant que, sur les prix affichés, il faut ajouter une taxe de 7% (la TPS: taxe fédérale sur les produits et les services) et, selon les provinces, la taxe provinciale. Ces taxes sont toutefois remboursables aux non-résidents (voir p 62).

Dans la mesure où vous souhaitez réserver (fortement conseillé si vous voyagez l'été), une carte de crédit s'avère indispensable, car, dans plusieurs cas, on vous demandera de payer d'avance la première nuitée.

Dans plusieurs centres de renseignements touristiques, il existe également un service de réservation qui s'occupe gratuitement des réservations de chambres.

Prix et symboles

Les tarifs mentionnés dans ce guide s'appliquent, sauf indication contraire, à une chambre pour deux personnes en haute saison, avant les taxes.

$	50$ ou moins
$$	51$ à 100$
$$$	101$ à 150$
$$$$	151$ à 200$
$$$$$	201$ ou plus

Les tarifs d'hébergement sont souvent inférieurs aux prix mentionnés dans le guide, particulièrement si vous y séjournez en basse saison. De plus, plusieurs hôtels et auberges offrent des rabais substantiels aux professionnels (par l'entremise de leur association) ou aux membres de clubs automobiles (CAA). Donc, n'hésitez pas à demander au personnel des établissements hôteliers si vous pouvez bénéficier de quelque rabais que ce soit.

Les divers services offerts par chacun des établissement hôteliers sont indiqués à l'aide de petits symboles qui sont expliqués dans la liste des symboles se trouvant dans les premières pages de ce guide. Rappelons que cette liste n'est pas exhaustive quant aux services offerts par chacun des établissements hôteliers, mais qu'elle représente les services les plus demandés par leur clientèle.

Il est à noter que la présence d'un symbole ne signifie pas que toutes les chambres du même établissement hôtelier offrent ce service; vous aurez à payer quelquefois des frais supplémentaires pour avoir, par exemple, une baignoire à remous dans votre chambre. De même, si le symbole n'est pas attribué à l'établissement hôtelier, cela signifie que celui-ci ne peut pas vous offrir ce service. Il est à noter que, sauf indication contraire, tous les établissements hôteliers inscrits dans ce guide offrent des chambres avec salle de bain privée.

Bateau Ulysse 

Le pictogramme du bateau Ulysse est attribué à nos établissements favoris (hôtels et restaurants). Bien que chacun des établissements inscrits dans ce guide s'y retrouve en raison de ses qualités ou particularités, en plus de son rapport qualité/prix, de temps en temps un établissement se distingue parmi d'autres. Ainsi il mérite qu'on lui attribue un bateau Ulysse. Les bateaux Ulysse peuvent se retrouver dans n'importe quelle catégorie d'établissements: supérieure, moyenne-élevée, petit budget. Quoi qu'il en soit, dans chacun de ces établissements, vous en aurez pour votre argent. Repérez-les en premier!

Hôtels

Les lieux d'hébergement sont nombreux au Canada, et ils varient du modeste motel à l'hôtel luxueux. La plupart des chambres d'hôtel ont leur propre salle de bain. Les prix mentionnés sont basés sur les tarifs en haute saison.

Dans la plupart des établissements, il est possible de bénéficier de rabais allant jusqu'à 50%. Les tarifs de fin de semaine sont souvent plus bas parce que l'importante clientèle d'affaires loge à l'hôtel surtout en semaine. Les associations professionnelles, les membres de clubs automobiles et les aînés peuvent profiter de bons rabais. En réservant votre chambre, informez-vous des forfaits, primes et réductions possibles.

Logement chez l'habitant

Contrairement aux hôtels, les chambres des gîtes touristiques ne sont pas toujours louées avec salle de bain. Les *bed and breakfasts* (dénomination anglaise souvent utilisée pour désigner ces gîtes) sont bien répartis dans la majeure partie du Canada et offrent l'avantage, outre le prix, de faire partager une ambiance familiale. Cependant, la carte de crédit n'est pas acceptée partout. Le prix de la chambre inclut le petit déjeuner.

Motels

On retrouve les motels en grand nombre. Ils sont relativement peu chers, mais ils manquent souvent de charme. Cette formule convient plutôt lorsqu'on manque de temps.

Auberges de jeunesse

Vous trouverez l'adresse de chacune des auberges de jeunesse dans la section «Hébergement» de la ville où elles se trouvent. Devenir membre de Hostelling International peut être très avantageux si vous comptez loger dans les auberges de jeunesse lors de votre séjour au Canada.

Universités

Cette formule reste assez compliquée à cause des nombreuses restrictions qu'elle implique: elle ne peut s'appliquer que l'été (de la mi-mai à la mi-août); il faut réserver plusieurs mois à l'avance et de préférence posséder une carte de crédit afin de payer la première nuitée à titre de réservation. Toutefois, ce type de logement reste moins cher que les formules «classiques», et, si l'on s'y prend à temps, cela peut s'avérer agréable. Il faut compter un montant moyen de 20$ plus les taxes pour les personnes qui possèdent une carte d'étudiant (33$ pour les non-étudiants). La literie est comprise dans le prix, et, en général, une cafétéria sur place permet de prendre le petit déjeuner (non inclus).

Chez les Autochtones

Les possibilités de loger chez les Autochtones sont limitées mais se développent de plus en plus. N'oubliez pas que les réserves sont administrées par les Autochtones, d'où la nécessité, dans certains cas, d'obtenir une autorisation du Conseil de bande.

Camping

À moins de se faire inviter, le camping constitue probablement le type d'hébergement le moins cher. Malheureusement, le climat ne rend possible cette activité que sur une courte période de l'année, soit de juin à début septembre, à moins de disposer de l'équipement approprié contre le froid. Les services offerts sur les terrains de camping peuvent varier considérablement, aussi en est-il des prix. Certains sont publics et d'autres privés. Les prix mentionnés dans ce guide s'appliquent à un emplacement pour une tente.

Restaurants

Dans la majorité des cas, les restaurants offrent un «spécial du jour», c'est-à-dire un menu complet à prix avantageux. Servi le midi seulement, il propose bien souvent un choix d'entrées et de plats, un café ou un dessert. Le soir, la table d'hôte (même formule mais légèrement plus chère) est également intéressante.

Les spécialités culinaires locales sont sans aucun doute le saumon du Pacifique et le bœuf de l'Alberta. Chaque ville offre une sélection d'établissements pour tous les budgets, du simple casse-croûte à la table gastronomique.

Les prix mentionnés dans ce guide s'appliquent à un repas typique pour une personne avant taxes et service (voir «Pourboires», p 61).

$	10$ ou moins
$$	de 11$ à 20$
$$$	de 21$ à 30$
$$$$	31$ ou plus

C'est généralement selon les prix des tables d'hôte du soir que nous avons classé les restaurants, mais souvenez-vous que les repas du midi sont souvent beaucoup moins coûteux.

Bateau Ulysse 

Le pictogramme du bateau Ulysse est attribué à nos établissements favoris (hôtels et restaurants). Pour de plus amples renseignements, voir p 59.

Achats

Quoi acheter?

Saumon

Les visiteurs pourront trouver ce poisson à bon prix sur les quais ou dans les poissonneries. Sachez que le saumon du Pacifique compte parmi les meilleurs au monde.

Habits traditionnels

Vous trouverez en Alberta un excellent choix de bottes et de chapeaux de cow-boy et de vêtements de cuir.

Artisanat local

Peintures, sculptures de bois, céramiques, émaux sur cuivre, tricots, etc.

Artisanat autochtone

De très belles sculptures amérindiennes fabriquées à partir de différentes sortes de pierres ou même d'os, et en général assez chères. Assurez-vous du caractère authentique de votre sculpture en réclamant la vignette d'authenticité émise par le gouvernement du Canada.

Livres et disques

Les voyageurs européens profiteront du fait que les disques compacts ainsi que les livres en anglais sont vendus beaucoup moins cher au Canada.

Vin

La Colombie-Britannique compte sur une industrie vinicole bien établie. Les visites de vignobles y sont possibles, et le vin des domaines peut être acheté un peu partout dans la province.

Taxes et pourboires

Taxes

Contrairement à l'Europe, les prix affichés le sont **hors taxes** dans la majorité des cas. Partout au Canada, la TPS (taxe fédérale sur les produits et services) de 7% s'ajoute.

La taxe de vente provinciale est de 7% en Colombie-Britannique et au Manitoba, et de 6% en Saskatchewan; il n'y a pas de taxe de vente provinciale en Alberta. La TPS fédérale et les taxes de vente provinciales sont cumulatives et doivent être ajoutées au prix de la plupart des articles, de même qu'à l'addition au restaurant et à la note d'hôtel. Quelques hôtels facturent une taxe provinciale supplémentaire de 8% pour la chambre.

Il y a quelques exceptions à ce système de taxation, comme les livres, sur lesquels on ne paie que la TPS fédérale, et la nourriture (sauf les plats cuisinés), qui n'est pas taxée du tout.

Droit de remboursement de la taxe pour les non-résidents

Les non-résidents peuvent récupérer les taxes payées sur leurs achats. Pour cela, il est important de garder ses factures. Le remboursement de ces taxes se fait en remplissant pour chaque type de taxe (fédérale ou provinciale) un formulaire.

Avertissement: les conditions de remboursement de la taxe sont différentes selon qu'il s'agit de la taxe fédérale ou provinciale. Le montant des achats doit atteindre **au moins 200$** pour être éligible au remboursement. Pour information, composez le ☎***800-668-4748*** ou tapez ***www.ccra-adrc.gc.ca/visitors*** (pour la TPS).

Pourboires

Les pourboires s'appliquent à tous les services rendus à table, c'est-à-dire dans les restaurants ou autres endroits où l'on vous sert à table (la restauration rapide n'entre donc pas dans cette catégorie). Ils sont aussi de rigueur dans les bars, les boîtes de nuit, les salons de coiffure et les taxis.

Selon la qualité du service rendu, il faut compter environ 15% de pourboire sur le montant avant les taxes. Le pourboire n'est pas, comme en Europe, inclus dans l'addition; le client doit le calculer lui-même et le remettre à la personne qui l'a servi, coiffé ou conduit.

Un pourboire de 1$ à 3$ est habituellement offert au voiturier, même si vous payez une place de stationnement. Dans les hôtels de catégorie supérieure, la femme de chambre devrait recevoir un pourboire quotidien entre 5$ et 10$; dans un hôtel standard, prévoyez laisser entre 2$ et 3$ de pourboire. Comme pour les chasseurs et autres porteurs, le pourboire est parfois inclus dans le tarif d'hôtel (particulièrement pour les grands groupes de voyageurs), sinon prévoyez entre 3$ et 5$ par valise pour leurs services.

Bars et discothèques

Dans la plupart des cas, aucun droit d'entrée (en dehors du vestiaire obligatoire) n'est exigé. Cependant attendez-vous à débourser quelques dollars pour avoir accès aux discothèques les fins de semaine. L'âge légal est de 19 ans en Colombie-Britannique et en Saskatchewan, et de 18 ans en Alberta et au Manitoba. Si vous paraissez plutôt jeune, prévoyez être muni de vos papiers d'identité.

Selon la province où l'on se trouve, la vente d'alcool cessera à différentes heures; dans la plupart des provinces, elle se termine à 2h du matin. Certains bars peuvent rester ouverts, mais il faudra, à ce moment, vous contenter de petites limonades! Aussi, les établissements n'ayant qu'un permis de taverne ou brasserie doivent fermer à minuit. Dans les petites villes, les restaurants font souvent aussi office de bar. Si vous désirez vous divertir le soir venu, consultez les sections «Sorties» de chacun des chapitres, mais jetez aussi un coup d'œil sur les sections «Restaurants».

Vin, bière et spiritueux

Au Canada, on peut se procurer les alcools dans des boutiques spécialisées régies par le gouvernement. Ces *Liquor Stores*, *Beer Stores* ou *Wines Stores* se retrouvent un peu partout au pays.

Avis aux fumeurs

Au Canada, la cigarette est considérée comme un «grand mal» à éliminer. Il est interdit de fumer:

dans les centres commerciaux; dans les autobus; dans les bureaux des administrations publiques.

La majorité des lieux publics (restaurants, salons de thé) ont des sections «fumeurs» et «non-fumeurs».

Par contre, en Colombie-Britannique, on limite de plus en plus les lieux publics acceptant la cigarette. Ainsi, il est interdit de fumer dans les restaurants et les débits de boissons à Vancouver, West Vancouver, North Vancouver, Victoria et dans plusieurs autres villes de la province. La nouvelle loi anti-fumeurs a tout de même rencontré une certaine opposition dans quelques régions de la Colombie-Britannique.

Si toutefois vous n'êtes pas trop découragé, sachez que les cigarettes se vendent dans bien des endroits (bars, épiceries, kiosques à journaux).

Fêtes et festivals

Le Canada est riche en activités de toutes sortes. Vu le nombre impressionnant de festivals, d'expositions annuelles, de salons, de carnavals, de rassemblements et autres, il nous est impossible de vous en citer ici la liste exhaustive. Nous en avons néanmoins sélectionné quelques-uns qui sont décrits dans la section «Sorties» de chaque chapitre.

Poids et mesures

Bien que le système métrique soit en vigueur au Canada depuis plusieurs années, il est encore courant de voir les gens utiliser les unités de mesure du système impérial.

Poids et mesures

Poids
1 livre (lb) = 454 grammes

Mesures de longueur
1 pied (pi) = 30 centimètres
1 mille (mi) = 1,6 kilomètre
1 pouce (po) = 2,5 centimètres

Mesures de superficie
1 acre = 0,4 hectare
10 pieds carrés (pi^2) = 1 mètre carré (m^2)

Mesures de capacité
1 gallon américain (gal) = 3,79 litres

Température

Pour convertir des °F en °C: soustraire 32, puis diviser par 9 et multiplier par 5.
Pour convertir des °C en °F: multiplier par 9, puis diviser par 5 et ajouter 32.

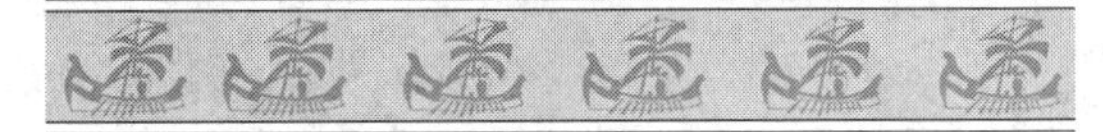

Animaux

La tolérance envers les animaux de compagnie varie d'une province à l'autre. Ils sont tous interdits dans les restaurants canadiens.

Le pictogramme symbolisant les animaux de compagnie se retrouve dans la liste des services des établissements hôteliers où ils sont admis. Quelquefois, il y a de petits frais supplémentaires ou quelques restrictions quant à la taille de l'animal. Pour la sécurité de votre animal et pour celle de ceux qui loueront la chambre après vous, assurez-vous que votre animal a subi un bon traitement contre les puces à l'aide d'un produit fiable (disponible auprès de votre vétérinaire) avant de l'emmener dans un établissement hôtelier.

Divers

Drogues

Les drogues sont absolument interdites (même les drogues dites «douces»). Toute personne trouvée en possession de drogue risque de faire face à la Justice, ayant pour conséquences une amende importante ou l'emprisonnement, en plus d'un casier judiciaire.

Électricité

Partout au Canada, la tension est de 110 volts. Les fiches d'électricité sont plates, et l'on peut trouver des adaptateurs sur place.

Laveries

On retrouve les laveries à peu près partout dans les centres urbains. Dans la majorité des cas, du savon est vendu sur place. Bien qu'on y trouve parfois des changeurs de monnaie, il est préférable d'en apporter une quantité suffisante avec soi.

Musées

Dans la majorité des cas, les musées sont payants. Des rabais sont possibles pour les 60 ans et plus ou pour les enfants. Renseignez-vous!

Pharmacies

À côté de la pharmacie classique, il existe de grosses chaînes (sorte de supermarchés). Ne soyez pas étonné d'y trouver des chocolats ou de la poudre à lessiver en promotion à côté de boîtes de bonbons pour la toux ou de médicaments pour les maux de tête. Rappelez-vous la chanson de Trenet: *Les pharmacies du Canada!*

Presse

Chaque grande ville possède au moins un journal local.

Vancouver
The Vancouver Sun
The Vancouver Province

Calgary
The Calgary Sun
The Calgary Herald
The Mirror (hebdomadaire culturel gratuit)

Edmonton
The Edmonton Journal
See Magazine (hebdomadaire culturel gratuit)

Regina
The Leader-Post

Winnipeg
The Winnipeg Free Press

Toilettes

Il y a des toilettes publiques dans la plupart des centres commerciaux. N'hésitez pas cependant, si vous n'en trouvez pas, à entrer dans un bar, un casse-croûte ou un restaurant.

Les quatre provinces de l'Ouest canadien disposent de vastes étendues encore sauvages, protégées par des parcs nationaux ou provinciaux, que vous pourrez parcourir à pied, à vélo ou en voiture.

Vous y découvrirez des côtes baignées par les eaux de l'océan Pacifique (parc national Pacific Rim, parc national Gwaii Haanas); de vastes forêts humides dont les arbres sont plusieurs fois centenaires (île de Vancouver); des montagnes majestueuses qui forment l'épine dorsale du continent américain (parcs nationaux de Banff, de Jasper, de Kootenay et de Yoho); un riche gisement fossilifère de dinosauriens (région de la vallée de la Red Deer River); de vastes étendues de forêts, de prairies et de lacs (parc national Prince Albert, Lac La Ronge Provincial Park, parc national des Prairies); des plages (Grand Beach Provincial Park); de grands espaces nordiques (Grass River Provincial Park).

Dans ces réserves naturelles, vous pourrez vous adonner à diverses activités de plein air dont vous trouverez la description ci-dessous.

Parcs

Dans l'Ouest canadien, il existe des parcs nationaux, administrés par le gouvernement fédéral, et des centaines de parcs provinciaux, dont la responsabilité incombe au gouvernement de chacune des provinces. La majorité des parcs nationaux proposent bureaux de renseignements, plans des parcs, programmes d'interprétation de la nature, guides accompagnateurs et lieux d'hébergement (hôtels, gîtes, auberges, campings, camping sauvage) et de restauration.

Ces services n'étant pas systématiquement disponibles dans tous les parcs (ils varient aussi selon les saisons), il est préférable de se renseigner auprès des responsables des parcs avant de s'y rendre. Les parcs provinciaux sont, quant à eux, généralement de plus petite taille, comptant moins de services mais bénéficiant néanmoins de site agréable.

Dans plusieurs parcs, des pistes sillonnant le territoire et s'étendant sur plusieurs kilomètres sont balisées, permettant aux amateurs de s'adonner à des activités comme la randonnée pédestre, le vélo, la motoneige et le ski de fond. Le long de certains de ces sentiers, des sites de camping sauvage ou des refuges ont été aménagés. Certains sites de camping sauvage se révèlent très rudimentaires et, parfois, ne sont même pas pourvus d'eau; il est alors essentiel d'être adéquatement équipé.

Il est toutefois à noter que, dans les parcs nationaux des Rocheuses, le camping sauvage est strictement interdit en raison de la présence d'ours et d'autres grands mammifères dangereux. De plus, comme les circuits s'enfoncent dans les forêts, loin de toute habitation, il est impératif de respecter le balisage des sentiers. Ce faisant, vous contribuerez également à la préservation de la flore. Des cartes très utiles, indiquant les circuits ainsi que les sites de camping sauvage et les refuges, sont disponibles dans la plupart des parcs.

Les parcs provinciaux et nationaux sont des régions sauvages. Il importe de bien prendre conscience des dangers avant de s'aventurer loin de la civilisation. N'oubliez pas que vous êtes responsable de votre sécurité. Pour cela, sachez reconnaître et éviter les avalanches et les éboulements, les risques d'hypothermie, les changements brusques de température (particulièrement dans les régions montagneuses), l'eau non potable, les crevasses des glaciers recouvertes d'une fine couche de neige et les vagues et les marées fortes de la côte Pacifique.

Conseils de sécurité

Ne vous arrêtez jamais dans une zone désignée comme étant sujette à des avalanches ou à des éboulements. Les skieurs de fond et les randonneurs doivent être particulièrement vigilants lorsqu'ils doivent traverser ce type de zone. Il est toujours plus prudent de s'informer auprès des bureaux des parcs de l'état de stabilité des couches neigeuses avant de s'y aventurer.

L'hypothermie commence lorsque la température interne du corps tombe au-dessous de 36°C, alors que la production de chaleur de l'organisme ne suffit plus à couvrir les pertes calorifiques. Le frissonnement est le premier signe d'un refroidissement. On croit souvent que le froid est un facteur négligeable pendant une randonnée estivale. Pourtant, en montagne, la pluie, l'altitude et le vent contribuent à faire baisser considérablement la température. Imaginez-vous au-dessus de la limite supérieure des arbres sous la pluie avec un vent de 50 km/h, sans imperméable et fatigué.

Dans ces conditions, votre corps se refroidira rapidement, et vous risquez de souffrir d'hypothermie. Il importe donc de toujours prévoir un rechange de vêtements chauds ainsi qu'un bon coupe-vent. Il est préférable, en randonnée et en ski de fond, de s'habiller de plusieurs couches plutôt que de porter des vêtements trop lourds, qui s'avèreront trop chauds lorsqu'on sera en plein exercice, mais insuffisants une fois au repos. Ne jamais rester dans des vêtements mouillés est une consigne de base.

L'eau se trouve en grande quantité dans les parcs canadiens, mais prenez garde car elle n'est pas toujours propre à la consommation. Apportez l'eau dont vous aurez besoin pour une courte randonnée, sinon faites bouillir l'eau que vous trouverez pendant environ 10 min.

Les visiteurs qui pénètrent dans les parcs provinciaux ou nationaux s'exposent à rencontrer des animaux sauvages, imprévisibles et dangereux. Il est irresponsable et illégal de nourrir, de piéger ou de perturber les animaux sauvages des parcs. Les grands mammifères, tels les ours, les wapitis, les orignaux, les cerfs et les bisons, peuvent se sentir agressés et devenir dangereux si vous cherchez à vous en approcher. Même dans des villes telles que Banff ou Jasper, où les animaux sauvages se promènent en milieu urbain, il est dangereux de chercher à s'en approcher.

Tenez-vous à plus de 30 m des grands mammifères et à plus de 50 m des ours et des bisons. En outre, dans les régions sèches du sud de l'Alberta, vit une espèce de crotale (serpent à sonnette) qui se cache généralement de l'être humain, mais qui peut être dangereux.

On présente souvent l'océan Pacifique comme un des paradis des surfeurs. Il va sans dire que la force des vagues peut, en certains endroits, être exceptionnelle. Méfiez-vous toujours des marées, des vagues et de la température de l'eau lorsque vous vous trouvez sur une plage longeant cet océan.

Parcs nationaux

Il existe 11 parcs nationaux dans l'Ouest canadien: le parc national Glacier (Colombie-Britannique), les parcs nationaux de Yoho et de Kootenay (dans les Rocheuses, en Colombie-Britannique), le parc national du mont Revelstoke (dans la vallée du fleuve Columbia, en Colombie-Britannique), le parc national Pacific Rim (sur l'île de Vancouver), le parc national Gwaii Haanas (sur l'archipel des îles de la Reine-Charlotte, en Colombie-Britannique), le parc national des lacs Waterton (à la frontière américaine au sud de l'Alberta), les parcs nationaux de Banff et de Jasper (dans les Rocheuses albertaines), le parc national Elk Island (à l'est d'Edmonton, en Alberta) et enfin le parc national Wood Buffalo (au nord de l'Alberta, à la frontière des Territoires du Nord-Ouest).

Outre ces parcs, Parcs Canada gère également des lieux historiques nationaux dont la description est donnée dans les sections «Attraits touristiques».

On peut obtenir de l'information détaillée sur les parcs nationaux en composant le ☎***800-651-7959*** ou ***www.parcscanada.gc.ca***.

Parcs provinciaux

Chacune des quatre provinces régit toute une variété de parcs. Certains sont de petite taille et ne proposent que des activités de jour, tandis que d'autres plus grands offrent aux visiteurs une plus large gamme d'activités.

Dans ces parcs, des plages, des emplacements de camping, des terrains de golf et des sentiers de randonnée sont mis à la disposition des visiteurs. Tout au long de ce guide, vous trouverez la description des principaux d'entre eux dans les sections «Parcs et plages». Si vous désirez de l'information détaillée concernant les parcs provinciaux, vous pouvez communiquer avec:

Colombie-Britannique

Ministry of Water, Land and Air Protection
PO Box 9339, Stn Prov Govt, Victoria, BC, V8W 9M1
☎***(250) 387-1161***
www.gov.bc.ca/wlap

Alberta

Vous pouvez appeler le centre de renseignements touristiques de l'Alberta au ☎***800-661-8888***.

Saskatchewan

Vous pouvez appeler le centre de renseignements touristiques de la Saskatchewan au ☎***800-667-7191***. Pour plus de renseignements sur les parcs, composez le ☎***(306) 787-2700***, et pour la faune et la pêche le ☎***(306) 787-2314***.

Manitoba

Vous pouvez appeler le centre de renseignements touristiques du Manitoba au ☎***800-665-0204***. Pour des renseignements sur les parcs, la faune, la chasse et la pêche, composez le ☎***(204) 945-6784***.

Loisirs d'été

Lorsque la température est clémente, il est possible de pratiquer les activités de plein air dont nous donnons la liste ci-dessous. Si vous décidez de passer plus d'une journée dans un parc, n'oubliez pas que les nuits sont fraîches (souvent même en juillet et en août) et que, dans certaines régions, des chandails à manches longues seront fort utiles. Au mois de juin et tout au long de l'été, dans le nord des provinces de l'Ouest, des insectifuges puissants sont presque indispensables pour les promenades en forêt.

Randonnée pédestre

Activité à la portée de tous, la randonnée pédestre se pratique dans tous les parcs nationaux et dans la plupart des parcs provinciaux. Avant de partir, vérifiez la longueur et le degré de difficulté des sentiers afin de bien planifier votre excursion.

Certains parcs disposent de pistes de longue randonnée, conçues pour des excursions de plus d'un jour, s'enfonçant dans les étendues sauvages et pouvant s'étirer sur des dizaines de kilomètres. En empruntant de tels sentiers, il faut en tout temps respecter le balisage.

Pour profiter pleinement d'une excursion, il est important de partir avec l'équipement adéquat. Veillez donc à emporter de bonnes chaussures de marche, un coupe-vent imperméabilisé, les cartes appropriées, de l'eau et de la nourriture en quantité suffisante pour la durée de l'excursion, et une petite trousse de secours contenant un canif, de la ficelle et des pansements.

Vélo

L'été, il est très agréable de se balader à vélo partout, en empruntant soit les routes secondaires généralement tranquilles, soit les chemins sillonnant les parcs. Tout en étant prudent sur les routes, vous utiliserez alors un moyen de transport des plus agréables pour visiter cette région pittoresque. Mais rappelez-vous que le Canada est un vaste pays et que les distances peuvent y être très longues.

Sachez que, si vous désirez emporter votre vélo, il est possible de le transporter dans les autocars en le protégeant au moyen d'une boîte appropriée.

Vous pouvez également décider d'en louer un sur place. Pour trouver les adresses des centres de location de vélos, consultez les rubriques «Vélo» des sections «Activités de plein air» ou adressez-vous aux bureaux de renseignements touristiques, ou encore consultez les *Pages Jaunes* sous la rubrique «Bicycles-Renting».

Avant de louer un vélo, il est conseillé de se munir d'une bonne assurance. Certains établissements incluent une assurance-vol dans le prix de location.

Renseignez-vous au moment de la location.

Canot

Bon nombre de parcs sont riches d'une grande quantité de lacs ou de rivières permettant des excursions de canot d'une ou de plusieurs journées. Dans ce dernier cas, afin de rendre service aux canoteurs, des sites de camping sauvage sont mis à leur disposition.

Au bureau d'information des parcs, on peut généralement obtenir une carte des circuits canotables et louer des embarcations. Il est toujours préférable de se procurer des cartes mentionnant la longueur des portages à effectuer; elles vous permettront de mieux évaluer la difficulté de votre trajet. En effet, transporter un canot, des bagages et de la nourriture à dos d'homme n'est pas toujours une partie de plaisir. Sachez alors qu'un portage de 1 km est généralement considéré comme long et que sa difficulté augmente selon la nature du terrain.

Plages

Que vous décidiez de vous étendre sur le sable blanc de Long Beach, sur l'île de Vancouver, ou préfériez une plage plus familiale telle que Qualicum Beach, qui présente l'avantage d'offrir des eaux plus calmes, ou celle de Reck Beach, rendez-vous des artistes qui

sculptent les billots de bois rejetés sur cette plage par l'océan, la côte Pacifique est sans conteste un des attraits naturels parmi les plus précieux de l'Ouest canadien. La baignade n'y est cependant pas toujours très facile en raison de la

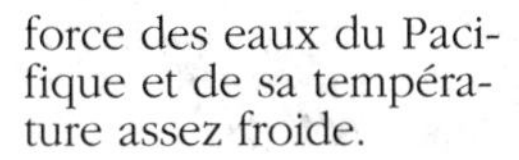

force des eaux du Pacifique et de sa température assez froide.

Pêche

Dans l'Ouest canadien, les visiteurs peuvent pêcher en mer, dans les rivières ou dans les lacs, mais il ne faut pas oublier que la pêche est une activité réglementée. En raison de la complexité de la législation en la matière, il est souhaitable de se renseigner auprès du ministère des Ressources naturelles des provinces et de se procurer la brochure énonçant l'essentiel des règlements de pêche. Néanmoins, sachez que les permis de pêche sont différents selon que vous décidez de taquiner le goujon en mer ou en eau douce. Il est possible d'acheter des permis de pêche dans la plupart des magasins d'articles de sport.

Pour la pêche en mer, adressez-vous à:

Fisheries and Oceans Canada
www.ncr.dfo.ca

401 Burrard St., Suite 200
Vancouver, BC, V6C 3S4
☎*(604) 666-0384*

ou

501 University Cr.
Winnipeg, MB, R3T 2N6
☎*(204) 983-5000*

Pour la pêche en eau douce, adressez-vous au:

Ministry of Water, Land and Air Protection
PO Box 9339, Stn Prov Govt
Victoria, BC, V8W 9M1
☎*(250) 387-1161*
www.gov.bc.ca/wlap

Alberta Fish and Wildlife Services
South Tower, Petroleum Plaza
9915 108th St., Main Floor
Edmonton, AB, T5K 2G8

En règle générale, sachez cependant que:

- pour pêcher, il faut se procurer le permis émis par un gouvernement provincial;
- un permis spécial est généralement nécessaire pour pêcher le saumon;
- les périodes de pêche sont établies par le ministère et doivent, en tout temps, être respectées; ces périodes peuvent varier selon les espèces;
- il est possible de pêcher dans les parcs nationaux, mais il est cependant nécessaire de détenir le permis émis par l'administration du parc; pour plus de renseignements, voyez les rubriques «Pêche» des sections «Activités de plein air».

Observation des oiseaux

Les régions sauvages de l'Ouest canadien attirent quantité d'oiseaux de toutes sortes que vous pourrez observer aisément à l'aide de jumelles. Parmi les espèces que vous pourrez apercevoir, mentionnons le colibri, l'aigle royal et l'aigle à tête blanche, le faucon-pèlerin, le cormoran, le pélican, la gélinotte, le lagopède, une foule de canards, la bernache, l'oie sauvage, le cygne migrateur, qui voyage entre l'Arctique et le Mexique, et enfin le geai gris, un petit oiseau effronté qui n'hésite pas à venir vous voler votre déjeuner en plein air.

Pour vous aider à les identifier, procurez-vous le guide *Les oiseaux de l'Amérique du Nord*, aux Éditions Laliberté. Les parcs sont des lieux de choix pour contempler plusieurs espèces, mais vous pourrez en apercevoir dans tous les coins de l'Ouest canadien.

Observation des baleines

Des baleines viennent se nourrir près des côtes de la Colombie-Britannique. Vous pouvez participer à des croisières d'observation des baleines afin de voir de plus près ces impressionnants mais inoffensifs mammifères marins. Généralement, on peut apercevoir, entre autres, des baleines à bosse, qui vont au printemps dans les eaux du Mexique, des orques et des rorquals communs. Les excursions d'observation partent généralement du nord-est de l'île de Vancouver, dans le détroit de Johnstone, ou de Long Beach.

Orque

Observation des phoques

Des phoques viennent également se nourrir près des côtes de la Colombie-Britannique, et il est possible de prendre part à des excursions pour les observer. Parfois, non loin du bateau, on peut apercevoir la tête et les deux grands yeux noirs de ces mammifères curieux, attirés par la présence de l'embarcation.

Golf

Dans l'Ouest canadien se trouvent de magnifiques terrains de golf, réputés pour leur site naturel exceptionnel, s'allongeant au bord de la mer, dans d'étroites vallées alpines ou au milieu des prairies, et révèlant de superbes points de vue. Les amateurs de golf pourront ainsi passer des vacances inoubliables, car certains terrains sont aménagés au cœur des parcs provinciaux (région de Kananaskis) ou en bordure des parcs des Rocheuses (vallée du fleuve Columbia), où règne un calme parfait et près desquels se dressent des hôtels tout confort.

Loisirs d'hiver

L'hiver, une partie de l'Ouest canadien se couvre d'un blanc manteau de neige, et c'est alors l'occasion de s'adonner aux sports d'hiver. La plupart des parcs comptant des sentiers de randonnée l'été s'adaptent aux nouvelles conditions climatiques et s'ouvrent alors aux skieurs de fond. Zones largement pourvues de majestueuses montagnes, la Colombie-Britannique et l'Alberta offrent aux skieurs les plus exigeants des domaines skiables de première catégorie.

Ski de fond

Certains secteurs sont réputés pour leurs longs sentiers de ski de fond, notamment les parcs des Rocheuses et la région de Kananaskis. Dans plusieurs centres, il est possible de louer de l'équipement à la journée.

Ski alpin

Mondialement reconnues pour leur domaine skiable, les Rocheuses attirent chaque année de nombreux amateurs de ski alpin, qui se font déposer par hélicoptère sur les plus hauts sommets de cette superbe chaîne de montagnes. Les stations de ski les plus populaires sont celles de Banff et de Jasper, ainsi que de Whistler et de Blackcomb, situées au nord de Vancouver.

Planche à neige

La planche à neige ou surf des neiges est apparue au tournant des années 1990. Bien que marginal au début, ce sport ne cessa de prendre de l'ampleur, si bien qu'aujourd'hui les stations de ski de l'Amérique du Nord dénombrent souvent plus de planchistes que de skieurs. Ça se comprend! Avec la planche à neige, les sensations éprouvées dans une descente se quintuplent. Contrairement à ce que plusieurs croient, le surf des neiges ne s'adresse pas uniquement aux jeunes; il n'y a pas d'âge pour goûter les plaisirs d'un slalom. Aux débutants qui désirent tenter l'expérience, il est conseillé de prendre quelques leçons avant de s'engager sur les pistes, une bonne quantité de stations offrant ce service. La majorité d'entre elles font aussi la location d'équipement.

Motoneige

Activité hivernale, la randonnée en motoneige compte plusieurs amateurs dans l'Ouest canadien, qui offre des sentiers longs de plusieurs kilomètres. Pour plus de renseignements sur les sentiers et les événements spéciaux, contactez la **BC Snowmobile Federation** *(☎250-860-8020)*, l'**Alberta Snowmobile Association** *(☎780-427-2696)*, la **Saskatchewan Snowmobile Association** *(☎800-499-7533)* ou la **Snowmobilers of Manitoba Inc.** *(☎204-940-7533)*.

Vous pouvez découvrir ces quatre provinces en motoneige, mais veillez à bien respecter la réglementation. En outre, sachez qu'il est nécessaire de vous munir d'un permis. Aussi est-il recommandé de prendre une bonne assurance responsabilité civile.

Voici quelques consignes à respecter en tout temps: ne vous écartez pas des sentiers de motoneige; conduisez toujours du côté droit du sentier; portez un casque de sécurité; allumez les phares de la motoneige, de jour comme de nuit.

Vancouver ★★★ est une ville toute neuve qui s'inscrit dans un cadre cyclopéen composé de mer et de montagnes.

Ayant longtemps fait partie de l'une des régions les plus isolées du globe, elle a su, au cours du XIXe siècle, tisser des liens étroits avec les peuples du Pacifique et est en train de devenir la métropole multiculturelle de ce monde gravitant autour du plus vaste océan de la Terre. Même si son histoire est intimement liée à l'exploitation des ressources naturelles de la Colombie-Britannique, la majorité de ses citoyens y ont immigré pour la douceur de vivre dans un décor magnifique, bénéficiant d'un climat exceptionnellement clément dans un pays connu pour ses hivers rudes et ses étés suffocants. Vancouver, là où l'Asie rencontre l'Amérique: une ville à découvrir.

Géographie

Vancouver ne fait pas directement face à l'océan, comme on pourrait le croire. Elle en est séparée par la grande île de Vancouver, où se trouve Victoria, capitale de la Colombie-Britannique, une des 10 provinces canadiennes. Vancouver en est la métropole économique. La ville elle-même est située aux abords du détroit de Georgie, un bras de mer séparant l'île de Vancouver de la terre ferme. Sa population est répartie sur deux péninsules formées par autant d'anses profondes qui avancent à l'intérieur des terres: Burrard Inlet, au nord, et False Creek, au sud. La grande péninsule de Point Grey, au sud, regroupe le campus de l'University of British Columbia ainsi que des quartiers résidentiels très étendus, alors que la petite péninsule au nord fait vivre aux visiteurs un contraste frappant entre sa portion est, où s'agglutinent les gratte-ciel du centre-ville, et sa portion ouest, où s'étend le très beau Stanley Park, sauvage et densément boisé. Cet emplacement circonscrit, restreint, accessible par des ponts et des traversiers, stimule l'augmentation des prix des terrains dans le centre et engendre des problèmes de congestion majeurs pour les travailleurs de la banlieue et des villes satellites sur le pourtour. Enfin, il faut noter que Vancouver n'est située qu'à une trentaine de kilomètres de la frontière avec les États-Unis (et à moins de 200 km de Seattle, au sud).

Vancouver bénéficie d'un climat exceptionnellement doux à cette latitude en Amérique (moyennes de 3°C en janvier et de 17°C en juillet). On y voit des hivers presque sans neige et des étés tempérés mais pluvieux (moyenne annuelle de 164 jours de précipitations pour un total de 1 167 mm de pluie). Les vents d'ouest font buter les nuages venus de l'océan sur la Chaîne côtière, engendrant des précipitations abondantes qui donnent fréquemment du temps gris.

Histoire et développement économique

Au moment de l'arrivée des premiers Blancs à la fin du XVIIIe siècle, la région de Vancouver est habitée par les Salishs (les autres familles linguistiques de la côte du Pacifique sont les Haidas, les Tsimshians, les Tlingits, les Nootka-Kwakiutls et les Bellacoolas).

En 1820, on dénombre quelque 25 000 Salishs vivant le long du fleuve Fraser, de son embouchure, au sud de Vancouver, jusqu'aux hautes terres des Rocheuses.

Au XVIIIe siècle, les voyages d'exploration et les entreprises de colonisation se multiplient tout autour du globe. Les puissances maritimes européennes, en mal de richesses naturelles et de nouveaux territoires, sillonnent la planète.

Les voyages du Français Bougainville et de l'Anglais James Cook vont permettre de mettre un visage sur ces contrées lointaines. Après l'Australie (1770) et la Nouvelle-Zélande (1771), Cook explore la côte de la Colombie-Britannique en 1778. Toutefois, il ne s'aventurera pas jusque dans le détroit de Georgie, où se trouve la péninsule de Vancouver.

C'est à son compatriote George Vancouver (1757-1798) que reviendra le titre de premier Européen à fouler le sol de la future agglomération en 1792, lors d'une mission visant à prendre officiellement possession du territoire au nom du roi d'Angleterre.

Cet isolement et ce caractère impénétrable n'étaient pas que marins, car les montagnes Rocheuses constituaient un obstacle pratiquement infranchissable au niveau terrestre. On peut même affirmer que l'influence des Européens demeurera minime jusqu'au milieu du XIXe siècle, alors que le territoire s'ouvrira lentement à la colonisation.

À la suite de l'absorption de la Compagnie du Nord-Ouest par la Compagnie de la Baie d'Hudson, un important comptoir de traite de fourrures voit le jour à Fort Langley en 1827, situé le long du fleuve Fraser et à quelque 90 km à l'est du site actuel de Vancouver, qui demeurera vierge durant quelques décennies encore.

Le 49e parallèle est désigné comme frontière entre les États-Unis et l'Amérique du Nord britannique en 1846, coupant en deux les territoires de chasse aux bêtes à fourrure et mettant ainsi un bémol aux activités de la Compagnie de la Baie d'Hudson dans la région. Il faudra attendre la ruée vers l'or de 1858 pour qu'une nouvelle prospérité s'installe. En effet, la découverte de pépites du précieux métal dans le lit du fleuve Fraser, en amont de Fort Langley, engendre une frénésie soudaine. La vallée du fleuve doré attire en deux ans des milliers de prospecteurs qui y érigent des villages de bois à la hâte. Certains viennent de l'est du Canada, mais la plupart viennent de Californie, dont une bonne part d'Américains d'origine chinoise.

Toutefois, c'est l'intérêt grandissant des industriels pour le bois de cèdre et de sapin de la région qui donnera véritablement naissance à Vancouver. En 1862, une première scierie ouvre ses portes à l'extrémité de Burrard Inlet. Sewell Prescott Moody, originaire du Maine (États-Unis), la fait prospérer en créant même une ville, Moodyville, autour de son entreprise.

Une seconde scierie, baptisée Hastings Mills, est ouverte à l'est de l'actuel Chinatown en 1865. Deux ans plus tard, l'aubergiste Gassy Jack Deighton débarque dans la région et installe son saloon à proximité des Hastings Mills afin d'étancher la soif des travailleurs de la scierie. Bientôt, un village de services se greffe à l'établissement de Deighton, à l'origine de Gastown, qui formera plus tard le premier quartier de Vancouver.

En 1870, le bourg naissant est rebaptisé Granville par le gouvernement colonial de la Colombie-Britannique en l'honneur du duc de Granville. Finalement, la croissance urbaine aidant, la ville de Vancouver voit le jour officiellement en avril 1886.

Son nom aux syllabes mordantes rend hommage au capitaine George Vancouver, auteur du premier relevé hydrographique de la côte du détroit de Georgie. Malheureusement, quelques semaines plus tard, un incendie de forêt se propage à la nouvelle agglomération, rasant tout sur son passage. À peine 20 minutes plus tard, la ville n'est plus que cendres. En ces temps difficiles où Vancouver est toujours isolée du reste du monde, la reconstruction se fait cependant sur des bases plus solides. On érigera dorénavant des bâtiments de nature permanente, qu'ils soient de bois ou de brique.

La colonie de Colombie-Britannique connaît diverses difficultés d'ordre économique depuis la fin de la ruée vers l'or en 1865. En 1871, la Colombie-Britannique accepte de joindre la confédération canadienne sur la promesse d'un lien ferroviaire futur avec l'est du pays.

Un groupe d'hommes d'affaires de Montréal, conscient du potentiel de développement de cette porte du Pacifique, élabore le projet d'un chemin de fer transcontinental en 1879. Le Canadien Pacifique choisit d'abord Port Moody (ancien Moodyville) comme terminal ouest de son chemin de fer. Le 4 juillet 1886, le premier train en provenance de Montréal atteint Port Moody après un parcours tortueux de quelque 5 000 km.

Quelques années plus tard, la voie ferrée est prolongée de 20 km jusqu'à Vancouver afin de créer un lien entre le chemin de fer transcontinental et un nouveau port en eaux profondes qui permettra d'augmenter son marché avec l'Orient. À la suite de cette modification essentielle, la ville connaît une croissance fulgurante, passant de 2 500 habitants en 1886 à plus de 120 000 habitants en 1911!

Nombre de Chinois venus en Amérique pour participer à la construction du chemin de fer s'installent à Vancouver après l'achèvement des travaux, engendrant un certain ressentiment de la part de la population blanche, qui voit d'un mauvais œil ces gens si différents d'elle. Mais aux Chinois du Canadien Pacifique et des mines d'or des Rocheuses se joignent bientôt d'autres immigrants asiatiques, cantonais, japonais, tonkinois. Le Chinatown se développe entre Gastown et les Hastings Mills jusqu'à devenir le plus important en Amérique après celui de San Francisco.

Au début du XXe siècle, l'activité économique se déplace graduellement de Gastown vers les terrains du Canadien Pacifique, situés autour de Granville Street. Ce nouveau pôle d'attraction voit surgir en peu d'années de beaux immeubles de pierre abritant banques et grands magasins. En 1913, la ville a l'allure d'un adolescent dégingandé qui pousse trop vite. C'est alors qu'une crise économique majeure survient, mettant un terme pour un temps au bel optimisme des lieux.

L'ouverture du canal de Panamá en 1914 et la fin de la Première Guerre mondiale permettront à Vancouver de se sortir lentement de cette crise, seulement pour y être replongée lors du krach mondial de 1929. Au cours de la Seconde Guerre mondiale, la population d'origine japonaise de Vancouver sera internée, et ses biens seront confisqués. La paranoïa l'emporte alors sur la raison, faisant de ces Vancouverois de deuxième ou même de troisième génération des espions potentiels.

Vancouver assumait déjà depuis longtemps son rôle de «porte de l'Asie» pour les Nord-Américains, et inversement de «porte de l'Amérique» pour les Asiatiques. L'immigration chinoise massive dès le XIXe siècle et les nombreuses maisons d'import-export acheminant soieries, thés et porcelaines en témoignent. Le nom de Vancouver est donc familier dans l'ensemble de la couronne du Pacifique depuis plus de 100 ans.

L'explosion des économies asiatiques à cette même époque (Japon, Hong Kong, Taïwan, Singapour, Philippines, Malaisie, Thaïlande) et surtout de leurs exportations a engendré l'expansion fulgurante du port de Vancouver, qui est devenu depuis 1980 le premier port en importance au Canada.

Vancouver et en particulier le centre-ville connaissent un développement incessant depuis la fin des années 1960. Plus encore que San Francisco ou Los Angeles, Vancouver a une image forte et positive dans l'ensemble du Pacifique. On la voit comme un terrain neutre où il est possible de faire fructifier ses avoirs dans la paix et le confort.

Pour s'y retrouver sans mal

En voiture

Il est aisé de se déplacer en voiture dans la ville. Sachez cependant que les gouvernements ont décidé de ne pas construire de voies rapides à travers le centre-ville, ce qui est particulier pour une ville de deux millions d'habitants; aussi les heures de pointe peuvent-elles paraître congestionnées. Si vous disposez de plus de temps, il serait préférable que vous vous déplaciez à pied car il s'agit sans doute de la façon la plus agréable de découvrir Vancouver.

Location de voitures

Vous pouvez louer une voiture à l'aéroport ou au centre-ville.

National Car Rental
1130 W. Georgia St.
☎***(604) 685-6111***
☎***800-CAR-RENT***
aéroport
☎***(604) 273-3121***

Budget
450 W. Georgia
☎***(604) 668-7000***
aéroport
☎***(604) 668-7000***
☎***800-268-8900***

No Frills Auto Rentals
5730 Marine Dr., Burnaby
☎***(604) 873-6622***
☎***877-663-7457***

Thrifty
1400 Robson St.
☎***(604) 681-4869***
aéroport
☎***(604) 606-1655***

Avis
757 Hornby St.
☎***(604) 606-2868***
aéroport
☎***(604) 606-2847***

Taxis

Les taxis sont faciles à trouver la plupart du temps, soit près de l'entrée des grands hôtels du centre-ville, soit sur les artères principales, entre autres Robson Street et Georgia Street. Les principales compagnies sont:

Yellow Cabs
☎***(604) 681-1111***

McLure's
☎***(604) 731-9211***

Black Top
☎***(604) 731-1111***

Transport en commun

Il est possible d'obtenir un plan du réseau d'autobus de **BC Transit** *(www.bctransit.com)* en se présentant aux bureaux du **Vancouver Tourist InfoCentre** ou aux bureaux de **BC Transit** *(13401 108th Ave., 5e étage, Surrey, ☎604-953-3333 ou 953-3000)*, à Surrey, en banlieue de Vancouver.

Vancouver a aussi un métro de surface, appelé le ***SkyTrain***, qui la relie vers l'est à Burnaby, New Westminster et Surrey. Ce train fonctionne de 5h à 1h.

Le ***SeaBus***, un autobus marin qui ressemble à un catamaran, fait la navette entre Burrard Inlet et North Vancouver tous les jours.

Vous pouvez vous procurer des cartes et des billets pour le BC Transit, le *SkyTrain* et le *SeaBus* aux arrêts où ont été installés des distributeurs automatiques ou dans des épiceries, ou vous pouvez composer le ☎***(604) 521-0400***.

Que vous voyagiez dans un autobus de BC Transit ou à bord du *SkyTrain* ou du *SeaBus*, sachez que les tarifs sont les mêmes. Il en coûte généralement 2$ pour utiliser ce réseau. Cependant, aux heures de pointe (le matin avant 9h30 et en fin d'après-midi de 15h à 18h30), ce réseau est divisé en trois zones, et il faut alors compter 2$ si vous voyagez à l'intérieur d'une zone, 3$ à l'intérieur de deux zones ou 4$ à l'intérieur des trois zones.

BC Transit: objets perdus ou trouvés, ☎(604) 682-7887.

Blue Bus *(☎604-985-7777)* dessert West Vancouver.

Car & Van Pooling
☎***(604) 879-RIDE***

Transports spécialisés pour personnes à mobilité réduite

Il existe un service de transport public pour les personnes qui doivent se déplacer en fauteuil roulant. Il s'agit de **HandyDART** *(300-3200 East 54th Ave., ☎604-430-2742 ou 430-2692)*. Il faut réserver son siège.

Vancouver Taxis *(2205 Main St., ☎604-255-5111 ou 874-5111)* dispose d'un service de transport pour handicapés.

En avion

Vancouver International Airport

Le Vancouver International Airport *(☎604-276-6101)* accueille les vols internationaux en provenance d'Europe, des États-Unis et d'Asie, ainsi que divers vols nationaux en provenance d'autres provinces canadiennes. Il est situé à environ 15 km au sud du centre-ville.

À partir de l'aéroport, il faut compter 30 min en voiture ou en autobus pour se rendre au cœur de la ville. Pour vous rendre au centre-ville en utilisant les transports en commun, prenez l'autobus 100 en direction du centre-ville et de l'est de la ville, ou l'autobus 404 ou 406 à destination de Richmond, de Delta et d'autres destinations au sud de la ville. Il en coûte entre 1,75$ et 3,50$ selon l'heure et la destination choisies.

Avertissement: bien que vous ayez déjà payé toutes les taxes nécessaires à l'achat de votre billet d'avion, l'aéroport de Vancouver vous demandera 5$ (par passager) pour des vols à l'intérieur de la province et du Yukon, 10$ (par passager) pour des vols ailleurs en Amérique du Nord et 15$ (par passager) pour des vols internationaux, que vous devrez verser comptant au moment de votre départ.

Outre les services courants des aéroports internationaux (boutiques hors taxes, cafétéria, restaurants, etc.), vous pourrez y trouver un bureau de change. Plusieurs agences de location de voitures y sont également représentées.

En train

Les trains en provenance des États-Unis et de l'Est canadien s'arrêtent à la nouvelle gare intermodale **Pacific Central Station** *(VIA Rail Canada, 1150 Station St., ☎800-561-8630)*, d'où il est également possible de prendre l'autobus ou le réseau de surface de transports en commun, le ***SkyTrain***. Le train ***Le Canadien*** de VIA Rail se rend à Vancouver trois fois par semaine en provenance de Toronto. La liaison Edmonton-Vancouver constitue un voyage très spectaculaire à travers les montagnes Rocheuses et le long de rivières et vallées; les gens pressés devraient toutefois s'abstenir puisqu'il faut compter 24 heures pour effectuer ce trajet. Il s'agit d'un voyage touristique et non pas d'une liaison pour les gens d'affaires. Il en coûte moins de 200$ pour l'aller simple; cependant, il vaut mieux s'informer auprès de VIA Rail pour connaître les différents prix selon les saisons.

BC Rail *(1311 W. 1st St., North Vancouver, ☎604-984-5246 ou 800-663-8238, www.bcrail.com)*. Cette gare est desservie surtout par les trains du nord de la Côte Ouest, et les horaires varient selon les saisons.

L'été, la compagnie ferroviaire **Great Canadian Railtour Company Ltd.** offre les **Rocky Mountaineer Railtours** *(784$/pers., 729$/pers. en occupation double; ☎604-606-7245 ou 800-665-7245, www.rockymountaineer.com)* entre Calgary et Vancouver.

La locomotive à vapeur ***Royal Hudson*** *(1311 W. 1st St., North Vancouver, ☎604-631-3500)* est bien connue des touristes de passage à Vancouver. Datant du début du XXe siècle (elle a été rénovée), elle transporte les passagers de la station de North Vancouver à Squamish, 65 km plus loin. Ce voyage permet aux visiteurs de voir le splendide fjord **Howe Sound**, car la voie ferrée longe la côte.

En bateau

Deux ports de traversiers desservent la grande région de Vancouver pour les voyageurs en provenance d'autres régions de la province. Horseshoe Bay, au nord-ouest, est le terminal des traversiers en direction de Nanaimo (durée de 90 min), Bowen Island et la Mainland Sunshine Coast. Tsawwassen, au sud, est le terminal des traversiers à destination de Victoria (Swartz Bay) (durée de 95 min), Nanaimo (durée de deux heures) et les Gulf Islands du sud. Les deux terminaux sont à 30 min du centre-ville. Pour information, contactez **BC Ferries** *(250-386-3431 ou 888-BCFERRY)*.

En autocar

Greyhound Lines of Canada
Pacific Central Station
1150 Station St.
☎(604) 482-8747
☎800-661-8747
www.greyhound.ca

Renseignements pratiques

Indicatif régional: ***604***

N. B. Vous devez signaler l'indicatif en tout temps à Vancouver.

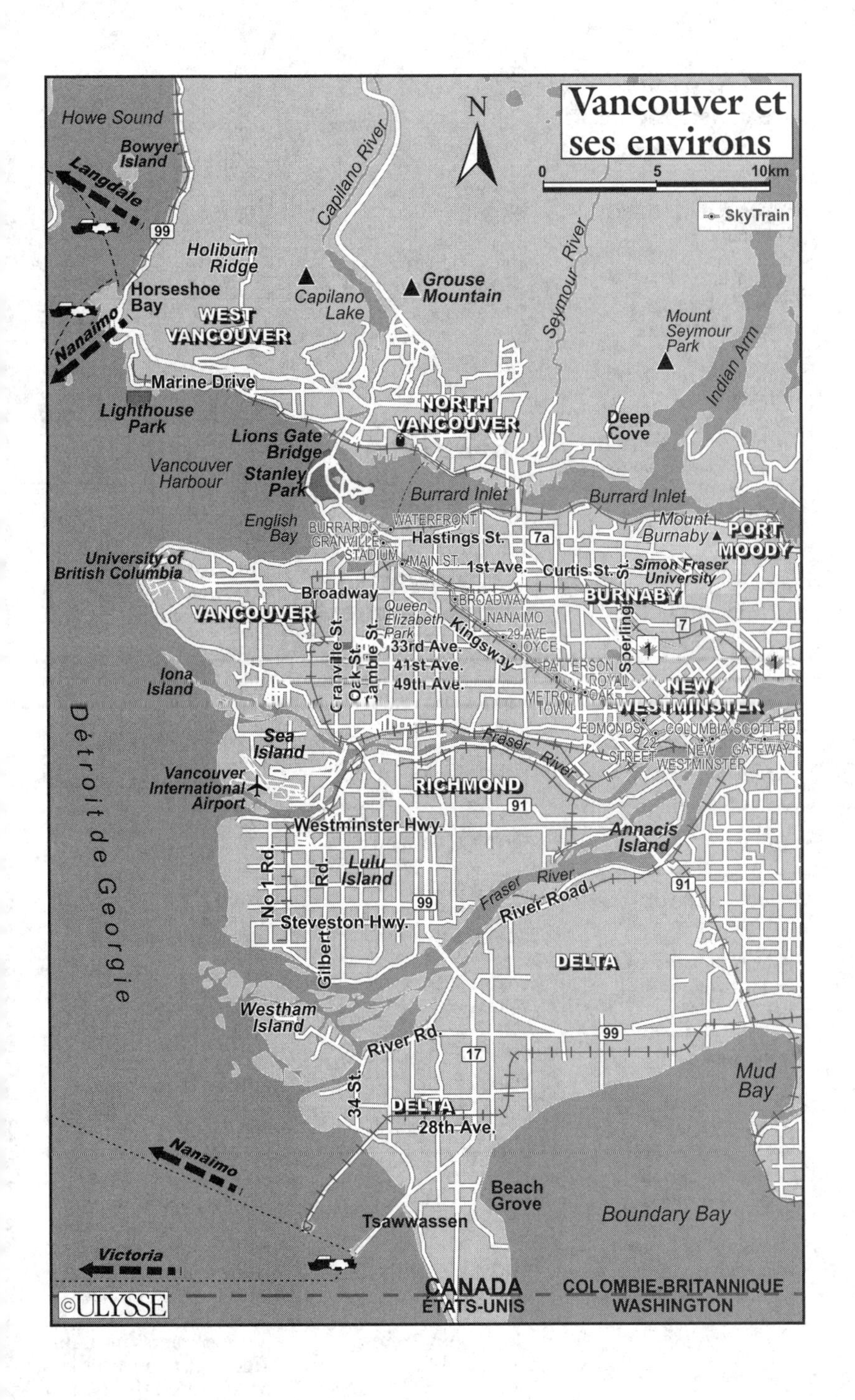

Vancouver et ses environs
N
0
5
10km
SkyTrain
Howe Sound
Bowyer Island
Langdale
99
Holiburn Ridge
Horseshoe Bay
WEST VANCOUVER
Nanaimo
Capilano River
Capilano Lake
Grouse Mountain
Seymour River
Mount Seymour Park
Indian Arm
Marine Drive
Lighthouse Park
NORTH VANCOUVER
Deep Cove
Lions Gate Bridge
Vancouver Harbour
Stanley Park
Burrard Inlet
Burrard Inlet
English Bay
WATERFRONT
BURRARD
GRANVILLE
STADIUM
Hastings St.
7a
Mount Burnaby
PORT MOODY
University of British Columbia
MAIN ST.
1st Ave.
Curtis St.
Sperling St.
Simon Fraser University
Broadway
BROADWAY
BURNABY
VANCOUVER
Queen Elizabeth Park
NANAIMO
29 AVE
JOYCE
Kingsway
7
1
1
Cranville St.
Oak St.
Cambie St.
33rd Ave.
41st Ave.
49th Ave.
PATTERSON
ROYAL OAK
METROTOWN
NEW WESTMINSTER
Iona Island
EDMONDS
22 STREET
COLUMBIA
NEW WESTMINSTER
SCOTT RD.
GATEWAY
Sea Island
Fraser River
Vancouver International Airport
RICHMOND
91
Westminster Hwy.
Annacis Island
Détroit de Georgie
No 1 Rd.
Rd.
Lulu Island
Fraser River
91
River Road
99
Steveston Hwy.
Gilbert
DELTA
Westham Island
99
River Rd.
17
34 St.
Mud Bay
DELTA
28th Ave.
Nanaimo
Beach Grove
Boundary Bay
Tsawwassen
Victoria
CANADA
ÉTATS-UNIS
COLOMBIE-BRITANNIQUE
WASHINGTON
©ULYSSE

Bureaux de renseignements touristiques

Super, Natural British Columbia
PO Box 9830, Stat Prov Govt, Victoria, BC, V8W 9W5
☎800-663-6000
www.hellobc.com

Vancouver Tourist InfoCentre
mai à sept lun-dim 8h à 18h, sept à mai lun-ven 8h à 17h, sam 9h à 17h
Plaza Level, Waterfront Centre, 200 Burrard St., BC, V6C 3L6
☎(604) 683-2000
⇌(604) 682-6839
www.tourism-vancouver.org
Le Vancouver Tourist InfoCentre peut vous servir en français.

Vancouver Parks & Recreation
☎(604) 257-8400
www.parks.vancouver.bc.ca
Fournit toute l'information sur les sports et les activités récréatives.

Secours

Police, ambulances et pompiers
☎911

Crime Stoppers
☎669-8477
Urgence dentaire
☎736-3621

Centre antipoison
☎682-5050 ou 682-2344

Clinique d'urgence vétérinaire
service 24 heures sur 24
☎734-5104

Children's Emergency Helpline
faites le 0 et demandez «Zenith 1234»

Aide aux femmes
☎872-8212

Aide juridique
service 24 heures sur 24
☎687-4680
Renseignements sur les lois en vigueur en Colombie-Britannnique

Assistance routière
☎295-2222 (BCAA)

Attraits touristiques

Sept circuits sont proposés à travers les différents quartiers de Vancouver, pour vous permettre de mieux saisir ses beautés:

Circuit A: Gastown ★

Circuit B: Chinatown, Downtown Eastside et l'est de Vancouver ★★

Circuit C: Le centre-ville ★★

Circuit D: West End et Stanley Park ★★

Circuit E: Burrard Inlet ★★

Circuit F: False Creek ★★

Circuit G: West Side ★★★

Vous pouvez faire la plupart de ces circuits à pied ou à vélo, mais vous aurez besoin d'une voiture (ou d'un autre moyen de transport) pour aller à Burrard Inlet (circuit E) et dans certains secteurs du West Side (circuit G). Pour vous rendre du Chinatown à l'est de Vancouver (circuit B), vous devrez prendre le *SkyTrain* ou un autre moyen de transport.

Circuit A: Gastown

Ce circuit pédestre peut facilement être combiné au circuit B: Chinatown, Downtown Eastside et l'est de Vancouver.

Bien avant que les tours de verre et leurs condos huppés n'ornent les rives de Burrard Inlet, il y avait Gastown, lieu de naissance de la ville de Vancouver. Gastown correspond à la portion la plus ancienne de Vancouver. La ville de Gastown a vu le jour en 1867, lorsque le loquace John Deighton, dit Gassy Jack (le mot anglais *gassy* veut dire «bavard»), y a ouvert un saloon pour les employés d'une scierie voisine, le Hasting Mill Store.

La ville de Gastown, dénommé ainsi en l'honneur de ce premier aubergiste, a été entièrement rasée par le feu en 1886. Mais loin d'être découragés, les pionniers ont rapidement reconstruit la ville, cette fois-ci en briques et en pierres plutôt qu'en bois; Gastown fut dotée d'une charte quelques mois plus tard.

Dès 1887, lorsque le chemin de fer transcontinental du Canadian Pacific Railway aboutit au nouveau terminus de l'Ouest, le quartier de Gastown était en pleine expansion. Comme toute ville du Far West qui se respecte, les rues regorgeaient d'hôtels, de saloons et de magasins destinés aux ouvriers des scieries, aux bûcherons, aux cheminots, aux spéculateurs et aux autres qui ne vivaient que d'espoir.

À la fin du XIXe siècle, le transport ferroviaire et la ruée vers l'or ont été au centre du développement économique de Gastown. Le quartier allait devenir par la suite un important centre de distribution de marchandises, dont les entrepôts furent bientôt si encombrés qu'un deuxième «quartier des entrepôts» fut créé à Yaletown (voir p 109), qui éventuellement supplanta Gastown. Après un long déclin, la restauration de Gastown fut entreprise au milieu des années 1960 et se poursuit de nos jours.

Situé non loin du centre-ville et du Cruise Ship Terminal (terminal des croisières), le quartier de Gastown est l'endroit à ne pas manquer pour nombre de touristes et de passagers des paquebots de croisière qui font halte à Vancouver. Aujourd'hui, Gastown est un quartier historique comprenant plusieurs jolis bâtiments commerciaux des époques victorienne et édouardienne (fin du XIXe siècle, début du XXe) qui ont échappé de justesse à la démolition vers la fin des années 1960. Quoique plusieurs de ces bâtiments abritent aujourd'hui quelques bons restaurants et boîtes de nuit populaires, le quartier a tout de même conservé un peu de son atmosphère du Far West. Un certain air de désolation se dégage des hôtels délabrés et des boutiques de souvenirs kitsch.

Gastown possède aussi quelques galeries d'art exposant des œuvres des Premières Nations; mais avant de faire de sérieux achats, allez faire un tour sur Gallery Row, au sud du Granville Street Bridge. Certains des bâtiments commerciaux historiques ont été reconvertis en résidences, particulièrement le long des rues Alexander et Water, ce qui contribue à la viabilité des entreprises locales mais engendre des conflits avec les résidants de longue date à faible revenu. Malgré cela, la plupart des visiteurs voudront quand même profiter d'une petite promenade dans les rues pavées ornées de becs de gaz.

Débutez votre visite à l'extrémité ouest de Gastown (qui est aussi l'extrémité est du centre-ville), à l'angle de Water Street et de West Cordova Street. Il est possible de s'y rendre à partir de la station Waterfront du SkyTrain. On peut aussi y aller à pied depuis le centre-ville en se dirigeant vers le nord par Richards Street jusqu'à Water Street.

Le **Landing Building** *(375 Water St.)*, au revêtement de brique et de pierre, était autrefois un entrepôt pour les commerçants. Ce bâtiment de 1905, qui abrite depuis la fin des années 1980 des bureaux et des boutiques, constitue un bel exemple de restauration.

Empruntez Water Street vers l'est.

La **Hudson House** *(321 Water St.)*, comme tant d'autres édifices nord-américains du XIXe siècle, tourne le dos aux cours d'eau et à la nature environnante. Construite en 1897 par la Compagnie de la Baie d'Hudson pour servir d'entrepôt, elle fut rénovée en 1977 pour faire ressortir les formes pures de ses arcs cintrés en brique rouge. Aujourd'hui, on y trouve une boutique de cadeaux, un antiquaire et un restaurant.

À l'intersection de Cambie Street, on aperçoit une horloge

publique connue sous le nom de **Gastown Steam Clock**. Elle siffle les heures grâce à de la vapeur acheminée par un réseau souterrain de tuyaux. L'horloge est loin d'être historique, toutefois; elle fut construite en 1977. On remarquera, de cet endroit, l'étonnante percée visuelle sur les montagnes au nord de Vancouver (par temps clair uniquement). C'est aussi l'un des arrêts favoris des photographes.

Gastown Steam Clock

L'intersection de Water Street et de Carrall Street constitue l'un des secteurs les plus animés de Gastown. Le long **Byrnes Block** *(2 Water St.)*, qui en compose l'angle sud-ouest, fut un des premiers édifices construits après le terrible incendie de 1886; il fut aussi l'un des premiers bâtiments de brique à Vancouver. Il a été érigé sur l'emplacement du second saloon (démoli en 1870) de Gassy Jack, dont on aperçoit la **statue** (une œuvre plutôt mal rendue) dans le minuscule **Maple Tree Square**, la première place publique de la ville. Le bâtiment de brique présente une épaisse corniche typique des édifices commerciaux de l'ère victorienne. En face surgit l'ancien **Hotel Europe** *(4 Powell St.)* de forme triangulaire, véritable éperon construit en 1908 pour un hôtelier canadien d'origine italienne. Les fenêtres à petits carreaux ressemblent à des bijoux embellissant cette structure qui demeure très élégante et abrite maintenant des logements abordables.

Empruntez Carrall Street vers le sud.

Entrez à **Gaoler's Mews**, une paisible cour intérieure revêtue de brique et entourée de bâtiments historiques. Gaoler's Mews fut le site de la première prison, du premier bureau de douane, de la première station de télégraphie et de la première caserne de pompiers de Vancouver. L'Irish Heather Pub (voir p 141), ainsi que quelques bureaux et, bien sûr, quelques cafés, donnent sur le site à l'arrière.

Tournez à droite dans West Cordova Street.

Le **Lonsdale Block** *(8-28 W. Cordova St.)* de 1889 fait partie des bâtiments les plus remarquables de cette rue. Parmi ses premiers locataires figurait la première synagogue de la ville. Malgré que la façade de style classique ait été rénovée en 1974, l'apparence s'en révèle plutôt délabrée. L'édifice abrite aujourd'hui un magasin de surplus militaire.

Tournez à gauche dans Abbott Street.

À l'angle de Hastings Street se trouve l'ancien grand **Woodward Department Store** *(101 W. Hastings St.)*, fondé en 1892 par Charles Woodward. Il a fermé ses portes exactement 100 ans plus tard, à la suite du décès du patriarche de la famille Woodward et appartient maintenant au gouvernement provincial. Ce bâtiment est inclus dans un plan de développement, entre autres projets, qui en ferait un immeuble résidentiel de 350 logements. Depuis 2002, cependant, le gouvernement libéral projette de le vendre à un promoteur immobilier privé. Frustrés de cette volte-face, quelque 50 sans-abri ont squatté l'immeuble à l'automne.

L'extrémité sud d'Abbott Street est dominée par la **Sun Tower ★** *(100 W. Pender*

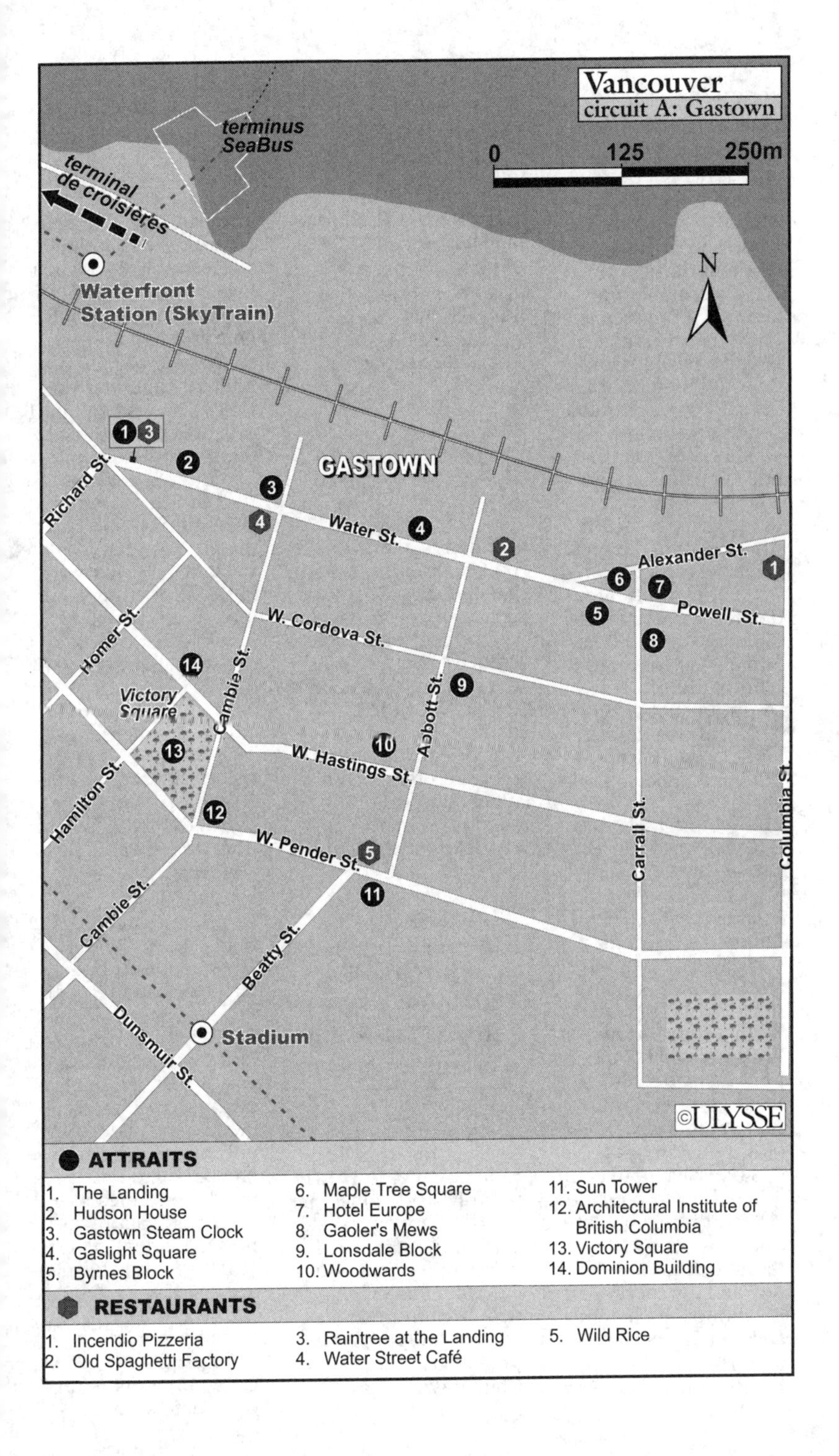
Vancouver
circuit A: Gastown
0
125
250m
N
terminus SeaBus
terminal de croisières
Waterfront Station (SkyTrain)
GASTOWN
Richard St.
Water St.
Alexander St.
Powell St.
W. Cordova St.
Homer St.
Cambie St.
Abbott St.
Victory Square
W. Hastings St.
Hamilton St.
Carrall St.
Columbia St.
W. Pender St.
Cambie St.
Beatty St.
Dunsmuir St.
Stadium
©ULYSSE
ATTRAITS
1. The Landing
2. Hudson House
3. Gastown Steam Clock
4. Gaslight Square
5. Byrnes Block
6. Maple Tree Square
7. Hotel Europe
8. Gaoler's Mews
9. Lonsdale Block
10. Woodwards
11. Sun Tower
12. Architectural Institute of British Columbia
13. Victory Square
14. Dominion Building
RESTAURANTS
1. Incendio Pizzeria
2. Old Spaghetti Factory
3. Raintree at the Landing
4. Water Street Café
5. Wild Rice

St.), érigée en 1911 pour le journal *Vancouver World*. Elle a plus tard abrité les bureaux du quotidien *The Vancouver Sun*, qui lui a laissé son nom. Au moment de sa construction, la Sun Tower, avec ses 17 étages, était considérée comme l'édifice le plus élevé de tout l'Empire britannique. On remarquera son épaisse corniche soutenue par des caryatides et sa tour polygonale surmontée d'un dôme de style Beaux-Arts revêtu de cuivre. Ce secteur de la ville se développe à un train d'enfer; les nouveaux bâtiments à l'est de la Sun Tower font partie d'un grand projet baptisé «International Village» qui doit amener ici des centaines de nouveaux résidants.

Continuez vers le sud par Abbott jusqu'à West Pender.

Prenez à droite West Pender Street et marchez jusqu'à Cambie Street, où vous tournerez à droite, passé l'**Architectural Institute of British Columbia (AIB)** *(440 Cambie St., ☎683-8588)*, qui renferme une petite galerie d'art et offre des tours guidés dans Vancouver au cours de l'été. Voici le **Victory Square**, au centre duquel se dresse le monument aux morts des deux grandes guerres mondiales ***The Cenotaph***, œuvre du sculpteur Thornton Sharp réalisée en 1924. Le square sépare les rues de Gastown et celles du quartier des affaires moderne. La face nord du square est bordée par l'élégant **Dominion Building** ★ *(207 W. Hastings St.)*, couronné d'un toit en mansarde qui rappelle les toitures parisiennes des boulevards du Second Empire.

Continuez vers le nord par Cambie Street pour revenir à la Gastown Clock.

Chemin faisant, vous pourrez tourner à gauche dans West Cordova Street, où vous pourrez voir quelques édifices dont la forme triangulaire témoigne de l'imbrication des deux trames de rues aux orientations différentes. Certains bâtiments dotés d'oriels en série ne sont pas sans rappeler l'architecture de San Francisco.

Circuit B: Chinatown, Downtown Eastside et l'est de Vancouver

Ce circuit couvre trois secteurs distincts, le Chinatown et le Downtown Eastside ainsi que l'est de Vancouver. Chacun peut être exploré à pied individuellement, mais vous devrez prendre la voiture ou le *SkyTrain* pour vous rendre du Chinatown ou du Downtown Eastside à l'est de Vancouver.

Le Chinatown s'étend de Gore Street, à l'est, jusqu'à Carrall Street, à l'ouest, et d'East Pender Street, au nord, jusqu'à East Georgia Street, au sud. Le fameux **Downtown Eastside** (voir p 90) se trouve une rue plus loin, à l'angle des rues East Hastings et Main. Il est d'ailleurs très facile de s'y rendre, simplement en parcourant les rues du Chinatown. Bien qu'il ne soit pas dangereux pour les passants, Downtown Eastside peut déplaire aux visiteurs plutôt... sensibles. Si c'est le cas, évitez le quartier.

Un bon moyen de découvrir le quartier est de participer à une **visite pédestre guidée de 90 min** *(6$; juin à sept tlj 10h30 et 14h30; Chinese Cultural Centre, 50 E. Pender St., ☎658-8883)*.

Le présent circuit débute à West Pender Street, entre Abbott Street et Carrall Street. À Carrall Street, West Pender Street devient East Pender Street. Sur East Pender Street, le décor change radicalement; les couleurs vives et l'ambiance de marché public, de même que la forte présence de la population chinoise, animent cette rue et les artères avoisinantes.

La ruée vers l'or de 1858 a attiré en Colombie-Britannique des Chinois de San

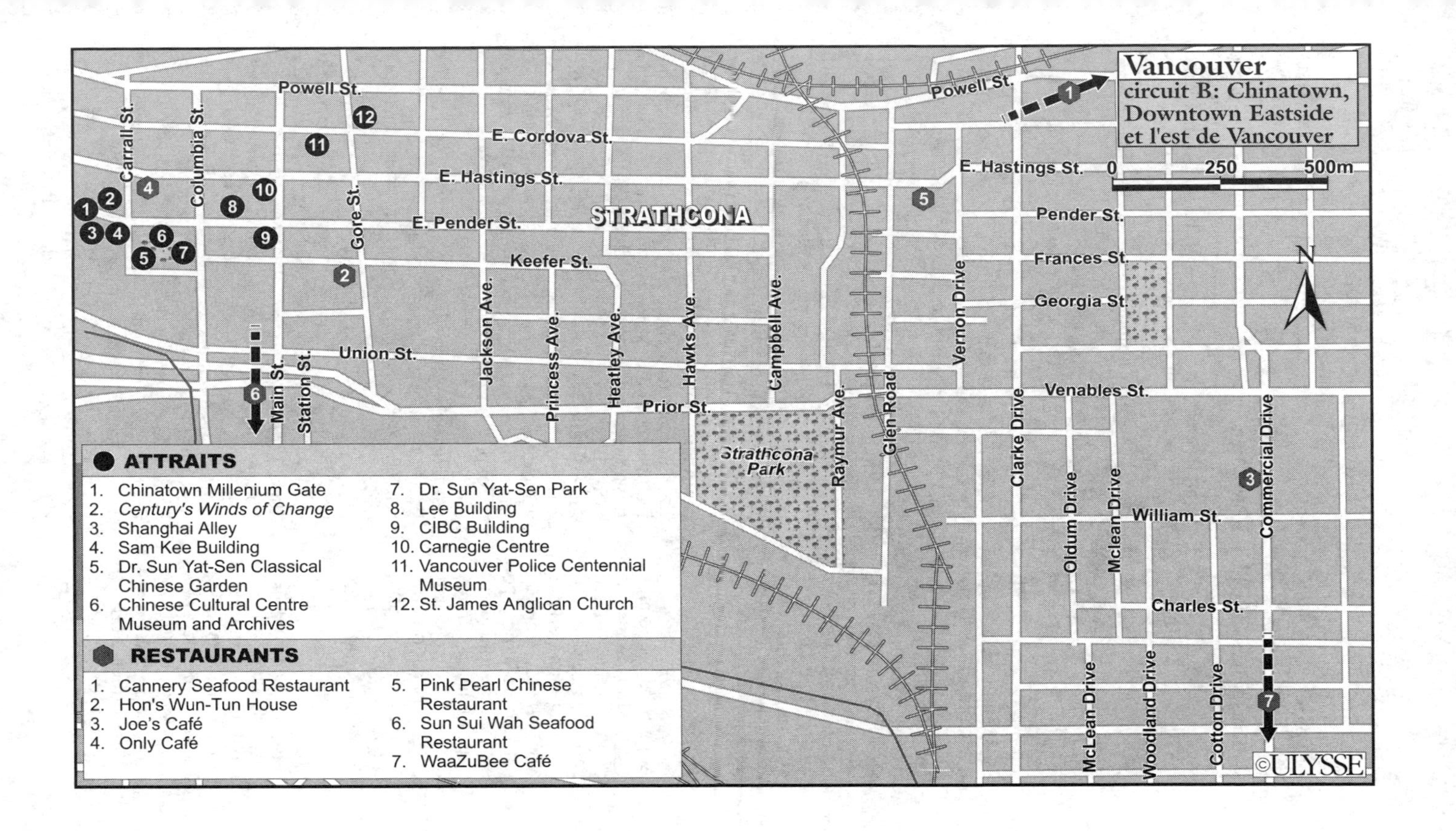

Vancouver
circuit B: Chinatown, Downtown Eastside et l'est de Vancouver
0
250
500m
N
Powell St.
E. Cordova St.
E. Hastings St.
E. Pender St.
Pender St.
Keefer St.
Frances St.
Georgia St.
Union St.
Prior St.
Venables St.
William St.
Charles St.
Carrall St.
Columbia St.
Main St.
Station St.
Gore St.
Jackson Ave.
Princess Ave.
Heatley Ave.
Hawks Ave.
Campbell Ave.
Raymur Ave.
Glen Road
Vernon Drive
Clarke Drive
Oldum Drive
Mclean Drive
McLean Drive
Woodland Drive
Cotton Drive
Commercial Drive
STRATHCONA
Strathcona Park
ATTRAITS
1. Chinatown Millenium Gate
2. Century's Winds of Change
3. Shanghai Alley
4. Sam Kee Building
5. Dr. Sun Yat-Sen Classical Chinese Garden
6. Chinese Cultural Centre Museum and Archives
7. Dr. Sun Yat-Sen Park
8. Lee Building
9. CIBC Building
10. Carnegie Centre
11. Vancouver Police Centennial Museum
12. St. James Anglican Church
RESTAURANTS
1. Cannery Seafood Restaurant
2. Hon's Wun-Tun House
3. Joe's Café
4. Only Café
5. Pink Pearl Chinese Restaurant
6. Sun Sui Wah Seafood Restaurant
7. WaaZuBee Café
©ULYSSE

Francisco et de Hong Kong. En 1878, la construction du chemin de fer transcontinental du Canadian Pacific Railway allait à son tour inciter des milliers de Chinois à venir s'établir dans la région de Vancouver. Au fil des ans, la communauté chinoise a subi plusieurs revers qui n'ont toutefois pas empêché sa forte croissance. Ainsi, au début du XXe siècle, le gouvernement canadien imposa une taxe aux immigrants chinois, puis il interdit complètement l'immigration chinoise de 1923 à 1947.

Aujourd'hui, la communauté chinoise est en pleine expansion avec l'arrivée massive d'immigrants de Hong Kong. Même si le Chinatown de Vancouver est l'un des plus importants quartiers chinois d'Amérique, une partie de la population chinoise de la Colombie-Britannique vit à Richmond, au sud de Vancouver.

Pour explorer le Chinatown de façon plus inhabituelle, rendez-vous au **Chinatown Night Market** *(juin à sept ven-dim 18h30 à 23h)*, où vous pouvez vous approvisionner en fruits et légumes exotiques rares. Vous y trouverez une atmosphère de fête.

À l'ouest, à l'angle de West Pender et de Taylor, on a récemment ajouté une porte d'entrée au Chinatown, dénommée **Chinatown Millenium Gate**. Conçue par l'architecte Joe Wai, qui a aussi créé le Dr. Sun Yat-Sen Classical Chinese Garden et le Chinese Cultural Centre Museum and Archives, cette porte d'entrée fut financée par les trois ordres de gouvernements et par la communauté locale afin de revitaliser le quartier. La structure fut inspirée des portes d'entrée de cimetières de Beijing aux XIXe et XXe siècles, et, lorsque les résidants ont exprimé leurs inquiétudes face au mauvais présage qu'elle pourrait représenter, elle fut approuvée (avec changements mineurs) par un expert en feng-shui.

Sur la gauche, après la porte, se trouve la murale ***Century's Winds of Change***, qui illustre l'histoire de l'intégration chinoise au Canada. Passez par **Shanghai Alley**, après la porte, sur votre droite. Au début des années 1900, les marchands chinois durent s'établir ici et dans Canton Alley, une rue parallèle qui se trouve à l'ouest, à cause des pressions faites par les marchands blancs de Hastings Street. La plupart des bâtiments, entre autres des restaurants, des boutiques, un théâtre et plusieurs immeubles d'appartements, avaient deux entrées et donnaient à la fois sur l'allée et sur Carrall Street. Ils furent démolis dans les années 1940.

Le passage piétonnier est revêtu d'asphalte coloré et imprimé pour lui donner une apparence de pavé; sa surface originale était composée de blocs de bois scellés avec de la résine végétale et recouverts de goudron. Le passage mène au **Allan Yap Circle**, où se trouve une réplique d'une cloche de la dynastie Han de 2 200 ans. Celle-ci fut offerte par la ville de Guangzhou (la ville jumelle de Vancouver) où la cloche originale fut déterrée en 1983. Vous y verrez aussi des panneaux racontant l'histoire sociale et architecturale du Chinatown de 1870 à 1940.

À l'entrée du quartier chinois, on aperçoit un étrange petit bâtiment érigé sur un espace résiduel de 1,8 m de profondeur. Le **Sam Kee Building** *(8 W. Pender St.)* comporte toutefois des oriels surplombant le trottoir et un sous-sol débordant sous la rue qui permettent d'augmenter sensiblement l'espace intérieur. C'est ici que la Sam Kee Company, l'une des plus riches entreprises du Chinatown à la fin du XVIIIe siècle, se procura un terrain de grandeur standard en 1903.

Lorsque la Ville expropria 7 m de la partie avant du terrain pour élargir la rue, le propriétaire, déterminé, jura qu'il bâtirait quand même. L'édifice, d'une largeur de 1,8 m, fut érigé environ 10 ans plus tard. D'après *Ripley's Believe it or Not* et le *Livre des records Guinness*, il s'agit du plus étroit bâtiment commercial au monde, qui jadis abritait des bains publics; la lumière du jour était filtrée par des blocs de verre qui sont encore scellés au trottoir. Aujourd'hui, c'est une compagnie d'assurances qui s'y trouve. Les visiteurs n'y sont pas admis. Dans les environs, on retrouvait autrefois de célèbres lupanars de même que des fumeries d'opium.

Empruntez East Pender Street afin de pénétrer au cœur du Chinatown.

Derrière le portail traditionnel du **Chinese Cultural Centre** *(50 E. Pender St.)*, on découvre le **Dr. Sun Yat-Sen Classical Chinese Garden ★** *(7,50$; début mai à mi-juin 10h à 18h, mi-juin à fin août 9h30 à 19h, début sept à fin sept 10h à 18h, début oct à fin avr 10h à 16h30; 578 Carrall St., ☎698-7133, téléphoner pour l'horaire des visites commentées)*. Aménagé en 1986 par 52 artisans chinois de Suzhou, il est un des seuls jardins dessinés dans le style de la période Ming (1368-1644) hors d'Asie. L'espace vert de 0,15 ha est enserré par de hauts murs qui en font une oasis de paix au milieu du monde grouillant du Chinatown. À noter que le docteur Sun Yat-Sen (1866-1925) a séjourné à Vancouver en 1911 afin d'y recueillir des fonds pour son parti nouvellement fondé, le Kuo-min-tang, ou «Parti du peuple». Sun Yat-Sen est considéré comme le père de la Chine moderne.

Ceux qui ne connaissent pas tellement le monde des jardins chinois apprécieront les visites guidées; des guides offrent une multitude de renseignements afin que les néophytes puissent mieux comprendre et profiter de la signification de chaque élément. Reflétant la philosophie taoïste du yin et du yang, les jardins chinois classiques représentent l'équilibre entre des forces opposées: l'humain et la nature, le ciel et la terre, la lumière et la noirceur, etc. L'eau et les plantes du jardin représentent le yin, tandis que les passages couverts représentent le yang.

Aménagés par des érudits pour des propriétés privées, les jardins chinois étaient destinés à inspirer la réflexion; les pierres de calcaire érodées de forme inhabituelle, éparpillées dans le jardin, étaient appelées «pierres de lune» et étaient exposées telles des sculptures afin d'encourager la création artistique. Par ailleurs, il n'y a aucun clou ici: toutes les structures sont fabriquées de mortaises et de tenons. On rendait aussi l'eau de l'étang de couleur jade opaque en ajoutant un revêtement d'argile au fond du bassin, ce qui augmente la réflexion de l'eau, agrémente le mystère du monde sous-marin et enrichit l'expérience du jardin. L'été, les nénuphars, symboles de pureté, recouvrent la surface de

Dr. Sun Yat-Sen Classical Chinese Garden

l'eau, poussant des sombres profondeurs.

Sous les pieds des promeneurs s'étendent les pavés aux motifs complexes qui furent cueillis dans les ruisseaux de Chine; les «fleurs blanches» qu'on y retrouve furent créées au moyen de tessons de poterie. L'endroit est tout à fait charmant et incite à la réflexion. Mieux vaut téléphoner pour connaître l'horaire des événements.

En quittant le jardin, tournez à gauche dans Keefer Street, et encore à gauche dans Columbia Street, où vous trouverez le **Chinese Cultural Centre Museum and Archives** ★ *(4$; mar-dim 11h à 17h; les visites doivent être organisées d'avance; 555 Columbia St., ☎658-8880).* Au rez-de-chaussée du bâtiment, qui fut conçu dans le style qui prévalait pendant la dynastie Ming (1368-1644 après J.-C.), se trouvent des expositions temporaires sur des thèmes tels que la peinture, la calligraphie et la musique, toutes exquises.

À l'étage (pendant que vous y êtes, jetez un coup d'œil sur les jardins à partir du pont d'observation), la collection permanente retrace l'histoire de la population chinoise de Vancouver de 1788 à nos jours. Vous y trouverez des photographies (dont celle d'un Sam Kee Building flambant neuf), des coupures de presse et une variété d'objets du XIXe siècle, tels un boulier en bois fait à la main par un mineur et une procession funéraire chinoise miniature.

Les premiers immigrants chinois de la Colombie-Britannique faisaient l'extraction de l'or dans la région de Cariboo, dans le nord de la province; la ville de Barkerville, où ils habitaient, est aujourd'hui un site historique. Les immigrants chinois furent longtemps soumis à la discrimination, ce dont témoigne la forte concentration de quartiers chinois à travers l'Amérique du Nord. Ce n'est qu'en 1947 que la Colombie-Britannique a accordé le droit de vote fédéral aux Chinois.

Sur le site, on trouve aussi un petit musée de l'histoire militaire qui relate le rôle des Sino-Canadiens lors de la Deuxième Guerre mondiale.

À côté du musée se trouve le **Dr. Sun Yat-Sen Park** *(entrée libre; angle rues Columbia et Keefer)*, adjacent au jardin du même nom. Joliment aménagé, il s'agit d'un endroit agréable pour la promenade, mais il est préférable de se rendre au jardin. Dans le parc, toutefois, il se peut que vous y rencontriez les mendiants du quartier.

En quittant le parc, tournez à gauche dans Columbia Street et à gauche encore dans East Pender Street.

Les bâtiments qui bordent East Pender Street traduisent dans leur architecture la culture majoritairement cantonaise des premiers immigrants chinois de Vancouver, notamment à travers ces profondes loggias de plusieurs niveaux sur les façades, telles celles du **Lee Building** *(129 E. Pender St.)*, construit en 1907 et détruit par un incendie en 1972. Sauvée de l'incendie, la façade originale du Lee Building cache une toute nouvelle structure; c'est un bel exemple de préservation d'édifices historiques. Par un passage sur la gauche de cet édifice, on rejoint une cour intérieure entourée de boutiques. Plusieurs de ces édifices arborent des plaques historiques; de l'autre côté de la rue, en face du jardin, se trouve le plus ancien édifice du Chinatown, construit en 1889. Lors des fêtes chinoises, les loggias d'East Pender Street s'emplissent de spectateurs, accentuant ainsi le caractère animé des célébrations dans le Chinatown.

Continuez le long d'East Pender Street jusqu'à Main Street.

À l'angle de Main Street, on peut voir, sur la droite, une succursale de la **CIBC Bank** *(501 Main St.)*, aux formes d'inspiration baroque anglais. Le colossal édifice revêtu de terre cuite et réalisé en 1915 est l'œuvre de l'architecte Victor Horsburgh. Si vous tournez à gauche dans Main Street, vous vous approcherez d'East Hastings Street, l'un des plus célèbres coins au pays. Centre névralgique de Vancouver, le **Downtown Eastside** abrite la communauté la plus pauvre au Canada, peuplée de mendiants, de trafiquants de drogue et de prostituées. Les policiers déclarent que cet endroit n'est pas dangereux pour les touristes (il en est autrement, par contre, pour les résidants) et que le pire qu'il puisse arriver, c'est de se faire offrir de la drogue ou demander de l'argent. Quoi qu'il en soit, certains visiteurs voudront probablement éviter le quartier. Le trafic de drogue est surtout concentré près de la bibliothèque Carnegie (voir Carnegie Library, ci-dessous), du côté ouest de Main Street, devant les quartiers généraux de la police de Vancouver. Si vous préférez ne pas être confronté à ces marginaux, traversez Main Street à East Pender Street, et restez du côté est de la rue.

Autre exemple du style néobaroque anglais, l'ancienne **Carnegie Library** *(angle Main St. et East Hastings St.)* abrite maintenant un centre communautaire, le Carnegie Centre. On doit l'existence de cet édifice au philantrope étasunien Andrew Carnegie, qui a financé la construction de centaines de ces bibliothèques de quartier aux États-Unis et au Canada. Si ce qui se passe à l'extérieur ne vous dérange pas trop, entrez à l'intérieur de l'édifice et admirez les portraits en vitrail de Shakespeare, de Robert Burns et de Sir Walter Scott qui illuminent l'escalier principal.

(Si vous préférez éviter complètement le quartier, continuez par East Pender Street jusqu'à Gore Street, une rue à l'est de Main Street, et tournez à gauche dans Gore Street pour marcher jusqu'à East Cordova Street.)

Tournez à droite dans East Cordova Street.

Après l'Armée du Salut, vous verrez plusieurs centres de désintoxication et maisons de chambres délabrées. Si tout cela n'est pas assez pour vous, dirigez-vous vers le **Vancouver Police Centennial Museum** ★ *(6$; toute l'année lun-ven 9h à 15h, début mai à fin août sam 10h à 15h; 240 E. Cordovo St.)* (il est dit que l'établissement est *«mystérieux, historique et intriguant»*, mais en vérité il est plutôt sordide, morbide et déplaisant).

Installée dans l'ancien palais de justice et laboratoire d'autopsie, l'exposition commence tout bonnement par la présentation d'objets retraçant l'histoire des policiers de Vancouver (VPD) et l'exhibition de mannequins plutôt bizarres revêtus d'anciens uniformes. Elle a un intérêt limité pour les résidants de la région, et il est à espérer que ce soit cette section de l'exposition, et non celle qui suit, qui est présentée aux groupes scolaires. Fait intéressant: c'est en 1912 que la première femme policière de l'Empire britannique fut engagée, ici à Vancouver.

L'exposition prend ensuite une tournure quasi horrible; on y présente une collection d'armes, dont plusieurs sont atrocement rudimentaires, qui furent toutes confisquées dans les rues de Vancouver. Parmi les autres «merveilles» du musée: la reconstitution d'une scène de meurtre dans une maison de chambres de Downtown Eastside, des photographies en noir et blanc de scènes de meurtres historiques, et une mise en scène dans le laboratoire avec faux organes et autopsies pratiquées par des mannequins... (gens de constitution délicate, s'abstenir!).

Si vous vous demandez pourquoi il y a aussi un portrait d'Errol Flynn, le célèbre acteur et séducteur, c'est parce qu'il est mort à Vancouver en 1959, et son au-

Le Downtown Eastside

Le quartier de Downtown Eastside à Vancouver est le quartier des indigents. Considéré comme le quartier le plus pauvre au Canada, il est le domicile d'un nombre démesuré de toxicomanes et de gens atteints du VIH et du sida, et la pauvreté, la prostitution et le crime y règnent. Plus de 80% des familles qui y habitent sont déclarées «à faible revenu» par Statistiques Canada, en comparaison à 31% des familles de Vancouver dans son ensemble (recensement de 1996).

Le quartier est délimité par Burrard Inlet au nord, East Hastings Street au sud, Clark Drive à l'est et Main Street à l'ouest. Son cœur est l'angle des rues Main et Hastings, aussi connu des résidants sous le nom de «Pain and Wastings» (souffrance et désolation). C'est là, devant le Carnegie Centre (l'ancienne bibliothèque publique de Vancouver) et à la vue du département de police de Vancouver, sur Main Street, que les trafiquants de drogue et leurs clients se rassemblent.

En passant par ce quartier, les visiteurs seront frappés de consternation devant le grand nombre de centres de désintoxication, les maisons de chambres délabrées et la grande pauvreté. Les jolis immeubles victoriens, toutefois, sont la preuve que ce quartier a déjà connu une période plus prospère. Au début du XXe siècle, le premier centre-ville de Vancouver fut développé ici, près du noyau de la ville grandissante. On y trouvait le palais de justice municipal, l'hôtel de ville, la bibliothèque Carnegie, plusieurs théâtres et le grand magasin Woodward. Le secteur était aussi le centre des transports de la ville, avec la station de tramways à l'angle des rues Hastings et Carrall, et avec le traversier et le port au nord, à Burrard Inlet.

L'inauguration du nouveau palais de justice de Georgia Street en 1907 (aujourd'hui la Vancouver Art Gallery) marque le début du déplacement du centre-ville vers l'ouest et le déclin du Downtown Eastside. Puis, vers la fin des années 1950, le quartier se détériore rapidement lorsque la bibliothèque déménage à l'angle des rues Burrard et Robson, que le service de tramway cesse et que le service de traversier est interrompu (aujourd'hui, le SeaBus se trouve au pied de Seymour Street, plus à l'ouest). En conséquence, quelque 10 000 personnes de moins par jour traversent le quartier. Lorsque le magasin Woodward ferme ses portes en 1992, entraînant la fermeture de plusieurs autres magasins et restaurants, le quartier de Downtown Eastside est en pleine déchéance. Petit à petit, les choses s'aggravent, alors que les logements deviennent plus abordables, attirant les gens à faible revenu qui ne peuvent se permettre les loyers élevés des autres quartiers de la ville.

Les problèmes de cette communauté furent

exposés à l'échelle nationale en 1999 grâce au documentaire primé *Through a Blue Lens*. Une production de l'Office national du film, il fut tourné par plusieurs policiers de Vancouver afin de comprendre la vie des toxicomanes du Downtown Eastside et d'en faire un outil éducatif antidrogue. En conséquence, le film dévoile de façon captivante les conditions sordides, la désola[...] dans lesq[...] gens viven[...] Dernièremen[...] tier a fait les m[...] tes partout au pay[...] femmes, la plupart [...] toxicomanes et des prostituées, ont disparu du Downtown Eastside depuis 1983.

Plusieurs organismes communautaires travaillent inlassablement pour tenter d'améliorer le sort des résidants du quartier. Le «Vancouver

[...] l'a[...] loge[...] l'augm[...] efforts p[...] les trafiqua[...] drogue.

topsie fut pratiquée dans le laboratoire. La rumeur veut que les verrues génitales (condylomes syphilitiques) de Flynn aient été préservées en tant que souvenirs par le personnel du laboratoire, puis rapidement recousues avant que son corps ne soit envoyé à sa famille pour inhumation.

Aujourd'hui, plusieurs vedettes du grand écran, tels Brad Pitt, Jack Nicholson et Gwyneth Paltrow, se retrouvent dans l'ancienne morgue pour tourner des scènes de films. Vous pouvez vous procurer des souvenirs du VPD à la boutique dénommée Cop Shoppe.

Continuez par East Cordova Street jusqu'à Gore Street.

Ici s'élève la **St. James Anglican Church** ★ *(303 E. Cordova St.)*, dont la haute masse de béton armé apparent en fait un des bâtiments les plus originaux édifiés au Canada dans l'entre-deux-guerres. L'architecte britannique Adrian Gilbert Scott a conçu les plans de cette église en 1935.

Suivez Gore Street vers le sud afin de revenir admirer les étalages de produits exotiques le long d'East Pender Street, ou encore pour manger dans un des nombreux restaurants chinois qui se trouvent dans les environs.

Si vous voulez pousser jusqu'au bout votre découverte des quartiers ethniques de Vancouver, suivez Gore Street jusqu'à Keefer Street, où vous tournerez à droite, puis à gauche dans Main Street pour atteindre la gare intermodale Pacific Central Station (à environ 5 min de marche). Montez dans le SkyTrain en direction de Surrey, mais descendez à la prochaine station (Broadway). Quant à ceux qui se déplacent en voiture, ils devront emprunter Georgia Street en direction est et, à partir du viaduc, suivre Prior Street, puis tourner à droite dans Commercial Drive.

Une fois descendu du SkyTrain, remontez Commercial Drive vers le nord.

On traverse alors un secteur appelé **Little Italy** (Petite Italie), mais où se rencontrent également Portugais, Espagnols, Jamaïquains et Sud-Américains. Au début du XXe siècle, le secteur de **Commercial**

es montagnes au
est époustou-
, surtout au cou-
du soleil.

Circuit C: centre-ville

ai 1887, le
train transcon-
lu Canadien
parti de
arrive en gare
is de Vancou-
npagnie
qui s'était
r de vastes
spondant à
e près au
de l'actuel
centre-ville, entreprend alors de développer son bien. Dire qu'elle a joué un rôle majeur

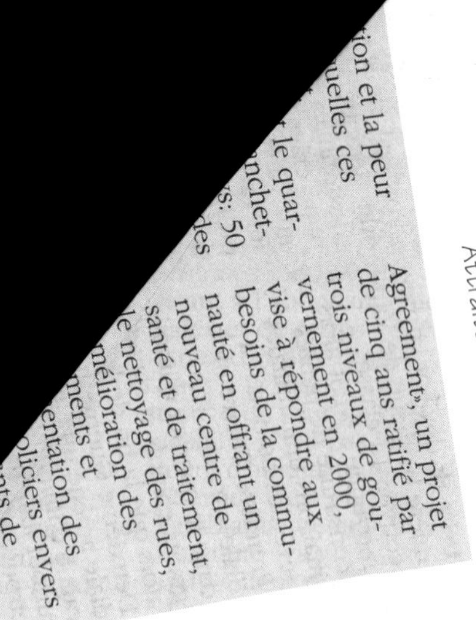

St. et Charles St.), la silhouette de Vancouver à l'ouest

ane, du

● ATTRAITS

1. The Lookout! at Harbour Centre
2. Toronto Dominion Bank
3. CIBC Building
4. Royal Bank
5. Sinclair Centre
6. Crédit Foncier Franco-Canadien
7. Vancouver Club
8. Marine Building (R)
9. Canada Place
10. Bentall Centre
11. Royal Centre
12. Christ Church Cathedral
13. Cathedral Place
14. Canadian Craft and Design Museum
15. Robson Street
16. BC Hydro Building
17. St. Andrew's Wesley United Church
18. First Baptist Church
19. Provincial Law Courts
20. Robson Square
21. Vancouver Art Gallery (R)
22. Granville Mall
23. Pacific Centre
24. The Bay
25. Vancouver Centre
26. Sears Downtown
27. Commodore Theatre
28. Orpheum Theatre
29. Vogue Theatre
30. Library Square

(R) établissement avec restaurant décrit

⬡ HÉBERGEMENT

1. Faimont Hotel Vancouver (R)
2. Kingston Hotel Bed & Breakfast
3. Le Soleil Hotel
4. Pan Pacific Hotel Vancouver
5. Sheraton Vancouver Wall Centre
6. Terminal City Club
7. Victorian Hotel
8. Wedgewood Hotel (R)
9. Westin Grand
10. YWCA

(R) établissement avec restaurant décrit

⬢ RESTAURANTS

1. Aqua Riva
2. Bin 941 Tapas Parlour
3. Diva at the Met
4. Elbow Room
5. India Gate Restaurant
6. Joe Fortes Seafood & Chop House
7. Kitto Japanese House on Granville
8. Lucy Mae Brown
9. Olympia Seafood
10. Raku
11. Subeez Café

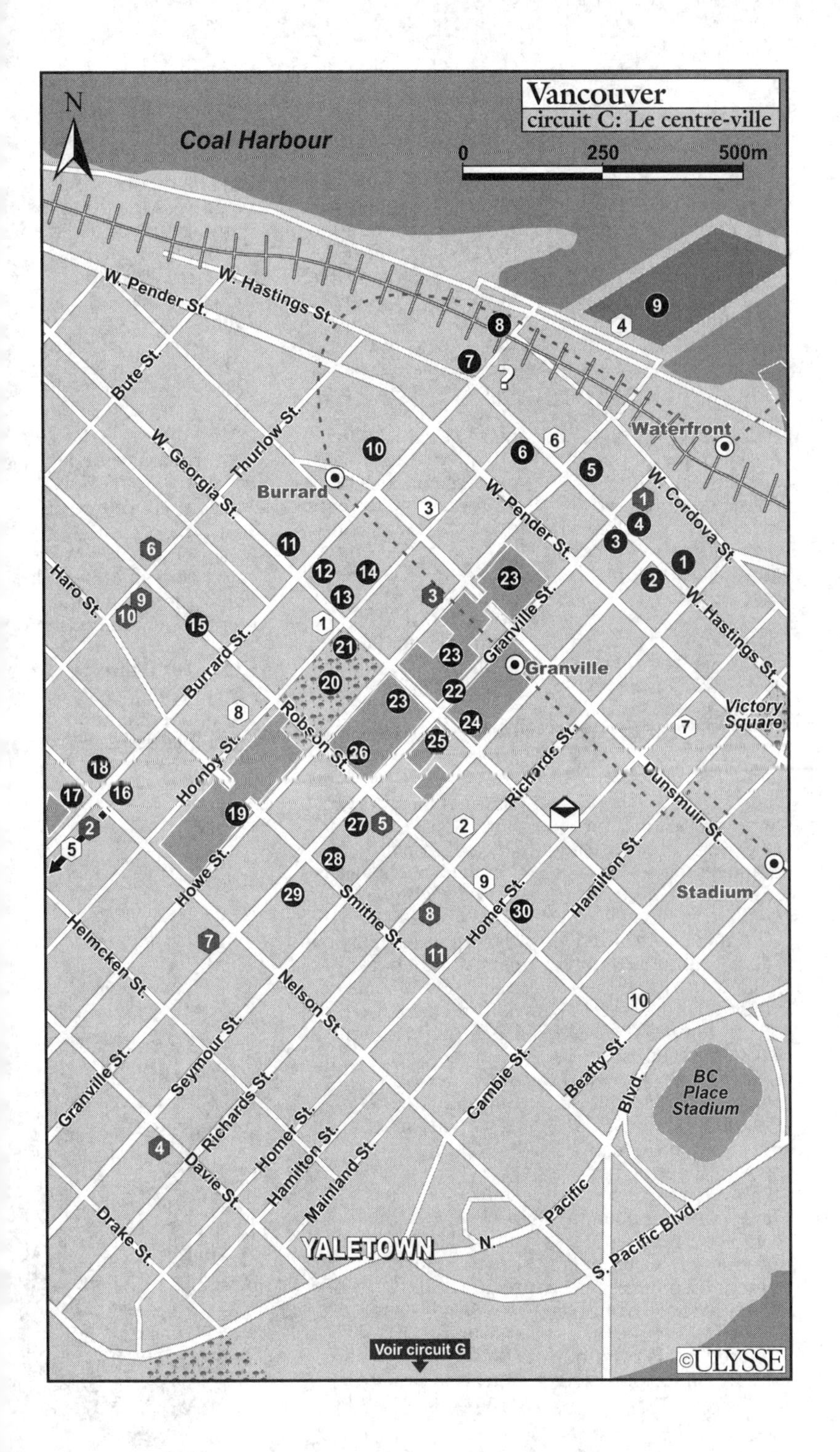
Vancouver
circuit C: Le centre-ville
N
0
250
500m
Coal Harbour
W. Pender St.
W. Hastings St.
Bute St.
Thurlow St.
W. Georgia St.
Burrard
Haro St.
Burrard St.
Robson St.
Hornby St.
Howe St.
Granville St.
Granville
W. Pender St.
W. Cordova St.
W. Hastings St.
Waterfront
Victory Square
Richards St.
Dunsmuir St.
Hamilton St.
Stadium
Homer St.
Smithe St.
Helmcken St.
Nelson St.
Seymour St.
Richards St.
Homer St.
Hamilton St.
Mainland St.
Davie St.
Drake St.
Cambie St.
Beatty St.
Blvd.
BC Place Stadium
Pacific
N.
S. Pacific Blvd.
YALETOWN
Voir circuit G
©ULYSSE

dans le développement du quartier des affaires de Vancouver serait insuffisant. Le Canadien Pacifique a véritablement forgé cette partie de la ville, traçant les rues et érigeant plusieurs de ses principaux monuments. Depuis les années 1960, le centre-ville de Vancouver connaît un développement incessant, signe d'une grande vitalité économique imputable aux capitaux venus d'Asie et au mouvement vers l'ouest de la population du Canada, attirée par le doux climat de la Côte Ouest.

Commencez le circuit à l'angle de West Hastings Street et de Seymour Street. Ce circuit peut s'effectuer facilement à la suite de celui de Gastown, qui se termine à proximité.

Rendez-vous au Harbour Centre. Surmonté d'une structure qui ressemble à un ovni, l'édifice le plus élevé de Vancouver est difficile à manquer. Il abrite le campus du centre-ville de l'université Simon Fraser. **The Lookout! at Harbour Centre** *(10$; 555 W. Hastings St., ☎689-0421)*, la «tour du CN» de Vancouver, offre un panorama à 360° du haut de ses 174 m. Un ascenseur vitré vous mène au sommet, presque trop rapidement. Ceux qui aiment bien ce genre de tour n'hésiteront pas à débourser les frais d'entrée, mais ceux qui en raffolent moins trouveront probablement le prix un peu... élevé.

Surtout que, lorsque vous arriverez au sommet, vous serez bombardé de publicité de centres commerciaux, voyagistes et autres dispendieux attraits de Vancouver. Et ceux qui ne connaissent pas la ville seront sûrement déçus de l'absence de plans conviviaux indiquant l'endroit précis de plusieurs des points de repère ou secteurs qui sont inscrits sur les panneaux. Cela dit, il est vrai que la vue d'English Bay et des fjords du North Shore est très belle. Pour en avoir plus pour votre argent, gardez votre ticket et revenez en soirée pour voir les lumières de la ville.

Situé en face du Harbour Centre, l'ancien siège régional de la **Toronto Dominion Bank** *(580 W. Hastings St.)* témoigne de l'élégance classique des halls bancaires du début du XXe siècle. En 1984, cet édifice classé a été délaissé par la banque au profit des tours modernes de Georgia Street et appartient aujourd'hui à la Simon Fraser University. Un pâté de maisons plus à l'ouest, l'ancien siège régional de la **Canadian Bank of Commerce** *(698 W. Hastings St.)*, véritable temple de la finance, a connu le même sort et renferme maintenant l'élégante boutique de Henry Birks and Sons. Également classé, il porte le nom de Birks Building depuis 1994. L'édifice aux épaisses colonnes ioniques a été érigé en 1906 selon les plans des architectes Darling et Pearson, à qui l'on doit notamment l'édifice Sun Life de Montréal. En face se dresse la tour massive de la **Royal Bank ★** *(675 W. Hastings St.)*, œuvre de S.G. Davenport (1929). Le superbe hall bancaire, dans le goût de la Renaissance italienne, mérite une petite visite.

Le **Sinclair Centre ★** *(701 W. Hastings St.)* se présente comme un ensemble de bureaux gouvernementaux. Il a été aménagé dans un ancien bureau de poste, et ses

Sinclair Centre

annexes sont reliées entre elles par des passages couverts bordés de boutiques. L'édifice principal de 1909 est considéré comme un des meilleurs exemples du style néobaroque au Canada.

Un peu plus loin, à l'angle de Hornby Street, on peut voir l'austère édifice du **Crédit Foncier Franco-Canadien** *(850 W. Hastings St.)*, construit en 1913 pour cette institution financière fondée conjointement par des banquiers français et québécois. De l'autre côté de la rue, le **Vancouver Club** *(915 W. Hastings St.)* semble bien petit entre les gratte-ciel. L'édifice abrite depuis 1914 un club privé pour gens d'affaires, organisé sur le modèle des clubs londoniens.

Le **Marine Building ★★** *(355 Burrard St.)*, qui s'élève devant vous tandis que vous vous dirigez vers l'ouest par West Hastings Street, est un bel exemple d'Art déco, style caractérisé par la verticalité des lignes, les retraits en gradins, l'absence de corniches de couronnement et l'emploi d'une ornementation géométrique. L'édifice de 1929 porte bien son nom, à la fois parce qu'il est abondamment décoré de thèmes marins et parce que plusieurs de ses locataires sont des armateurs et des entreprises commerciales maritimes.

On remarquera plus particulièrement sur sa façade les panneaux de terre cuite qui dépeignent l'histoire des transports maritimes et la découverte de la côte du Pacifique. Mais c'est à l'intérieur que le visiteur découvrira vraiment l'originalité du Marine Building. On notera entre autres les luminaires de l'entrée en forme de proue de navire et le vitrail représentant un coucher de soleil sur l'océan. De la mezzanine, qu'il est possible d'atteindre par ascenceur, la vue d'ensemble est intéressante.

Canada Place

Tournez à droite dans Burrard Street, en direction de l'eau, et arrêtez-vous au **Vancouver Tourist Info Centre** *(200 Burrard St., ☎683-2000)* pour trouver tout renseignement supplémentaire dont vous avez besoin.

Empruntez Burrard Street en direction de l'eau et de **Canada Place ★★** *(999 Canada Place)*, cette construction érigée sur un des quais du port, et qui fait penser à un immense voilier prêt à appareiller. L'ensemble multifonctionnel a été construit dans le cadre de l'Exposition internationale de 1986 pour abriter le pavillon du Canada. Vous y trouverez le Centre des congrès de Vancouver (Convention Centre), le terminal de croisières, le luxueux **Pan Pacific Hotel** (voir p 128) ainsi qu'un cinéma IMAX. Même si vous ne mettez pas les voiles, faites une promenade sur le «pont» pour apprécier le panorama magnifique de Burrard Inlet, du port et des montagnes aux neiges éternelles.

Revenez au centre de la ville par Burrard Street. Continuez vers le sud jusqu'à West Georgia Street.

En passant, on aperçoit le vaste **Bentall Centre** *(angle Pender St.)*, composé de trois tours réalisées entre 1965 et 1975 selon les plans de l'architecte Frank Musson. Sur la droite s'élève le **Royal Centre** *(1055 W. Georgia St.)*, qui comprend la tour de 38 étages de la Royal Bank. La hauteur «modeste» et la forme trapue de ces gratte-ciel sont imputables aux limites imposées par l'activité sismique de la «Couronne de feu» du Pacifique.

Sur la gauche, juste avant West Georgia Street, se trouve la toute petite **Christ Church Cathedral** *(690 Burrard St.)*. La cathédrale anglicane néogothique fut construite en 1889, à une époque où Vancouver n'était encore qu'un gros village. À l'intérieur, on admirera la charpente de bois de sapin de la Colombie-Britannique *(Douglas fir)*. L'aspect le plus intéressant de la cathédrale n'est ni sa taille ni son ornementation, mais simplement le fait qu'elle a survécu dans cette partie de Vancouver en constante reconstruction. Elle fait aussi office maintenant de centre communautaire.

De l'autre côté de West Georgia Street, et dominant la cathédrale, se dresse l'imposant **Fairmont Hotel Vancouver** ★ *(visites gratuites sam 13h: réserver auprès de la réception au ☎662-1935; durée des visites: environ une heure; 900 W. Georgia St.)* (voir p 127) avec ses 23 étages, véritable «monument» au Canadian Pacific Railway qui l'a fait construire entre 1928 et 1939. Son haut toit de cuivre fut pendant longtemps le principal symbole de Vancouver à l'étranger. Comme chaque grande ville canadienne, Vancouver se devait d'avoir son hôtel de style Château. On remarquera plus particulièrement les gargouilles près du sommet et les bas-reliefs du hall représentant un paquebot et une locomotive en mouvement. C'est le troisième Hotel Vancouver construit par le Canadian Pacific Railway. Le premier fut érigé à l'angle des rues Georgia et Granville en 1887, et le deuxième sur le site actuel du magasin Eaton's.

Les boutiques et les bureaux de **Cathedral Place** *(925 W. Georgia St.)* avoisinent la cathédrale à l'est depuis 1991. Ses gargouilles pseudo-médiévales n'arrivent pas à faire oublier le Georgia Medical Building, autrefois situé à cet emplacement. La démolition de cet édifice Art déco en 1989 a fait scandale à travers le Canada. Le chanteur rock Bryan Adams avait pourtant participé à une vaste campagne pour le sauver. Cathedral Place est donc un bâtiment qui veut se faire accepter. Aussi y retrouve-t-on le toit pointu de l'hôtel voisin, de même que des moulages de pierre des infirmières qui décoraient autrefois le Georgia Medical Building. À l'arrière, près d'un agréable petit jardin, on découvre le **Canadian Craft and Design Museum** *(5$; lun-sam 10h à 17h, jeu jusqu'à 21h, dim et jours fériés 12h à 17h, fermé mar de sept à mai; 639 Hornby St., ☎687-8266)*, qui a été intégré au projet (vous pouvez aussi vous y rendre en prenant Hornby Street à gauche). Il renferme des produits artisanaux canadiens ainsi que quelques éléments décoratifs rescapés du Georgia Medical Building. On y présente des expositions temporaires aux thèmes éclectiques, tels les meubles et l'architecture. Boutique d'artisanat sur les lieux.

Empruntez West Georgia Street vers l'ouest.

Tournez à gauche dans Thurlow Street, puis encore à gauche dans **Robson Street** ★, l'artère des boutiques à la mode, des restaurants aux décors élaborés et surtout des multiples «cafés-brûleries» dans le style de la Côte Ouest. Les passants s'attablent aux terrasses et profitent du beau temps pour admirer la foule bigarrée qui déambule nonchalamment. Les amateurs de bon café en ont fait une passion; une vedette américaine, Bette Middler, de passage à Vancouver s'est même déjà étonnée de la quantité de cafés sur Robson Street, allant jusqu'à affirmer que les Vancouverois étaient des drogués de café, mais que cela n'avait pas changé leur rythme de vie, connu pour être lent. Au milieu du XXe siècle, Robson Street regroupait une petite communauté allemande ayant rebaptisé la rue «Robsonstrasse», surnom qui est demeuré depuis.

Revenez à Burrard Street, que vous emprunterez sur votre droite jusqu'à Nelson Street. Ou tournez à gauche dans Robson Street et faites du lèche-vitrine jusqu'à Burrard Street. À l'intersection des rues Thurlow et Robson, remarquez les cafés sur trois des quatre coins, dont deux sont des Starbucks! Combien de temps survivra la boutique du quatrième coin?

À l'angle de Nelson Street et de Burrard Street, on peut voir l'ancien **B.C. Hydro Building** ★ *(970 Burrard St.)*, qui abritait autrefois le siège de la compagnie d'hydroélectricité de la Colombie-Britannique. Il a été reconverti en 242 appartements en copropriété (1993) et rebaptisé «The Electra». L'édifice, conçu en 1955 selon les plans des architectes locaux Thompson, Berwick et Pratt, est considéré comme un des gratte-ciel les plus raffinés de son époque en Amérique. Au rez-de-chaussée, on peut voir une murale et une mosaïque aux tons de gris, bleu et vert exécutées par l'artiste B.C. Binning. Dans un petit coin se trouve la **St. Andrew's-Wesley United Church** de 1931. L'église renferme une verrière réalisée en 1969 par le maître-verrier de Chartres (France) Gabriel Loire. Lui fait face la **First Baptist Church** *(969 Burrard St.)* de 1911.

Suivez Nelson Street vers l'est.

Tournez à gauche dans Howe Street et marchez jusqu'à Smithe Street pour voir les **Provincial Law Courts** ★ *(800 Smithe St.)*. On doit la conception (1978) de ce palais de justice de la Colombie-Britannique au talentueux architecte vancouverois Arthur Erickson. Sa grande place intérieure, recouverte d'un immense pan incliné en verre et en acier, mérite une visite. Le palais de justice forme un tout unifié avec le **Robson Square** ★★ *(au nord de Smithe Street)*, du même architecte. Dans ce parc, la végétation luxuriante de Vancouver (arrosée par des pluies abondantes), sans pareille ailleurs au Canada, est utilisée au maximum de son potentiel. Les plantes s'y succèdent en terrasses le long des parois de béton brut et entre les multiples bassins d'eau en gradins dans lesquelles se déversent des chutes d'eau. En outre, des boutiques, des restaurants et une patinoire accueillent les passants.

Continuez par Howe Street jusqu'à Robson Street.

Au nord du Robson Square se trouve la **Vancouver Art Gallery** ★ *(11$; fin avr à mi-oct tlj 10h à 17h, mi-oct à fin avr jeu jusqu'à 21h, fermé lun à l'année; 750 Hornby St., ☎662-4700, www.vanartgallery.bc.ca)*, aménagée en 1984 dans l'ancien palais de justice de Colombie-Britannique. Le grand et somptueux bâtiment Renouveau classique a été construit en 1908 selon les plans de l'architecte britannique Francis Mawson Rattenbury, à qui l'on doit également l'édifice de l'Assemblée législative de Colombie-Britannique et l'hôtel Empress, tous deux situés à Victoria, sur l'île de Vancouver. Rattenbury retournera par la suite dans son pays, pour y être assassiné par l'amant de sa femme. L'édifice fut rénové par Arthur Erickson pendant les années 1980. Portez votre regard en haut, dans la rotonde, en montant l'escalier. Peinte en gris et blanc et ornée de bas-relief, elle est tout simplement magnifique. Aussi magnifique: la galerie Emily Carr, au troisième étage, décorée du même style; le personnel la surnomme affectueusement la salle «gâteau de noce». La galerie présente une importante collection de plus de 200 œuvres d'Emily Carr, dont la plupart sont des peintures. La collection est exhibée en plusieurs expositions temporaires. Emily Carr (1871-1945), peintre canadienne de premier plan, a fait des Amérindiens et des paysages de la Côte Ouest ses principaux sujets. En admirant ses superbes cèdres, peints de façon éclatante par des traits expressifs de bleu et de vert, vous comprendrez pourquoi son œuvre est tant appréciée des résidants de l'Ouest. La galerie présente aussi des expositions temporaires plus contemporaines qui ne plairont probablement pas à tous... bref, les amateurs d'Emily Carr et d'art contemporain seront ravis. De plus, il s'y trouve un charmant café abordable (voir p 134).

Continuez par Howe Street.

Tournez à droite dans West Georgia Street, puis encore à droite dans le **Granville Mall** ★, la rue des théâtres, des cinémas, des boîtes de nuit et des grands magasins. Ses larges trottoirs sont animés 24 heures sur 24. Les tours noires, à l'angle de West Georgia Street, sont celles du **Pacific Centre** *(de chaque côté de Georgia St.)*, des architectes Cesar Pelli et Victor Gruen (1969). Sous les tours, un embryon de ville souterraine comprenant 130 boutiques et restaurants a été aménagé à l'image de celle de Montréal. En face s'élève le grand magasin de la Compagnie de la Baie d'Hudson (1913), mieux connu sous le nom de **The Bay** (La Baie). Rappelons que cette compagnie a été fondée à Londres dès 1670 pour effectuer la traite des fourrures en Amérique. En 1827, elle figure parmi les premiers groupes à s'implanter en Colombie-Britannique. En face se dressent le **Vancouver Centre** *(650 W. Georgia St.)*, qui abrite le siège régional de la Scotia Bank, et le **Vancouver Block** *(736 Granville St.)*, dominé par son élégante horloge. Enfin, au sud du Pacific Centre, on ne peut manquer d'apercevoir la masse blanche de l'ancien grand magasin **Eaton**, un établissement «historique» qui a subsisté plusieurs dizaines d'années à cet endroit, avant de devenir une succursale de la chaîne Sears en 2002.

Déambulez dans le Granville Mall en direction sud, passé Robson Street.

Granville Street, entre Georgia et Nelson (numéros 700 à 900), est connue sous le nom de Theatre Row Entertainment District, tel qu'indiqué sur les bannières accrochées dans la rue. La Ville a divisé le secteur de cette façon afin de rassembler les bars, les boîtes de nuit et les théâtres au loin des quartiers résidentiels. Vous cherchez des activités nocturnes? Promenez-vous dans Granville, jetez un coup d'œil aux foules qui se rassemblent inévitablement devant ces établissements et choisissez votre endroit. La foule est surtout composée de jeunes étudiants et étudiantes universitaires branchés, mais ceux qui recherchent une clientèle de 30 ans et plus trouveront aussi chaussure à leur pied.

Ici vous rencontrerez sans doute des sans-abri et des mendiants, des drogués effrontés qui demandent de l'argent pour se procurer des stupéfiants, des guitaristes mélancoliques qui tentent de ressusciter l'atmosphère des années 1960, un occasionnel duo flamenco et, toujours, des vendeurs de fleurs... et tout ça avant même de mettre les pieds dans une boîte de nuit! Évidemment, c'est la cohue à 2h, l'heure de fermeture des bars. (Pour de plus amples détails sur ces établissements, consulter la section «Sorties», p 141.)

À noter qu'autrefois l'équivalent anglais du mot «théâtre» désignait

Library Square

autant les salles de cinéma et les salles de concerts que les lieux où étaient jouées de véritables pièces de théâtre.

On croise le **Commodore Theatre** *(870 Granville St.)* et surtout l'**Orpheum Theatre** ★ *(601 Smithe St.; visites de groupe gratuites en réservant au ☎665-3072)*, qui a célébré son 75e anniversaire en 2002. Derrière son étroite façade d'à peine 8 m de largeur se déploie une salle néo-Renaissance hispanisante de 2 800 places située au bout d'un long couloir. Au moment de son inauguration en 1927 (Marcus Priteca, architecte), il était considéré comme le plus vaste et le plus luxueux cinéma au Canada. En 1977, à la suite d'une restauration méticuleuse, l'Orpheum Theatre est devenu la salle de concerts de l'orchestre symphonique de Vancouver et accueille aussi des concerts en tous genres. Plus au sud, on aperçoit l'enseigne verticale du **Vogue Theatre** *(918 Granville St.)* de 1941. Dans cette salle Art déco aérodynamique, on présente maintenant des spectacles de musique populaire.

Revenez sur vos pas le long de Granville Street, puis prenez Robson Street à droite.

À l'intersection de Robson Street et de Homer Street se dresse un curieux édifice qui n'est pas sans rappeler le Colisée de Rome. Il s'agit de la **Library Square** ★★ *(entrée libre; lun-jeu 10h à 20h, ven-sam 10h à 17h, dim 13h à 17h; visites gratuites en réservant au ☎331-4041; 350 W. Georgia St., ☎331-3603, www.vpl.vancouver.bc.ca)*, la bibliothèque municipale de Vancouver, un impressionnant édifice construit en 1994-1995 selon les plans de l'architecte Moshe Safdie, bien connu pour son Habitat 67 de Montréal et son Musée des beaux-arts du Canada à Ottawa. Le projet a suscité de vives réactions de la part de la population et des critiques d'architecture. C'est finalement par vote référendaire que les Vancouverois ont choisi le concept de Safdie. L'atrium, haut de six étages, est grandiose. Le quadrilatère sur lequel repose la bibliothèque est connu sous le nom de Library Square.

Circuit D: West End et Stanley Park

La population du quartier de West End est composée d'un mélange d'étudiants et de professionnels souvent enrichis par les nouvelles technologies ou les thérapies à la mode. La communauté gay y occupe également une place importante.

Ce circuit commence au **Barclay Heritage Square**, délimité par les rues Barclay, Nicola, Haro et Broughton. Il y a huit maisons historiques dans le square, un jardin de style édouardien avec pavillon datant des années 1890. L'une des maisons a été reconvertie en musée, avec meubles de l'ère victorienne. Construit en 1893, le musée **Roedde House** ★★ *(4$; entrée avec visite guidée seulement, mer-ven 14h à 16h; 1415 Barclay St., ☎684-7040)* logea Gustav et Matilda Roedde jusqu'en 1925. Gustav fut le premier relieur et imprimeur de livres à Vancouver, profession qui lui rapportait un revenu assez élevé pour qu'il puisse se bâtir une confortable maison de haute bourgeoisie. Les plans en ont été tracés par le célèbre architecte Francis Rattenbury, un ami de la famille, reconnu pour ses œuvres plus élaborées (l'Empress Hotel et les édifices du Parlement à Victoria et l'ancien palais de justice abritant la Vancouver Art Gallery). Dix des 12 pièces de la maison sont décorées de meubles d'antan, dont la plupart furent des dons de la part d'individus. Certains furent prêtés par le Vancouver Museum, tandis que d'autres proviennent de la demeure même. L'attention qu'on a apportée aux détails est époustouflante, et ceux qui s'intéressent aux objets victoriens et à l'Art nouveau seront particulièrement ravis par ce charmant petit musée.

En quittant le square, dirigez-vous vers le sud par Broughton Street jusqu'à Davie Street.

Le village gay de Vancouver, dénommé **Davie Village**, s'étend le long de Davie Street, à l'est de Broughton jusqu'à Thurlow. Il est facile à repérer grâce aux drapeaux aux couleurs de l'arc-en-ciel accrochés aux lampadaires *(tournez à gauche dans Broughton St.)*. Le village est un agréable mélange de cafés, de petits restaurants et de magasins à escomptes pas trop modernes et de tours d'appartements.

Revenez sur vos pas et dirigez-vous vers l'ouest le long de Davie Street.

Continuez vers l'ouest par Davie Street, tournez à gauche dans Bidwell Street, puis suivez les chiens qui accourent devant leur maître, pour atteindre l'**Alexandra Park** ★, qui forme une pointe au sud de Burnaby Street. On y trouve un joli kiosque en bois pour les concerts de fanfare en plein air (1914), de même qu'une fontaine en marbre ornée d'une plaque de bronze en l'honneur de Joe Fortes, qui a montré à nager à plusieurs générations d'enfants de Vancouver.

L'extrémité est d'**English Bay Beach** ★★ *(le long de la côte entre Chilco St. et Bidwell St.)*, une plage de sable fin très fréquentée l'été, se trouve à l'opposé du parc Alexandra. Sur cette portion de la plage, vous verrez un énorme *inukshuk* créé par Alvin Kanak pour le pavillon des Territoires du Nord-Ouest de l'Expo 86; il fut transporté ici l'année suivante. La présence des grandes tours d'appartements à l'arrière donne l'illusion aux baigneurs de se prélasser dans une station balnéaire comme Acapulco, alors qu'ils sont en réalité tout près du centre de Vancouver. Rares sont les agglomérations qui disposent de plages aussi rapprochées du cœur de la ville. De nombreux voiliers glissent dans la magnifique baie, récemment dépolluée, qui se termine à l'ouest par la masse de verdure du Stanley Park.

Le même personnage qui a donné au hockey la Coupe Stanley a laissé son nom au **Stanley Park** ★★★, qu'il a personnellement créé à la fin du XIXe siècle dans un élan de romantisme. Lord Stanley était alors gouverneur général du Canada (1888-

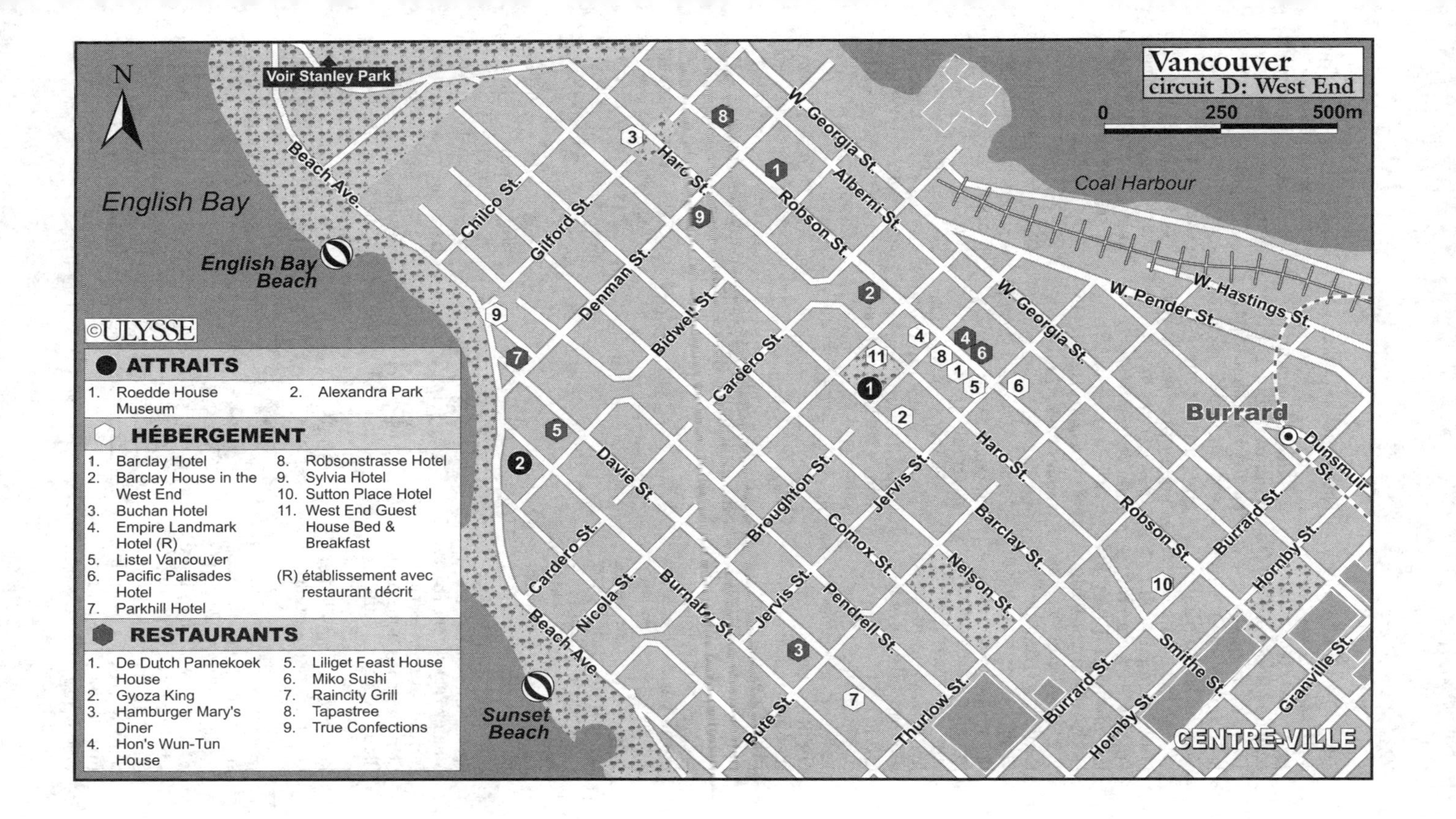
Vancouver
circuit D: West End
0
250
500m
N
Voir Stanley Park
English Bay
English Bay Beach
Sunset Beach
Coal Harbour
Burrard
Dunsmuir St.
CENTRE-VILLE
Beach Ave.
Chilco St.
Gilford St.
Denman St.
Bidwell St.
Cardero St.
Haro St.
Robson St.
Alberni St.
W. Georgia St.
W. Pender St.
W. Hastings St.
Davie St.
Broughton St.
Jervis St.
Comox St.
Barclay St.
Nelson St.
Nicola St.
Burnaby St.
Pendrell St.
Bute St.
Thurlow St.
Burrard St.
Hornby St.
Smithe St.
Granville St.
©ULYSSE
ATTRAITS
1. Roedde House Museum
2. Alexandra Park
HÉBERGEMENT
1. Barclay Hotel
2. Barclay House in the West End
3. Buchan Hotel
4. Empire Landmark Hotel (R)
5. Listel Vancouver
6. Pacific Palisades Hotel
7. Parkhill Hotel
8. Robsonstrasse Hotel
9. Sylvia Hotel
10. Sutton Place Hotel
11. West End Guest House Bed & Breakfast
(R) établissement avec restaurant décrit
RESTAURANTS
1. De Dutch Pannekoek House
2. Gyoza King
3. Hamburger Mary's Diner
4. Hon's Wun-Tun House
5. Liliget Feast House
6. Miko Sushi
7. Raincity Grill
8. Tapastree
9. True Confections

1893). Le parc fut dédié *«à l'usage de tous, peu importe la couleur, la religion ou les traditions, pour l'éternité»*. Comme le Central Park à New York et le parc du Mont-Royal à Montréal, la majeure partie du Stanley Park fut conçue par Frederick Law Olmsted. Le Stanley Park, c'est 405 ha de jardins fleuris, de forêt dense et de points de vue sur la mer et les montagnes, le tout aménagé sur une presqu'île surélevée s'avançant dans le détroit de Georgie. On le voit, les nombreux gratte-ciel de Vancouver n'empêchent en rien la ville d'entretenir des liens privilégiés avec une nature sauvage toute proche. Le Stanley Park recèle en outre une faune variée.

Une promenade riveraine longue de 9 km baptisée **The Seawall ★★** entoure le parc, permettant aux piétons de ne rien manquer du paysage saisissant. Une route, la **Stanley Park Scenic Drive**, remplit la même fonction pour les automobilistes. Il s'agit d'une route à sens unique où l'on circule dans le sens contraire des aiguilles d'une montre. Il y a plusieurs terrains de stationnement le long de la route *(1$/2 heures, 3$/journée)*, mais, même s'ils sont peu chers, la circulation est dense dans le parc, surtout les fins de semaine d'été. Une option intéressante consiste à prendre l'autobus du centre-ville (nos 23, 123, 35 ou 135) et, une fois rendu au parc, de profiter du **Stanley Park Shuttle Bus** *(gratuit)*, qui se déplace entre 14 des attraits les plus populaires du parc *(aux 15 min, mi-juin à mi-sept 10h à 18h30)*. Vous pouvez aussi prendre l'**Express Bus to Stanley Park**, qui vous transporte à partir d'une douzaine d'hôtels du centre-ville et qui est gratuit pour ceux qui se rendent au Vancouver Aquarium ou au Horse-Drawn Tour. Le **Stanley Park Horse-Drawn Tour** *(20,55$; mi-mars à fin oct; ☎681-5115)* dure une heure. Il s'agit d'une promenade en carriole, pour ceux qui désirent faire une petite folie.

Cependant, la bicyclette demeure le moyen idéal pour découvrir le Stanley Park. N'oubliez pas que la piste cyclable se déroule aussi dans le sens contraire des aiguilles d'une montre, de Coal Harbour à English Bay. Vous pouvez louer un vélo chez **Spokes Bicycle Rental** *(angle W. Georgia St. et Denman St., ☎688-5141)*.

Monument à Lord Stanley

En outre, de nombreux sentiers pédestres sillonnent le parc dans tous les sens, donnant l'occasion d'en découvrir les secrets. Plusieurs aires de repos ont été aménagées le long du parcours.

En quittant West Georgia Street, dirigez-vous d'abord vers Brockton Point en longeant Coal Harbour.

On découvre alors la masse rutilante des yachts de la marina de Vancouver, derrière laquelle se profilent les gratte-ciel du centre-ville. Cette portion du parc est la plus développée par l'homme. À l'entrée du parc, un peu à l'écart de la promenade du Seawall, un sentier pédestre mène au **Malkin Bowl** *(à l'intérieur du club d'aviron)*, où le **Theatre Under the Stars** *(30$; ☎687-0174)* se produit en juillet et en août.

Près du Malkin Bowl, le Stanley Park cache de beaux **jardins de fleurs ★**, méticuleusement entretenus par

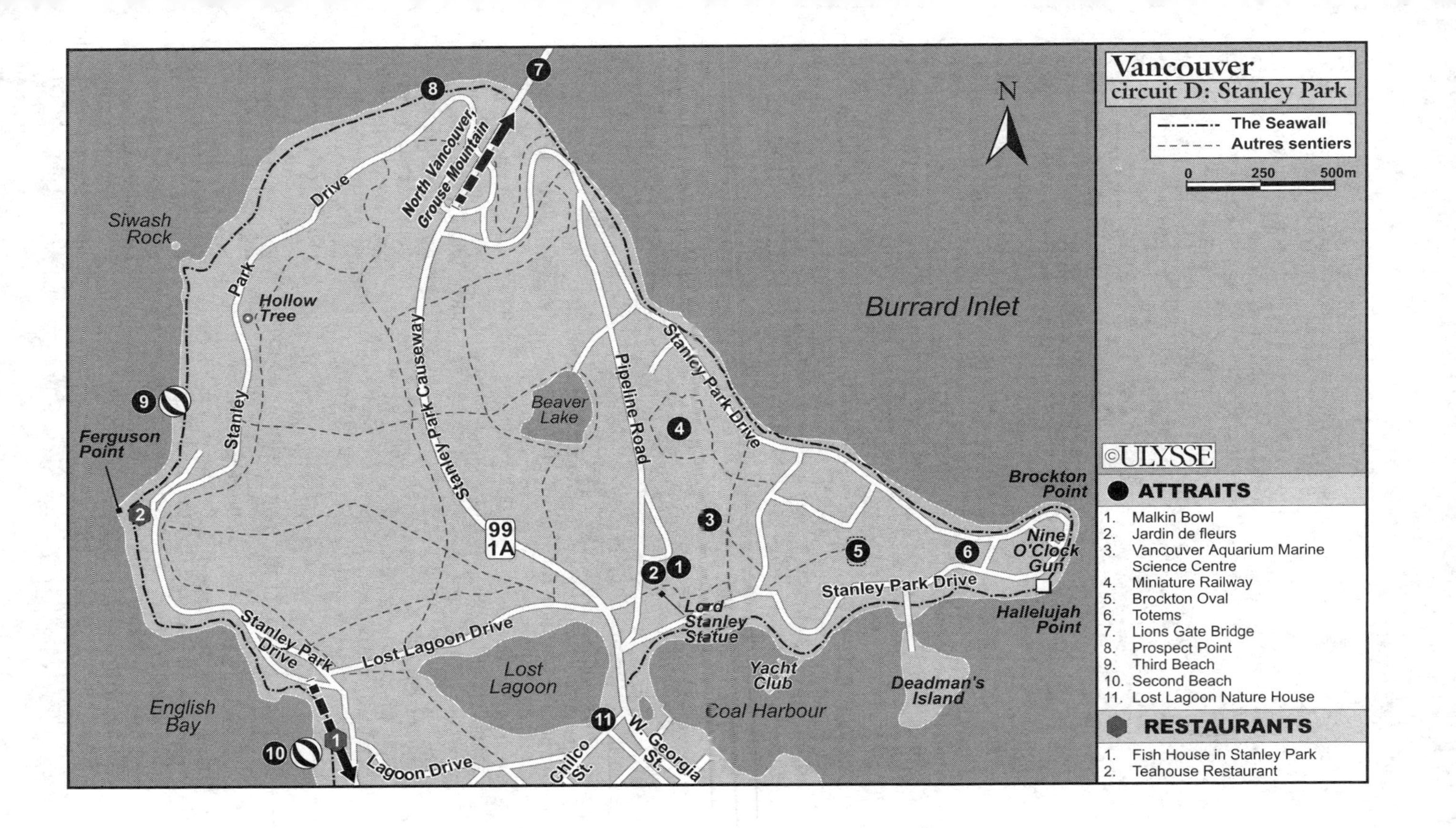
Vancouver
circuit D: Stanley Park
The Seawall
Autres sentiers
0
250
500m
N
©ULYSSE
ATTRAITS
1. Malkin Bowl
2. Jardin de fleurs
3. Vancouver Aquarium Marine Science Centre
4. Miniature Railway
5. Brockton Oval
6. Totems
7. Lions Gate Bridge
8. Prospect Point
9. Third Beach
10. Second Beach
11. Lost Lagoon Nature House
RESTAURANTS
1. Fish House in Stanley Park
2. Teahouse Restaurant
Burrard Inlet
Siwash Rock
Hollow Tree
Ferguson Point
English Bay
North Vancouver, Grouse Mountain
Stanley Park Drive
Stanley Park Causeway
99
1A
Beaver Lake
Pipeline Road
Lost Lagoon Drive
Lost Lagoon
Lagoon Drive
Chilco St.
W. Georgia St.
Lord Stanley Statue
Yacht Club
Coal Harbour
Deadman's Island
Brockton Point
Nine O'Clock Gun
Hallelujah Point

une équipe de jardiniers.

Continuez votre promenade le long du Seawall.

Dauphin

Suivez le sentier jusqu'au **Vancouver Aquarium Marine Science Centre** ★★★ *(14,95$; juil et août tlj 9h30 à 19h, début sept à fin juil tlj 10h à 17h30; ☎659-3474)*, une institution réputée (les panneaux indicateurs plantés le long du sentier s'avèrent difficiles à repérer, renseignez-vous auprès des passants; par contre, pour les voitures, les indications sont bien visibles à partir de West Georgia Street). Il présente la faune marine de la Côte Ouest et du Pacifique dans son ensemble, entre autres de merveilleux épaulards, bélugas, dauphins, phoques et poissons exotiques. Au zoo, situé à l'arrière, on peut notamment voir des otaries et des ours polaires.

Prévoyez deux ou trois heures pour la visite. Il y a des spectacles et des «heures de repas» toutes les 30 min *(horaire variable)*; donc, si vous désirez à tout prix voir un dauphin s'entraîner ou assister à un spectacle de béluga, appelez d'avance. De plus, ne manquez pas de visiter à l'extérieur l'exhibition des phoques, de Spinnaker le dauphin, des loutres de mer et des bélugas (tous ont des difficultés les empêchant de vivre dans un environnement naturel). À l'intérieur se trouvent aussi des aires d'observation des bélugas et des dauphins. L'Exposition Treasures of the B.C. Coast présente les écosystèmes du littoral de la province grâce à plusieurs aquariums et des panneaux d'interprétation. Il y a aussi une section du rivage du Stanley Park, alimentée par de l'eau de mer provenant de Burrard Inlet. Ne manquez pas la galerie The Amazon, où toutes sortes d'habitants de la forêt tropicale se sont installés, entre autres des papillons du Costa Rica en liberté. Prenez enfin quelques instants pour admirer les paresseux perchés aux branches des arbres.

Pendant que vous êtes à l'aquarium, ne manquez pas le nouveau **BC Hydro Salmon Stream Project**, un enclos à saumons créé pour fins d'éducation publique. À partir de l'Exposition B.C. Forest Headwaters, les visiteurs peuvent suivre un ruisseau artificiel à travers le parc pour aboutir à Coal Harbour, près du Vancouver Rowing Club, où 10 000 tacons *chinook* (saumons royaux) et *coho* (saumons argentés), conçus en incubateur, furent relâchés en 1998. Une phéromone fut ajoutée à l'eau pour aider les saumons matures à retrouver leur ruisseau d'origine, ce qu'ils firent en novembre 2001. Cela fut une première: après plus d'un siècle, le saumon est retourné au centre-ville de Vancouver! L'enclos est situé dans la fosse à ours de l'ancien zoo du Stanley Park, qui a fermé ses portes au début des années 1990.

On y trouve plusieurs comptoirs d'alimentation offrant des mets un peu plus recherchés que les simples hot-dogs (quoiqu'on en trouve aussi, si c'est ce que vous désirez!), et ce, à prix raisonnable.

Au nord de l'aquarium se trouvent le **Miniature Railway** (un train miniature), une **fermette** ainsi qu'un **terrain de jeux**, toujours tous populaires auprès des enfants.

D'ici, vous pouvez vous diriger vers le sud et ainsi retourner au Seawall, ou prendre un des sentiers pédestres vers l'est qui mènent au **Brockton Oval**, où l'on joue au rugby et au cricket. Plus à l'est se présentent les fameux **totems** ★, qui évoquent l'importante présence amérindienne sur la presqu'île, il y a à peine 150 ans. La plupart sont par contre plutôt récents; ils furent sculptés après 1987. L'un d'eux est une création datant de 1964 du célèbre artiste haïda Bill Reid, décédé en 1998.

Sur Hallelujah Point, passé les totems, a lieu chaque jour à 21h le tir à blanc du **Nine O'Clock Gun** (il vaut mieux ne pas être à proximité au moment de la détonation). Autrefois, ce coup de canon indiquait aux pêcheurs le moment d'arrêter la pêche.

En continuant le long du Seawall, vous franchirez Brockton Point et verrez de beaux paysages à photographier. Environ 2,5 km plus loin, vous passerez sous le **Lions Gate Bridge ★★**, un des synboles de la ville les plus durables. L'élégant pont suspendu, construit en 1938, franchit le First Narrows pour relier la riche banlieue de West Vancouver au centre de la ville. À l'entrée du pont, l'artiste Charles Marega a sculpté deux immenses têtes de lion. Le pont a été refecté entre 1999 et 2002 suivant une coûteuse étude gouvernementale, qui a finalement rejeté les propositions d'en élargir le tablier ou de remplacer la structure. À l'ouest du pont, on se retrouve au point d'observation de **Prospect Point ★★★**, d'où l'on bénéficie d'une vue d'ensemble de la structure aux piliers d'acier qui font 135 m de haut.

Totem

La **Seawall Promenade** épouse la configuration du parc et offre, après une courbe à 45 degrés, un vaste panorama du détroit de Georgie et, par temps clair, du Cypress Park et de Bowen Island, au loin. On rejoint ensuite **Third Beach ★**, une des plages les plus agréables de la région. Les nombreux cargos et paquebots qui attendent d'entrer dans le port complètent le tableau. D'ici, un escalier mène au **Third Beach Cafe**, un petit établissement qui sert des repas légers.

Entre Third Beach et **Second Beach ★** se trouve le **Teahouse Restaurant ★**, où il est suggéré de faire un arrêt. Dans les années 1850, le gouvernement britannique, craignant une invasion américaine (la frontière avec les États-Unis est située à moins de 30 km de Vancouver), a songé à ériger des batteries d'artillerie à cet endroit. La possibilité d'un conflit s'étant considérablement amenuisée au début du XXe siècle, il fut plutôt décidé de construire un charmant pavillon de thé dans la verdure. Cette construction de bois dans le style des chalets suisses date de 1911.

De Second Beach, bouclez la boucle en suivant les indications vers Georgia Street / The Seawall. Vous passerez ensuite le **Lost Lagoon ★**, une ancienne portion de Coal Harbour en partie comblée lors de la construction du Lions Gate Bridge. La «lagune perdue» abrite une réserve ornithologique où l'on peut voir s'ébattre quantité de bernaches, de canards et de cygnes.

En quittant le parc, vous apercevrez des panneaux indiquant la **Lost Lagoon Nature House**, qui abrite la **Stanley Park Ecology Society** *(juil à sept* *lun-ven 12h à 19h, sam-dim 11h à 19h; automne et printemps ven-dim 11h à 17h; déc à fév sam-dim 9h à 16h; ☎257-8544)*, qui offre une petite présentation sur la nature et des promenades thématiques à travers le parc *(5$; téléphonez pour l'horaire)*.

Circuit E: Burrard Inlet

Mais qu'est-ce au juste qu'un *inlet*? C'est un bras de mer profond qui, dans ce cas-ci, est également très large. Burrard Inlet abrite le port de Vancouver, devenu, depuis une vingtaine d'années, le plus important du Canada. Si l'Atlantique était autrefois le chemin privilégié du commerce, la formidable expansion des économies de la Côte Ouest américaine (Californie, Oregon, Washington) et surtout de l'Extrême-Orient (Japon, Hong Kong, Taiwan, Chine populaire, Singapour, Thaïlande, etc.) a fait du Pacifique le roi et maître du transport par bateau.

Au-delà du port se trouvent les banlieues de North Vancouver et de West Vancouver, aménagées à flanc de montagne, et offrant des points de vue spectaculaires sur la ville, en contrebas. On peut également y admirer, le long de chemins tortueux aux pentes abruptes, certains des meilleurs exemples d'architecture résidentielle moderne en Amérique du Nord. Ces maisons luxueuses, souvent formées d'un assemblage de piliers et de poutres de bois local, sont habituellement entourées d'une végétation luxuriante mêlant des plantes importées d'Europe et d'Asie avec les grands sapins de Colombie-Britannique.

Il y a deux façons d'effectuer ce circuit: soit à pied, en prenant le *SeaBus*, ce traversier qui fait la navette entre le centre de Vancouver et la rive nord de Burrard Inlet, permettant à ses passagers de bénéficier du grand air et de points de vue particuliers, à la fois sur la ville et sur les montagnes; soit en voiture, en traversant le **Lions Gate Bridge** (voir p 105), puis en suivant Marine Drive vers l'est jusqu'à Third Street et Lonsdale Avenue vers le sud. Les descriptions ci-dessous réfèrent cependant au circuit pédestre à moins que le trajet en voiture ne soit spécifié.

Débutez votre visite devant la façade Renouveau classique de l'ancienne **gare ferroviaire du Canadian Pacific Railway** ★ *(601 W. Cordova St.)*, construite en 1912 selon les plans des architectes Barrott, Blackader et Webster de Montréal. Cette gare, la troisième du Canadian Pacific Railway à Vancouver, occupe une place privilégiée dans l'histoire de la ville, car c'est par train et en provenance de l'est qu'arrivait autrefois la prospérité. C'était avant que les bateaux en provenance de l'ouest ne prennent la relève. Aussi, dans le même élan, la gare n'est-elle plus ferroviaire mais bien maritime, puisqu'elle donne accès au terminus Granville du *SeaBus*. Mince consolation, elle donne également un accès indirect au terminus Waterfront du *SkyTrain* (à l'extrémité de Howe Street). Au-dessus de ce dernier terminus, on découvre le minuscule **Portal Park** et ses azalées. Immédiatement à l'ouest, on aperçoit la tour de **Granville Square**, la seule portion réalisée d'un vaste projet immobilier de 1971 qui prévoyait la démolition de la gare.

Suivez les panneaux indicateurs menant au *SeaBus*. La traversée *(1,50$)*, qui dure à peine 15 min, est trop courte pour certains... À **North Vancouver** ★★, le traversier accoste à son terminus nord, tout près du sympathique **Lonsdale Quay Market** ★, érigé sur un quai s'avançant dans Burrard Inlet. Des cafés qui entourent le marché, on bénéficie de vues imprenables non seulement de Vancouver et les montagnes, mais aussi des activités por-

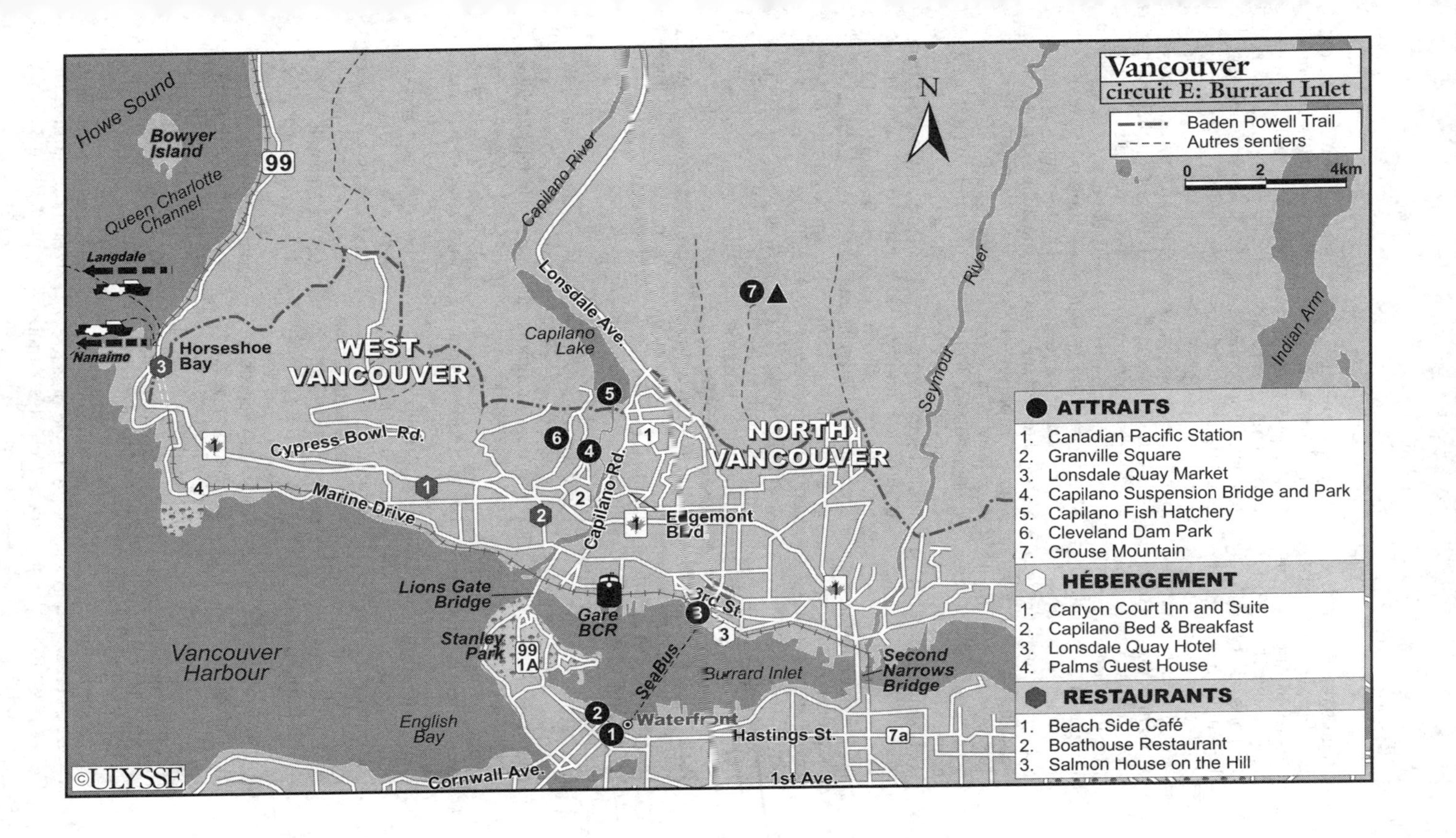

Vancouver
circuit E: Burrard Inlet
Baden Powell Trail
Autres sentiers
0
2
4km
N
ATTRAITS
1. Canadian Pacific Station
2. Granville Square
3. Lonsdale Quay Market
4. Capilano Suspension Bridge and Park
5. Capilano Fish Hatchery
6. Cleveland Dam Park
7. Grouse Mountain
HÉBERGEMENT
1. Canyon Court Inn and Suite
2. Capilano Bed & Breakfast
3. Lonsdale Quay Hotel
4. Palms Guest House
RESTAURANTS
1. Beach Side Café
2. Boathouse Restaurant
3. Salmon House on the Hill
Howe Sound
Bowyer Island
Queen Charlotte Channel
Langdale
Nanaimo
Horseshoe Bay
99
WEST VANCOUVER
NORTH VANCOUVER
Capilano River
Lonsdale Ave.
Capilano Lake
Cypress Bowl Rd.
Marine Drive
Capilano Rd.
Seymour River
Indian Arm
Lions Gate Bridge
Gare BCR
3rd St.
Stanley Park
99
1A
Vancouver Harbour
SeaBus
Burrard Inlet
Second Narrows Bridge
English Bay
Waterfront
Hastings St.
7a
Cornwall Ave.
1st Ave.
©ULYSSE

tuaires toutes proches. En effet, le coloré quai des remorqueurs avoisine le marché à l'est. Le Lonsdale Quay Market fut aménagé en 1986 d'après un concept des architectes Hotson et Bakker. Ceux-ci ont voulu combler tous les besoins de l'être humain: se nourrir (au rez-de-chaussée), se vêtir (à l'étage), se loger (dans l'hôtel aux niveaux supérieurs, voir p 130). D'ici, Vancouver a vraiment l'air d'un petit Manhattan en puissance.

Les automobilistes retourneront à Marine Drive en direction ouest, puis graviront Upper Capilano Road, qui mène au **Capilano Suspension Bridge and Park** *(13,95$ mai à oct, 9,35$ nov à avr; horaires variables; 3735 Capilano Rd., ☎985-7474)*. Les piétons devront, quant à eux, prendre, au Lonsdale Quay Market, l'autobus n° 236 (aux demi-heures: 15 min après l'heure et 15 min avant l'heure), qui les laissera descendre devant l'entrée. Des sentiers mènent au pont de câbles métalliques, lequel est suspendu à 70 m au-dessus de la rivière Capilano et remplace le pont original de 1899 fait de carets de chanvre.

Ce site privé et très publicisé attire quelque 800 000 visiteurs par année qui déboursent une petite fortune pour avoir la «chance» de traverser un pont suspendu branlant pendant deux petites minutes. Le prix d'entrée est exorbitant, et, manifestement, l'endroit est une trappe à touristes. Son seul (maigre) côté positif: les trottoirs de bois qui sillonnent la forêt. Les randonneurs chevronnés pourront s'en passer, mais, pour les personnes âgées ou à mobilité réduite, ces sentiers représentent le seul moyen de se promener dans la forêt. Cela dit, le pont n'est probablement pas recommandé aux gens de constitution délicate. Épargnez de l'argent en profitant plutôt d'une promenade *(gratuite)* à travers le Stanley Park. Si vous voulez absolument visiter l'endroit, descendez à l'aire d'observation à droite du pont pour admirer la vue d'en bas. Si l'expérience vous plaît, faites un saut à la boutique, où vous pourrez vous procurer un souvenir qui témoignera de votre bravoure.

Une deuxième option plus «physique» où vous devrez user de vos compétences en randonnée: le pont suspendu du **Lynn Canyon Park** (voir p 121).

À 3 km au nord se trouve la **Capilano Salmon Hatchery ★** *(entrée libre; 4500 Capilano Park Rd., ☎666-1790)*, la première ferme piscicole de la Colombie-Britannique. On y apprend à mieux connaître le cycle de vie du saumon. L'été, les saumons du Pacifique s'épuisent à remonter la rivière Capilano pour atteindre la frayère, offrant aux visiteurs un spectacle frétillant!

La portion supérieure d'Upper Capilano Road a été rebaptisée Nancy Greene Way, en l'honneur de cette skieuse canadienne médaillée d'or du slalom géant aux Jeux olympiques de Grenoble en 1968. Sur la gauche, une route mène au **Cleveland Dam Park ★★**, au bord du lac Capilano. En 1954, la construction de l'impressionnant barrage de 100 m de haut, situé au centre du parc, a permis de créer le lac, principale source d'eau potable de Vancouver. Tout autour, on peut admirer les sommets de la Chaîne côtière.

À l'extrémité nord du Nancy Greene Way, on atteint le **téléphérique** *(21,95$; tlj 9h à 22h, aux 15 min; ☎980-9311; si vous voyagez par autobus – n° 236 –, présentez votre billet de correspondance pour bénéficier d'un rabais de 20%)*, qui conduit au sommet de **Grouse Mountain ★★★**, à 1 250 m d'altitude, d'où skieurs et simples randonneurs peuvent contempler l'ensemble de Vancouver, de même que l'État de Washington, aux États-Unis, vers le sud (par temps clair). La vue est particulièrement belle en fin de journée. Des sentiers de nature sauvage s'étendent à l'arrière des points d'observation. L'été, Grouse Mountain est le rendez-vous des amateurs de deltaplane.

Un sport populaire (et un moyen aussi populaire d'éviter les frais élevés du téléphérique) consiste à gravir la montagne à pied (voir p 120). N'oubliez pas que cette montagne est surtout consacrée au ski; donc, l'hiver, préparez-vous à vous faire bousculer par les foules et leur équipement de ski si vous prenez le téléphérique. Une fois arrivé au sommet, faites un tour au Theatre in the Sky (dans le chalet) pour visionner un film intéressant, *Born to Fly*, qui offre un survol de la Colombie-Britannique à vol d'oiseau. Le film est présenté toutes les heures, et il est gratuit. La très brève promenade (5 min en plus du temps d'attente) en traîneau tiré par tracteur (départ au chalet l'hiver), par contre, n'en vaut pas vraiment la peine, même si elle est gratuite.

Circuit F: False Creek

False Creek est, à l'instar de Burrard Inlet, une anse s'avançant profondément dans les terres. Située au sud du centre-ville de Vancouver, False Creek signifie «fausse crique». La présence de l'eau et des voies ferrées a amené ici de nombreuses scieries au début du XXe siècle.

Ces usines ont graduellement comblé une bonne partie de False Creek, ne laissant qu'un étroit passage pour l'approvisionnement en eau, essentiel à l'industrie du sciage. Au fil des ans, les deux tiers de False Creek, telle qu'elle apparaissait à l'explorateur George Vancouver en 1790, ont disparu sous l'asphalte.

Dès le début des années 1980, les scieries et autres industries avaient disparu, ne laissant qu'un héritage de pollution industrielle et de dégâts. La Ville acheta le site, en fit un rapide nettoyage et en 1986 organisa Expo 86, une exposition internationale qui attira plusieurs millions de visiteurs en quelques mois. Le site devint ensuite une zone résidentielle et commerciale, et fut vendu à un magnat de Hong Kong pour la somme de 145 millions de dollars.

Le circuit du secteur de False Creek commence à Yaletown, au sud-est du centre-ville, aux limites de False Creek. Du centre-ville, empruntez Robson Street en direction est jusqu'à Homer et tournez à droite.

Yaletown ★ s'étend entre Homer à l'ouest, Pacific Boulevard à l'est, Nelson au nord et Drake au sud. Les rues Mainland et Hamilton, entre Davie et Nelson, seront probablement les plus intéressantes pour les visiteurs.

À l'origine, le quartier de Yaletown était situé au sud de son emplacement actuel, sur Drake Street entre Granville et Pacific Boulevard. Mais avant cela, «Yaletown» était en fait la ville de Yale, dans le Fraser River Canyon. Jusqu'en 1886, c'est là que se trouvait le terminus de l'Ouest du Canadian Pacific Railway; il fut ensuite déplacé à Vancouver. Plus tard, le Canadian Pacific Railway déménagea de Yale à Yaletown, où une communauté de cheminots fut créée. Le **Yale Hotel** *(1300 Granville St., près de Drake St.)*, aujourd'hui un populaire bar de blues, était à l'origine le Colonial Hotel, qui louait ses chambres à ces ouvriers. Érigé en 1890, il s'agit de l'un des plus vieux immeubles de Vancouver. Au début des années 1900, la Ville fonda un «quartier des entrepôts» à côté de la communauté originale, où se trouve aujourd'hui Yaletown. Ces entrepôts furent construits à partir d'aires de chargement recouvertes de toitures permanentes à l'arrière, où l'on pouvait directement charger et décharger la marchandise des wagons.

La progression du transport par camion a eu pour effet de limiter l'utilisation des grands entrepôts de Yaletown, et le quartier se mit à décliner. Les voies ferrées furent enlevées dans les années 1980, au même moment où les chercheurs de lofts découvrirent le quartier. Les quais de déchargement de Hamilton Street et de Mainland Street ont été transformés en cafés-terrasses et en restaurants. Une nouvelle clientèle occupe maintenant les entrepôts de brique: designers, artistes, équipes de production cinématographique et gens d'affaires aventureux.

Après avoir exploré Yaletown, empruntez Homer Street jusqu'à False Creek pour atteindre le **David Lam Park**, un bel endroit où promener son chien, faire du vélo ou jouer au soccer. Il y a d'ailleurs amplement d'endroits où s'asseoir pour jouir du spectacle.

Le nouveau sentier du **Marinaside Crescent** est la plus récente extension de la promenade au bord de l'eau, reliant le David Lam Park au Coopers' Park, 220 m à l'est, près du Cambie Bridge. Il est bordé de plusieurs œuvres d'art public et de plusieurs bancs.

Continuez jusqu'à Davie Street et tournez à gauche.

Sur votre gauche, à l'angle de Pacific Street, vous apercevrez une curieuse structure semi-circulaire. La **CPR Roundhouse** ★ *(angle Davie St. et Pacific Blvd.)*, cette rotonde admirablement restaurée, est l'unique survivante de la gare de triage du Canadian Pacific Railway (CPR) autrefois située à cet emplacement. Le bâtiment de 1888 a servi jadis d'atelier de réparation des locomotives. À partir d'une voie ferrée unique, on faisait pivoter les mastodontes de fer afin qu'ils puissent être réparés derrière une des 10 portes de ce «garage». La rotonde fut construite ainsi pour permettre de rassembler les voies intérieures en demi-cercle. Devant la rotonde, on conduisait les locomotives à une plaque tournante qui les dirigeait vers les quais de service.

Avant d'atteindre l'entrée de la rotonde, vous verrez le pavillon vitré qui abrite l'***Engine 374*** ★ *(dons acceptés; été tlj 11h à 15h, reste de l'année jeu-sam 11h à 15h; horaire variable; angle Davie St. et Pacific Blvd., ☎684-6662)*, soit la locomotive du premier train à atteindre Vancouver, en 1887. Construite par le Canadian Pacific Railway en 1886, la locomotive fut restaurée par des bénévoles pour l'Expo 86 après qu'elle fut négligée au Kitsilano Park. Les enfants aiment bien y monter et la faire siffler.

Au pied de Davie Street se trouve une marina desservie par les **Aquabus** *(2-5; ☎689-5858)*, ces petits bateaux qui ressemblent plus à des jouets de bain qu'à des vaisseaux dignes de confiance… L'Aquabus se rend à Science World *(3$ aller seulement; sam-dim, départs toutes les 30 min de 10h10 à 18h15, même horaire pour le retour)* ainsi qu'à Granville Island *(3$ aller seulement; départs tlj toutes les 30 min aux heures et aux demi-heures de 7h à 20h30, toutes les 15 min de 8h45 à 18h15, même horaire pour le retour; arrêt à Stamps Landing en cours de route)*. Si vous désirez visiter les deux endroits, vous pouvez aussi prendre l'Aquabus de l'un à l'autre les samedis et les dimanches *(5$ aller seulement; départs sur Granville Island toutes les 30 min de 10h à 18h, départs à Science World 10h30 à 18h30)*. **False Creek Ferries** *(5$ aller seulement; ☎684-7781)* offre aussi ce dernier trajet, avec des départs tous les jours *(de Science World toutes les 30 min, soit 15 min et 45 min après l'heure; de Granville Island toutes les 30 min, soit 25 min et 55 min après l'heure)*.

Si cet horaire ne vous convient pas, il est possible de marcher jusqu'à Science World. Continuez jusqu'au

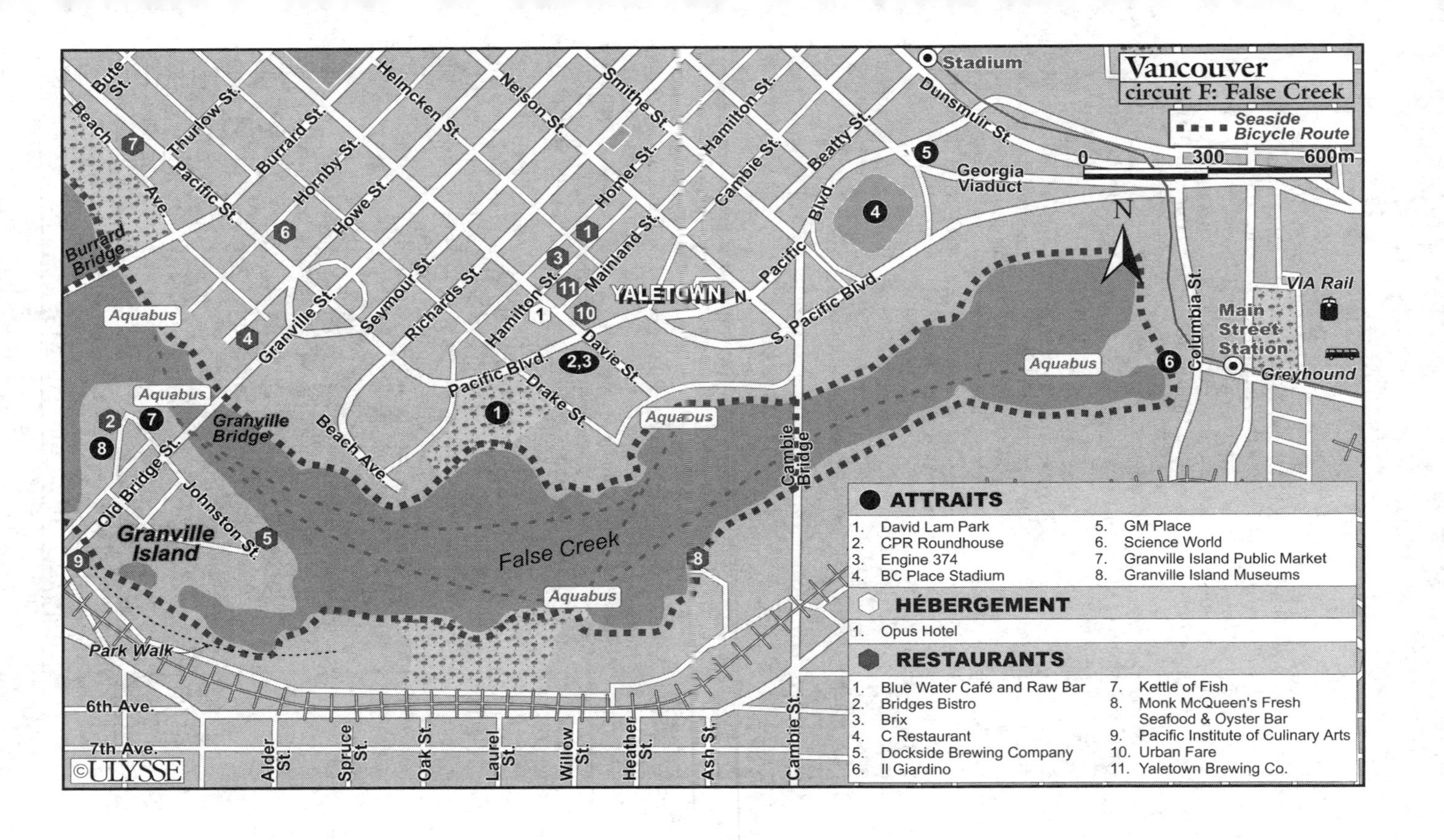

Vancouver
circuit F: False Creek
Seaside Bicycle Route
0
300
600m
N
ATTRAITS
1. David Lam Park
2. CPR Roundhouse
3. Engine 374
4. BC Place Stadium
5. GM Place
6. Science World
7. Granville Island Public Market
8. Granville Island Museums
HÉBERGEMENT
1. Opus Hotel
RESTAURANTS
1. Blue Water Café and Raw Bar
2. Bridges Bistro
3. Brix
4. C Restaurant
5. Dockside Brewing Company
6. Il Giardino
7. Kettle of Fish
8. Monk McQueen's Fresh Seafood & Oyster Bar
9. Pacific Institute of Culinary Arts
10. Urban Fare
11. Yaletown Brewing Co.
Stadium
Dunsmuir St.
Georgia Viaduct
Bute St.
Beach Ave.
Thurlow St.
Pacific St.
Burrard St.
Burrard Bridge
Hornby St.
Howe St.
Helmcken St.
Nelson St.
Smithe St.
Homer St.
Hamilton St.
Mainland St.
Cambie St.
Beatty St.
Pacific Blvd.
Pacific Blvd. N.
S. Pacific Blvd.
YALETOWN
Granville St.
Seymour St.
Richards St.
Davie St.
Drake St.
Beach Ave.
Granville Bridge
Old Bridge St.
Johnston St.
Granville Island
False Creek
Aquabus
Cambie Bridge
Columbia St.
Main Street Station
VIA Rail
Greyhound
Park Walk
6th Ave.
7th Ave.
Alder St.
Spruce St.
Oak St.
Laurel St.
Willow St.
Heather St.
Ash St.
Cambie St.
©ULYSSE

Cooper's Park, à l'ombre du Cambie Bridge, un autre endroit préféré des chiens et de leur maître. Le pavé et les lampadaires du sentier se poursuivent jusqu'à la Plaza of Nations, où vous aurez ensuite à trouver votre chemin à travers les zones clôturées jusqu'à Science World, environ 10 min plus tard.

En vous dirigeant vers Science World, vous apercevrez le dôme blanc du BC Place Stadium et, à côté le dôme gris de GM Place. Le **BC Place Stadium** *(777 Pacific Blvd. N., ☎669-2300, 661-7373 ou 661-2122)* prend place au sud. Ses 60 000 sièges sont très en demande auprès des amateurs de football canadien qui viennent y applaudir les B.C. Lions. De grandes foires commerciales ainsi que des concerts rock y sont également présentés. **GM Place** *(Pacific Blvd., angle Abbott St., ☎899-7400)*, son petit frère, est un amphithéâtre de 20 000 places. Sa construction a été terminée en 1995. C'est ici que sont présentés les matchs à domicile de l'équipe de hockey les Canucks de Vancouver de la Ligue Nationale, ainsi que ceux de l'équipe de basketball, The Grizzlies.

Dirigez-vous vers la grosse boule argentée de **Science World ★** *(12,75$ ou 15,75$ avec cinéma; 1455 Quebec St., ☎443-7440)*, à l'extrémité de False Creek. L'architecte Bruno Freschi a conçu ce bâtiment de 14 étages pour servir de place d'accueil dans le cadre de l'Expo 86. À noter qu'il s'agit du seul pavillon de cette exposition construit pour demeurer en place après l'événement. La sphère symbolisant la Terre a supplanté la tour comme symbole par excellence des expositions universelles et internationales à la suite de l'Expo 67 de Montréal. La sphère de Vancouver renferme un cinéma **OMNIMAX**, qui présente des films sur écran géant en forme de coupole. Le reste de l'édifice abrite désormais un musée qui explore les secrets de la science sous tous ses angles.

On y trouve toutes sortes de puzzles et de présentoirs pour enfants, dont la plupart contiennent un message pro-environnement, par exemple une présentation démontrant comment le simple fait d'activer la chasse d'eau est un gaspillage d'eau; le film *Burgerworks*, qui discute de l'énergie et des ressources nécessaires pour cuire un hamburger; et une présentation expliquant comment l'électricité fait fonctionner les appareils ménagers. La plupart des visiteurs de

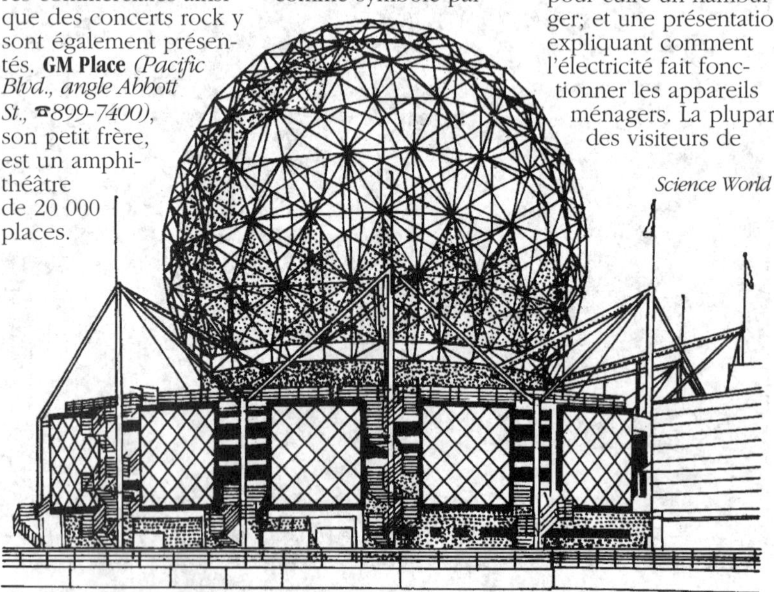
Science World

Science World sont des écoliers de moins de 14 ans, à qui la majorité des expositions est destinée. Vous ne pourrez quitter le site sans avoir passé quelques moments à admirer la superbe *Tower of Bauble*, une sculpture cinétique géante située à l'extérieur de l'entrée principale.

Après avoir visité Science World, vous voudrez peut-être vous rendre à la Pacific Central Station, dont la longue façade de style Beaux-Arts est impressionnante.

Si vous désirez visiter **Granville Island** ★★ *(tlj 9h à 18h; www.granville-island.net)* par traversier, descendez au quai des False Creek Ferries, à côté de Science World. Si vous prenez la voiture (à éviter puisque la circulation est dense et le stationnement plutôt rare) ou le vélo (en empruntant la Seaside Bicycle Route), prenez le Granville Bridge ou le Burrard Bridge et suivez les indications. Pour vous rendre directement sur l'île sans faire le circuit de False Creek, dans Howe Street, au centre-ville, montez dans l'autobus n° 50 en direction sud à partir de la rue Howe, au centre-ville. Vous remarquerez, en passant, les piliers vaguement Art déco du Burrard Bridge (1930).

Île artificielle créée en 1914, Granville Island était autrefois exploitée à des fins industrielles. Depuis 1977, elle a vu ses entrepôts se transformer en un important centre récréatif et commercial. On y trouve un marché public, des restaurants, des boutiques d'artisanat, un marché aux puces, des théâtres et des ateliers d'artistes.

Le **marché de Granville Island** ★★ est un incontournable! Mettez la main sur du thé *chai* de la Granville Island Tea Co. ou du café biologique (de commerce équitable, bien sûr) de l'Origins Coffee Company, et faites plaisir à vos sens. Ici, vous trouverez des marchands d'orchidées, des poissonniers offrant du saumon de toutes les teintes de rouge (goûtez à l'«Indian candy»), des *focaccias* et des pains aux figues et à l'anis au merveilleux Terra Breads, du potage au saumon fumé chez Stock Market et une atmosphère des plus festives dont vous pourrez jouir sur un confortable banc près de False Creek. La vue des tours et des immeubles de la rive nord n'est pas tellement inspirante, mais les bonnes choses que vous aurez sous la main vous feront vite oublier le panorama.

À l'extérieur du marché, vous pourrez faire quelques achats aux boutiques d'artisanat, le long des rues de cette petite île. Elles recèlent de marchan fait uniques

Prenez And vers le sud sous le Granville Bridge. Les Granville Island Museums se trouvent à la jonction, sur la droite.

Les **Granville Island Museums** ★ *(6,50$; tlj 10h à 17h30; 1502 Duranleau St., Granville Island, ☎683-1939)* se composent de trois musées individuels en un seul endroit, à deux pas du marché: le Sport Fishing Museum, le Model Trains Museum et le Model Ships Museum. Même si vous n'êtes pas un amateur de pêche ou de modèles réduits de trains et de bateaux, vous aurez quand même plaisir à explorer ces jolis petits musées.

Circuit G: West Side

La culture du Pacifique de même que l'histoire et les traditions amérindiennes sont omniprésentes dans ce circuit, qui suit la portion de la côte regroupant la majeure partie de la population de Vancouver. Des quartiers résidentiels huppés, de nombreux musées, un campus universitaire ainsi que des plages de sable et de quartz, desquelles on peut apercevoir par temps clair l'île de Vancouver et la Chaîne côtière, composent le parcours. Il s'agit d'un circuit motorisé, car il s'étend sur plus de 15 km. Il est toutefois possible de visiter les quatre premiers attraits en prenant l'autobus n° 22 au centre-ville ou encore de se rendre directement jusqu'au campus de l'University of British Columbia par l'autobus n° 4. Vous pouvez aussi vous rendre au point de départ, au Vanier Park, grâce aux False Creek Ferries *(départ à l'Aquatic Centre, au pied de Thurlow St., ☎684-7781 pour l'horaire).*

Quittez le centre-ville par le Burrard Bridge.

Gardez la droite, et, immédiatement après être descendu du tablier du pont, tournez à droite dans Chesnut Street, où se trouve le **Vanier Park** (les directions sont bien indiquées), au sein duquel ont été regroupés trois musées.

Le **Vancouver Museum** ★★ *(10$; mar-dim 10h à 17h, jeu jusqu'à 21h; 1100 Chesnut St., ☎736-4431)* trône en son centre. Son dôme maniériste rappelle les coiffes portées autrefois par les Salish. Dans ce merveilleux musée, on présente des expositions sur l'histoire des différents groupes qui ont peuplé la région.

Dans l'Orientation Gallery, vous trouverez une collection éclectique d'objets du monde entier qui furent jadis collectionnés par des résidants de Vancouver. Vous remarquerez aussi une photographie de l'*Engine 374* (voir p 110), la locomotive du premier train à se rendre à Vancouver depuis Montréal, le 23 mai 1887. Les enfants raffoleront de cette galerie et de sa collection de jouets, savamment présentée dans des vitrines assez basses pour eux. Vous pourrez aussi y admirer de superbes vues de West End et du Stanley Park.

Le reste du musée est divisé en Vancouver Story Exhibits, des expositions sur diverses périodes de l'histoire de Vancouver présentant un mélange d'imaginaire et de réel qui plaira à la fois aux enfants et aux adultes. Vous y verrez des répliques de l'entrepont d'un navire d'immigrants datant de 1860, accompagné d'effets sonores susceptibles de provoquer le mal de mer; d'un comptoir à fourrures du début du XIXe siècle, y compris des loups hurlants; d'une authentique locomotive de colons; de la façade d'une demeure victorienne (1890), recréée à partir de résidences démolies du centre-ville et de Downtown Eastside; et de l'intérieur d'une demeure de style édouardien. Si vous en avez aimé l'expérience, vous serez ravi d'apprendre que le musée compte ajouter six nouvelles expositions du même genre dans les années à venir.

Aussi dans le parc, le **H.R MacMillan Space Centre** ★ *(12,75$; mar-dim 10h à 17h; ☎738-7827, www.pacific-space-centre.bc.ca)*, qui abrite le H.R. MacMillan Planetarium, relate la formation de l'univers. Il abrite un télescope grâce auquel les visiteurs peuvent admirer les étoiles.

Le **Vancouver Maritime Museum** ★ *(8$; mi-mai à début sept tlj 10h à 17h, nov à mi-mai mar-sam 10h à 17h dim 12h à 17h, fermé lun; 1905 Ogden Ave., ☎257-8300, www.vmm.bc.ca)* complète les institutions du Vanier Park. Vancouver, important port de mer, se devait d'avoir un musée maritime. Le clou de la visite est le ***Saint-Roch***, le premier navire à avoir bouclé l'Amérique du Nord en empruntant le canal de Panamá et le passage du Nord-Ouest.

Reprenez Chesnut Street et tournez à droite dans Cornwall Avenue, qui devient par la suite une route panoramique connue sous le nom de Point Grey Road.

On traverse alors **Kitsilano** *(entre Burrard St. et Alma St.)*, bordé au nord par les plages publiques d'English Bay et au sud par 16th Avenue. Ce quartier de Vancouver, dont les maisons de bois Queen Anne et Western Bun-

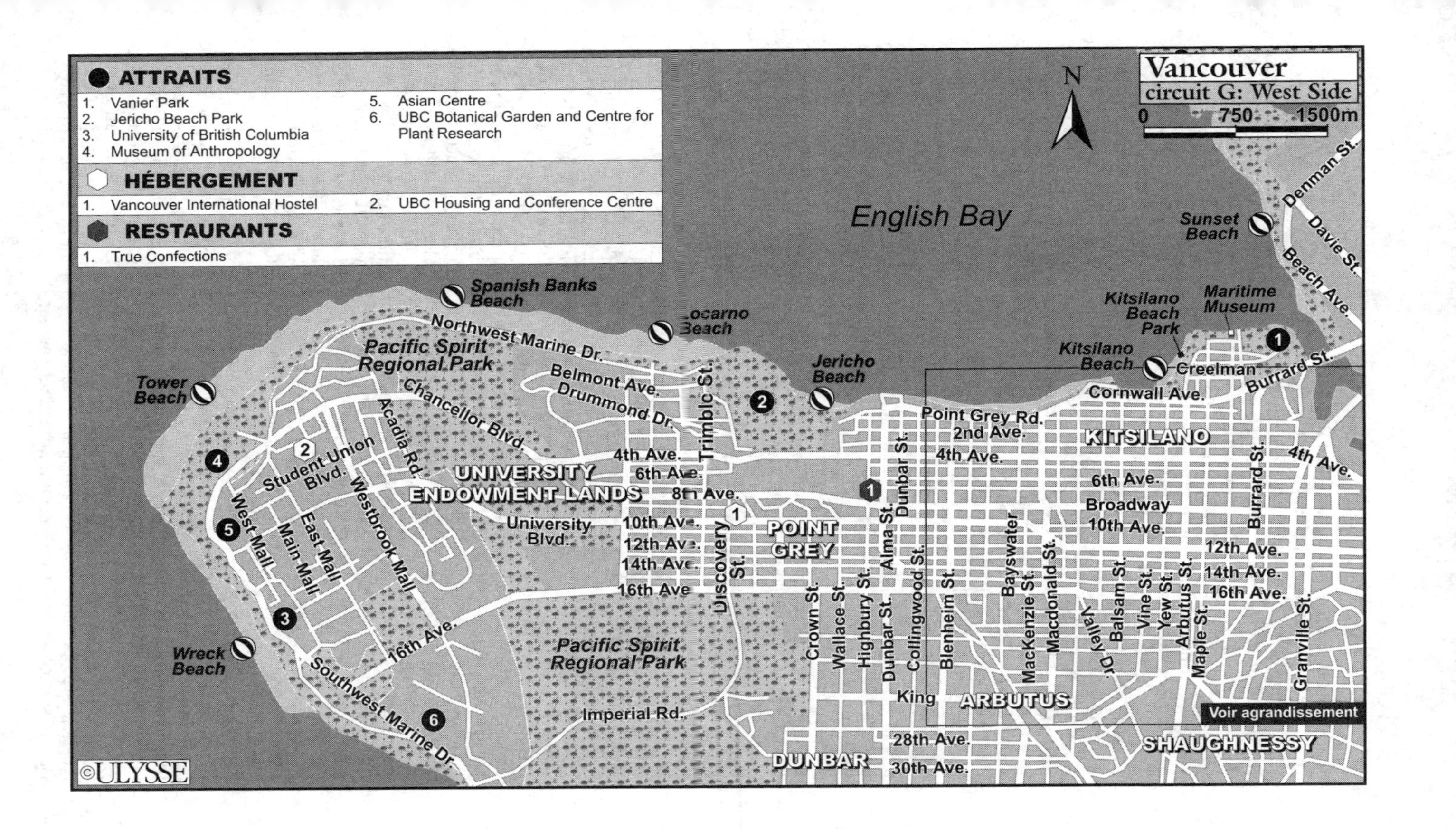
Vancouver
circuit G: West Side
0 750 1500m
N
ATTRAITS
1. Vanier Park
2. Jericho Beach Park
3. University of British Columbia
4. Museum of Anthropology
5. Asian Centre
6. UBC Botanical Garden and Centre for Plant Research
HÉBERGEMENT
1. Vancouver International Hostel
2. UBC Housing and Conference Centre
RESTAURANTS
1. True Confections
English Bay
Sunset Beach
Denman St.
Davie St.
Beach Ave.
Maritime Museum
Kitsilano Beach Park
Kitsilano Beach
Creelman
Burrard St.
Cornwall Ave.
Spanish Banks Beach
Beach
Jericho Beach
Northwest Marine Dr.
Pacific Spirit Regional Park
Tower Beach
Belmont Ave.
Drummond Dr.
Chancellor Blvd.
Acadia Rd.
Student Union Blvd.
Trimble St.
Point Grey Rd.
2nd Ave.
4th Ave.
KITSILANO
6th Ave.
Broadway
10th Ave.
12th Ave.
14th Ave.
16th Ave.
UNIVERSITY ENDOWMENT LANDS
West Mall
Main Mall
East Mall
Westbrook Mall
University Blvd.
Discovery St.
POINT GREY
Alma St.
Dunbar St.
Burrard St.
Crown St.
Wallace St.
Highbury St.
Collingwood St.
Blenheim St.
Bayswater
MacKenzie St.
Macdonald St.
Valley Dr.
Balsam St.
Vine St.
Yew St.
Arbutus St.
Maple St.
Granville St.
16th Ave.
Wreck Beach
Southwest Marine Dr.
Imperial Rd.
King
ARBUTUS
Voir agrandissement
28th Ave.
30th Ave.
DUNBAR
SHAUGHNESSY
©ULYSSE

galow Style sont typiques de la Côte Ouest, était habité par la classe moyenne au début du XXe siècle.

Dans les années 1960, le quartier était l'endroit de ralliement des hippies de Vancouver. Aujourd'hui, les pulls en polar ont remplacé les jupes à motifs de fleurs, mais on y retrouve toujours une atmosphère de contre-culture. À l'angle de First Avenue et de Yew Street se trouvent plusieurs restaurants, cafés et bars bien situés, près de la plage.

Le secteur à l'ouest d'Alma Street, jusqu'aux portes de l'University of British Columbia (UBC), est dénommé **Point Grey ★★★**.

On longe alors le beau **Jericho Beach Park ★★**, une combinaison de parc de verdure et de plage à la limite d'English Bay. Prenez à droite North West Marine Drive, puis à gauche Belmont Avenue (qui grimpe sur la colline) afin de contempler quelques-unes des belles maisons du West Side.

Revenez à NW Marine Drive, que vous suivrez vers l'ouest jusqu'à **Spanish Banks Beach ★★**, d'où vous aurez un vaste panorama de Vancouver et de la rive nord. L'endroit est idéal pour admirer le coucher du soleil. Au-delà de Spanish Banks se trouve le **Pacific Spirit Regional Park ★★** *(☎224-5739)*, aussi connu sous le nom de University Endowment Lands. Ce terrain de 763 ha englobe les plages rocailleuses aux abords de la UBC, ainsi qu'une section intérieure comprenant plus de 40 km de sentiers de randonnée et de pistes cyclables faciles à parcourir. Les plages ne sont pas surveillées, et le port des vêtements est facultatif. D'ici, vous obtenez un panorama complet du détroit de Georgie.

On pénètre ensuite sur les terrains de l'**University of British Columbia (UBC) ★**. L'université fut créée par le gouvernement provincial en 1908, mais ce n'est qu'en 1925 que le campus a ouvert ses portes sur le très beau site de Point Grey. Un concours d'architecture avait été organisé pour l'aménagement des lieux; cependant, la Première Guerre mondiale a mis un terme aux travaux de construction, et il fallut une manifestation étudiante dénonçant l'inaction du gouvernement dans ce dossier pour voir le parachèvement des bâtiments. En fait, seuls la bibliothèque et l'édifice des sciences ont été réalisés selon les plans d'origine.

Le seul aspect positif du campus est le panorama qu'il offre. Si vous êtes intéressé à visiter le campus, prenez contact avec **Set Foot for UBC** *(mai à août; ☎822-TOUR)*, qui offre des tours guidés gratuits, commentés par des étudiants.

Le campus de la UBC connaît encore de nos jours une expansion constante. Il ne faut donc pas se surprendre qu'il soit quelque peu hétéroclite. Mais il recèle des bijoux, tel le **Museum of Anthropology ★★★** *(7$, entrée libre mar 17h à 21h; en été tlj 10h à 17h, mar jusqu'à 21h; hiver mar 11h à 21h, mer-dim 11h à 17h; 6393 NW Marine Dr., ☎822-3825)*, qui se trouve à 15 min de marche du terminus d'autobus de la UBC.

Le musée d'anthropologie de la Colombie-Britannique est réputé à la fois pour les collections qu'on y retrouve et pour le bâtiment lui-même, œuvre d'Arthur Erickson, qui a conçu le Great Hall avec de grandes poutres et des piliers de béton pour imiter les formes des maisons traditionnelles des Autochtones. À l'intérieur se dressent de grands totems ancestraux, retrouvés dans d'anciens villages autochtones de la côte et des îles de la Colombie-Britannique.

Vous découvrirez qu'il existe trois types de totems, catégorisés selon leur fonction (poutre de soutien pour la maison, poutre frontale et monument commémoratif). Vous apprendrez aussi que

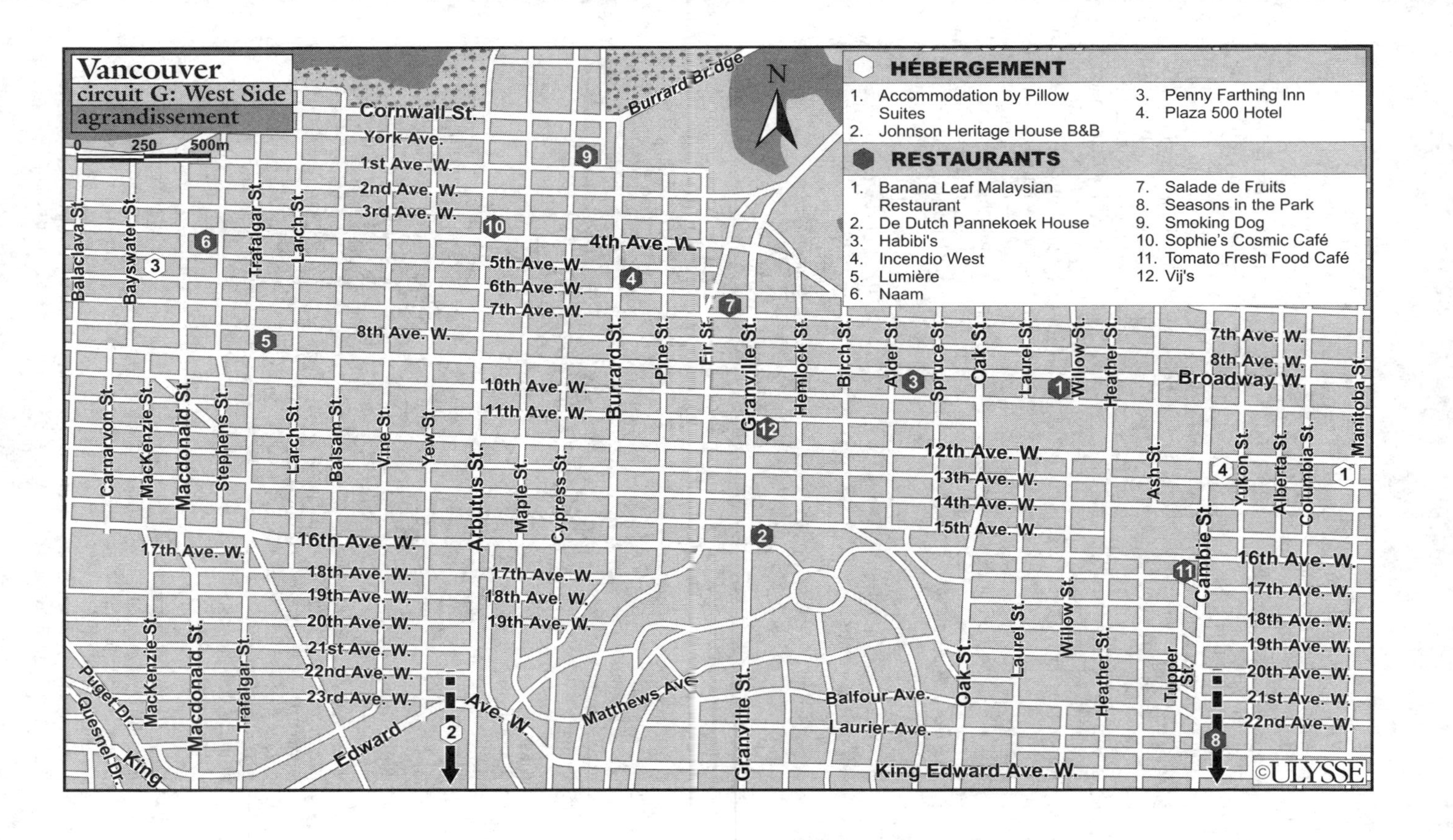
Vancouver
circuit G: West Side
agrandissement
0 250 500m
N
HÉBERGEMENT
1. Accommodation by Pillow Suites
2. Johnson Heritage House B&B
3. Penny Farthing Inn
4. Plaza 500 Hotel
RESTAURANTS
1. Banana Leaf Malaysian Restaurant
2. De Dutch Pannekoek House
3. Habibi's
4. Incendio West
5. Lumière
6. Naam
7. Salade de Fruits
8. Seasons in the Park
9. Smoking Dog
10. Sophie's Cosmic Café
11. Tomato Fresh Food Café
12. Vij's
Burrard Bridge
Cornwall St.
York Ave.
1st Ave. W.
2nd Ave. W.
3rd Ave. W.
4th Ave. W.
5th Ave. W.
6th Ave. W.
7th Ave. W.
8th Ave. W.
10th Ave. W.
11th Ave. W.
12th Ave. W.
13th Ave. W.
14th Ave. W.
15th Ave. W.
16th Ave. W.
17th Ave. W.
18th Ave. W.
19th Ave. W.
20th Ave. W.
21st Ave. W.
22nd Ave. W.
23rd Ave. W.
Broadway W.
Balaclava St.
Bayswater St.
Trafalgar St.
Larch St.
Carnarvon St.
MacKenzie St.
Macdonald St.
Stephens St.
Balsam St.
Vine St.
Yew St.
Arbutus St.
Maple St.
Cypress St.
Burrard St.
Pine St.
Fir St.
Granville St.
Hemlock St.
Birch St.
Alder St.
Spruce St.
Oak St.
Laurel St.
Willow St.
Heather St.
Ash St.
Cambie St.
Yukon St.
Alberta St.
Columbia St.
Manitoba St.
Tupper St.
Matthews Ave.
Balfour Ave.
Laurier Ave.
King Edward Ave. W.
Puget Dr.
Quesnel Dr.
©ULYSSE

seuls les gens qui ont les connaissances et les droits appropriés peuvent distinguer la signification d'un totem. Certains de ces totems sont modernes, tandis que d'autres ont plus de 100 ans. On peut aussi y voir d'autres objets recueillis dans différents chantiers de fouilles de la région.

Un des points saillants du musée est l'œuvre qui porte le nom de ***Raven and the First Men***, créée par le célèbre artiste haïda Bill Reid, décédé en 1998. Cette impressionnante pièce de cèdre jaune représente le corbeau, l'infâme escroc de l'histoire haïda, forçant des humains craintifs à sortir d'une coquille après un grand déluge. Cette énorme œuvre fut installée grâce au puits de lumière au plafond.

Outre les sculptures de bois, vous y verrez des superbes bijoux taillés d'or et d'argent. Par ailleurs, les pièces modernes que vous apercevrez peut-être dans les bijouteries des environs furent originalement des pièces de monnaie d'or et d'argent que les Haïdas ont façonnées au marteau pour les transformer en bracelets et autres objets, et ce, dès les années 1860.

En plus des objets reliés aux Premières Nations de la Colombie-Britannique, y compris plusieurs paniers aux motifs complexes, vous serez ébahi de voir la riche collection d'artefacts provenant d'autres nations autochtones du Canada et d'objets du monde entier, entre autres des poupées et des masques japonais, des porcelaines et

Raven and the First Men

des œuvres d'art chinoises, ainsi que des œuvres d'art de Polynésie, d'Australie, du sud-est de l'Asie et de l'Inde.

La collection du musée a largement dépassé l'espace de présentation; la plupart des objets, surtout les pièces mentionnées ci-dessus, sont rangés dans des tiroirs vitrés que l'on peut ouvrir et dans de grandes vitrines. Chaque objet possède son propre code qu'il faut rechercher dans un grand livre. Cette méthode plutôt laborieuse est rare dans les musées modernes et devrait bientôt être informatisée. De plus, des rénovations au cours des prochaines années permettront d'exhiber davantage d'objets. Il est suggéré de participer à la visite guidée puisque le nombre de panneaux d'interprétation est limité. Pourquoi? La réponse est d'ordre politique: toutes les communautés culturelles de la province (il y existe sept Premières Nations en plus d'un grand nombre de groupes linguistiques) doivent consentir aux interprétations culturelles, un processus qui prend bien du temps et qui peut causer des conflits.

En quittant les lieux (sortez par l'entrée principale et tournez à droite dans le sentier), ne manquez pas l'exposition extérieure, un complexe d'habitation haïda du XIXe siècle.

Aux abords du West Mall se trouve l'**Asian Centre** *(1871 West Mall)*, coiffé d'une toiture métallique de forme pyramidale sous laquelle ont été rassemblés le département d'études asiatiques de même qu'un centre d'exposition. Derrière le bâtiment est aménagé le **Nitobe Memorial Garden ★★** *(2,75$, 6$ visite du UBC Botanical Garden and Centre for Plant Research comprise – voir ci dessous; entrée libre mi-oct à mi-mars, mi-mars à mi-oct tlj 10h à 18h, mi-oct à mi-mars lun-ven 10h à 14h30; ☎822-9666)*. Il s'agit d'un joli jardin japonais faisant symboliquement face au Japon, de l'autre côté du Pacifique.

À l'extrémité sud-ouest du campus se cache un endroit pas comme les autres, la plage de **Wreck Beach ★** *(angle N. W. Marine Dr. et University St.)*, où étudiants et étudiantes viennent profiter des joies de la vie. Les nudistes en ont fait leur refuge, tout comme les sculpteurs qui font valoir leur talent sur les bois flottants rejetés sur la grève par les marées. Les vendeurs de tout acabit y improvisent des comptoirs de restauration rapide. Il faut emprunter de longs escaliers abruptes pour rejoindre le bord de la mer.

Au-delà de Wreck Beach se trouve le **UBC Botanical Garden and Centre for Plant Research** *(4,75$, 6$ avec accès au Nitobe Memorial Garden; tlj mi-mars à mi-oct 10h à 18h; entrée libre mi-oct à mi-mars, ouvert le jour; visites guidées avr à mi-oct, mer et dim à 14h, départ à la loge principale; 6804 SW Marine Dr., ☎822-3928)*, un endroit agréable où se promener et où trouver des espèces végétales qui sont extrêmement rares au Canada. La plupart d'entre elles sont d'ailleurs en vente à la boutique Shop in the Garden. La vente annuelle de plantes vivaces de la fête des Mères est très populaire.

Activités de plein air

Pour de l'information générale sur toutes les activités de plein air dans la région de Vancouver, adressez-vous à **Sport B.C.** *(409-1367 Broadway, Vancouver, V6H 4A9, ☎737-3000, www. sportbc.ca)* ou à l'**Outdoor Recreation Council of B.C.**, *(334-1367 W. Broadway, Vancouver, V6H 4A9, ☎737-3058, www.orcbc.ca)*. Ces deux organismes vous donneront beaucoup d'idées et de renseignements.

Vancouver Parks & Recreation offre toute l'information sur les sports et les loisirs qu'on peut pratiquer dans la région de Vancouver.

Vancouver Parks & Recreation
☎257-8400
www.city.vancouver.bc.ca/parks

Pour des adresses de boutiques de plein air, voir la section «Achats», p 149.

Plages

La côte de Vancouver se compose en grande partie de plages de sable facilement accessibles. Toutes ces plages bordent English Bay, où il est possible de pratiquer la marche, le vélo, le volley-ball et, bien sûr, de se baigner pour mieux profiter de cet environnement. Le Stanley Park est bordé par **Third Beach** et **Second Beach**, puis, plus à l'est, le long de Beach Avenue, par **First Beach**, où, le premier janvier, des centaines de baigneurs bravent l'eau froide afin de célébrer la nouvelle année. Un peu plus à l'est, **Sunset Beach** attend la fin du jour pour vous offrir les plus beaux couchers de soleil. À l'extrémité sud d'English Bay se succèdent **Kitsilano Beach**, **Jericho Beach**, **Locarno Beach**, **Spanish Banks Beach** et **Tower Beach**, ainsi que **Wreck Beach**, à l'extrémité ouest du campus de l'University of British Columbia.

Kitsilano Beach est très animée par les compétitions de volley-ball de plage et par une jungle de sportifs; un terrain de basket-ball est attenant à la plage. Locarno Beach, Jericho Beach et Spanish Banks Beach représentent davantage des endroits de détente en famille où la marche et la lecture dominent.

Randonnée pédestre

Le lieu de randonnée par excellence à Vancouver est sans aucun doute le **Stanley Park**. Il offre près de 50 km de sentiers tracés dans la forêt et la verdure longeant des lacs et l'océan, dont le remarquable **Seawall**, un sentier de 9 km bordé d'arbres géants.

Dans le quartier de Point Grey, les promenades ne manquent pas. Une myriade de sentiers sillonnent les **University of British Columbia Endowment Lands**, aujourd'hui connues sous le nom de **Pacific Spirit Regional Park** *(accès aussi bien par NW Marine Dr. ou SW Marine Dr., à l'est de l'UBC, que par 16th Ave., où il y a un stationnement et le Park Centre; ☎224-5739)*. Procurez-vous une carte des sentiers au Park Centre ou téléchargez-en une du site Internet www.gvrd.bc.ca. Par ailleurs, il existe un réseau de 40 km de sentiers entremêlés à travers la forêt qui se terminent tous sur une plage, puisque la UBC est située sur une péninsule.

De l'autre côté du Lions Gate Bridge, à North Vancouver, par Capilano Road, une promenade au **Capilano River Regional Park** *(☎224-5739)*, le long du Capilano Canyon, permet d'apprécier des vues imprenables de la rivière. De plus, si vous empruntez ce sentier à la fin de l'été, vous pourrez y apercevoir des saumons la remontant. Des cartes sont disponibles sur le site Internet www.gvrd.bc.ca.

La randonnée en montagne se pratique sur un des sommets voisins du centre-ville. Le **Cypress Provincial Park**, au nord de la municipalité de West Vancouver, compte plusieurs circuits de randonnée pédestre, entre autres le Howe Sound Crest Trail, qui mène à différentes montagnes comme The Lions et le mont Brunswick. Les vues de la rive ouest du Howe Sound sont très spectaculaires. Il faut être bien chaussé et prévoir de la nourriture pour ces randonnées. Pour vous rendre au Cypress Provincial Park par le Lions Gate Bridge, suivez les indications vers l'ouest sur la transcanadienne et empruntez la sortie «Cypress Bowl Road». Prenez le temps de vous arrêter au belvédère pour contempler Vancouver, le détroit de Georgie et, par temps clair, le mont Baker, aux États-Unis.

L'ascension de **Grouse Mountain ★★★** *(☎984-0661)*, connue sous le nom de Grouse Grind, est une randonnée sans difficulté particulière, si ce n'est que la pente peut parfois atteindre 25° d'inclinaison. Il faut donc être en bonne forme physique. À partir du stationnement du téléphérique, deux heures environ sont nécessaires pour parcourir les 3 km de sentier. La vue de la ville depuis le sommet est fantastique. Si vous êtes fatigué pour le retour, vous pouvez prendre le téléphérique (voir p 125).

Le **Mount Seymour Provincial Park ★★** *(☎986-2261)* donne aussi l'occasion de faire de la randonnée. Les points de vue y sont différents; à l'est, vous apercevrez l'Indian Arm, un grand bras de mer qui s'enfonce dans la vallée.

Un peu plus à l'est, toujours au sein des merveilleuses montagnes de la rive nord, le **Lynn Canyon Park** ★★★ *(☎981-3103)* est un magnifique parc de sentiers forestiers. Il est surtout célèbre pour sa passerelle suspendue au-dessus des gorges à 80 m d'altitude. Cœurs sensibles, s'abstenir! Il y a aussi un centre écologique sur place. Pour vous y rendre, empruntez la route 1 à North Vancouver jusqu'à la sortie «Lynn Valley Road», suivez la signalisation puis prenez Peters Road à droite.

Le **Lighthouse Park**, à West Vancouver, convient parfaitement à la marche en terrain non accidenté; de ce site stratégique, vous ferez face à l'University of British Columbia, à l'entrée d'English Bay et du détroit de Georgie. Prenez le Lions Gate Bridge et suivez Marine Drive West; vous traverserez la ville de West Vancouver et longerez le front de mer jusqu'à l'extrémité ouest d'English Bay. Tournez à gauche dans Beacon Lane vers le Lighthouse Park.

Devant Horseshoe Bay, en quittant la route 99 en direction ouest, juste derrière la ville cossue de West Vancouver, se trouve le très joli petit **Whytecliff Park**, en bordure de mer. Ce parc, mieux connu pour ses possibilités de pique-nique et de plongée sous-marine, permet une intéressante petite excursion sur **Whyte Island**. Cette île est en fait un gros rocher que vous pouvez atteindre à marée basse en suivant un sentier rocheux. Vérifiez l'heure des marées avant d'aller sur ce rocher, sinon vous vous mouillerez les pieds.

À seulement 15 min par un petit **traversier** *(BC Ferries, ☎888-223-3779)*, au départ de Horseshoe Bay, une randonnée à travers la forêt luxuriante de **Bowen Island** ★★★ *(☎947-2216)* vous donnera l'impression d'être à l'autre bout du monde, alors qu'à vol d'oiseau le centre-ville de Vancouver n'est qu'à 5 km.

Vélo

La région compte une multitude de pistes pour les amateurs de vélo de montagne (VTT). Ils n'ont qu'à se rendre à l'une des montagnes au nord de la ville.

Une agréable promenade de 9 km longe le Seawall dans le Stanley Park. Elle fait maintenant partie de la plus ancienne, et sans doute de la meilleure piste cyclable de Vancouver: la **Seaside Bicycle Route**. Cette piste en continuelle expansion longeait, au moment de mettre sous presse, Coal Harbour, un peu à l'ouest du Pan Pacific Hotel, le Stanley Park Seawall, à l'ouest, English Bay et False Creek, et s'étendait jusqu'à Spanish Bank West. Si l'on tient compte du Stanley Park Seawall, le circuit complet fait environ 30 km et constitue un excellent moyen pour les visiteurs de découvrir la beauté de la ville. Vous pouvez prendre un raccourci par le Cambie Bridge ou le Burrard Bridge, ce dernier étant un bon choix si vous désirez vous rendre directement à Granville Island. Il est possible d'obtenir une carte pratique des pistes cyclables de Vancouver en contactant **Bicycle Hotline** au ☎871-6070.

Location de vélos aux **Spokes Bicycle Rentals** *(1798 N. Georgia St., angle Denman St., ☎688-5141)*. À l'extérieur de Vancouver, vous pouvez pratiquer ce sport dans la vallée du fleuve Fraser, près des fermes ou sur les routes secondaires.

Observation des oiseaux

Allez voir les oiseaux au **George C. Reifel Bird Sanctuary** ★★ *(5191 Robertson Rd., Delta, ☎946-6980)* des îles Westham et Reifel. Des dizaines d'espèces d'oiseaux migrateurs ou résidants attirent toute l'année des fervents de l'observation des oiseaux de mer, de proie, etc. Plus au sud, à Boundary Bay et à Mud Bay, il est également possible d'observer quelques espèces, de même que sur Iona Island, plus près de Vancouver, mais à côté de l'aéroport!

Canot et kayak

L'eau est, au même titre que les montagnes, l'élément maître à Vancouver. De fait, les possibilités de promenades en mer sont presque illimitées. Il est possible de considérer une visite de la ville en kayak de mer. Le bras de mer qu'est **False Creek** pénètre jusqu'à Main Street et au Science World en passant par Granville Island; en pagayant autour du **Stanley Park** (voir aussi «Randonnée pédestre», p 120), vous pourrez atteindre Canada Place et les gratte-ciel du centre-ville. Pour les plus courageux, une expédition au départ de Deep Cove vers l'**Indian Arm ★★★** sera intéressante. Les phoques et les aigles sont souvent au rendez-vous.

Lotus Land Tours Inc.
2005-1251 Cardero St.
☎684-4922
Peter Loppe, un guide très bien documenté et expérimenté, et son équipe vont vous cueillir à votre hôtel et vous emmènent en kayak sur le pittoresque Indian Arm. Un barbecue de saumon au déjeuner vous est offert. Le tout pour 145$. Expérience non requise.

Ecomarine Ocean Kayak Centre
1668 Duranleau St., Granville Island
☎689-7520
L'Ecomarine Ocean Kayak Centre fait la location de kayaks de même qu'il offre des excursions de 2 heures 30 min et de quatre heures *(49-89 respectivement)* sur les eaux de False Creek et d'English Bay. Cette entreprise forme aussi les apprentis kayakistes.

Voile

Visiter la **rade de Vancouver** à la voile est la manière idéale d'atteindre à des endroits très privilégiés. Jericho Beach, dans le quartier de Kitsilano, est un excellent point de départ. Les dériveurs et les Hobie Cat se louent à la **Jericho Sailing Centre Association** *(1300 Discovery St., ☎224-4177)*, mais il est possible d'être simplement passager à bord d'un voilier de grande taille pour une croisière de quelques heures ou de plusieurs jours. Le **Cooper Boating Centre** *(1620 Duranleau St., Granville Island, ☎687-4110)* est une bonne adresse.

Navigation de plaisance

Avec la même facilité que pour une voiture, il est possible de louer un **bateau à moteur** de type hors-bord. Vous pourrez à votre gré vous promener au fil de l'eau à condition toutefois de ne pas vous éloigner des côtes. **Granville Island Boat Rentals** *(16296 Duranleau St., Granville Island, ☎682-6287)* a tout ce qu'il vous faut.

Pêche

Vancouver est le point de départ pour une pêche inoubliable. Pour la pêche en mer, sachez que le saumon est le roi des poissons. Sachez cependant qu'avant de mettre votre ligne à l'eau, vous devez vous procurer un permis de pêche auprès d'un pourvoyeur accrédité, également à même de vous louer tout l'équipement nécessaire. Ces fournisseurs spécialisés disposent d'embarcations, connaissent les meilleurs emplacements et peuvent souvent même combler vos besoins alimentaires. La meilleure façon de lancer sa ligne est de faire appel aux entreprises spécialisées. Elles ont les bateaux, connaissent les bons coins, fournissent l'équipement et souvent les repas. Couvrez-vous bien! Même si le soleil brille, il peut faire très frais quand on est en mer. Un autre détail important: n'oubliez pas votre permis de pêche. Vous trouverez une mine de renseignements auprès du **Sport Fishing Institute of British Columbia**, installée au Granville Island Sport Fishing Museum *(200-1616 Duranleau St., Granville Island, Vancouver, V6H 3S4, ☎689-3438, www.sportfishing.bc.ca).*

Le voyagiste suivant peut faire tous les arrangements pour vous:

Bites-on Salmon Charters
1128 Hornby St., Granville Island
☎877-688-2483
Tarifs: 425$ et plus pour un voyage de cinq heures.

Pêche en eau douce

Avec une infinité de lacs et de rivières, il est facile d'imaginer que la pêche à la truite en Colombie-Britannique soit excellente. Permis en vente dans tous les magasins de matériel de camping, mais aussi chez **Ruddick's Fly Shop** *(1077 Marine Dr., North Vancouver, ☎985-5650)*, une belle boutique pour les pêcheurs à la mouche. On y trouve des milliers de mouches destinées à piéger toutes les sortes de poissons locaux. Le patron vous conseillera très aimablement. Chose certaine, vous devez considérer Vancouver comme un point de départ pour vous équiper et vous informer. Il vous faudra quitter la ville pour pêcher en rivière ou dans un lac. La région de l'intérieur et les monts Cariboo sont des destinations de choix pour les pêcheurs de Vancouver. Vous pouvez aussi vous procurer un numéro du magazine ***BC Outdoors Sport Fishing*** chez tous les bons marchands de journaux ou faire appel aux clubs de pêche et aux pourvoiries.

Si vous désirez de plus amples renseignements sur la pêche, vous pouvez toujours contacter le Sport Fishing Institute of British Columbia au **Granville Island Sport Fishing Museum** (voir p 113).

Alpinisme

Être à Vancouver et ne pas s'attaquer aux cimes enneigées qui encerclent la ville serait frustrant. La **Federation of Mountain Club of B.C.** *(47 W. Broadway, Vancouver, V5Y 1P1, ☎737-3053, www.mountainclubs.bc.ca)* est un club très sérieux, composé de moniteurs d'expérience. Des sorties sont organisées très régulièrement.

Promenades en hélicoptère

Si vous avez déjà été conquis par les paysages de Vancouver, qu'à cela ne tienne, il est temps pour vous d'avoir le souffle coupé! Une promenade en hélicoptère au-dessus des crêtes enneigées et des lacs turquoise, avec effleurement des glaciers, s'impose. Certaines agences proposent d'ailleurs des atterrissages sur les glaciers. Un peu cher, mais vous aurez des souvenirs impérissables et des photos pour le prouver.

Vancouver Helicopters *(5455D Airport Rd. S., Richmond, ☎270-1484 ou 800-987-4354)* est une entreprise située tout près de l'aéroport international de Vancouver. De bonne réputation, elle vous conduira là où il vous plaira d'aller.

Cerf-volant

Avec ses 26 km de plages, Vancouver est l'endroit rêvé pour les cerfs-volistes. Le site le plus célèbre pour ce genre d'activité est le

Vanier Park, qui borde les plages d'English Bay derrière le Vancouver Museum. Vous l'atteindrez par Chestnut Street, dans le joli quartier de Kitsilano, en quittant le centre-ville par le Burrard Bridge.

Patin à roues alignées

Le patin à roues alignées, plus communément appelé «*Rollerblade*», est une activité physique estivale tout à fait commune pour les Vancouverois. Il est pratiqué partout, mais surtout autour du Stanley Park, sur le **Seawall**, un fantastique sentier de 9 km bordé d'une forêt millénaire. Les patineurs doivent circuler sur la piste cyclable et ne pas faire plus de 15km/h. On peut louer des patins aussi bien dans de nombreuses boutiques de plage que près de l'entrée du parc, chez **Bayshore Bike Rentals** *(13,50$/4 heures; 745 Denman St., ☎688-2453).*

Golf

Vancouver est résolument la capitale du golf de l'Ouest canadien. Il y en a pour tous les goûts et toutes les bourses. Les terrains de golf de Vancouver et de la région sont presque toujours vallonnés et offrent des vues spectaculaires sur la mer, mais surtout sur les montagnes, omniprésentes où que l'on soit. Il est à noter que tous les golfs requièrent une tenue vestimentaire appropriée. Il y a très peu de terrains de golf dans le périmètre de Vancouver. Par contre, si vous vous rendez dans la banlieue, vous en verrez un pratiquement à chaque tournant.

Le terrain de golf dont le site est le plus spectaculaire est très certainement celui de **Furry Creek** *(Britannia Beach, ☎922-9461 ou 922-9576).* Il est situé peu après le village de Lions Bay, le long du **Howe Sound**, (route 99 Nord). Véritablement serti au creux d'un paysage splendide, son parcours vous sera plus qu'agréable. Imaginez la mer côtoyant des sommets vertigineux couverts de neige. Extraordinaire!

L'**University Golf Club** *(5185 University Blvd., ☎224-1818)* est l'un des parcours les plus réputés de la ville et l'un des plus chers. Il est situé à deux pas de l'University of British Columbia. Sean Connery serait venu le visiter. Il y a aussi une aire d'entraînement.

Le **Fraserview Golf Course** *(7800 Vivian Dr., ☎280-1616)* est un golf à prix abordable, géré par la municipalité et situé à l'extrême sud de Vancouver.

Le **Langara Golf Course** *(6706 Alberta St., ☎280-1818)* est lui aussi un golf municipal et est situé au sud-est de la ville.

Gleneagles *(6190 Marine Dr., W. Vancouver, ☎921-7353)*, à deux pas du joli village de Horseshoe Bay et à 15 min de Vancouver, est un golf très bon marché et parfois bondé les fins de semaine, mais le paysage qu'il offre vaut la peine de patienter en attendant d'y jouer.

Ski de fond

À moins d'une demi-heure de Vancouver, trois centres de ski de fond accueillent tous les jours, du matin au soir inclusivement, les mordus de la neige. Au **Cypress Provincial Park, Cypress Mountain** *(15$; ☎926-5612)* offre près de 25 km de sentiers entretenus mécaniquement et comportant tous les degrés de difficulté. Ces sentiers sont fréquentés jour et soir par les skieurs de randonnée. Il y a également des sentiers à **Grouse Mountain** *(☎984-0661)* et au **Mount Seymour Provincial Park** *(☎986-2261).*

Ski alpin et planche à neige

Ce qui fait la véritable magie de Vancouver, c'est sa combinaison mer et montagne. Cela ne fait pas exception lors de la saison froide, quand la population déserte les plages et les sentiers du bord de mer pour envahir les pistes de ski, qui sont littéralement «suspendues» au-dessus de la ville. Il existe quatre stations de ski à proximité du centre-ville:

Mount Seymour *(29$; 1700 Mount Seymour Rd., N. Vancouver; Upper Level Hwy, direction est, sortie Deep Cove; ☎986-2261)*, une station familiale aux pistes faciles, située à l'est de North Vancouver, au-dessus de Deep Cove.

Grouse Mountain *(35$; 6400 Nancy Greene Way, N. Vancouver, ☎ 984-0661)*, une petite station accessible par téléphérique qui offre une vue imprenable sur Vancouver, superbe de jour comme de nuit.

Cypress Mountain *(42$; au départ de North Vancouver, prenez la route transcanadienne en direction ouest pendant 16 km, puis suivez la signalisation; ☎926-5612)*, la station des skieurs les plus aguerris qui offre encore une magnifique vue sur le Howe Sound et sur la ville.

Pour du ski à prix plus abordable, le style «village» du **Hemlock Valley Resort** *(34,50$; route transcanadienne en direction est, sortie Agassizou Harrisson Hot Springs; ☎515-6300 ou 866-515-6300)* pourrait vous séduire, car ce village alpin est situé à l'extrême est de l'agglomération de Vancouver, au cœur des monts Cascade, et la neige y est abondante et la vue du mont Baker, côté étasunien, spectaculaire. Aussitôt que la neige est assez épaisse, ces quatre stations de ski sont ouvertes tous les jours, et tard en soirée grâce à un puissant éclairage au néon, en général dès la fin de novembre ou au début de décembre.

À noter qu'il n'y a aucun hébergement possible sur le site même des trois premières stations de ski mentionnées ici (consultez la section «Hébergement» du circuit «Burrard Inlet», p 130, pour les hôtels les plus proches).

Hébergement

Il y a plus de 10 000 chambres d'hôtel dans le cœur du centre-ville et 8 000 autres dans les environs. Cela inclut les hôtels, motels, *bed and breakfasts*, auberges et auberges de jeunesse. Selon Tourism Vancouver, le prix moyen est un peu plus de 100$, le plus bas étant autour de 60$.

Cependant, nous avons constaté que, durant la haute saison estivale, vous paierez bien audelà de 150$ pour une chambre décente et plus de 200$ pour une excellente chambre. Nos descriptions couvrent tous les budgets: du meilleur rapport qualité/prix à ce que la ville a de mieux à offrir.

L'hébergement peut être réservé pour vous par **Super, Natural British Columbia Reservation and Information Service.**

☎800-HELLO-BC (Amérique du Nord)
☎(250) 387-1642 (outremer)
☎(604) 663-6000 (région de Vancouver)

Le centre-ville

YWCA
$$-$$$
bp/bc, ℜ, ≡
733 Beatty St.
☎895-5830 ou 800-663-1424
⇌681-2550
www.ywcahotel.com
Oubliez tous les préjugés que vous pourriez avoir contre les endroits dont la première lettre est *Y*. Loin d'être morne, cette tour a été construite (1995) et aménagée pour offrir 155 chambres privées

sur 10 étages, chacune décorée modestement mais avec éclat, et bien équipée. Accueillant hommes, femmes et familles, l'endroit est sécuritaire et bien situé, en face du BC Place Stadium. Et, puisqu'il s'agit d'un établissement sans but lucratif, les profits sont réinvestis dans les programmes communautaires du YWCA. Les invités ont accès à trois cuisines communes et peuvent choisir parmi plusieurs types de chambres. Les personnes âgées et les étudiants peuvent aussi profiter de tarifs spéciaux. Les seuls compétiteurs dans les environs sont le Kingston, le Victorian (voir ci-dessous) et plusieurs motels ennuyeux.

Kingston Hotel Bed & Breakfast
$$-$$$ pdj
bp/bc, ⌂
757 Richards St.
☎684-9024 ou 888-713-3304
⇄684-9917
www.kingstonhotelvancouver. com
Appartenant à une famille et construit en 1910, cet hôtel économique est très populaire auprès des voyageurs qui ont un budget limité, et avec raison. Il compte 55 chambres propres de diverses grandeurs, de la minuscule chambre avec évier et salle de bain partagée (au bout du couloir) à la grande chambre double avec bureau, télévision, fauteuils, séchoir électrique et baignoire. Toutes les chambres ont un téléphone et des fenêtres, et les invités ont accès à la laverie payante, à l'espace de rangement et au sauna. D'une grande simplicité, cet hôtel de trois étages n'a pas d'ascenseur. Excellent emplacement au centre-ville. Déjeuner continental.

Victorian Hotel
$$-$$$ pdj
bp/bc, ℂ
514 Homer St.
☎681-6369 ou 877-681-6369
⇄681-8776
www.victorian-hotel.com
Plus charmant que le Kingston et le YWCA mais toujours dans la catégorie budget, le Victorian Hotel est sans aucun doute la meilleure trouvaille du centre-ville de Vancouver en matière de rapport qualité/prix. Immaculées et coquettes, toutes les chambres offrent des couettes, des planchers de bois dur, des plafonds hauts et des éviers; quelques-unes sont meublées d'antiquités et ont des fenêtres en saillie et une baignoire. Elles ont le téléphone et la télévision, et les invités peuvent profiter de la laverie. Location de vélos aussi offerte et déjeuner continental inclus. Les hôtes Miriam et Andrew parlent français, allemand, hollandais, tchèque et slovaque, pour le plus grand plaisir de leurs nombreux invités européens. Quelle découverte!

Westin Grand
$$$$-$$$$$
ℂ, ≡, ≈, ⊙, ℜ, ⌂
433 Robson St.
☎602-1999 ou 888-680-9393
⇄647-2502
www.westingrandvancouver.com
Un nouveau venu sur la scène hôtelière (1999), le Westin Grand est vite devenu une vedette parmi les hôtels du centre-ville. Ne proposant que des suites, cet hôtel possède des fenêtres qui vont du plancher au plafond et qui offrent des vues incroyables sur la ville. Décorées de tons beiges chaleureux, de meubles en hêtre et en noyer, et d'œuvres d'art originales, les suites sont d'une élégance discrète; les lits, la literie, les douches et les baignoires ont tous été conçus afin de procurer un confort maximal. De plus, le service est amical et professionnel en tout temps. C'est l'endroit rêvé pour les gens d'affaires puisque 23 des 207 suites ont un coin bureau entièrement équipé. Bien situé, à faible distance de Yaletown, du cœur du centre-ville, de Gastown et du Chinatown. Fortement recommandé.

Terminal City Club
$$$$$
ℜ, ≈, ≡, ⊛, ℂ, ⌂, ⊙
837 W. Hastings St.
☎681-4121
⇄681-9634
www.tcclub.com
Cet établissement luxueux au style élégant est très prisé des gens d'affaires. Ses 60

chambres offrent un bon confort dans un décor joyeux. Salle de billard, simulateur de golf, vue de l'océan et service très soigné rendront votre séjour inoubliable.

Sheraton Wall Centre Hotel
$$$$$
ℜ, ⏲, ≈, ≡, ⌂, ℂ, ✪
1088 Burrard St., angle Nelson St.
☎331-1000 ou 800-663-9255
⇄331-1001
www.sheratonwallcentre.com
Grâce à l'ajout d'une deuxième tour (2001), ce méga-hôtel offre plus de 700 chambres et occupe un quadrilatère complet. Dans les chambres, les fenêtres qui vont du plancher au plafond sont l'atout principal, offrant un panorama unique sur la ville et autant de lumière naturelle qu'il est possible d'en avoir dans cette ville au ciel souvent nuageux. Le décor contemporain est discret, chaleureux et de bon goût, avec tons de beige, literie et couettes magnifiques, et photographies originales prises sur le site. Le décor de la tour sud, datant de 1996, est toujours très attrayant. Toutes les chambres sont munies de coffrets de sûreté, peignoirs, fer à repasser, séchoir électrique et cafetière, ainsi que de l'accès Internet haute vitesse grâce à un écran télé et un clavier sans fil. Un grand nombre de salles de conférences et de salles privées en font l'hôtel idéal pour les gens d'affaires.

Le Soleil Hotel
$$$$$
ℜ, ≡, 🐕
567 Hornby St.
☎632-3000 ou 877-632-3030
www.lesoleilhotel.com
Le Roi-Soleil en aurait été fier. Ce très élégant hôtel-boutique de 119 suites a été construit dans le quartier des affaires de Vancouver en 1999, au début de la nouvelle ère des hôtels-boutiques. De l'opulent hall doré à la magnifique suite *penthouse* aux plafonds de 5,5 m, sans oublier sa baignoire à remous noire, Le Soleil est d'autant plus raffiné que chacune des suites est superbement décorée de teintes or ou cramoisi, de meubles en bois blond, de couettes de brocart et de dosserets élaborés. De plus, vous y trouverez un coffret de sûreté, deux téléviseurs pour ne jamais manquer vos émissions préférées, un téléphone sans fil près du lit, un bain profond, des prises Internet haute vitesse et, bien sûr, les commodités habituelles (cafetière, fer et planche à repasser, etc.). Fidèles au style européen, les chambres sont un tantinet intimes (c'est-à-dire petites), mais leur style et leur confort sont incontestables.

Wedgewood Hotel
$$$$$
ℜ, ⌂, ℝ, ⏲, ≡
845 Hornby St.
☎689-7777 ou 800-663-0666
⇄668-3074
www.wedgewoodhotel.com
Le Wedgewood Hotel est un bel établissement de 93 chambres doté d'un service impeccable. Son aménagement soigné et très chaleureux n'est pas sans rappeler le décor des clubs de chasse à courre anglais. Le Wedgewood offre une ambiance très romantique et est l'hôtel préféré des amoureux. Centre d'affaires.

Fairmont Hotel Vancouver
$$$$$
⏲, ⌂, ≈, ℜ, 🐕, ≡, ✪
900 W. Georgia St.
☎684-3131 ou 800-441-1414
⇄662-1929
www.fairmont.com
Le Fairmont Hotel Vancouver a été construit dans les années 1930 dans le style Château, si caractéristique des hôtels qui appartenaient au Canadien Pacifique, et dont le Château Frontenac de Québec fut le précurseur. Troisième Hotel Vancouver à être édifié (les deux autres ayant été démolis), il accueillit en 1939 George VI, premier souverain britannique à visiter le Canada. Vous retrouverez la tranquillité et le luxe en plein centre-ville, près de Robson Street et de Burrard Street. Il dispose de 556 chambres.

Pan Pacific Hotel Vancouver
$$$$$
⊘, ≡, ⊛, △, ≈, ℜ, ℝ, 🐕
300-999 Canada Place
☎662-8111 ou 800-663-1515
⇄685-8690
www.panpacific.com
Le Pan Pacific Vancouver Hotel est un établissement de grand luxe à l'intérieur de Canada Place, donnant sur Burrard Inlet et North Vancouver. D'Elizabeth Taylor à Sly Stallone, une foule de gens célèbres ont passé une nuit ou deux au Pan Pacific. Relié à Canada Place et au Vancouver Convention and Exhibition Centre, son fabuleux vestibule-atrium avec fontaine et fauteuils offre une magnifique vue sur le port, où les hydravions amerrissent et les bateaux entrent aux quais, et sur la Chaîne côtière, au nord. La rumeur veut que Mme Taylor ne pouvait s'arracher de la fenêtre de sa luxueuse suite... Les 504 chambres ont été rénovées et sont décorées de jolies teintes neutres, de meubles de petit chêne et de couettes. Accès Internet à haute vitesse dans toutes les chambres. De plus, l'établissement abrite le très réputé restaurant Five Sails.

West End

Buchan Hotel
$$
ℜ, *bc/bp*
1906 Haro St.
☎685-5354 ou 800-668-6654
⇄685-5367
Le Buchan Hotel se trouve dans le quartier de West End, tout près du Stanley Park et sous les arbres. Au bout de Haro Street, sur Lagoon Drive, trois tennis de la ville de Vancouver sont accessibles à la clientèle. D'autres tennis, un terrain de golf et des sentiers de randonnée se cachent tout près de cet hôtel de 61 chambres réparties sur trois niveaux.

Barclay Hotel
$$-$$$
ℜ, ≡, ℝ
1348 Robson St.
☎688-8850
⇄688-2534
De la poignée d'hôtels économiques à l'angle des rues Robson et Broughton, le Barclay, tout comme le Robsonstrasse (voir ci-dessous), est probablement le choix le moins désagréable. Cela dit, ses 90 chambres sont plutôt délabrées: les fenêtres minuscules et les lumières fluorescentes de mauvaise qualité créent une ambiance sombre et peu invitante qui ne conviendra qu'à ceux qui prévoient passer plus de temps au Stanley Park que dans leur chambre.

Sylvia Hotel
$$$
ℂ, ℜ, 🐕
1154 Gilford St.
☎681-9321
www.sylviahotel.com
Se dressant à deux pas d'English Bay, ce vieil hôtel charmant, construit au début des années 1900, offre des vues imprenables et dispose de 118 chambres toutes simples. On y vient volontiers pour l'ambiance, ou ne serait-ce que pour manger ou prendre un verre à la tombée du jour. Pour les petits budgets, les chambres qui n'offrent pas vraiment de vue sont proposées à plus bas prix. Si vous désirez avoir une vue splendide d'English Bay, il faut que votre chambre soit orientée vers le sud-ouest. Le directeur de cet hôtel à la façade couverte de lierre est un Français qui se donne complètement à son établissement, et il a bien raison de le faire.

Robsonstrasse Hotel
$$$
ℂ, ≡, ⊘
1394 Robson St.
☎687-1674 ou 888-667-8877
⇄685-7808
www.robsonstrassehotel.com
Le Robsonstrasse Hotel est un autre exemple d'établissement relativement peu coûteux et bien situé, sur Robson Street.

West End Guest House Bed & Breakfast
$$$$ pdj
ℑ
1362 Haro St., angle Nicola St.
☎681-2889 ou 888-546-3327
⇄688-8812
www.westendguesthouse.com
Ce *bed and breakfast* victorien abrite huit chambres douillettes, toutes décorées de l'incontournable papier peint fleuri et d'antiquités, sans oublier le ventilateur de plafond et la luxueuse literie. Quelques-unes des chambres sont un peu petites, cependant, et la plupart ont des douches au lieu de baignoires. Evan Penner, l'attentif hôte, souhaite que ses invités s'entretiennent, et c'est pourquoi il sert le sherry au salon l'après-midi près du foyer. Un copieux déjeuner complet est servi, et des biscuits vous attendent à l'heure du coucher. Un endroit populaire et amical qui offre la bienvenue aux gays. Les enfants de 12 ans et plus sont acceptés.

Parkhill Hotel
$$$$
ℜ, ⏲, ⌂, ≈, ≡, ℝ
1160 Davie St.
☎685-1311 ou 800-663-1525
⇄681-0208
www.parkhillhotel.com
Le Parkhill Hotel se trouve en plein cœur de Davie Street, dans le quartier gay de Vancouver. Le confort est incontestable malgré les meubles fonctionnels. À partir du 17e étage (supplément de 20$), les chambres offrent une vue époustouflante sur English Bay. À l'origine, les chambres étaient des appartements, donc chaque chambre est en fait une vaste suite studio avec un grand lit ou deux lits doubles, des meubles plutôt ordinaires et un balcon avec portes coulissantes vitrées qui permet d'apprécier le panorama. Un bon choix à prix moyen.

Barclay House in the West End
$$$$ pdj
ℑ
1351 Barclay St.
☎605-1351 ou 800-971-1351
⇄605-1382
www.barclayhouse.com
Ce *bed and breakfast* de style victorien offre cinq chambres, un service personnalisé et un décor conservateur de tons neutres. De la «West Room», une petite chambre avec grand lit en forme de traîneau et balcon, à la «Garden Suite», un refuge douillet avec entrée privée et chauffage au gaz, toutes les chambres comprennent antiquités, duvets exquis, peignoirs, téléphone, magnétoscope et lecteur CD. Un déjeuner à trois services est servi; le sherry et les biscuits vous attendent dans le salon, près du piano à queue. Les tarifs hors saison sont très avantageux.

Listel Vancouver
$$$$$
ℜ, ≡, ⏲
1300 Robson St.
☎684-8461 ou 800-663-5491
⇄684-8326
www.listel-vancouver.com
Cet hôtel de cinq étages abrite 129 chambres qui ont été parées d'œuvres provenant de galeries d'art des environs (troisième et quatrième étages) et du Museum of Anthropology (cinquième étage). Les chambres du cinquième, nos préférées, ont une allure contemporaine et minimaliste grâce à des couleurs pâles et neutres, des meubles de cèdre et de sapin cigue (la plupart fabriqués en Colombie-Britannique), des tissus de fibres naturelles et des œuvres d'art provenant du Pacific Northwest (en vente). Les «chambres-galeries d'art» ont un décor plus traditionnel, bien que rehaussé de meubles d'acajou, de fauteuils confortables, de banquettes aux fenêtres et d'œuvres originales. Curieusement, les «chambres-musées» sont les moins dispendieuses. On y trouve aussi deux étages de chambres régulières, ainsi que le O'Doul's Restaurant and Bar (voir p 142).

Empire Landmark Hotel
$$$$$
⊘, ⊛, ℜ, ⌂, ≡, ℝ
1400 Robson St.
☎687-0511 ou 800-830-6144
⇄687-2801
www.asiastandard.com/hotel/vancouver.html
Le Landmark Hotel représente toute une expérience avec ses 40 étages et son restaurant-bar tournant au sommet de la tour. La vue y est fascinante. En 1 heure 30 min, la ville se déroule devant vous sur 360°. Le meilleur moment pour s'y rendre est au coucher du soleil, lorsque le ciel s'embrase et que la ville s'illumine. L'établissement a fait l'objet d'une rénovation majeure.

Pacific Palisades Hotel
$$$$$
ℂ, ≈, ℜ, ⊘, ⊛, ♞, ≡
1277 Robson St.
☎688-0461 ou 800-663-1815
⇄688-4374
www.pacificpalisadeshotel.com
Le Pacific Palisades Hotel est un établissement membre des Kimpton Group Hotels. Ses deux tours, comptant 233 chambres au total, offrent des vues imprenables sur la mer et sur les montagnes. Entièrement rénové, le nouveau décor vise clairement une clientèle jeune (ou jeune de cœur) bien nantie. Soi-disant mélange de South Beach et de Stanley Park, son look est amusant, moderne et rétro, avec une petite touche fantaisiste. Toutes les chambres sont des suites colorées de vert-lime et de jaune, et décorées de meubles sortis tout droit du catalogue IKEA. L'établissement est trop grand pour être considéré comme un hôtel-boutique, mais il est tout de même très agréable et unique. Les employés sont accueillants et professionnels.

Sutton Place Hotel
$$$$$
ℝ, ⊛, ≈, ⌂, ℜ, ⊘, ♞, ≡
845 Burrard St.
☎682-5511 ou 800-961-7555
⇄682-5513
www.suttonplace.com
Le Sutton Place Hotel propose 397 chambres et toute la gamme de services «cinq étoiles» habituellement présentée dans les grandes chaînes. Le décor de tons roses légers, plafonds à caissons, boiseries élaborées, lustres dorés et marbre, regorge d'élégance européenne traditionnelle. Si vous êtes amateur de cacao, vous vous devez d'aller au buffet de chocolat servi du jeudi au samedi à 18h et à 20h30.

Burrard Inlet

Canyon Court Inn and Suites
$$$
≡, ≈, ℂ
1748 Capilano Rd., North Vancouver
☎988-3181 ou 888-988-3181
⇄904-2755
www.canyoncourt.com
Le Canyon Court Motel se trouve à deux pas du Capilano Suspension Bridge, du Lions Gate Bridge et de la route transcanadienne. Confortable, il n'est pas trop cher.

Lonsdale Quay Hotel
$$$
≡, ⊘, ℜ, ℝ
123 Carrie Cates Court, North Vancouver
☎986-6111 ou 800-836-6111
⇄986-8782
www.lonsdalequayhotel.com
Le Lonsdale Quay Hotel est un établissement charmant, étonnamment bien situé, sur le bord de Burrard Inlet, au-dessus du grand marché couvert qu'est le Quay Market, et avec une vue extraordinaire sur le centre-ville de Vancouver.

Capilano Bed & Breakfast
$$$ pdj
ℝ, ℂ
1374 Plateau Dr.
☎990-8889 ou 877-990-8889
⇄990-5177
www.capilanobb.com
Le Capilano Bed & Breakfast est situé près du Lions Gate Bridge. Les skieurs peuvent aussi bien se rendre à Cypress Mountain (15 min) qu'à Grouse Mountain (8 min). En évitant les heures de pointe: à 5 min en voiture du Stanley Park, à 10 min du centre-ville et du Chinatown, et à environ 25 min de l'aéroport. Les chambres sont invitantes, certaines offrant une belle vue. Le petit déjeuner complet est savoureux.

Palms Guest House
$$$$ pdj
≡, ℝ, ⊛, ℑ
3042 Marine Dr., West Vancouver
☎926-1159 ou 800-691-4455
⇄926-1451
www.palmsguesthouse.com
Luxueuses chambres avec vue sur l'océan. L'accès facile aux stations de ski de Cypress Mountain et de Grouse Mountain s'ajoute à la proximité du joli petit port de Horseshoe Bay, des traversiers menant à la Sunshine Coast, des curiosités de North Vancouver, comme le Capilano Suspension Bridge et la ferme piscicole de la Capilano Fish Hatchery, ainsi que des routes menant à Lynn Valley, au mont Seymour et à la jolie petite baie de Deep Cove.

False Creek

Opus Hotel
$$$$$
ℜ, ≡, ⊛, ℑ, ⊘
322 Davie St.
☎642-6787 ou 866-642-6787
⇄642-6780
www.opushotel.com
Le plus récent hôtel-boutique de Vancouver a ouvert ses portes à l'été 2002. Construites spécifiquement pour se confondre avec les édifices industriels de brique du quartier de Yaletown, ses 97 chambres et suites novatrices présentent cinq décors différents, pour des hôtes de différents styles de vie mais ayant tous un portefeuille bien garni. Chacune renferme des meubles contemporains, de la literie européenne, des peignoirs et des pantoufles. On y offre aussi un service aux chambres 24 heures sur 24, des téléphones sans fil avec boîte vocale privée, l'accès Internet à haute vitesse, des téléviseurs de 68 cm et des lecteurs CD. Un bar et une brasserie se trouvent sur les lieux, pour ceux qui désirent épater la galerie. Idéal pour la star qui sommeille en vous!

West Side

Vancouver International Hostel Jericho Beach
$
dortoirs distincts pour femmes et hommes
bc, cafétéria avr à oct
1515 Discovery St
☎224-3208 ou 888-203-4303
⇄224-4852
www.hihostels.ca
Située à Jericho Park, cette auberge de jeunesse est ouverte jour et nuit; du centre-ville, prenez l'autobus n° 4. En plus d'être à côté des plages de Locarno et de Jericho, elle est idéale pour les voyageurs au budget restreint.

UBC Housing and Conference Centre
$-$$$
bc/bp, ℂ, ℝ
5961 Student Union Blvd.
☎822-1001
⇄822-1010
www.conferences.ubc.ca
En plus d'abriter un hôtel ouvert toute l'année et comptant 48 suites, le campus de la UBC propose la location d'appartements disponibles de mai à août, pas chers et bien situés. Vous y trouverez la tranquillité.

Penny Farthing Inn
$$$ pdj
bc/bp, ℑ, ℝ
2855 W. 6th Ave., Kitsilano
☎739-9002 ou 866-739-9002
⇄739-9004
www.pennyfarthinginn.com
Le Penny Farthing Inn, établi dans une maison datant de 1912, est décoré de boiseries, et les vitraux confèrent beaucoup de charme aux chambres. Un chaleureux accueil vous attend dans cet établissement situé dans le charmant quartier de Kitsilano, à une faible distance du centre-ville. Lyn Hainstock, l'hôtesse amicale, offre en location ses quatre chambres aux couleurs vives et éclatantes. Cuisinière chevronnée, elle prépare des déjeuners complets que vous pourrez déguster dans la salle à manger ou dans le jardin anglais. Trois chats y ont établi résidence. Ambiance *British* garantie.

Johnson Heritage House Bed & Breakfast
$$$ pdj
ℑ, ⊛
mai à nov
2278 W. 34th Ave., Kerrisdale
☎/⇄266-4175
www.johnsons-inn-vancouver.com
Le Johnson Heritage House est installé dans une magnifique maison des années 1920 entiè-

rement rénovée; on a même ajouté un étage. Les propriétaires, Sandy et Ron Johnson, ont réalisé les travaux; ils ont de plus fait l'acquisition de plusieurs antiquités qui garnissent désormais leur demeure.

Plaza 500 Hotel
$$$$
ℜ, ℝ, ≡
500 W. 12th Ave.
☎873-1811 ou 800-473-1811
⇄873-5103
www.plaza500.com
Le Plaza 500 Hotel propose des chambres confortables dont plusieurs ont un balcon avec vue sur la ville. À 15 min en voiture du centre-ville, juste après le Cambie Bridge. Broadway Avenue, à 2 min, offre un bel éventail de boutiques, de restaurants et de bars. L'hôtel privilégie les séjours en groupe et les séminaires.

Accommodations by Pillow Suites
$$$
ℂ, ℑ
2859 Manitoba St.
☎879-8977
⇄897-8966
www.pillow.net
Accommodations by Pillow Suites est un établissement aménagé dans une ancienne résidence de 1910, comme la décoration et l'ambiance le révèlent. Ses appartements tout équipés, avec cuisine, sont confortables et agréables. À quelques pas de plusieurs restaurants multiethniques offrant diversité et expérience. Suites de luxe disponibles. Aussi location mensuelle possible. Les appartements sont tous décorés différemment.

Restaurants

Gastown et ses environs

The Old Spaghetti Factory
$-$$
53 Water St.
☎684-1288
The Old Spaghetti Factory est un restaurant très bon marché qui propose de la cuisine de bonne qualité. La décoration de style 1900 est agréable et le service rapide.

Incendio Pizzeria
$$-$$$
103 Columbia St.
☎688-8694
(voir la description dans le West Side, p 139)

Water Street Café
$$$
300 Water St.
☎689-2832
Le pain qui sort du four accompagne assiettes de pâtes et de poisson dans ce restaurant de style contemporain dont l'ambiance est décontractée et amicale.

Wild Rice
$$$
117 W. Pender St.
☎642-2882
Situé aux abords du Chinatown (au sens propre et figuré), Wild Rice est l'un des restaurants les plus branchés et les plus excitants de Vancouver. Laissez toutes vos idées préconçues de la cuisine chinoise à la porte: ici l'éclairage est subtil, la musique rythmée, les plafonds hauts, et le bar en résine bleue luit dans la noirceur... Wild Rice est bien plus qu'un restaurant chinois, c'est un bar à martinis! La cuisine diffère aussi des mets typiques du Chinatown; par exemple, vous pouvez déguster un assortiment de tapas *(moins de 9$)* ou des plats principaux qui remplissent un peu plus l'assiette *(10-18)*. Même les mets traditionnels de la cuisine chinoise sont présentés avec imagination. Les plus impressionnants sont très originaux et délicieux, comme la salade de canard fumé sur lit de verdure et la morue «charbonnière» de Colombie-Britannique, grillée avec gingembre et servie sur un paddy de riz frit doré et de *moo qua* sauté.

Chinatown et l'est de Vancouver

Chinatown

Hon's Wun-Tun House
$
268 Keefer St.
☎688-0871
Ce restaurant est une institution à Vancouver depuis une vingtaine

d'années. Les plats, à tout petits prix, sont tous aussi bons les uns que les autres. Toutes les spécialités de la cuisine chinoise y passent. Vous pourrez en essayer quelques-unes dans une atmosphère de cantine bruyante et bondée au service rapide et efficace.

The Only Café
$
20 E. Hastings
☎***681-6546***
Un petit restaurant de rien du tout situé dans un quartier pas trop appétissant, The Only Café est en fait une institution locale proposant des *fish and chips* (parmi les meilleurs en ville). Il est conseillé de commander pour emporter.

Pink Pearl Chinese Restaurant
$$
1132 E. Hastings St.
☎***253-4316***
Cet énorme restaurant de fruits de mer est une institution à Vancouver. Le *dim sum* est servi tous les jours; la spécialité du chef est la cuisine cantonaise et sichuanaise.

L'est de Vancouver

Joe's Café
$
1150 Commercial Dr.
Cet endroit est fréquenté par une clientèle régulière d'intellectuels et de philosophes du dimanche, mais, ce qui les unit avant tout, c'est le café de Joe.

WaaZuBee Café
$
1622 Commercial Dr.
☎***253-5299***
Le WaaZuBee Café est bon et abordable. Sa cuisine évolutive vous étonnera, présentée dans un décor «écolo-techno-italo-bizarre». Les plats de pâtes y sont toujours intéressants.

Sun Sui Wah Seafood Restaurant
$$
3888 Main St., angle 23rd Ave.
☎***872-8822***
Le Sun Sui Wah Seafood Restaurant propose une authentique cuisine chinoise, avec homard, langoustes, crabe, huîtres et, bien sûr, canard laqué. Belle salle à manger claire et aérée. Un des restaurants chinois les plus cotés de Vancouver.

The Cannery Seafood Restaurant
$$$
2205 Commissioner St.
☎***254-9606***
The Cannery Seafood Restaurant est un des meilleurs spécialistes en fruits de mer de la ville et est situé dans une ancienne conserverie centenaire rénovée. La vue de la mer y est fantastique.

Le centre-ville

India Gate Restaurant
$
616 Robson St.
☎***684-4617***
Vous aurez droit à un mets au curry pour aussi peu que 5,95$ le midi. En soirée, ce restaurant est plutôt désert. Le décor n'a rien d'exotique.

Kitto Japanese House on Granville
$
833 Granville St.
☎***687-6622***
Sushi et robata, yakisoba, toutes sortes de petits plats japonais à petits prix. Service rapide.

Elbow Room
$
560 Davie St.
☎***685-3628***
Au Elbow Room, un établissement unique à Vancouver, le personnel «exploite» la clientèle! Les clients qui sont assez courageux pour y mettre le nez afin de déguster le petit déjeuner, servi toute la journée (essayez le *B.C. benny*), sont impitoyablement exploités (plutôt gentiment taquinés), surtout s'ils ne suivent pas les règlements de la maison (énumérés sur le menu). Par exemple, les clients qui dînent en solo risquent de se faire vendre aux enchères, tandis que ceux qui ne finissent pas leur repas doivent faire la charité. Parmi les nombreux prix et honneurs, le plus remarquable est celui du «meilleur service maussade et indifférent». Et, si cela ne vous fait pas sentir comme chez vous, rien ne le fera!

Gallery Café
$
8h30 à 17h30, jeu jusqu'à 21h
Vancouver Art Gallery
750 Hornby St.
☎688-2233
Les promeneurs épuisés, les employés de bureau du centre-ville et les auteurs de guides de voyage tourmentés fuient les foules de Robson Street pour se réfugier dans ce charmant café, une oasis de paix au sein de la Vancouver Art Gallery. En plus des gâteaux et autres pâtisseries (qui sont probablement les moins chers en ville), on y sert des sandwichs, des quiches, des salades et de légères entrées. Belle terrasse.

Olympia Seafood
$
820 Thurlow St.
☎685-0716
Vous avez le goût de manger un plat de *fish and chips* à l'anglaise? Faites un saut à cette friterie pour un bon choix de morue, de flétan ou de sole avec frites.

Subeez Café
$-$$
891 Homer St., angle Smithe
☎687-6107
Cet endroit énigmatique, un préféré parmi les résidants du coin, est ouvert assez tard pour le cocktail (excellente sélection de bières de Colombie-Britannique) et assez tôt pour un petit déjeuner tardif (11h ou brunch la fin de semaine). Le décor postindustriel est composé de hauts plafonds, de ventilateurs de plafond et d'œuvres d'art éclectiques. Ici on propose le petit déjeuner toute la journée, un intéressant assortiment de sandwichs et de salades, et bon nombre de plats végétariens.

Raku
$$
838 Thurlow St.
☎685-8817
Une jeune clientèle japonaise se rassemble dans ce bar bruyant avec cuisine à aire ouverte, où l'on prépare de délicieux plats japonais créatifs, supérieurs à ce que vous trouverez dans un bar à sushis standard. Ambiance de bar bruyant, mais idéale pour débuter une soirée qui s'annonce prometteuse. Les sushis et les grillades sont recommandés.

Bin 941 Tapas Parlour
$$
fermé dim
941 Davie St.
☎683-1246
Tapas et plats goûteux de cuisine Pacific Northwest sont servis dans ce populaire établissement. Un bon endroit où prendre une bouchée en fin de soirée. Longue et étroite, la salle du Bin 941 Tapas Parlour offre une atmosphère chaleureuse remplie d'énergie.

Lucy Mae Brown
$$ (lounge)
$$$-$$$$ (restaurant)
fermé lun
862 Richards St.
☎899-9199
Lucy Mae Brown était-elle propriétaire d'une simple maison de pension ou tenancière d'un bordel situé à cette adresse? Cela reste un mystère. Aujourd'hui, Lucy Mae Brown a toujours une double identité: au sous-sol se trouve un *lounge* qui attire une jeune clientèle, alors qu'à l'étage une clientèle plus âgée et bien vêtue profite de moments plus intimes au son du jazz tout en étant lovée sur des banquettes circulaires de velours bleu. Le menu, d'ailleurs très acclamé, propose des plats de pâtes simplement préparés, du filet de flétan basquaise, du poulet de grain et du filet de bœuf bio, tous appétissants, et à bon prix. Réservez quelques jours à l'avance.

Imperial Chinese Seafood
$$-$$$$
355 Burrard St.
☎688-8191
Situé dans le Marine Building, un chef-d'œuvre d'architecture Art déco (voir p 95), ce restaurant chinois comporte aussi quelques éléments Art déco, mais ce sont surtout ses grandes fenêtres ouvertes sur Burrard Inlet qui fascinent. Dans ce cadre très élégant, des garçons en

livrée et des jeunes filles discrètes s'activent au rituel du *dim sum*. Pas de chariots ici, comme on en voit souvent ailleurs; les divers plats cuits à la vapeur sont apportés sur des plateaux. On peut d'ailleurs en demander la liste, ce qui permet de choisir ses préférés parmi la trentaine proposés. La qualité de la cuisine s'avère à la hauteur de l'excellente réputation que s'est acquise ce restaurant.

Aqua Riva
$$$-$$$$
200 Granville St., en face du Waterfront Hotel
☎683-5599
Vous dégusterez ici des grillades et autres rôtis cuits au feu de bois, du poisson et des fruits de mer. Le tout dans une ambiance colorée avec une vue magnifique sur Burrard Inlet.

Joe Fortes Seafood & Chop House
$$$$
777 Thurlow St., angle Robson St.
☎669-1940
Le Joe Fortes est un restaurant connu pour ses huîtres et autres fruits de mer. Carte appétissante dans un décor bistro 1900 et terrasse chauffée (s'il fait frais) à l'étage. Bon endroit pour la drague entre yuppies.

Diva at the Met
$$$$
645 Howe St.
☎602-7788
Une bonne cuisine continentale avec de bons vins servis dans une ambiance agréable et un décor élégant font de ce restaurant un endroit très prisé du jet-set vancouverois.

West End et Stanley Park

West End

De Dutch Pannekoek House
$
1725 Robson St., angle Denman St.
☎687-7065
De Dutch Pannekoek House s'impose comme le spécialiste du petit déjeuner de crêpes. De belles grandes crêpes cuites sur commande, nature ou fourrées selon votre goût. Il y a quelques restaurants du même nom à Vancouver. Celui sur Granville est calme et agréable, et le service y est parfait. Le menu du jour à 5$ le mardi est une aubaine!

True Confections
$
jusqu'à 1h
866 Denman St.
☎682-1292
True Confections est un restaurant de desserts et sert d'énormes portions. Essayez son excellente mousse au chocolat belge. Ses gâteaux, gros et hauts, comme on en verrait dans des bandes dessinées, ne se comparent pas avec ceux de son concurrent **Death by Chocolate** *(1001 Denman St. et autres adresses).*

Hamburger Mary's Diner
$-$$
1202 Davie St.
☎687-1293
Mary's est un populaire restaurant de quartier au décor des années 1950. Il propose un énorme menu qui affiche petits déjeuners, hamburgers (à la viande de bœuf bio, si vous le désirez), sandwichs et laits fouettés. Vous y trouverez aussi des plats du jour et même quelques surprises!

Gyoza King
$$
1508 Robson St.
☎669-8278
Vous êtes amateur de cuisine japonaise, mais vous en avez assez des sushis? Prenez place dans la file avec les étudiants asiatiques, et préparez-vous à commander de la bonne nourritures japonaise réconfortante telle que les *udon* et les *ramen*, servis dans des bols de grès artisanaux, et d'autres plats à base de poisson non cru. Oh! N'oubliez pas les *gyoza*, une version japonaise des *pot stickers*, que vous trouverez chez Hon's (voir p 132), ce genre de *dumplings* remplis de viande, de fruits de mer ou encore végétariens, servis frits ou cuits au four. Et si le menu vous laisse perplexe, regardez ce que les autres mangent et bon appétit!

Miko Sushi
$$
lun-sam
1335 Robson St.
☎***681-0339***
Cuisine japonaise soignée; sushis et sashimis d'une grande fraîcheur; service impeccable dans un petit espace. Réservation conseillée.

Tapastree Restaurant
$$-$$$
1829 Robson St.
☎***606-4680***
Comme le suggère son nom, cet agréable établissement de West End se spécialise dans les tapas, conçues avec imagination pour une cuisine Pacific Northwest. Tapastree est fréquenté par les résidants du quartier, entre autres des cuisiniers qui sont en congé – un bon signe!

Liliget Feast House
$$$-$$$$
1724 Davie St.
☎***681-7044***
Le Liliget est un restaurant des Premières Nations. Il propose une authentique cuisine autochtone: saumon grillé sur feu de bois, huîtres fumées, algues grillées, caribou sauvage de l'Arctique et morue charbonnière de l'Alaska pochée. Pour une expérience culinaire unique par une soirée tranquille.

Raincity Grill
$$$$
1193 Denman St.
☎***685-7337***
Le Raincity Grill est spécialisé dans les grillades de viande et de poisson. Très bon restaurant de cuisine Pacific Northwest, il est reconnu pour son excellente carte de vins de la Colombie-Britannique qui s'offrent à la bouteille ou au verre.

Stanley Park

Teahouse Restaurant
$$$-$$$$
Ferguson Point
☎***669-3281***
Le Teahouse Restaurant offre une vue imprenable sur English Bay depuis le Stanley Park et sert des plats succulents à l'intérieur d'une charmante salle à manger aux murs jaune pâle et à grandes fenêtres. Le brunch *($$)* est servi tous les jours jusqu'à 14h30; le High Tea *(20$)* de même que la simple collation où l'on boit du thé *(12$)* sont servis du lundi au samedi, de 14h30 à 16h30, soit au même moment où est proposé un menu de déjeuners légers *($-$$; lun-ven)*. Le soir, la vaste carte de repas complets affiche des plats de fruits de mer et d'agneau, des steaks ainsi que des mets végétariens. Il est préférable de téléphoner avant de s'y rendre pour réserver, mais aussi pour demander le meilleur itinéraire. Si vous êtes cycliste, notez que vous ne pourrez pas cadenasser votre vélo à proximité. Le bâtiment qui abrite le Teahouse Restaurant était un mess d'officiers et de garnison durant la Seconde Guerre mondiale.

The Fish House in Stanley Park
$$$$
8901 Stanley Park Dr.
☎***681-7275***
The Fish House in Stanley Park, au cœur du Stanley Park et à deux pas du Seawall, est aménagé dans une maison victorienne. De très bons fruits de mer et poissons sont servis dans un décor cossu et agréable.

Burrard Inlet

West Vancouver

Beach Side Café
$$-$$$$
1362 Marine Dr.
☎***925-1945***
À West Vancouver, le Beach Side Café est un joli restaurant aux recettes originales concoctés à partir de produits locaux, de viande et de poisson. Menu de pub ou de bistro et repas gastronomiques.

The Salmon House on the Hill
$$$$
2229 Folkstone Way
☎***926-3212***
Le Salmon House on the Hill est sans doute le restaurant qui propose le meilleur saumon grillé au barbecue, tout simplement délicieux. Construit à flanc de montagne, il offre une vue extraordinaire sur Vancouver et le Pacifique.

Horseshoe Bay

The Boathouse Restaurant
$$
6695 Nelson Ave.
☎921-8188
The Boathouse, au cœur du petit port du village de Horseshoe Bay, se présente comme un grand restaurant vitré. Il se spécialise dans les produits de la mer: huîtres, flétan, saumon, etc.

False Creek

 **Il Giardino**
$$$
1382 Hornby St.
☎669-2422
Un joli décor italien, un patio coquet, des plats d'inspiration régionale et européenne accompagnent les incontournables pâtes italiennes et font de ce restaurant un endroit réputé et très fréquenté. Bien que le restaurant soit toujours plein, son ambiance reste chaude et amicale.

Monk McQueen's
$$$-$$$$
601 Stamps Landing
☎877-1351
Coquillages, viandes et poissons aux recettes raffinées séduiront ici votre palais; de plus, le service y est impeccable. Le décor intérieur et extérieur, ainsi que la vue de False Creek, s'y révèlent très agréables. Avec ses deux terrasses, Monk McQueen's est l'endroit par excellence où prendre un repas en plein air. La fin de semaine, un pianiste de jazz accompagne votre repas.

C Restaurant
$$$$
1600 Howe St.
☎681-1164
La lettre *C* se prononce «si» en anglais, ce qui évoque la mer *(sea)*. Ce restaurant de fruits de mer contemporain fait énormément parler de lui, et pour cause. Le chef est revenu d'Asie du Sud-Est avec plein de recettes évolutives, uniques et innovatrices. Si vous y allez le midi, ne manquez pas le *dim sum* façon C: des bouchées de poisson mariné dans le thé et une touche de caviar, des vol-au-vent aux chanterelles, des crevettes au curry et à la noix de coco, et la liste continue... et c'est tout simplement exquis. Les desserts sont tout aussi extraordinaires. Pour les plus courageux, la crème brûlée au fromage bleu est une expérience inoubliable. Un restaurant à essayer absolument.

Kettle of Fish
$$$-$$$$
900 Pacific Blvd.
☎682-6661
Une ambiance de jardin d'hiver, fleurie et accueillante, du poisson et des fruits de mer frais, tout cela accompagné d'une belle carte de vins, pour faire de votre repas une agréable expérience. Bon service.

Yaletown

Urban Fare
$
177 Davie St.
☎975-7550
Cet établissement débordant de yuppies est un bon endroit où faire le plein à l'heure du déjeuner ou simplement casser la croûte pendant votre visite de Yaletown. Le comptoir libre-service offre des paninis, des sandwichs roulés et autres délices. Le brunch est servi la fin de semaine et les jours de fête *(7h à 14h)*.

Yaletown Brewing Co.
$$
1111 Mainland St.
☎681-2739
Le Yaletown Brewing Co. s'impose comme le haut lieu yuppie du nouveau quartier postindustriel de Yaletown, un endroit idéal où passer une soirée. Essayez les pizzas cuites au four à bois. D'un côté de l'établissement se trouve le bar, avec un grand foyer, et de l'autre, s'ouvre le restaurant.

Brix
$$$-$$$$
1138 Homer St.
☎915-9463
Ce charmant restaurant présente un rafraîchissant et apaisant décor de brique, de bois et de carreaux de céramique, sans parler de ses murs crème enjolivés de portraits modernes colorés et de sa terrasse arrière très sympathique. En plus des déjeuners (ne

manquez pas les excellents «duos du jour» du chef, particulièrement lorsque le thon ahi et le saumon *Indian candy* sont au menu) et des dîners (thon ahi doré au curry de mangue; caribou de Colombie-Britannique aux cèpes) tout à fait originaux, les tapas sont servies toute la journée. La carte des vins est bien garnie, comprenant les cuvées de la province, dont plusieurs se vendent au verre. Il est recommandé de réserver pour le dîner *(ven-dim)*. Un choix des plus délicieux!

Blue Water Café and Raw Bar
$$$$
1095 Hamilton St.
☎688-8078
Cet établissement apprécié pour ses fruits de mer frais est l'endroit où se retrouve une clientèle bien vêtue de Yaletown qui fait couler le Pellegrino à flots. En plus des comptoirs à huîtres et à sushis, vous y trouverez des entrées telles que morue charbonnière fumée (de la Colombie-Britannique), sole de Douvres, marlin rayé et thon germon, sans oublier les steaks de l'Alberta. La salle à manger est décorée avec goût (carreaux de céramique, briques, tuyaux à découvert, tables de bois, banquettes de cuir), tandis que le service est courtois et professionnel. Pour la fin de semaine, il est recommandé de réserver. Pendant que vous y êtes, jetez un coup d'œil sur l'impressionnante cave à vins.

Granville Island

Bridges
$$-$$$$
1696 Duranleau St.
☎687-4400
Le Bridges offre sans doute l'une des plus belles terrasses de Vancouver, en plein milieu du port de plaisance de Granville Island. La cuisine et l'atmosphère sont décidément Pacific Northwest ici.

Dockside Brewing Company
$$$
Granville Island Hotel
1253 Johnston St.
☎685-7070
Il serait facile de croire qu'un restaurant qui brasse sa propre bière aurait tendance à négliger le côté «bouffe»... mais pas ici! Le Dockside Brewing Company sert des soupes et des salades étonnamment délicieuses (le potage au saumon fumé est excellent, tout comme la salade Dockside) qui constituent de bons déjeuners, ainsi que, entre autres, du poulet rôti et des plats de poisson. La terrasse, donnant sur False Creek, est chauffée par des lampes (s'il fait frais).

Pacific Institute of Culinary Arts
$$$-$$$$
1505 W. Second Ave.
☎734-4488
Ce restaurant avec patio offre, chaque jour, un nouveau menu de fine cuisine préparé par les étudiants de l'Institut. Les plats y sont délicieux et le service parfait. Un déjeuner à trois services est offert du lundi au vendredi pour 20$ (repas à prix fixe). Le dîner est servi sept soirs sur sept (lun-ven, 30$, sam-dim, 34$).

West Side

De Dutch Pannekoek House
$
2622 Granville St., angle 10th Ave.
☎731-0775
3192 Oak St.
☎732-1915
(voir la description p 135)

True Confections
$
3701 W. Broadway, angle Alma
☎222-8489
(voir la description dans le West End, p 135)

Sophie's Cosmic Café
$
2095 W. Fourth Ave.
☎732-6810
Le tout Kitsilano s'y donne rendez-vous la fin de semaine pour se gaver d'œufs et de bacon. Décor des années 1950 et ambiance décontractée.

The Naam
$-$$
24 heures sur 24
2724 W. Fourth Ave.
☎738-7151
The Naam allie concerts et repas végétariens. Ponctué de venti-

lateurs de plafond, ce petit restaurant paisible est très chaleureux, tant par son ambiance que par son service. Une clientèle de jeunes gens fréquente l'endroit.

Salade de Fruits
$$
fermé dim soir et lun
1551 W. Seventh Ave.
☎***714-5987***

Situé dans le Centre culturel francophone de Vancouver, le restaurant Salade de Fruits n'est pas le plus facile à repérer (il n'y a pas d'enseigne), mais vous serez ravi de vous y retrouver! L'un des meilleurs secrets de Vancouver, l'établissement est tenu par deux Français bien aimables, Antoine et Pascal, qui sont manifestement fiers de proposer une cuisine terre-à-terre de type bistro à prix plus que raisonnable. À l'heure du déjeuner, l'endroit est rempli de gens du coin qui viennent y déguster des moules-frites, l'excellente spécialité de la maison, ou encore une quiche, une poutine, etc. Pour dîner, on propose une table d'hôte hebdomadaire qui peut comprendre à peu près n'importe quoi, du confit de canard à la raclette savoyarde. Tous les desserts (confectionnés par Pascal lui-même) ne coûtent que 3,99$, tandis qu'un verre de vin n'est que 3,75$. Il est recommandé de réserver pour l'heure du dîner.

Habibi's
$$
fermé dim
1128 W. Broadway
☎***732-7487***

Si vous croyez que la cuisine libanaise se limite à la viande rôtie à la broche, venez faire un tour ici! Ce sympathique et confortable restaurant propose de délectables spécialités végétariennes libanaises qui feront honte aux petits restaurants du même genre auxquels vous êtes habitué. Commandez le menu du dîner *(13$)*, composé de trois délicieux plats de votre choix, dont le savoureux *baba ganoush*, au goût fumé, le *loubieh*, un plat de haricots verts sautés à l'ail et aux tomates, et le *fathe*, des pois chiches au yogourt à l'ail avec pignons. Terminez votre repas avec du thé arabe servi dans un *rakwy* de cuivre, rapporté du Liban par Richard, le chef-propriétaire. Un vrai délice!

Tomato Fresh Food Café
$$-$$$
3305 Cambie St.
☎***874-6020***

Le Tomato Fresh Food Café est un agréable petit restaurant audacieusement décoré de jaune et de rouge. Puisqu'on y sert les trois repas de la journée, vous pouvez commencer par l'omelette du Pacifique (avec saumon de la Colombie-Britannique et fromage à la crème), revenir pour un sandwich ou une soupe maison, et finir en beauté avec une bouillabaisse du Pacifique, un mets particulièrement acclamé. La carte des vins est abordable.

Incendio West
$$-$$$
2118 Burrard St.
☎***736-2220***

La deuxième succursale de la pizzeria populaire du même nom (voir Gastown, p 132) propose 25 variétés de pizzas, de l'Athénienne à la Volcana, tout droit sorties d'un four à bois en brique, en plus d'un choix de plats de pâtes ainsi que de bonnes salades et amuse-gueule (le calmar doré à la poêle est délicieux). Les ventilateurs de plafond, le plancher carrelé et l'éclairage subtil créent une atmosphère à la fois intime et décontractée, mais l'établissement peut toutefois devenir un peu bruyant.

Banana Leaf Malaysian Restaurant
$$-$$$
820 W. Broadway Ave.
☎***731-6333***

S'il n'existe pas de restaurant malais près de chez vous, faites un saut au Banana Leaf, question d'essayer quelque chose de nouveau! La cuisine malaise, aux influences chinoise et indienne, est parfois épicée, mais ici vous en trouverez une version plus douce. Un excellent choix est le plat de délicieuses crevettes tigrées au *sambal*, frites au chili, à l'ail et à la sauce aux crevettes sèches, et servies avec des haricots verts et de l'aubergine chinoise. Le crabe de Singapour frit au chili est aussi extrêmement populaire. Le servi est amical, les prix raisonnables et l'ambiance agréable et décontractée.

The Smoking Dog
$$$
1889 W. First Ave.
☎ ***732-8811***
Ambiance chaleureuse animée par le propriétaire, joli décor et petits prix pour une table d'hôte bien étudiée. Les steaks sont impeccables, les salades copieuses et le plat du jour toujours original. Quant aux frites qui accompagnent le tout, elles sont moelleuses et dorées comme il se doit. Jean-Claude, le patron, est un sympathique Marseillais.

Seasons in the Park
$$$$
Queen Elizabeth Park
Cambie St., angle 33rd Ave.
☎ ***874-8008***
Le Seasons in the Park, un restaurant agréable au décor classique et élégant, offre une vue imprenable sur la ville. Cuisine Pacific Northwest succulente. Réservations nécessaires. L'établissement ouvre aussi ses portes pour le déjeuner et les brunchs de fin de semaine.

Lumière
$$$$
$$-$$$ (Tasting bar)
mar-dim
2551 W. Broadway
☎ ***739-8185***
Le Lumière est probablement le plus brillant des nouveaux restaurants de Vancouver. Le chef Rob Feenie et son charmant restaurant ont reçu des louanges de partout, plus récemment du *Vancouver Magazine*, qui a élu Lumière «restaurant de l'année» en 2001. Le décor minimaliste est d'inspiration asiatique, et les ingrédients frais régionaux permettent de créer une cuisine créative et honnête, d'inspiration fusion. Ici, on peut essayer quatre mini-menus (végétarien, fruits de mer, du chef et Signature), qui consistent en de petites portions de 8 à 13 couverts *(80-120)*. Mais ne soyez pas affolé par ces prix: M. Feenie a récemment ouvert un *tasting bar* beaucoup plus abordable, à côté de la salle à manger, lequel renferme un lumineux bar vert lime de style futuriste. Ceux qui ont un appétit (ou un budget) limité peuvent ainsi goûter jusqu'à 12 mini-portions (confit d'épaule d'agneau, morue charbonnière marinée et dorée, etc.) pour 12$. La carte des vins est très étendue et le service remarquablement chaleureux et professionnel.

Vij's
$$$$
1480 W. 11th Ave.
☎ ***736-6664***
Ici, en jetant un coup d'œil sur l'enseigne lumineuse minimaliste au néon bleue, vous saurez immédiatement que ce restaurant indien est loin d'être ordinaire. Dans la sobre salle à manger, vous remarquerez une décoration hors du commun: une porte de teck himalayen de près de 300 kg provenant d'un temple indien est le point de mire d'une pièce sombre ponctuée de lanternes indiennes qui projettent un éclairage coloré sur les murs. Vij n'accepte pas les réservations; donc, tous ses clients, même les célébrités du coin, sont invités à se rendre au bar le temps qu'une table se libère (l'attente se fait en tout confort, sans compter le *chai* et les délicieux hors-d'œuvre offerts par la maison). Le menu est un mélange d'Est et d'Ouest: par exemple, les bâtonnets d'agneau marinés au vin, avec curry à la crème de fenugrec, épinards et pommes de terre au curcuma, ou la morue charbonnière braisée au thé, avec gingembre et curry aux pois chiches. Un verre de bière IPA, brassée à la Storm Brewery, accompagne le tout merveilleusement. Service ultra-professionnel.

Sorties

Bars et discothèques

N. B. La majorité des bars sont non-fumeurs.

Irish Heather
217 Carrall St.
☎*688-9779*
Dans ce sympathique pub, on peut s'installer confortablement à l'étage, décoré de briques, et dans plein d'autres petits coins douillets intimes, entre autres une verrière donnant sur Gaoler's Mews, l'emplacement de la première prison de la ville. On peut y savourer une bonne Guinness, mais malheureusement l'endroit propose peu de bières de la Colombie-Britannique. Le menu de pub irlandais est assez recherché.

Purple Onion Cabaret
5$ en semaine
8$ la fin de semaine
15 Water St., 2e étage
☎*602-9442*
Le populaire Purple Onion comporte deux salles où ont lieu des concerts sur scène et des soirées dansantes avec DJ. Les mercredis sont consacrés aux concerts et aux prouesses d'un DJ funk; les vendredis et samedis, les DJ font tourner sur les platines du rhythm-and-blues et du hip-hop côté *club* et de l'électronica, de la house et du hip-hop côté *lounge*.

Sonar
66 Water St.
☎*683-6695*
Ce très grand lieu de rendez-vous de Gastown présente aussi bien des soirées dansantes, alternatives et underground, animées par un DJ, que des concerts sur scène.

Steamworks Brewing Co.
375 Water St.
☎*689-2739*
Buvez ici une bonne bière maison accompagnée de petits plats Pacific Northwest.

Athletic Billiards Café
1011 Hamilton St.
☎*669-3533*
Situé à la limite de Yaletown et du centre-ville, cet établissement attire une jeune clientèle hip avec ses bonnes tables de billard.

Bacchus Lounge
Wedgewood Hotel
845 Hornby St.
☎*608-5319*
Ce somptueux *lounge* et piano-bar, aux boiseries de merisier et aux riches tissus bourgogne, attire à la fois le «beau monde» et les simples mortels qui recherchent un petit coin romantique. D'excellents cocktails et une cuisine de bar y sont servis pendant qu'un pianiste divertit la foule.

Cardero's
1583 Coal Harbour Quay
☎*669-7666*
À la fin d'une journée où rien ne remplace une bonne bière et un joli panorama, rendez-vous à la terrasse du Cardero's, sur le quai de Coal Harbour de Burrard Inlet (au pied de Nicola Street, près du Westin Bayshore). Dans ce restaurant-bar à thème nautique, situé en face du port, les casquettes et les casques de construction se mêlent aux complets et aux tailleurs au sein d'un décor de boiseries et de cuir brun. Si votre cocktail vous a ouvert l'appétit, jetez un coup d'œil sur la cuisine à aire ouverte et profitez de l'atmosphère décontractée du Cardero's.

DV8
515 Davie St.
☎*682-4388*
Cet endroit branché et sombre est populaire auprès d'une clientèle plutôt jeune, aux goûts alternatifs. DV8 organise souvent des lancements de CD et possède un coin galerie où les expositions se succèdent. La nourriture est satisfaisante et peut être commandée (malgré le service un peu lent) jusque tard dans la soirée, ce qui en fait un bon endroit où aller après la fermeture des bars.

Georgia Street Bar & Grill
801 W. Georgia St.
☎*602-0994*
Ce bar est très apprécié des habitués du centre-

ville qui viennent décompresser après leur journée de travail. Sa clientèle en complets ou en tailleurs passe la soirée à déguster bières et grillades au son de l'orchestre de R&B.

Gerrard Lounge
Sutton Place Hotel
845 Burrard St.
☎*682-5511*
Ce bar douillet a une atmosphère de «club pour gentlemen», avec fauteuils de cuir qui invitent à la détente, boiseries foncées et service professionnel. Un bon endroit où apercevoir les gens célèbres et ceux qui aimeraient bien l'être.

Ginger Sixty Two
1219 Granville St.
☎*688-5494*
Ce sensationnel *lounge* ciblant une clientèle dans la trentaine est nommé en l'honneur de Ginger, la starlette un peu évaporée, naufragée sur *Gilligan's Island (Les Joyeux Naufragés)*, et incarnée par Tina Louise. De gigantesques portraits de Ginger ornent d'ailleurs un des murs de ce séduisant endroit, à la fois branché et élégant, qui offre amplement de sièges confortables. On y propose un bon menu asiatique. Le mercredi, la musique est house; le jeudi, les classiques des années 1960, surtout le R&B, font un retour; et l'électronica prend la vedette le vendredi et le samedi. La clientèle s'habille de manière élégante mais décontractée.

Lucy Mae Brown
862 Richards St.
☎*899-9199*
Ce restaurant très acclamé, situé à une faible distance de Robson Street, abrite au sous-sol un *lounge* décoré d'un ameublement rétro du genre de ceux qu'on retrouvait dans tous les sous-sols canadiens à la fin des années 1970. Ici, une jeune clientèle bien vêtue se dandine en écoutant les dernières nouveautés musicales, un martini à la main. On y sert aussi de délicieux hors-d'œuvre et des plats principaux, le tout à prix raisonnable.

Luv-a-Fair
1275 Seymour St.
☎*685-3288*
C'est le temple de la techno et de la musique alternative à Vancouver. Y danse jusqu'à la fin de la nuit une foule très jeune.

O'Doul's Restaurant and Bar
Listel Vancouver Hotel
1300 Robson St.
☎*661-1400*
O'Doul's est un endroit populaire pour ses spectacles de jazz, présentés la plupart des soirs pendant l'été.

Railway Club
3-8
579 Dunsmuir St.
☎*681-1625*
Un programme musical éclectique, allant du folk et du blues au pop, en passant par le punk et le rockabilly, est présenté dans un espace tout en longueur qui fait penser à un wagon. Un train électrique miniature se promène d'ailleurs au-dessus de la clientèle occupée à apprécier les musiciens qui s'exécutent. Lieu de rencontre populaire pour ceux qui décompressent devant un verre après une bonne journée de travail.

Richard's on Richards
10$
1036 Richards St.
☎*687-6794*
Richard's on Richard est une institution à Vancouver. Sa clientèle, des jeunes dans la vingtaine, s'y retrouve pour voir et être vue. Pas de code vestimentaire ici. Soirées à thème, comme les concours de Wet T-Shirts. Musique hip-hop et derniers succès du palmarès.

Roxy
4-8
932 Granville St.
☎*331-7999*
Le Roxy est une boîte rock à l'ambiance endiablée où la bière coule à flots. La drague est l'une des activités favorites de la clientèle.

Yale Hotel
1300 Granville St.
☎*681-9253*
Sans contredit le temple du rythm-and-blues à Vancouver. De grands noms s'y produisent régulièrement. Très bonne ambiance les fins de semaine. Le montant du droit d'entrée dépend de la réputation du groupe qui y joue.

Yaletown Brewing Co.
1111 Mainland St.
☎*681-2739*
Haut lieu yuppie du nouveau quartier post-industriel Yaletown, cet endroit est idéal pour passer une soirée autour d'une bonne bière.

Bars gays et lesbiens

Fountainhead Pub
1025 Davie St.
☎*687-2222*
La clientèle lesbienne et hétérosexuelle du Fountainhead Pub, un établissement décontracté avec ses enseignes lumineuses au néon, jouit d'une vue de Davie Street. Le menu de pub est peu cher.

Oasis Pub
1240 Thurlow St.
☎*685-1724*
Ce sympathique et confortable bar est discrètement situé au-dessus du niveau de la rue, à une faible distance de Davie Street. Quoiqu'il propose un menu de pub, l'attrait principal en est la longue liste de martinis aux noms évocateurs. Faites une petite folie et partagez un martini de format «Oasis» (servi dans un verre aussi gros qu'un bocal à poissons rouges) avec votre compagnon! Un pianiste divertit la foule du mercredi au samedi. Terrasse sur le toit.

Odyssey
3-5
1251 Howe St.
☎*689-5256*
L'Odyssey est un bar gay où se rencontre une clientèle jeune dans une ambiance de «joie de vivre».

Numbers Cabaret
ven-sam 3$
1042 Davie St.
☎*685-4077*
Ce vaste cabaret est surtout fréquenté par les hommes gays de tout âge.

Pumpjack Pub
1167 Davie St.
☎*685-3417*
Le décor de cet établissement se veut plutôt dénudé (les sous-vêtements qui pendent du plafond sont un ajout intéressant), le cuir se révèle un bon choix pour le mobilier, et la table de billard en est le point de mire. N'oubliez pas de jeter un coup d'œil sur le calendrier maison… plutôt osé!

Royal Hotel
1025 Granville St.
☎*685-5335*
Le soir, une foule gay se presse au Royal Hotel, qui arbore un décor «moderne».

Activités culturelles

Théâtres et salles de spectacle

Arts Club Theatre
1585 Johnston St., Granville Island
☎*687-1644*
L'Arts Club Theatre, une solide institution théâtrale de Vancouver, est situé au bord de l'eau sur Granville Island. On y présente entre autres des spectacles contemporains sur des thèmes de société. Les spectateurs se retrouvent au bar du théâtre après les représentations. (Voir Stanley Theatre ci-dessous.)

Stanley Theatre
Établissement-frère de l'Arts Club Theatre de Granville Island (voir ci-dessus), le Stanley Theatre présente des pièces classiques et populaires. Puisque l'endroit était un cinéma lorsqu'il fut fondé en 1930, on y trouve un décor rococo typique de l'époque.

Centre culturel francophone de Vancouver
1551 W. Seventh Ave.
☎*736-9806*
www.ccfv.bc.ca
Le Centre culturel francophone de Vancouver offre une panoplie d'événements artistiques et d'expositions représentant la culture francophone du monde entier. Il organise aussi un festival annuel de

musique et de danse *(mi-juin)*. De plus, on peut y profiter d'une bibliothèque, d'un bon bistro (voir p 139) et de cours de français.

Centre in Vancouver for the Performing Arts
777 Homer St.
☎602-0616
Après une longue période d'inactivité, le Ford Centre for the Performing Arts a rouvert ses portes, avec un nouveau propriétaire et un nouveau nom. Le nouveau Centre in Vancouver for the Performing Arts est une grande salle de spectacle à gros budget. C'est dans ce théâtre que sont présentées les grandes productions internationales telles que *Show Boat*, *Les Misérables* et *Le Fantôme de l'Opéra*.

Malkin Bowl
Stanley Park
☎687-0174
Ici, la troupe de théâtre amateur dénommée **Theatre Under the Stars** *(environ 20$; juil et août)* présente des comédies musicales de Broadway, sous les étoiles, au Stanley Park, et ce, depuis plus de 50 ans.

Vancouver East Cultural Centre
1895 Venables St.
☎254-9578
«The Cultch», surnom du Vancouver East Cultural Centre, est un centre d'art qui s'est acquis au cours des années une solide réputation quant à la qualité des spectacles qu'il présente. Théâtre, danse, chant et musique, tout se joue dans cette salle de spectacle obscure à l'atmosphère intimiste. Faites-en l'expérience.

Fêtes et festivals

Du printemps à l'automne, Vancouver est l'hôte d'une grande variété de festivals. Ci-dessous, vous ne retrouverez qu'une partie de ce qui est au programme. Pour de plus amples renseignements, visitez le site Internet ***www.tourismvancouver.com*** ou contactez **Tourism Vancouver** (voir p 80).

Janvier

Le **Polar Bear Swim** est le rendez-vous annuel, le premier janvier au matin, de centaines d'illuminés qui se jettent dans les eaux glaciales d'English Bay.

Nouvel An chinois *(☎658-8865)*. L'expression chinoise *Gung Hai Fat Choy* signifie «Bonne Année». La date du Nouvel An chinois est déterminée par le calendrier lunaire.

Février

Le **Spring Home Show** est le Salon de l'habitation le plus important de l'Ouest canadien. Ce salon se tient sous le chapiteau autoportant du stade de BC Place.

Avril

Le **Vancouver Playhouse International Wine Festival** *(☎873-3311)* est un important festival du vin.

Vancouver Sun Run *(☎689-9441)*. La troisième fin de semaine d'avril, au moins 10 000 personnes se retrouvent pour une célébration du sport et du printemps.

Mai

Cloverdale Rodeo and Exhibition *(☎576-9461, www.cloverdalerodeo.com)*. Si vous vous trouvez à Vancouver et que vous n'ayez jamais assisté à un rodéo, voici sans doute l'occasion.

Le **Vancouver International Children's Festival** *(☎708-5655, www.youngarts.ca/vicf)* est l'un des plus importants événements dédiés aux enfants en Colombie-Britannique.

Marathon international de Vancouver *(872-2928)*. Départ sur la Plaza of Nations, puis traversée du Stanley Park en direction de North Vancouver, enfin retour à Vancouver.

Juin

Tenu chaque année durant le mois de mai, le **Spike & Mike's Animation Festival** *(Ridge Theatre, 3131 Arbutus St., ☎738-6311)* présente les meilleurs courts films d'animation *sick and twisted* de la planète.

Festival international du Dragon Boat *(False Creek, Concord Pacific Pl. et Plaza of Nations, ☎688-2382).* De longues pirogues inspirées de la tradition chinoise en provenance du monde entier s'affrontent lors de courses amicales sur les eaux tranquilles de False Creek.

Festival international de jazz de Vancouver *(☎888-GET-JAZZ).* Les fans pourront se rassasier au cours de cet important festival.

Bard on the Beach *(mi-juin à mi-sept; 301-601 Cambie St., ☎737-0625 ou 739-0559, www.bardonthebeach.org)* est un événement annuel à la gloire de Shakespeare.

Juillet

La **HSBC Celebration of Light** *(fin juil et début août; English Bay, ☎738-4304)* est un festival international de feux d'artifice.

Vancouver Chamber Music Festival *(☎736-6034).* Au cours de la dernière semaine de juillet et de la première semaine d'août, des concerts mettent en vedette de jeunes musiciens talentueux.

Vancouver Early Music Festival *(☎732-1610).* L'école de musique de l'University of British Columbia (UBC) est l'hôte d'une série de concerts de musique baroque et médiévale, avec instruments d'époque.

Le **Vancouver Folk Music Festival** *(Jericho Beach Park, ☎602-9798, www.thefestival.bc.ca)* est devenu une tradition à Vancouver.

Vancouver International Comedy Festival *(☎683-0883, www.comedyfest.com).* Sur Granville Island, des comiques d'à travers le monde se rassemblent pour plusieurs jours d'éclats de rire.

Molson Indy Vancouver *(Concord Pacific Pl., ☎684-4639, tickets ☎280-INDY, www.molsonindy.com).* Au cœur du centre-ville, le long d'un parcours urbain, des bolides de formule Indy s'affrontent devant des centaines de milliers de spectateurs enthousiastes.

Août

Abbotsford International Airshow *(Abbotsford, ☎852-8511, www.abbotsfordairshow.com).* Ce festival de l'aviation, qui a lieu à Abbotsford, à une centaine de kilomètres à l'est de Vancouver, vous en mettra plein les yeux.

Au **Greater Vancouver Open** *(Northview Golf and Country Club, Surrey, ☎575-0324)*, les plus grands noms du golf sont en compétition sur un très beau terrain.

Septembre

Le **Vancouver Fringe Festival** *(☎257-0350, www.vancouverfringe.com)* présente durant 10 jours du théâtre et des créations originales de dramaturges et d'artistes contemporains.

Terry Fox Run *(du Ceperley Park au Stanley Park, ☎888-836-9786).* Cette course (à pied, à vélo, en patins à roues alignées) de 1 à 10 km est en fait une levée de fonds pour la recherche contre le cancer en souvenir du jeune athlète Terry Fox, initiateur de l'événement.

Vancouver International Film Festival *(☎685-0260, www.viff.org).* Vancouver, la «Hollywood du Nord», devient l'hôte d'un important festival qui permet aux cinéphiles de visionner jusqu'à 250 films en provenance des quatre coins du monde.

Octobre

Vancouver Writers (and Readers) Festival *(☎681-6330).* Pendant cinq jours, au cours de la troisième semaine d'octobre, au moins 90 auteurs du Canada et d'ailleurs rencontrent le public. Conférences et lectures.

Novembre

Vancouver Storytelling Festival *(☎776-2272, www.vancouverstorytel-*

ling.org). Pendant trois jours, au mois de novembre, des conteurs d'histoires se retrouvent dans le quartier de West End, devant un auditoire conquis.

Au **Vancouver Waterfront Antique Show** *(Vancouver Trade & Convention Centre, ☎1-800-667-0619)*, on présente des meubles et des objets d'art des XVIIIe et XIXe siècles, ainsi que du début du XXe siècle.

Décembre

La **Christmas CarolShip Parade** *(English Bay Harbour, Burrard Inlet, ☎878-9988)*, un défilé original et joyeux de bateaux illuminés, accentue l'ambiance de Noël.

Le **VanDusen Botanical Garden's Festival of Lights** *(☎878-9274, www.vandusengarden.org)* est un autre festival pour la famille.

Achats

Au fil de vos promenades à travers la ville, vous croiserez une foule de boutiques. Pour vous aider dans votre magasinage, voici une description de quelques-unes d'entre elles, parmi les plus attrayantes.

Grands magasins, marchés et centres commerciaux

Le centre-ville

Pacific Centre
angle Howe St. et W. Georgia St.
☎688-7236
Le Pacific Centre est le plus grand centre commercial de la ville. Environ 300 boutiques, toutes de qualité, offrent un éventail complet, des bijoux à l'habillement, en passant par les articles haut de gamme comme ceux des boutiques Hermès et Louis Vuitton, dans le magasin Holt Renfrew. Un Ticketmaster et les magasins The Bay et Eaton's, ainsi que Le Château, qui s'adresse particulièrement aux jeunes de moins de 20 ans, en font partie. Stationnement payant.

The Bay
angle Granville St. et W. Georgia St.
☎681-6211
En plein centre-ville, ce grand magasin propose sur six niveaux un grand choix de vêtements et d'accessoires de grands créateurs, et renferme un immense rayon de parfumerie Chanel, Lancôme, Saint-Laurent, Clinique. Restaurants et bars sont répartis sur les étages, et un service de traiteur, avec tables de café, se trouve au sous-sol. De nombreux articles en promotion le samedi et le dimanche.

Waterfront Centre
900 Canada Place Way
☎646-8020
Boutiques de cadeaux, de fleurs et de cigares; comptoir d'information touristique; compagnie d'assurances; coiffeur; cordonnier; café Starbucks; plus une dizaine de petits comptoirs de restauration rapide de différentes nationalités.

Chinatown et l'est de Vancouver

Si vous désirez vous procurer votre propre sari, ou simplement de beaux tissus indiens colorés, rendez-vous au **Punjabi Market** *(Main St. entre 48th Ave. et 51st Ave.)*, la «Petite Inde» de Vancouver. Vous y trouverez aussi une multitude de bijoutiers et de magasins d'alimentation.

Burrard Inlet

Lonsdale Quay Market
123 Carrie Cates Court
au quai du SeaBus
North Vancouver
☎985-2191
Un beau marché, de belles boutiques, une multitude de comptoirs de restauration rapide, le tout animé par des artistes se produisant sur la terrasse au bord de l'eau.

False Creek

Granville Island Market
tlj 9h à 18h
Granville Island
Le marché le plus réputé et le plus fréquenté

de Vancouver. Une immense surface commerciale entourée d'eau, et à l'ambiance foraine. Bonne bouffe préparée ou non, légumes frais de qualité ou de culture biologique, poissons, viandes fraîches, bons pains. Comptoirs de restauration rapide. Belles boutiques de bijoux, de vêtements et d'équipement de sports nautiques et de plein air. Comptez y passer une bonne journée pour flâner, regarder, déguster. Le stationnement est difficile dans la rue; à proximité, il y a deux stationnements couverts et payants. Encore mieux, prenez le bateau au départ du centre-ville (voir p 110)

Shaughnessy et le sud de Vancouver

Oakridge Centre
angle Cambie St. et 41st Ave.
☎261-2511
Boutiques de vêtements dont certaines représentent des couturiers anglais ou français comme Rodier de Paris; lunetterie; restaurants; The Bay; Zellers, en tous, 150 commerces. Stationnement gratuit.

Bijoux

Silver Gallery
1226 Robson St.
☎681-6884
La Silver Gallery est le magasin le moins cher pour les bijoux et les objets d'artisanat indien de bonne qualité. Bracelets, colliers et bagues en argent massif avec application d'or à prix compétitifs. Elle propose aussi des produits artisanaux et des masques indonésiens à prix abordables. Service attentioné.

Galeries d'art

Gallery Row

La section de Granville Street au sud du Granville Bridge jusqu'aux environs de 16th Avenue est connue sous le nom de **Gallery Row** (la rue des galeries). Quelque 20 galeries sont situées directement sur Granville Street ou dans les alentours. Plusieurs d'entre elles sont spécialisées en œuvres d'artistes des Premières Nations qui proviennent du Pacific Northwest. Puisqu'on y trouve une superbe sélection d'œuvres de grande qualité, se rendre dans ces galeries constitue fort probablement la meilleure chance de trouver la pièce qui irait parfaitement dans son salon...

Douglas Reynolds
2335 Granville St.
☎731-9292
Cette galerie d'art possède de magnifiques pièces amérindiennes. Si les totems sont trop lourds pour que vous les emportiez, offrez-vous l'un des totems miniatures en bouteille. Excellent choix de lithographies d'artistes autochtones.

Granville Island

Bon nombre de galeries d'art sont concentrées sur Granville Island. À la **Crafts Association of British Columbia** *(1386 Cartwright St., ☎687-7270)*, vous pourrez dénicher de la très belle marchandise, comme des bijoux en argent et des œuvres de verre et de bois. Tout près, la **Federation of Canadian Artists** *(1241 Cartwright St., ☎681-8534)* propose une panoplie de tableaux. La **Gallery of BC Ceramics** *(1359 Cartwright St., ☎669-5645)*, pour sa part, se spécialise en céramiques originales, et, juste à côté, **Joel Berman Glassworks Ltd.** *(1244 Cartwright St., ☎684-8332)* exhibe des pièces de verre colorées et dispendieuses.

The Raven and The Bear
1528 Duranleau St.
☎669-3990
Vous trouverez ici de belles pièces autochtones de qualité et abordables. Lithographies, sculptures et ouvrages en pierre.

The Walrus & the Carpenter
1518 Duranleau St.
☎687-0920
Superbes reproductions d'animaux indigènes du Canada (ours, castors, canards).

Leona Lattimer
1590 W. Second Ave., à l'ouest de Granville Island
☎*732-4556*
Galerie très intéressante pour voir des œuvres d'art autochtone (plutôt chères). Orfèvrerie de qualité et estampes.

Autres boutiques d'art autochtone

Coastal Peoples Fine Arts Gallery
1024 Mainland St.
☎*685-9298*
Cette boutique de Yaletown offre une belle sélection de bijoux en or et en argent, de masques et de totems fabriqués par les Premières Nations du Pacific Northwest. Service personnalisé.

Country Beads
2015 W. Fourth Ave.
☎*730-8056*
Country Beads renferme des milliers de perles et de livres. Ateliers de fabrication de colliers et de bracelets perlés amérindiens ou classiques pour tous et toutes.

Inuit Gallery of Vancouver
206 Cambie St., angle Water St.
☎*688-7323*
L'Inuit Gallery of Vancouver présente de magnifiques œuvres d'art en provenance du Grand Nord canadien et de l'archipel de la Reine-Charlotte (Haida Gwaii).

Khot-La-Cha
270 Whonoak St., North Vancouver
☎*987-3339*
Belles sculptures d'artistes amérindiens incluant ceux de la nation Salish Coast. À une rue de Marine Drive et de McGuire Street.

Marion Scott Gallery
481 Howe St.
☎*685-1934*
La Marion Scott Gallery vend de l'art autochtone, entre autres de superbes sculptures.

Spirit Wrestler Gallery
8 Water St.
☎*669-8813*
Jolies sculptures et peintures d'artistes du Pacific Northwest et d'Inuits.

Pour des objets amérindiens en or ou en argent, voir «Bijoux», plus haut.

Librairies

Barbara Jo's Books to Cook
1128 Mainland St.
☎*688-6755*
Les fanatiques de cuisine raffinée qui aiment se mettre la main à la pâte doivent jeter un coup d'œil sur les livres de recettes de cette librairie de Yaletown.

Duthie Books
2239 W. Fourth Ave.
☎*732-5344*
Duthie Books est une des librairies indépendantes préférées des Vancouverois.

Granville Book Co.
9h30 à 24h, ven-sam jusqu'à 1h du matin
850 Granville St.
☎*687-2213*
En plein centre-ville, sur Theatre Row, Granville Book Co. contient aussi bien des ouvrages d'informatique que des publications de science-fiction et des magazines.

Hagar Books
2176 W. 41st Ave.
☎*263-9412*
Cette librairie est ouverte depuis presque 30 ans.

Librairie Sophia Books
492 W. Hastings St., angle Richards
☎*684-0484*
Sophia Books se spécialise en ouvrages multilingues.

Little Sisters Book and Art Emporium
tlj 10h à 23h
1238 Davie St.
☎*669-1753 ou 800-567-1662*
Unique librairie de l'Ouest canadien qui dispose de titres de littérature gay ainsi que d'essais sur l'homosexualité, sur le féminisme, etc. C'est aussi un vaste bazar, et plusieurs produits sont carrément hilarants, comme les cartes de vœux qui permettent de découvrir un peu mieux l'humour anglo-saxon.

Plein air

Comor Go Play Outside
1918 Fir St.
☎ *731-2163*
Tout pour le plein air, surtout en ce qui a trait au cyclisme et à la planche à roulettes. Équipements, vêtements, casques, chaussures et beaucoup d'autres articles.

Mountain Equipment Co-op
130 W. Broadway St.
☎ *872-7858*
Cette grande surface commerciale dispose de tous les articles de plein air nécessaires pour agrémenter vos sorties à l'extérieur. Vous devez être membre pour faire des achats; il en coûte 5$ pour obtenir sa carte.

Ruddik's Fly Fishing
1077 Marine Dr., N. Vancouver
☎ *985-5650*
Ruddik's Fly Fishing est un beau magasin pour les mordus de la pêche à la mouche et fait envie aux profanes. On y trouve des milliers de mouches pour toutes sortes de poissons. Tout en vaquant à ses affaires, le patron vous conseillera. On y trouve aussi des cannes superlégères, des moulinets dernier cri, des vêtements-souvenirs ainsi que des sculptures et gadgets relatifs à la pêche.

Souvenirs

Great Canadian Garment & Gift Company
213 Carrall St.
☎ *684-2270*
Situé dans le quartier de Gastown, ce commerce vend des vêtements tapissés du drapeau du Canada et bien d'autres objets fabriqués au Canada.

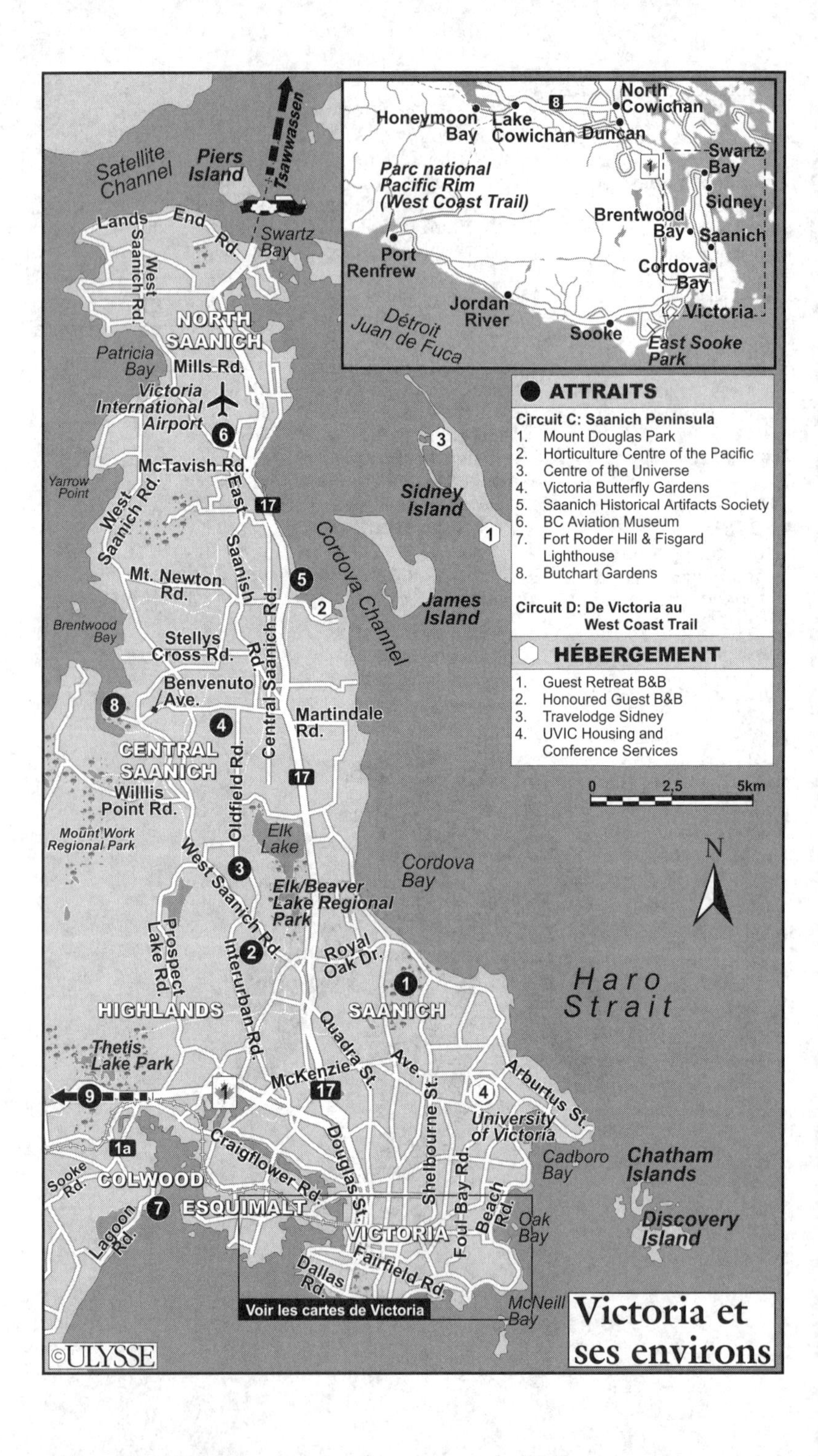
Victoria et ses environs
ATTRAITS
Circuit C: Saanich Peninsula
1. Mount Douglas Park
2. Horticulture Centre of the Pacific
3. Centre of the Universe
4. Victoria Butterfly Gardens
5. Saanich Historical Artifacts Society
6. BC Aviation Museum
7. Fort Roder Hill & Fisgard Lighthouse
8. Butchart Gardens
Circuit D: De Victoria au West Coast Trail
HÉBERGEMENT
1. Guest Retreat B&B
2. Honoured Guest B&B
3. Travelodge Sidney
4. UVIC Housing and Conference Services
0 2,5 5km
N
Honeymoon Bay
Lake Cowichan
North Cowichan
Duncan
Parc national Pacific Rim (West Coast Trail)
Port Renfrew
Jordan River
Sooke
East Sooke Park
Détroit Juan de Fuca
Brentwood Bay
Saanich
Cordova Bay
Victoria
Swartz Bay
Sidney
Tsawwassen
Satellite Channel
Piers Island
Lands End Rd.
West Saanich Rd.
NORTH SAANICH
Patricia Bay
Mills Rd.
Victoria International Airport
McTavish Rd.
Yarrow Point
East Saanish Rd.
Sidney Island
Cordova Channel
James Island
Mt. Newton Rd.
Brentwood Bay
Stellys Cross Rd.
Central Saanich Rd.
Benvenuto Ave.
Martindale Rd.
CENTRAL SAANICH
Oldfield Rd.
Willlis Point Rd.
Mount Work Regional Park
Elk Lake
Cordova Bay
Elk/Beaver Lake Regional Park
Prospect Lake Rd.
Interurban Rd.
Royal Oak Dr.
Haro Strait
HIGHLANDS
SAANICH
Thetis Lake Park
Quadra St.
McKenzie Ave.
Arburtus St.
Shelbourne St.
University of Victoria
Craigflower Rd.
Douglas St.
Cadboro Bay
Chatham Islands
Sooke Rd.
COLWOOD
Lagoon Rd.
ESQUIMALT
Foul Bay Rd.
Beach Rd.
Oak Bay
Discovery Island
VICTORIA
Dallas Rd.
Fairfield Rd.
Voir les cartes de Victoria
McNeill Bay
©ULYSSE

Victoria et ses environs

Victoria ★★★

Est-elle plus anglaise que l'Angleterre, comme on le dit souvent?

Les immigrants loyaux à la Couronne britannique qui ont choisi cette ville pour se refaire une vie ont, pour la majorité, apporté avec eux une part de leurs coutumes et de leur façon de vivre, ce qui a donné à Victoria son cachet *British* si caractéristique. Mais Victoria demeure une ville nord-américaine malgré une immigration massive d'Anglais, de Canadiens français, de Chinois, de Japonais, d'Écossais, d'Irlandais, d'Allemands et d'Américains.

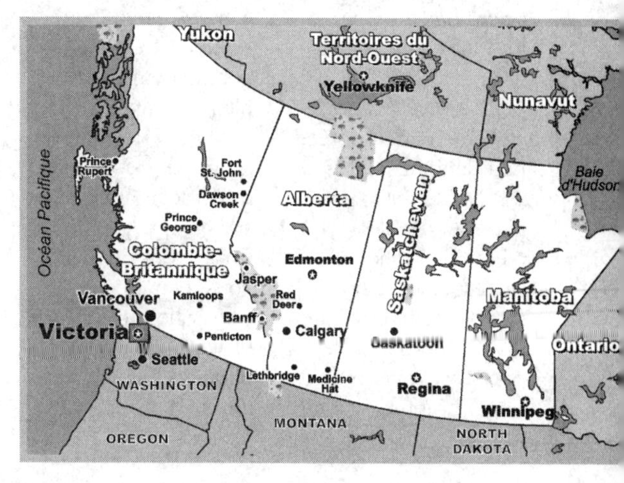

Située à l'extrémité sud de l'île de Vancouver, Victoria est la capitale de la Colombie-Britannique et compte une population de près de 300 000 personnes réparties à travers sa grande région urbaine. Le détroit Juan de Fuca longe le port de Victoria et forme une frontière naturelle avec l'État de Washington, aux États-Unis. Victoria est adossée à de petites montagnes n'excédant pas 300 m d'altitude et étend son front de mer sur plusieurs kilomètres.

Lorsque les Européens ont commencé à s'implanter dans la région au milieu du XIXe siècle, trois peuples amérindiens y habitaient déjà: les Songhees, les Klallams et les Saanichs. En 1842, la Compagnie de la Baie d'Hudson établit un poste de traite des fourrures près de la baie de Victoria. Un an plus tard, les aventuriers de la Compagnie de la Baie d'Hudson, avec l'aide des Amérindiens, qui obtenaient une couverture à tous les 40 piquets de bois qu'ils coupaient, construisent un fort attenant au port de mer, le fort Victoria.

La traite des fourrures attire de nouveaux travailleurs, et, en 1858, la ruée vers l'or fait de Victoria une importante ville qui accueille des milliers de mineurs en route vers l'intérieur de la province. La ville prend de l'ampleur, et le port regorge d'activités maritimes; en 1862, Victoria est officiellement incorporée; peu de temps après, le fort est démoli, faisant place au développement immobilier. Ce site est aujourd'hui appelé Bastion Square, où les anciens entrepôts ont été rénovés pour abriter des commerces.

Pendant toutes ces années, l'île de Vancouver est une colonie au même titre que la Colombie-Britannique; l'union des deux territoires a lieu en 1866, et ce n'est que deux ans plus tard que Victoria devient la capitale de la Colombie-Britannique. Un jeune architecte de 25 ans, Francis Mawson Rattenbury, remporte le concours d'architecture pour la réalisation des bâtiments législatifs. Rattenbury laissera sa marque à travers toute la province; il réalisera entre autres les plans du prestigieux Empress Hotel.

Le centre-ville se dessine derrière le port de Victoria, où le commerce maritime, les bateaux de plaisance et les traversiers se partagent les eaux. Le port est le centre d'attraction, telle une gare en plein champ; les places publiques, les hôtels, les musées et les bâtiments législatifs l'avoisinent. Une promenade sur le front de mer vous fera apprécier cette ville qui a su préserver à ses places publiques et à ses rues une dimension humaine.

Le gouvernement de la Colombie-Britannique siège à Victoria; la fonction publique occupe une place importante dans l'économie locale de la même manière que le tourisme. L'héritage britannique de cette ancienne colonie attire de nombreux visiteurs à la recherche de traditions; la cérémonie du thé en après-midi à l'Empress Hotel en est une, alors que la recherche de tissus écossais en attire également plus d'un.

En plus des Européens et des Amérindiens, les Chinois ont grandement contribué à l'essor de cette ville. Ils sont venus par milliers afin de participer à la construction du chemin de fer; la communauté chinoise s'est installée au nord de la ville, faisant du Chinatown de Victoria un lieu authentique, témoin d'un passé pas si lointain. Victoria est aussi la ville natale de la peintre Emily Carr, qui a marqué le début du XXe siècle par sa peinture représentant la vie des peuples autochtones de la Côte Ouest.

Victoria, la capitale d'une province de plus en plus forte économiquement, n'entend pas se laisser damer le pion par la capitale canadienne, Ottawa, lorsqu'il s'agit de politique nationale. La Colombie-Britannique connaît un boom économique depuis les années 1980 et ne veut plus être considérée comme faisant partie d'une région canadienne, mais plutôt comme un membre influent de la fédération canadienne. Ces jeux de pouvoirs politiques risquent d'occuper une place importante depuis que l'économie internationale semble se tourner vers l'Asie, et, à ce titre, la Colombie-Britannique a bénéficié d'une position stratégique.

Pour s'y retrouver sans mal

En avion

Le **Victoria International Airport** *(☎250-953-7500)*, située sur la péninsule de Saanich, au nord de Victoria, est à une demi-heure du centre-ville par la route 17.

Air Canada / Air BC Connector *(☎888-247-2262, www.aircanada.ca)* propose 16 vols par jour entre les aéroports de Vancouver et de Victoria, et 11 vols par jour en hydravion du port de Vancouver au port de Victoria.

Pacific Coastal Airlines
☎800-663-2872
Si vous achetez vos billets d'avion à l'avance, vous pourrez profiter de bons rabais avec cette compagnie qui transporte les voyageurs entre Victoria et Vancouver.

West Coast Air
1000 Wharf St.
☎(250) 388-4521 ou 800-347-2222
West Coast Air assure la liaison entre Vancouver et Victoria avec ses bimoteurs *(198$ aller-retour)*.

Helijet Airways *(200-275 aller-retour; Victoria ☎250-382-6222, Vancouver ☎604-273-1414 ou 800-665-4354, www.helijet.com)* fait la navette 37 fois par jour entre le port de Vancouver et le port de Victoria.

Harbour Air
950 Wharf St.
☎(250) 384-2215
☎(604) 274-1277 *de Vancouver*
Cette compagnie fait la navette en hydravion entre Vancouver et Victoria *(198$ aller-retour)*.

En bateau

Vous pouvez vous rendre à Victoria en voiture en prenant le traversier de BC Ferries au quai d'embarquement de Tsawwassen, au sud de Vancouver, sur la côte. Ce traversier *(en été tlj aux heures 7h à 22h, en hiver tlj aux deux heures 7h à 21h; depuis la Colombie-Britannique ☎888-223-3779, d'ailleurs dans le monde ☎250-386-3431)* vous emmène jusqu'au quai de débarquement de Sidney, à Swartz Bay. À la sortie, suivez la route 17 Sud vers Victoria.

Vous pouvez également atteindre Victoria à partir de la côte est de l'île de Vancouver en prenant le traversier de la BC Ferries Corporation au quai d'embarquement de Horseshoe Bay, au nord-ouest de Vancouver. Du quai de débarquement de Nanaimo, où ce traversier accoste, suivez les indications vers la transcanadienne (1 Sud) en direction de Victoria, à 113 km.

En autocar

L'***Airporter*** *(☎250-386-2525)* fait la navette entre l'aéroport international de Victoria et les hôtels du centre-ville.

Pacific Coach Lines *(☎250-385-4411 ou 800-661-1725, www.pacificcoach.com)* relie Vancouver à Victoria huit fois par jour (durant les mois d'été, 16 fois par jour).

Laidlaw Coach Lines *(aller simple 18$; ☎250-385-4411)* fait le trajet entre Victoria et Nanaimo avec des arrêts dans les villes principales. À partir de Nanaimo, deux autres cars desservent, d'une part, le nord jusqu'à Port Hardy, et, d'autre part, le littoral ouest de l'île de Vancouver jusqu'à Tofino.

En voiture

Centres de location de voitures

Si vous prévoyez louer une voiture, faites-le à Victoria; vous éviterez ainsi de payer le passage de la voiture sur le traversier.

Avis Rent A Car
1001 Douglas St.
☎***(250) 386-8468***

Budget Car and Truck Rental
757 Douglas St.
☎***(250) 953-5300***

Enterprise Rent-A-Car
2507 Government St.
☎***(250) 475-6900***

Hertz
655 Douglas St.
☎***(250) 360-2822***

National Car and Truck Rentals
767 Douglas St.
☎***(250) 386-1213***

Thrifty Car Rentals
625 Frances Ave.
☎***(250) 383-3659***

En cas de panne ou d'accident

Totem Towing
24 heures sur 24
☎***(250) 475-3211***

Transport en commun

Vous pouvez vous procurer des plans du réseau et des horaires d'autobus à **Tourism Victoria** *(812 Wharf St., ☎250-953-2033)*. **BC Transit** *(☎250-382-6161, www.bctransit.com)* assure les transports en commun dans la grande région de Victoria.

En taxi

Blue Bird Cabs
☎***(250) 382-4235***

Empress Taxi
☎***(250) 381-2222***

Victoria Taxi
☎***(250) 383-7111***

Visites guidées

Victoria Harbour Ferry Co.
☎***(250) 708-0201***
www.harbourferry.com
Cette entreprise peut transporter des passagers en différents points du port de Victoria.

Renseignements pratiques

Indicatif régional: ***250***

Bureaux de renseignements touristiques

Tourism Victoria Visitor Information Centre
tlj 9h à la tombée du jour
812 Wharf St., BC, V8W 1T3
☎***(250) 953-2033***

Saanich Peninsula Chamber of Commerce
9768 3rd St., Sidney
☎***(250) 656-0525***
http://vvv.com/saanpen/

Secours

En cas d'urgence, faites le ☎***911***.

Police

Poste de police de Victoria
850 Caledonia Ave.
☎***(250) 995-7654***

Hôpital

Victoria General Hospital
35 Helmcken Rd.
☎***(250) 727-4212***

Dentistes

Emergency Dental Service of British Columbia
☎***(250) 361-8901***

Pharmacies

McGill & Orme
649 Fort St.
☎***(250) 384-1195***

Shoppers Drug Mart
☎***381-4321 ou 384-0544***

Banques

Travel Choice American Express
1213 Douglas St.
☎***(250) 385-8731 ou 800-669-3636***

Bank of Nova Scotia
702 Yates St.
☎***(250) 953-5400***

Canadian Imperial Bank of Commerce
812 et 1175 Douglas St.
☎(250) 356-4211

TD Canada Trust
1080 Douglas St.
☎(250) 356-4000

Royal Bank
1079 Douglas St.
☎(250) 356-4500

Bureaux de change

Califorex
724 Douglas St.
☎384-6631

Custom House Currency Exchange
815 Wharf St.
☎389-6007

Money Mart
1720 Douglas St.
☎386-3535

Bureaux de poste

Postes Canada
Station B, 1625 Fort St.
☎595-2552
714 Yates St.
☎953-1352

Attraits touristiques

Pour faciliter votre séjour à Victoria et dans les environs, nous vous proposons quatre circuits:

Circuit A: L'Inner Harbour et le vieux Victoria ★★★

Circuit B: Scenic Marine Drive ★★

Circuit C: Saanich Peninsula ★

Circuit D: De Victoria au West Coast Trail ★★

Le centre-ville de Victoria est exigu, et il peut devenir difficile d'y garer sa voiture. Il existe plusieurs stationnements publics payants. On trouve des stationnements municipaux *(10$/jour)* à la section 600 de Fisgard Street, à la section 700 de Johnson Street, à la section 500 de Yates Street, à la section 700 de View Street et à la section 700 de Broughton Street. Ces derniers, ainsi que les stationnements dans la rue avec parcomètres, sont gratuits après 18h le dimanche et les jours fériés.

Circuit A: L'Inner Harbour et le vieux Victoria

L'exploration de Victoria s'effectue à partir de l'**Inner Harbour**, qui est l'entrée naturelle de cette ville et qui fut pendant des dizaines d'années son principal accès. La marine marchande qui transitait par l'océan Pacifique, à l'époque des grands voiliers, mouillait dans ce port afin d'assurer le transport des marchandises en partance pour l'Angleterre. Avec l'arrivée du train sur la côte, la marine marchande n'assurait plus que la liaison avec l'Asie, la traversée du Canada se faisant par train, ce qui réduisait ainsi le temps nécessaire pour atteindre l'est du continent.

Rendez-vous au **Tourism Victoria Visitor Information Centre** *(812 Wharf St., BC, V8W 1T3, ☎953-2033 ou 800-663-3883 ≠382-6539, www.tourismvictoria.com)*, d'où vous aurez une vue d'ensemble de l'**Inner Harbour** et des bâtiments qui le bordent, entre autres le **Fairmont Empress Hotel ★★** (voir p 158) et les **Provincial Legislature Buildings ★** (voir p 159), soit les édifices du Parlement. Le centre d'information est installé dans une ancienne station-service Art déco qui fut bâtie en 1931. La tour qui la surmonte est une réplique miniature d'un gratte-ciel de style new-yorkais. Commencez votre visite par une promenade sur Government Street vers le nord. Vous passerez une série de bâtiments de pierre qui abritent des commerces en tout genre: librairies, cafés, magasins d'antiquités. À View Street, tournez à gauche, puis descendez la petite rue piétonnière, par laquelle vous entrerez dans **Bastion Square ★**. Le **Bastion Square Festival of the Arts** *(☎413-3144)*, qui n'est pas tellement un festival mais plutôt un marché artisanal en plein air, se tient ici, du printemps à l'automne *(avr jeu-dim, mai à oct mer-dim et jours de fête: 10h30 à 17h30).*

Le **Maritime Museum of British Columbia** *(6$; tlj 9h30 à 16h30; 28 Bastion Sq., ☎385-4222)* retrace les grands moments de la navigation, du temps où les grands voiliers se côtoyaient dans le port jusqu'à nos jours.

Descendez Bastion Square et tournez à droite dans Wharf Street, pour finalement remonter Johnson Street du côté nord. Entrez au **Market Square ★**, une série d'immeubles de brique de trois étages abritant des boutiques et des cafés aménagés autour d'une cour intérieure. Construits dans les années 1880, ces immeubles logeaient des hôtels, des saloons et des commerces. L'endroit est agréable pour une promenade et est animé pendant les festivals de jazz, de blues et de théâtre, et lors du Nouvel An chinois.

Vous reconnaîtrez le **Chinatown ★** *(à l'ouest de Government St., entre Pandora St. et Fisgard St.)* aux couleurs vives des commerces et aux trottoirs à motifs géométriques qui forment un caractère chinois signifiant «bonne chance». Il fut un temps où le Chinatown de Victoria, le plus vieux quartier chinois au Canada, comptait plus de 150 commerces, trois écoles, cinq temples, deux églises et un hôpital. Une promenade à travers ce quartier vous fera découvrir l'arche Tong Ji Men, sur Fisgard Street, qui représente l'esprit de coopération entre les cultures chinoise et canadienne.

De retour à Wharf Street, tournez à droite dans Fisgard Street, puis à gauche dans la **Fan Tan Alley ★** *(axe nord-sud au sud de Fisgard St.)*, où l'on pouvait se procurer de l'opium jusqu'en 1908, année où le gouvernement fédéral en interdit la vente, mettant ainsi fin au commerce légal de ce stupéfiant. Considérée comme la rue la plus étroite de Victoria, la Fan Tan Alley est bordée de commerces et de studios d'artistes. Ici, vous êtes dans le cœur du Chinatown...

Du Chinatown, tournez à droite dans Government Street, en revenant sur vos pas jusqu'à l'Inner Harbour. Ou prenez un court détour vers **Victoria West**, où vous trouverez un populaire pub et des hôtels donnant sur le port, mais peu d'attraits touristiques. Traversez le pont de Johnson Street et faites une courte promenade: un agréable sentier près de l'eau mène à la West Bay Marina.

Depuis le Tourism Victoria Visitor Information Centre, marchez vers le nord dans Wharf Street jusqu'au Johnson Street Bridge et traversez-le. Une digue *(seawall)* s'en détache, longeant les habitations et le front de mer, et offre une belle vue d'ensemble sur les bâtiments du centre-ville. Plus loin, vous sortirez de l'Inner Harbour et apercevrez le détroit Juan de Fuca. Arrêtez-vous au Spinnakers Brewpub afin de vous désaltérer tout en contemplant le panorama.

L'**Anne Hathaway's Cottage ★** *(10$; tlj 10h à 16h; 429 Lampson St., ☎388-4353)* se trouve ici, à Victoria West. Empruntez le Johnson Street Bridge, et, après six feux de circulation, tournez à gauche dans Lampson Street. Le *Munro Bus*, que vous pouvez prendre à l'angle de Douglas Street et de Yates Street, s'arrête à l'entrée du site. Ce bout d'Angleterre est une reconstitution du lieu de naissance de William Shakespeare et de la maison d'Anne Hathaway, l'épouse du grand poète. Vous y verrez aussi cinq autres manoirs à l'anglaise où il est possible de loger (English Innard Resort). Une promenade à travers ces bâtiments vous fera voyager dans le temps.

À l'ouest de Victoria se trouve **Esquimalt**, une petite ville surtout connue pour sa base militaire navale et pour

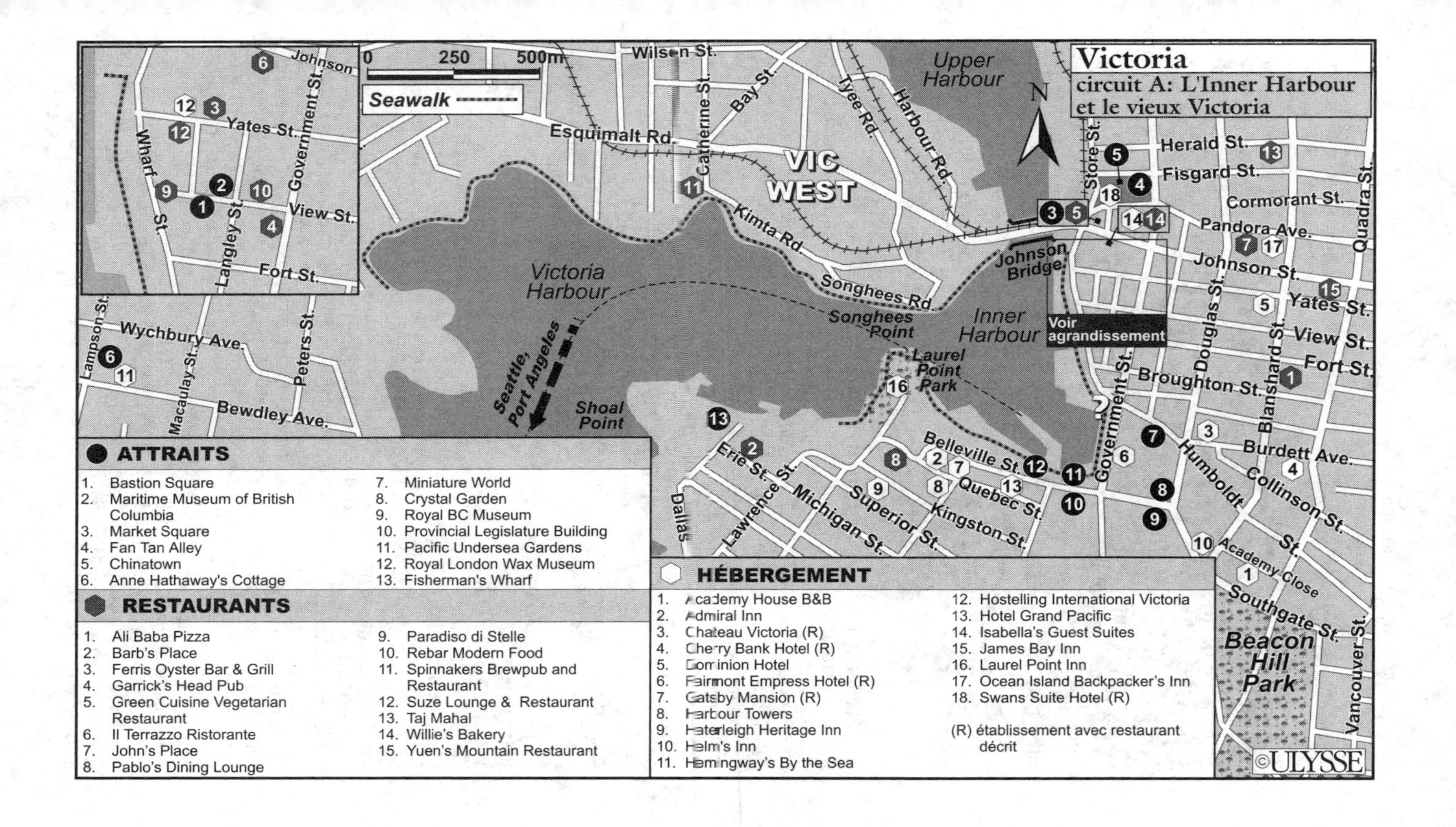

ATTRAITS

1. Bastion Square
2. Maritime Museum of British Columbia
3. Market Square
4. Fan Tan Alley
5. Chinatown
6. Anne Hathaway's Cottage
7. Miniature World
8. Crystal Garden
9. Royal BC Museum
10. Provincial Legislature Building
11. Pacific Undersea Gardens
12. Royal London Wax Museum
13. Fisherman's Wharf

RESTAURANTS

1. Ali Baba Pizza
2. Barb's Place
3. Ferris Oyster Bar & Grill
4. Garrick's Head Pub
5. Green Cuisine Vegetarian Restaurant
6. Il Terrazzo Ristorante
7. John's Place
8. Pablo's Dining Lounge
9. Paradiso di Stelle
10. Rebar Modern Food
11. Spinnakers Brewpub and Restaurant
12. Suze Lounge & Restaurant
13. Taj Mahal
14. Willie's Bakery
15. Yuen's Mountain Restaurant

HÉBERGEMENT

1. Academy House B&B
2. Admiral Inn
3. Chateau Victoria (R)
4. Cherry Bank Hotel (R)
5. Dominion Hotel
6. Fairmont Empress Hotel (R)
7. Gatsby Mansion (R)
8. Harbour Towers
9. Haterleigh Heritage Inn
10. Helm's Inn
11. Hemingway's By the Sea
12. Hostelling International Victoria
13. Hotel Grand Pacific
14. Isabella's Guest Suites
15. James Bay Inn
16. Laurel Point Inn
17. Ocean Island Backpacker's Inn
18. Swans Suite Hotel (R)

(R) établissement avec restaurant décrit

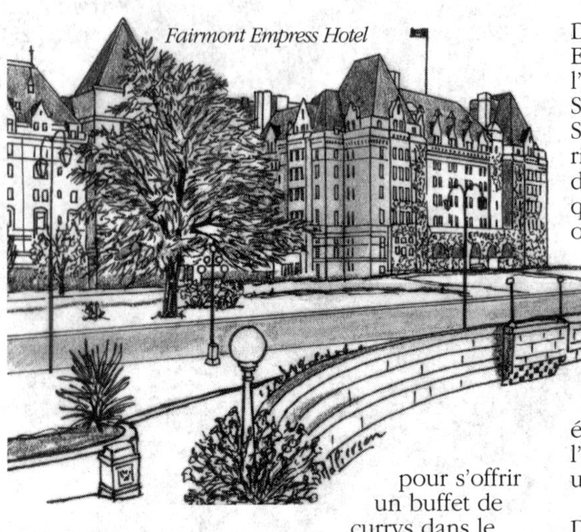

son **CFB Esquimalt Naval & Military Museum** *(2$; lun-ven 10h à 15h30; ☎363-4312 ou 363-5655)*. On y trouve une importante collection d'équipement militaire qui retrace l'histoire de la base navale.

De retour à l'Inner Harbour, dirigez-vous vers le Fairmont Empress Hotel.

Le **Fairmont Empress Hotel** ★★ *(721 Government St., ☎384-8111)* a été élevé selon les plans de l'architecte Francis Rattenbury pour le Canadien Pacifique en 1905, dans le style Château, tout comme le Château Frontenac de Québec, mais en plus moderne et en moins romantique. Prenez l'entrée principale, traversez le grand hall et laissez-vous transporter dans les années 1920, où de grands voyageurs y logeaient. Surtout, il faut y venir l'après-midi afin de vivre la cérémonie du thé ou le soir pour s'offrir un buffet de currys dans le Bengal Lounge. Notez que tous les établissements du Canadien Pacifique ont été rachetés par la chaîne hôtelière Fairmont.

À l'intérieur du Fairmont Empress Hotel, le **Miniature World** *(9$; mi-mai à mi-juin tlj 9h à 19h, mi-juin à début sept tlj 8h30 à 21h, début sept à mi-juin 9h à 17h; Fairmont Empress Hotel, 649 Humboldt St., ☎385-9731)* vous fera découvrir comment la patience et la méticulosité ont pu créer une scierie miniature opérationnelle et vous montrera d'autres réalisations intéressantes dont font partie deux immeubles datant de la fin du XIXe siècle. Cette visite fera la joie des enfants.

Du Miniature World, tournez à droite dans Humboldt Street, puis à droite encore dans Douglas Street.

Derrière le Fairmont Empress Hotel, à l'angle de Douglas Street et de Belleville Street, la grande verrière du **Crystal Garden**, du même architecte que l'hôtel, abrite des oiseaux et des animaux dont l'espèce est menacée de disparition. Soutenue par une structure métallique apparente, elle avait été construite à l'époque pour y loger une piscine d'eau salée.

De biais avec le Crystal Garden se trouve le **Royal BC Museum** ★★★ *(10$; tlj 9h à 17h; IMAX tlj 9h à 20h, musée et IMAX 17,75$; 675 Belleville St., ☎356-7226 ou 888-447-7977)*. L'extraordinaire exposition «First Peoples» (Premières Nations) commence par une juxtaposition d'artefacts historiques et d'art contemporain, telles les œuvres de l'artiste Musqueam Susan Point, afin d'illustrer les racines et l'évolution de l'art du Pacific Northwest, du type que vous verrez dans les galeries, les hôtels et les restaurants lors de votre séjour. L'exposition démontre aussi les différences entre les peuples de la côte et de l'intérieur, et les périodes d'avant et d'après le «contact» avec les Blancs.

Également à l'affiche: une superbe exposition de masques et de totems, classés par groupes culturels, et identifiant les éléments qui les différencient des autres. Par exemple, vous apprendrez que l'art haïda se caractérise par une paupière gravée en relief et une orbite concave de l'arête du nez à la tempe et à la narine. Il y a aussi d'énormes plats pour festins en forme d'ours et de loup; de superbes pèlerines et couvertures, ainsi que des sacs tissés d'écorce de cèdre, appartenant au peuple Coast Salish; un spectacle son et lumière expliquant la cosmologie des Premières Nations du Pacific Northwest; plus de 100 gravures haïdas en argilite; et une multitude d'autres objets d'intérêt.

Quant à elle, l'exposition «Modern History» (histoire moderne) recrée des scènes de l'histoire de la Colombie-Britannique du XXe siècle, dont un théâtre de style rococo des années 1920 présentant des films muets; des façades d'immeubles victoriens, y compris un hôtel dans lequel vous pouvez pénétrer (les boiseries que vous y verrez proviennent d'un vieil hôtel de Nanaimo); et une scène de rue du Chinatown. La présentation est assez attrayante et divertissante pour les enfants. Enfin, il ne faut pas oublier l'exposition sur l'histoire naturelle avec des reconstitutions de divers paysages et écosystèmes, et de fascinants bassins d'animaux marins de la région.

Vous allez sans doute remarquer une tour blanche et bizarre à deux pas des édifices du Parlement, à l'angle de Belleville Street et de Government Street. Il s'agit du plus gros **carillon** du Canada, avec 62 cloches. Il est possible d'en apprécier les sons musicaux du mois d'avril au mois de décembre, tous les dimanches à 15h.

Les **Provincial Legislature Buildings** ★ *(visites guidées gratuites en français)*, soit les édifices du Parlement, ont été dessinés par l'architecte Francis Rattenbury, alors âgé de 25 ans. C'est par voie d'un concours que le projet du jeune architecte a été retenu. Par la suite, plusieurs autres bâtiments publics et privés ont été réalisés par Rattenbury en Colombie-Britannique.

Retournez à l'Inner Harbour. En face des édifices du Parlement, les **Pacific Undersea Gardens** *(7,50$; juil et août tlj 10h à 19h; sept à juin tlj 10h à 17h, jan et fév fermé mar-mer; 490 Belleville St., ☎382-5717)* présentent la flore et les animaux marins du Pacifique.

Les amateurs de musées de cire, tel le fameux musée de Madame Tussaud, ne seront sûrement pas déçus du **Royal London Wax Museum** *(8,50$; 1er jan à mi-mai 9h30 à 17h, mi-mai à début sept 9h à 19h30, début sept au 31 déc 9h30 à 18h; 470 Belleville St., Inner Harbour, ☎388-4461)*. Les mordus d'histoire y verront un peu de tout: des générations de familles royales, dont les six épouses du roi Henri VIII (qui se ressemblent toutes, d'ailleurs); une scène sanglante des Plaines d'Abraham avec un général Wolfe agonisant; un spectacle multimédia dédié aux explorateurs célèbres; et une Cène avec résurrection en lumière. En quelques secondes, les visiteurs sont transportés du fabuleux monde de Disney à la guillotine d'une horrible chambre d'épouvante, ce qui, évidemment, est le point saillant de tout musée de cire qui se respecte!

Continuez le long de l'Inner Harbour et dépassez le **Laurel Point Park**, d'où vous pourrez emprunter le sentier pour piétons, lequel mène aussi loin qu'au Coast Harbourside Hotel and Marina. De là, vous devrez emprunter Kingston Street jusqu'à St. Lawrence Street, où vous tournerez à droite vers **Fisherman's Wharf** ★. Ici vous apercevrez les habitations flottantes des pêcheurs de l'endroit, ainsi qu'un excellent restaurant de *fish and chips* (voir p 178) et un poissonnier (voir p 185). Ce dernier vend du hareng 1$ pièce pour que vous puissiez nourrir les phoques les plus sociables du port. Vous n'aurez simplement qu'à tendre le bras au-dessus de l'eau, avec votre hareng en main, et attendre que l'un d'eux le happe.

Lorsque vous (et les phoques) serez rassasié, dirigez-vous vers le centre-ville.

Circuit B: Scenic Marine Drive

Ce circuit vous mène le long d'une route côtière des plus panoramiques, au pied de la Saanich Peninsula, en prenant des détours vers un nombre d'importants attraits de Victoria situés à l'intérieur des terres. Vous passerez par les municipalités de Fairfield, de Rockland et d'Oak Bay. Quoique ce circuit soit nettement conçu pour la voiture (ou encore mieux pour le vélo), il ne se trouve qu'à quelques minutes du centre-ville de Victoria.

Le circuit commence à l'Ogden Point Breakwater, sur Dallas Road, près de Dock Street.

De là, longez Dallas Road pour jouir d'une belle vue du détroit Juan de Fuca, sauvage et venteux. Tournez à gauche dans Government Street, puis rendez vous jusqu'à Simcoe Street.

La **Carr House** ★ *(5,35$; mi-mai à mi-oct tlj 10h à 17h; 207 Government St., ☎383-5843)*, un bâtiment de bois, a été construite en 1864 pour la famille de Richard Carr. Ici on retrace surtout la vie d'Emily. À la Carr House, procurez-vous un plan du quartier sur lequel sont indiqués les différents bâtiments ou lieux que la famille Carr a occupés. Le seul meuble original de la maison est le lit dans lequel Emily est née en 1871. La maison est toutefois meublée du style de l'époque. Il y a une petite boutique sur place, ainsi qu'un jardin, animé d'extraits des écrits de Carr.

De la Carr House, tournez à gauche dans Simcoe Street, et rendez-vous jusqu'à Douglas Street, où commence le Beacon Hill Park.

Le **Beacon Hill Park** ★ *(entre Douglas St. et Cook St., en face du détroit Juan de Fuca)* faisait le bonheur d'Emily Carr, qui venait passer ses journées à dessiner cette oasis de paix. Ce parc public a été aménagé en 1890; plusieurs sentiers traversent des champs de fleurs sauvages qui contrastent avec les sections aménagées.

L'angle de Douglas Street et de Dallas Road se trouve être le ***«kilomètre zéro»*** de la route transcanadienne (voir encadré).

Continuez par Dallas Road jusqu'à Memorial Crescent, tournez à droite dans Fairfield Road (à l'opposé de Stannard Ave.) et rendez-vous jusqu'à l'entrée du **Ross Bay Cemetery**. Vous vous retrouverez assurément dans la plus ancienne section de ce

Carr House

cimetière de 11 ha, la dernière demeure de plusieurs notables de Victoria, dont Emily Carr. Des bénévoles sont souvent sur place *(tlj mi-mai à mi-sept 10h à 16h)* pour offrir de courtes visites ou des brochures qui vous permettront de faire votre visite en solo. Des visites commentées sont organisées régulièrement pendant la saison touristique *(5$; dim 14h juil et août; les visites du RBC – Ross Bay Cemetery – commencent chez Bagga Pasta, Fairfield Plaza, 1516 Fairfield Rd., ☎598-8870).*

Du cimetière, tournez à gauche dans Charles Street, puis à gauche encore dans Rockland Avenue.

La **Government House** *(1401 Rockland St., ☎387-2080)* est un autre bel attrait de Victoria. La résidence ne peut être visitée; seuls les jardins, qui s'étendent sur 6 ha, sont accessibles, et ils s'avèrent tout à fait exceptionnels. Même si l'horticulture vous intéresse peu, les jardins de roses et de fines herbes valent la peine d'être vus et «sentis». Des visites des jardins sont proposées au public *(10$; une ou deux fois par mois mer et/ou dim mai à sept; téléphonez pour l'horaire: ☎356-5139)*

Des jardins de Rockland Street, prenez Joan Crescent jusqu'au Craigdarroch Castle.

La route transcanadienne

Le «kilomètre zéro» de la route transcanadienne, la plus longue route nationale du monde, est indiqué par un monument à l'angle de Dallas Road et de Douglas Street, à Victoria. Elle se termine (ou commence, c'est selon) 7 821 km à l'est, à St. John's, capitale de la province de Terre-Neuve-et-Labrador. Devant l'hôtel de ville de St. John's se trouve d'ailleurs une enseigne affichant que «le Canada commence ici»... Un point de vue de la Côte Est plutôt évident!

La construction de la route transcanadienne a débuté pendant l'été de 1950, et, lorsqu'elle fut terminée en 1970 (son inauguration a eu lieu à Rogers Pass, en Colombie-Britannique, en 1962, avant qu'elle ne soit achevée), le coût s'élevait à 1 milliard de dollars, soit plus de trois fois le coût estimé.

En fait, la route transcanadienne n'est pas une seule route et ne traverse pas le pays en entier. Elle est complétée par le service de deux traversiers (vers Victoria et vers St. John's), ne passe pas par tous les territoires canadiens (le Yukon, les Territoires du Nord-Ouest et le Nunavut n'en font pas partie) et consiste en deux autoroutes distinctes dans une grande partie de l'Ontario et du Québec. À l'ouest de Portage la Prairie, au Manitoba, elle se divise en Highway 16, qui se dirige au nord jusqu'à Prince Rupert, en Colombie-Britannique, et en Highway 1, qui aboutit au sud à Victoria.

Les panneaux indicateurs de la route transcanadienne sont facilement reconnaissables à la feuille d'érable blanche qui se découpe sur fond vert.

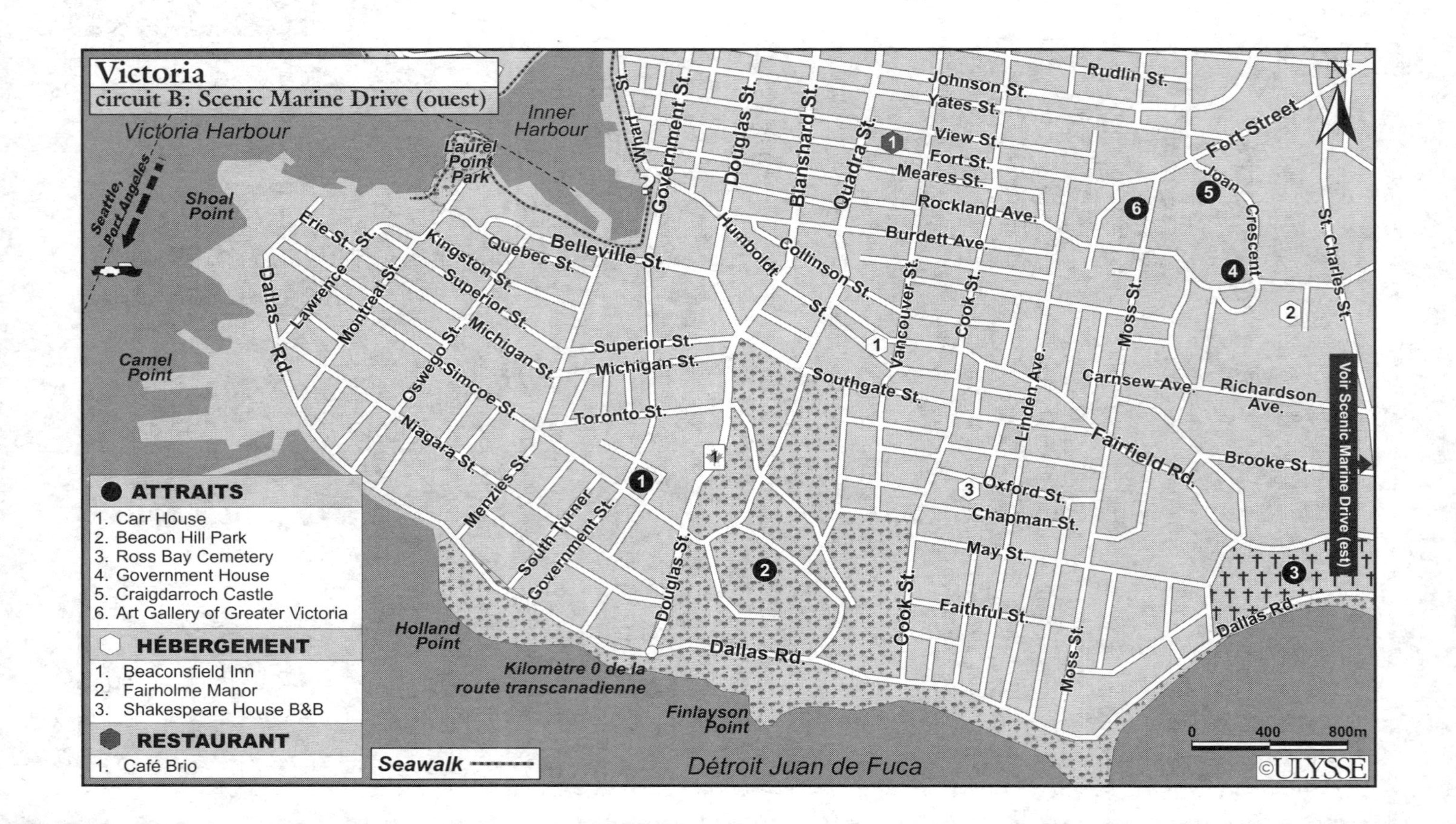
Victoria
circuit B: Scenic Marine Drive (ouest)
Victoria Harbour
Inner Harbour
Laurel Point Park
Shoal Point
Camel Point
Seattle, Port Angeles
Holland Point
Finlayson Point
Kilomètre 0 de la route transcanadienne
Détroit Juan de Fuca
Voir Scenic Marine Drive (est)
Johnson St.
Yates St.
View St.
Fort St.
Meares St.
Rockland Ave.
Burdett Ave.
Rudlin St.
Fort Street
Joan Crescent
St. Charles St.
Wharf St.
Government St.
Douglas St.
Blanshard St.
Quadra St.
Humboldt St.
Collinson St.
Vancouver St.
Cook St.
Moss St.
Linden Ave.
Belleville St.
Quebec St.
Kingston St.
Superior St.
Michigan St.
Toronto St.
Southgate St.
Carnsew Ave.
Richardson Ave.
Brooke St.
Fairfield Rd.
Oxford St.
Chapman St.
May St.
Faithful St.
Dallas Rd.
Erie St.
Lawrence St.
Montreal St.
Oswego St.
Simcoe St.
Niagara St.
Menzies St.
South Turner
ATTRAITS
1. Carr House
2. Beacon Hill Park
3. Ross Bay Cemetery
4. Government House
5. Craigdarroch Castle
6. Art Gallery of Greater Victoria
HÉBERGEMENT
1. Beaconsfield Inn
2. Fairholme Manor
3. Shakespeare House B&B
RESTAURANT
1. Café Brio
Seawalk
0 400 800m
©ULYSSE

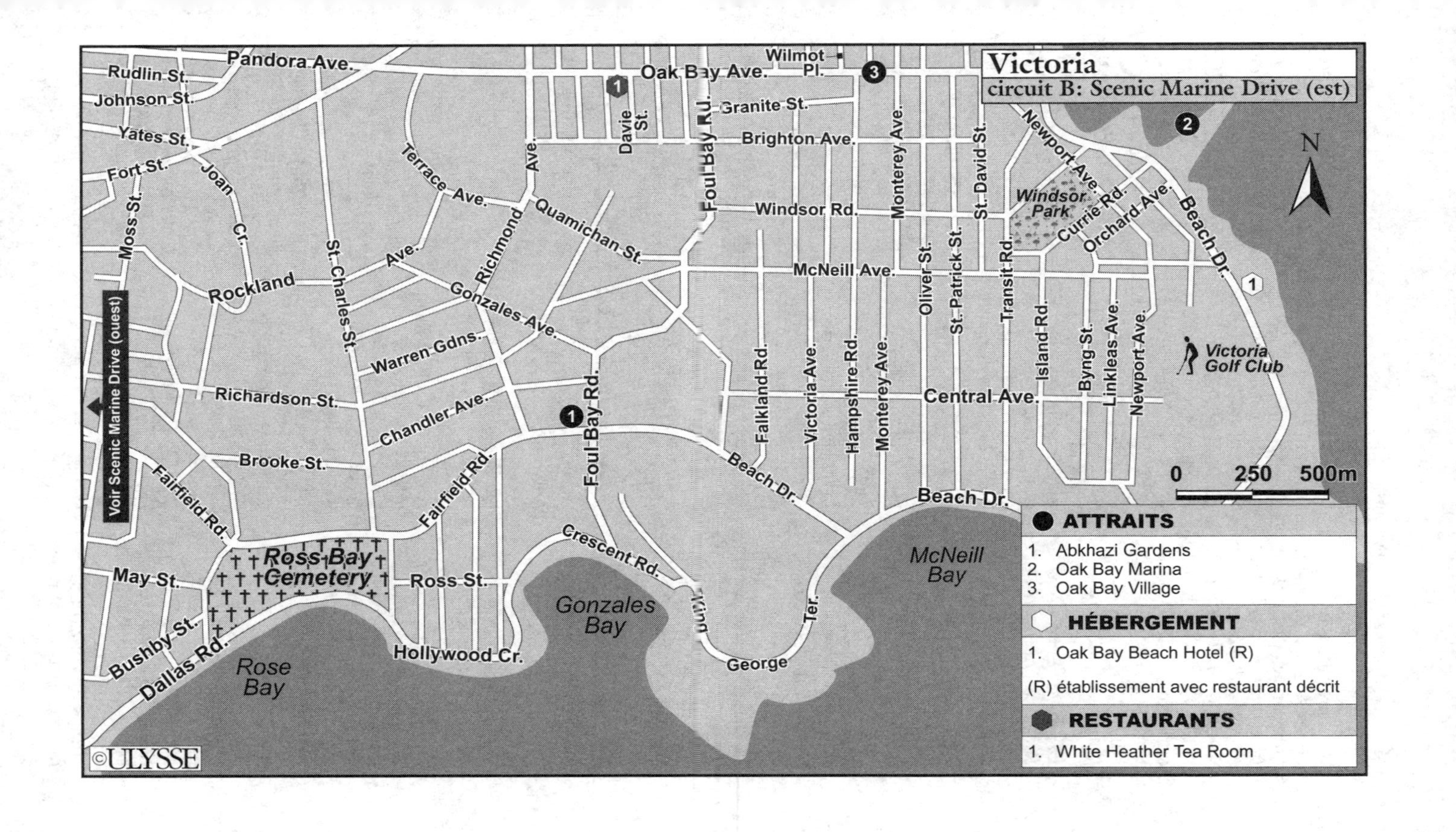
Victoria
circuit B: Scenic Marine Drive (est)
ATTRAITS
1. Abkhazi Gardens
2. Oak Bay Marina
3. Oak Bay Village
HÉBERGEMENT
1. Oak Bay Beach Hotel (R)
(R) établissement avec restaurant décrit
RESTAURANTS
1. White Heather Tea Room
Voir Scenic Marine Drive (ouest)
N
0 250 500m
Pandora Ave.
Rudlin St.
Johnson St.
Yates St.
Fort St.
Moss St.
Joan Cr.
Rockland Ave.
St. Charles St.
Terrace Ave.
Richmond Ave.
Quamichan St.
Gonzales Ave.
Warren Gdns.
Richardson St.
Chandler Ave.
Brooke St.
Fairfield Rd.
May St.
Bushby St.
Dallas Rd.
Ross Bay Cemetery
Ross St.
Hollywood Cr.
Rose Bay
Gonzales Bay
Crescent Rd.
King George Ter.
McNeill Bay
Beach Dr.
Foul Bay Rd.
Oak Bay Ave.
Wilmot Pl.
Davie St.
Granite St.
Brighton Ave.
Windsor Rd.
McNeill Ave.
Falkland Rd.
Victoria Ave.
Hampshire Rd.
Monterey Ave.
Oliver St.
St. Patrick St.
St. David St.
Transit Rd.
Island Rd.
Byng St.
Linkleas Ave.
Newport Ave.
Central Ave.
Windsor Park
Currie Rd.
Orchard Ave.
Victoria Golf Club
©ULYSSE

À l'extrémité est du centre-ville se dresse le **Craigdarroch Castle** ★ *(10$; mi-juin à début sept tlj 9h à 19h, l'hiver tlj 10h à 16h30; 1050 Joan Cr., ☎592-5323)*, un château construit en 1890 pour Robert Dunsmuir, qui a fait fortune dans les mines de charbon.

Du château, revenez à Rockland Street, tournez à droite, puis à droite encore dans Moss Street.

L'**Art Gallery of Greater Victoria** *(5$; lun-sam 10h à 17h, jeu jusqu'à 21h, dim 13h à 17h; 1040 Moss St., ☎384-4101)* est en fait le musée des beaux-arts de Victoria. Des œuvres classiques et contemporaines y sont exposées. On y retrouve des tableaux d'Emily Carr ainsi que d'artistes contemporains locaux et asiatiques. Recommandé à tous les amateurs d'art. Téléphonez au musée pour connaître le calendrier des expositions et des activités.

De la galerie d'art, reprenez Moss Street jusqu'à Fairfield Road, et tournez à gauche si vous avez envie de visiter un autre jardin (voir ci-dessous). Sinon prenez Moss Street jusqu'à Dallas Road, et continuez le long du littoral.

L'**Abkhazi Garden** *(7,50$; mer-dim mars à fin sept 13h à 17h; 1964 Fairfield Rd., ☎598-8096)*, un petit jardin de banlieue créé par le prince Nicholas Abkhazi et sa femme dans les années 1940, a été entretenu par cette dernière jusqu'à sa mort, en 1994. Le jardin est de style «naturaliste», avec rhododendrons, azalées, lis, étangs, rocailles et arbres. Depuis l'an 2000, le jardin est géré par The Land Conservancy (TLC) of British Columbia, un organisme à but non lucratif qui le restaure avec soin grâce à plusieurs bénévoles. En constant aménagement, le jardin est assez petit, et la visite, plutôt brève, en est recommandée aux sérieux amateurs d'horticulture seulement. Dites-vous que les droits d'entrée élevés permettent de contribuer à une bonne cause.

Prenez Foul Bay Road pour retourner à Marine Drive, qui devient Crescent Road. Passé le remarquable Victoria Golf Club se trouve l'Oak Bay Marina, un agréable et pratique endroit où s'arrêter.

De la marina, empruntez Newport Avenue jusqu'à Oak Bay Avenue. Ici, entre Monterey et Wilmot, se trouve **Oak Bay Village**, le cœur de la communauté d'**Oak Bay** (pop. 18 000). Aussi connu sous le nom de Tweed Curtain (le rideau de tweed), en référence à son héritage britannique, Oak Bay Village regorge de salons de thé, de restaurants de *fish and chips* et de cafés, ainsi que de superbes parcs et jardins.

Pour revenir au centre-ville de Victoria, empruntez Oak Bay Avenue, qui devient plus loin Pandora Avenue.

Circuit C: Saanich Peninsula

La Saanich Peninsula est la petite presqu'île qui se trouve juste au nord de Victoria. C'est avant tout une banlieue puisque nombre de personnes travaillant à Victoria y ont leur résidence.

Cette région fait obligatoirement partie de tout itinéraire relié à la visite de l'île de Vancouver et surtout de Victoria, puisque l'important terminal des traversiers de Swartz Bay est situé à Sidney, une petite ville du nord de la Saanich Peninsula à 32 km de Victoria, et accessible par la Patricia Bay Highway (Hwy. 17).

Du centre-ville, prenez Douglas Street vers le sud et tournez à gauche dans Dallas Road, qui suit le bord de mer. Cette route traverse une série de petites zones résidentielles en changeant plusieurs fois de nom (ex.: Beach Drive, Cadboro Bay Road) et offre plusieurs magnifiques points de vue. Vous passerez par Oak Bay et Cadboro Bay, qui présentent de beaux bâtiments de style Tudor et de jolis jardins à la végétation luxuriante. Après Cadboro Bay, suivez le bord de mer par Tudor Avenue. Prenez Arbutus Road, Ferndale Road, Barrie Road et finalement Ash Road jusqu'au Mount Douglas Park.

À l'entrée du **Mount Douglas Park ★★** (voir p 167), tournez à gauche dans Cedar Hill Road puis à droite vers le sommet *(lookout)*, d'où vous aurez une vue de 360° sur les Gulf Islands, le détroit de Georgie, le détroit Juan de Fuca et les sommets blancs des chaînes côtières canadienne et américaine. Tôt le matin ou en fin de journée, les couleurs de la mer et des montagnes sont plus éclatantes qu'à d'autres moments.

En quittant le Mount Douglas Park, tournez à gauche et longez le bord de mer par Cordova Bay Road, qui devient Royal Oak Drive et qui croise la Patricia Bay Highway (Hwy. 17) puis West Saanich Road (Hwy. 17A). Celles-ci donnent accès respectivement à l'est et à l'ouest de la Saanich Peninsula, puis conduisent à North Saanich par Wain Road. Vous pouvez faire une boucle de ce circuit en inversant l'ordre d'une des deux routes suggérées, ou vous pouvez le suivre depuis votre descente du traversier à Swartz Bay en inversant aussi l'ordre suggéré.

West Saanich

L'**Horticulture Centre the Pacific** *(5$; tlj avr oct 8h à 20h, nov à ma 9h à 16h30; 505 Quayle Rd., ☎479-6162)* s'adresse à ceux qui, après avoir visité les Butchart Gardens (voir ci-dessous), veulent voir d'autres jolies fleurs. Vous y découvrirez un jardin d'hiver, le jardin japonais Takata et une collection de rhododendrons et de dahlias.

Si vous aimez la science et les étoiles, rendez-vous au **Centre of the Universe** *(7$; début avr à fin oct tlj 10h à 18h, début nov à fin mars mar-dim 10h à 18h; 5071 West Saanich Rd, Little Saanich Mountain, à 16 km de Victoria; ☎363-8262)*, qui abrite l'un des plus gros télescopes au monde.

Les **Victoria Butterfly Gardens** *(8$; mi-fév à mi-mai tlj 9h30 à 16h30, mi-mai à fin sept tlj 9h à 17h, oct tlj 9h à 16h30; 1461 Benvenuto Ave., ☎652-3822 ou 877-722-0272)* sont des jardins tout à fait étonnants où vous découvrirez des papillons de toutes sortes qui virevoltent librement autour de vous dans un décor de forêt tropicale. Une jolie boutique de cadeaux ainsi qu'un restaurant offrent leurs services.

The Butchart Gardens ★★ *(10$ à 20$ selon la saison; appelez pour les heures d'ouver-*

f[...]ponible à [...]au jardin. Des feu[...] artifice illuminent les ciels d'été les samedis soir de juillet et d'août, et des concerts sont offerts en plein air de juin à septembre, du lundi au samedi, en soirée.

Patricia Bay Highway (Hwy. 17)

En banlieue de Victoria se trouve la **Saanich Historical Artifacts Society ★** *(sept à mai tlj 9h30 à 12h30, juin à août 9h30 à 16h30; 7321 Lochside Dr., ☎652-5522)*, un musée qui possède les plus importantes collections de machines à vapeur, de tracteurs et d'équipement agricole au Canada. Réservé aux amateurs du genre, le musée est facilement accessible par la route 17: à mi-chemin entre Sidney et Victoria, tournez en direction est dans Island View Road, puis en direction nord dans Lochside Drive et roulez jusqu'au portillon.

Sidney *(Visitor Information Centre; 2295 Ocean Ave.; ☎656-3260)*, une

... de ...insula, a ...ance du fait ...ésence du **ter-...des traversiers de ...wartz Bay**. Parmi les attraits touristiques de cette ville, on retrouve le joli **Sidney Marine Museum** ★ *(contribution volontaire; mai à oct tlj 10h à 16h, nov à avr tlj 11h à 15h, jan et fév sam-dim 11h à 15h; 9801 Seaport Place, ☎656-1322)*, qui expose de magnifiques squelettes de baleines et évoque la biologie et l'évolution de ces mammifères géants, et le **Sidney Historical Museum** *(☎655-6355)*, qui est, quant à lui, consacré à l'histoire de Sidney et de North Saanich.

Le **BC Aviation Museum** *(5$; mi-sep à mi-mai tlj 11h à 15h, mi-mai à mi-sep tlj 10h à 16h; Victoria International Airport, dans le grand hangar blanc près de la tour de contrôle, ☎655-3300)* présente une belle collection d'avions datant de la Deuxième Guerre mondiale ainsi que des modèles plus récents.

Les férus d'histoire se dirigeront vers l'ouest, un peu à l'écart de la péninsule, où se trouve le site historique de **Fort Rodd Hill & Fisgard Lighthouse** *(4$; début mars à fin oct tlj 10h à 17h30, début nov à fin fév 9h à 16h30; 603 Fort Rodd Hill Rd., suivre la transcanadienne et prendre la sortie vers Port Renfrew, 10 km au nord de Victoria; ☎478-5849)*. On peut se promener sur une propriété en bordure du détroit de Georgie. Les fortifications que l'on côtoie ici servirent de système de défense entre 1878 et 1956, à l'Empire britannique d'abord, puis au Canada indépendant par la suite. Stratégiquement placée, l'artillerie protégeait Victoria et Esquimalt, les portes d'entrée du Canada occidental. Quant au phare de Fisgard, situé au même endroit, il s'agit du premier phare érigé sur la côte ouest du pays, dans la deuxième moitié du XIXe siècle. Il est toujours en fonction. Les animaux et les vélos ne sont pas admis sur le site.

Baleine grise

Circuit D: De Victoria au West Coast Trail

Suivez les indications vers Sooke par la route 1A (Old Island Hwy.), le prolongement nord de Douglas Street. À Colwood, suivez la route 14, qui devient Sooke Road vers Port Renfrew. Une trentaine de kilomètres séparent Victoria de Sooke, où vous traverserez la banlieue ouest. Au restaurant 17 Mile House, tournez à gauche dans Gillepsie Road, par laquelle vous entrerez dans l'**East Sooke Regional Park** ★ *(☎478-3344)* (voir p 168), où des sentiers de randonnée pédestre traversent une végétation sauvage en bordure de la mer. Ce parc est idéal pour une excursion en famille.

De retour à la route 14, tournez à gauche vers Port Renfrew. La route longe des plages et des baies. Plus vous vous éloignez de Victoria, plus la route devient sinueuse. Le terrain est montagneux et les points de vue spectaculaires. Continuez vers l'ouest par la route 14; l'horizon change car les grandes vallées ont été rasées, la coupe de bois demeurant une source importante de revenus pour la province.

Port Renfrew

Port Renfrew accueille les excursionnistes qui se rendent au **West Coast**

Trail ★★★. La randonnée de 75 km s'adresse avant tout aux marcheurs expérimentés et courageux qui devront faire face à des climats très changeants et à une topographie très variée. Ce sentier fait partie du parc national Pacific Rim et est reconnu comme un des sentiers pédestres les plus difficiles en Amérique du Nord. Pour plus de renseignements, contactez le **Gordon River Information Centre** *(☎647-5434)*, près de Port Renfrew.

Parcs et plages

Une multitude de parcs et de plages entourent Victoria, variant énormément quant à leur aménagement (plages urbaines, plages désertes bordées de forêts pluvieuses tempérées, etc.). Les parcs provinciaux se multiplient dans les environs et se démarquent tous par leurs plages sablonneuses et les amoncellements de bois rejetés par les marées. Une promenade dans un de ces parcs est une bouffée d'air frais pour les amants de la nature. Parcs Canada a, ici aussi, su créer un parc grandiose, le parc national Pacific Rim, qui longe l'ouest de l'île de Vancouver.

Circuit B: Scenic Marine Drive

À Victoria, deux plages familiales se prêtent bien à la construction de châteaux de sable et à la baignade dans des baies aux eaux calmes. **Willows Beach** ★ *(toilettes publiques, aire de jeux; angle Estevan St. et Beach Dr., Oak Bay)* borde un quartier résidentiel chic à proximité d'une marina et de l'hôtel Oak Bay Beach. **Cadboro Bay Beach** ★ *(toilettes publiques, aire de jeux; angle Sinclair Rd. et Beach Dr.)*, un peu plus à l'est, se trouve dans le quartier de l'Université de Victoria. Une clientèle jeune fréquente cette plage située dans une baie s'ouvrant sur les Chatham Islands et la Discovery Island. La grève du **Beacon Hill Park** ★ (voir p 160) a été modifiée par le va-et-vient des marées qui y a créé une plage pierreuse recouverte de bouts de bois.

Le sommet du **Mount Tolmie** ★★★ *(BC Parks, ☎391-2300)* offre des vues panoramiques sensationnelles sur Victoria, le détroit de Haro, l'océan, le magnifique mont Baker et la chaîne des Cascades, dans l'État de Washington, aux États-Unis.

Circuit C: Saanich Peninsula

Le **Mount Douglas Park** ★★ *(Hwy. 17, sortie Royal Oak Dr.; BC Parks, ☎391-2300)* renferme 10 ha d'environnement naturel, idéal pour un pique-nique ou une promenade avec accès à la mer.

Circuit D: De Victoria au West Coast Trail

Le **Goldstream Provincial Park** ★★ *(à 20 min de Victoria par la route 1; BC Parks, ☎391-2300)*, situé à 17 km de Victoria, est un des parcs majeurs de la région. Imaginez des sapins de Douglas vieux de 600 ans le long de sentiers de randonnée conduisant vers le mont Finlayson et un itinéraire passant par des cascades magnifiques. En novembre, les amateurs de nature se rendent dans le parc pour observer les saumons *coho* (argentés) et *chinook* (royaux) ainsi que les saumons-chiens (*chum*) accomplir leur dernier voyage, se reproduire et mourir dans la Goldstream River. Les poissons sont très visibles car l'eau est d'une transparence impeccable.

La fin de la montaison du saumon indique le

début d'un autre événement incroyable: l'**Eagle Extravaganza**. De décembre à mai, jusqu'à 275 aigles à tête blanche par jour se rendent dans l'estuaire lors de la marée basse pour se nourrir de saumons kétas morts. L'estuaire n'est pas accessible aux visiteurs, mais ils peuvent se rendre aux points d'observation, aux caméras vidéo en direct et aux lunettes d'approche afin d'observer les aigles. Les visiteurs peuvent aussi s'arrêter à la Nature House pour obtenir de plus amples renseignements sur les aigles et d'autres oiseaux du parc.

L'**East Sooke Regional Park** *(☎478-3344)* est un immense parc de 1 422 ha de nature sauvage qui plaira aux amoureux de la solitude et de la tranquillité. Plus de 50 km de sentiers ont été tracés. Du côté d'Anderson Cove, vous trouverez le point de départ pour la randonnée vers Babbington Hill et le mont Macguire. Du sommet de ces montagnes, la vue de la région est splendide. Il est possible ici d'observer les aigles tourbillonner dans les courants thermiques.

Orchidées

Vous pouvez vous promener sur près de 60 km le long du **Galloping Goose Regional Trail**. Il est possible de s'y déplacer à vélo, à cheval ou à pied. Cette ancienne voie ferrée s'ouvre sur de magnifiques paysages. On peut y observer des oies, des aigles et même des vautours. Le sentier débute en plein cœur de Victoria, pour se rendre au-delà de Sooke. De fréquents accès aménagés sur son tracé permettent de le rejoindre. Pour plus de détails, contactez **Capital Regional District Parks** *(490 Atkins Ave., Victoria, ☎478-3344).*

Sur la route 14, passé la ville de Sooke, une série de plages occupent le front de mer. **French Beach ★**, accessible aux personnes en fauteuil roulant, dispose des installations nécessaires pour les pique-niques. Il s'agit d'une plage de galets et de sable bordée de billots. Un peu plus à l'ouest, toujours sur la route 14, se trouve **China Beach ★★**; vous devez emprunter un sentier (environ 15 min) jusqu'au bas d'une falaise pour l'atteindre. Le sentier est bien aménagé; quant à la plage, elle est tout simplement magnifique. Il n'est pas rare d'apercevoir au large un phoque, une loutre de mer et même une baleine grise ou un épaulard. Vous n'avez qu'à marcher quelques minutes pour vous retrouver seul dans une petite baie. Les vagues attirent les surfeurs ici.

Botanical Beach ★★★ *(www.portrenfrew.com/botbeach)*, passé Port Renfrew, est une véritable oasis pour les amants de la vie marine. Lorsque la mer se retire, de petits bassins naturels, à même les galets, retiennent dans leurs eaux des poissons, des étoiles de mer et des spécimens de la flore marine. À marée basse, vous pourrez vous promener à travers ces bassins pour y faire toutes sortes de découvertes.

Le **parc national Pacific Rim** *(Port Renfrew)* est un merveilleux espace vert sur le littoral ouest de l'île de Vancouver.

Activités de plein air

Vélo

Le vélo constitue un excellent moyen pour explorer Victoria et ses environs. Pour obtenir des renseignements sur les excursions à vélo

Au Market Square de Victoria, une petite rue pimpante arbore banderoles colorées et maisons... victoriennes! *- Walter Bibikow*

Whistler offre une atmosphère typiquement montagnarde, conviviale et tournée vers le plein air! *- Derek Caron*

Le crépuscule dissipe tranquillement la brume enveloppant le parc national Pacific Rim, ses forêts denses, ses plages et la mer qui les baigne. - *Sean O'Neill*

dans la ville, faites un saut à la **Greater Victoria Cycling Coalition** *(lun-ven 15h à 18h; 1056A North Park St., en retrait de Cook St., ☎480-5155)*. Vous pourrez aussi trouver de l'information sur les promenades de loisir grâce à leur site Internet: *www.gvcc.bc.ca*. On peut louer des vélos, ainsi que des tandems tout à fait charmants, aux adresses suivantes:

Harbour Rentals
995 Wharf St.
☎995-1661

Cycle BC
747 Douglas St.
☎385-2453

Randonnée pédestre

Le **Juan de Fuca Marine Trail** *(information: BC Parks, South Vancouver Island District, 2930 Trans Canada Hwy., Victoria BC, V9B 5T9, ☎391-2300)* est un sentier maritime. D'une longueur de 47 km, il s'étend du sud de l'île de Vancouver (de China Beach, située à l'ouest du petit village de Jordan River) jusqu'à Botanical Beach, près de Port Renfrew. Ce sentier, inauguré en 1994 à l'occasion des Jeux du Commonwealth, s'adresse aux randonneurs d'expérience. Il est d'ailleurs conseillé à toutes les personnes s'aventurant dans le sentier de laisser un plan détaillé de leur itinéraire à un ami avant de partir.

Il est à noter que l'extrémité nord du sentier se termine tout près de Port Renfrew. Ainsi, ceux qui veulent marcher encore plus peuvent prolonger leur randonnée sur les 75 km du **West Coast Trail** ★★★ (voir p 166), qui les mènera à Bamfield. Ensemble, les deux sentiers font 122 km et demandent plus de 10 jours d'expédition le long de la forêt pluvieuse du littoral ouest de l'île de Vancouver.

Pêche

Circuit A: L'Inner Harbour et le vieux Victoria

Ceux qui désirent à tout prix pêcher leur propre dîner, que ce soit un saumon rouge (*sockeye*) ou un flétan de 140 kg, peuvent organiser un voyage de pêche en bateau affrété, avec guide.

Cuda Marine Adventures
Hotel Grand Pacific, rez-de-chaussée
463 Belleville St.
☎995-2832 ou 866-995-2832

Circuit D: De Victoria au West Coast Trail

Le saumon est l'espèce qui attire le plus de pêcheurs dans la région. Les prises de saumon peuvent s'effectuer à tout moment de l'année dans le détroit de Georgie. À la fin de l'été, il est recommandé d'aller pêcher en rivière, parce que les saumons, qui sont sur le point de frayer, atteignent leur poids maximum et se tiennent au confluent des rivières. Il y a cinq types de saumons: le *coho* (argenté), le *chinook* (royal), le *sockeye* (rouge), le rose et le *chum* (saumon-chien). Bien sûr, vous risquez d'attraper d'autres poissons, comme la morue, le flétan et le vivaneau.

Les montaisons des saumons *coho*, *sockeye* et roses se font tout l'été, tandis que celle du *chinook* a lieu de mai à septembre, de même qu'en hiver dans certaines régions.

Sooke Charters
☎642-3888 ou 888-775-2659

Si vous voulez pêcher le saumon, Sooke Charters fournit tout l'équipement nécessaire, y compris les appâts. Les tarifs sont tout à fait abordables pour ce genre d'activité: 180$ pour trois personnes (4 heures) ou 200$ pour quatre personnes.

La **Sooke Charter Boat Association** *(Sooke, ☎642-7783)* organise des excursions de pêche en mer et offre les services de réservation de chambres d'hôtel. Plusieurs baies et anses où les rivières viennent se jeter dans la mer délimitent la région de Sooke.

Observation des baleines

Circuit A: L'Inner Harbour et le vieux Victoria

On peut voir au moins quatre espèces de baleines dans les eaux entourant Victoria. Il est possible de les observer, soit d'un canot pneumatique ou d'un yacht, avec une des 18 entreprises qui offrent des excursions d'observation. Voici deux bonnes adresses où vous pouvez vous renseigner:

Orca Spirit Adventure
79$/3 heures
Inner Harbour
☎383-8411 ou 888-672-6722
Cette entreprise proposant des excursions en mer possède un élégant navire de 15 m, l'*Orca Spirit*, doté d'un grand confort et muni de vastes platesformes d'observation. On vient vous chercher à la porte de votre hôtel si vous le désirez.

Victoria Marine Adventure Centre
950 Wharf St.
☎995-2211
Les excursions d'observation des baleines sont organisées d'avril ou mai jusqu'en octobre. La croisière dure trois heures et coûte environ 75$ par adulte.

Kayak de mer

Une promenade en kayak de mer est une merveilleuse façon de jouir de beaux points de vue sur Victoria. **Victoria Kayak Tours** *(950 Wharf St., ☎216-5646)* propose une excursion maritime de l'Inner Harbour pour 69$, du Finlayson Fjord jusqu'aux Butchart Gardens pour 149$, et offre plusieurs autres destinations. Le guide et propriétaire, Cliff Hansen, et son équipe connaissent bien l'histoire de Victoria et vous divertiront avec une foule de récits amusants et intéressants. **Ocean River Sports** *(1824 Store St., ☎381-4233 ou 800-909-4233)* organise aussi des sorties en kayak.

Planche à voile

Circuit B: Scenic Marine Drive

Il vous suffit juste de garer votre voiture sur **Dallas Road** et de vous jeter à l'eau. Le paysage est superbe et le vent idéal.

Plongée sous-marine

Circuit C: Saanich Peninsula

Membre de la Société Cousteau et photographe sous-marin renommé du *National Geographic Magazine*, David Doubilet décrit l'île de Vancouver comme étant «*la meilleure destination de plongée en eau froide au monde*». Le littoral offre un dédale perpétuel de fjords et d'îlots. De véritables jardins marins fournissent un habitat à plus de 300 espèces d'animaux aquatiques.

L'**Artificial Reef Society** entretient de beaux sites de plongée à Sidney, au nord de Victoria. Le bateau de guerre *Mackenzie*, un destroyer de 110 m de long, a été coulé pour être accessible aux plongeurs, tout comme le *G.B. Church*, un cargo de 57 m.

Arrawac Marine Services *(240 Meadowbrook Rd., ☎479-5098)* organise des plongées dans la région.

Équitation

Circuit C: Saanich Peninsula

Woodgate Stables
8129 Derrinberg Rd., Saanichton
☎652-0287
Une jolie balade en perspective à seulement 20 min au nord de Victoria.

Golf

Circuit C: Saanich Peninsula

Le golf est le roi des loisirs sur la Saanich Peninsula. Pour les amateurs de ce sport, voici, par ordre de préférence, quelques bonnes adresses:

Ardmore Golf Course
25$/18 trous
930 Ardmore Dr., Sidney
☎656-4621

Cedar Hill Municipal Golf Course
34$/18 trous
1400 Derby Rd., Saanich
☎595-3103

L'**Arbutus Ridge Golf Club** *(50$/18 trous; 3515 Telegraph Rd., 35 min au nord de Victoria, Cobble Hill, ☎743-5000)* offre un joli parcours à 18 trous et la possibilité de louer l'équipement.

Le **Cordova Bay Golf Course** *(54$/18 trous; 5333 Cordova Bay Rd., ☎658-4444)* dispose aussi d'un joli parcours à 18 trous avec champ d'entraînement, restaurant, bar-salon et boutique de pro.

Hébergement

L'hébergement est un peu moins cher à Victoria qu'à Vancouver. En fait, vous pouvez même trouver une chambre très convenable pendant la saison haute à Victoria pour moins de 150$... si le fait de tourner le dos au port ne vous dérange pas! Au moment de réserver, n'oubliez pas de demander si votre chambre a vue sur le port car elle pourrait vous coûter de 30$ à 100$ de plus par nuitée qu'une chambre sans vue particulière. Mais si vous pouvez vous le permettre, cette petite folie en vaut la peine, du moins pour une partie de votre séjour.

L'Inner Harbour et le vieux Victoria

Ocean Island Backpacker's Inn
$
bc, ℂ, ℜ
791 Pandora Ave.
☎385-1788
www.oceanisland.com
L'Ocean Island Backpacker's Inn est la dernière-née parmi les nombreuses auberges de jeunesse ayant vu le jour à Victoria ces dernières années. Une centaine de lits sont disponibles en dortoir ou dans des chambres doubles. Un petit resto se trouve sur place (des boissons alcoolisées y sont servies). Accès Internet.

Hostelling International Victoria
$
bc, ℂ
516 Yates St.
☎385-4511
⇄385-3232
L'Hostelling International Victoria est située dans le vieux Victoria et tout près de l'Inner Harbour. Dans les auberges de jeunesse, les membres ont préséance; il peut devenir difficile d'obtenir un lit surtout en haute saison si vous n'êtes pas membre. Ce bâtiment de pierre et de brique compte 108 lits et quelques chambres

privées. Obligation de réserver.

Dominion Hotel
$$
ℜ, ⊗
759 Yates St.
☎***384-4136 ou 800-663-6101***
⇄***384-5342***
www.dominion-hotel.com
L'élégant Dominion Hotel accueille les visiteurs depuis 1876. La décoration classique des 101 chambres donne entière satisfaction. Un resto-bar agréable se trouve au rez-de-chaussée.

Cherry Bank Hotel
$$$ pdj
ℜ, ⊗, ℂ, ≡
825 Burdett Ave.
☎***385-5380 ou 800-998-6688***
⇄***383-0949***
www.bctravel.com/cherry bank.html
En harmonie avec l'ambiance *British* de Victoria, le Cherry Bank Inn ressemble à une authentique auberge anglaise victorienne, avec amplement de papier peint de velours rouge et un labyrinthe de corridors étroits qui éveilleront le claustrophobe en vous. Certains trouveront l'établissement charmant, mais d'autres seront probablement d'avis que ses chambres sont franchement démodées, malgré l'effort des propriétaires de les égayer avec des plantes et des répliques de lits baldaquin. Le service est amical, et l'endroit est dur à battre en termes d'originalité et de prix.

Academy House B&B
$$$ pdj
ℝ
865 Academy Close
☎***388-4329 ou 877-388-4339***
⇄***388-5199***
www.academyhouse.bc.ca
L'Academy House B&B est un établissement tranquille situé en bordure du merveilleux Beacon Hill Park. Les hauts plafonds et le petit balcon ajoutent au confort de l'endroit.

Isabella's Guest Suites
$$$ pdj
ℂ
537 Johnson St.
☎***381-8414***
www.isabellasbb.com
Situé au-dessus de Willie's Bakery (voir p 178), dans le cœur du vieux Victoria, le gîte d'Isabella est une vraie trouvaille! On y trouve deux suites des plus attrayantes avec cuisinette complètement équipée, peintes de couleur1s riches et garnies avec goût d'antiquités, de meubles contemporains et de planchers de bois. Le petit déjeuner continental est servi chez Willie's. Les locations hebdomadaires sont préférables *(700$)*.

Harbour Towers Hotel and Suites
$$$
♞, ℝ, ℜ, ⌂, ≈, ⊙, ℂ
345 Quebec St.
☎***385-2405 ou 800-663-5896***
⇄***385-4453***
www.harbourtowers.com
Harbour Towers est un bon choix pour ceux qui recherchent un confort absolu, un service empressé et un emplacement près de l'Inner Harbour, le tout à un prix relativement raisonnable. Toutes les suites ont un balcon et une cuisinette, alors que les chambres régulières (certaines avec réfrigérateur), à partir du 7e étage, offrent un panorama du port pour un prix légèrement plus élevé *($$$$)*. Les enfants peuvent s'amuser dans la Kid Zone pendant que leurs parents s'entraînent au centre de conditionnement physique ou se détendent dans le bassin à remous. On peut aussi profiter des services de garde d'enfants.

Helm's Inn
$$$ pdj
ℝ, ℂ, ≡, ℜ
600 Douglas St.
☎***385-5767 ou 800-665-4356***
⇄***385-2221***
www.helmsinn.com
Le Helm's Inn est probablement l'hôtel présentant le meilleur rapport qualité/ prix à Victoria. Situé à une faible distance de marche du centre-ville, des musées et de l'Inner Harbour. Chambres spacieuses; suites agréablement redécorées, avec cuisine entièrement équipée; buanderie dans le couloir. Petit déjeuner continental du matin et thé de l'après-midi servis gracieusement. Une bonne adresse à prix abordable.

Admiral Inn
$$$ pdj
ℝ, 🐕
257 Belleville St.
☎388-6267 ou 888-823-6472
⇄388-6267
www.admiral.bc.ca
L'Admiral Inn est un établissement tranquille géré par une famille et situé à quelques pas de l'Inner Harbour, en plein centre-ville. Les chambres en sont très confortables et les prix raisonnables, compte tenu de sa situation centrale.

James Bay Inn
$$$
ℜ
270 Government St.
☎384-7151 ou 800-836-2649
⇄385-2311
www.jamesbayinn.bc.ca
Le James Bay Inn, un petit hôtel de 48 chambres, se trouve à quelques minutes de marche des édifices du Parlement et du Beacon Hill Park. Ce bâtiment est une ancienne maison pour retraités. L'artiste peintre Emily Carr y a passé la fin de ses jours. Les chambres, toutes simples, renferment un lit, un téléviseur et un petit bureau. Quelques chambres ont été récemment rénovées, et les autres sont plutôt démodées. Louez l'une des chambres qui comportent un oriel. L'établissement ne dispose pas d'ascenseur.

Chateau Victoria
$$$
ℜ, ≈, ⊙, ℂ, ℝ
740 Burdett Ave.
☎382-4221
⇄380-1950 ou 800-663-5891
www.chateauvictoria.com
Le Chateau Victoria est une option agréable pour ceux qui surveillent leur budget. Quoique cet établissement ne soit pas situé sur l'Inner Harbour, il est possible d'apercevoir l'Empress à partir de certaines chambres. Les chambres régulières ne sont pas tellement grandes mais jolies, avec couettes, bureaux, téléviseur à grand écran et fauteuils, le tout en très bon état. Elles sont situées au premier, au deuxième et au troisième étage, et les suites ***($$$$)***, avec balcon, se trouvent aux étages suivants. Seul aspect négatif: l'hôtel se dresse sur une légère pente, et la voie d'accès se révèle assez raide, ce qui pourrait représenter un problème pour les personnes à mobilité réduite. Une navette gratuite, par contre, peut résoudre ce problème, selon la disponibilité. Stationnement gratuit.

Swans Suite Hotel
$$$$
ℜ, ℂ
506 Pandora Ave.
☎361-3310 ou 800-668-7926
⇄361-3491
www.swanshotel.com
Le Swans Suite Hotel est, sans nul doute, l'une des meilleures adresses à Victoria, surtout si vous voyagez en groupe. Les chambres sont en fait de confortables appartements sur deux niveaux pouvant accueillir plusieurs personnes et se prolongeant de balcons. On y trouve de «vraies» œuvres d'art sur les murs, des plantes vertes, une télévision avec grand écran et un décor de «chalet de ski». L'hôtel, qui date de 1913, est situé en plein cœur du vieux Victoria, à deux pas du Chinatown et du port. Au rez-de-chaussée de l'établissement se trouve un pub très sympa (voir p 177).

Gatsby Mansion
$$$$$ pdj
309 Belleville St.
☎388-9191 ou 800-563-9656
⇄920-5651
Appartenant au même propriétaire que le Ramada Inn et situé juste derrière celui-ci, le Gatsby Mansion, une belle auberge, s'élève sur l'Inner Harbour. On trouve 10 chambres dans la maison principale et neuf autres dans l'édifice d'à côté, toutes décorées d'antiquités et de couettes. L'emplacement est idéal, et le service est professionnel et gentil (les femmes de chambre sont même vêtues de noir et blanc!). Les chambres, assez agréables (la chambre n° 5, avec oriels, grand lit, balcon et vue sur l'Inner Harbour, est très jolie), ne valent toutefois pas leur pesant d'or.

Haterleigh Heritage Inn
$$$$$ pdj
⊛
243 Kingston St.
☎384-9995
⇄384-1935
www.haterleigh.com
Construit en 1901, cet ancien manoir a été amoureusement restauré avec le souci du détail. La richesse du passé reste vivante dans ses magnifiques vitraux et son ameublement d'époque. Les chambres sont garnies de motifs floraux à la victorienne et équipées de baignoires à remous et de très grands lits.

Hotel Grand Pacific
$$$$$
♞, ℑ, ⊛, ≈, ⊘, ⌂
463 Belleville St.
☎386-0450 ou 800-663-7550
⇄380-4475
www.hotelgrandpacific.com
Situé directement sur l'Inner Harbour, avec une façade qui ressemble étrangement à celle de l'Empress, le Grand Pacific a été construit en 1989 et agrandi en 2001. L'élégant hall d'entrée est décoré de marbre et de lustres, et le décor des chambres régulières ressemble à celui de n'importe quel grand hôtel, c'est-à-dire de style «néocolonial» avec tons bourgogne et vert. Les chambres de l'ancienne section, par contre, commencent à être démodées. Chaque chambre comporte un balcon, l'air conditionné (commutateur dans la chambre), un minibar, une couette et diverses commodités (sèche-cheveux, fer et planche à repasser, cafetière). Une chambre avec vue sur le port coûte habituellement 30$ de plus qu'une chambre sans vue particulière. Le service y est professionnel et courtois.

Fairmont Empress Hotel
$$$$$
≈, ⊛, ⊘, ⌂, ℜ, ♞, ⊗
721 Government St.
☎384-8111 ou 800-441-1414
⇄389-2747
www.fairmont.com
Le Fairmont Empress Hotel donne sur l'Inner Harbour et se trouve près des musées et des espaces publics et commerciaux intéressants. Dessiné par l'architecte Francis Rattenbury, cet hôtel luxueux de 475 chambres se présente comme un lieu de détente dans un décor de style Château. Une nouvelle aile a été ajoutée au bâtiment d'origine sans enlever le charme légendaire à cet emblème victorien. Les visiteurs s'y arrêtent pour prendre le thé l'après-midi ou tout simplement pour admirer sa façade de lierre. S'y trouve aussi un bon restaurant (voir p 180).

Ses trois catégories de chambres, la Fairmont (chambres régulières), la Deluxe (grandes chambres) et la Premiere (grandes chambres avec vue sur l'Inner Harbour), sont toutes charmantes et décorées de tons canneberge, vert cendré et jaune pâle. Les chambres de catégorie Premiere (environ 100$ de plus que la Fairmont) sont les seules à offrir une vue sur le port et sont les premières réservées. Ainsi, faites vos réservations au moins six semaines à l'avance pour un séjour estival.

Laurel Point Inn
$$$$$
≈, ⌂, ℝ, ℜ, ≡, ♞
680 Montreal St.
☎386-8721 ou 800-663-7667
⇄386-9547
www.laurelpoint.com
Le bâtiment distinctif du Laurel Point Inn monte la garde à l'entrée de l'Inner Harbour. L'aile originale, au nord, date de 1970, et, quoique les chambres offrent le plus beau panorama de l'Inner Harbour, elles sont plutôt ordinaires. L'aile sud, ajoutée en 1989, fut conçue par l'architecte réputé Arthur Erickson, qui a aussi dessiné le Museum of Anthropology de Vancouver. Les vastes chambres de l'aile sud s'avèrent plus luxueuses, baignant dans un décor minimaliste; celles qui font face à l'Outer Harbour, quant à elles, offrent d'excellentes vues. Elles sont équipées de salles de bain de marbre, avec évier double, baignoire sur pieds, grande douche vitrée, voire téléviseur miniature et téléphone! Le superbe terrain profite d'un étang et d'une terrasse près du port. Malheureusement le service n'est pas tout à fait aussi professionnel

et empressé que celui auquel on s'attend d'un établissement de classe.

Scenic Marine Drive

UVic Housing, Food and Conference Services
$ pdj
bc, ℂ
début mai à fin août
angle Sinclair Rd. et Finnerty Rd.
☎721-8395
⇄721-8930
UVic Housing Food and Conference Services est situé sur le campus de l'université de Victoria. Près de 1 000 chambres en dortoirs sont à la disposition des visiteurs pendant les mois d'été. Parmi ces chambres, plusieurs ont été construites pour les Jeux du Commonwealth de 1994. Le prix est établi en fonction d'une occupation triple. Il est également possible d'obtenir une chambre pour personne seule. Le campus s'étend à l'est du centre-ville, sur une montagne, tout près de la plage de Cadboro Bay.

Shakespeare House B&B
$$ pdj
1151 Oxford St.
☎/⇄388-5546
www.shakespearehousebb.com/victoria.html
Entre le Beacon Hill Park et le détroit Juan de Fuca se trouve le Shakespeare House B&B, qui offre un bon confort. L'architecture classique anglaise du bâtiment est intéressante.

Oak Bay Beach Hotel
$$$$ pdj
ℑ, ℜ
1175 Beach Dr.
☎598-4556 ou 800-668-7758
⇄598-6180
www.oakbaybeachhotel.bc.ca
L'Oak Bay Beach Hotel accueille les visiteurs à la recherche du charme anglais et des plaisirs de la mer. Situé sur le front de mer dans le quartier résidentiel de Oak Bay, cet établissement de 50 chambres aménagées confortablement offre des vues intéressantes.

Fairholme Manor
$$$$ pdj
⊛, ℑ, ℂ, ℝ
638 Rockland Pl.
☎598-3240 ou 877-511-3322
⇄598-3299
www.fairholmemanor.com
Le Fairholme Manor, un manoir de style italien construit en 1885, a été rénové avec soin et a été somptueusement décoré par ses nouveaux propriétaires, Sylvia et Ross. Aujourd'hui il est un des plus beaux *bed and breakfasts* à Victoria. Ses quatre suites impeccables arborent toutes de hauts plafonds et des moulures ornées, des murs aux tons d'antan, des planchers de bois dur accentués de tapis persans, ainsi que de confortables fauteuils et causeuses de duvet; certaines comportent des oriels offrant une vue spectaculaire sur les monts Olympic, dans l'État de Washington. Les jardins de Government House se trouvent juste à côté, avec leur oasis de paix et de verdure. Les deux suites au niveau des jardins renferment même des cuisinettes, idéales pour ceux qui planifient un séjour indépendant. Le manoir est situé à Rockland, à une faible distance en voiture du centre-ville.

Beaconsfield Inn
$$$$$ pdj
ℑ, ⊛
998 Humboldt St.
☎384-4044 ou 888-884-4044
⇄384-4052
www.beaconsfieldinn.com
Situé au cœur de Victoria, le Beaconsfield Inn, de style édouardien, bâtiment classé monument historique, marie le luxe au raffinement. Les clients peuvent jouir d'un thé d'après-midi ou d'un verre de sherry offert gracieusement à la bibliothèque, garnie de sofas du cuir et de tapis persans et chauffée par un foyer au gaz, sans oublier le mémorable petit déjeuner. Les chambres sont impeccables, avec leurs antiquités, leurs couettes, leurs riches couleurs vives ou leurs tons pastels; quelques-unes comportent des planchers de bois dur et d'autres ont de la moquette. Cher, mais ambiance exclusivement *British* garantie.

Saanich Peninsula

Guest Retreat Bed & Breakfast
$$ pdj
ℜ
2280 Amity Dr., Sidney
www.guestretreatbb.com
☎656-8073
⇌656-8027
The Guest Retreat Bed & Breakfast se trouve à deux pas de la plage de Sidney et propose des appartements complètement équipés, avec entrée privée et beaucoup de placards. C'est une adresse idéale pour des séjours prolongés. Renseignez-vous sur les tarifs à la semaine et au mois.

Victoria Airport Travelodge
$$$
ℝ, ≈, ℂ, ♞
2280 Beacon Ave.
☎656-1176 ou 800-578-7878
⇌656-7344
www.airporttravelodge.com
Le Travelodge est membre de la chaîne d'hôtels du même nom. Belles chambres confortables et luxueuses à prix abordable. L'hôtel est bien situé, à quelques minutes des Butchart Gardens, de tous les golfs, du terminal de BC Ferries de Swartz Bay ainsi que de l'aéroport international de Victoria.

Honoured Guest Bed & Breakfast
$$$$ pdj
⊛
8155 Lochside Dr., Saanichton
☎544-1333
⇌544-1330
www.sidneybc.com/honoured
Le Honoured Guest Bed & Breakfast est un gîte de grand luxe situé sur la rive du Cordova Channel, à seulement une quinzaine de kilomètres de Victoria par la route 17. Quand le bâtiment a été construit en 1994, l'objectif était de tirer parti du paysage au maximum. Toutes les chambres ont une entrée privée et une vue imprenable de la mer et du mont Baker. Certaines d'entre elles ont un bassin à remous. Les cartes de crédit ne sont pas acceptées.

De Victoria au West Coast Trail

Port Renfrew Hotel
$-$$$
bc, ℜ, ♞
au bout de la route 14, Parkinson Rd.
☎647-5541
⇌647-5594
Le Port Renfrew Hotel est situé sur le quai du village, d'où partent les randonneurs vers le West Coast Trail. Ses chambres rustiques satisferont à coup sûr les marcheurs à la recherche d'un lit au sec. Une laverie se trouve également sur place. Un café sert des repas chauds.

Sunny Shores Resort & Marina
$$
≈
5621 Sooke Rd., R.R. # 1, Sooke
☎642-5731
⇌642-5737
www.sunnyshoreresort.com
Le Sunny Shores Resort & Marina propose des chambres modernes avec télévision câblée et, pour les campeurs, des emplacements pour tentes et véhicules récréatifs ainsi que des tables de pique-nique. Laverie, grande piscine et minigolf sont tous offerts. Ouvert toute l'année. Idéal pour les campeurs qui aiment la pêche. Possibilité de mouillage pour les bateaux.

Arbutus Beach Lodge
$$ pdj
5 Queesto Dr., Port Renfrew
☎647-5458
⇌647-5552
www.arbutusbeachlodge.com
L'Arbutus Beach Lodge est une très jolie auberge située sur la plage de Port Renfrew, dans la prestigieuse forêt du littoral ouest de l'île de Vancouver. L'environnement est calme, et le confort de l'établissement vous donnera envie d'y rester plus longtemps. Des promenades en mer pour l'observation des baleines ou la pêche sont possibles sur demande.

Lighthouse Retreat Bed & Breakfast
$$$ pdj
♞, ⊛, ℑ, ℂ
107 West Coast Rd., Sooke
☎646-2345 ou 888-805-4448
www.lighthouseretreatsooke.com
Niché dans la majestueuse forêt «West Coast», ce charmant *bed and breakfast* offre des chambres lumineuses et spacieuses, en plus de posséder se propre plage privée. Contrairement à ce que son nom suggère, cependant, il n'est pas situé dans un phare.

Seascape Inn Bed & Breakfast
$$$ pdj
ℂ, ℑ
6435 Sooke Rd., Sooke
☎642-7677 ou 888-516-8811
Très jolie propriété située face au port de Sooke. Au petit déjeuner, les œufs bénédictine sont extraordinaires. Si vous le désirez, le propriétaire vous emmènera à la pêche au crabe ou au saumon.

Arundel Manor Bed & Breakfast
$$$ pdj
980 Arundel Dr.
☎/⇄385-5442
www.arundelmanor.com
Vous pouvez jouir d'un séjour confortable et paisible à l'Arundel Manor Bed & Breakfast, une charmante maison construite en 1912. Les trois chambres sont décorées avec goût, et, du côté de l'eau, la vue est encore plus saisissante. Pour vous y rendre, dirigez-vous vers le nord par la route 1.

Sooke Harbour House
$$$$$ pdj et lunch de pique-nique inclus
♞, ⊛, ℑ
1528 Whiffen Spit Rd., Sooke
☎642-3421
⇄642-6988
www.sookeharbourhouse.com
M. et Mme Philip vous accueilleront chaleureusement à la Sooke Harbour House, leur maison de rêve. C'est cher, mais soyez rassuré: votre séjour ici sera mémorable et vaudra votre voyage à l'île de Vancouver. Les 28 chambres exquises sont toutes équipées d'un foyer et décorées avec des antiquités et des œuvres d'art. Le petit déjeuner est servi dans votre chambre et le déjeuner dans la salle à manger (voir p 181).

Restaurants

L'Inner Harbour et le vieux Victoria

Paradiso di Stelle
$
Bastion Square, près de Wharf St.
Pour le meilleur café en ville, il faut se rendre au Paradiso di Stelle, où la tradition italienne se reflète dans votre tasse. La terrasse avec vue sur le port est une des plus agréables de Victoria.

Ali Baba Pizza
$
1011 Blanshard St.
☎385-6666
La pizza d'Ali Baba est un vrai régal. Les portions généreuses correspondent au quart d'une pizza de 30 cm. Il faut absolument essayer la pizza au pesto!

Yuen's Mountain Restaurant
$
866 Yates St.
☎382-8812
Le Yuen's Mountain Restaurant propose l'indémodable buffet chinois de luxe à volonté!

Swans Brewpub
$$
506 Pandora Ave.
☎361-3310
Le Swans Brewpub est situé à l'intérieur du Swans Hotel (voir p 173). En plus de goûter sa bière maison, vous pourrez manger toutes sortes de plats typiques des pubs, tels des hamburgers à prix abordable.

California Wrap Bar
$
602 Broughton St.
☎382-9727
Le California Wrap Bar, ouvert seulement le jour, est l'endroit parfait pour passer une commande à emporter: on y fait des *wraps* (sandwichs roulés) de toutes sortes, accompagnés de délicieux jus frais. Vous pouvez aussi déguster le tout debout au comptoir ou à l'extérieur, où quatre tabourets entourent une

toute petite table sur le trottoir.

Barb's Place
$-$$
mars à oct, 11h jusqu'à la tombée de la nuit
Erie St., Fisherman's Wharf
☎***384-6515***
Tout le monde sait que de se retrouver au bord de la mer provoque une folle envie de s'offrir des fritures servies dans du papier journal... Afin de satisfaire la vôtre, rendez-vous à pied, en voiture, à vélo ou en autobus (n° 30 au départ du centre-ville) chez Barb's Place, pour y déguster des *fish and chips*, des fruits de mer cuits à la vapeur ou d'autres régals du genre (et même des repas végétariens). Le flétan accompagné de frites est délicieux, graisse comprise!

Willie's Bakery
$-$$
537 Johnson St.
☎***381-8414***
Cette petite boulangerie est aussi un café animé, le tout confortablement aménagé, avec planchers de bois et murs de brique. En plus des muffins et autres gourmandises (malheureusement les croissants ne sont pas à la hauteur), on y sert des petits déjeuners complets originaux *(lun-ven 7h à 11h30, sam-dim 7h30 à 12h)*. Soupes et sandwichs sont proposés à l'heure du déjeuner.

Green Cuisine Vegetarian Restaurant
$-$$
Market Square, 560 Johnson St.
☎***385-1809***
Les végétariens iront faire un tour du côté du Green Cuisine Vegetarian Restaurant, 100% végétarien (aucun produit animal et aucun produit laitier). Du comptoir à salades aux pâtisseries maison, en passant par le café biologique, il y en a pour tous les goûts... végétariens!

Gatsby Mansion
$ (petit déjeuner/déjeuner)
$$ (thé en après-midi)
309 Belleville St.
☎***388-9191***
Si vous vous levez avec le soleil et que vous ayez envie d'un petit déjeuner bien spécial, allez au Gatsby Mansion. Vous y dégusterez des crêpes aux baies et autres régals du genre, le tout servi dans un joli solarium curieusement décoré de photos de noces. L'endroit est tout aussi idéal pour l'heure du thé *(21,95$; 14h à 16h)*. Les scones qu'on y sert sont succulents.

Garrick's Head Pub
$$
1140 Government St.
☎***384-6835***
Le Garrick's Head Pub, situé sur une rue piétonnière, offre une terrasse ensoleillée l'après-midi où il fait bon se rassembler afin de savourer une bière locale. L'espace intérieur est restreint; cependant, les clients peuvent suivre leur sport favori sur écran géant.

John's Place
$$
723 Pandora Ave.
☎***389-0711***
Une faune urbaine hétéroclite se retrouve dans le décor chaleureux de John's Place. Les généreuses assiettes de poulet, de fruits de mer et de pâtes, avec leur prix abordable, donnent entière satisfaction. Les amateurs d'œufs bénédictine doivent impérativement se rendre à cette adresse. Quant au gâteau au fromage, disons qu'on se surprend à en commander une pointe même quand on a le ventre plein, tant la recette est réussie!

Ferris Oyster Bar & Grill
$$
tlj
536 Yates St.
☎***360-1284***
Cet établissement agréable propose une cuisine Pacific Northwest et d'excellents fruits de mer. Bonne ambiance si vous y allez en groupe.

Suze Lounge & Restaurant
$$
515 Yates St.
☎***383-2829***
Le chef du Suze élabore une cuisine imaginative et abordable: bonnes pizzas et pâtes, poisson succulent, excellents desserts maison, sans oublier le Phad Thai, inoubliable. On y sert 18 sortes de martinis. Essayez le

Suze, un célèbre apéro français. Une adresse incontournable avec une super-ambiance.

Rebar Modern Food
$$
50 Bastion Square
☎361-9223
Si vous avez trop ingurgité de crème caillée à l'heure du thé et que vous ressentiez le besoin de vous racheter à l'aide d'un bon repas sain et peu cher, faites un saut au Rebar. Le menu de cet endroit sympathique et décontracté est végétarien et végétalien, comprenant aussi du poisson et des fruits de mer. Quelques-uns des mets les populaires sont le réconfortant Monk's Curry (pleurotes, aubergine japonaise et tofu en sauce curry et noix de coco) et le burger aux amandes. Au fil des ans, Rebar s'est acquis une si bonne réputation que ses propriétaires ont publié leur propre livre de recettes! On y propose aussi une multitude de jus de fruits et de légumes frais, ainsi que des boissons à l'herbe de blé, pour vous revigorer. Ouvert pour les trois repas de la journée.

Vista 18
$$-$$$$
740 Burdett Ave., Hôtel Chateau Victoria
☎382-9258
Dans ce restaurant situé au 17e étage (*18th floor* en anglais, d'où Vista 18), et ouvert pour les trois repas de la journée, vous pourrez profiter d'une superbe vue de l'Inner Harbour et des montagnes au loin, confortablement assis dans un fauteuil. Le menu propose pâtes, steaks, thon, agneau et autruche... autrement dit, de tout pour tous! La salade Pacific Northwest, avec épinards, saumon fumé confit et papaye, et les médaillons de poulet, de gibier et d'autruche sont d'excellents exemples d'une cuisine des plus créatives. Musique de jazz en soirée le vendredi et le samedi.

Spinnakers Brewpub & Restaurant
$$$
308 Catherine St.
☎386-2739 ou 384-6613
Le Spinnakers Brewpub & Restaurant propose bières et repas dans un décor de détente où de grandes ardoises sur les murs annoncent les spécialités. La terrasse est très bien orientée, et vous vous y sentirez tout à fait à l'aise. Une ambiance de fête et de convivialité se dégage de cet endroit.

Taj Mahal
$$$
679 Herald St.
☎383-4662
Ce restaurant indien est difficile à manquer avec sa décoration extérieure. Essayez les spécialités: l'agneau à la «Biryani» et le poulet tandouri. On y trouve aussi un beau menu végétarien. Très bon!

Café Brio
$$$-$$$$
944 Fort St.
☎383-0009
Le charmant Café Brio offre une atmosphère à la fois romantique et très accueillante, avec tables de bois, banquettes intimes et sièges au bar, planchers de bois, éclairage subtil et chandelles, et une sélection éclectique d'œuvres d'art. La cuisine se veut Pacific Northwest, misant surtout sur les produits régionaux et proposant un menu quotidien inspiré par les saisons. Selon la journée, vous pourrez y déguster des cœurs de laitue romaine, des pétoncles d'Alaska dorées servies avec topinambours, du confit de canard accompagné de betteraves sucrées ou une salade aux pommes et lentilles rouges. Sans parler des divers plats de pâtes. Le personnel vous recommandera toujours un vin différent pour accompagner chacun des mets du menu. La longue carte des vins met en évidence les cuvées de la province et offre une sélection au verre et à la demi-bouteille. Un menu de dégustation, composé de trois couverts avec vins, est aussi proposé *(39$ végétarien, 52$ avec viande)*. Le personnel se révèle connaisseur et professionnel. Chaudement recommandé.

Pablo's Dining Lounge
$$$-$$$$
dîner seulement
225 Quebec St.
☎*388-4255*
Comme son nom ne l'indique pas, vous devez savoir que le Pablo's est un restaurant français, même s'il propose aussi une paella (sur commande). Il est situé aux abords de l'Inner Harbour dans une élégante maison de style... victorien bien sûr! À fréquenter, mais un peu cher.

Fairmont Empress Hotel's Bengal Lounge
$$$$
721 Government St.
☎*384-8111*
Le très exotique Bengal Lounge, situé dans le très beau Fairmont Empress Hotel (voir p 174), sert un buffet de currys. Ce restaurant apprête les spécialités du sous-continent indien selon une formule originale. L'espace ne manque pas ici, et la vaste salle à manger est garnie d'un mobilier de cuir de bon goût. Il en vaut la peine d'y jeter au moins un coup d'œil.

Bowen's Rib House
$$$$
825 Burdett Ave., Cherry Bank Hotel
☎*385-5380*
Le Bowen's Rib House, qui est le restaurant du Cherry Bank Hotel, propose un menu offrant une sélection recherchée de viandes et de poissons frais du jour. Le steak y est excellent, et vous dînerez au son du piano *honky-tonk* qui résonne harmonieusement dans la salle à manger.

Fairmont Empress Hotel
$$$$
721 Government St.
☎*384-8111*
Au Fairmont Empress Hotel (voir p 174), les amateurs de thé se donnent rendez-vous dans le grand hall pour prendre le thé et déguster des scones agrémentés de confiture. Pour ceux qui ont l'estomac dans les talons, l'Afternoon Tea propose des sandwichs au concombre et au fromage à la crème. Les vieux planchers de bois, le mobilier confortable, les théières géantes et le service courtois vous combleront. Soyez averti par contre que la note peut s'avérer élevée pendant la haute saison.

Il Terrazzo Ristorante
$$$$
555 Johnson St.
☎*361-0028*
Il Terrazzo est un populaire restaurant de pâtes italien. Saupoudrées d'épices et parsemées de diverses noix sucrées, les sauces onctueuses qui les arrosent se révèlent savoureuses. Ici la clientèle est surtout constituée de professionnels et de touristes.

Scenic Marine Drive

White Heather Tea Room
$-$$
mar-sam 9h30 à 17h, dim 10h à 16h
1885 Oak Bay Ave.
☎*595-8020*
Si le service du thé de l'Empress vous intimide un peu, rendez-vous plutôt au White Heather Tea Room. Agnes, la charmante propriétaire d'origine écossaise, y sert le thé l'après-midi *(13h30 à 17h)* ainsi que le petit déjeuner, le brunch du dimanche, de même qu'un léger déjeuner sur porcelaines fines et nappes blanches dans son petit salon de thé attrayant. Vous y trouverez diverses saveurs de thé en feuilles, des confitures maison et de la crème caillée pour tartiner les scones maison frais du jour. Sans oublier les sablés écossais, les tartelettes, les galettes d'avoine écossaises, les sandwichs *pinwheel* et autres délices. À l'heure du thé, choisissez le Wee Tea *(8,25$)*, le Not So Wee Tea *(12,75$)* ou le Big Muckle Giant Tea *(31,95$ pour 2 pers.)*. Il est suggéré de réserver pour le déjeuner et le thé. Et l'accent écossais d'Agnes est tout aussi génial que ses scones!

Snug Pub
$$$
1175 Beach Dr.
☎**598-4556**
Le Snug Pub se trouve à l'intérieur de l'Oak Bay Beach Hotel (voir p 175). Une clientèle assez âgée fréquente cet endroit calme et bien tenu en bordure de la mer, bien que de jeunes gens affluent sur la terrasse l'été. Les bières locales et importées ainsi que des repas légers y sont servies.

De Victoria au West Coast Trail

17 Mile House
$$-$$$
5126 Sooke Rd., Sooke
☎**642-5942**
Le 17 Mile House, un restaurant situé juste avant l'entrée du Sooke Harbour Park, propose des repas légers dans un décor chaleureux. Après une journée de marche sur le front de mer de Sooke, venez vous désaltérer dans cet établissement tout à fait relax.

Sooke Harbour House
$$$$
dîner seulement
1528 Whiffen Spit Rd., Sooke
☎**642-3421**
Le Sooke Harbour House a reçu des critiques élogieuses de partout à travers le monde. La fine cuisine des Philip a séduit des milliers de palais. Ses hôtes sont passés maîtres dans la recherche de l'excellence et dans la façon d'apprêter les produits locaux. La salle à manger, avec vue sur le Sooke Harbour, est aménagée dans une maison de campagne. Aussitôt assis, et peu de temps après avoir consulté le menu, vous serez plongé dans une autre atmosphère. La préparation des plats est influencée par les cuisines japonaise et française, le tout apprêté à la façon Pacific Northwest.

Sorties

Bars et discothèques

Sticky Wicket Pub
919 Douglas St.
☎**383-7137**
Le Sticky Wicket Pub est situé dans l'hôtel Strathcona, juste derrière l'hôtel Empress. Ce pub réunit une clientèle de tout âge et propose de la bonne bière. Les belles journées ensoleillées se passent sur le toit, où du volley-ball est organisé.

Steamer's Public House
570 Yates St.
☎**381-4340**
Une bonne adresse où boire un verre et danser sur les musiques jouées sur scène.

Swans Brewpub
506 Pandora Ave.
☎**361-3310**
Ce très beau pub sert une bière brassée sur place, la meilleure bière en Amérique du Nord... c'est en tout cas le bruit qui court à Victoria! Bon endroit où rencontrer d'autres voyageurs. Musiciens de jazz et de blues ainsi que groupes de musique celtique du dimanche au jeudi.

Lucky Bar
517 Yates St.
☎**382-LUCK**
Situé à côté du Suze Lounge & Restaurant (voir p 178), le Lucky Bar présente des formations musicales presque tous les soirs *(le droit d'entrée est d'environ 5$)*. Cet endroit bien sympathique arbore un mur de brique enjolivé d'une collection de photographies encadrées. Le dimanche soir, c'est la soirée Brew and View, pendant laquelle on peut boire une bière et visionner un film.

Hugo's Grill and Brewhouse
619 et 625 Courtney St.
☎**920-4846**
Chez Hugo's, une boîte de nuit branchée, on retrouve une clientèle dans la vingtaine et la trentaine dans un joli décor postindustriel, composé de lattes de bois, de tuyaux à découvert et de beaucoup de briques. Cet établissement confortable permet de s'offrir un verre de bière brassée sur place.

Activités culturelles

Théâtre

Le **Kaleidoscope Theatre** *(520 Herald St., ☎383-8124)* présente des pièces pour jeune auditoire.

Le **McPherson Playhouse** *(3 Centennial Sq., ☎386-6121, www.rmts.bc.ca/mcpherson)* présente des pièces de théâtre et des comédies musicales.

Au **Royal Theatre** *(805 Broughton St., ☎386-6121)* se tiennent tous les événements reliés à la danse et à la musique classique.

Musique

La **Victoria Jazz Society** *(☎388-4423)* vous informera sur la tenue de spectacles de jazz ou de blues dans la ville.

Le **Victoria Symphony** *(846 Broughton St., ☎385-9771, www.victoriasymphony.bc.ca)* donne des concerts tout au long de l'année, qui comprennent aussi bien du classique que du populaire.

Le **Pacific Opera Victoria** *(1316B Government St., ☎382-1641, www.pov.bc.ca)* monte des opéras classiques comme *La Bohème* et *The Marriage of Figaro*, avec sous-titres anglais et conférences pour démocratiser l'expérience de l'opéra.

Fêtes et festivals

Avril

Greater Victoria Performing Arts Festival *(avr et mai; Victoria, ☎386-9223):* plusieurs concerts et spectacles.

Bastion Square Festival of the Arts *(avr ven-dim + congés fériés 10h30 à 17h30, mai jeu-dim + congés fériés 10h30 à 17h30, juin à début oct mer-dim et congés fériés 10h30 à 17h30; Bastion Square, Victoria, ☎413-3144):* fabrication d'artisanat et création d'art.

Victoria International Blossom Walks *(mi-avr; à travers toute la ville de Victoria, ☎380-3949, www.victoriainternationalblossomwalks.ca):* sept circuits différents, courts ou longs.

TerrifVic Jazz Party *(15-90; fin avr; à travers la ville de Victoria, ☎953-2011, www. terrifvic.-com):* plusieurs concerts de jazz.

UNO Festival *(fin avr et début mai; ☎382-3746, www.victoriafringe.com):* plusieurs spectacles.

Floating Boat Show *(fin avr; Sidney; ☎245-8910)*

Mai

ManuLife Financial Literary Arts Festival *(mi-mai; à travers la ville de Victoria, ☎381-6722, www.literaryartsfestival. org):* des écrivains reconnus internationalement présentent leur œuvre au public.

Fort Rodd Hill Historical Military Encampment *(mi-mai; lieu national historique Fort Rodd Hill, ☎478-5849, http://parkscan.harbour.com/frh):* présentation de l'histoire militaire et navale de la Colombie-Britannique des années 1850 à 1950.

Victoria Highland Games *(mi-mai; Royal Athletic Park, ☎598-8961, www.victoriahighlandgames.com):* divertissements traditionnels écossais.

Victoria Harbour Festival *(entrée libre; mi-mai à fin mai; Inner Harbour; ☎592-9098, www.harbour.city.victoria.bc.ca):* Toutes sortes d'activités sont prévues au programme, comme la Victoria Day Parade et, surtout, la Swiftsure International Yacht Race, réputée à travers le monde.

Victoria Day Parade *(le troisième lundi de mai; le long de Douglas Street, Victoria, ☎382-3111):* le défilé du Victoria Day commence à 9h.

Swiftsure International Yacht Race *(fin mai; détroit Juan de Fuca; http://rvyc.bc.ca/swiftsure):* régates internationales sur mer réunissant les meilleurs pilotes du Pacific Northwest.

Esquimalt Lantern Festival *(fin mai; West Bay Walkway et West Bay Marina, Esquimalt, ☎383-8557, www.mun.esquimalt.bc.ca/recreation):* défilé sur l'eau de centaines de lanternes artisanales de 19h à minuit.

Bastion Square Cycling Grand Prix *(fin mai; Victoria):* Victoria est la capitale officieuse du vélo au Canada. Ce Grand Prix cycliste attire plusieurs athlètes professionnels.

Juin

Summer in the Square *(juin à sept tlj; Centennial Square, Victoria):* démonstrations de talents locaux en musique et en danse.

Oak Bay Tea Party *(début juin; Victoria)*: la plus grosse sauterie de l'année à Oak Bay.

Victoria Conservatory of Music's Garden Tour *(20$; Victoria; ☎477-4114):* 8 des 10 plus beaux jardins privés de Victoria ouvrent leurs portes au public.

Jazzfest International *(fin juin; Victoria, ☎388-4423 ou 888-671-2112, www.vicjazz.bc. ca):* plus de 50 concerts de jazz, de blues et de *world music*.

Folkfest *(fin juin à début juil; Ship's Point, Inner Harbour, ☎388-4728, www.icavictoria.org/folkfest):* macarons (laissez-passer) à 2$, donnant accès à une douzaine de spectacles.

Marché aux légumes *(Sancha Grounds, Sidney).*

Victoria Flying Club *(101-1352 Canso Rd., Sidney):* portes ouvertes.

Bayliner Rendez-vous *(Port Sidney Marina, Sidney):* exhibition de 200 bateaux.

Vente trottoir géante *(Beacon Avenue, Sidney).*

Juillet

Victoria Symphony Summer Music Festival / Summer Cathedral Fest *(début juil; Christ Church Cathedral, Victoria, ☎385-6515):* de la musique classique.

Victoria Shakespeare Festival *(mi-juil à début août; St. Ann's Academy Auditorium, Victoria, ☎360-0234, www.island net. com/~tinconnu):* représentations à 20h et à 23h.

Moss Street Paint-In *(13h à 16h; Moss St., Victoria, ☎384-4101, www.aggv. bc.ca):* postés aux «stations» le long de Moss Street, plus de 75 artistes connus (ou sur le point de l'être) créent leurs œuvres en utilisant divers médiums et styles.

"A Bite of Victoria" Food Festival *(entrée libre; 10h30 à 15h; Government House, ☎386-6368):* Vue d'ensemble des restaurants et autres cafés de Victoria.

Rootsfest Music Festival *(Royal Roads University, 2005 Sooke Rd., Victoria, ☎386-3655, www.rootsfest.com):* Rootsfest est le plus important festival de *world-beat music* de l'île de Vancouver.

Feux d'artifice de la fête du Canada *(1er juillet; Port Sidney Marina, Sidney).*

Sidney Days Celebration *(Sancha Hall, Sidney):* Pancake Breakfast.

Parade de la Confédération *(Beacon Ave., Sidney).*

Hommage aux navigateurs américains *(Port Sidney Marina, Sidney).*

Foire de l'artisanat *(Sancha Hall Annex, Sidney).*

Août

Latin Caribbean Music Festival *(Market Square, 560 Johnston St., Victoria, ☎361-9433, poste 212 ou 215, www.vircs.bc.ca):* danseurs, chanteurs et musiciens de l'Amérique latine, des Caraïbes et de l'Amérique du Nord.

Victoria Fringe Theatre Festival *(8$ par représentation, laissez-passer en vente; ☎383-2662 ou 383-7838, www.victoriafringe.com):* les meilleures pièces de ce théâtre innovateur sont présentées au centre-ville.

Symphony Splash *(entrée libre; 19h30; Inner Harbour, ☎385-9771, www. victoriasymphony.bc.ca):* installé sur une barge au milieu de l'Inner Harbour, au soleil couchant, l'orchestre symphonique de Victoria joue des airs classiques et populaires pendant ces soirées musicales.

First Peoples Festival *(au Royal BC Museum et dans les environs, Victoria, ☎384-3211, www.tourismvictoria.com):* le plus important festival urbain annuel au Canada célébrant les traditions, les arts et la culture autochtone.

Dragon Boat Festival *(Inner Harbour, ☎472-BOAT, www.victoriadragonboat. com):* le Dragon Boat Festival a d'anciennes racines culturelles et spirituelles chinoises.

Vancouver Island Brewery Blues Bash *(fin août et début sept; ☎388-4423 ou 888-671-2112, www.vicjazz.bc.ca):* durant cet événement, le blues est à l'honneur dans plusieurs boîtes du centre-ville.

Les jours du Centenaire *(Centennial Park, Saanichton).*

Foire aux fleurs *(Sancha Hall, Sidney).*

Septembre

Saanich Fall Fair *(début sept ven-sam 9h à 21h, lun 9h à 18h; Saanich Fairground, 1528 Stelly's X Rd., Saanich, ☎652-3314, www.tourismvictoria.com):* cette foire agricole est la plus ancienne de l'Ouest canadien à avoir été continuellement présentée année après année, et ce, pendant 130 ans.

Classic Boat Festival *(fin de semaine de la fête du Travail; Inner Harbour):* durant ce festival, l'Inner Harbour est parsemé de mâts et de digues de bois.

Festival de la mer *(Port Sidney Marina, Sidney).*

Rendez-vous des bateaux anciens *(Port Sidney Marina, Sidney).*

Octobre

Salmon Run *(entrée libre; mi-oct; Goldstream Provincial Park, 2930 route transcanadienne, ☎391-2300, www.goldstreampark.com/salmon.htm):* dans le parc Goldstream, le saumon apparaît aux environs de la mi-octobre et peut être observé pendant à peu près neuf semaines.

Ghost Bus Tours *(dernière semaine d'octobre; Victoria, ☎598-8870):* l'Old Cemeteries Society emmène les curieux dans les lieux hantés de Victoria.

Halloween Howl *(Panorama Leisure Centre, Sidney).*

Halloween Bonfire & Fireworks *(Tulista Park, Sidney).*

Novembre

"A Victoria Christmas" *(mi-nov à début jan; Victoria):* tout au long de cette joyeuse période et en plusieurs endroits, la ville est décorée selon l'esprit des fêtes.

Foire de l'artisanat aux New Saanich Fair Grounds *(1528 Stelly Rd., Brentwood Bay).*

Bazar de Noël *(Sancha Hall, Sidney).*

Décembre

Christmas at the Butchart Gardens *(déc et jan; The Butchart Gardens, 800 Benvenuto Ave., ☎652-4422, www.butchartgardens.com):* des dizaines de milliers de petites lumières scintillent à travers les fameux jardins pendant la période des fêtes.

Eagle Extravaganza *(contribution volontaire; mi-déc à fin fév tlj 9h à 16h; Goldstream Provincial Park, ☎478-9414, www.recreationbc.com/goldstream/eagles):* comme le saumon termine sa course, après son retour annuel dans la rivière Goldstream, plus de 200 pygargues à tête blanche se retrouvent dans le parc Goldstream.

The Great Canadian Beer Festival *(10$: le billet d'entrée doit être acheté aux points de vente locaux ou par la poste – programme du festival et verre-souvenir à dégustation de quatre onces offerts gracieusement avec l'achat du billet; Victoria Conference Centre, ☎383-2332, www.gcbf.com)*: célébration de la bière artisanale, 100% naturelle.

Lumières de Noël sur Beacon Avenue *(Beacon Ave., Sidney)*.

Défilé des bateaux avec lumières de Noël *(Sidney Wharf, Tulista Park, Sidney)*.

Achats

L'Inner Harbour et le vieux Victoria

The Fish Store
Fisherman's Wharf
☎383-6462
Pour acheter du poisson cru, des fruits de mer et du saumon fumé, ainsi que des harengs pour les phoques (1$ par hareng: les profits sont versés à la Steelhead Foundation), The Fish Store est l'endroit de choix.

Silk Road
1624 Government St.
☎704-2688
Cette charmante boutique regorge d'huiles essentielles et de produits d'aromathérapie, ainsi que de feuilles de thé, de superbes théières et plusieurs autres produits. On y propose aussi des dégustations de thé et une multitude d'ateliers, le tout à prix raisonnable.

Murchie's Tea
1110 Government St.
☎383-3112
À propos de thé, Murchie's Tea est une institution en Colombie-Britannique, et ce, depuis 1894, quand grand-papa Murchie concoctait un mélange spécial pour la reine Victoria. Vous pouvez y dénicher une variété de mélanges uniques en vrac, ainsi que des sachets de thé, comme le délicieux *chai* ultra-épicé. Bien sûr, vous pourrez vous procurer les accessoires nécessaires pour servir le thé. Et vous pourrez même en déguster un (ou un cappuccino, si cela vous chante) au bistro voisin.

Si le charmant petit côté britannique de Victoria éveille votre passion pour les choses antiques, vous voudrez sûrement vous promener le long de Fort Street entre les rues Quadra et Cook. Connue sous le nom d'**Antique Row** («la rue des antiquaires»), cette section abrite de nombreuses boutiques proposant antiquités et autres curiosités.

Eaton Centre
angle Douglas et Fort St.
☎381-4012
L'énorme Eaton Centre comprend toutes sortes de boutiques, magasins et restaurants. Le tout sur plusieurs niveaux et sur un quadrilatère entier.

Market Square
255 Johnson St.
☎386-2441
Le Market Square est plus petit et plus sympathique que l'Eaton Centre. Les commerces sont de moins grande taille, et une splendide cour intérieure incite à y flâner plus longtemps.

Munro's
1108 Government St.
☎382-2464
Si vous êtes à la recherche d'un livre pour vos après-midi de farniente ou tout simplement d'un lieu agréable à visiter, n'hésitez pas à vous rendre dans le bâtiment historique qui abrite cette librairie. Avec ses vitraux, ses plafonds à caissons de 8 m de hauteur et ses fresques, il s'agit sans nul doute d'une des plus belles librairies au Canada.

Rogers' Chocolates
913 Government St.
☎*384-7021*
La boutique Rogers' Chocolates mérite une visite pour son très beau décor du début du XXe siècle et ses deux lampes Art nouveau provenant d'Italie. Les Victoria Creams, proposées dans une grande variété de saveurs, sont la spécialité de la maison et sont préparées ici depuis plus d'un siècle.

Hill's Indian Crafts
1008 Government St.
☎*385-3911*
Cette boutique offre en vente toute une gamme de souvenirs à différents prix. Les œuvres d'art amérindiennes, quant à elles, sont plutôt chères. Grand choix de cartes artistiques.

Île de Vancouver et les îles du golfe

La grande île de Vancouver s'étend sur plus de 500 km le long de la Côte Ouest, et sa pointe sud fait face aux monts Olympic, dans l'État de Washington, aux États-Unis.

L'île est séparée en deux régions distinctes par une chaîne de montagnes qui divise le nord et le sud. La partie ouest a été fortement découpée par la mer, qui y a créé de grands et profonds fjords. À l'est, la topographie est beaucoup plus linéaire. Les villes et villages se sont surtout développés le long de cette côte et en bordure du détroit de Georgie. Les îles du golfe (Gulf Islands) se trouvent également dans ce détroit. Une autre portion des îles est regroupée dans le détroit de Johnstone, au nord-est de l'île de Vancouver.

L'exploitation de la forêt et la pêche ont assuré à plusieurs générations de bons revenus dans ce territoire magnifique. Les courants chauds du Pacifique procurent un climat tempéré toute l'année, ce qui se traduit par une bonne qualité de vie pour les résidants. Isolés du continent pendant des années, les insulaires disposent aujourd'hui de moyens de transport modernes et efficaces. Plusieurs traversiers relient chaque jour les îles au continent. Ce chapitre vous donnera un bon aperçu de plusieurs îles à découvrir. Lors de votre voyage, vous aurez peut-être la chance d'apercevoir une baleine, un phoque ou une loutre de mer. Les capitaines de BC Ferries ont l'œil vif et vous feront part de leur observation.

Pour faciliter votre séjour dans cette région de la Colombie-Britannique, nous vous proposons quatre circuits:

Circuit A: De Victoria à Nanaimo et la Cowichan Valley ★★

Circuit B: De Nanaimo à Tofino ★★★

Circuit C: De la Comox Valley à Port Hardy ★★

Circuit D: Îles du golfe ★★★

Pour s'y retrouver sans mal

En avion

Au départ de Vancouver, il y a des vols réguliers pour la plupart des villes de cette région. Des hydravions transportent les passagers entre les Gulf Islands. La majorité de ces îles et les municipalités de l'île de Vancouver sont desservies par les compagnies aériennes suivantes:

Air Canada *(☎888-AIR CANADA ou 888-227-7368; Vancouver: ☎250-688-5515; www.aircanada.ca)*. AirBC, la compagnie associée à cette compagnie, dessert Victoria, Nanaimo, Campbell River, Comox et d'autres municipalités.

Baxter Aviation *(Nanaimo: ☎250-754-1066; Vancouver: ☎800-661-5599; www.baxterair.com)* dispose d'une flotte d'hydravions qui font la liaison entre Vancouver et Nanaimo. La compagnie dessert aussi d'autres destinations sur l'île de Vancouver et sur la Sunshine Coast.

Kenmore Air *(☎800-543-9595, www.kenmoreair.com)* et **Harbour Air** *(☎604-688-1277 ou 800-665-0212, www.harbour-air.com)* sont deux petites compagnies d'hydravions qui proposent des vols directs entre Vancouver et Mayne Island.

En traversier

Pour voyager d'une île à l'autre, il existe un excellent service de traversiers qui naviguent quotidiennement entre les îles et vers la côte.

BC Ferries *(1112 Fort St., Victoria, ☎250-386-3431 ou 888-223-3779, www.bcferries.com)* propose les services suivants: d'une rive ou l'autre de l'île de Vancouver (Swartz Bay ou Nanaimo) au continent (Horseshoe Bay ou Tsawwassen), entre Tsawwassen et les îles du golfe (réservations obligatoires pour les voitures), et entre Campbell River et les îles Quadra et Cortes. Si vous voyagez en voiture, il serait prudent de réserver en été.

Si vous partez de Port Hardy pour vous rendre aux îles de la Reine-Charlotte ou à Prince Rupert, vous pouvez laisser votre voiture sur le continent.

BC Ferries offre un service de traversier entre Little River, sur la côte est de Comox, et Powell River, sur la Sunshine Coast.

BC Ferries a aussi un traversier qui relie Port McNeill *(☎250-956-4533)* à Sointula et Alert Bay.

Lady Rose Marine Services *(Port Alberni, ☎250-723-8313 ou 800-663-7192)* traverse Barkley Sound pour relier Port Alberni à Bamfield, au nord du West Coast Trail, et à Ucluelet, au sud de Long Beach.

En autocar

Island Coach Lines
700 Douglas St.
Victoria, BC, V8W 2B3
☎(250) 388-5248 ou 385-4411
www.victoriatours.com
Service de transport par autocar de Nanaimo à Port Alberni, à Ucluelet et à Tofino, sur le littoral ouest de l'île de Vancouver.

Greyhound Canada
☎800-661-8747
www.greyhound.ca
Service d'autocar entre le centre-ville de Nanaimo et le centre-ville de Vancouver.

Pacific Coach Lines
700 Douglas St., Victoria, BC, V8W 1B1
☎*(250) 385-4411 ou 800-661-1725*
Vancouver: ☎(604) 662-8074, www.pacific coach .com
Pacific Coach Lines assure la liaison entre le centre-ville de Vancouver et le centre-ville de Victoria, en accord avec l'horaire des traversiers de BC Ferries. Ces autocars desservent aussi les Gulf Islands.

Laidlaw Coach Lines
700 Douglas St., Victoria
☎*(250) 385-4411 ou 800-318-0818*
Laidlaw assure la liaison entre Victoria et Nanaimo, entre Nanaimo et Port Hardy et entre Nanaimo et Tofino.

En train

E&N (VIA Rail)
450 Pandora Ave., Victoria, BC, V8W 3L5
☎*800-561-8630 ou (250) 953-9000, poste 5800*
www.viarail.ca
Ce train longe le littoral est de l'île et dessert principalement les villes suivantes: Victoria, Duncan, Nanaimo, Qualicum Beach et Courtenay. Il quitte Victoria à 8h15 du lundi au samedi et à midi le dimanche.

En voiture

Location de voitures

Nanaimo

Budget
☎*800-668-3233 ou (250) 754-7368*
www.budget.ca
Budget vous cueillera à votre sortie du traversier.

National
1602 Northfield Rd.
☎*800-387-4747*
www.nationalvictoria.com

Port Hardy

Budget Rent-A-Car
4850 Byng Rd.
☎*(250) 949-6442 ou 800-668-3233*
www.budget.ca

Îles du golfe

La faible démographie des Gulf Islands explique probablement l'absence de service de transport public. Les insulaires proposeront aux piétons de faire du stop jusqu'à destination. L'attente n'est jamais bien longue, et l'expérience dévoilera l'imminent esprit de coopération et d'hospitalité propre aux habitants des Gulf Islands. Notez que plusieurs établissements hôteliers proposent un service de navette depuis le port.

En taxi

Galiano Island

Go Galiano
☎*(250) 539-0202*

Salt Spring Island

Silver Shadow Taxi
☎*(250) 537-3030*

Salt Spring Taxi
☎*(250) 537-9712*

En scooter

Pender Island

Otter Bay Marina
75$/4 heures

Salt Spring Island

Marine Drive Car Rental
124 Upper Ganges Rd.
☎*(250) 537-6409 ou 537-5464*

Location de voitures

Pender Island

Local Motion Car Rentals
4539 Bedwell Harbour Rd.
☎*(250) 629-3366 ou 888-850-9900*

Salt Spring Island

Marine Drive Car Rental
124 Upper Ganges Rd.
☎*(250) 537-6409 ou 537-5464*

En vélo

Notez que le relief accidenté des Gulf Islands fait de la randonnée à vélo un véritable défi! Il s'agit tout de même du moyen de transport idéal pour la découverte. Assurez-vous d'apporter une quantité suffisante d'eau et de nourriture avant de partir en expédition.

Pender Island

Otter Bay Marina
35$/journée

Galiano Island

Galiano Bicycle Rental & Repair
36 Burrill Rd.
☎ ***(250) 539-9906***

Salt Spring Island

Plusieurs établissements hôteliers de Salt Spring prêtent ou louent des vélos. Le relief étant plus plat ici que celui des autres Gulf Islands, le vélo s'avère une agréable façon de se déplacer.

Renseignements pratiques

Indicatif régional: ***250***

Pour obtenir de l'information détaillée sur l'île de Vancouver avant votre départ, adressez-vous à **Tourism Vancouver Island** *(335 Wesley St., Suite 203, Nanaimo, BC, V9R 2T5, ☎ 754-3500, www.islands.bc.ca).*

Renseignements touristiques

Circuit A: De Victoria à Nanaimo et la Cowichan Valley

Mill Bay-Cobble Hill

Mill Bay Travel Info Centre
☎ ***743-3566 ou 743-5099***

Duncan

Duncan Travel Info Centre
381A Trans-Canada Hwy., Duncan, BC, V9L 3R5
☎ ***746-4636***

Lake Cowichan

Lake Cowichan Tourism Information Centre
PO Box 824, Lake Cowichan
☎ ***749-3244***

Chemainus

Chemainus Travel Info Centre
9758 Chemainus Rd., PO Box 1311, Chemainus, BC, V0R 1K0
☎ ***246-4701 ou 246-3944***

Nanaimo

Tourism Nanaimo
Beban House
2290 Bowen Rd., Nanaimo, BC, V9T 3K7
☎ ***756-0106 ou 800-663-7337***

Circuit B: De Nanaimo à Tofino

Qualicum Beach

Oceanside Tourism
174 Railway St., PO Box 374, Qualicum Beach, BC, V9K 1S9
☎ ***752-2392***
www.oceansidetourism.com

Qualicum Beach Travel Info Centre
2711 West Island Highway, BC, V9K 2C4
☎ ***752-2923***
www.qualicum.bc.ca

Parksville

Parksville Visitor Info Centre
PO Box 99, Parksville, BC, V9P 2G3
☎ ***248-3613***
www.chamber.parksville.bc.ca

Port Alberni

Pacific Rim Tourism Association
3100 Kingsway, Port Alberni, BC, V9Y 3B1
☎ ***723-7529 ou 866-725-7529***
www.pacificrimtourism.ca

Alberni Valley Visitor Info Centre
2533 Redford St.
R.R.2, Suite 215, Comp 10, Port Alberni, BC, V9Y 7L6
☎ ***724-6535***

Ucluelet

Ucluelet Travel Info Centre
100 Main St.
PO Box 428, Ucluelet, BC, V0R 3A0
☎ ***726-4641 ou 726-7289***
www.uclueletinfo.com

Tofino

Tofino Long Beach Chamber of Commerce
380 Campbell St., PO Box 249, V0R 2Z0
☎***725-3414***
www.island.net/~tofino

Bamfield

Bamfield Chamber of Commerce
☎***728-3228***

Circuit C: De la Comox Valley à Port Hardy

Campbell River

Campbell River Travel Info Centre
1235 Shopper's Row, PO Box 400, Campbell River, BC, V9W 5B6
☎***287-4636 ou 800-463-4386***
www.vquest.com/crchamber

Port McNeill

Port McNeill Travel Info Centre
1626 Beach Drive, PO Box 129, Port McNeill, BC, V0N 2R0
☎***956-3131***
www.portmcneill.net

Port Hardy

Port Hardy Travel Info Centre
7250 Market Street, PO Box 249, Port Hardy, BC, V0N 2P0
☎***949-7622***
www.ph-chamber.bc.ca

Circuit D: Îles du golfe

Salt Spring Island

Salt Spring Island Chamber of Commerce
121 Lower Ganges Rd., Salt Spring Island, BC, V8K 2T1
☎***537-5252***
www.saltspringtoday.com

Galiano Island

Galiano Island Travel Info Centre
2590 Sturdies Bay Rd., PO Box 73, Galiano, BC, V0N 1P0
☎***539-2233***
www.galianoisland.com

Gabriola Island

Gabriola Island Chamber of Commerce
575 North Rd., PO Box 249, Gabriola Island, BC, V0R 1X0
☎***247-9332***
www.gabriolaisland.org

Saturna Island

Contactez **Tourism Vancouver Island** (voir plus haut).

Quadra Island et Cortes Island

Contactez le **Campbell River Tourism Office** (voir plus haut).

Pender Island

Pender Island Chamber of Commerce
c/o Pender Island Lumber
3338 Port Washington Rd.
Pender Island, BC, V0N 2M0
☎***888-420-3737***

Attraits touristiques

Circuit A: De Victoria à Nanaimo et la Cowichan Valley

Sortez du centre-ville de Victoria par Douglas Street et prenez la route transcanadienne (1) en direction nord vers Duncan et Nanaimo. Vous traverserez d'abord la région de la vallée de Cowichan.

Faites connaissance avec la beauté de la région de **South Cowichan**. Tout le long de la route, vous aurez l'occasion d'apprécier de jolies vues sur le Saanich Ilet et le détroit qui sépare le continent de l'île de Vancouver. La région de **North Cowichan** débute aux alentours de la ville de Maple Bay. Toute cette contrée est visiblement ouverte sur la mer, et ses localités accordent une grande importance à leur site.

Mill Bay-Cobble Hill

Il s'agit de votre première halte dans la région de South Cowichan avec le grand

Les vins de la Cowichan Valley ★★★

Juste au sud de la ville de Duncan se trouvent des vignobles dont les vins font partie des plus réputés de l'île de Vancouver. Ces vignobles se trouvent sur une **route des vins** ouverte aux touristes. La plupart des domaines sont accessibles par la route 1 entre Duncan et Victoria. N'hésitez pas à rendre visite aux viticulteurs: ils vous feront goûter à leurs nectars! Les entrées ne sont pas toujours faciles à trouver, mais, avec un peu d'attention, vous remarquerez des panneaux de signalisation particuliers (souvent une grappe de raisins) qui vous indiqueront où tourner. Si vous voyagez en basse saison touristique, il est préférable de téléphoner aux vignerons pour prendre rendez-vous.

Les vignobles de la Cowichan Valley se sont, petit à petit, acquis une bonne réputation. Il faut dire que la région, avec son climat doux, ses plages sablonneuses et ses criques tranquilles, ainsi qu'avec la beauté de ses paysages champêtres, a attiré beaucoup de poètes et d'amoureux de la nature. Des vignerons venus du monde entier convoitent de plus en plus cette partie de l'île de Vancouver, et beaucoup d'entre eux ont réussi à s'y installer. Quatre visites importantes sont à signaler: **Vigneti Zanatta**, **Cherry Point Vineyards**, **Merridale Estate Cidery** et **Blue Grouse Vineyards**.

Vigneti Zanatta *(visites et dégustations, mer-dim 12h à 16h30; fermé jan et fév; 5039 Marshall Rd., RR3, Duncan, ☎748-2338, www.zanatta.ca)*. La famille Zanatta fait du vin depuis plus de 40 ans, et leur vignoble s'étire à l'horizon, couvrant, d'année en année, d'autres parcelles du côteau. Après des études intensives en Italie, Loretta Zanatta a su développer une technique et un goût personnels. Le résultat: des vins faits selon la méthode italienne, aussi simplement que possible, en respectant la saveur du raisin. Un rendez-vous est requis pour rencontrer la famille Zanatta, mais les visiteurs non attendus sont aussi les bienvenus pour jeter un coup d'œil sur les splendides vignobles.

Cherry Point Vineyards *(tlj 11h30 à 18h; 840 Cherry Point Rd., RR3, Cobble Hill, ☎743-1272, www.cherrypointvineyard.com)*. Jamais une moraine n'a été aussi accueillante! Les 14 ha qui composent le domaine sont situés sur des collines ondulées, réminicense d'une ancienne vallée glaciaire. La réussite de Cherry Point réside très certainement dans le savoir-faire des propriétaires, Wayne et Helena Ulrich. Depuis 1990, le couple a consacré tout son temps et toute son énergie à la croissance de son raisin afin d'en révéler des saveurs complexes. Ils sont tous deux très heureux de faire partager leur philosophie de travail à leurs convives. Une nouveauté: vous pouvez passer la nuit au domaine puisque Cherry Point est aussi un *bed and breakfast*. Vous dégusterez un verre de pinot blanc à la fenêtre de votre chambre tout en savourant un séjour à la ferme. À essayer.

Le **Merridale Estate Cidery** *(tlj 10h30 à 18h; 230 Merridale Rd., RR1, Cobble Hill, ☎743-4293 ou*

800-998-9908, www.merridalecider.-com) fabrique un cidre élaboré dans la pure tradition. Le propriétaire, Al Piggott, fait pousser ses propres pommes dans un verger de 6 ha. C'est d'ailleurs le seul verger au Canada consacré exclusivement à la production de cidre.

Blue Grouse Vineyards *(sur rendez-vous; 4365 Blue Grouse Rd., RR7, Duncan, ☎743-3834, www.bluegrousevineyards.com)*. Au cœur de la Cowichan Valley, les personnes intéressées se verront offrir une visite très informative par le propriétaire, Hans Kiltz. Accueil sympa.

centre commercial de Mill Bay, le **Mill Bay Centre** *(route 1, sortie Mill Bay Rd., ☎743-5500)*, composé d'une quarantaine de boutiques qui regroupe épiceries et magasins de vêtements. En restant sur Mill Bay Road, qui devient par la suite Shawnigan-Mill Bay Road et enfin Shawnigan-Cobble Hill Road, vous arriverez à Cobble Hill, une région de parcs et de vignobles (voir encadré «Les vins de la Cowinchan Valley»).

Un autre attrait de Cobble Hill est le **Quarry Regional Park** ★ (voir p 207).

Shawnigan Lake

À l'ouest, à environ une dizaine de minutes de route de Mill Bay et de Cobble Hill, se trouve le joli village de Shawnigan Lake. L'intérêt principal de cette petite agglomération est, bien sûr, le **lac** du même nom. Il s'agit du plus important plan d'eau de la région, arrêt idéal pour se détendre après une longue journée de conduite. L'autre attrait très important de l'endroit est l'**Old Kinsol Trestle** ★★★ *(à partir de Shawnigan Lake, prenez Glen Eagles Road, puis à droite Renfrew Road West, et ensuite continuez à pied pendant 10 min; information: South Cowichan Chamber of Commerce, ☎743-3566)*, un des plus longs ponts de chemin de fer en bois au monde. Construit en 1921, il servait jadis au transport du minerai de cuivre.

Duncan

Le **Quw'utsun' Cultural And Conference Centre** ★★ *(11$; début mai à fin sept tlj 9h à 17h, oct à fin avr tlj 10h à 17h; 200 Cowichan Way, ☎877-746-8119 ou 746-8119)* a été fondé par les Cowichans en 1987. Au cours des années, ce centre du patrimoine amérindien est devenu une importante attraction touristique.

Le centre permet à la nation Cowichan de faire connaître sa culture par des activités d'interprétation et des spectacles, ainsi que par des expositions d'artisanat et d'œuvres d'art. La visite est détaillée et très intéressante; un beau film, bien fait, captive le spectateur et s'imprègne de l'esprit de la communauté. Situé près de la route transcanadienne et de la rivière Cowichan, le centre se compose de plusieurs reconstitutions de constructions traditionnelles et comprend un restaurant, un café, une galerie et une boutique de cadeaux, ainsi qu'un centre d'interprétation historique et un atelier de sculpture de totems.

La galerie d'art vend uniquement des objets de grande qualité faits à la main: paniers, tambours, bijoux, tricots, estampes originales ou à tirage limité, sculptures en «pierre de savon», poupées, couvertures, livres, de même que sculptures de bois inspirées des motifs des Salishs de la région côtière, des Nuu Cha

Nulths (littoral ouest) et des Kwagulths.

La **Judy Hill Gallery** *(mi-mai à fin sept lun-ven 9h à 19h, sam-dim 9h30 à 17h30; oct à mi-mai lun-sam 9h30 à 17h30; 22 Station St., ☎746-6663)* présente la meilleure collection d'art amérindien de la région. Il faut dire que cette galerie d'art représente une centaine d'artistes, tous peintres, sculpteurs ou tisseurs. Vous y trouverez aussi des chandails «Cowichan» authentiques.

Le **BC Forest Discovery Centre** *(9$; mi-mai à début sept tlj 10h à 18h, début sept à mi-mai tlj 10h à 16h, fermé l'hiver; 2892 Drinkwater, ☎715-1113)* organise de nombreuses activités de même que des démonstrations de coupe de bois «à l'ancienne». Venez faire une balade en train à vapeur, et partez à la découverte de l'industrie forestière de l'île de Vancouver. Très intéressant. Situé à seulement 1 km au nord de Duncan par la route transcanadienne.

Maple Bay-Crofton

Maple Bay, à 10 min de Duncan par Tzouhalem Road, est bordée par une jolie **baie** ★★. C'est un paradis pour les plaisanciers, les kayakistes et même les plongeurs puisque l'équipe Cousteau aussi est venue en explorer les profondeurs.

Crofton est accessible par une très jolie **route**: au départ de Maple Bay, prenez Herd Road jusqu'à Orborne Bay Road. Crofton est surtout connue pour son accès au traversier qui conduit à Salt Spring Island. Son attrait touristique principal est le **Somenos Marsh Wildlife Refuge** ★ (voir p 207), qui abrite plus de 200 espèces d'oiseaux.

Lake Cowichan

Lake Cowichan est une petite localité construite sur les rives du lac du même nom, à 31 km à l'est de Duncan, et accessible par la route 18. Le lac est surnommé *Kaatza*, qui signifie «le grand lac». Avec ses 30 km de long, il est un des plus grands plans d'eau de l'île.

Le **Kaatza Station Museum** *(mi-mai à mi-sept tlj 9h à 16h, mi-sept à mi-mai lun-ven 9h à 16h; Saywell Park, South Shore Rd., ☎749-6142)* est un joli musée qui présente l'histoire de la région en expliquant l'influence marquante de l'industrie forestière. Vous verrez aussi une locomotive qui date de 1928 et qui était utilisée pour le transport des billes de bois.

À 50 km à l'ouest, par une route forestière, vous découvrirez le **Carmanah Walbran Park** ★★★ et le **Carmanah Pacific Provincial Park** ★★★ *(information au bureau de tourisme de Lake Cowichan, ☎749-3244)* (voir p 207), soit de magnifiques étendues sauvages de près de 17 000 ha de forêts anciennes dont certains arbres atteignent près de 100 m.

★ Chemainus

Chemainus est une petite ville située à une vingtaine de kilomètres au nord de Duncan. Née de l'exploitation forestière, elle aurait sans doute sombré dans l'oubli, n'eût été de l'originalité de ses citoyens. Tout d'abord, la fermeture du moulin à scie annonçait le pire, mais les résidants ont pris les choses en main: ils ont remis sur pied l'entreprise et ont créé de nouveaux emplois.

Par la suite, la municipalité a organisé un grand concours artistique en faisant appel à plusieurs artistes pour couvrir les murs de fresques qui retraçent l'histoire de Chemainus. La trentaine de peintures murales valent le déplacement; vous devez compter une heure pour toutes les voir. Un plan disponible au bureau d'information touristique décrit chacune d'entre elles.

Nanaimo

Nanaimo est une ville importante pour sa liaison avec la côte,

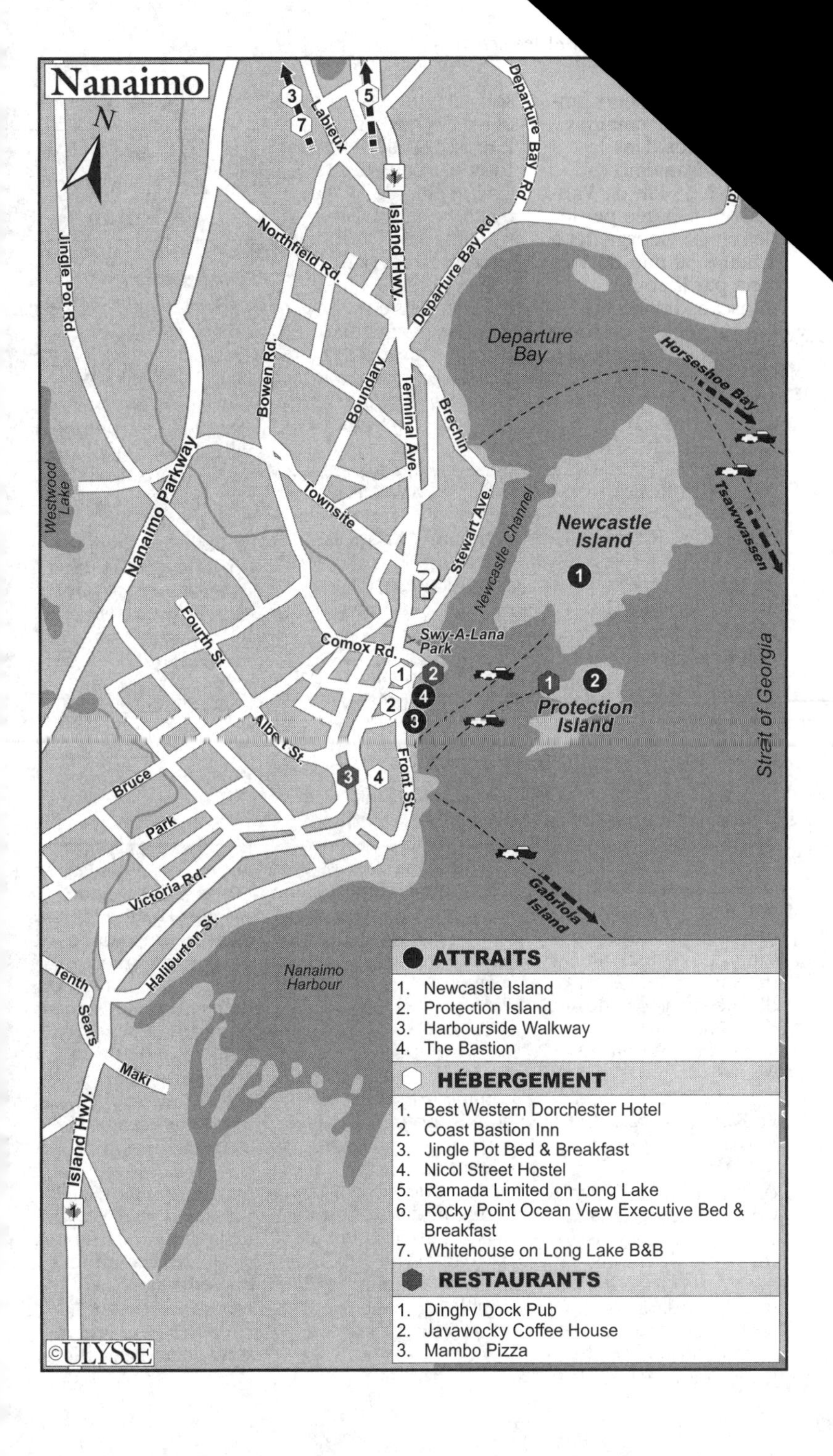
Nanaimo
N
Labieux
Departure Bay Rd.
Northfield Rd.
Island Hwy.
Departure Bay Rd.
Jingle Pot Rd.
Departure Bay
Horseshoe Bay
Bowen Rd.
Boundary
Terminal Ave.
Brechin
Nanaimo Parkway
Westwood Lake
Townsite
Stewart Ave.
Newcastle Channel
Newcastle Island
Tsawwassen
Fourth St.
Swy-A-Lana Park
Comox Rd.
Protection Island
Strait of Georgia
Front St.
Bruce
Park
Victoria Rd.
Gabriola Island
Halliburton St.
Nanaimo Harbour
Tenth
Sears
Maki
Island Hwy.
ATTRAITS
1. Newcastle Island
2. Protection Island
3. Harbourside Walkway
4. The Bastion
HÉBERGEMENT
1. Best Western Dorchester Hotel
2. Coast Bastion Inn
3. Jingle Pot Bed & Breakfast
4. Nicol Street Hostel
5. Ramada Limited on Long Lake
6. Rocky Point Ocean View Executive Bed & Breakfast
7. Whitehouse on Long Lake B&B
RESTAURANTS
1. Dinghy Dock Pub
2. Javawocky Coffee House
3. Mambo Pizza
©ULYSSE

Les v... vers le nord de l'île de Vancouver ou vers Long Beach, à l'ouest, passent par Nanaimo. Cette ville est beaucoup plus qu'une simple ville relais, son front de mer étant aménagé pour les marcheurs. Il est également facile de prendre un traversier pour atteindre **Newcastle Island** ★ et **Protection Island** ★ afin de profiter des installations de plein air et de la vue de Nanaimo. Les attraits touristiques sont regroupés dans un tour de ville à pied, le vieux Nanaimo faisant partie de ce secteur.

Le **Harbourside Walkway** ★★ est une promenade aménagée le long du front de mer de Nanaimo. Des parcs, des lieux historiques et des commerces bordent cette agréable promenade.

Le **Bastion** ★ *(1$; début juin à début sept tlj 10h30 à 16h30; ☎753-1821)*, construit en 1853 par la Compagnie de la Baie d'Hudson, devait assurer la protection du nouveau poste de traite et des résidants de la région. Les travaux de construction de cette fortification ont été faits ous la supervision de leux Québécois: Jean-aptiste Fortier et Léon Labine, employés de la Compagnie de la Baie d'Hudson. Le bastion n'a jamais été attaqué, et, après le départ de la compagnie en 1862, cette structure militaire fut abandonnée. Par la suite, le bastion a été utilisé comme prison, et, depuis les années 1910, il est un lieu de rassemblement et un musée. Tous les jours à midi, on y tire du canon et on y joue de la cornemuse écossaise, sous l'air bienveillant de quelques «polices montées» en habits rouges.

Au bout du **Commercial Inlet**, vous pouvez prendre la navette maritime *(aux heures, 9h10 à 23h; ☎753-8244)* pour Protection Island. Cette petite île est en quelque sorte la banlieue de Nanaimo. Les résidants y transitent tous les jours pour aller travailler en ville. Un pub flottant sert de la bonne bière et un excellent *Fish & Chips* (voir p 227).

Nanaimo est reconnue comme un centre important pour la plongée sous-marine. Il est recommandé de pratiquer ce sport de novembre à avril afin de profiter au maximum de la beauté des eaux (voir p 212). Le *bungee* (benji) semble également en attirer plus d'un.

Circuit B: De Nanaimo à Tofino

Quittez la route 19 par la sortie 46 en direction de Parksville.

Parksville

Parksville est une petite ville résolument axée sur le tourisme. Il faut dire que sa superbe **plage** ★★★, avec ses marées spectaculaires, offre de quoi contenter les visiteurs les plus difficiles. En août a lieu le Parksville Beach Festival, qui est l'hôte entre autres d'un concours international de châteaux de sable, l'**International Sandcastle Competition** *(☎248-3613)*.

Le secteur est populaire auprès des familles, en raison de la longue plage sablonneuse, des eaux peu profondes et du parc d'attractions qui domine le tronçon de route plutôt déplaisant qui mène à la ville jumelle de Parksville, soit Qualicum Beach (voir ci-dessous), plus tranquille et plus attrayante.

En quittant Parksville par la route 19 en direction sud, vous pourrez aller faire un tour à **Rhododendron Lake**. Une route forestière vous conduira vers une **réserve naturelle de rhodo-**

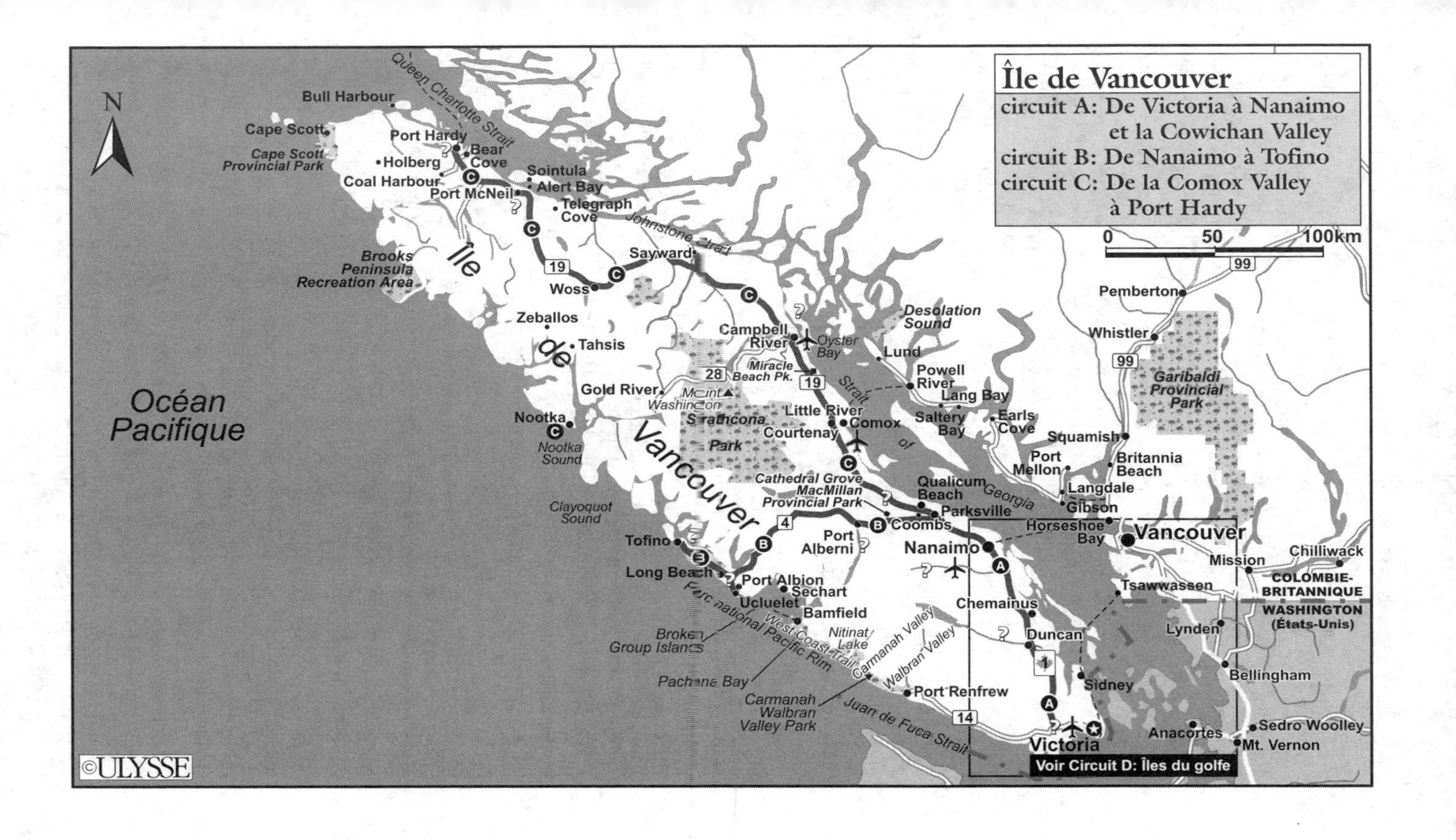

Île de Vancouver
circuit A: De Victoria à Nanaimo et la Cowichan Valley
circuit B: De Nanaimo à Tofino
circuit C: De la Comox Valley à Port Hardy
0
50
100km
N
Océan Pacifique
Île de Vancouver
Bull Harbour
Cape Scott
Cape Scott Provincial Park
Port Hardy
Bear Cove
Holberg
Coal Harbour
Port McNeil
Sointula
Alert Bay
Telegraph Cove
Queen Charlotte Strait
Johnstone Strait
Brooks Peninsula Recreation Area
Woss
Sayward
Zeballos
Tahsis
Gold River
Nootka
Nootka Sound
Campbell River
Oyster Bay
Miracle Beach Pk.
Desolation Sound
Lund
Powell River
Lang Bay
Saltery Bay
Earls Cove
Little River
Comox
Courtenay
Strathcona Park
Strait of Georgia
Cathedral Grove
MacMillan Provincial Park
Qualicum Beach
Parksville
Coombs
Port Alberni
Nanaimo
Clayoquot Sound
Tofino
Long Beach
Port Albion
Sechart
Ucluelet
Bamfield
Broken Group Islands
Parc national Pacific Rim
West Coast Trail
Nitinat Lake
Carmanah Valley
Walbran Valley
Pachena Bay
Carmanah Walbran Valley Park
Port Renfrew
Juan de Fuca Strait
Chemainus
Duncan
Sidney
Victoria
Voir Circuit D: Îles du golfe
Pemberton
Whistler
Garibaldi Provincial Park
Squamish
Port Mellon
Britannia Beach
Langdale
Gibson
Horseshoe Bay
Vancouver
Mission
Chilliwack
Tsawwassen
COLOMBIE-BRITANNIQUE
WASHINGTON (États-Unis)
Lynden
Bellingham
Anacortes
Sedro Woolley
Mt. Vernon
19
28
4
14
1
99
©ULYSSE

dendrons sauvages *(☎248-3613).*

Vous êtes maintenant dans la partie centrale de l'île de Vancouver, sur le littoral est. Les familles viennent ici pour profiter de l'environnement et de la température plus chaude de l'eau du détroit de Georgie. Les plages se prolongent jusqu'à Comox Valley. À l'intérieur des terres, le Strathcona Provincial Park marque la coupure entre le nord et le sud de l'île, et renferme des sommets dépassant les 2 000 m d'altitude.

Qualicum Beach

Qualicum Beach est une petite ville où beaucoup de retraités viennent s'installer pour profiter du beau temps. Cette région bénéficie d'une période d'ensoleillement supérieure à celle des municipalités plus au sud. Il y a beaucoup de va-et-vient sur la route 19 à la hauteur de Parksville et de Qualicum Beach. Ces villes sont fréquentées pour les plages qui s'y succèdent.

Heureusement, Qualicum Beach s'est vu épargner le développement anarchique dont a fait l'objet la ville de Parksville – un arrêté municipal oblige les restaurants de Qualicum Beach à faire le service aux tables, ce qui vous assure de ne rencontrer aucune «arche double dorée» ici. Cette belle petite ville se visite en très peu de temps, et, en plus de la plage et des boutiques de Second Avenue, s'y trouvent quelques attraits qui valent la peine d'être visités. La région d'Oceanside, qui comprend Parksville et Qualicum, est le repaire de nombreux artisans; demandez un exemplaire du *A Guide to Artists and Studios* à l'office de tourisme, et faites la tournée des ateliers d'artisans, des studios d'artistes et autres galeries d'art comme bon vous semblera!

Ce guide inclut l'**Old School House Gallery and Art Centre** *(lun 12h à 17h, mar-sam 10h à 17h, l'été dim 12h à 17h; 122 Fern Rd. W., ☎752-6133),* qui monte tous les mois de nouvelles expositions et qui loge une boutique de cadeaux étalant de beaux produits artisanaux et objets d'art créés dans l'île, ainsi que des studios d'artistes. Le centre d'art a emménagé en 1988 dans une ancienne école (1914-1985) et est géré par un groupe de bénévoles dévoués.

Situés à environ 2 km à l'est de Qualicum Beach, les **Milner Gardens and Woodland** ★★ *(10$; début avr à fin oct jeu-dim et jours fériés 10h à 17h, salon de thé 13h à 16h; 2179 West Island Hwy., ☎752-6153)* ont ouvert leurs portes au public en 2001. Jadis le domaine et le jardin du philanthrope, homme d'affaires et avocat Ray Milner, et de son épouse Veronica, une artiste talentueuse et une jardinière qui était aussi un parent éloigné de feue Diana, la princesse de Galles, la propriété fut donnée au Malaspina University-College en 1996, soit deux ans avant le décès de Mme Milner. Apprenant leur métier tout en y travaillant, les étudiants en horticulture s'en donnent à cœur joie dans ce magnifique domaine de 28 ha en bordure de mer, qui abrite de très vieux arbres incluant des sapins de Douglas et des cèdres, dont certains sont âgés de plus de 500 ans, en plus d'être hauts de plus de 60 m et d'avoir un diamètre de plus de 2 m (demandez au personnel de vous indiquer où se trouvent les plus vieux ou repérez la borne n° 6). Des jardins paysagers, des jardins de fines herbes et des essences exotiques sont parsemés à travers la propriété, mais une vue globale donne l'impression que les jardins et les arbres forment un ensemble très naturaliste et harmonieux. D'ici les vues des Gulf Islands septentrionales, dans le détroit de Georgie, se révèlent sans égales, et la paix et la tranquillité des lieux sont seulement troublées par l'aboiement des otaries ou le cri des nombreux aigles qui survolent les environs. Pendant la visite qu'il a faite ici en compagnie de Diana en 1986, le prince Charles fut tellement impressionné par ces vues qu'il en a fait un croquis; la reine Elizabeth et le prince Phillip ont visité à leur tour le site l'année suivante et ont logé à la résidence des Milner. Construite au cours des années 1930, dans un style qui évoque les maisons de plantation de thé sri lankaises, la résidence permet au public d'en visiter la majeure partie, et un salon de thé s'est récemment ajouté à la salle de réception; des rafraîchissements sont aussi disponibles à la boutique de cadeaux et peuvent être consommés sur le bord de la piscine – c'est vraiment raffiné! Les visiteurs se voient offrir une brochure d'auto-interprétation, et l'on porte assistance aux personnes à mobilité réduite qui en font la demande. Si vous le pouvez, venez visiter l'endroit entre la fin du mois d'avril et la mi-juin, quand les jardins sont à l'apogée de leur splendeur avec la floraison des magnifiques massifs de rhododendrons. Même ceux qui ne se considèrent pas comme des passionnés d'horticulture aimeront faire une petite promenade dans ces lieux merveilleux. Appelez aux Milner Gardens and Woodland pour vous informer des activités à venir.

Coombs

Butterfly World and Gardens ★★ *(7$; mi-mars à fin mars et début mai à fin sept tlj 10h à 17h, avr et oct tlj 10h à 16h; 1 km à l'ouest de Coombs par la route 4; 1080 Winchester Rd., ☎248-7026)*. Venez visiter le plus important habitat artificiel de papillons au Canada. Une forêt tropicale a été aménagée dans un environnement contrôlé afin de permettre à 80 espèces de papillons d'évoluer en toute liberté. Si vous passez par Coombs, Butterfly World and Gardens est un arrêt obligatoire.

La route vers Port Alberni passe à travers le **MacMillan Provincial Park–Cathedral Grove** ★★ (voir p 208).

Port Alberni

Port Alberni s'est développée, comme plusieurs villes de la province, grâce à l'exploitation de la forêt, la pêche et le commerce. Un grand canal qui relie le port à l'océan Pacifique offre une voie privilégiée pour le transport maritime. Port Alberni est aussi la porte d'entrée du littoral ouest de l'île de Vancouver. Lorsque vous atteignez le sommet des montagnes qui entourent le mont Arrowsmith, à près de 2 000 m d'altitude, vous êtes sur le point d'arriver à Port Alberni.

Il y a quelque temps, l'éventail d'activités qu'offrait Port Alberni se voulait plutôt restreint, mais deux nouveaux attraits s'y sont ajoutés.

D'abord, l'**Alberni Valley Museum** *(dons acceptés; mai à fin sept tlj 10h à 17h, jeu jusqu'à 20h; oct à fin avr lun-sam 10h à 17h, jeu jusqu'à 20h; 4225 Wallace St., ☎723-2182)* présente différentes expositions sur l'histoire, la culture et l'art de la région.

Puis le **Steam Train** *(3$; les fins de semaine de mi-mai à fin sept, aux heures entre 11h et 16h; à l'angle de Third Ave. et d'Argyle St., ☎732-1376)*, une locomotive à vapeur restaurée comportant un moteur à deux temps et datant de 1929 qui servait au transport du bois via Port Alberni, propose des promenades. Les prochaines années, la Ville souhaiterait prolonger la balade, aujourd'hui plutôt courte.

Port Alberni est également reconnue pour ses excellents lieux de pêche au saumon. Pour information, rendez-vous à l'office de tourisme.

Les saumons habitent les eaux locales. Ils sont nés dans les rivières, et, après avoir passé une bonne partie de leur vie en mer, ils retournent frayer, pour le grand plaisir des pêcheurs commerciaux ou amateurs.

Le **Harbour Quay** est plaisant pour prendre le café et s'informer de l'horaire des bateaux qui partent pour la journée vers le parc national Pacific Rim. Une fontaine au milieu de la place publique comporte des sculptures de granit représentant le cycle de vie du saumon.

Le ***M.V. Lady Rose*** *(appelez pour connaître les différents tarifs et horaires; toute l'année; Harbour Quay, ☎800-663-7192 ou 723-8313, www.ladyrosemarine.com)* est un bateau qui assure la liaison, toute l'année, avec Bamfield, à l'extrémité nord du West Coast Trail.

★ Ucluelet

Ucluelet est une ville minuscule située à l'extrémité sud de Long Beach; de vieilles maisons de bois bordent la rue principale. À l'époque, le seul moyen de transport pour y parvenir était le bateau. Ville de pêcheurs, elle vit également du tourisme. Plus de 200 espèces d'oiseaux fréquentent les environs d'Ucluelet. Les baleines grises transitent dans ses anses et près de ses plages du mois de mars au mois de mai, ce qui en fait l'un des attraits principaux de la Côte Ouest.

À l'extrémité sud du village, le **He Tin Kis Park ★★** a construit un trottoir de bois à travers une petite forêt humide tempérée qui longe Terrace Beach. Cette courte promenade vous fera apprécier la végétation. La promenade à travers le parc fait désormais partie du **Wild Pacific Trail**, une boucle de 2,7 km qui mène à l'**Amphitrite Point Lighthouse ★** (phare), lequel se dresse sur la rive depuis 1908; il était appelé, à l'époque, «le cimetière du Pacifique», plusieurs navires s'étant échoués sur les récifs. Les restes d'un grand voilier se trouvent toujours au fond de la mer au large du phare. La Garde côtière canadienne possède un centre de contrôle du transport maritime au large des côtes *(visites guidées l'été)*.

Cette courte boucle peut s'effectuer en moins d'une heure, et elle vaut sans aucun doute la peine d'être parcourue. Initiative communautaire, le Wild Pacific Trail sera réalisé par étapes et rejoindra éventuellement la section Long Beach du parc national Pacific Rim. La seconde phase du sentier, une boucle de 4 km autour de Big Beach (à l'extrémité de Matterson Drive), s'y est récemment ajoutée. Tenez bien compte des panneaux qui vous avertissent de vous tenir à l'écart des roches, puisque les vagues déferlantes sont communes ici. Du sentier, vous aurez de magnifiques vues des Broken Group Islands, et, au printemps, vous aurez peut-être l'occasion d'apercevoir des baleines grises migratrices et d'autres mammifères marins. Ouvrez l'œil, et le bon, pour observer aussi les aigles qui survolent les environs.

Pour tirer le meilleur parti d'une promenade le long de ce sentier ou des autres pistes de la région, louez les services du naturaliste et biologiste Bill McIntyre *(Long Beach Nature, randonnée d'une demi-journée 160$/5 pers.; ☎726-7099)*. Bill a tracé plusieurs itinéraires différents, et il est une mine inépuisable de renseignements absolument extraordinaire sur les eaux, les terres et les cieux, tous très fertiles, qui entourent son patelin – vous découvrirez ici la signification du terme anglais *nurse-log*! Lui et son épouse tiennent également leur propre B&B (voir p 219).

Parc national Pacific Rim, section Long Beach

Le parc national Pacific Rim, section Long Beach (voir aussi p 211), généralement surnommée simplement Long Beach, débute sur la côte à l'extérieur d'Ucluelet et se termine juste avant Cox Bay, à l'extérieur de Tofino. Le long du chemin, vous trouverez neuf différents sentiers, tous de moins de 5 km et tous bien indiqués sur la Pacific Rim Highway. Arrêtez-vous au bureau de **Parcs Canada** *(Pâques à oct; route 4, ☎ 726-4212)* afin de vous procurer un plan.

Le long du chemin, vous verrez le **Wickaninnish Centre** *(entrée libre; mi-mars à mi-oct tlj 10h30 à 18h)*, un petit centre d'interprétation (doublé d'un bureau d'information) où l'on projette des films (en anglais et en français) sur la nature de la région. Également sur le site se trouve le Wickaninnish Restaurant *(mi-mars à mi-oct 11h à 22h)*; même si personne ne s'extasie devant la nourriture qui y est servie, il serait difficile de voler la vedette à la vue qu'il offre.

Tofino

Tofino, située à l'extrémité nord-ouest de Long Beach, est une ville tranquille où les visiteurs discutent plein air et couchers de soleil. Les explorateurs espagnols Galiano et Valdés, qui ont découvert cette côte à l'été 1792, ont choisi le nom de Tofino en l'honneur de Vicente Tofino, leur professeur d'hydrographie.

Tofino compte un peu plus de 1 000 habitants; l'été, ce nombre quadruple. La ville en elle-même n'est pas très intéressante; les vacanciers viennent ici pour jouir du soleil et du sable de Long Beach. L'eau en est assez froide, cependant. Les excursions d'observation des baleines et la pêche au saumon attirent aussi les touristes dans la région.

Cette municipalité regroupe des artistes peintres et des sculpteurs qui s'adonnent à leur art, fortement inspiré par les lignes naturelles que forme le paysage sauvage de la Côte Ouest.

La ville de Tofino se niche dans le Clayoquot Sound, parsemé d'un grand nombre d'îles et d'anses. La région a fait la une des quotidiens nationaux au milieu des années 1980, quand les écologistes locaux, les Amérindiens et la population en général bloquèrent la route en élevant une barricade – une première au Canada –, pour stopper les camions de transport et ainsi protester contre le projet de coupe commerciale de billes de bois dans les anciennes forêts pluvieuses tempérées de l'île de Meares, près de Tofino. Après deux décennies de protestations, un territoire de quelque 350 000 ha a été déclaré réserve de la biosphère de l'UNESCO, en l'an 2000. Quelque 110 000 ha de ce que couvre la réserve de la biosphère sont légalement protégés, aussi bien par des parcs provinciaux et nationaux que par des réserves écologiques, et le reste consiste en des zones de protection prévues pour du développement durable. Pendant que vous êtes dans la région, ne manquez pas les forêts anciennes de l'île de Meares, avec leurs cèdres géants, leurs épinettes, leurs sapins et autres sapins-ciguës: l'endroit est merveilleux. Un sentier revêtu de planches y a été aménagé en 1993 par les nations amérindiennes locales, afin de donner accès au site tout en protégeant le sol du piétinement des visiteurs.

De la mi-mars à la mi-avril, Tofino vit à l'heure du **Whale Festival**, période pendant laquelle la population mondiale de baleines grises transite par la région. Chaque année, près de 19 000 baleines grises entreprennent un voyage migratoire de 16 000 km à partir de la péninsule de Baja California, au Mexique, jusqu'aux mers de Bering et de Chukchi, au large de l'Alaska et de la Sibérie. Les gros mammifères y passent tout l'été pour se nourrir des vastes bancs de krill qui pullulent dans ces régions. Plusieurs festivités sont organisées à Tofino pour marquer l'événement. (Voir p 212, pour plus de renseignements sur les excursions

La baleine grise
(Eschrichtius robustus)

La baleine grise est une des plus massives de son espèce: la femelle peut atteindre jusqu'à 15 m de longueur, le mâle 14 m, et les deux ont un poids à l'âge adulte qui varie entre 15 et 30 tonnes. La diète de ce mammifère, qui peut consommer jusqu'à 1 200 kg de nourriture par jour, est principalement constituée de crevettes et de petits poissons.

Chaque année, au printemps, des milliers de visiteurs se pressent au parc national Pacific Rim dans la région de Tofino, dans l'espoir d'apercevoir près des côtes quelques baleines grises en route vers le nord.

La baleine grise accomplit la plus longue migration chez les mammifères: un impressionnant aller-retour de 19 500 km entre les eaux nordiques de la mer de Bering et les eaux chaudes de la péninsule de Baja California, au Mexique, à une vitesse de 60 à 80 km par jour. C'est près de la Baja California, entre décembre et février, que les baleines grises donnent naissance à leurs petits. À la mi-février, les femelles et les baleineaux commencent leur migration vers le nord, suivis des mâles. Certaines baleines commencent à se nourrir en atteignant les eaux ceinturant l'île de Vancouver; d'autres attendront l'approche des mers de Bering et de Chuckchi, au large de l'Alaska et de la Sibérie. Durant l'été qu'elles passent dans ces eaux glaciales, les baleines grises se font une énorme réserve de nourriture qui peut atteindre entre 16% et 30% de leur poids corporel. En octobre, lorsque le début de l'hiver annonce la reprise du voyage migratoire vers la Baja California, les baleines sont capables de vivre des provisions accumulées.

La baleine grise ayant presque disparu au milieu des années 1850, les chasseurs la délaissèrent soudainement avant de se remettre à la chasser vers 1914. La population fut encore une fois presque décimée, mais, en 1937, la baleine grise devint une espèce protégée. Aujourd'hui, seule la branche Est du Pacifique Nord a survécu, avec une population qui compte 20 000 mammifères. La branche Ouest du Pacifique Nord (Corée) ne compte plus que 200 baleines, tandis que la population de l'Atlantique Nord a été décimée par la chasse abusive au XVIIe siècle.

Les organisateurs d'excursions aux baleines qui sillonnent les eaux au printemps doivent suivre des règles très strictes afin de ne pas déranger les baleines dans leur migration et menacer ainsi, encore une fois, l'espèce de l'extinction.

d'observation des baleines.)

★

Bamfield

Situé dans le fjord de **Barkley Sound**, sur le littoral ouest de l'île de Vancouver, Bamfield est un joli petit village assez isolé qui est accessible par un réseau de routes forestières, poussiéreuses l'été et boueuses l'hiver, au départ de Port Alberni ou de Lake Cowichan. Munissez-vous d'une bonne carte, gardez vos phares allumés et cédez toujours le passage aux camions transportant des billes de bois, surtout s'ils sont derrière vous.

La région est un petit paradis pour les activités de plein air et les amoureux des forêts millénaires. Il est à remarquer que Bamfield est le point de départ du célèbre **West Coast Trail** ★★★ (voir p 166), qui traverse le **parc national Pacific Rim** ★★★ (voir p 208). Ce sentier comprend la portion de la côte sud-est de Barkley Sound entre les villages de Bamfield et de Port Renfrew. Ce «sentier des rescapés», un tracé de 75 km, a été aménagé au début du XXe siècle pour aider au sauvetage des marins naufragés alors que leurs bateaux s'écrasaient très souvent sur les récifs menaçants de la côte. De nos jours, il attire des marcheurs du monde entier et nécessite des réservations ainsi que beaucoup de préparation.

Circuit C: De la Comox Valley à Port Hardy

Campbell River

Campbell River est une destination de premier choix pour les pêcheurs de saumons. Ce sport se pratique toute l'année, et cinq espèces de saumons fréquentent les eaux entourant Campbell River. À votre arrivée à Campbell River, prenez le temps d'aller au **Museum at Campbell River** ▲ *(5$, mi-mai à fin sept lun-sam 10h à 17h, dim 12h à 17h, oct à mi-mai mar-dim 12h à 17h; 470 Island Hwy., en face du parc Sequoia, 5th Ave., ☎287-3103 ou 287-8043)*, un musée doublement intéressant par son architecture soignée et par son contenu sur l'histoire des Amérindiens et des pionniers. Plusieurs vestiges des premiers jours de Campbell River vous sont ici présentés. L'artisanat amérindien, représenté par des gravures, des sculptures et des bijoux, occupe également une place importante.

En chemin vers le centre-ville, arrêtez-vous au **Discovery Pier** ★ *(Government Wharf)* pour aller marcher et admirer le détroit de Georgie et les montagnes de la Chaîne côtière.

Nootka Sound

Les Espagnols furent les premiers à naviguer dans les environs en 1774, mais, en 1778, le capitaine James Cook y accosta et revendiqua ces terres au nom du roi d'Angleterre. On découvre cette région riche en histoire par bateau depuis la baie de Nootka avec Nootka Sound Service *(appelez pour connaître les tarifs et l'horaire: ☎283-2325)*.

De retour à Campbell River, prenez la Highland Highway 19 vers Sayward.

Sayward

Quand vous quitterez la route à Sayward Junction, arrêtez-vous au **Cable Cookhouse** ★ *(☎282-3433)*. Le revêtement extérieur de ce bâtiment est fait de câbles enroulés les uns sur les autres. Les compagnies forestières utilisaient ces câbles pour transporter le bois vers les wagons. Plus de 2 km de câbles ont été utilisés ici pour monter les murs de ce restaurant. La petite municipalité de Sayward vit principalement de l'exploitation forestière. Chaque année, au mois de juillet, le **World Championship Logger Sports Day** attire les bûcherons qui viennent démontrer leur dextérité. C'est par bateau qu'il faut découvrir cette région. Le magnifique Johnstone Strait est parsemé d'îles riches et accueille une faune aquatique florissante.

★★ Telegraph Cove

Ce petit paradis reculé du littoral est de l'île de Vancouver était autrefois le point d'arrivée d'une ligne télégraphique qui longeait le rivage, d'où son nom de Telegraph Cove. Par la suite, une famille prospère acheta les terrains de la petite baie et y établit un moulin à scie. Le temps s'est arrêté ici depuis; les petites maisons ont été conservées, et des plaques commémoratives expliquent, le long du trottoir de bois, les grandes étapes du développement du village. Aujourd'hui, les vacanciers fréquentent cet endroit pour aller à la pêche, faire de la plongée sous-marine ou aller observer les baleines. Ce long trottoir de bois borde la baie, d'où vous pouvez parfois apercevoir un phoque, une loutre ou même une baleine.

Port McNeill

Plus au nord se trouve Port McNeill, une ville de 2 500 habitants qui est le centre régional de trois importantes compagnies forestières. **North Island Forest Tours** ★★ *(gratuit; durée 5 heures; juil et août lun-ven; North Island Forestry Centre, ☎956-3844)* organise des visites en forêt et sur les rivières pour observer la coupe de bois et la façon dont les hommes manipulent les géants verts. Vous devez réserver votre place et vous apporter un goûter.

Après l'industrie forestière, le tourisme maritime compte ici pour beaucoup. Il est également possible de faire de merveilleux voyages de pêche ou de mémorables excursions dans le détroit pour observer les baleines. La culture amérindienne occupe une place importante, surtout à Sointula et à Alert Bay, dans les îles avoisinantes. Un service de traversier assure la liaison plusieurs fois par jour.

★★ Alert Bay

L'**U'mista Cultural Centre** ★ *(5 $; mi-mai à début sept tlj 9h à 17h, début sept à mi-mai lun-ven 9h à 17h; Front St., ☎974-5403)* présente l'histoire de la cérémonie du *Potlatch* (qui signifie «donner») à travers l'histoire de la nation des Indiens u'mista. Les missionnaires ont tenté d'interdire cette cérémonie; une loi défendait à la communauté de danser, de préparer des objets destinés à être distribués et de faire des discours en public. Par la suite, cette cérémonie se pratiqua en cachette ou par mauvais temps alors que les Blancs ne pouvaient se rendre sur l'île. Une très belle collection de masques et de bijoux orne les murs. Vous devez voir les **Native Burial Grounds** et les **Memorial Totems** ★★, à savoir le cimetière autochtone et les grands mâts totémiques, afin de vous rendre compte de la richesse artistique des Amérindiens.

Port Hardy

Port Hardy est située à l'extrémité nord-est de l'île de Vancouver. Cette ville de pêcheurs et de travailleurs forestiers côtoie une faune marine et terrestre florissante. Si ce ne sont pas la pêche et les baleines qui vous attirent, la marche en forêt dans le parc de Cape Scott vous comblera. Les visiteurs en route vers Prince Rupert et les îles de la Reine-Charlotte prennent le traversier à Port Hardy *(appelez BC Ferries pour connaître les tarifs et l'horaire: ☎949-6722).*

The Copper Maker ★ *(entrée libre; lun-sam 9h à 17h; 114 Copper Way, Fort Rupert, en banlieue de Port Hardy, ☎949-8491)* se présente comme une galerie et un studio d'art amérindien. Des mâts totémiques de plusieurs mètres de haut se dressent sur place, en processus de fabrication ou en attente d'être acheminés vers leurs acheteurs. Prenez le temps d'observer les artistes à l'œuvre, et demandez-leur de vous expliquer la symbolique qui se cache derrière leurs dessins et leurs sculptures.

Circuit D: Îles du golfe

Les îles du golfe (Gulf Islands) sont autant d'endroits différents pour profiter de la nature et de l'isolement du monde, loin des bouchons de circulation. Le temps passe au rythme des arrivées et des départs des traversiers. Un esprit d'échange, de rencontre et de convivialité se dégage de ces oasis de paix, plus particulièrement en fin de journée, alors que les visiteurs se retrouvent au pub et se mêlent aux insulaires. Chaque voyage réserve des surprises, que ce soit la découverte d'une île comme vous en avez toujours rêvé ou le passage d'un phoque sous votre kayak; ces moments resteront à jamais gravés dans votre mémoire.

Situées dans les eaux du détroit de Georgie, 200 îles émergent entre le littoral est de l'île de Vancouver et le continent. À ces îles, se joignent les îles San Juan, du côté des États-Unis.

★

Gabriola Island

À seulement une vingtaine de minutes de traversier au départ de

Nanaimo, Gabriola Island est une île où la nature abonde. La meilleure façon de la visiter est de la parcourir lentement à bicyclette. C'est un havre de paix que beaucoup d'habitants de Nanaimo ont décidé d'exploiter puisqu'ils y ont leur résidence permanente. Quant aux voyageurs, s'ils recherchent la tranquillité et les paysages apaisants, c'est le coin idéal pour y passer quelques jours.

★ Salt Spring Island

Salt Spring Island est la plus grande et la plus peuplée des îles du golfe. Les Amérindiens y venaient pendant les mois d'été pêcher des fruits de mer, chasser le gibier à plumes et faire la cueillette de plantes. C'est en 1859 que les premiers Européens s'établissent dans cette île en implantant des fermes et de petits commerces. Aujourd'hui, plusieurs artistes en ont fait leur lieu d'habitation et de travail. Ils ouvrent leur studio au public. L'accès à l'île de Vancouver se fait rapidement; certaines personnes habitent ici en permanence et travaillent à Victoria. La ville de Ganges est le centre d'attraction commercial. Une promenade longe le port où se trouvent des boutiques et deux marinas.

★★ Galiano Island

Avec une population presque 10 fois moindre que celle de Salt Spring, Galiano Island demeure un endroit calme et pittoresque. Cette île a été nommée en l'honneur de Dionisio Galiano, un explorateur espagnol qui a été le premier à naviguer dans les eaux environnantes. D'une trentaine de kilomètres de long sur plus de 2 km de large, l'île présente des axes nord-ouest et sud-est. Ses grèves offrent plusieurs points de vue et des plages de coquillages.

★ Mayne Island

Mayne Island est la voisine australe de Galiano. Cette île calme est habitée surtout par des gens retraités. Il y a moins de touristes; vous y découvrirez un endroit paisible et un terrain assez plat qui fait le grand bonheur des cyclistes. Au milieu du XIXe siècle, au moment de la ruée vers l'or de l'hinterland (1858), les mineurs qui quittaient Victoria pour rejoindre le fleuve Fraser s'arrêtaient ici, d'où le nom de Miners Bay, avant de traverser le détroit de Georgie. Les premiers Européens à venir s'établir ici exploitèrent le sol pour la culture de la pomme. Vous pouvez encore aujourd'hui contempler ces grands vergers. Quelques bâtiments témoignent de l'arrivée des pionniers. L'**église St. Mary Magdalene** ★ *(Georgina Point Rd.)*, construite en 1897, et toute de bois, vaut le détour. Le dimanche, elle est ouverte pour la messe; profitez-en pour aller voir les vitraux.

L'**Active Pass Lighthouse** ★ *(tlj 13h à 15h; Georgina Point Rd.)* guide les marins depuis 1885, mais la structure d'origine a été remplacée par une nouvelle tour en 1940. Une structure encore plus récente a été érigée en 1969. Le site est facile d'accès, et des plans et des cartes marines indiquent la situation géographique de l'île.

★ Pender Islands

Les îles nord et sud de Pender attirent les visiteurs souhaitant vivre au rythme de la campagne tout en profitant des plages et de nombreuses activités de plein air. La communauté de Pender Island est active et s'investit constamment dans de multiples projets tels que le théâtre communautaire, les festivals et l'artisanat. Les îles, séparées par un canal étroit creusé en 1900, sont reliées par un petit pont. La partie sud, moins développée, présente de nombreux sentiers de randonnée dont un menant au sommet du **Mount Nor-**

man et un autre menant au **Beaumont Marine Park**, qui abrite une jolie plage blanche de coquillages concassés. La majorité de la population habite l'île nord, dans la circonscription de Magic Lake et de Trincomali. On retrouve dans la partie nord **Port Washington**, **Hope Bay**, puis **Roesland** et ses sentiers menant à un lac et à l'océan.

Parcs et plages

De l'information sur les parcs provinciaux de la Colombie-Britannique est offerte sur le site Internet suivant: ***wlapwww.gov.bc.ca/bcparks***

Circuit A: De Victoria à Nanaimo et la Cowichan Valley

Quarry Regional Park ★ *(accès par Empress Rd. à partir de Shawnigan-Cobble Hill Rd.)*. Après une heure de route, vous atteindrez le sommet de la colline. La **vue** depuis ce belvédère est magnifique.

Le **Shawnigan Lake Provincial Park** *(au sud de Cobble Hill par Shawnigan-Cobble Hill Rd., ☎743-5332)* est un superbe endroit où s'adonner aux joies du pique-nique et de la natation. Les rives du lac sont sablonneuses et ombragées. Idéal pour se soustraire aux chaudes journées d'été.

Le **Somenos Marsh Wildlife Refuge** ★ *(5 min au nord de Duncan par la route transcanadienne, ☎246-2456)* fait partie du parcours migratoire de plus de 200 espèces d'oiseaux. Un sentier recouvert de planches de bois a été aménagé pour limiter l'impact humain sur le marais et pour ne pas déranger les oiseaux. N'oubliez pas votre appareil photo avec téléobjectif.

Le **lac Cowichan** *(information ☎749-3244)* a été surnommé *Kaatza*, qui signifie «le grand lac». Il est idéal pour la voile, la planche à voile, la natation ou toute autre activité nautique.

Le **Carmanah Walbran Park** ★★★ et le **Carmanah Pacific Provincial Park** ★★★ *(information au bureau de tourisme de Lake Cowichan, ☎749-3244)*, de magnifiques étendues sauvages, comptent près de 17 000 ha de forêts anciennes qui prospèrent à l'abri des tronçonneuses dans le climat humide de la Côte Ouest. C'est aussi dans cette région que se trouvent les plus grandes épinettes du monde, avec près de 95 m de haut! De plus, une telle végétation est propice au développement d'une faune variée, composée d'écureuils, de souris, de ratons-laveurs, de loups, d'aigles et de hibous.

Ces deux parcs sont situés au sud de Bamfield, sur le littoral ouest de l'île de Vancouver. L'accès par Lake Cowichan est le plus direct, mais il s'agit malgré tout d'une route forestière non asphaltée et très caillouteuse. Prenez soin de vérifier l'état de vos pneus avant d'entreprendre ce trajet de 50 km, et munissez-vous d'une carte détaillée car la signalisation est très limitée.

À deux pas de Nanaimo s'offrent les 1080 ha du **Maffeo Sutton Park Morrell Sanctuary** *(☎756-0106 ou 800-663-7337)*, propriété du Nature Trust of British Columbia. Ce parc propose au moins 12 km de sentiers bien entretenus à travers une magnifique forêt de pins de Douglas qui entoure le joli lac Morrell.

Le **Newcastle Island Park** *(accès par une navette maritime au départ du Maffeo-Sutton Park, ☎756-0106)* est un magnifique parc situé sur une île. Autrefois, une mine de charbon et un centre de villégiature de la Canadian Pacific Steamship Company s'y trouvaient. L'île tout entière est un parc, et vous aurez souvent l'occasion d'y rencontrer des vestiges du passé en vous promenant sur le sentier maritime.

Circuit B: De Nanaimo à Tofino

Englishman River Falls Provincial Park
en direction ouest sur la route 4 jusqu'à l'intersection avec Island Hwy. 19; l'entrée du parc se voit facilement
☎*391-2300*
Ce très joli parc se trouve à 16 km des routes principales: vous aurez la sensation d'être au bout du monde. L'Englishman River Falls Provincial Park est un endroit idéal pour la randonnée et les pique-niques; c'est aussi le paradis des pêcheurs puisqu'il abrite une des meilleures rivières à truites de l'île.

Le **Little Qualicum Falls Provincial Park** *(tout près du village de Coombs, ☎391-2300)* est lui aussi un joli endroit pour la randonnée et les pique-niques. Les chutes d'eau de la rivière Little Qualicum créent un paysage étonnant. De plus, il est possible de se baigner dans de véritables piscines naturelles aux abords du lac Cameron.

Le **MacMillan Provincial Park–Cathedral Grove** ★★ *(à l'est de Coombs, à mi-chemin entre Coombs et Port Alberni, le long de la route 4, ☎391-2300)* est un endroit merveilleux et mystique. Les sapins de Douglas que l'on retrouve dans cette forêt magnifique atteignent près de 80 m, certains ayant plus de 800 ans. Lorsque que vous arpenterez les sentiers de Cathedral Grove, vous aurez vraiment l'impression d'être retourné à l'époque des dinosaures. C'est un bon exemple de ce que les premiers Européens ont découvert sur la Côte Ouest. Pour les Amérindiens, Cathedrale Grove était un lieu sacré. Veuillez noter que le sentier est accessible aux personnes à mobilité réduite: une promenade de bois permet aux fauteuils roulants d'y avoir accès. Un incontournable!

Aigle à tête chauve

Située à 6 km à l'est de **Bamfield**, **Pachena Bay** ★★★ est une plage magnifique qui fait partie du **parc national Pacific Rim**. La beauté de l'endroit vous laissera des souvenirs impérissables. Il est de plus possible de camper sur la plage, et c'est gratuit! Période limitée de sept jours.

Parc national Pacific Rim, section Long Beach ★★★ *(centre de renseignements de Long Beach, route 4, ☎726-7721)*. Des kilomètres de plages désertes, bordées de forêts humides tempérées, longent ce parc. L'accès aux plages, aux sentiers de randonnée pédestre et aux différents services est facile et très bien identifié. Le site est enchanteur, reposant, vivifiant et accessible toute l'année. Les amateurs de surf fréquentent ces plages, et **Live to Surf** *(1180 Pacific Rim Hwy., Tofino, ☎725-4464)* fait la location de planches de surf et de combinaisons de plongée.

On peut visiter la région de Tofino par bateau, ce qui permet de découvrir les trésors perdus des îles et des baies avoisinantes. Si vous voulez faire de la marche, allez voir les cavernes aux eaux sulfureuses ou des ours en forêt. **Sea Trek** *(visite guidée en français; 441 B Campbell St., Tofino, ☎725-4412 ou 800-811-9155)* organise des excursions.

Circuit C: De la Comox Valley à Port Hardy

Les **plages** de Qualicum Beach et de Parksville, juste en retrait de la route 19, sont populaires. L'eau n'est pas profonde du tout, donc idéale pour les enfants.

Le **Horne Lake Caves Provincial Park** *(renseignements ☎391-2300)* se compose en fait de quatre grottes naturelles qui offrent un aspect bien différent de la nature que l'on s'attend à retrouver sur l'île de Vancouver. Situées à la pointe ouest de Horne Lake par la route 19, juste au nord de Qualicum Lake, les grottes sont ouvertes au public. Il faut cependant être en bonne condition physique, être bien équipé pour la spéléologie et aussi avoir l'expérience de ce genre de visites. Celles-ci sont organisées par **Riverbend Cave**. Faites le numéro ci-dessus pour obtenir des renseignements supplémentaires.

Le **Strathcona Park** ★★ *(baignade, randonnée pédestre, pêche et 161 emplacements de camping; 59 km à l'ouest de Campbell River par la route 28, ☎954-4600)* est le plus vieux parc provincial de la Colombie-Britannique. Ces 210 000 ha de forêts et d'eau douce regorgent de trésors de la nature, entre autres de très grands sapins de Douglas dépassant les 90 m de hauteur. Le plus haut sommet de l'île de Vancouver est le Golden Hinde, qui atteint 2 220 m d'altitude.

La **Haig-Brown Kingfisher Creek Heritage Property** ★ *(dons acceptés; visites guidées juil et août seulement tlj 13h30; 2250 Campbell River Rd., Campbell River, ☎286-6646)*, un ancien domaine, appartenait au célèbre écrivain canadien-anglais Roderick Haig-Brown, qui s'est battu tout au long de sa vie pour la protection de la vie sauvage et de la nature. Située le long de la Campbell River, cette propriété mérite une visite.

Le **Miracle Beach Park** ★ *(28 km au sud de Campbell River, à l'intersection de Miracle Beach Rd. et de la route 19, ☎391-2300)* est une destination idéale pour les familles qui désirent être près des services disponibles tout en profitant de la plage.

Le **Cape Scott Provincial Park** ★★ *(67 km au nord-ouest de Port Hardy par Holberg Rd.; réservations à la chambre de commerce de Port Hardy ☎949-7622; pour toute autre information, BC Parks ☎391-2300)* couvre une superficie de 15 070 ha de forêts humides tempérées. Scott était un marchand de Bombay (Inde) qui finançait des expéditions commerciales de toutes sortes. Plusieurs navires se sont échoués sur cette côte, et, depuis 1960, un phare guide les marins à leur passage. Les deux tiers du front de mer de 64 km de long comportent des plages sablonneuses. À l'intérieur des terres, le terrain accidenté côtoie des arbres géants aux essences variées, comme le cèdre rouge et le pin. Il y tombe jusqu'à 500 mm de pluie par année, et les tempêtes sont fréquentes à cet endroit reculé de l'île de Vancouver. Il est recommandé de choisir les mois d'été pour un séjour.

Circuit D : Îles du golfe

Salt Spring Island

Le **Mount Maxwell Provincial Park** ★ *(par Fulford-Ganges Rd., prenez Cranberry Rd. puis Mount Maxwell Rd. jusqu'au bout, ☎391-2300)* est aménagé à flanc de montagne, et le point de vue sur l'île de Vancouver et les îles méridionales vaut le détour. Le site d'observation est facilement accessible.

Le **Ruckle Provincial Park** est le plus grand parc des Gulf Islands. Doté d'un riche passé historique, il abrite la plus ancienne ferme familiale de la Colombie-Britannique. Plusieurs sentiers pédestres sillonnent ses forêts et la côte.

Beddis Beach se présente comme l'une des meilleures plages de l'île. Il s'agit d'un endroit paisible, agrémenté de quelques étendues de sable blanc fin.

Galiano Island

L'île Galiano renferme de très beaux parcs

provinciaux donnant sur la mer.

Le **Montague Harbour Provincial Marine Park** ★★ *(du côté ouest de Galiano, à 10 km du quai de débarquement, ☎391-2300)* est un parc marin très intéressant, tant par sa beauté que par ce qu'il offre: lagune, plage de coquillages, campement aménagé. Le coucher de soleil depuis la plage nord, un point de vue idéal, vous fera rêver.

Le **Bluffs Park** ★ *(Bluff Dr. par Georgeson Bay Rd. ou par Burrill Rd.)* offre une vue en plongée sur l'Active Pass, où les traversiers en direction de Swartz Bay (Victoria) et de Tsawwassen (Vancouver) se rencontrent, créant ainsi beaucoup de va-et-vient.

Mayne Island

La plage de **Bennett Bay** est très agréable et constitue certainement l'une des belles promenades de Mayne Island.

Pender Islands

Parmi les belles randonnées des îles Pender, celle qui mène du **mont Normand** au **parc provincial Beaumont** est sans doute celle qui retiendra le plus votre attention. Des tables de pique-nique et des emplacements de camping sont disponibles dans le parc aux abords de la plage. Ainsi, les randonneurs qui s'y rendent pourront même prévoir y passer la nuit.

Activités de plein air

Randonnée pédestre

Circuit A: De Victoria à Nanaimo et la Cowichan Valley

Nanaimo offre des kilomètres de sentiers de promenade dans la nature ainsi qu'une grande variété de sites de plein air. Pour tout renseignement concernant les activités organisées, l'idéal est de faire une petite halte à l'**office de tourisme** *(Beban House, 2290 Bowen Rd., ☎756-0106 ou 800-663-7337)*, car on vous y donnera tous les détails ainsi que de bonnes cartes.

Le **Harbourside Walkway** est un chemin piétonnier asphalté qui s'étend sur plus de 4 km à partir du port de plaisance situé au centre-ville de Nanaimo. Vous passerez devant le centre commercial **Pioneer Plaza**, où vous pouvez aller jeter un coup d'œil aux boutiques. Par la suite, vous atteindrez le **Yacht Club** ainsi que les différentes boutiques pour marins. C'est une jolie promenade à la fois urbaine et maritime puisque, tout le long du trajet, vous suivrez le bord de mer.

Circuit B: De Nanaimo à Tofino

Le **West Coast Trail** ★★★, qui fait partie du **Pacific Rim National Park** *(PO Box 280, Ucluelet, BC, V0R 3A0, ☎726-7721 ou 726-4212)* longe la côte sud-est du **Barkley Sound** entre les villages de **Bamfield** et de **Port Renfrew**. Le «sentier des rescapés», comme il a été surnommé, est un tracé de 75 km qui a été aménagé au début du XXe siècle pour aider au sauvetage des marins naufragés. Le sentier suit à peu près le tracé d'une ancienne ligne télégraphique établie en 1890 le long d'un littoral accidenté: 66 navires se sont échoués dans ce secteur appelé le «cimetière du Pacifique». La topographie présente des plages sablonneuses et des promontoires rocheux.

Le West Coast Trail borde une forêt ombreuse côtière où règnent de vieux peuplements d'épinettes, de pruches occidentales et de thuyas. Certains des arbres les plus hauts du Canada (plus de 90 m) se trouvent sur le sentier ou à proximité de celui-ci.

Pour parcourir le West Coast Trail, on peut se prévaloir du **système de réservation** *(☎663-6000)*: il est obligatoire de se procurer un permis de droit de passage. Le sentier est accessible du début du mois de mai à la fin du mois de septembre (appelez pour vous le faire confirmer).

Un droit de réservation non remboursable de 25$ est imposé pour chaque personne, en plus de frais de sentiers de 70$. Un autre 25$ est requis le jour de la randonnée. Vous pouvez réserver tous les jours, de 6h à 18h (heure du Pacifique), en téléphonant à **Super Natural British Columbia** *(☎663-6000 ou 800-435-5622, www.hellobc.com)*.

Système de réservation du West Coast Trail au parc national Pacific Rim:

- Écrivez ou téléphonez au parc pour demander le feuillet de renseignements, et lisez-le attentivement.
- Familiarisez-vous avec le secteur sud de l'île de Vancouver, et déterminez à l'avance comment vous vous rendrez à votre point de départ, soit à l'entrée de l'un des sentiers (Bamfield ou Port Renfrew).
- Établissez à l'avance votre choix de dates et votre point de départ.
- Prenez le temps d'étudier le parcours en lisant l'un des guides du West Coast Trail: *The West Coast Trail & Nitinat Lakes*, Sierra Club, Victoria; *Blisters & Bliss*, D. Foster & W. Aitken; *Pacific Rim Explorer*, Bruce Obee, Whitecap Books.

Il est important que les randonneurs intéressés sachent que le West Coast Trail n'est pas sans danger: le parcours est ardu, et les blessures et les accidents sont fréquents. Le sentier est destiné aux randonneurs d'expérience en bonne forme physique qui sont prêts à affronter un milieu sauvage. Ce n'est pas un sentier où les débutants peuvent s'aventurer. Vous devez aussi être équipé pour affronter la pluie.

Il est fortement recommandé d'emporter un camping-gaz en plus d'une trousse de premiers soins. Un élément très important demeure les bottes de marche; il vaut mieux être bien chaussé pour ce genre d'expédition, loin de tout. La nourriture et l'eau doivent occuper une place importante dans votre sac à dos. Pour réaliser votre rêve de traverser une grande région riche en vie végétale et animale, vous devez vous préparer convenablement, et ainsi, une fois sur place, vous pourrez profiter amplement de votre séjour.

Le **parc national Pacific Rim, section Long Beach** *(centre de renseignements de Long Beach, route 4, ☎726-4212 ou 726-7721)* renferme entre autres le **sentier de la forêt humide** ★★★ *(6,4 km au nord du centre de renseignements touristiques)*, d'une distance de 2 km, qui traverse une forêt humide tempérée. Des panneaux d'interprétation ont été disposés le long de deux sentiers de randonnée pédestre pour expliquer les cycles de la forêt et les espèces qui y vivent. Ce parc est riche en histoire, et plusieurs sentiers relatent ces moments. Il est recommandé de s'informer auprès des responsables du parc de la présence d'animaux sur les sentiers. Il arrive que les gardes décident de fermer certains sentiers à cause de la présence d'ours. Veuillez noter que c'est seulement l'un des neuf sentiers qui sillonnent la région, tous indiqués sur la route.

Circuit C: De la Comox Valley à Port Hardy

Le **Cape Scott Provincial Park** ★★ *(67 km au nord-ouest de Port Hardy par Holberg Rd.; réservations ☎949-7622; pour toute autre information, BC Parks District Manager, Parksville, ☎391-*

0) s'étend sur une superficie de 15 070 ha de forêts humides tempérées. Depuis le stationnement de San Josef Bay, vous devez compter une bonne journée de huit heures à pied pour atteindre Cape Scott. Seuls des sentiers de randonnée pédestre donnent accès à Cape Scott.

Surf

Circuit B: De Nanaimo à Tofino

Le **parc national Pacific Rim** possède une magnifique plage continue de près de 45 km, soit **Long Beach**. Les surfeurs y découvrent un terrain de jeu illimité. Les vagues du Pacifique permettent une «glisse» de choix. L'hiver, elles atteignent 8 m de haut! Un rêve pour les fous du surf. Vous pouvez, vous aussi, vous adonner à ce sport peu commun en louant l'équipement et en suivant des cours. Combinaison nécessaire car l'eau est très froide!

Voici quelques bonnes adresses à Tofino pour la location et pour s'informer des précautions à prendre:

Storm - The Tofino Surf Shop
444 Campbell St.
☎725-3344

Live to Surf
1180 Pacific Rim Hwy.
☎725-4464

Plongée sous-marine

Circuit A: De Victoria à Nanaimo et la Cowichan Valley

Les eaux du littoral est de l'île de Vancouver attirent chaque année des centaines de plongeurs à la recherche d'un spectacle haut en couleur et en vie marine. La région de Nanaimo offre ce genre d'émerveillement avec **Sundown Diving Charters** *(appelez pour connaître les différents forfaits et tarifs; 22 Esplanade, Nanaimo, ☎753-1880).*

Circuit B: De Nanaimo à Tofino

Le secteur de l'**archipel de Broken Group** du **parc national Pacific Rim** *(centre de renseignements ☎726-4212)* est un dédale d'îles, d'îlots, de récifs et de nombreux rochers se prêtant à d'intéressantes plongées. On y trouve toutes sortes de lieux de plongée, faciles pour les débutants, ou d'autres pour les plongeurs plus aguerris, et d'autres encore plus exigeants pour les plongeurs d'expérience.

Circuit C: De la Comox Valley à Port Hardy

Paradise Found Trekking *(55$; durée 3 heures; début juin à mi-oct; ☎830-0662)* vous emmène à la hauteur des saumons dans la rivière Campbell. Pour ce prix, le masque, les palmes et la veste de plongée sont fournis. Vous n'avez plus qu'à vous laisser guider à travers les saumons, qui peuvent atteindre 1 m de long.

Sun Fun Divers *(réservations obligatoires; 1667 Beach Dr., Port McNeill, ☎956-2243)* organise des sorties de plongée sous-marine dans la région: Telegraph Cove, Alert Bay, Quatsino Narrows et Port McNeill. Les mois d'hiver sont recommandés pour la clarté de l'eau.

Observation des baleines

Circuit B: De Nanaimo à Tofino

Remote Passages
71 Wharf St.
☎725-3330 ou 725-3163
Remote Passages, une entreprise hautement professionnelle qui se spécialise en activités éducatives d'observation des baleines, offre

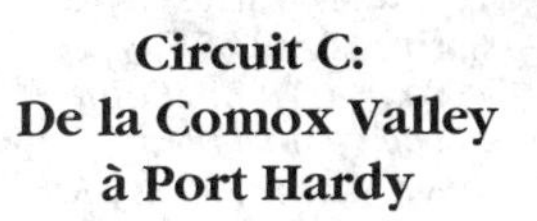
Épaulard

ses services dans la région depuis de nombreuses années. Confortablement assis dans un Zodiac qui ne secoue pas ses passagers, vous aurez l'occasion de voir des baleines grises, des épaulards et peut-être une baleine à bosse l'été *(59$/pers.; durée de 2 heures 30 min à 3 heures)*. On y propose aussi une sortie qui dure toute la journée, jusqu'aux sources chaudes qui jaillissent à l'extrémité nord du Clayoquot Sound *(89$/pers.)*, ainsi qu'une excursion d'observation des ours *(59$/pers.; durée de 2 heures 30 min)*.

Aussi bien **Island West Resort** *(425$/2 pers./6 heures: à la fois une excursion d'observation des baleines et un voyage de pêche; mars et avr; 140 Bay St., ☎726-7532)* que **Quest Charters** *(Boat Basin, ☎726-7532)* sont des entreprises qui offrent des excursions d'observation de baleines au départ d'Ucluelet.

Chinook Charters *(59$; 450 Campbell St., Tofino, ☎725-3431 ou 800-665-3646)* propose des sorties en mer pour aller observer les baleines grises. La meilleure période est mars à octobre, où les baleines sont en grand nombre.

Circuit C: De la Comox Valley à Port Hardy

Robson Bight Charters *(mi-juin à oct 9h30; Sayward, ☎282-3833 ou 800-658-0022)* organise des visites guidées dans le détroit de Johnstone pour observer les orques. La population de ces mammifères marins revient chaque année. Un spectacle qui ne vous laissera pas indifférent.

Circuit D: Îles du golfe

Galiano Island

Chinook Key Charters
65$/3 heures
départ au quai de Sturdies Bay
☎539-3388

Pêche

Circuit C: De la Comox Valley à Port Hardy

Discovery Pier *(24 heures par jour; permis de pêche obligatoire: appelez pour en connaître le prix; de 7h à 22h location de lignes à pêche 3$ l'heure; Government Wharf, Campbell River, ☎286-6199)* est un long quai de plus de 150 m où il est possible, à tout moment de la journée et de la nuit, de se procurer l'équipement de base pour pêcher. Les marcheurs fréquentent cet endroit.

Bailey's Charters *(60$ l'heure; Campbell River, ☎286-3474)* organise des sorties guidées en bateau pour pêcher le saumon et la truite. Ces sorties sont également une excellente façon de découvrir la beauté du front de mer de la région.

Calypso Fishing Charters *(384 Simms Rd., Campbell River, ☎888-225-9776 ou 923-2001)* propose des excursions de pêche au saumon dans le confort d'une vedette rapide équipée de toilettes. Le carburant et tout l'équipement de pêche sont inclus. Réservations recommandées. Prix: 75$ pour une ou deux personnes, 85$ pour trois ou quatre, et ce, pour une excursion de cinq heures au minimum.

Hook & Reel Charters *(16063 Bunny Rd., Campbell River, ☎287-4436)* vous emmènera à la pêche au saumon dans la région de Brown Bay, à une demi-heure au nord de Campbell River par la route 19. Tarifs: 70$ pour une ou deux personnes, 80$ pour trois ou quatre personnes, et ce, une excursion de quatre heures au minimum (taxes incluses).

Circuit D: Îles du golfe

Discovery Charters *(Quathiaski Cove, Quadra Island, ☎800-668-8054 ou 285-3146)* est un établissement de grande classe qui propose des expéditions de pêche au saumon. Après une excitante journée en mer, plusieurs formules d'hébergement vous seront proposées. Les Beach Houses sont de petites maisons construites au bord de l'eau et équipées de cuisinettes. Tarifs: à compter de 199$.

Voile

Circuit A: De Victoria à Nanaimo et la Cowichan Valley

Herizentm Sailing for Women *(36 Cutlass Lookout, Nanaimo, ☎741-1753)* est une école de voile bien spéciale car elle ne s'adresse qu'aux femmes. Autre détail important, les instructeurs sont aussi des femmes! Herizentm propose des cours complets avec stages incluant quelques repas, les boissons et l'hébergement. À compter de 250$ par jour.

Circuit D: Îles du golfe

La **Sailing School on Salt Spring Island** *(759$ pour le cours CYA, incluant l'hébergement pour 3 nuits; 422 Sky Valley Rd., Salt Spring Island, ☎537-2741 ou 537-2835)* est une école de voile qui propose des forfaits *Sail 'n' Stay* (voile et hébergement).

Kayak

Circuit A: De Victoria à Nanaimo et la Cowichan Valley

Wild Heart Adventures Sea Kayak Tours *(1560 Brebber Rd., Nanaimo, ☎722-3683)* organise, depuis 1990, des expéditions de choix partout autour de l'île de Vancouver. Les expéditions de Wild Heart Adventures sont sécuritaires, et il n'est pas nécessaire d'avoir de l'expérience pour y participer. Vous pouvez partir pour une journée ou pour une semaine. Téléphonez pour recevoir la brochure.

Circuit B: De Nanaimo à Tofino

Chez **Tofino Sea Kayaking** *(320 Main St., Tofino, ☎725-4222 ou 800-TOFINO-4)*, toutes les randonnées commencent par un cours. D'autre part, chacune d'elles est guidée par des naturalistes qui ont une expérience très avancée du kayak de mer et qui sont certifiés en secourisme et en premiers soins. Expéditions organisées à Meares Island, à Lemmens Inlet et aux Duffin Passage Islands. Vous pouvez aussi louer un kayak à condition d'avoir suffisamment d'expérience.

Remote Passages (voir p 212) propose aussi des excursions en kayak de mer qui incluent une randonnée pédestre à l'intérieur de la vieille forêt de Meares Island *(58$/4 heures)* ou une sortie plus courte au coucher du soleil *(44$/2 heures 30 min)*.

Même si vous pouvez atteindre facilement l'archipel des Broken Islands au départ de Bamfield, des excursions en kayak au départ d'Ucluelet sont aussi possibles avec **Majestic Ocean Kayaking** *(1167 Helen Rd., Ucluelet, ☎726-2868 ou 800-889-7644)*. Toutes les excursions incluent des repas gastronomiques.

Circuit D: Îles du golfe

Cortes Island

Le **T'ai Li Lodge** *(Cortes Bay, ☎935-6749 ou 800-939-6644)* est un centre marin d'aventures qui fait face au parc de Desolation Sound. Vous apprendrez à faire de la voile et du kayak de mer dans des endroits formidables tout en étant guidé par des naturalistes. Une formule d'hébergement est aussi disponible.

Salt Spring Island

Sea Otter Kayaking
149 Lower Ganges Rd.
☎537-5678 ou 877-537-5678
Sea Otter Kayaking propose des excursions guidées de deux heures à six jours, des cours et de la location d'équipement.

Galiano Island

Galiano Island Sea Kayaking
45$/4 heures
637 Southwind Rd.
☎888-539-2930
Excursions guidées.

Galiano Island & Gulf Island Kayaking
50$/3 heures
Montague Marina
☎539-2442
Excursions guidées.

Pender Islands

Kayak Pender Island
45$/3 heures
Otter Bay Marina
☎629-6939 ou 877-683-1746
Excursions guidées.

Benji

Circuit A: De Victoria à Nanaimo et la Cowichan Valley

Allez chez **Bungee Zone** *(15 min au sud de Nanaimo par la route 1, tournez à droite dans Nanaimo River Rd.; Nanaimo, ☎753- 5867 ou 800-668-7771)* si vous êtes à la recherche de sensations fortes! Nanaimo en a fait une attraction: les aventuriers sautent d'un pont au-dessus de la rivière Nanaimo.

Ski alpin

Circuit C: De la Comox Valley à Port Hardy

Le **Mount Washington Ski Resort** *(45$; Howard Rd., Courtenay, ☎338-1386)* a son sommet à 1 609 m d'altitude. Les skieurs peuvent profiter d'une vue de 360°. De là, vous apercevrez la Chaîne côtière et les dizaines d'îles qui ferment le détroit de Georgie. La région reçoit chaque année d'importantes chutes de neige; la saison de ski débute en décembre.

Hébergement

Circuit A: De Victoria à Nanaimo et la Cowichan Valley

Malahat

Aerie Resort
$$$$$ pdj
≡, ⊛, ℑ, ≈, ℜ, ⌂
600 Ebedora Lane
☎743-7115 ou 800-518-1933
⇄743-4766
www.aerie.bc.ca
L'Aerie Resort, membre de l'association «Relais et Châteaux», fait honneur à son slogan de «château en montagne», magnifiquement perché et isolé au sommet du mont Malahat. Son mobilier et ses accessoires personnalisés sont pour le moins fastueux, et la plupart de ses chambres régulières disposent d'une terrasse ou d'un balcon privé; moyennant un léger supplément, vous aurez même droit à une baignoire à remous, à une cheminée avec foyer, à une douche-vapeur et à un lit à colonnes, à moins que vous ne préfériez un «lit bateau» revêtu de cuir somptueux. Une piscine intérieure et une autre extérieure, un court de tennis et une station thermale à l'européenne s'ajoutent aux installations. Forfaits

gastronomiques et «petits soins» disponibles.

Duncan

Village Green Inn
$$
≡, ℂ, ≈, ℜ
141 Trans-Canada Hwy.
☎746-5126 ou 800-665-3989
⇄746-5126
Le Village Green Inn est le plus grand hôtel de Duncan. Il se trouve à une courte distance de marche du centre-ville, des boutiques et du Cowichan Native Village. Les 80 chambres sont très confortables, avec cuisinette sur demande. Un bar, un restaurant et un magasin vendant vins et spiritueux sont installés dans l'hôtel; une piscine et un court de tennis sont mis à la disposition de la clientèle.

Falcon Nest Motel
$$
ℂ, ≈
5867 Trans-Canada Hwy.
☎748-8188
⇄748-7829
Le Falcon Nest Motel est un petit motel un peu vieillot mais bien placé, à deux pas des restaurants de la route transcanadienne. Prix abordable. La patronne est sympathique.

Cowichan Bay

Oceanfront Grand Resort & Marina
$$$
≈, ℜ, ⌂
1681 Cowichan Bay Rd.
☎748-6222 ou 800-663-7898
⇄748-7122
www.travellersinnresort.com
L'Oceanfront Grand Resort & Marina est un bel hôtel de 56 chambres, chacune d'elles offrant une belle vue sur la mer et les montagnes. De plus, vous trouverez un bar et un restaurant dans l'hôtel, ainsi qu'une piscine intérieure et un magasin vendant vins et spiritueux. Des hydravions viennent amerrir juste devant l'établissement. Des rénovations sont en cours, elles devraient être complétées au printemps 2003.

Nanaimo

Nicol Street Hostel
$
bc, ℂ
65 Nicol St.
☎753-1188
⇄753-1185
La chaleureuse atmosphère amicale de la Nicol Street Hostel compense son emplacement le long de la bruyante route transcanadienne. Située à quelques rues de centre-ville, l'auberge de jeunesse offre à sa clientèle des bons de réduction valables dans quelques restaurants de Nanaimo. C'est la plus agréable des trois auberges de jeunesse de Nanaimo.

Best Western Dorchester Hotel
$$
ℜ
70 Church St.
☎754-6835 ou 800-661-2449
⇄754-2638
www.dorchesternanaimo.com
Le Best Western Dorchester dispose de 65 chambres confortables, décorées simplement, qui offrent une belle vue sur le port de Nanaimo. Son aménagement est semblable à ceux des autres Best Western de la région. Une valeur sûre.

The Whitehouse on Longlake B&B
$$ pdj
⊛, ℑ
231 Ferntree Pl.
☎756-1185 ou 877-956-1185
⇄756-3985
www.nanaimobandb.com
Situé à seulement 10 min du centre-ville sur les rives du Long Lake, le Whitehouse possède sa propre plage privée. Endroit idéal pour les familles, cet établissement se trouve tout près de sentiers pédestres et de pistes cyclables.

Rocky Point Ocean View Bed & Breakfast
$$ pdj
≡, ⊛, ℜ
4903 Fillinger Cr.
☎751-1949 ou 888-878-4343
⇄758-6683
www.rockypoint.bc.ca
Les vues sur le détroit de Georgie et, par

temps clair, sur les montagnes de la chaîne côtière vous émerveilleront. La décoration des trois chambres est un peu lourde, mais l'accueil des hôtes vous fera oublier ces petits détails.

Jingle Pot Bed & Breakfast
$$ pdj
≡, ♞, ℑ, ℝ, ⌂
4321 Jingle Pot Rd.
☎758-5149 ou 888-834-0599
⇄751-0724
www.jinglepot.com
Le Jingle Pot Bed & Breakfast est tenu par un marin, le capitaine Ivan, qui se fera un plaisir de vous servir en français. Il a aménagé deux chambres luxueuses pour faire de votre séjour un moment agréable. Si vous prévoyez faire une excursion en mer, le capitaine Ivan pourra vous donner de bons conseils.

Ramada on Long Lake
$$$
♞, ⊛, ⏲, ℝ, ⌂
4700 North Island Hwy.
☎758-1144 ou 800-565-1144
⇄758-5832
www.ramadananaimo.com
Relaxez-vous sur les rives du Long Lake, au nord de Nanaimo. Toutes les chambres sont orientées vers l'eau. Vous aurez accès à une plage privée ainsi qu'à un centre de conditionnement physique. Situé à deux pas de la gare maritime de Departure Bay de BC Ferries.

Coast Bastion Inn
$$$$
≡, ♞, ⊛, ⏲, ≈, ℜ, ⌂
11 Bastion St.
☎753-6601 ou 800-663-1144
⇄753-4155
www.coasthotels.com
Le Coast Bastion Inn est un hôtel tout confort de 179 chambres, toutes profitant de la superbe vue de la région. Certaines sont même équipées de baignoires à remous. Au rez-de-chaussée, un salon de beauté, une galerie d'art, une boutique vendant du chocolat, un restaurant et un pub vous accueillent.

Circuit B: De Nanaimo à Tofino

Parksville

Paradise Sea-Shell Motel and RV Park
$$ pdj - motel
$ - parc de véhicules récréatifs
ℂ
411 West Island Hwy.
☎248-6171 (motel)
☎877-337-3529
☎248-6612 (parc de véhicules récréatifs)
⇄248-9347
Le Paradise Sea-Shell Motel and RV Park est situé à quelques pas de la grande plage de Parksville. Si vous conduisez un véhicule récréatif, vous aurez la possibilité d'y réserver un emplacement et profiterez des mêmes avantages que les clients du motel, c'est-à-dire l'accès à la plage et à l'énorme Paradise Adventure Mini-Golf (impossible de le manquer avec son château et sa chaussure géante).

The Maclure House Inn
$$-$$$ pdj
1015 East Island Hwy.
☎248-3470
⇄248-5162
www.maclurehouse.com
Une atmosphère douillette de pub anglais se dégage de cette auberge-restaurant installée dans un édifice à colombages de style Tudor bâti en 1921 et offrant une vue sur la mer. L'auteur Rudyard Kipling est réputé avoir jadis séjourné dans ce lieu qui renferme aujourd'hui des chambres chaleureuses et confortables, d'esprit victorien, avec un cachet d'antan des plus authentiques. Les tarifs du Maclure font de ses chambres une aubaine, mais n'oubliez pas qu'elles sont situées au-dessus du restaurant; donc il peut être difficile de se coucher tôt. De plus, réservez à l'avance, surtout si vous désirez une chambre avec vue. Les visiteurs qui arrivent avant 16h30 peuvent profiter d'un léger thé en après-midi.

Tigh-na-Mara Resort Hotel
$$$$
⊛, *K*, ♞, ≈, ℜ, ⏲, ℑ
1095 East Island Hwy.
☎248-2072 ou 800-663-7373
⇄248-4140
www.tigh-na-mara.com
Blotti parmi les arbres, près de la plage, cet établissement se présente comme un lieu d'hébergement familial.

On y trouve des cabanes en rondins avec une ou deux chambres dans la forêt, des appartements avec vue sur la mer et balcon (l'appartement B est le moins cher), ainsi que des studios. Malheureusement, les chambres du bâtiment principal, confortables et peu chères, furent récemment détruites par un incendie, mais, puisqu'on planifie les reconstruire; téléphonez avant de vous y rendre. On propose aussi des tarifs à la semaine. Cet hôtel est une option intéressante pour ceux qui veulent s'offrir un séjour tranquille à la plage avec les enfants.

Qualicum Beach

Quatna Manor Bed & Breakfast
$$ pdj
bc/bp
512 Quatna Rd.
☎752-6685
⇄752-8385
www.wcbbia.com/pages/quatna.html
Le Quatna Manor Bed & Breakfast est une adresse à retenir. L'accueil chaleureux de Bill et Betty, dans leur maison de style Tudor, agrémente le séjour des visiteurs. Un petit déjeuner copieux est servi dans la salle à manger. Bill est un retraité de l'Armée de l'air; son travail l'a amené à beaucoup voyager, et ses histoires rendent le petit déjeuner tout à fait mémorable.

Casa Grande Inn
$$$
ℂ, ℝ, ⊛
3080 West Island Hwy.
☎752-4400 ou 888-720-2272
⇄752-4401
www.casagrandeinn.com
Ce motel flambant neuf, au nom et au style évoquant le Nouveau-Mexique, propose des chambres propres avec balcons, dont plusieurs donnent sur l'océan. Si c'est le genre d'hébergement que vous recherchez, le Casa Grande Inn est tout indiqué.

Qualicum Heritage Inn
$$$
ℝ, ℜ
427 College Rd.
☎752-9262 ou 800-663-7306
www.qualicumheritageinn.com
Ancien pensionnat pour garçons de 1935 à 1970, l'édifice où est installé le Qualicum Heritage Inn affiche un faux style Tudor avec ses demi-colombages. Malgré le thème médiéval un peu kitsch qui y règne et son intérieur plutôt sombre, ne vous laissez pas décourager au premier coup d'œil puisque les chambres à coucher sont confortables et même jolies. Celles qui furent récemment rénovées sont garnies de mobilier en pin et décorées de tons pastel ou plus vifs, et certaines ont un balcon avec vue sur la mer. Même si une armure vous accueille dans le hall d'entrée, c'est un choix très acceptable.

Hollyford Bed and Breakfast
$$$$ pdj
ℑ
106 Hoylake Rd. E.
☎752-8101 ou 877-224-6559
www.hollyford.ca
Le beau cottage de Jim et Marjorie possède une aile aux chambres insonorisées et joliment décorées. Elles sont dotées de meubles anciens ou de reproductions, de lits à baldaquin, de literies de qualité, de couettes, de peignoirs, de baignoires profondes et de thermostats pour un maximum de confort, et donnent accès à une petite aire de détente extérieure. Jim est un grand collectionneur d'antiquités canadiennes. Ce charmant couple est une merveilleuse source de renseignements sur la région. Le petit déjeuner est servi dans la salle à manger. Un excellent choix, mais un peu cher.

Port Alberni

Coast Hospitality Inn
$$$
≡, 🐕, ≈
3835 Redford St.
☎728-8111 ou 800-663-1144
⇄723-0088
www.coasthotels.com
Le Coast Hospitality Inn est un hôtel situé au centre géographique de Port Alberni. Il compte une cinquantaine de chambres, récemment rafraîchies, très confortables et relativement luxueuses. Il faut dire que le Coast Hospitality Inn est souvent la desti-

nation des gens d'affaires. Vous y trouverez un restaurant correct au rez-de-chaussée et un pub animé au sous-sol.

Ucluelet

Ucluelet Campground
$
début avr à fin sept
260 Seaplane Base Rd.
☎726-4355
L'Ucluelet Campground est situé à distance de marche d'Ucluelet; vous devez réserver votre emplacement.

West Coast Motel
$$
ℂ, ≈, ⊘
247 Hemlock St.
☎726-7732
⇄726-4662
Malgré le fait que le West Coast Motel est un bien meilleur choix que l'Ucluelet Hotel, un établissement plutôt déplaisant aux tarifs semblables, ne vous attendez pas à y être chaleureusement accueilli. Par contre, les chambres y sont grandes et propres, et certaines d'entre elles renferment une cuisinette. On y parle le français.

Ocean's Edge Bed and Breakfast
$$
855 Barkley Cr.
☎726-7099
⇄726-7090
www.oceansedge.bc.ca
Bill et Susan proposent trois chambres confortables et immaculées au rez-de-chaussée de leur domicile, situé sur une falaise. Les chambres donnent accès, par des portes vitrées coulissantes, à la plage située en bas. Bill, un biologiste et ancien naturaliste au Pacific Rim National Park, est une véritable mine d'information sur la région et organise des randonnées très instructives. Un bon choix, à bon prix.

The Canadian Princess Resort
$$$-$$$$
bc/bp
mi-mars à fin sept
Peninsula Rd.
☎598-3366 ou 800-663-7090
⇄726-7121
www.canadianprincess.com
Le Canadian Princess Resort loge dans un bateau qui a navigué sur les eaux de la côte pendant plus de 40 ans; il est maintenant amarré au quai d'Ucluelet en permanence. Les 26 chambres sont extrêmement petites et ne disposent pas de toutes les commodités, mais elles offrent une ambiance marine chaleureuse. Des forfaits pêche sont offerts. De belles chambres de type motel sont aussi disponibles sur les berges, près du bateau. Finalement, on retrouve aussi un bar et un restaurant à bord du bateau. Le service est sympathique.

Tauca Lea by the Sea
$$$$$
ℂ, ⊛, ℑ, ℜ
☎726-4625, 800-979-9303 ou 888-252-4454
www.taucalearesort.com
Une élégance discrète et champêtre règne au Tauca Lea by the Sea, un nouveau lieu de villégiature (2000) situé sur une minuscule presqu'île reliée à Ucluelet par une route. Les cottages aux bardeaux bleus abritent 33 appartements privés, avec une ou deux chambres. En plus d'offrir une vue sur la mer, les appartements sont entièrement équipés et décorés avec goût: ameublements de bois artisanaux, planchers carrelés de terre cuite, moquette beige, plafonds cathédrale (dans les appartements à deux chambres)... une ambiance raffinée tout à fait West Coast! La réception abrite une galerie d'art, et un excellent restaurant au décor similaire (voir p 228) se trouve sur les lieux. On propose aussi des tarifs hors saison très raisonnables.

A Snug Harbour Inn
$$$$$ pdj
⊛, ℑ
460 Marine Dr.
☎726-2686 ou 888-936-5222
www.awesomeview.com
Sue et Drew reçoivent chaleureusement leurs invités dans leur domicile à bardeaux bleus, situé à flanc de montagne et offrant une vue magnifique sur la mer. Vous pouvez d'ailleurs admirer l'océan à partir des quatre luxueuses chambres, avec literies somptueuses, balcons et peignoirs, sans oublier le plancher de salle de bain chauffant. De plus, un cottage a récemment été ajouté à la résidence principale.

Admirez le paysage côtier accidenté tout en vous prélassant dans le bassin à remous extérieur, puis laissez-vous sécher confortablement dans la grande salle, où un télescope vous permet d'épier les aigles à tête blanche qui viennent souvent faire un tour dans les parages. De plus, un sentier mène à la rocailleuse plage privée. Si l'envie vous prend d'arriver par hélicoptère, sachez qu'il y a un terrain d'atterrissage sur les lieux. L'endroit est un peu cher, mais est des plus ravissant.

Tofino et Long Beach

Wilp Gybuu (Wolf House)
$$ pdj
𝔍
311 Leighton Way
☎725-2330
www.tofinobedandbreakfast.com
La résidence de Wendy et de Ralph dégage une atmosphère paisible, réconfortante et artistique. Elle est située à une faible distance du centre-ville. Wilp Gybuu propose trois chambres simplement et agréablement meublées, dotées de douches et de jolies literies; deux d'entre elles ont une entrée privée. Le petit déjeuner est servi dans une salle à manger offrant un beau panorama de Clayoquot Sound. Les invités ont leur propre garde-manger. Les enfants de 12 ans et plus sont les bienvenus. Si vous souffrez d'allergie, soyez prévenu: chats à l'horizon!

BriMar
$$$ pdj
𝔍, ℝ
1375 Thornberg Cr.
☎725-3410 ou 800-714-9373
Le BriMar, nommé ainsi en l'honneur de ses anciens propriétaires Brian et Mark, est géré aujourd'hui par un couple accommodant et aimable ayant un penchant pour la bonne bouffe et l'humour. Grâce aux trois jolies chambres avec meubles luxueux, planchers de bois dur, «lit bateau», baignoire sur pattes (au loft) et peignoirs, vous passerez un agréable séjour dans cette charmante résidence près de la plage. Les enfants de 12 ans et plus sont les bienvenus.

Tombolo Sweet
$$$-$$$$
☎(604) 823-7134
www.frankisland.com
Vous recherchez quelque chose de différent? Pourquoi ne pas attendre la marée basse et faire une courte promenade à partir de Chesterman Beach jusqu'à une minuscule île privée nommée Frank! Là, caché parmi les arbres, vous attend le Tombolo Sweet. Le Tombolo Studio, quant à lui, donne sur la côte rocailleuse. Tony et Carol Mulder, qui possèdent la moitié de l'île, ont dessiné, bâti et décoré ces cottages rustiques, avec amplement de boiseries, d'œuvres d'art et de literies colorées (notez, par contre, qu'il n'y a pas d'électricité). Achevé en 2002, le studio, qui peut accueillir quatre personnes, est entouré de fenêtres et offre une vue époustouflante sur les rochers et sur la mer. Réservez de quatre à six mois à l'avance pour juillet et août. Un délice...

Inn at Tough City
$$$-$$$$
𝔍, ⊛, 🐕
350 Main St.
☎725-2021 ou 877-725-2021
www.toughcity.com
Si vous préférez séjourner au centre-ville de Tofino plutôt que de loger à l'un des établissements situés près de la plage – et ce serait franchement dommage! –, l'Inn at Tough City est une option prometteuse. Installée dans un bâtiment de briques industriel rénové, sur le port même, l'auberge propose huit chambres dotées de planchers de bois et décorées de riches teintes. Plusieurs des chambres ont un balcon et une baignoire profonde. Le hall d'entrée s'orne d'objets datant des années 1950, et l'endroit recèle de superbes vitraux, ce qui semble un peu insolite pour l'Ouest profond...

Pacific Sands
$$$$
ℂ, 𝔍
☎725-3322 ou 800-565-2322
⇄725-3155
www.pacificsands.com
Ce lieu de villégiature date de 1973 et se consacre au bien-être

des familles en vacances. Les appartements et cottages, d'allure très ordinaire, commencent d'ailleurs à montrer des signes de vieillissement. Toutefois, ils ont des cuisinettes, et le prix des unités demeure raisonnable pour le secteur. Les appartements «Lighthouse», récemment rénovés, s'avèrent les plus confortables. Notez qu'il n'y a pas de téléphone dans les chambres. L'établissement est situé à Cox Bay, un territoire de choix pour le surf (pour les sportifs chevronnés) ou pour la cueillette d'oursins plats (pour les moins braves).

Chesterman's Beach Bed & Breakfast
$$$$
ℑ, ℝ
1345 Chesterman's Beach Rd.
☎/⇄725-3726
www.island.net/~surfsand

Imaginez-vous une maison à bardeaux sur une plage bordée d'une végétation riche et verdoyante sur laquelle se reflètent les couchers de soleil: voilà ce que vous propose cet endroit de rêve. Vos vacances peuvent se résumer à une promenade quotidienne sur la plage, et vous serez comblé. Ce gîte compte trois unités, chacune ayant son entrée privée. La suite *Lookout* est particulièrement confortable et romantique. Malgré son nom, le petit déjeuner n'est pas offert.

Tin-Wis Oceanfront Resort Lodge
$$$$
⊙, ℂ, ℑ, ℜ
1119 Pacific Rim Hwy.
☎725-4445 ou 800-661-9995
⇄725-4447
www.tinwis.com

Le Tin-Wis Oceanfront Resort Lodge, un grand hôtel, est géré par les Tla-O-Qui-Ahts, des Amérindiens. Le décor des chambres est plutôt ordinaire, mais elles offrent tout le confort associé à la chaîne Best Western. Les éléments décoratifs en bois et les plantes s'harmonisent avec l'environnement immédiat.

Long Beach Lodge Resort
$$$$$
ℜ, ℑ
1441 Pacific Rim Hwy.
☎725-2442 ou 877-844-7873
⇄725-2402
www.longbeachlodgeresort.com

Le Long Beach Lodge Resort, un bâtiment bas à bardeaux et à pignons qui a ouvert ses portes en 2002, s'harmonise parfaitement avec le paysage côtier, malgré sa modeste façade. En revanche, une fois à l'intérieur, c'est l'émerveillement. Les salles communes regorgent d'impressionnants masques, gravures et sculptures des Premières Nations, que le visiteur peut contempler ou acheter. Les chambres donnent soit sur la forêt, soit sur la plage. Celles qui s'ouvrent sur la plage comprennent un balcon, amplement de fenêtres et un foyer. Les tons de sauge et de terre, les meubles en sapin de Douglas fabriqués sur mesure et les luxueuses literies (dont le nombre de fils est aussi élevé que le prix d'une nuitée) en font un endroit extrêmement douillet. Les salles de bain ont un plancher en ardoise de Chine et des baignoires profondes, et communiquent avec la pièce principale. Sans aucun doute, c'est l'endroit le plus branché de la région et c'est ici que vous voudrez passer vos vacances.

The Wickaninnish Inn
$$$$$
⊛, ℑ, ✪, ℜ, ⌂
Osprey Lane, Chesterman Beach
☎725-3100 ou 800-333-4604
⇄725-3110
www.wickinn.com

Le Wickaninnish Inn est un magnifique hôtel de grande classe construit en pleine nature, à flanc de rocher, avec une vue fantastique sur Chesterman Beach. Les chambres sont très bien décorées et très confortables. Le restaurant de l'hôtel, The Pointe (voir p 229), est installé dans une salle octogonale vitrée offrant une vue époustouflante de 240° sur la mer.

Bamfield

Bamfield Inn
$$
ℜ,
Bamfield Inlet
☎728-3354
⇄728-3446
Le Bamfield Inn offre une jolie vue sur le port, possède un bon restaurant et organise des sorties de pêche au saumon et d'observation de baleines. Des lave-linge sont installés dans l'établissement.

Bamfield Trails Motel Hook & Web Pub
$$$
226 Frigate Rd.
☎728-3231
Le Bamfield Trails Motel Hook & Web Pub est situé en plein milieu du village, à deux pas du port et des services. Les chambres sont vieillottes mais relativement confortables. Une laverie est disponible au rez-de-chaussée, de même qu'un pub à l'ambiance animée.

Circuit C: De Qualicum Beach à Port Hardy

Courtenay

Coast Westerly Hotel
$$$
♞, ⊘, ≈, ℜ, ⌂
1590 Cliffe Ave.
☎338-7741 ou 800-668-7797
⇄338-5442
www.coasthotels.com
Le Coast Westerly Hotel est situé en plein cœur de la Comox Valley, près des golfs, de la plage et non loin de la station de ski du mont Washington. Il est un vaste établissement de 108 chambres, certaines offrant une très jolie vue sur la région. Chambres de grand confort.

Campbell River

Edgewater Motel
$$
♞, ℂ
4073 South Island Hwy., près d'Oyster Bay
☎/⇄923-5421
www.edgewatermotel.ca
L'Edgewater Motel est un joli petit établissement en front de mer proposant des chambres correctes en ce qui a trait au rapport qualité/prix. Vous pouvez cuisiner dans votre chambre, ce qui peut être avantageux si votre budget est limité.

The Haig-Brown House
$$ pdj
bc/bp
2250 Campbell River Rd., Hwy. 28, Golf River Hwy.
☎286-6646
⇄286-6694
www.haig-brown.bc.ca
La Haig-Brown House est une maison qui appartenait à Roderick Haig-Brown, reconnu pour son travail en tant qu'écrivain et protecteur de l'environnement. Sa résidence et son domaine font maintenant partie du patrimoine de la province, et des ateliers de littérature y sont proposés. Cet endroit spectaculaire est situé au bord de la rivière Campbell. Les pièces sont décorées simplement à la mode d'autrefois, et la salle de lecture a ses murs couverts de livres. La salle à manger baigne dans la lumière naturelle. Kevin Brown s'occupe de la maison et des trois chambres; il est un passionné de littérature et de l'histoire du domaine Haig-Brown.

Best Western Austrian Chalet
$$$
♞, ≈, ℜ, ⌂
462 South Island Hwy.
☎923-4231 ou 800-667-7207
⇄923-2840
www.vquest.com/austrian
Le Best Western Austrian Chalet est un bel hôtel qui surplombe le Discovery Passage, offrant à ses clients une vue spectaculaire sur la mer et les montagnes. Complètement rénové en 1996, l'Austrian Chalet possède toutes les installations d'un établissement de première classe.

Telegraph Cove

Telegraph Cove Resorts
$ - camping
$$ - maisonnette
♞, ℂ, ℜ
☎928-3131 ou 800-200-4665
⇄928-3105
www.telegraphcoveresort.com
Les Telegraph Cove Resorts accueillent les visiteurs du début du mois de mai à la mi-octobre dans leurs installations de villégiature. Le camping offre des services restreints dans un décor plutôt

dégarni, mais la vue sur la baie fait la différence. Les maisonnettes sont intégrées à l'ensemble du site pittoresque. L'accueil est chaleureux, et vous aurez l'impression de vous retrouver dans une colonie de vacances.

Port Hardy

Plusieurs *bed and breakfasts* de Port Hardy reçoivent des voyageurs en transit vers Prince Rupert qui arrivent, en général, tard et repartent tôt; c'est peut-être ce qui explique pourquoi plusieurs habitations louent, sans grande cérémonie, leurs chambres pour dépanner les visiteurs.

North Shore Inn
$$
ℜ
7370 Market St.
☎949-8500
⇄949-8516
Le North Shore Inn est situé en plein centre de Port Hardy et domine l'océan. Toutes les chambres ont vue sur la mer. L'hôtel est situé à une dizaine de minutes du terminal des traversiers, et il est possible de participer à des excursions de pêche, de plongée ou d'observation des baleines organisées par l'établissement.

Seagate Hotel
$$
ℜ
8600 Granville St.
☎949-6348
⇄949-6347
Le Seagate Hotel se trouve à deux pas du quai principal. Les chambres qui donnent sur le port sont beaucoup plus attrayantes pour la vue qu'elles offrent. Toutes les chambres comptent une décoration minimale.

Glen Lyon Inn & Suites
$$
🐕, ⊙, ℂ, ℜ
6435 Hardy Bay Rd.
☎949-7115 ou 877-949-7115
⇄949-7415
www.glenlyoninn.com
Le Glen Lyon Inn & Suites est une bonne adresse qui propose des chambres avec vue sur la mer et de bons petits déjeuners. En effet, au dire des gens du coin, le Glen Lyon Inn sert les meilleurs petits déjeuners en ville. Il est situé à deux pas du terminal des traversiers de BC Ferries.

Mrs. P's Bed & Breakfast
$$ pdj
🐕, *bc*
8737 Telco St.
☎949-9526
Mrs. P's Bed & Breakfast propose deux chambres décorées sobrement dans le sous-sol d'une petite maison. Herma et Frank vous accueillent chaleureusement. Vous êtes à distance de marche du port et des restaurants.

Circuit D: Îles du golfe

Une quantité phénoménale de *bed and breakfasts* ont fait leur apparition dans les îles du golfe, laissant beaucoup de choix aux visiteurs. Ils sont en moyenne assez chers, mais il est plutôt rare d'entendre quelqu'un se plaindre de son séjour dans un de ces établissements.

Galiano Island

Appelez **Galiano Getaways** *(☎539-5551)* pour des réservations dans les *bed and breakfasts* de l'île ou des forfaits aventure.

Dionisio Point et **Montague Harbour** *(☎539-2115)* proposent des emplacements de camping en pleine nature avec de jolies vues sur le littoral.

Mount Galiano Eagle's Nest Bed & Breakfast
$$ pdj
2-720 Active Pass Dr.
☎539-2567
Le Mount Galiano Eagle's Nest Bed & Breakfast est situé sur une des plus belles propriétés du bord de l'eau de tout l'archipel. La maison est splendide et les vues de l'océan sont spectaculaires. Si vous ne venez pas sur l'île en voiture, n'ayez pas d'inquiétude puisqu'un véhicule viendra vous chercher à

l'arrivée du traversier si vous le désirez.

La Berengerie
$$ pdj
ℜ, *bc/bp*
Montague Harbour Rd.
☎539-5392
La Berengerie offre une atmosphère de détente dans la forêt, avec Huguette Benger à titre d'hôte depuis 1983. Originaire du sud de la France, Mme Benger est venue en vacances dans l'île et, l'endroit lui ayant plu, a décidé de s'y installer. Prenez le temps de discuter avec elle. Huguette Benger vous fera découvrir l'île Galiano avec passion. La grande salle à manger du restaurant-café reçoit les visiteurs au petit déjeuner. Entre les mois de novembre et de mars, les trois chambres de la Berengerie ferment leurs portes.

Serenity by the Sea
$$$
ℂ, ℑ, ℝ, ✪, *bc/bp*
225 Serenity Lane
☎800-944-2655
www.serenitybythesea.com
Petite enclave de paix surplombant l'océan, Serenity by the Sea propose des retraites centrées sur la découverte de soi par la créativité. Des accessoires tels que des chaises thérapeutiques et ballons d'exercices ainsi que des traitements de massothérapie sont mis à la disposition des invités. De plus, une séance de yoga a lieu tous les matins. L'architecture singulière créant des espaces très intimes, les chambres et chalets ont tous vue sur la mer et un balcon privé. On retrouve sur le site de beaux jardins, un petit cours d'eau et la populaire baignoire extérieure, accrochée à la falaise.

Bellhouse Inn
$$$ pdj
⊛
29 Farmhouse Rd.
☎539-5667 ou 800-970-7464
www.bellhouseinn.com
Maison historique transformée en auberge en 1925, le Bellhouse Inn, bordé de pâturages, de moutons et de majestueux arbres fruitiers, est établi sur une ferme de 2,4 ha. Située face à l'Active Pass, passage des traversiers et des orques, et ayant un accès direct à la plage, l'auberge constitue également un lieu d'observation de l'océan des plus intéressants. L'établissement propose quatre chambres confortables, meublées d'antiquités, dont trois possèdent un balcon donnant sur la mer. La laine des moutons se retrouve dans les couettes douillettes, et un sherry de bienvenue, artisanal, est offert dans les chambres.

Galiano Inn
$$$$$ pdj
⊛, ℑ, ✪, ℜ, ⌂
134 Madrona Dr.
☎539-3388 ou 877-530-3939
www.galianoinn.com
Situé près du port, l'élégant Galiano Inn propose 10 chambres spacieuses au décor d'inspiration méditerranéenne. Chacune possède un foyer et un balcon ou une terrasse avec vue sur l'océan et l'Active Pass, et d'où l'on peut observer le va-et-vient des traversiers et des orques. Devant l'auberge s'étend un jardin menant à une petite plage. La section spa de l'établissement devrait être fonctionnelle au cours de l'année 2003, proposant toute une gamme de traitements allant de l'acupression au massage thérapeutique. On retrouve dans l'auberge une petite galerie d'art dont les expositions d'œuvres d'artistes locaux s'avèrent fort intéressantes. Mentionnons également la présence de l'incontournable restaurant Atrevida, une des bonnes tables des Gulf Islands (voir p 230).

Salt Spring Island

Salt Spring Island Hostel
$-$$
640 Cusheon Lake Rd.
☎537-4149
www.beacom.com/ssihostel
Le Salt Spring Island Hostel est l'auberge de jeunesse de Salt Spring Island. L'établissement propose de nombreuses formules d'hébergement, notamment des chambres familiales privées, des cabanes dans les arbres, des tipis, une caravane gitane et, pour un coût moindre, des dortoirs. L'auberge est située en pleine forêt. Deux

courtes randonnées d'environ 30 min mènent au lac Cusheon, où il fait bon nager, et à Beddis Beach.

Spindrift
$$$
♞, ℂ, ℑ, ℝ
225 Welbury Point Dr.
☎537-5311
www.spindriftsaltspringisland.com
Le Spindrift, établi sur une péninsule bordée de deux plages de sable blanc, offre aux adultes une atmosphère paisible en harmonie avec la nature. Les six chalets, équipés d'une cuisinette et d'un foyer, offrent une vue sur l'océan. Ici, on délaisse le luxe des grandes chaînes hôtelières (douche seulement, pas de téléviseur ni de téléphone) pour se tourner vers l'expérience singulière de vivre parmi les cerfs de Virginie, les phoques et les loutres.

Seabreeze Inne
$$$
♞
101 Bittancourt Rd.
☎537-4145 ou 800-434-4112
www.seabreezeinne.com
Le Seabreeze Inne est un motel très confortable à prix abordable, à proximité du centre-ville de Ganges. Le patron est une mine de renseignements pour les touristes. L'établissement est pourvu d'un bassin à remous extérieur, d'un pavillon et d'une terrasse où la clientèle est invitée à utiliser l'équipement mis à sa disposition pour faire des grillades. Le Seabreeze Inne se donne pour objectif de devenir l'établissement familial incontournable de Salt Spring. Afin d'explorer l'île, des vélos y sont prêtés gracieusement et des scooters y sont loués.

Quarrystone House B&B
$$$$ pdj
⊛, ℑ
1340 Sunset Dr.
☎537-5980 ou 866-537-5980
⇄537-5937
www.quarrystone.com
Surplombant Stonecutters Bay, la Quarrystone House offre du haut de sa falaise une vue époustouflante. Ce gîte en pleine campagne s'entoure d'arbres fruitiers, de pâturages parsemés de moutons et d'un poney bien préparé à l'assaut des enfants. De courts sentiers de randonnée sillonnent le domaine à travers les jardins et les sous-bois. Du décor de la maison et des chambres, ponctué d'antiquités, émane un charme rural. Les chambres offrent une belle luminosité et un confort douillet.

Beach House Bed and Breakfast
$$$$
♞, ℑ
369 Isabella Point Rd.
☎653-2040
Le Beach House Bed and Breakfast est un des rares *bed and breakfasts* situés sur la plage à Salt Spring Island. En fait, la porte-fenêtre de votre chambre, qui sert aussi d'entrée privée, conduit au bord de l'eau en un clin d'œil. Le confort des chambres est impeccable et la décoration originale; quant aux petits déjeuners, ils ont leur charme et leur qualité. Un bassin à remous surplombant l'océan et le port de Fulford ainsi qu'un espace prévu pour des feux de camp sont mis à la disposition des invités. Il s'agit d'une adresse à retenir.

Salt Spring Spa Resort
$$$$
⊛, ℂ, ℑ, ℝ, ✪
1460 North Beach Rd.
☎537-4111 ou 800-665-0039
⇄537-2939
www.saltspringspa.com
Le Salt Spring Spa Resort propose de spacieux chalets ensoleillés avec vue sur l'océan ou sur la forêt. En plus d'être tout équipé, chaque chalet possède une baignoire à remous. Le Salt Spring Spa Resort utilise, pour une gamme de traitements et les soins qu'on y offre, l'eau minérale à propriété thérapeutique qui jaillit de l'île. L'établissement prête gracieusement vélos, chaloupes et cages à crabes. Adultes seulement.

Hastings House
$$$$$ pdj
≡, ℂ, ℑ, ℝ, ✪, ℜ
160 Upper Ganges Rd.
☎537-2362 ou 800-661-9255
⇄537-5333
www.hastingshouse.com
Un manoir de style Sussex et plusieurs bâtiments historiques se dressent sur le majestueux et paisible domaine de Hastings

House. Les bâtiments principaux dominent une falaise qui plonge dans le port de Ganges. Tout autour, pâturages, vergers et jardins sont accessibles aux promeneurs. Hastings House propose des suites et des chalets au charme solennel et des traitements relaxants dans le nouveau spa. Les chambres, plutôt conventionnelles, n'atteignent pas la qualité et le luxe auxquels on s'attend d'un pareil établissement.

Mayne Island

Oceanwood Country Inn
$$$$$ pdj
⊛, ℝ, ℜ
630 Dinner Bay Rd.
☎*539-5074*
⇄*539-3002*
www.oceanwood.com

Une autre très bonne adresse sur Mayne Island. L'Oceanwood Country Inn est une élégante maison de type *English Country House* avec des chambres admirablement décorées, la plupart équipées de cheminées avec foyer. Visitez la Fern Room et la Rose Room, vous nous en direz des nouvelles. La cuisine est délicieusement apprêtée. Une escale dans cet établissement de grande classe vous laissera d'excellents souvenirs.

Pender Islands

Hummingbird Hollow Bed & Breakfast
$$ pdj
ℝ
36125 Galleon Way, RR2
☎*629-6392, www.gulfislands.com/birdsong*

Le paisible Hummingbird Hollow, entouré de forêt, s'avère une escapade douillette et sympathique. Une nature généreuse et enveloppante s'offre ici aux invités. L'établissement, au bord d'un lac, prête gracieusement les embarcations (chaloupes et canots). Dans les jardins menant au lac, on retrouve un hamac et un pavillon mis à la disposition des vacanciers. Un nombre impressionnant de cerfs arpente le site du gîte; curieux et habitués à la présence humaine, ils viendront probablement vous visiter. Les deux chambres confortables sont munies d'une terrasse et d'un solarium privé.

Eatenton House Bed & Breakfast
$$$ pdj
4705 Scarff Rd., RR1
☎*629-8355*

L'Eatenton House Bed & Breakfast propose un ressourcement complet en pleine nature et dans le confort de chambres douillettes agrémentées de meubles anciens et d'une cheminée avec foyer dans la salle de séjour. À noter: les petits déjeuners succulents, le bassin à remous extérieur et la vue spectaculaire des montagnes et de l'océan.

Alice's Shangri-La Oceanfront Bed and Breakfast
$$$$ pdj
⊛, 𝔖, ℝ
5909 Pirate's Rd.
☎*629-3433 ou 877-629-6555*
www.alicesoceanfrontbnb.com

Du haut de sa falaise, Alice's B&B offre un accueil chaleureux et une vue exceptionnelle (360°) sur l'océan et les îles environnantes. Les trois chambres possèdent une terrasse intime sur laquelle sont installés une baignoire à remous, un barbecue et l'essentiel pour y prendre ses repas. Le salon commun est quant à lui pourvu d'une table de billard, d'un authentique piano mécanique, d'un foyer et d'un minibar. De courtes promenades en forêt permettent d'explorer les alentours.

Saturna Island

East Point Resort
$$-$$$
ℂ
187 EastPoint Rd.
☎*539-2975*
www.gulfislands.com/eastpointresort

L'East Point Resort offre un environnement aux allures de parc aménagé, avec accès exclusif à une plage de sable fin. Les visiteurs auront le choix entre six petits cottages luxueux, et joliment décorés. Notez que les cartes de crédit ne sont pas acceptées.

Quadra Island

Whiskey Point Resort Motel
$$$
ℂ, ≈
725 Quathiaski Cove
☎285-2201 ou 800-622-5311
www.whiskeypoint.com
Cet établissement est situé juste en face de l'arrivée des traversiers et domine toute la baie de Quathiaski Cove. Les chambres sont très confortables et très bien équipées pour les séjours prolongés; elles renferment des cuisinettes. Des sessions de massage et relaxation sont aussi offertes. Le patron est très sympathique et vous indiquera tous les bons coins à visiter. Montrez-lui votre Guide Ulysse, vous serez bien reçu.

April Point Resort & Marina
$$$$
ℑ, ℜ
mai à oct
903 April Point Rd.
☎285-2222 ou 800-663-7090
⇄285-2411
www.aprilpoint.com
L'April Point Resort & Marina est un centre de villégiature de grand luxe pour les amateurs de pêche au saumon, les amoureux de la nature et les fins gourmets. L'hôtel met à votre disposition des bicyclettes pour aller vous balader.

Cortes Island

Gorge Harbour Marina Resort
$ - camping
$$ - chambres
ℝ, ℜ
bien indiqué à la sortie du traversier
☎935-6433
⇄935-6402
http://oberon.ark.com/~gorgehar/
Le Gorge Harbour Marina Resort est le grand centre de villégiature de Cortes. Cet établissement propose une quarantaine d'emplacements pour les véhicules récréatifs, d'autres pour les campeurs ainsi que des chambres rustiques mais confortables. Parmi les services disponibles, on y retrouve un bon restaurant, mais aussi de la location de bateaux à moteur, des expéditions de pêche, des permis de pêche et des cartes marines, ainsi que de l'équipement de camping. L'endroit est très tranquille et bien tenu. Il n'est pas rare de voir des cerfs se promener sur la propriété.

Hollyhock
les prix varient suivant les forfaits, pc
ℜ
à partir du traversier de Cortes, suivez les indications vers Smelt Bay et Hollyhock; la route est sinueuse et vous aurez à faire quelques virages; n'allez pas en direction de Squirrel Cove; à 18 km du traversier
☎935-6576 ou 800-933-6339
⇄935-6424
www.hollyhock.bc.ca
Hollyhock Seminars est un centre de repos pour les adeptes du «Nouvel Âge». Vous avez le choix de dormir sous la tente ou dans une chambre, toujours en profitant d'une nature omniprésente. Hollyhock offre une grande variété de forfaits relaxation qui vous permettront de vous ressourcer.

Restaurants

Circuit A: De Victoria à Nanaimo et la Cowichan Valley

Nanaimo

Javawocky Coffee House
$
8-90 Front St., Pioneer Waterfront Plaza
☎753-1688
Situé en front de mer sur le Seawall, cet établissement sert une grande variété de cafés et des repas légers. Le site permet de contempler le port de Nanaimo et d'observer la foule qui y déambule.

Dinghy Dock Pub
$$
mai à mi-oct, dim-jeu 11h à 23h, ven-sam jusqu'à 24h
no. 8 Pirate's Plank, Protection Island
☎753-2373
Ce pub flottant, amarré au quai de l'île Protection, vous propose une bonne bière locale tout

en observant le va-et-vient du port de Nanaimo. Les *Fish & Chips* sont succulents. Vous devez prendre le traversier au Commercial Inlet *(aux heures, 9h10 à 23h)*.

Circuit B: De Nanaimo à Tofino

Qualicum Beach

Shady Rest
$$
3109 West Island Hwy.
☎752-9111
Ce sympathique restaurant, situé près de la plage, propose un menu inspiré, de style «pub», qui mise fortement sur les produits de la mer. Si vous désirez y déjeuner et que vous aimiez le poisson, un délicieux burger de flétan très frais fera sûrement votre bonheur. Les autres convives que les trésors de la mer n'enchantent pas se rabattront sur une bonne sélection d'autres mets, dont d'appétissantes salades.

Beach House Restaurant-Cafe
$$-$$$
2775 West Island Hwy.
☎752-9626
Venir de si loin pour admirer l'océan… il serait dommage de ne pas en profiter tout en dégustant un bon repas! Cet endroit sans prétention, blotti près de la mer, offre le plus beau panorama en ville; du patio, il est encore plus époustouflant. Malheureusement le décor intérieur, avec ses murs roses et ses plantes vertes, aurait besoin d'un bon coup de pinceau, mais, après tout, c'est la vue qui vous intéresse, non? De plus, la cuisine est très bien, proposant des poissons et fruits de mer de la région, des pâtes, des sandwichs et des hamburgers, ainsi que quelques spécialités autrichiennes qui reflètent les origines du chef propriétaire.

Ucluelet

Matterson House
$$-$$$
1682 Peninsula Rd.
☎726-2200
Ce restaurant, situé sur la rue principale dans une des plus anciennes maisons d'Ucluelet (1931), attire les clients toute la journée. N'hésitez pas à choisir un plat de saumon car il est très frais. On y prépare également de bons plats d'influence mexicaine, des hamburgers de poisson et de viande, ainsi qu'une excellente chaudrée de palourdes.

Boat Basin
$$$$
Tauca Lea by the Sea
(voir p 219)
1911 Harbour Dr.
☎726-4644
Le restaurant Boat Basin fait partie du lieu de villégiature qu'est Tauca Lea by the Sea et est décoré du même style élégant et discret que les studios du complexe hôtelier, avec des œuvres des Premières Nations du Pacific Northwest et du mobilier artisanal en bois, sans oublier la cuisine à aire ouverte. Il s'agit d'un établissement agréable et sophistiqué, parfait pour savourer une vaste sélection de plats régionaux créés avec imagination à partir de produits de la mer et de la terre. Pour grignoter, choisissez le menu de tapas, soit le menu moins cher du *lounge* et du patio, ou encore la sélection de pizzas à croûte mince. Une jolie place sur la terrasse, près des eaux du Barkley Sound, et un service chaleureux et professionnel... que demander de plus?

Long Beach

Wickaninnish Restaurant
$$-$$$
1943 Peninsula Rd.
☎726-7706
Ce restaurant, construit sur un rocher surplombant la plage, offre des vues spectaculaires sur l'océan Pacifique inégalées dans la région, sauf, bien sûr, par celles du restaurant The Pointe, avec lequel il ne doit pas être confondu. Le menu affiche des produits de la mer. Les pâtes au saumon fumé seront agréables à votre palais, mais on doit dire que le réel attrait de ce restaurant demeure le panorama incroyable qu'il offre sur la région. Tenu par les mêmes propriétaires que le Canadian Princess Resort (voir p 219), le restau-

rant est accessible par la navette de ce complexe hôtelier.

The Pointe Restaurant
$$$$
Wickaninnish Inn (voir p 221)
angle Osprey Lane et Chesterman Beach
☎725-3100 ou 800-333-4604
Ce restaurant de grande classe est construit à flanc de rocher et offre une vue superbe sur Chesterman Beach. The Pointe Restaurant ainsi que l'On-The-Rocks Bar sont établis dans une salle octogonale vitrée avec une vue époustouflante de 240° sur la mer. Le chef propose une excellente cuisine typiquement Pacific Northwest d'influence locale, composée d'ingrédients fermiers et biologiques. Excellente adresse.

Tofino

Surfside Pizza
$
☎725-2882
L'adresse est inutile puisque Surfside ne fait que la livraison. Si une petite faim vous prend dans votre chambre d'hôtel, n'hésitez pas à l'appeler.

Rain Coast Café
$-$$
101-120 Fourth St.
☎725-2215
Le Rain Coast Café propose une cuisine alternative unique. Les plats sont très colorés et rendent hommage à plusieurs ethnies. Réservations recommandées.

The Loft Restaurant
$$
346 Campbell St.
☎725-4241
Le Loft Restaurant apprête de la cuisine Pacific Northwest. Très bons plats de pâtes et de fruits de mer.

Blue Heron Dining Room
$$$-$$$$
634 Campbell St.
☎725-3277
Le Blue Heron Dining Room est un restaurant spacieux de 90 places où les familles ainsi que les voyageurs aiment à se retrouver. Le menu affiche des spécialités régionales. Ce restaurant offre une vue imprenable sur le port, Clayoquot Sound et Meares Island.

Schooner Restaurant
$$$$
331 Campbell St.
☎725-3444
Le Schooner Restaurant est un classique à Tofino. Cette maison sert des produits de la mer et propose une carte des vins de la province. Le décor chaleureux représente une cale et un pont de navire. La lumière tamisée crée une ambiance de détente et de bien-être. On y sert le petit déjeuner, le déjeuner et le dîner.

Café Pamplona
$$$$
fermé déc et jan
1084 Pacific Rim Hwy.
☎725-1237
Situé à l'entrée des Tofino Botanical Gardens, le Café Pamplona propose une délicieuse cuisine parfumée aux herbes maison. Quelques tables de bois foncé sur un plancher carrelé de terre cuite, des plafonds hauts, des œuvres d'artistes régionaux, une bibliothèque, un piano et quelques tables à l'extérieur complètent le décor. Les deux chefs, tous deux anciennement du restaurant The Pointe (voir p 229), ont créé un court menu qui mise sur les produits frais des environs: crabe dormeur, saumon du Pacifique, huîtres... Le café est aussi ouvert pour le petit déjeuner et le déjeuner. En un mot: délicieux! Tout ce qui manque, c'est la vue sur la mer.

Circuit C: De Qualicum Beach à Port Hardy

Campbell River

Tomeli's Fish & Chip Bistro
$$
151 G Dogwood St.
☎286-0814
Le Tomeli's Fish & Chip Bistro est un restaurant familial qui se spécialise dans les *Fish & Chips* à la morue et au flétan. Vous en sortirez repu.

The Seasons Bistro
$$$
261 Island Hwy.
☎286-1131
Le Seasons Bistro propose un menu original affichant entre autres des pâtes aux fruits de mer. Ce bistro accueille une clientèle locale et touristique, mais sur-

tout les amateurs de jazz.

Port Hardy

Cheekers Roadhouse
$$-$$$
8600 Granville St.
☎949-6348
Le Cheekers Roadhouse présente un menu complet. Vous y mangerez en présence de résidants ou de pêcheurs de retour d'une journée miraculeuse et aurez une vue sur la baie Hardy et le port.

Circuit D : Îles du golfe

Galiano Island

Hummingbird Pub
$-$$
47 Sturdies Bay Rd.
☎539-5472
Dans une atmosphère décontractée, l'Hummingbird Pub sert une cuisine simple et délicieuse où les fruits de mer sont à l'honneur. L'agréable terrasse s'avère idéale pour prendre le pouls de l'île et de ses habitants qui s'y rendent en famille ou entre amis. Les plats abordables et le service personnalisé font de l'Hummingbird Pub un endroit hautement apprécié tant des voyageurs que de la population locale!

Grand Central Emporium
$-$$
2740 Sturdies Bay Rd.
☎539-9885
Occupant l'un des plus vieux bâtiments de l'île, le Grand Central Emporium, tout de bois construit, présente un menu éclaté et rafraîchissant. La terrasse couverte accueille les convives dans une atmosphère à la bonne franquette. Au menu figure le renommé sandwich à la viande fumée dont les ingrédients proviennent directement de Montréal. On y retrouve d'autres spécialités culinaires comme le poulet-burger au curry. Les samedis soir d'été, l'établissement présente des concerts de jazz.

La Berengerie
$$
soir seulement
Montague Harbour Rd.
☎539-5392
La Berengerie propose un menu de quatre services, avec le choix d'un poisson, d'une viande ou d'un plat végétarien. Située au rez-de-chaussée d'un *bed and breakfast*, la salle à manger est meublée d'antiquités, et la lumière des bougies rend le tout plus chaleureux. Huguette Benger apprête des délices. Le restaurant **La Bohème**, tenu par son fils, propose pendant la belle saison des plats végétariens, à la terrasse qui donne sur le jardin.

Atrevida
$$$
34 Madrona Dr., Galiano Inn
☎539-3388 ou 877-530-3939
Les convives parés de leurs plus beaux atours et vivant au rythme langoureux des îles expérimenteront avec joie un repas à l'Atrevida. Le chef français élabore d'une main de maître des plats raffinés et savoureux. Les ingrédients, de première qualité, composent une cuisine certes classique mais ouverte à diverses influences. Les plats de poisson, de viande et de volaille se trouvent entre autres accompagnés de morceaux d'orange, de figues et de couscous. L'établissement offre une vue superbe sur l'océan. Les airs mélancoliques exécutés sur place par un pianiste distillent l'atmosphère soignée du restaurant.

Salt Spring Island

Tree House Café
$-$$
près du Mouat, sur le quai du port de Ganges
☎537-5379
Dans une petite cour bordée d'arbres et de lierres, l'enchanteur Tree House Café propose une cuisine à base de produits locaux et souvent biologiques, généreuse et à petit prix. Le menu, court mais d'une belle variété, présente des plats alléchants qui sauront satisfaire carnivores et végétariens. On y retrouve entre autres un plat de saumon fumé et camembert dans une pâte filo, un ragoût d'agneau, un curry thaïlandais, de la pizza au pesto et des hamburgers. Le Tree House Café est pourvu d'un comptoir de plats, sauces et soupes, pour emporter. Le soir venu,

il fait place aux artistes locaux lors de concerts de jazz, blues et folk (voir p 232).

The Oystercatcher Seafood Bar & Grill
$$-$$$
près du Mouat, sur le quai du port de Ganges
☎537-2041
L'Oystercatcher, point de repère culinaire et social des résidants comme des visiteurs, grouille de vie. L'immense bâtiment permet la création de plusieurs ambiances distinctes, tant romantiques que familiales. Cet établissement portuaire, qui possède une des plus belles vues de Ganges, se spécialise dans les plats de fruits de mer. Le menu présente les mets classiques tels que le saumon grillé, le poisson-frites et les beignets de crabe. La bière maison, de bonne qualité, se marie parfaitement avec la cuisine. Le service s'y révèle efficace et courtois.

The Currant Café
$$$
sur le quai du port de Ganges
☎537-5747
Le joli Currant Café puise ses saveurs sur la terre et dans la mer qui l'entoure. Si la fraîcheur des produits locaux s'impose (poisson, volaille, agneau, légumes), plusieurs sont également certifiés biologiques ou de création artisanale, comme le pain et le fromage. On y propose un menu variant au fil des jours et des saisons, constitué d'un choix de plat végétarien, de poisson ou de fruits de mer et de viande. D'inspiration internationale, la cuisine, servie en portion santé, s'avère savoureuse et imaginative.

Vesuvius Inn Neighbourhood Pub
$$$
805 Vesuvius Bay Rd., Ganges
☎537-2312
Le Vesuvius Inn Neighbourhood Pub présente un menu très varié mettant en vedette la cuisine Pacific Northwest. Essayez le brunch les samedis et dimanches; il est servi jusqu'à 15h.

House Piccolo
$$$$
108 Hereford Ave., Ganges
☎537-1844
Le House Piccolo est un élégant restaurant aux influences européennes, scandinaves et méditerranéennes. La cuisine y est très sophistiquée, et les plats s'y révèlent très goûteux. Avertissement: l'addition monte vite. L'établissement fait partie de la Chaîne des Rôtisseurs.

Quadra Island

Heriot Bay Inn and Marina
$$
mi-mai à mi-sept, tlj; mi-sept à mi-mai sam seulement
en face du terminal des traversiers
☎285-3322
Le restaurant offre une ambiance très sympathique et une jolie vue sur le port. L'été, vous aurez la possibilité de manger à la terrasse. La cuisine est spécialisée dans les fruits de mer, les steaks et les tartes maison. Bonne adresse.

Tsa-Kwa-Luten Lodge
$$$-$$$$
mai à sept
Lighthouse
☎285-2042 (il est recommandé de réserver)
L'endroit est véritablement spectaculaire avec sa vue imprenable sur le Discovery Passage. Il n'est pas rare de voir des aigles survoler l'établissement. Le restaurant propose des spécialités régionales d'inspiration amérindienne. Essayez le hamburger au vivaneau, il est excellent. La carte des vins est très complète. L'été, vous aurez droit à des barbecues au saumon sur une vaste terrasse.

April Point Lodge & Fishing Resort
$$$-$$$$
900 April Point Rd.
☎285-2222 ou 800-663-7090
Le restaurant de cet impressionnant centre de villégiature (voir p 227) sert des petits déjeuners, des déjeuners et des dîners dignes des restaurants de grand nom. La carte des vins est aussi très intéressante.

Cortes Island

The Old Floathouse Restaurant
$$-$$$
début mai à fin sept
Whaletown; bien indiqué à la sortie du traversier, Gorge Harbour Marina Resort
☎935-6631
☎935-6433 l'hiver
L'Old Floathouse Restaurant est un des rares bons restaurants de l'île. Il présente aussi l'avantage d'être situé sur un magnifique site.

Sorties

Bars et discothèques

Circuit D: Îles du golfe

Galiano Island

Hummingbird Pub
47 Sturdies Bay Rd.
☎539-5472
L'Hummingbird Pub est un endroit amical où les visiteurs et les résidants se rencontrent devant une bonne bière et un plat de frites.

Salt Spring Island

Tree House Café
près du Mouat, sur le quai du port de Ganges
☎537-5379
La cour luxuriante du Tree House Café se transforme, les soirs d'été, en scène accueillant les artistes locaux qui y présentent des concerts de jazz, de blues et ou de folk. Une fois par semaine, les convives peuvent vivre l'expérience de monter sur les planches en s'emparant des instruments, question d'accompagner les musiciens... et de connaître son heure de gloire! L'établissement propose d'excellentes bières de microbrasseries.

Moby's Marine Pub
120 Upper Ganges Rd.
☎537-5559
Une joyeuse atmosphère règne chez Moby's les soirs animés. On y présente régulièrement des concerts de jazz. Situé à la marina, le pub possède une agréable terrasse et affiche un menu complet où figurent des plats de poisson et de fruits de mer. On y propose également un bon choix de bières dont plusieurs brassées localement.

Fêtes et festivals

Janvier

Polar Bear Swim
Salt Spring Island
☎866-830-1113
www.northcentralisland.com
Le 1er janvier, des centaines de personnes se précipitent dans l'océan pour un bain annuel glacé.

Février

Nouvel An chinois
dans les rues de Nanaimo
☎753-1821
www.nanaimomuseum.bc.ca

Mars

Pacific Rim Whale Festival
Ucluelet/Tofino
☎726-7742

Winter Film Fest
Paramount Theatre
Port Alberni
☎724-3412

Upper Island Music Festival
Beban Park Social Centre, Nanaimo
☎756-5200

Avril

Salon de l'artisanat
Nanaimo
☎390-2721

Salon des antiquités
Nanaimo
☎390-2721

Mai

Ballroom Dance Competitions
Beban Park Social Centre, Nanaimo
☎756-5200

Fishing Derby
Silva Bay
☎247-8807

Juin à septembre

Marché d'aliments naturels les samedis et marché d'artisanat les dimanches *(Salt Spring Island).*

Juillet

Nanaimo Marine Festival
centre-ville
☎*753-7223*

International Bathtub Races
port de Nanaimo
☎*753-7223)*

Concours international de châteaux de sable
plage de Parksville
☎*954-3999*

Août

Fringe Theatre Festival
☎*753-8528*

Fulford Music Festival
Salt Spring Island

World Croquet Championship
☎*248-6171 ou la chambre de commerce de Parksville*
☎*248-3613*

Kidfest
Parksville Community Park
☎*248-3252*

Septembre

Vintage Car Rally
entre Victoria et Nanaimo
☎*754-8141*

Festival du crabe
Parksville Community Hall
☎*752-6263*

Octobre

Oktoberfest
Beban Park Social Centre, Nanaimo
☎*756-5200*

Salon de la sculpture sur bois
Beban Park Social Centre, Nanaimo
☎*756-5200*

Achats

Circuit A: De Victoria à Nanaimo et la Cowichan Valley

Nanaimo

Nanaimo est véritablement une ville de centres commerciaux. Les boutiques que vous y retrouverez n'ont rien de réellement exceptionnel si ce n'est leur incroyable variété. Le **Rutherford Mall** *(lun-mar 9h30 à 17h30, mer-ven 9h30 à 21h, sam 9h30 à 17h30, dim 11h à 17h; North Island Hwy., non loin de Long Lake, à l'angle de Rutherford Rd.,* ☎*758-8111)* est un bon exemple. Vous y verrez plus de 60 commerces et grands magasins, mais aussi des boutiques de vêtements, des bijouteries, des librairies, des restaurants, etc.

Circuit B: De Nanaimo à Tofino

Qualicum Beach

Bon nombre d'ateliers d'artistes se trouvent dans les environs, dont l'**Old School House Gallery and Art Centre** (voir p 198). Chez **Smithford's** *(164 Second Ave.,* ☎*752-3400)*, vous trouverez une multitude d'objets dont vous n'avez pas vraiment besoin (c'est d'ailleurs la devise de l'endroit): articles fantaisistes, accessoires de jardin et autres souvenirs amusants.

Ucluelet

Du Quah Gallery *(1971 Peninsula Rd.,* ☎*726-7223)* présente les travaux d'artistes autochtones. Le bâtiment en forme de *longhouse*, la maison traditionnelle amérindienne en cèdre, vaut le détour.

Tofino

The House of Himwitsa *(300 Main St.,* ☎*725-2017)* est une galerie d'art qui expose des œuvres sur papier, des sculptures et des bijoux en or et en argent. Informez-vous de la signification des symboles utilisés dans ces œuvres et des légendes qui les accompagnent.

Circuit C: De la Comox Valley à Port Hardy

Campbell River

La **Tyee Plaza** *(1309 Shoppers Row, derrière le Travel Info Centre,* ☎*286-0418)* abrite 24 magasins et restaurants de toutes sortes et une promenade couverte. Si vous êtes pressé ou que vous soyez à la recherche d'un centre commercial, vous trouverez ici ce dont vous avez besoin.

Port Hardy

The Copper Maker *(tlj; 114 Copper Way, ☎949-8491)* regroupe les travaux de plusieurs artistes amérindiens. Des masques, de la poterie et des bijoux aux différentes symboliques y sont en vente. Ces objets peuvent paraître chers, mais ils le sont moins que dans les grands centres.

Circuit D: Îles du golfe

Salt Spring Island

Home Hardware *(106 Fulford Rd., ☎537-5551)* est une quincaillerie super-équipée où vous trouverez aussi tout ce qu'il vous faut pour le camping et les activités de plein air.

Le **Ganges Village Market** *(374 Lower Ganges Rd., Ganges)* est l'épicerie qui répondra à tous vos besoins. Vous y trouverez aussi une boulangerie et une charcuterie.

Everlasting Summer *(194 MacLennan Dr., ☎653-9418)* est un établissements spécialisé dans les bouquets de fleurs séchées et dans la culture de plantes aromatiques. Ne manquez pas la roseraie. Les lieux sont réputés pour les mariages en raison de ses jolis jardins très romantiques.

Chaque samedi, d'avril à octobre, a lieu le fameux **Market in the Park** *(Centennial Park, ☎537-4448)* de Salt Spring. Les visiteurs peuvent y rencontrer les artisans et les producteurs agricoles de l'île, qui apportent couleurs et vitalité au marché. Des produits locaux, d'une grande diversité et d'excellente qualité, y sont en vente.

Galiano Island

Galiano Island Books
76 Madrona Dr.
☎539-3340
Cette petite librairie, étonnamment bien garnie, voit passer sous son toit plusieurs écrivains canadiens de grande renommée. En effet, bon nombre d'auteurs canadiens choisissent Galiano Island Books pour lancer leur nouvelle parution. On retrouve également ici une section jeunesse, des livres d'occasion et du matériel d'artiste.

Bill Boyd Ceramics
86 Ganner Dr.
☎539-2692
www.billboydceramics.com
La céramique de Bill Boyd, fabriquée à l'aide d'une technique inusitée, est à la fois intrigante et spectaculaire. Au cours du processus de fabrication, des cristaux se forment librement sur la pièce. Les pièces à vendre sont exposées à l'atelier, et l'artiste peut répondre aux questions des visiteurs.

Pender Islands

Tout au long de la période estivale, les artisans et les producteurs agricoles de Pender Islands se donnent rendez-vous les samedis de 9h à 12h au **Farmer's Market** (marché hebdomadaire). Voici l'occasion parfaite de connaître dans son ensemble le travail, d'excellente qualité, de la communauté.

Mayne Island

Pour de l'équipement de camping et de randonnée, un arrêt au **Miners Trading Post** *(☎539-2214)*, dans le village de Fernhill, sera utile. Vous pouvez aussi aller chercher votre viande de cerf ou de bœuf pour barbecue à l'**Arbutus Deer Farm** *(☎539-2301)*.

Quadra Island

Heriot Bay Consignment Shop *(West Rd., non loin du terminal des traversiers, ☎285-3217)*. Vous trouverez absolument de tout dans ce magasin d'articles d'occasion. De plus, vous y passerez un bon moment.

Sud de la Colombie-Britannique

Frontière méridionale avec les États-Unis, cette région regroupe des territoires à la fois urbanisés et à l'état naturel.

Le développement de la région de Vancouver rappelle les grandes villes américaines, mais dans un décor de montagnes vertes et de mer bleue; on y retrouve la vie sauvage et la vie civilisée. La vallée de l'Okanagan rassemble certains des meilleurs producteurs de vins au Canada et d'innombrables vergers.

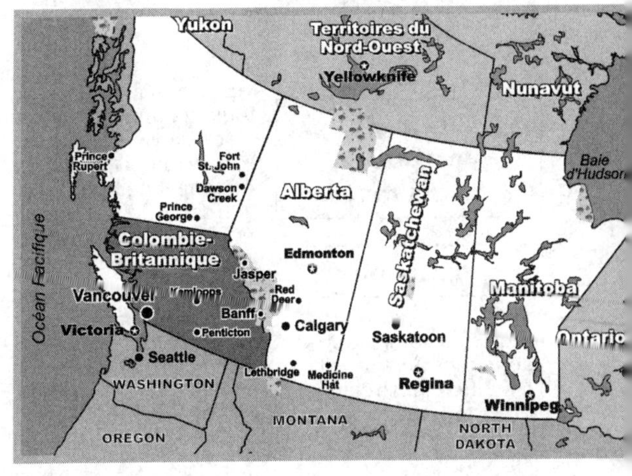

Les paysages grandioses de la Colombie-Britannique se bousculent devant nos yeux éblouis par la mer, les neiges éternelles et les couleurs du printemps, qui commence très tôt dans cette région.

Le rendez-vous avec la nature est mémorable; les cours d'eau qui mouillent les plages désertes invitent à la détente et à la rêverie. Les forêts majestueuses veillent à la sérénité des lieux inviolés par l'exploitation forestière. Riche de plusieurs parcs nationaux et provinciaux qui englobent les plus belles régions de la province, le sud de la Colombie-Britannique offre un paysage très varié, depuis les neiges éternelles, en passant par des cours d'eau qui foisonnent de poissons, jusqu'aux vallées désertiques.

Un voyage dans le sud de la Colombie-Britannique donne la possibilité de découvrir entre ciel et mer des villes, des parcs et des gens de cultures très variées. Nous vous proposons cinq circuits à travers quatre grandes régions aux couleurs et aux textures qui vont d'un extrême à l'autre:

Ce chapitre comporte cinq circuits:

Circuit A: Sunshine Coast ★★

Circuit B: La boucle de Coast Mountain ★★

Circuit C: La rivière Thompson jusqu'à Revelstoke ★

Circuit D: La vallée de l'Okanagan ★★★

Circuit E: Kootenay Country ★★

Pour s'y retrouver sans mal

En avion

Plusieurs compagnies aériennes desservent les différentes régions de la province.

AirBC
Kamloops, Kelowna, Penticton, Vernon, Powell River; à Vancouver
☎(604) 643-5600 ou 800-663-3721

WestJet
Kelowna
☎800-538-5696 ou 888-937-8538
En français:
☎877-956-6982
www.westjet.com

Central Mountain Air
Kamloops - Kelowna
Réservez par l'entremise de AirBC
☎888-865-8585
www.cmair.bc.ca

En voiture

Le sud de la Colombie-Britannique possède un réseau d'autoroutes toutes plus spectaculaires les unes que les autres, dont la transcanadienne, qui va d'est en ouest à travers montagnes, rivières, canyons et vallées désertiques.

La route transcanadienne facilitera votre sortie de Vancouver vers l'est, quoiqu'il y ait toujours une circulation assez dense. Cette route conduit à Calgary en longeant, entre autres, le fleuve Fraser et la rivière Thompson ainsi que le lac Shuswap. Autrement, la route 7, qui est le prolongement de Broadway Avenue depuis le centre-ville, suit la rive nord du fleuve Fraser.

Pour ceux qui doivent traverser cette région au plus vite, une autoroute entre Hope et Kamloops, la Coquihalla Highway (Hwy. 5), est ouverte à la circulation. Il s'agit de la seule autoroute payante de la province, et elle est plus rapide que celle qui passe par le Fraser Canyon (4 heures de Vancouver à Kamloops), mais elle n'est pas aussi agréable.

Le nord de la province est accessible par la route Sea To Sky (Hwy. 99); il faut alors traverser le Lions Gate Bridge et suivre les indications vers Whistler et Squamish. Cette route est très spectaculaire.

En train

Autrefois très actives, les gares comptent maintenant très peu de trains à l'horaire. Il existe toujours *Le Canadien*, qui traverse les Rocheuses à flanc de montagne et à travers de nombreux tunnels. De North Vancouver, un train longe l'anse Howe vers le nord en passant par Squamish et Whistler; ce parcours permet de contempler un beau paysage.

L'été, la compagnie ferroviaire **Great Canadian Railtour Company Ltd.** offre les **Rocky Mountaineer Railtours** (784$/pers., 729$/pers. en occupation double; ☎604-606-7245 ou 800-665-7245, ⇄606-7250, *www.rockymountaineer.com*) entre Calgary et Vancouver.

BC Rail
1311 W. First St.
North Vancouver
☎(604) 984-5246 ou 800-663-8238
www.bcrail.com
Cette société ferroviaire dessert les villes du nord de la province en passant par le centre de villégiature de Whistler.

VIA Rail
1150 Station St., Vancouver
☎888-842-7245
www.viarail.ca
Via Rail dessert les villes suivantes: Port Coquitlam, Matsqui,

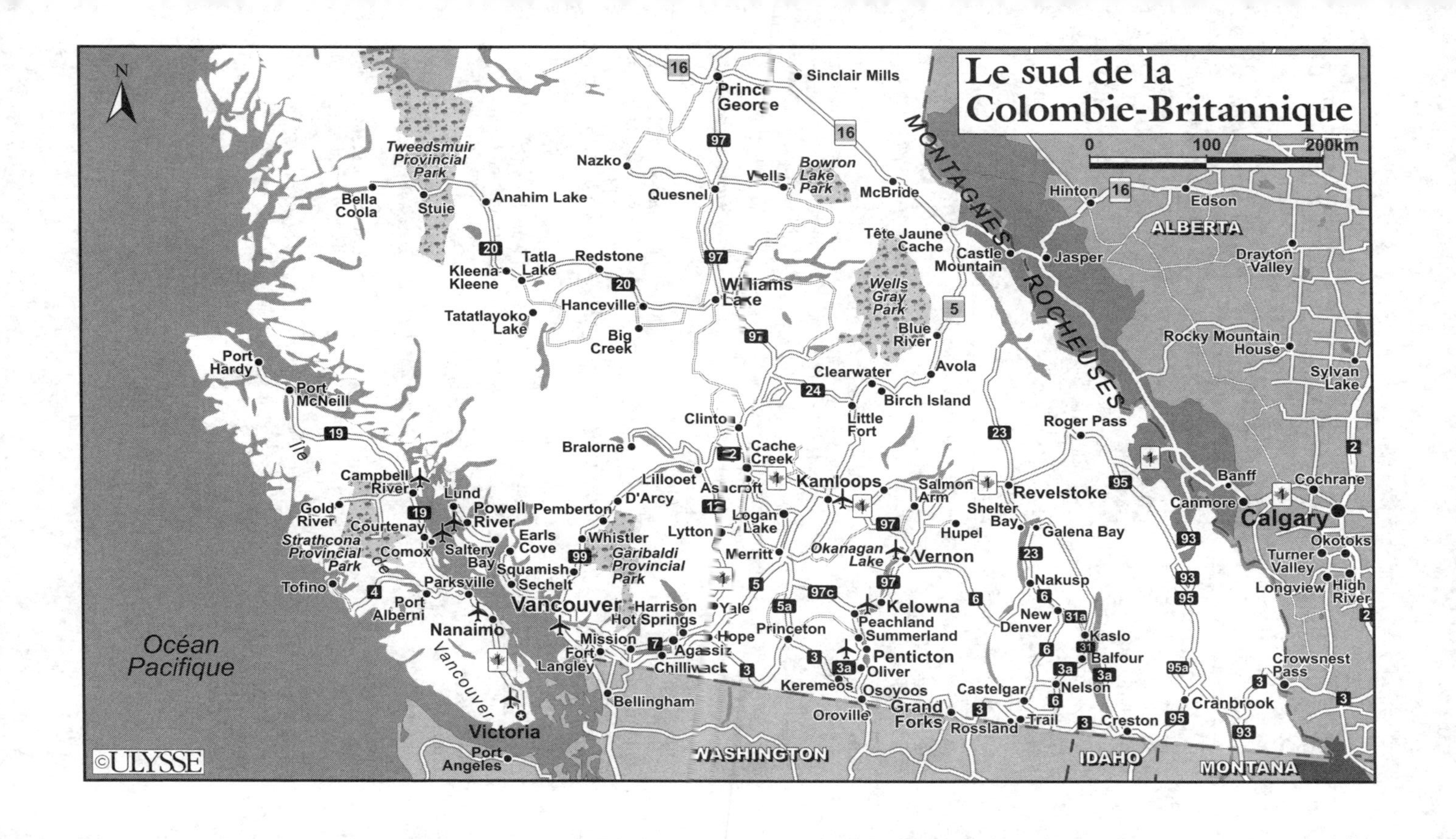

Le sud de la Colombie-Britannique
0
100
200km
Océan Pacifique
ALBERTA
WASHINGTON
IDAHO
MONTANA
MONTAGNES ROCHEUSES
Tweedsmuir Provincial Park
Wells Gray Park
Bowron Lake Park
Garibaldi Provincial Park
Strathcona Provincial Park
Île de Vancouver
Okanagan Lake
Sinclair Mills
Prince George
Nazko
Quesnel
McBride
Bella Coola
Stuie
Anahim Lake
Tête Jaune Cache
Castle Mountain
Jasper
Hinton
Edson
Drayton Valley
Rocky Mountain House
Sylvan Lake
Kleena Kleene
Tatla Lake
Redstone
Hanceville
Williams Lake
Tatatlayoko Lake
Big Creek
Blue River
Avola
Clearwater
Birch Island
Little Fort
Port Hardy
Port McNeill
Clinton
Bralorne
Cache Creek
Kamloops
Roger Pass
Revelstoke
Salmon Arm
Shelter Bay
Galena Bay
Hupel
Banff
Canmore
Calgary
Cochrane
Okotoks
Turner Valley
Longview
High River
Campbell River
Lund
Powell River
Gold River
Courtenay
Comox
Saltery Bay
Earls Cove
Pemberton
D'Arcy
Lillooet
Whistler
Lytton
Logan Lake
Merritt
Vernon
Squamish
Sechelt
Tofino
Parksville
Port Alberni
Nanaimo
Vancouver
Harrison Hot Springs
Mission
Fort Langley
Agassiz
Chilliwack
Hope
Yale
Princeton
Peachland
Summerland
Kelowna
Penticton
Oliver
Keremeos
Osoyoos
Nakusp
New Denver
Kaslo
Balfour
Nelson
Castelgar
Grand Forks
Rossland
Trail
Creston
Cranbrook
Crowsnest Pass
Bellingham
Oroville
Victoria
Port Angeles
©ULYSSE

Chilliwack, Hope, Boston Bar, Ashcroft, Kamloops et plusieurs autres villes du sud-est de la province.

En autocar

Greyhound Lines
Pacific Central Station, 1150 Station St., Vancouver
☎***800-661-8747***
www.greyhound.ca

Maverick Coach Lines
Pacific Central Station, 1150 Station St., Vancouver
☎***(604) 940-8727 ou 800-667-6301***
www.maverickcoachlines.bc.ca
Surtout utilisée par les skieurs qui désirent se rendre pour la journée à Whistler, cette compagnie d'autocars dessert également d'autres villes le long de la route 99.

Whistler Transit System
☎***(604) 932-4020***
www.whistler.com/transit

En traversier

Pour atteindre la Sunshine Coast, vous devez prendre un traversier d'où que vous soyez sur la côte ou sur l'île de Vancouver.

BC Ferries
1112 Fort St., Victoria
☎***(250) 386-3431 ou 888-223-3779***
www.bcferries.bc.ca

Renseignements pratiques

L'indicatif régional des environs de Vancouver est le ***604***. Le reste de la province, au nord de Whistler et à l'est de Hope, utilise l'indicatif régional ***250***.

Renseignements touristiques

Les différents bureaux d'information touristique du sud de la province sont ici regroupés en région. Toutefois, un grand nombre de villes possèdent également un tel bureau.

Circuit A: Sunshine Coast

Vancouver, Coast and Mountains
250-1508 W. Second Ave., Vancouver, BC, V6J 1H2
☎***(604) 739-9011 ou 800-667-3306***
www.coastandmountains.bc.ca

Gibsons InfoCentre
900 Gibsons Way, Unit 21, Gibsons, BC, V0N 1V0
☎***(604) 886-2325***
www.gibsonschamber.com

Powell River Visitors Bureau
4690 Marine Ave., Powell River, BC, V8A 2L1
☎***(604) 485-4701 ou 877-817-8669***
www.discoverpowellriver.com

Circuit B: La boucle de Coast Mountain

Vancouver, Coast and Mountains
250-1508 W. Second Ave., Vancouver, BC, V6J 1H2
☎***(604)739-9011 ou 800-667-3306***
www.coastandmountains.bc.ca

Squamish & Howe Sound Chamber of Commerce
37950 Cleveland Ave., PO Box 1009, Squamish, BC, V0N 3G0
☎***(604) 892-9244***
www.squamishchamber.bc.ca

Whistler Travel InfoCentre
2097 Lake Placid Rd., Whistler, BC, V0N 1B0
☎***(604) 932-5528***
www.bcadventure.com

Whistler Activity and Information Center
4010 Whistler Way, Whistler, BC, V0N 1B4
☎***(604) 932-2394, poste 2***
www.tourismwhistler.com

Lytton Travel InfoCentre
400 Fraser St., Lytton, BC, V0K 1Z0
☎***(250) 455-2523***
www.lytton.org

Hope Travel InfoCentre
919 Water Ave., Hope, BC, V0X 1L0
☎***(604) 869-2021***
www.hopechamber.bc.ca

Harrison Hot Springs Travel InfoCentre
499 Hot Springs Rd., Harrison Hot Springs, BC, V0M 1K0
☎***(604) 796-3425***
www.harrison.ca

Circuit C: La rivière Thompson jusqu'à Revelstoke

Thompson–Okanagan Tourism Association
1332 Water St., Kelowna, BC, V1Y 9P4
☎***800-567-2275***
www.thompsonokanagan.com

Kamloops Visitor InfoCentre
1290 route transcanadienne Ouest, Kamloops, BC, V2C 6R3
☎***(250) 374-3377 ou 800-662-1994***
www.adventurekamloops.com

Association francophone de Kamloops
348 Fortune Dr., Kamloops
☎***250-376-6060***

Revelstoke Travel InfoCentre
204 Campbell Ave., Revelstoke, BC, V0E 2S0
☎***(250) 837-5345 ou 800-487-1493***

Revelstoke City Hall
216 Mackenzie Ave., Revelstoke, BC, V0E 2S0
☎***(250) 837-2161***
www.cityofrevelstoke.com

Circuit D: La vallée de l'Okanagan

Thompson–Okanagan Tourism Association
voir ci-dessus

Princeton Travel InfoCentre
57 route 3E, Princeton, BC, V0X 1W0
☎***(250) 295-3103***

Osoyoos Visitor InfoCentre
9912 Hwy. 3, PO Box 500, Osoyoos, BC, V0H 1V0
☎***(250) 495-7142 ou 888-676-9667***

Penticton and Wine Country Visitor Information Centre
888 Westminster Ave. W., Penticton
☎***(250) 492-4103 ou 800-663-5052***

Kelowna Travel InfoCentre
544 Harvey Ave., Kelowna, BC, V1C 6Y9
☎***(250) 861-1515***
www.tourismkelowna.org

Centre culturel français de l'Okanagan
702 Bernard Ave., Kelowna
☎***(250) 860-4074***

Vernon Tourism
701 Highway 97, Vernon, V1B 3W4
☎***(250) 542-1415 ou 800-665-0795***
www.vernontourism.com

Merritt & District Chamber of Commerce
2185B Voght St., Merritt, BC, V1K 1B8
☎***250-378-5634 ou 877-330-3377***
www.merritt-chamber.bc.ca

Circuit E: Kootenay Country

Tourism Rockies
P.O. Box 10, 1905 Warren Ave., Kimberley, BC, V1A 2Y5
☎***(250) 427-4838***
www.bcrockies.com

Nakusp and District Chamber of Commerce
92 6th Ave. NW, Nakusp, BC, V0G 1R0
☎***250-265-4234 ou 800-909-8819***

Nelson Visitor InfoCentre
225 Hall St., Nelson, BC, V1L 5X4
☎***(250) 352-3433 ou 877-663-5706***
www.discoverynelson.com

Rossland Tourist Information
Rossland Museum
à l'intersection des routes 3B et 22, Rossland
☎***(250) 362-7722***

Kimberley Visitor InfoCentre
115 Gerry Sorrensen Way, Kimberley, BC, V1A 3E9
☎***(250) 427-3666***

Cranbrook Visitor InfoCentre
2279 Cranbrook St. N., Cranbrook, BC, V1C 4H6
☎***(250) 426-5914***

Urgences

En cas d'urgence, où que vous soyez, faites le ☎**911**.

Internet

La plupart du temps, il est facile de se brancher sur la «Toile» via l'un des terminaux installés dans les bibliothèques municipales. Dans certains cas, vous pouvez utiliser l'Internet sans frais une heure par jour, notamment dans la vallée de l'Okanagan.

Certains postes Internet payants ont par ailleurs été installés dans quelques auberges de jeunesse.

Attraits touristiques

Circuit A: Sunshine Coast

Vous rejoindrez la Sunshine Coast principalement par voie maritime; une tout autre mentalité s'exprime ici par l'inexistence de routes reliant Vancouver aux villes de villégiature de la côte: ce sont les traversiers qui dictent le va-et-vient du quotidien. Les municipalités qui se sont développées le long de la côte bénéficient de la mer et de ce qu'elle produit. La Sunshine Coast prend forme le long du détroit de Georgie, entourée au nord par le Desolation Sound, à l'est par la Chaîne côtière, et plus au sud, par le Howe Sound.

Langdale

Vous atteindrez Langdale en 40 min, une petite ville portuaire à la pointe sud de la Sunshine Coast. Les traversiers desservent cette côte à plusieurs reprises dans la journée; il faut toutefois se présenter au quai d'embarquement de Horseshoe Bay au moins une heure à l'avance pour certains départs de fin de semaine. **Horseshoe Bay** est à 20 km au nord-ouest de Vancouver. Avec **BC Ferries** *(information 7h à 22h; Vancouver: ☎888-223-3779; Victoria: ☎250-386-3431; d'ailleurs en Colombie-Britannique: ☎888-223-3779)*, vous économiserez jusqu'à 15% sur l'achat de votre billet si vous prévoyez revenir par l'île de Vancouver au lieu de faire l'aller-retour. Demandez le Sunshine Coast Circlepac.

Pendant cette traversée, la notion des distances change; le temps pour aller du point *A* au point *B* ne se mesure plus de la même façon; vous vous laissez transporter; vous n'avez plus qu'à contempler la vue entre mer et montagnes.

Les Coast Salishs, des Amérindiens, ont été les premiers à occuper la côte; la région actuelle de Gibsons regroupait plutôt les Squamishs et les Sechelts. Les Européens ont navigué dans ces eaux dans les années 1790, mais il fallut attendre le passage du capitaine Richards, en 1859 et 1860, pour pouvoir répertorier les baies, les anses, les îles et les bras de mer.

★

Gibsons

À Gibsons, les visiteurs ne manqueront pas de reconnaître le site de tournage de *Beachcombers*, une série télévisée de la Canadian Broadcasting Corporation (CBC) qui a été tournée ici pendant près de 20 ans et qui a été diffusée dans plus de 40 pays. Sur la route entre Langdale et Gibsons, arrêtez-vous au **Molly's Reach Café** (voir p 305), le bistro où les personnages de la série se retrouvaient souvent dans le film et qui fait la grande attraction de Gibsons. Prenez aussi le temps de déambuler sur **Molly's Lane** ★ à travers les petites boutiques et les restaurants. Plus récemment, Gibsons devenait «Castle Rock» pour un autre film, ***Needful Things***, de Stephen King.

Une visite s'impose au **Sunshine Coast Maritime Museum** ★ *(au bout de Molly's Lane, ☎604-886-4114)*; une dame charmante vous y accueillera et vous fera partager sa passion pour la vie marine de la région.

Le développement de la Sunshine Coast s'est effectué sur une mince bande le long de la forêt. La vie sauvage animale et végétale y est riche; les orchidées et les roses sauvages côtoient les chevreuils et les ours noirs; les loutres de rivière et les

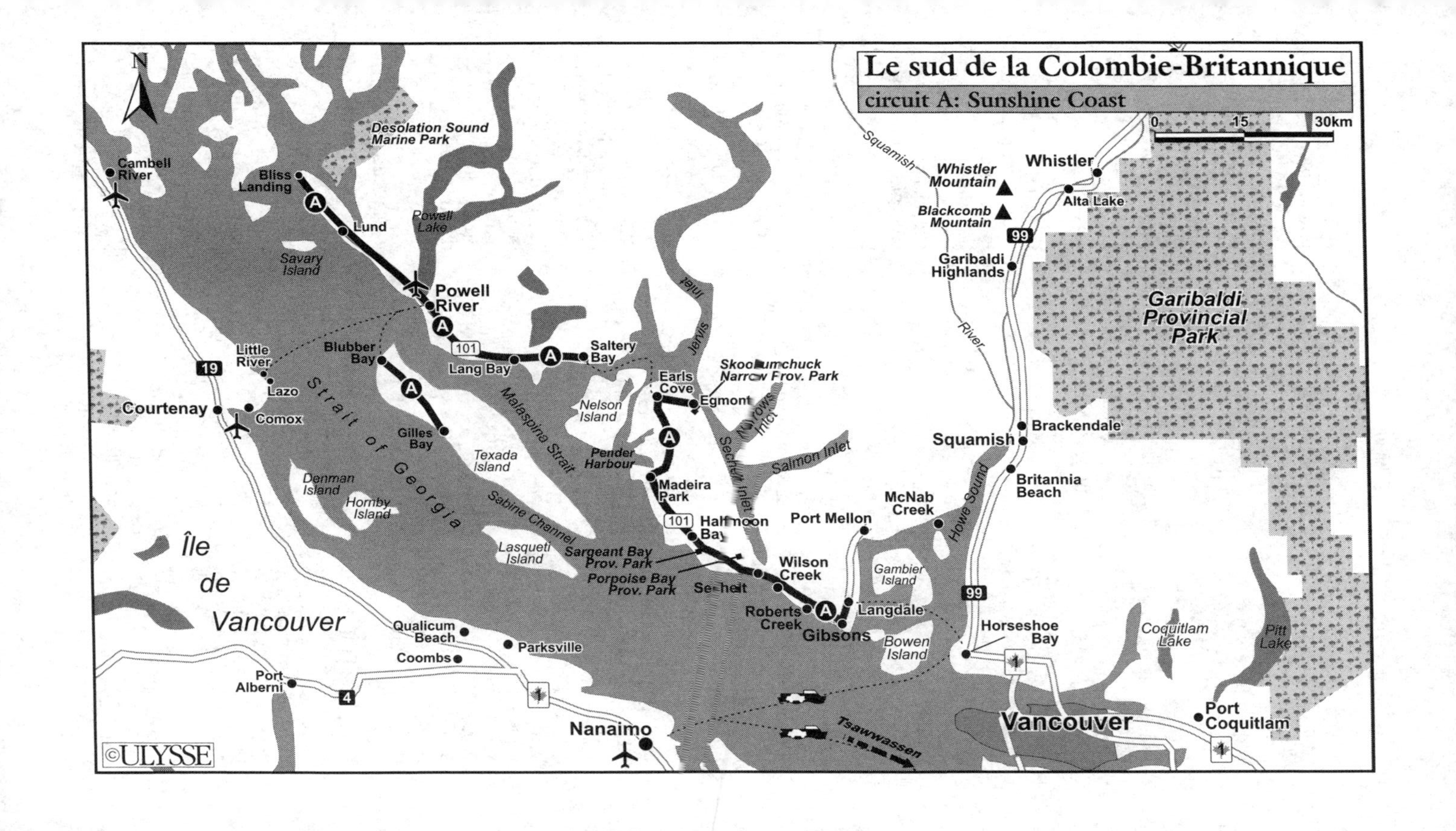
Le sud de la Colombie-Britannique
circuit A: Sunshine Coast
N
0
15
30km
Desolation Sound Marine Park
Cambell River
Bliss Landing
Lund
Powell Lake
Savary Island
Powell River
101
Lang Bay
Saltery Bay
Little River
Lazo
19
Courtenay
Comox
Blubber Bay
Gilles Bay
Strait of Georgia
Malaspina Strait
Texada Island
Nelson Island
Pender Harbour
Earls Cove
Egmont
Jervis Inlet
Madeira Park
Sechelt Inlet
Salmon Inlet
Denman Island
Hornby Island
Sabine Channel
Lasqueti Island
Sargeant Bay Prov. Park
Porpoise Bay Prov. Park
Wilson Creek
Roberts Creek
Gibsons
Langdale
Port Mellon
McNab Creek
Gambier Island
Bowen Island
Howe Sound
Île de Vancouver
Qualicum Beach
Parksville
Coombs
Port Alberni
4
1
Nanaimo
Tsawwassen
Squamish
Whistler Mountain
Blackcomb Mountain
Whistler
Alta Lake
99
Garibaldi Highlands
River
Garibaldi Provincial Park
Brackendale
Squamish
Britannia Beach
Horseshoe Bay
Vancouver
Coquitlam Lake
Pitt Lake
Port Coquitlam
©ULYSSE

castors maintiennent leurs activités près des côtes, tandis que les otaries et les phoques prennent le large.

Sechelt

Pour vous rendre à Sechelt, prenez la route 101 vers le nord; le paysage est plutôt sobre, mais, avec la mer et les îles, le décor devient plus beau. Sechelt est un important centre administratif amérindien. La **House of Hewhiwus** *(5555 Hwy. 101, à côté du bureau d'information touristique)* regroupe un théâtre, une galerie d'art et une boutique de souvenirs. L'art amérindien, où chaque œuvre illustre une légende, vous est présenté par des gens de la communauté.

La Sunshine Coast se laisse découvrir en naviguant sur un des cours d'eau voisins. Tournez à droite dans Wharf Road, et rendez-vous au Government Wharf. **Sunshine Coast Tours ★** *(55$; tlj 10h30 à 16h30; ☎604-885-0351 ou 800-870-9055)* organise des excursions sur le petit bras de mer Sechelt Inlet jusqu'aux rapides de Skookumchuck. Le Tzooning se présente comme une excursion en bateau pour découvrir la vie marine de la région.

Un barbecue au saumon vous sera servi sur la rive, et une promenade dans les rapides de Skookumchuck («eaux fortes») au moment de la marée vous prolongera dans des rapides qui atteignent plus de 3 m de hauteur. Vous pouvez observer les rapides en vous rendant à Egmont: gardez la droite avant d'arriver à Earls Cove, sur la route de Powell River. Près de 4 km séparent le stationnement du point d'observation des rapides.

Pender Harbour

Tout en maintenant le cap sur Earls Cove, vous longerez Pender Harbour, qui présente une série de petites îles, véritables oasis de rêve pour les pêcheurs. Les pêcheurs de saumons fréquentent cet endroit facile d'accès par bateau ou par route. **Lowe's Resort** *(☎604-883-2456)* organise des sorties en mer.

La Sunshine Coast est coupée en deux. À Earls Cove, un traversier vous emmènera à Saltery Bay: une autre croisière à travers de splendides paysages de la Colombie-Britannique.

★

Powell River

Powell River, ville importante en bordure de la mer, est l'hôte de merveilleux couchers de soleil sur les îles du détroit de Georgie et l'île de Vancouver. Les activités de plein air sont à l'honneur dans cette région de la côte. Le climat tempéré de Powell River facilite la pratique de ces activités toute l'année. L'industrie forestière joue un rôle important dans cette région. Mais on vient à Powell River pour en connaître les lacs, la forêt, la vie animale et les points de vue.

La marche en montagne et sur le bord de la mer gravera dans votre mémoire les plus beaux points de vue sur le détroit de Georgie. Cette région offre aux visiteurs, 12 mois par année, une multitude d'activités aquatiques, et ce, à portée de la main et pour tous les budgets.

Les amateurs de plongée sous-marine viennent dans cette région chaque année afin de profiter, surtout l'hiver, de la limpidité de l'eau. Le **Saltery Bay Provincial Park ★** (voir p 276) cache une statue de bronze: une sirène maintenue à 20 m de profondeur parmi d'autres trésors de la mer.

Texada Island

Située dans le détroit de Georgie, non loin de Powell River, Texada Island était un important centre minier qui exploitait le fer en 1880. Aujourd'hui, l'île n'attire plus que les amateurs de nature, qui peuvent la découvrir à pied ou à bicyclette, ou encore en y faisant de la plongée. Les services sur l'île étant très limités, il est donc conseillé d'y aller le plus équipé possible et avec un but précis.

★★

Savary Island

Savary Island fait partie des Northern Gulf Islands. Elle est accessible par bateau-taxi au départ de Powell River. La traversée couvre une vingtaine de kilomètres. L'île est surnommée la Hawaii de la Colombie-Britannique et aussi Pleasure Island en raison de ses **plages de sable blanc** ★★★ et de ces **eaux cristallines**, où il fait bon se baigner Les **aigles** visitent l'île en grand nombre, et des colonies de **phoques** se baladent près des côtes. Les activités pratiquées sur Savary Island sont la marche, le vélo, la baignade et les bains de soleil. C'est véritablement une destination estivale. Ne pensez pas vous y promener en voiture car cela n'est pas nécessaire, puisque l'île est très petite (8 km de long sur 1 km de large), et impossible comme il n'y a pas de route. C'est pour cette raison que la bicyclette devient un moyen de transport indispensable sur ce bout de terre.

★★

Lund

Lund, située au bout de la route 101, ou au début, selon le point de référence, est la porte d'entrée du merveilleux **Desolation Sound Marine Park** ★★ (voir p 276), havre de vie marine facilement accessible en kayak ou en canot. Le port de Lund est magnifique avec son vieil hôtel, ses commerces attenants et la promenade de bois qui fait le tour de la baie; les bateaux de pêche qui y mouillent dessinent la carte postale que vous aviez imaginée en songeant à un village de pêcheurs. Les sorties en kayak sont accessibles à tous. Expéditions de pêche, croisières d'observation des baleines, sorties de plongée-tuba: le choix ne manque pas.

Vous pouvez prendre le traversier à Powell River pour vous rendre sur l'île de Vancouver ou retourner jusqu'à Langdale et rentrer à Vancouver par Horseshoe Bay.

Circuit B: La boucle de Coast Mountain

La côte regorge de splendides panoramas; que vous soyez en voiture, en train ou à bord d'un traversier, fjords, montagnes, forêts et points de vue se succèdent. L'autoroute Sea To Sky (Hwy. 99) se présente comme une route sinueuse très fréquentée par les vacanciers, faisant de Whistler leur lieu de détente sportive, hiver comme été.

Cette grande région dépend en grande partie de l'industrie forestière et du tourisme. Le beau golf de **Furry Creek**, renommé dans toute la province et même partout au Canada, attire tout l'été des golfeurs chevronnés qui essaient de ne pas trop se laisser distraire par le paysage enchanteur. Le premier arrêt, le long de la route 99, s'effectue à Britannia Beach.

★

Britannia Beach

Britannia Beach a été pendant près d'un siècle une importante ville minière d'où des milliers de tonnes de cuivre ont été extraites du sous-sol. Aujourd'hui, le site a été transformé en un musée géant, le **BC Museum of Mining** ★ *(12,95$; début mai à mi-oct tlj 9h à 16h30, mi-oct au 30 nov et fév à début mai lun-ven 10h à 16h30; ☎604-896-2233 ou 800-896-4044)*, où les visiteurs peuvent découvrir cette industrie comme elle se pratiquait au tournant du XXe siècle jusqu'au début des années 1970, au moment de sa fermeture.

Une promenade en train dans les tunnels vous plonge dans une autre époque; un guide explique et démontre les différentes techniques de forage qui étaient utilisées avec l'arrivée de nouvelles machines; cette visite se termine au grand moulin, où le minerai était nettoyé.

La route 99 longe le détroit de Howe jusqu'à Squamish. Pendant plusieurs années, le seul moyen de transport depuis le sud était le bateau; certaines municipalités dépendent toujours des traversiers pour rejoindre la côte plus au nord.

Squamish

Située à l'extrémité nord de Howe Sound, Squamish a été développée grâce à l'industrie forestière, et, encore aujourd'hui, elle en bénéficie. Visitez les travailleurs en forêt, en pleine action, ou au moulin à scie, ou encore dans la cour de triage, pendant que des machines colossales déplacent les billes de bois.

À l'entrée de Squamish, vous serez intrigué par le grand mur noir, **The Chief**, qui descend à pic au bord de la route. Si vous aimez l'escalade, vous pourrez avoir le plaisir de le franchir avec un guide.

Soo Coalition for Sustainable Forests ★ *(20$: promenade en forêt d'une durée de quatre heures lun-ven;5$: visite du moulin à scie; 10$: visite du moulin à scie avec transport; réservations obligatoires ☎604-892-9766)* est un organisme qui voit à la préservation de la forêt et des emplois de ce secteur. Il organise des visites en forêt ou dans les cours à bois afin de renseigner la population sur l'exploitation forestière.

Squamish, qui, en salish, signifie «mère du vent», attire les véliplanchistes en raison du vent qui s'engouffre dans le détroit et qui se déplace vers les terres. De plus, l'escalade prend de l'ampleur dans la région; le rendez-vous se donne à la **Stawamus Chief Mountain**, et les sentiers menant à ce monolithe de granit entraînent les marcheurs vers les lieux où ils pourront observer les grimpeurs. Pour plus de renseignements: Squamish & Howe Sound District Chamber of Commerce *(☎604-892-9244)*.

La route 99 quitte le bord de l'eau pour se frayer un chemin dans la vallée menant à Whistler tout en longeant le parc Garibaldi. Après Squamish, suivez l'indication «Brackendale», qui vous écartera à peine de la route de Whistler.

★

Brackendale

Située à seulement 70 km au nord de Vancouver par l'autoroute Sea to Sky (route 99), la petite communauté amérindienne de Waíwécum, qui s'appelle maintenant Brackendale, est en fait une banlieue de Squamish. Elle a été récemment reconnue comme le plus important site de **rassemblement d'aigles chauves** ★★★ (aigles à tête blanche) au monde, devant la Chilkat Bald Eagle Reserve en Alaska.

Poussé par une force mystérieuse, chaque hiver, le saumon retrouve son chemin à travers l'océan Pacifique jusqu'à la rivière Squamish et Cheakamus pour frayer et mourir. Pas très loin derrière suivent les milliers d'aigles chauves qui ont choisi le petit village de Brackendale pour leurs quartiers d'hiver. Ils s'alimentent des carcasses de saumons en décomposition échouées le long de la rivière.

Les aigles sont partout: sur les arbres, sur les toits des maisons et le long de la route. Ce phénomène unique attire plus de 2 000 naturalistes amateurs chaque fin de semaine de décembre à janvier. Vous pouvez aussi en apercevoir du «Eagle Run» sur Government Road *(sortie Mamquam Rd. de la route 99, en direction nord sur Government Rd.)*.

Chaque année, un recensement des aigles est organisé par la **Brackendale Art Gallery** *(12h à 22h sam-dim et jours fériés; ☎604-898-3333)*, qui les présente en

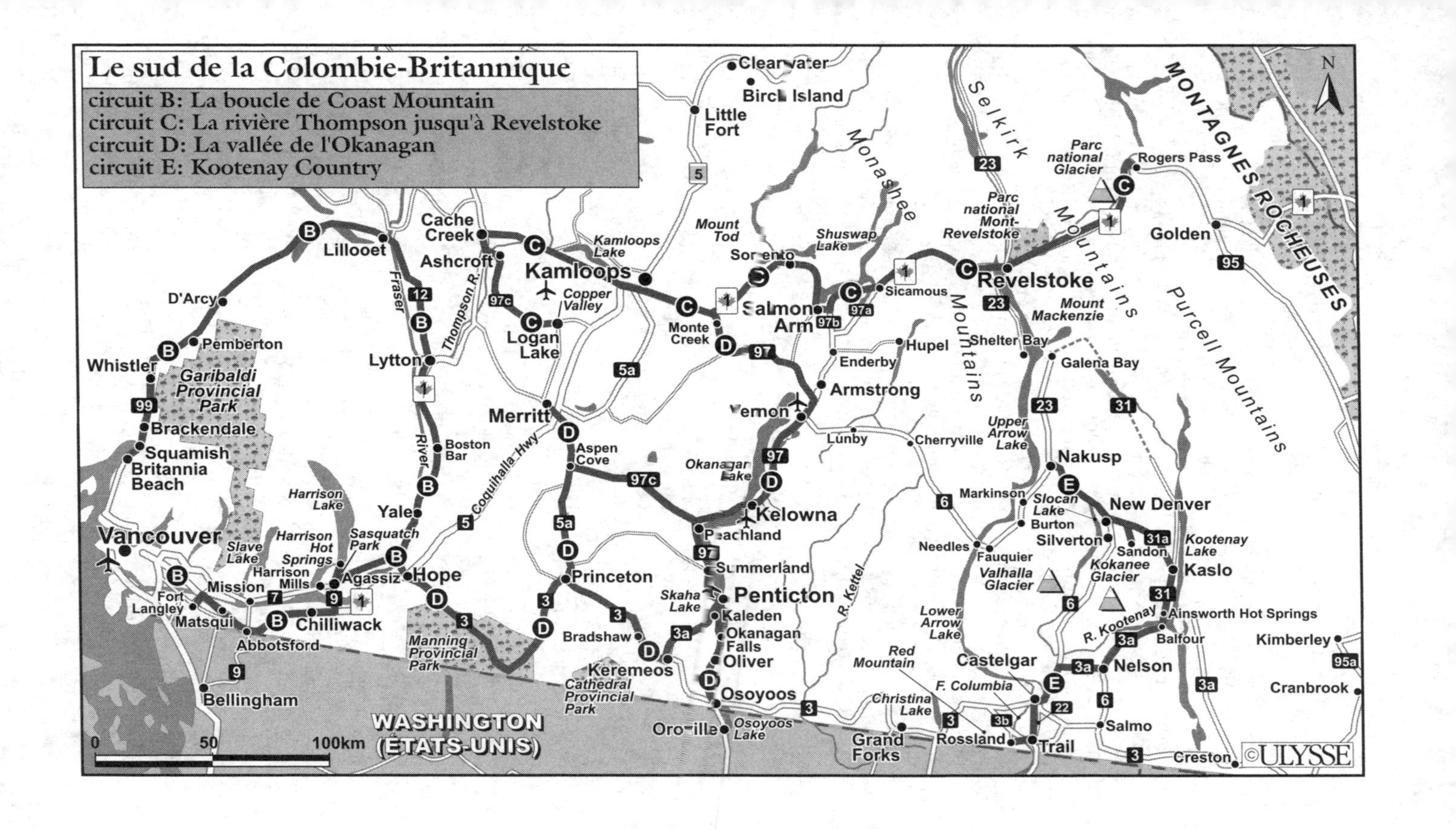

Le sud de la Colombie-Britannique
circuit B: La boucle de Coast Mountain
circuit C: La rivière Thompson jusqu'à Revelstoke
circuit D: La vallée de l'Okanagan
circuit E: Kootenay Country
MONTAGNES ROCHEUSES
Selkirk Mountains
Purcell Mountains
Monashee Mountains
Parc national Glacier
Parc national Mont-Revelstoke
Rogers Pass
Golden
Revelstoke
Mount Mackenzie
Shelter Bay
Galena Bay
Sicamous
Salmon Arm
Shuswap Lake
Mount Tod
Little Fort
Birch Island
Cache Creek
Ashcroft
Kamloops
Kamloops Lake
Copper Valley
Logan Lake
Monte Creek
Enderby
Hupel
Armstrong
Vernon
Lunby
Cherryville
Upper Arrow Lake
Nakusp
Markinson
Slocan Lake
Burton
Silverton
New Denver
Sandon
Kootenay Lake
Kaslo
Kokanee Glacier
Valhalla Glacier
Needles
Fauquier
Lower Arrow Lake
Ainsworth Hot Springs
R. Kootenay
Balfour
Kimberley
Nelson
Castelgar
Red Mountain
F. Columbia
Christina Lake
Grand Forks
Rossland
Trail
Salmo
Creston
Cranbrook
R. Kettel
Okanagan Lake
Kelowna
Peachland
Summerland
Penticton
Skaha Lake
Kaleden
Okanagan Falls
Oliver
Osoyoos
Osoyoos Lake
Oroville
Merritt
Aspen Cove
Coquihalla Hwy
Princeton
Bradshaw
Keremeos
Cathedral Provincial Park
Manning Provincial Park
Hope
Yale
Boston Bar
River
Fraser
Thompson R.
Lytton
Lillooet
D'Arcy
Pemberton
Whistler
Garibaldi Provincial Park
Brackendale
Squamish
Britannia Beach
Vancouver
Harrison Lake
Harrison Hot Springs
Sasquatch Park
Agassiz
Harrison Mills
Slave Lake
Mission
Fort Langley
Matsqui
Chilliwack
Abbotsford
Bellingham
WASHINGTON (ÉTATS-UNIS)
0 50 100km
©ULYSSE

tableaux et en sculptures: du très beau travail. La galerie d'art fait aussi office de restaurant et de salle de concerts.

L'été, le **Brennan Park Leisure** amuse petits et grands. D'autre part, il existe cinq parcs provinciaux sur l'autoroute Sea to Sky qui offrent une grande possibilité d'activités de plein air. Attention, cette région est l'habitat de nombreux ours noirs et de grizzlis. Soyez très prudent. Les ours peuvent paraître paisibles et inoffensifs, mais ils sont en fait très dangereux.

★★ Whistler

Whistler attire de partout à travers le monde des gens qui pratiquent le ski, le golf, la randonnée pédestre, la voile, le parapente, la planche sur neige... Une infrastructure hôtelière imposante honore le petit village au pied des montagnes Blackcomb et Whistler; restaurants, boutiques, complexes sportifs et centre des congrès s'ajoutent à ce centre de villégiature reconnu internationalement. L'endroit est fréquenté hiver comme été, et chaque saison possède son lot d'activités à proposer. Depuis plusieurs années, Whistler figure parmi les plus importantes stations d'hiver de l'Amérique du Nord. Ainsi, à part les grands hôtels, les condos se sont fait de plus en plus nombreux ces dernières années, et les magasins se sont multipliés. Pour permettre aux touristes de se déplacer plus aisément, un service de navette gratuit autour du village a été instauré.

Les boutiques sont bien sûr consacrées en majorité aux touristes mais aussi aux urbains de la région côtière. Cela encourage l'achat des condos en tant que résidences secondaires et favorise l'économie de Whistler.

Au début des années 1960, un groupe d'aventuriers voulaient faire de cette région le site des Jeux olympiques d'hiver de 1968 en développant le parc Garibaldi. Malgré leur incapacité à obtenir les jeux, ces visionnaires n'abandonnèrent pas l'idée de faire de cette vallée un vaste domaine skiable. La population de Whistler a décuplé en 20 ans, et, dans la seule année 1993, plus d'un million de personnes se sont adonnées à un sport à Whistler.

Whistler reçoit chaque année près de 1 000 cm de neige, et la température oscille en moyenne autour de −5°C pendant les mois d'hiver. Les détails concernant la multitude de sports proposés sont présentés dans la section «Activités de plein air» (voir p 280).

Le jazz et la musique classique prennent une place de plus en plus grande dans cette jeune agglomération. Plusieurs événements se déroulent à Whistler tout au long de l'année, comme la Coupe du monde masculine de descente, la Coupe du monde de ski acrobatique, la Semaine des skieurs gays, le Festival de jazz...

Prenez le temps d'aller marcher dans le village hôtelier au bas des montagnes; vous pourrez mieux apprécier l'ambiance de fête et de loisir qui s'en dégage. Tout cela a un certain prix, et ces loisirs sont assez chers.

À l'extérieur du petit village, à l'entrée de la région de Whistler, se trouve Function Junction, qui est, en quelque sorte, le petit quartier industriel de la région.

Pemberton

Blotti au creux de l'impressionnant **Mount Currie**, se trouve le joli petit village de Pemberton. Cette petite localité agricole s'est très vite taillé une sérieuse réputation auprès des amateurs de plein air. Il existe une infinité de sentiers de randonnée autour du village qui vous feront découvrir de petits lacs de mon-

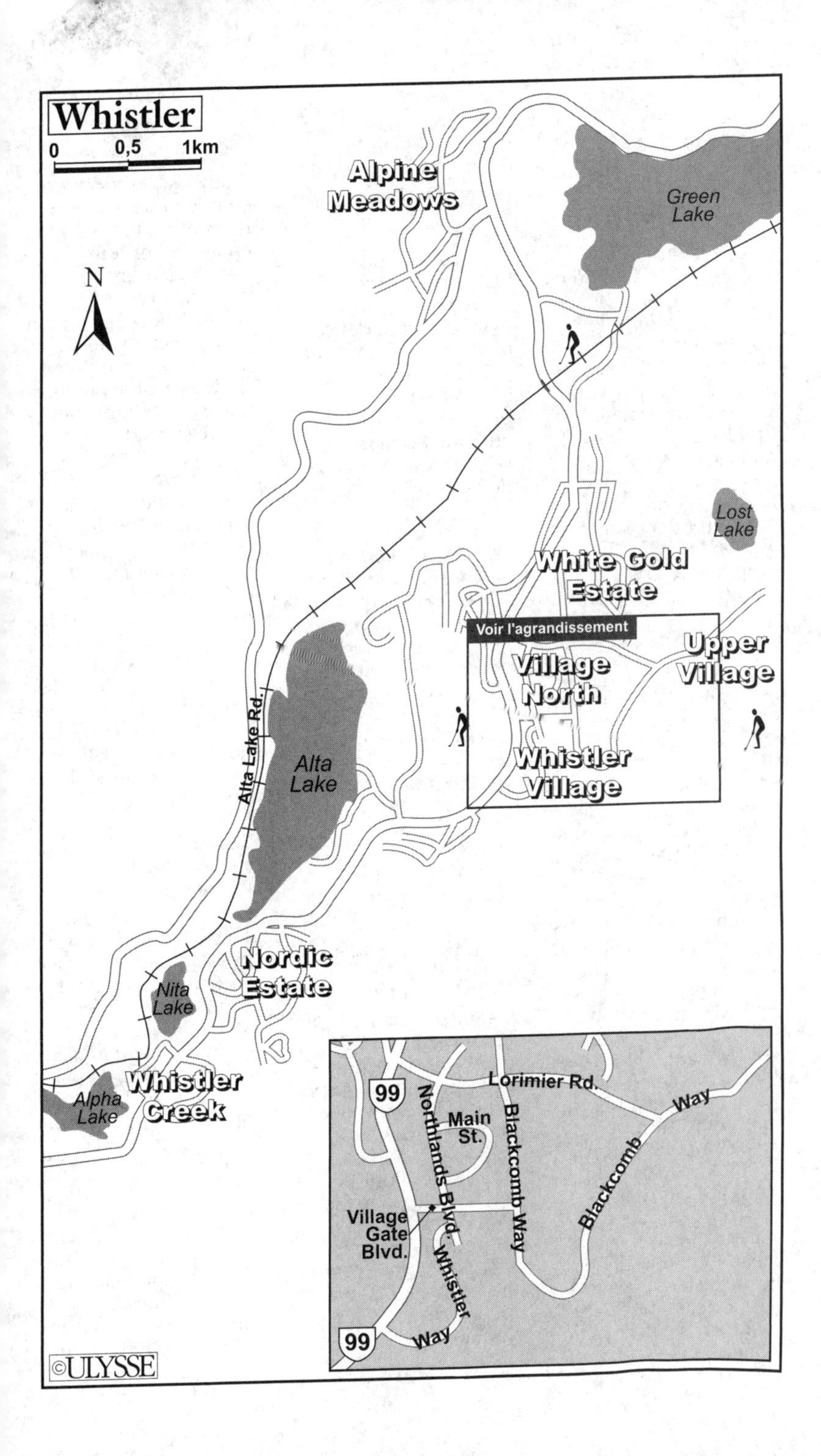
Whistler
0
0,5
1km
N
Alpine Meadows
Green Lake
Lost Lake
White Gold Estate
Voir l'agrandissement
Upper Village
Village North
Whistler Village
Alta Lake Rd.
Alta Lake
Nordic Estate
Nita Lake
Whistler Creek
Alpha Lake
99
Lorimier Rd.
Northlands Blvd.
Main St.
Blackcomb Way
Way
Blackcomb
Village Gate Blvd.
Whistler
Way
99
©ULYSSE

tagne et des glaciers spectaculaires.

Si vous avez un véhicule avec une garde au sol suffisante, vous pourrrez aussi vous aventurer sur les routes forestières du BC Forest Service. Le long de ces routes ont été aménagés des sites de camping sauvage, et vous aurez accès à de jolis coins de pêche où les truites abondent.

L'hiver, les motoneigistes se rendent sur le **Pemberton Ice Cap ★★★** (voir p 288).

Lillooet

Au temps de la découverte de l'or, Lillooet était la plus importante localité de la Colombie-Britannique, car le Mile 0 de la route de la ruée vers l'or des Cariboo Mountains avait été placé à Lillooet. Mineurs et commerçants se rendaient ainsi dans cette région sauvage et empruntaient ce chemin dangereux dans le but de faire fortune.

Maintenant, Lillooet est une paisible communauté de 2 000 habitants surtout réputée pour sa belle nature. L'été, la pêche et le camping attirent les amateurs. Il faut dire que le climat sec et chaud encourage les touristes de la région côtière qui sont parfois exaspérés par la pluie, même l'été. Vous atteindrez Lillooet par la route de Duffey Lake (route 99) après avoir passé Whistler et Pemberton.

Renseignez-vous à l'office de tourisme situé dans le musée de la ville, à côté des totems, pour les meilleurs coins de pêche et connaître l'itinéraire pour rejoindre le magnifique **Seton Lake ★★★**. Impossible de le manquer si vous arrivez par le nord.

De Lillooet, vous pouvez prendre la route 12 vers le nord jusqu'à l'intersection avec la transcanadienne, que vous emprunterez, en direction sud cette fois, pendant quelques kilomètres jusqu'à Cache Creek et à la route pour Ashcroft *(voir p 250)**. Ou encore vous pouvez poursuivre ce circuit en prenant la route 12 vers le sud jusqu'à Lytton.*

Lytton

Lytton est la capitale du rafting de la province et l'endroit où la rivière Thompson se jette dans le fleuve Fraser. Encore une fois, vous verrez des paysages à couper le souffle. Les vallées sont désertiques, avec une végétation courte et touffue. Pour ce qui est des amateurs de descentes de rivière, différentes options s'offrent à eux: promenade en canot motorisé ou aviron dans les rapides.

Yale

Yale s'est développée en raison de trois événements majeurs au cours de l'histoire: la traite des fourrures, la ruée vers l'or et la construction du chemin de fer. Cette ville marque aussi le début du Fraser Canyon: attachez vos ceintures et ouvrez grand les yeux!

Le **pont Alexandria** enjambe le fleuve Fraser à un endroit très frappant où seuls les piétons ont accès. Ce pont ne fait plus partie du réseau routier. La promenade sur ce pont offre également des vues splendides sur le fleuve Fraser. Un panneau du côté de la transcanadienne donne les indications à suivre pour atteindre le site.

Hell's Gate ★ *(11$; ☎604-867-9277)*. Simon Fraser fut le premier Européen à naviguer sur ce fleuve et, à son passage dans cette gorge étroite, il la nomma «la porte de l'enfer»! Même le saumon avait de la difficulté à passer en raison d'importants glissements de terrain qui avaient considérablement rétréci la gorge.

La force du courant empêchait les saumons de remonter pour aller frayer; cependant, une passe a été aménagée afin de corriger la situation. Un téléphérique

descend 152 m plus bas pour vous emmener au niveau de la rivière.

★

Hope

La ville de Hope marque la porte d'entrée du Fraser Canyon et est située au confluent de la rivière Coquihalla, du fleuve Fraser et de la rivière Nicolum. La Compagnie de la Baie d'Hudson y établit, en 1848, un poste de traite des fourrures dénommé Fort Hope; et 10 années plus tard, la découverte d'or attira des prospecteurs qui firent de Hope leur point d'approvisionnement en vivres.

Le **Kettle Valley Railway** a laissé des traces importantes dans la région de Hope. Cinq tunnels, les **Othello-Quintette Tunnels**, ont été creusés à même des parois de granit pour traverser le canyon de Coquihalla. Tout comme sur d'autres tronçons de cette voie ferrée, les problèmes d'éboulis et d'avalanches ont eu raison des rails.

Aujourd'hui, ce magnifique parc linéaire permet aux visiteurs d'observer le génie des bâtisseurs de chemins de fer et d'admirer le paysage grandiose qui se dessine devant eux. Hollywood a même choisi ce site pour tourner les films *First Blood* et *Shoot to Kill*. À partir du centre-ville, prenez la rue Wallace, tournez à droite dans 6th Avenue, puis à gauche dans Kawkawa Lake Road; passez un pont et une voie ferrée, et prenez à droite Othello Road; l'entrée du stationnement sera sur votre droite. N'oubliez pas votre appareil photo.

Un sculpteur sur bois à la scie à chaîne crée des pièces imposantes qui font le bonheur des visiteurs et des résidants de Hope. Tout a commencé lorsque le tronc d'un arbre majeur du Memorial Park a été transformé, par le sculpteur Pete Ryan, en un aigle tenant un saumon dans ses griffes. Depuis, plusieurs de ses œuvres, aux thèmes variés, ornent le centre-ville.

Ceux et celles qui veulent admirer la région du haut des airs peuvent se rendre à l'aéroport de Hope pour faire une promenade en planeur (voir p 284).

À la sortie de la ville de Hope, plusieurs options s'offrent à vous. Vous pouvez prendre la route transcanadienne (Highway 1), qui vous conduira directement à Vancouver, 150 km plus à l'ouest. Vous pouvez aussi aller dans l'autre direction, vers le Manning Provincial Park (voir p 276) ou vers Princeton et le circuit D (voir p 254) via la route 3 Est. Finalement, vous pouvez poursuivre ce circuit en empruntant la route 7 en direction ouest jusqu'à Harrison Hot Springs.

★

Harrison Hot Springs

Harrison Hot Springs coule à l'extrémité sud du lac Harrison, là où les Coast Salishs venaient profiter des eaux chaudes dites curatives. Des prospecteurs d'or en ont fait la découverte en 1858. Une tempête sur le lac Harrison les avait forcés à rejoindre la rive, et c'est en mettant les pieds dans l'eau à l'accostage qu'ils ont fait l'expérience de cette source d'eau chaude minérale. Le site est spectaculaire: le lac s'engouffre dans une série de montagnes qui découpent le paysage.

Un bain public intérieur donne accès à ces eaux minérales: **Harrison Hot Springs Public Pool** ★ *(7,25$; lun-jeu 9h à 21h, ven 9h à 22h, sam 8h à 22h, dim 8h à 21h; à l'intersection de Hot Springs Rd. et de Lillooet Ave., ☎604-796-2244).* En plus d'avoir la mainmise sur le bain public, l'hôtel Harrison a acquis les droits pour exploiter la source. Les plages du lac Harrison attirent chaque année, en septembre et en octobre, les amateurs de sculptures de sable; les résultats sont impressionnants. La route qui longe le lac mène au parc provincial Sasquatch (voir p 278).

Mission

X̱á:ytem Longhouse Interpretive Centre *(dons acceptés; 35087 Lougheed Hwy., 3 km à l'est de Mission, ☎604-820-9725).* Ce site archéologique autochtone a été découvert en 1990. Les Amérindiens le dénomment *X̱á:ytem* (prononcer HAY-tum), qui désigne une large roche sur un ancien plateau du fleuve Fraser. Selon les géologues, il s'agit d'un rocher (boulder) qui a été laissé là au passage des glaciers.

Les Sto:los, des Amérindiens qui ont habité la région il y a plus de 4 000 ans, interprètent la présence de cette pierre comme étant la transmutation de trois chefs de bande ayant commis un péché. Des centaines de vestiges ont été trouvés sur les lieux, entre autres des outils et des armes taillés dans la pierre. Ce centre renferme ces vestiges, et des Sto:los servent de guides.

À Mission, empruntez le pont (Hwy. 11) qui enjambe le fleuve Fraser. D'Abbotsford, sur l'autre rive, prenez la route transcanadienne jusqu'à Langley.

Langley

Lieu historique national du Fort-Langley ★ *(5$; mars à oct tlj 10h à 17h, nov à fin fév lun-ven 10h à 17h; sortie 66 Nord de la transcanadienne, direction Fort Langley, à l'intersection de Mavis St. et de Royal St.; ☎604-513-4777).* Le fort Langley a été construit en 1827 à 4 km en aval du lieu actuel sur la rive sud du fleuve Fraser. Il a été déménagé en 1839, et, un an plus tard, un feu a tout ravagé. La Compagnie de la Baie d'Hudson utilisait ce fort pour l'entreposage des fourrures en partance pour l'Europe par voie maritime.

Le 19 novembre 1858, le statut de la Colombie-Britannique y a été officiellement proclamé, mettant ainsi fin au contrôle du territoire par la Compagnie de la Baie d'Hudson. Des 16 bâtiments qui se trouvaient à l'intérieur de la palissade, seul l'entrepôt a subsisté.

Ce bâtiment a été construit vers 1840 et demeure la plus vieille structure de style européen sur le flanc ouest des Rocheuses. Six autres bâtiments et la palissade ont été reconstitués pour faire connaître cette époque. Les lieux historiques nationaux accueillent les visiteurs en français et en anglais.

À votre sortie, prenez le petit traversier *Albion Ferry*, qui vous emmènera sur la rive nord du fleuve Fraser, puis suivez la route 7 Est vers Mission. Cette route secondaire réduira votre rythme de croisière, car elle serpente à travers des champs envahis par les baies. C'est en grande partie des immigrants de l'Inde qui exploitent ces terres. Ils possèdent même leurs propres écoles, leur propre système de transport en commun et leurs propres temples.

Circuit C: La rivière Thompson jusqu'à Revelstoke

Ashcroft

Ashcroft est située à quelques kilomètres à l'est de la route 1, d'où partaient, dans les années 1860, les prospecteurs d'or en route vers le nord. Vous pouvez prendre la transcanadienne Est vers Kamloops en passant par Cache Creek afin de suivre le bord du lac Kamloops et d'apercevoir les champs de culture de ginseng.

Au lieu de prendre la transcanadienne, vous pouvez aussi poursuivre par la route 97C vers Logan Lake et la mine Copper Valley. Tout en remontant la magnifique vallée désertique, vous apercevrez le Sundance Guest Ranch (voir p 293 pour les détails du séjour), qui surplombe la vallée de la rivière Thompson. Depuis les années 1950, cet établissement propose aux visiteurs des excursions à dos de cheval à travers des milliers d'hectares de champs.

Autrefois, les éleveurs de bétail y vivaient comme dans la plupart des ranchs de la région.

Highland Valley Copper ★★ *(entrée libre; mai à sept lun-ven deux visites par jour; durée de la visite 2 heures, appelez pour réserver; ☎250-523-3507)* est une des plus grandes mines de cuivre à ciel ouvert au monde. Le paysage est lunaire. L'équipement industriel et les moyens de transport du minerai y prennent des dimensions démesurées. Même si vous ne pouvez pas en faire la visite, vous remarquerez ce site de la route.

Dirigez-vous toujours vers l'est; à l'intersection avec l'autoroute Coquihalla (Hwy. 5), prenez la direction de Kamloops.

Kamloops

Kamloops, ville d'étape, est le cœur de l'intérieur de la province, une ville de 78 000 habitants où les industries forestière et touristique sont les principaux moteurs de l'économie locale. L'industrie minière et l'élevage de bétail contribuent également au développement de la ville. C'est un centre très intéressant qui offre la possibilité de belles vacances. La nature y est belle et le climat très agréable, ce qui encourage à pratiquer des activités de plein air. Mais la ville elle-même offre aussi de beaux restaurants et des cinémas. Le centre d'information touristique peut vous renseigner sur le golf, la pêche ainsi que plusieurs autres activités de plein air. La culture y joue aussi un rôle important. Le **Kamloops Symphony Orchestra** *(335 Victoria St., ☎250-372-5000)*, la **Western Canada Theatre Company** *(1025 Lorne St., ☎250-372-3216)*, le **Sagebrush Theatre** *(☎250-374-5483)* et les **Kamloops Museum and Archives** *(mar-sam 9h30 à 16h30; 207 Seymour St., ☎250-828-3576)* sont très actifs.

Depuis 2002, la locomotive à vapeur ***2141***, ou ***Spirit of Kamloops*** *(12,50$; juin à sept ven-dim départs à 9h30 et 11h30, ven-sam départ à 19h30; 510 Lorne St., ☎374-2141)*, accueille de nouveau les passagers, après une (très) longue période de restauration. Construite en 1912, la *2141* est une des seules locomotives à vapeur qui subsistent dans le monde qui soit opérationnelle. Elle a sillonné les voies ferrées sur de courts trajets en Alberta et en Saskatchewan, avant d'être remisée en 1958, puis fut vendue à la Ville de Kamloops en 1961. Kamloops Heritage Railway exploite désormais cette locomotive rugissante et fumante, et propose des promenades qui partent de l'est du centre-ville, parfaites pour les aficionados et les enfants. Au cours du voyage, le célèbre hors-la-loi de Kamloops, Billy Miner, en profite pour attaquer le train, comme dans les westerns!

Une activité qui vous fera prendre conscience de l'importance des cours d'eau en Colombie-Britannique est une promenade à bord du *Wanda-Sue* sur la rivière Thompson, entourée de montagnes dénudées. Les Amérindiens, les trappeurs, les prospecteurs d'or, les bûcherons et les ouvriers du chemin de fer utilisaient le transport maritime jusqu'à l'arrivée de la voie ferrée et des routes. Le ***Wanda-Sue*** ★ part de l'Old Kamloops Yacht Club *(13,50$; avr à sept; la promenade dure 2 heures; 1140 River St., près de 10th Ave., ☎250-374-7447)*.

À l'ouest de Kamloops se cache dans les champs, sous de grandes toiles noires, la culture du ginseng. D'importantes fermes exploitent cette racine tant convoitée en Asie pour les bienfaits qu'elle est censée procurer.

Le ginseng américain, qui est cultivé ici, a été découvert dans l'Est canadien, il y a plusieurs centaines d'années, par des Amérindiens qui l'utilisaient dans la fabrication de leurs potions. La firme **Sunmore** *(925 McGill*

Place, ☎250-374-3017) vous explique la culture du ginseng en Amérique du Nord et les différences qui peuvent exister entre la culture asiatique et la culture locale.

Le **Secwepemc Museum & Native Heritage Park** *(6$; juin à août lun-ven 8h30 à 20h sam, dim et journées fériées 10h à 20h, sept à mai lun-ven 8h30 à 16h30; 335 Yellowhead Hwy., ☎250-828-9801)* est situé sur la réserve amérindienne de Kamloops, à l'est de la ville *(prendre la sortie «Jasper» sur la transcanadienne).*

C'est l'occasion de découvrir la culture des Shuswaps, les prédécesseurs des Blancs à Kamloops. Une exposition extérieure a été installée sur 4,8 ha, le long de la rivière Thompson. Elle permet au visiteur de se familiariser avec la façon dont vivait ce peuple. Ainsi, un petit village a été restauré et l'on y présente également les méthodes de chasse et de pêche, de même que les bases de l'agriculture à la manière shuswap. Des animateurs costumés sont sur place pour recréer l'esprit amérindien.

Sortez de Kamloops et prenez la direction de Revelstoke sur la transcanadienne, route qui longe plages, montagnes et terrains de golf. Les gorges se resserrent, et le cœur des Rocheuses se pointe à l'horizon. La végétation est beaucoup plus dense et florissante; les arbustes, bleus ou gris, font place à de grands arbres.

Salmon Arm

Il y a deux bonnes raisons qui devraient vous inciter à visiter Salmon Arm: les «bateaux-maisons» (péniches aménagées) et le saumon. La ville elle-même, centre commercial pour les communautés riveraines du grand lac Shuswap, consiste principalement en un tronçon inintéressant de la transcanadienne où magasins et autres boutiques s'alignent. Tournez à gauche dans Ross Street pour rejoindre le plus joli Harbourfront Drive, ce petit «front de mer» longeant le lac Shuswap.

Le lac Shuswap, réputé pour ses eaux chaudes l'été, est populaire auprès des vacanciers qui s'affichent quelquefois sur la plage ou, mieux encore, à bord d'un bateau-maison. La ville de Sicamous, non loin de Salmon Arm, s'autoproclame la capitale canadienne des bateaux-maisons, et plusieurs entreprises spécialisées louent des bateaux ici et à Salmon Arm, y compris **Twin Anchors Houseboats** *(2 560$ pour 3 nuitées; capacité de 15 personnes; réservations requises; avr à sept; 101 Martin St., Sicamous, ☎800-663-4026)*. Les «bateaux-hôtels» se révèlent spacieux et confortables, avec baignoires, eau chaude et foyers comme dans de vrais établissements hôteliers.

Une activité moins coûteuse peut être pratiquée l'automne, alors que vous pourrez être témoin d'une dramatique «lutte pour la vie» darwinienne dans la rivière Adams, juste à l'ouest de Salmon Arm. En octobre, les saumons royaux (*chinook*), argentés (*coho*), rouges (*sockeye*) et roses remontent la rivière vers leur lieu de naissance à partir de l'océan Pacifique, pour frayer puis mourir. Le **Roderick Haig-Brown Provincial Park** *(50 km à l'ouest de Salmon Arm, 8 km au nord-est de la jonction avec la transcanadienne à Squilax; ☎ 250-851-3000)* a été créé pour protéger les sites de frai et s'avère le meilleur endroit où assister à ce spectacle naturel impressionnant.

Tous les quatre ans, l'espèce dominante qu'est le saumon rouge Adams distance toutes les autres espèces à la course, et la rivière grouille alors de quelque deux millions de poissons cramoisis. Comme l'a dit un résidant du coin: *Vous pourriez traverser la rivière sur le saumon.* Les ornithologues amateurs seront étonnés de voir autant d'aigles et de gibier d'eau se rassembler, vers la fin du mois d'octobre, pour piller les carcasses de poissons dans la rivière, alors que les ours surgissent des forêts pour faire une pêche tout simplement miraculeuse. La prochaine grande ruée de saumons rouges se produira en 2006, mais la magnifique parade nuptiale des saumons vaut la peine d'être vue chaque automne.

Continuez vers l'est par la transcanadienne jusqu'à Revelstoke.

★

Revelstoke

L'histoire de Revelstoke est étroitement liée à la construction du chemin de fer transcontinental. Les Italiens sont venus en grand nombre réaliser la construction des tunnels, car ils étaient passés maîtres dans cet art. Les 9 000 personnes qui habitent cette ville vivent encore aujourd'hui en grande partie des retombées du transport ferroviaire. Le tourisme et la production d'électricité ont aussi une place importante dans la vie économique de cette belle ville.

Revelstoke est une ville centenaire qui a su conserver son charme et plusieurs bâtiments de styles Queen Anne, victorien, Art déco ou néoclassique qui témoignent de cette époque. Procurez-vous le plan du **Heritage Walking & Driving Tour** ★ au musée de Revelstoke ou au **Travel InfoCentre** (voir p 239).

Le **Revelstoke Railway Museum** ★ *(6$; mai, juin, sep tlj 9h à 17h, avr et oct lun-sam 13h à 17h, nov lun-ven 9h à 17h déc, jan, fév et mars lun-ven 13h à 17h; 719 Track St., ☎250-837-6060 ou 877-837-6060)* retrace l'histoire de la construction du chemin de fer dans les Rocheuses et le développement de Revelstoke. Plusieurs photos d'archives, des vestiges et, surtout, une locomotive des années 1940 ainsi qu'une voiture de dirigeant d'entreprises, construite en 1929, agrémentent cet espace.

Revelstoke Dam ★ *(entrée libre; mai à mi-sept tlj 9h à 17h, fermé mi-sept à mai, quoique les groupes peuvent faire une visite pendant la basse saison; suivez la route 23 Nord; ☎250-837-6211)*. Vous serez renseigné sur la production hydroélectrique et aurez accès à différentes salles ainsi qu'au barrage, une imposante structure de béton.

Les amants de la randonnée pédestre seront comblés par la multitude de possibilités d'excursions dans cette région (voir p 280).

Revelstoke est une plaque tournante entre les Rocheuses et les monts Kootenay, vers le sud. Si vous décidez de poursuivre votre route vers l'est, en Alberta, restez sur la transcanadienne pour passer par Golden, Field et Lake Louise (voir p 387). Nous vous proposons de descendre dans les monts Kootenay et d'y découvrir une région moins fréquentée mais tout aussi passionnante. Toutefois, nous vous recommandons d'aller jusqu'à **Rogers Pass** ★★ avant d'entreprendre votre voyage vers le sud.

Ce col a été nommé en l'honneur de l'ingénieur qui a découvert, en 1881, le passage qui allait relier l'est à l'ouest. Mais en raison de plusieurs catastrophes, dans lesquelles des centaines de personnes ont perdu la vie lors d'avalanches, le Canadien Pacifique décida de construire un tunnel pour traverser cette région. Le **Rogers Pass Discovery Centre** ★ *(☎250-814-5232)*, situé à une heure de Revelstoke, dans le parc national Glacier, vous renseigne sur l'épopée du chemin de fer. Un sentier a été aménagé sur les anciennes voies ferrées tout en vous faisant passer devant les ruines d'une gare qui a été détruite lors d'une avalanche.

De retour à Revelstoke, traversez le pont de la ville et prenez la route 23 Sud vers Shelter Bay afin de prendre le traversier *(gratuit; tlj 6h à 23h30)* et de continuer jusqu'à Nakusp (voir p 269). Pendant la traversée du lac Upper Arrow, d'une durée de 30 min, préparez vos appareils photo et autres caméras, car les vues des monts Kootenay ne vous laisseront pas indifférent. Veuillez noter que de récentes compressions budgétaires ont résulté en de longues attentes pour s'embarquer pendant les fins de semaine. Si vous le pouvez, prenez le traversier en semaine.

Circuit D: La vallée de l'Okanagan

Cette région de la Colombie-Britannique offre aux visiteurs plusieurs trésors de la nature. Une vallée découpée sur un axe nord-sud et tapissée d'arbres fruitiers et d'une langue d'eau forme une des plus belles régions de la province. La qualité du vin produit dans l'Okanagan a été reconnue à plusieurs reprises; les vergers nourrissent une bonne partie de la province, et ses lacs et montagnes font le bonheur des sportifs.

Le climat incite aux activités; l'hiver, doux en ville et enneigé en montagnes, donne la possibilité à tous d'apprécier cette saison. Au printemps, les arbres fruitiers sont en fleurs; l'été et l'automne, la cueillette est souvent suivie d'une baignade dans un des nombreux lacs.

Vous pouvez débuter ce circuit à Hope (voir p 249). De là, prenez la route 3 en direction est, vers Princeton.

Situé à 45 min de Princeton, le **Manning Provincial Park** ★★ (voir p 276) attire chaque saison des centaines de vacanciers. Deux fois plus grand que le Cathedral Park, le Manning Provincial Park, avec ses 66 000 ha de vie sauvage protégée, renferme une multitude de trésors à voir.

Princeton

Princeton est située non loin de la chaîne des Cascades, au confluent des rivières Tulameen et Similkameen. Fondée en 1883 par un cowboy qui y découvrit de l'or, cette **Granite City** connut aussi la fièvre de la ruée vers l'or. Les 2 000 mineurs et prospecteurs ont laissé des vestiges encore en partie présents aujourd'hui. Vous y trouverez, à défaut d'or, saloons et boutiques au style d'antan.

Par ses deux rivières, Princeton favorise les sports comme le kayak, le canot et le rafting. Les nombreux lacs sont fréquentés par une grande variété d'oiseaux. La bicyclette est aussi un agréable moyen de visiter les alentours et le Sentier transcanadien.

Le **Princeton Museum and Archives** ★ *(juil à sept mar-ven 10h à 18h sam dim 11h à 15h, oct à juin sam et dim 11h à 15h ou sur rendez-vous, ☎250-295-7588, maison ☎250-295-3918)* renferme une imposante collection de fossiles qui attirent sur place des chercheurs étasuniens désireux de les étudier. Margaret Stoneberg est une femme passionnée et passionnante qui vous fera découvrir ces pierres rappelant l'histoire de la région. Le musée manque de fonds; les pierres s'accumulent sans vraiment être présentées en ordre, mais il est tout de même étonnant de voir tout ce que ce musée peut abriter.

En reprenant la route 3 vers l'est, vous quittez la grande région de l'Okanagan-Similkameen, et vous entrez dans le sud-ouest de la province. Vous êtes de retour au confluent du fleuve Fraser et de la rivière Coquihalla.

Liste des vins les plus connus dans la région

Vins blancs

L'**auxerrois**: un vin qui rappelle le vin d'Alsace, légèrement fruité.

Le **bacchus**: un autre vin qui s'approche du vin d'Alsace, plus sec.

Le **chardonnay**: très populaire. Ni trop sec ni trop doux. Se boit en apéritif ou au repas.

Le **chasselas**: un vin inspiré des coteaux suisses au parfum de pomme et de citron.

Le **gewürztraminer**: avec un petit arrière-goût épicé, il se consomme, comme son homonyme alsacien, avec les poissons et fruits de mer.

Le **riesling**: le climat favorise la récolte des grappes dont il est tiré. Il est plutôt sec, avec un parfum de fleurs et de miel.

Le **pinot blanc**: ce vin blanc acquiert une belle renommée en Colombie-Britannique. Avec son goût fruité et sec à la fois, et un corps velouté, il est digne de son ancêtre né en France au XIVe siècle.

Vins rouges

Le **cabernet sauvignon**: classé dans la catégorie des bordeaux, il a du corps et du parfum.

Le **chancellor**: un vin fruité au goût de fraises et de cerises.

Le **merlot**: un autre membre de la famille des bordeaux; doux, riche et au goût de baies.

Le **pinot noir**: un vin épicé et velouté au goût de prunes et de cerises noires.

Keremeos

Keremeos est le **royaume des fruits**. C'est pourquoi cette petite ville aux multiples mini-marchés a été surnommée la capitale mondiale des étals de fruits. Tout le long de la route, les comptoirs se font concurrence par la fraîcheur, la présentation des produits de la ferme et leur décoration. Vous serez charmé par les pyramides de pommes ou celles, gigantesques, de citrouilles à l'approche de l'Halloween.

À Keremeos, l'histoire se raconte à travers l'**Historic Grist Mill ★** *(mai à oct; RR1, Upper Bench Rd., ☎250-499-2888)*, une meunerie fondée en 1877 pour produire de la farine à l'intention des Amérindiens, des cow-boys et des mineurs de la région. Le moulin à eau, les équipements et les bâtiments d'origine ont été restaurés et font maintenant partie du BC Heritage.

Le **Cathedral Provincial Park ★★** (voir p 279) englobe 33 000 ha de montagnes, de lacs, de vallées, de vie sauvage et de fleurs, le tout sillonné par quelques sentiers accessibles à tous. La randonnée pédestre se fait généralement dans des sentiers où il n'y a pas de grandes montées ou descentes, et qui sont accessibles aux différentes catégories de marcheurs; de plus, il y a peu d'ours dans cette région, car ils ont été chassés il y a des dizaines d'années par les cow-boys. Une auberge confortable peut loger les visiteurs.

À la sortie du parc, reprenez la route 3 jusqu'à Osoyoos.

Osoyoos

Osoyoos repose au fond de la vallée et est bordée par le lac Osoyoos et les coteaux verts garnis de vergers. Cette ville construite près de la frontière avec les États-Unis, dans un climat désertique, rappelle davantage les déserts du Sud-Ouest américain, ou même le sud de l'Italie, qu'une ville canadienne. On vient surtout à Osoyoos l'été pour profiter du lac exceptionnellement chaud et des sports nautiques.

Sur la route, en vous rendant au centre-ville par la route 3 à partir de l'est, jetez un coup d'œil sur le **Spotted Lake ★**. Un phénomène naturel fait apparaître des anneaux blancs à la surface de ce lac qui contient d'importantes quantités de sels minéraux.

Ce lac, un site sacré pour les Premières Nations, a récemment été acheté par le gouvernement, puis offert à la nation Okanagan. En juin, il s'est asséché, mais les dépôts de forme circulaire qu'ont laissés les matières minérales demeurent toujours visibles sur l'argile craquelée.

Osoyoos foisonne de motels moches sur sa voie principale, ce qui vient réduire la beauté du site; en contrepartie, les parcs publics du côté ouest valent le détour, surtout à la tombée du jour, lorsque le soleil illumine la vallée.

Un tout petit **désert ★★★**, parsemé de sauge officinale et d'*antelope-brush*, et qui avance lentement dans le sud de la vallée de l'Okanagan, vous étonnera dans ce coin du Canada. C'est d'ailleurs le seul du pays. Une faune et une flore désertiques témoignent d'une nature toujours surprenante.

La vallée désertique que vous traverserez le serait demeurée sans l'irrigation des terres; les vergers et vignobles peuvent ainsi exhiber chaque année leurs fruits. Le mini-désert fait partie du même ensemble qui débute au Mexique dans la Basse-Californie et l'État de Chihuahua, avant de traverser l'ouest des États-Unis.

Le **Nk'mip Desert and Heritage Centre** *(7$; avr à août tlj 9h à 20h, sept et oct tlj 9h à 17h; 1000 Rancher Creek Rd., en retrait de 45th St. à l'est de la ville; ☎250-495-7901 ou 888-495-8555)*, qui a ouvert ses portes en 2002, est un des deux lieux essentiels où se rendre pour explorer le désert. Le site est aussi bien culturel que naturel, avec des visites commentées offrant un point de vue amérindien sur la situation de la nation Osoyoos. Des sentiers autoguidés serpentent à travers 20 ha de prés de sauges et de forêts de pins ponderosa. Les expositions du centre d'interprétation relatent l'histoire des peuples autochtones de la vallée de l'Okanagan, en général, et de la nation Osoyoos, en particulier, aussi bien que l'histoire naturelle de la faune du désert comme les serpents et les scorpions. S'y trouve un secteur de village avec une «maison semi-excavée» reconstituée (*pit house*), un tipi *tulemate* et une «tente à suer».

Pour une perspective strictement naturelle, le **Desert Centre** *(6$; avr à oct tlj 10h aux visites de soir; 5$; jul et août ven; réservation et paiement à l'avance obligatoire; 3 km au nord d'Osoyoos, ☎250-495-2470 ou 877-899-0897, www.desert.org)* sensibilise les gens à la fragilité de cet écosystème particulier. Ce territoire figure parmi les zones qui contiennent le plus grand nombre d'espèces à risque au Canada. Des passerelles faisant une boucle de 2 km permettent de se familiariser avec l'habitat du serpent à sonnette. Les explications des guides-biologistes vous en apprendront beaucoup sur la complexité de la vie dans ce monde sans eau. Il est fascinant de découvrir comment les espèces animales et végétales se débrouillent pour survivre ici.

★★★
La route des vins

La région de Thompson-Okanagan offre une occasion mémorable de parcourir une route des vins tout à fait originale. Le paysage n'est pas habituel; pendant la visite d'une région vinicole, les collines et les vallées n'ont ni la couleur ni la forme auxquelles nos yeux sont accoutumés. Le climat se prêtant à merveille à l'épanouissement des vignes, tout a été tenté pour tirer parti de l'endroit. Le résultat est concluant et payant.

La région se distingue par ses deux aspects viticoles. L'un, plus récent, se développe dans la vallée de la Similkameen et s'allie à la culture et à l'épanouissement des fermes grâce à son sol fertile, et l'autre, plus traditionnel, se situe dans la grande vallée de l'Okanagan et se flatte d'entretenir la viticulture depuis les années 1800.

Cette vallée aurait les mêmes caractéristiques que les régions vinicoles allemandes réputées. La présence de quatre lacs (Skaha, Osoyoos, Vaseux et Okanagan) crée un climat tout à fait adéquat à une vigne de grand nom.

La Colombie-Britannique a fait beaucoup d'efforts pour rehausser et faire connaître la qualité de ses vins. Au début des années 1980, les vins de qualité inférieure ont été discrédités. La persévérance du gouvernement et des viticulteurs a fait la réputation indéniable du **chardonnay**, du **pinot noir**, du **merlot** ou du **gewürztraminer**, pour n'en citer que quelques-uns. En 1990, il y a eu un besoin d'établir des standards de qualité, et le **VQA** (Vintners Quality Alliance) imprimé sur votre bouteille vous assurera d'un vin de haute qualité provenant de la Colombie-Britannique.

Bien sûr, des festivals sont organisés dans la région. C'est en mai que l'**Annual Spring Okanagan Wine Festival** fête le printemps et les vignes. Il a lieu dans les cinq premiers jours du mois et offre une myriade de sorties, piqueniques, repas bien arrosés du jus de la treille, danses, sans oublier une dégustation pour les novices.
L'autre grande célébration du vin se tient lors de l'**Annual Fall Okanagan Wine Festival**, qui se déroule chaque année durant les premiers 10 jours d'octobre. La plupart des 50 (et plus) domaines vinicoles de la vallée y participent, et, pendant que les tastevins sont au travail, les dégustations de pigeons rôtis, de saumons au four et de spécialités de chocolat accompagnent celles

Liste des principaux vignobles qu'il est possible de visiter

Les lettres et les chiffres dans les adresses qui suivent font partie d'un système de référence local. Si vous demandez votre chemin aux gens de la région, ils comprendront ce que veut dire par exemple «RR1, S58, C10». Toutefois rassurez-vous, car les vignobles de la route des vins sont clairement indiqués le long de la route, celle-ci demeurant facile à suivre. Il vaut mieux téléphoner aux vignobles qui vous intéressent avant de vous y rendre afin d'être certain qu'ils peuvent vous accueillir; vous pourrez ainsi leur demander comment vous rendre chez eux. L'indicatif régional pour cette région est le 250.

Cawston (juste à l'est de Keremeos par la route 3)
Crowsnest Vineyards: Surprise Dr., RR1, S18, C18, ☎499-5129, www.crowsnestvineyards.com

Kelowna
Calona Vineyards: 1125 Richter St., ☎762-9144 ou 888-246-4472
Cedarcreek Estate Winery: 5445 Lakeshore Rd., ☎764-8866
Gray Monk Estate Winery: 1055 Camp Rd., Okanagan Centre, au nord de Kelowna, en retrait de la route 97, ☎766-3168 ou 800-663-4205, www.graymonk.com
House of Rose Vineyards: 2270 Garner Rd., RR5, ☎765-0802
Mount Boucherie Estate Winery: 829 Douglas Rd., ☎769-8803, www.mtboucherie.bc.ca
Pinot Reach Cellars: 1670 Dehart Rd., ☎764-0078
Sandhill Wines: 1125 Richter St., ☎762-3332
St. Hubertus Estate Winery: 5225 Lakeshore Rd., ☎764-7888, www.st-hubertus.bc.ca
Summerhill Estate Winery: 4870 Chute Lake Rd., ☎764-8000 ou 800-667-3538

Naramata
Elephant Island Orchard Wines: 2370 Aikens Loop, RR1, ☎496-5522, www.elephantislandwine.com
Kettle Valley Winery: 2988 Hayman Rd., ☎496-5898
Lake Breeze Vineyards: 930 Sammet Rd., ☎496-5659
Lang Vineyards: 2493 Gammon Rd., RR1, S11, C55, ☎496-5987
Nichol Vineyards: 1285 Smethurst Rd., RR1, S14, C13, ☎496-5962
Red Rooster Winery: 910 Debeck Rd., ☎496-4041

Okanagan Falls
Blue Mountain Vineyards & Cellars: sur rendez-vous seulement Allendale Rd., RR1, S3, C4, ☎497-8244, www.bluemountainwinery.com
Hawthorn Mountain Vineyards: Green Lake Rd., ☎497-8267, www.hmvineyard.com

Okanagan Falls (*suite*)

Stag's Hollow Winery: 2215 Sun Valley Way, RR1, S3, C36, ☎497-6162
Wild Goose Vineyards: Sun Valley Way, RR1, S3, C11, ☎497-8919, www.wildgoosewinery.com

Oliver

Black Hills Estate Winery: 30880 Black Sage Rd., RR2, S52, C22, ☎498-0666
Burrowing Owl Vineyards: 100 Burrowing Owl Place, RR1, S52, C20, ☎498-0620 ou 877-498-0620
Carriage House: 32764 Black Sage Rd., ☎498-8818
Domaine Combret: 32057 13 Rd., ☎498-8878 ou 866-837-7647, www.combretwine.com
Fairview Cellars: 13147-334th St., ☎498-2211
Gehringer Brothers Estate Winery: Road 8, RR1, S23, C4, ☎498-3537 ou 800-784-6304
Gersighel Wineberg: 29690 Hwy 97, RR1, S40, C20, ☎495-3319
Hester Creek Estate Winery: 13163-326th Ave., ☎498-4435, www.hestercreek.com
Inniskillin Okanagan Vineyards: Road 11, RR1, S24, C5, ☎498-6411, www.inniskillin.com
Jackson-Triggs Vintners: 38691-97th St.
Silver Sage Winery: 32032-87th St., Road 9, ☎498-0310, www.silversagewinery.com
Tinhorn Creek Vineyards: Road 7, RR1, S58, C10, ☎498-3743, www.tinhorn.com
Vincor International: Hwy. 97, ☎498-4981

Osoyoos

Nk'mip Cellars: 1400 Rancher Creek Rd., ☎495-2985

Peachland

Hainle Vineyards Estate Winery: 5355 Trepanier Bench Rd., RR2, S27A, C6, ☎767-2525 ou 800-767-3109, www.hainle.com

Penticton

Benchland Vineyards: 170 Upper Bench Rd., ☎770-1733
Hillside Estate Winery: 1350 Naramata Rd., ☎493-6274, www.hillsideestate.com
La Frenz Winery: 740 Naramata Rd., ☎492-6690, www.lafrenzwinery.bc.ca
Poplar Grove: 1060 Poplar Grove Rd., ☎492-4575

Salmon Arm

Larch Hills: 110 Timms Rd., ☎832-0155, www.larchhillswinery.bc.ca

Summerland

Scherzinger Vineyards: 7311 Fiske Rd., ☎494-8815
Sumac Ridge Estate Winery: 17403 Hwy. 97, ☎494-0451, www.sumacridge.com
Thornhaven Estate Winery: 6816 Andrew, RR2, S68, C15, ☎494-7778

Vernon
Bella Vista Vineyards: 3111 Agnew Rd., ☎558-0770

Westbank
Mission Hill Family Estate: 1730 Mission Hill Rd., ☎768-7611, www.missionhillwinery.com
Quail's Gate Estate Winery: 3303 Boucherie Rd., ☎769-4451, www.quailsgate.com
Slamka Cellars: 2815 Ourtoland Rd., ☎769-0404, www.slamka.bc.ca

du vin rouge ou blanc de divers cépages, le tout apprêté et présenté avec le plus grand soin, sans oublier le vin mousseux et le vin de glace. Les réservations sont conseillées. Pour tout renseignement, composez le ☎(250) 861-6654 ou tapez www.owfs.com.

La route des vins, clairement signalée, permet de faire un agréable voyage parmi les fermes et les vergers, sur la route 97, révélant à chaque virage une vue sublime du lac Okanagan.

C'est avec l'eau à la bouche que, d'Osoyoos à Salmon Arm, l'agréable découverte gustative se déroule. Les vignobles se succèdent, se faisant concurrence par l'accueil et l'élégance de la présentation afin d'inciter le client à s'arrêter. Les vins sont offerts aux consommateurs pour être goûtés. Médailles, récompenses internationales et autres mentions attestant la qualité couvrent les murs des boutiques de vin. Et, si parfois il est demandé une participation de 5$ pour goûter l'**Ice Wine**, spécialité de la région, l'amateur curieux va payer de bonne grâce pour quelques gouttes de ce vin très sucré dont le raisin a été cueilli gelé au début de l'hiver avant d'être pressé.

La liste des vignobles est longue et intéressante. Sur une petite distance de 200 km, il est possible de dénombrer plus de 50 établissements; d'autres sont à venir et seront ouverts au public prochainement. Certains sont en activité toute l'année, mais un petit nombre d'entre eux ne reçoivent le public que pendant la saison touristique. Il serait important de les contacter avant de planifier une sortie de dégustation.

La route des vins couvre la grande région de l'Okanagan. Au nord d'Osoyoos, le **Domaine Combret** ★ *(32057 13 Rd., Oliver, ☎250-498-6966 ou 866-837-7647)* a reçu de l'Office International de la Vigne et du Vin, basé en Bourgogne en France, la plus haute distinction internationale pour son chardonnay en 1995. Le riesling a également été couronné au cours de l'année 1995. Pour faire une visite de la maison, il faut toutefois appeler avant de se rendre, les vignerons passant une bonne partie de leur journée dans les vignes en saison.

Située au sud d'Oliver, cette maison est française. La famille Combret est originaire du sud de la France, et elle vit du produit de la vigne depuis plusieurs générations. Robert Combret a étudié dans les années 1950 à l'université de la Colombie-Britannique, et c'est à ce moment qu'il a fait la visite de la vallée de l'Okanagan. Il y revint au début des années 1990, et aujourd'hui c'est son fils Olivier qui est le maître de chai. Allez déguster son vin: vous passerez un moment agréable.

Vous pouvez continuer vers l'est par la route 3 jusqu'à Grand Forks (voir p 273). Si vous désirez poursuivre le présent circuit, prenez la route 97 Nord vers Penticton.

Kaleden

Kaleden cache dans ses environs, au sommet d'une montagne, le **Dominion Radio Astrophysical Observatory** ★ *(juil et août, dim 14h à 17h; ☎250-493-7505)*, un observatoire géré par le Conseil national canadien de la recherche. Si vous cherchez votre étoile, l'établissement scientifique vous aidera à la découvrir.

La paisible route 3A défile dans une vallée bordée de lacs et de beaux points de vue.

★ Penticton

Penticton s'élève entre le lac Okanagan, au nord, et le lac Skaha, au sud. Cette ville compte près de 30 000 habitants et bénéficie d'un climat sec et tempéré. Penticton vit avant tout de tourisme. Les Amérindiens l'avaient baptisée Pen-tak-tin, c'est-à-dire le «lieu où l'on reste toujours». Une plage bordée d'arbres et d'un passage piétonnier longe l'extrémité nord de la ville. Le paysage aride, dessiné par les courbes de la côte sablonneuse, contraste avec les champs de vignes et les vergers.

Penticton est une destination d'activités de plein air, de gastronomie et de joie de vivre.

Prenez Main Street à Lakeshore Drive, puis tournez à gauche; ensuite, arrêtez-vous devant le ***SS Sicamous*** *(4$; début sept à fin oct tlj 9h à 18h, nov à mi-déc et mi-jan à mars lun-ven 10h à 16h, début mars à mi-juin tlj 9h à 18h, mi-juin à sept tlj 9h à 21h; ☎250-492-0403)*, véritable vestige d'une époque révolue où il était le principal moyen de transport sur le lac Okanagan. Ce bateau à aubes a été construit en 1914 en Ontario avant d'être assemblé ici, où il a assuré le transport maritime pendant plus de 30 ans, avant d'être échoué sur cette plage et converti en musée.

Penticton est l'hôte d'un événement sportif majeur, le triathlon **Ironman** de la Coupe du monde triathlète. Les athlètes de partout à travers le monde viennent participer à cette épreuve de natation, de vélo et de course à pied. Un grand nombre de ces athlètes demeure à Penticton en attente de la prochaine compétition. Ils s'entraînent sur place, et il n'est pas rare de les voir sur l'autoroute en train de courir ou à vélo. La compétition a lieu au mois d'août, soit au début de la période de la cueillette des fruits. Pour en connaître davantage sur l'événe-ment, informez-vous au ☎(250) 490-8787 ou encore allez rencontrer Mike Barrett, le propriétaire du **Hog's Breath Coffee** *(202 Main St., ☎250-493-7800)*. Mike a participé à plusieurs épreuves triathlétiques, et les athlètes se réunissent fréquemment dans son café.

Une tournée dans un verger s'impose, surtout en plein été, pendant la saison de la cueillette des fruits; c'est l'abondance et, surtout, c'est délicieux. De juillet à la fin septembre, les arbres fruitiers débordent de couleurs et d'odeurs, et tapissent la région. La **Dickinson Family Farm** *(sur la route 97 Nord, prenez à gauche Jones Flat Rd., puis à droite Bentley Rd. jusqu'au nº 19208, ☎250-494-0300)* vous invite à

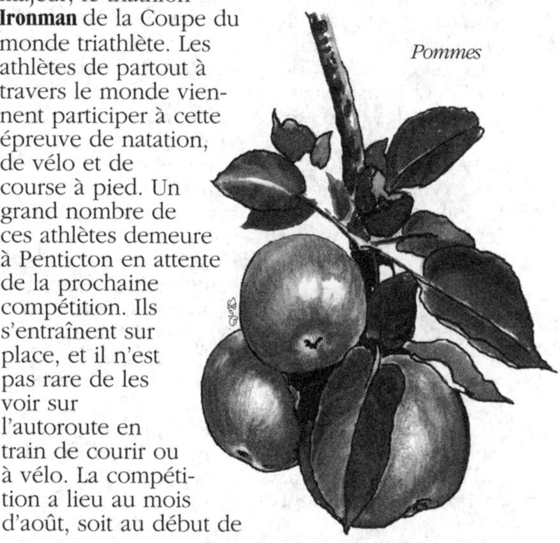

Pommes

découvrir de belles plantations d'arbres fruitiers. Vous pouvez acheter sur place les produits: des pêches, des poires, des pommes; essayez leur beurre de pêche et leur jus de pomme fraîchement pressé, un délice!

Sortez de Penticton par Lakeshore Drive et suivez la route 97 Nord en direction de Summerland.

Une promenade en montagne sur l'ancien emprise du **Kettle Valley Railway ★★** donne l'occasion de découvrir d'autres vues de la vallée de l'Okanagan. Construite au tournant du XXe siècle, cette voie ferrée reliait Nelson, à l'est, à Hope, à l'ouest, afin de raccorder les terres intérieures, d'où étaient extraites des tonnes de minerai et plus tard de fruits, jusqu'à la côte Pacifique.

Dame Nature a été un obstacle majeur tout au long de la courte existence de ce chemin de fer. Les éboulis, les avalanches et les tempêtes de neige forçaient la fermeture de la voie. Il en a coûté 20 millions de dollars, et jamais le Kettle Valley Railway n'aura fait ses frais.

Cette excursion se fait à bicyclette, à pied ou à cheval. L'ancienne emprise ferroviaire (les rails et les traverses ont été enlevés) traverse Penticton sur la rive est du lac Okanagan, et le terrain est relativement plat, ne présentant qu'une pente de 2% entre le lac Chute et la ville. Profitez-y de la vue qui s'offre sur le lac Okanagan, sur les vergers et sur les vignobles, ainsi que des tunnels et des ponts sur chevalets. Pour une excursion agréable, contactez **Kettle Valley Trails Tours & Shuttle** *(23$; départ à Penticton à 9h15; ☎250-496-5220)*, qui vous emmènera au lac Chute, puis vous n'aurez qu'à descendre à pied vers Penticton pour jouir de la randonnée. Si vous voulez marcher jusqu'au lac Chute au départ de Penticton, partez de Main Street, devant Hogs Breath, au centre-ville; suivez Front Street jusqu'à Vancouver Hill et prenez sur la gauche à Vancouver Place: le sentier débute au bout de la rue. Puis traversez le nouveau pont dénommé Randolph Draw Bridge. Le sentier franchit Naramata Road au **Hillside Estate Winery** *(1350 Naramata Rd., ☎250-493-6274)*, où vous voudrez peut-être vous arrêter pour une visite guidée et une dégustation ou un déjeuner au patio. À environ 6 km de l'établissement vinicole, il y a une descente dans le sentier pour enjamber Naramata Creek. Après avoir fait 5,6 km, vous passerez sous le Little Tunnel Viewpoint. Faites du bruit en marchant pour apeurer les serpents à sonnette, les ours noirs ou les couguars, et faites provision d'eau. Pour vous procurer une carte du sentier du Kettle Valley Railway (KVR), rendez-vous au Visitor Information Centre *(888 Westminster Ave. W., ☎800-663-5052)*.

Sur la rive ouest, à Summerland, une partie de la voie a été remise en service avec le passage du Summerland Steam Train. Prenez la route 97 Nord vers Summerland, tournez à gauche dans Solly Road et suivez les indications menant à la **Prairie Valley Station of the Kettle Valley Steam Railway** *(15$; mi-mai à juil sam-lun, début juil à début sep jeu-lun, début-sep à mi-oct sam-lun; deux départs par jour ;a 10h30 et 13h30; ☎250-494-8422 ou 877-494-8424, www.kettlevalleyrail.org)*. Des plans des deux sites sont disponibles au bureau d'information touristique de Penticton, sur Westminster Avenue.

Voici une activité idéale pour toute la famille par les torrides journées d'été où il semble que le lac pourrait bouillir tant il fait chaud: se laisser porter sur un tube par le courant du canal qui relie le lac Okanagan et le lac Skaha, de l'autre côté de Penticton. L'entreprise **Coyote Cruises** *(10$/tube et transport de retour; mi-juin à mi-sept tlj 9h à 20h; 215 Riverside Dr., ☎250-492-2115)* loue des tubes et fournit les correspondances d'autobus. La

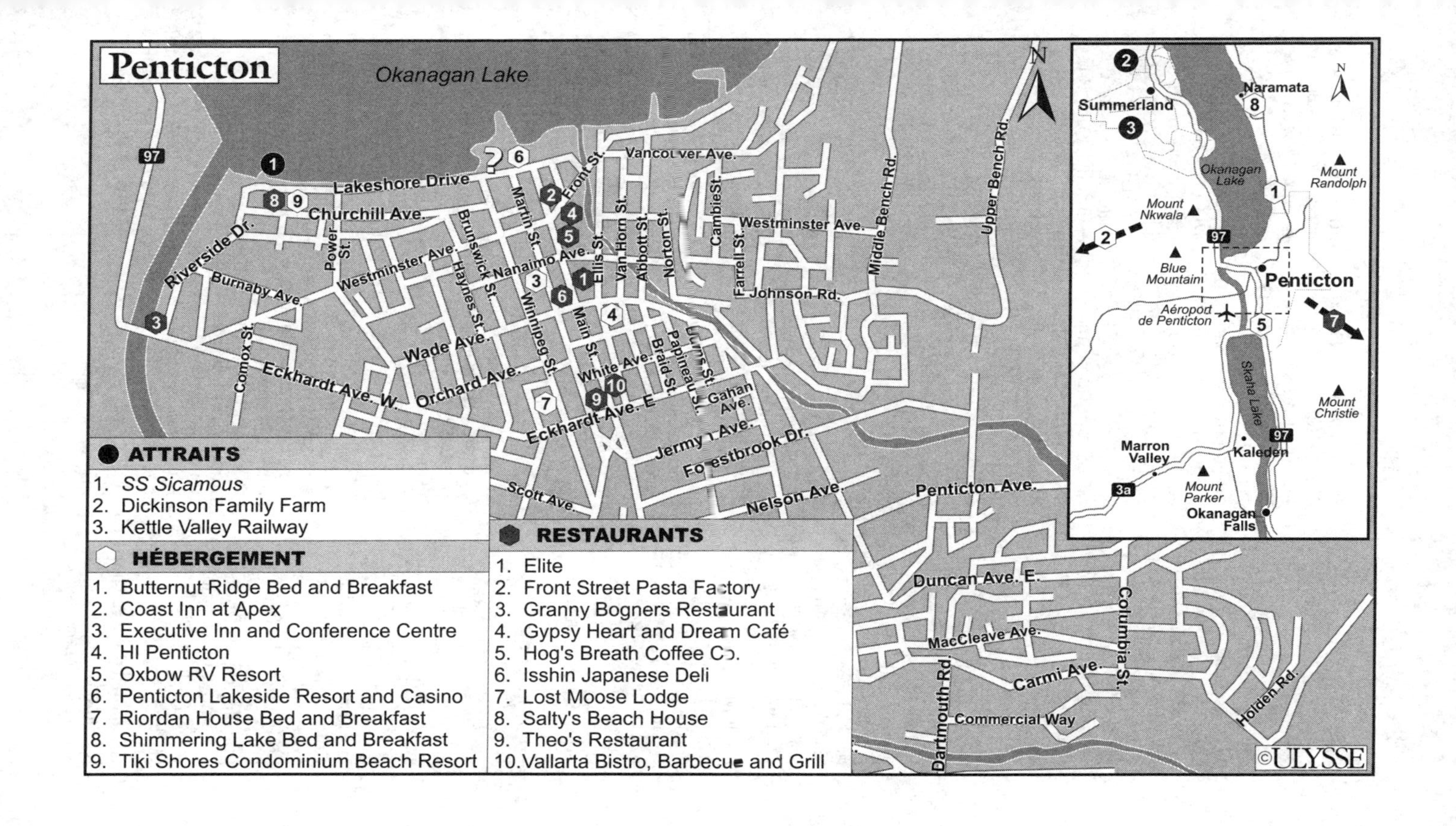
Penticton
Okanagan Lake
ATTRAITS
1. SS Sicamous
2. Dickinson Family Farm
3. Kettle Valley Railway
HÉBERGEMENT
1. Butternut Ridge Bed and Breakfast
2. Coast Inn at Apex
3. Executive Inn and Conference Centre
4. HI Penticton
5. Oxbow RV Resort
6. Penticton Lakeside Resort and Casino
7. Riordan House Bed and Breakfast
8. Shimmering Lake Bed and Breakfast
9. Tiki Shores Condominium Beach Resort
RESTAURANTS
1. Elite
2. Front Street Pasta Factory
3. Granny Bogners Restaurant
4. Gypsy Heart and Dream Café
5. Hog's Breath Coffee Co.
6. Isshin Japanese Deli
7. Lost Moose Lodge
8. Salty's Beach House
9. Theo's Restaurant
10. Vallarta Bistro, Barbecue and Grill
Lakeshore Drive
Churchill Ave.
Riverside Dr.
Burnaby Ave.
Power St.
Westminster Ave.
Brunswick St.
Haynes St.
Martin St.
Front St.
Nanaimo Ave.
Winnipeg St.
Main St.
Ellis St.
Van Horn St.
Abbott St.
Norton St.
Cambie St.
Farrell St.
Johnson Rd.
Middle Bench Rd.
Upper Bench Rd.
Wade Ave.
Orchard Ave.
Eckhardt Ave. W.
Eckhardt Ave. E.
Comox St.
White Ave.
Braid St.
Papineau St.
Gahan Ave.
Scott Ave.
Nelson Ave.
Penticton Ave.
Duncan Ave. E.
MacCleave Ave.
Carmi Ave.
Columbia St.
Commercial Way
Dartmouth Rd.
Holden Rd.
Summerland
Naramata
Okanagan Lake
Mount Nkwala
Mount Randolph
Blue Mountain
Penticton
Aéropod de Penticton
Skaha Lake
Mount Christie
Marron Valley
Kaleden
Mount Parker
Okanagan Falls
©ULYSSE

«descente» dure environ deux heures. Rafraîchissant!

*Prenez la route 97 Nord. Vous traverserez les municipalités de **Summerland** et de **Peachland** afin de poursuivre votre route vers Kelowna. Cette promenade se fait en bordure de montagne et du lac Okanagan avec vergers, vignobles et points d'arrêt.*

Kelowna

Kelowna est la plus grande ville de l'hinterland avec plus de 100 000 habitants, et la culture des fruits, les produits forestiers et manufacturés, la production du vin et l'ajout récent de quelques industries de haute technologie en assurent la vitalité économique. Kelowna vit également du tourisme, et elle a beaucoup à offrir à ses nombreux visiteurs.

Kelowna constitue l'esprit et le cœur de la vallée de l'Okanagan. C'est ici qu'un oblat français, le père Pandosy, constitua en 1859 la première mission catholique dans l'hinterland de la Colombie-Britannique; soulignons que c'est grâce à lui en grande partie que l'Okanagan est une grande région fruitière: il y implanta la culture de la pomme et du raisin.

La **mission du père Charles Pandosy** *(mai à début oct tlj; 3685 Benvoulin Rd., à l'intersection avec Casorso Rd., ☎250-860-8369)* est un site historique provincial depuis 1983. Elle comprend une église, des bâtiments de ferme, une école, une maison et un magasin.

En partant de la mission, qui se trouve dans le sud de Kelowna, vous découvrirez, de l'autre côté de Mission Creek, l'entreprise agricole **Okanagan Lavender** *(juil et août jeu-dim 10h à 15h, juin et sept jeu-lun 10h à 16h; 4380 Takla Rd., ☎250-764-7795)*, qui fait pousser 27 variétés de lavande dans de beaux champs hersés. La boutique champêtre attenante vend des produits parfumés fabriqués à partir de lavande biologique, entre autres de la gelée, des tisanes et des sels de bain.

Situé au nord d'Okanagan Lavender et à l'extrémité est de K.L.O. Road, **Kelowna Land and Orchard** *(5,25$; mai à sept tlj 11h à 15h, oct tlj 11h à 13h; 3002 Dunster Rd., ☎250-763-1091)* propose aux visiteurs des promenades dans une remorque tirée par un ancien tracteur jaune qui se faufile entre les rangées de pommiers d'un verger toujours exploité. La meilleure partie de la visite... l'échantillonnage de fruits.

De retour au centre-ville, vous trouverez plusieurs musées à proximité. Le **Kelowna Museum** *(dons acceptés; mar-sam 10h à 17h; 470 Queensway Ave., ☎250-763-2417, www.kelownamuseum.ca)* présente des collections et des expositions à caractère régional – la plus intrigante se révélant être les artefacts des Premières Nations – de même que des vitrines internationales moins intéressantes. À quelques pâtés de maisons au sud du Kelowna Museum se dresse le **Laurel Packinghouse** *(1304 Ellis St.)*, un édifice patrimonial qui loge à la fois l'**Orchard Museum** *(dons acceptés; mar-sam 10h à 17h; ☎250-763-0433)* et le **Wine Museum** *(dons acceptés; lun-sam 10h à 17h, dim 12h à 17h; ☎250-868-9272)*. L'Orchard Museum raconte la transformation de la vallée de l'Okanagan, depuis les pâturages dont elle était couverte jusqu'à la Mecque des cultures fruitières qu'elle est devenue, avec des vitrines sur l'emballage, la transformation et la conservation. Le Wine Museum jette un coup d'œil sur la production du vin depuis les Étrusques, les Grecs et les Chinois jusqu'à la scène vinicole locale, avec des expositions et des artefacts relatant la révolution vigneronne dans la vallée. La visite «autoguidée» se termine par une dégustation de vin.

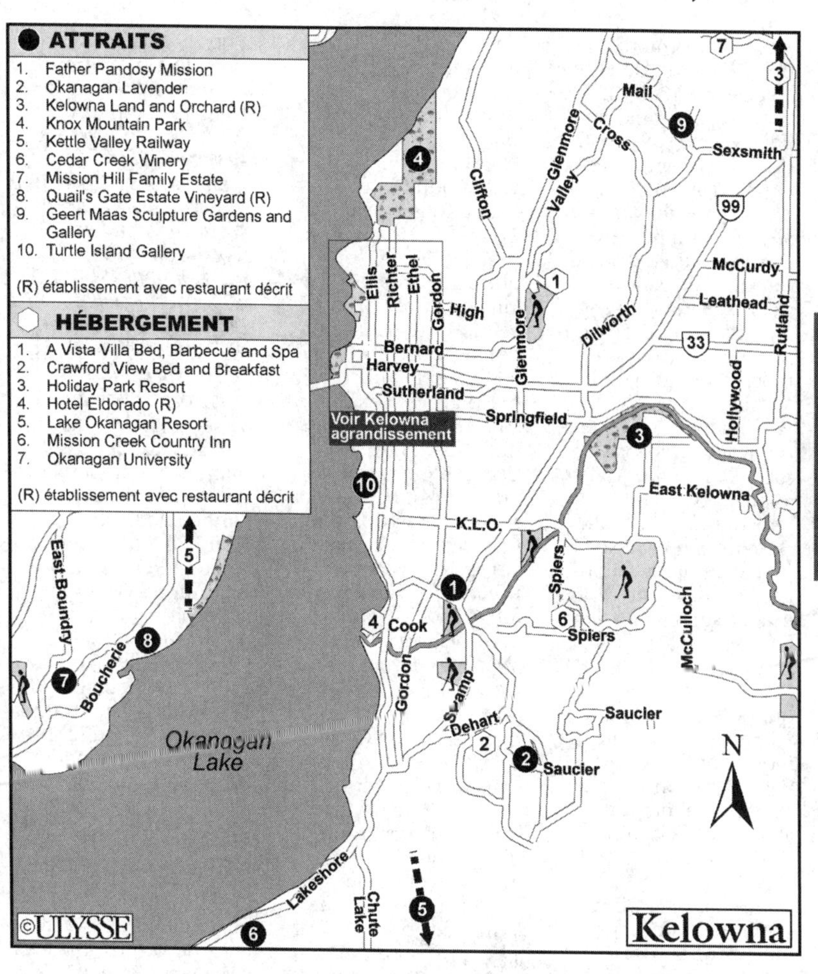

La statue du monstre **Ogopogo** *(Waterfront Walkway, près du centre-ville)*, dont le nom amérindien est Nha-a-itk, a attiré la presse internationale à Kelowna. Les Autochtones dépendaient tellement du lac Okanagan et voulaient à tel point le ménager qu'ils craignaient de déplaire à Ogopogo, dieu du lac. Il aurait l'allure d'un serpent, serait cousin du monstre du Loch Ness, et certains disent l'avoir aperçu. Des programmes de télévision au Canada et au Japon ont traité du sujet.

Kelowna possède plusieurs parcs qui offrent de beaux panoramas, entre autres le **Knox Mountain Park**, où surgit un magnifique point de vue d'où vous aurez peut-être la chance d'apercevoir Ogopogo.

Les belles **plages de sable** qui bordent le lac Okanagan attirent chaque année de plus en plus de touristes. Sous le beau ciel d'été, vous pourrez y flâner ou organiser un pique-nique familial, ou encore simplement admirer le paysage.

Comme Penticton, la ville de Kelowna est située le long du **Kettle Valley Railway**, qui couvre quelque 480 km entre les communautés de Midway et de Hope. L'accès au Myra Canyon, une formation géologique qui enjolive de belle façon le sentier sur ce tronçon, avec ses 18 ponts à chevalets et ses deux tunnels, se trouve à faible distance de route de Kelowna. Cette section du sentier fait aussi partie du Sentier transcanadien. La portion de 12 km du Myra Canyon peut être facilement parcourue à pied ou à vélo par toute la famille. Après avoir passé quelque temps à marcher dans Bernard Street et sur les plages du lac Okanagan, prenez votre voiture et suivez Pandosy Street South, puis tournez à gauche dans K.L.O. Road vers l'est, qui devient McCulloch. Surveillez les panneaux indiquant l'accès au KVR Myra Canyon. Un stationnement a été aménagé au bout de la route.

Il faut compter 20 min pour atteindre le premier pont en bois du **Myra Canyon ★★**. Les marcheurs adoreront cette sortie. En joignant **Tourism Kelowna** *(544 Harvey Ave., ☎250-861-1515),* vous pouvez planifier votre journée. Les cyclistes s'en donnent à cœur joie, les plus téméraires mettant une journée complète pour se rendre à Penticton.

La région de l'Okanagan produit la quasi-totalité des vins de la Colombie-Britannique (voir p 257). Depuis quelques années, les vins de la région ont été couronnés internationalement. Trois établissements vinicoles ont pignon sur Lakeshore Road au sud de Kelowna, entre autres Cedarcreek, qui produit du vin blanc et du vin rouge, comme la plupart des viticulteurs de la région. **Cedarcreek Winery** *(5445 Lakeshore Rd., ☎250-764-8866 ou 800-730-9463, www.cedarcreek.bc.ca)* est situé sur un joli coteau entouré de vignes donnant sur le lac Okanagan. Une visite de la maison vous permettra d'apprécier ses vins et surtout son chardonnay. L'entrée est gratuite, et vous pourrez acheter sur place des bouteilles et prendre une bouchée sur la terrasse.

Pour goûter encore plus de vin, empruntez le pont flottant sur le lac Okanagan jusqu'à Westbank, où s'étend le **Mission Hill Family Estate ★★★** *(5$ visite et dégustation: appelez à l'avance; 1er juil au 30 sept tlj 10h à 19h, 1er oct au 30 juin tlj 19h à 17h; 1730 Mission Hill Rd., via Boucherie Rd., en retrait de la route 97, ☎250-768-6411, www.missionhillwinery.com),* LE domaine vinicole de la vallée de l'Okanagan: à ne pas manquer. Élu «établissement vinicole de l'année 2001», le Mission Hill Family Estate renferme entre autres une impressionnante et superbe habitation juchée sur la colline (Mission Hill) avec vue sur le lac Okanagan. Les terrains entourant la demeure s'avèrent impeccables, sans parler des pelouses vertes en gradins, de la cour entourée d'une colonnade de style toscan, de l'amphithéâtre extérieur et du beffroi de 12 étages abritant quatre cloches de bronze coulées à Annecy, France. C'est un endroit absolument merveilleux et un établissement vinicole de calibre international.

Mission Hill Family Estate

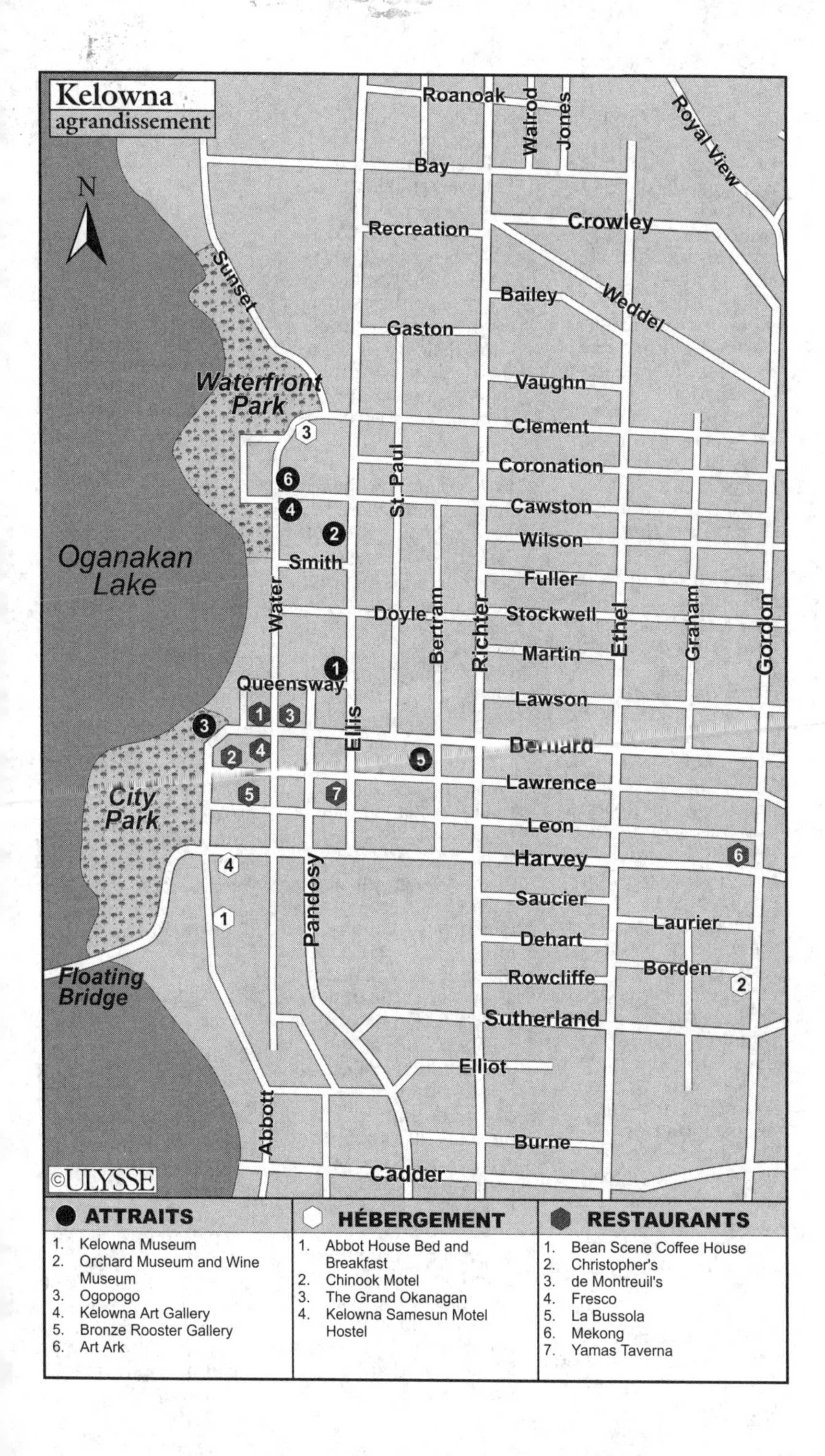
Kelowna
agrandissement
N
Roanoak
Walrod
Jones
Royal View
Bay
Recreation
Crowley
Sunset
Bailey
Weddel
Gaston
Waterfront Park
Vaughn
Clement
Coronation
St-Paul
Cawston
Wilson
Smith
Oganakan Lake
Fuller
Water
Doyle
Stockwell
Bertram
Richter
Ethel
Graham
Gordon
Martin
Queensway
Lawson
Ellis
Bernard
Lawrence
City Park
Leon
Harvey
Pandosy
Saucier
Laurier
Dehart
Borden
Rowcliffe
Floating Bridge
Sutherland
Elliot
Abbott
Burne
Cadder
©ULYSSE
ATTRAITS
1. Kelowna Museum
2. Orchard Museum and Wine Museum
3. Ogopogo
4. Kelowna Art Gallery
5. Bronze Rooster Gallery
6. Art Ark
HÉBERGEMENT
1. Abbot House Bed and Breakfast
2. Chinook Motel
3. The Grand Okanagan
4. Kelowna Samesun Motel Hostel
RESTAURANTS
1. Bean Scene Coffee House
2. Christopher's
3. de Montreuil's
4. Fresco
5. La Bussola
6. Mekong
7. Yamas Taverna

La visite de l'établissement débute par la projection d'un film de propagande plutôt superficiel et inutile ayant pour vedette le fondateur du domaine vinicole, Anthony von Mandl. Après, elle devient intéressante, car on vous emmènera dans les vastes celliers où reposent les tonneaux de vin, fabriqués en bois de chêne aux États-Unis et en France, et où, bien entendu, vous aurez droit à une dégustation de vin.

Non loin de Mission Hill se trouve le **Quail's Gate Estate Winery** *(5$ visite et dégustation: appelez à l'avance; début mai à fin juin et début sept à mi-oct tlj 11h à 15h, fin juin à début sept tlj 11h à 16h; 3303 Boucherie Rd., ☎769-4451, www.quailsgate.com)*, qui propose une intéressante visite du vignoble même, où vous pourrez goûter aux raisins. La cabane qui loge la boutique de vin a été construite par les premiers pionniers étrangers établis dans la vallée, en 1873, et fut le premier bâtiment érigé dans le secteur ouest de Kelowna. La visite se termine par une dégustation très agréable de vin de glace riesling, dans une tasse en chocolat! L'établissement vinicole se double d'un restaurant populaire (voir p 310).

Sur le plan culturel, l'art visuel tient une grande importance à Kelowna. Le nombre de galeries d'art et d'expositions situées au centre de la ville en témoignent: le **Kelowna Art Gallery** *(mar-sam 10h à 17h, jeu 10h à 21h, dim 13h à 16h; 1315 Water St., ☎250-762-2226)* présente les œuvres d'artistes locaux et encourage les travaux d'élèves et d'étudiants de la région, mais accueille aussi des expositions internationales.

La **Geert Maas Sculpture Gardens and Gallery** *(250 Reynolds Rd., ☎250-860-7012)* expose des sculptures de bronze qui valent le détour. L'artiste sculpteur Maas fournit des collectionneurs dans 20 pays. Il reçoit sur rendez-vous, mais sa galerie est ouverte de mai à octobre. Et si vous êtes vraiment amateur de sculptures, la **Bronze Rooster Gallery** *(559 Lawrence Ave., ☎250-868-2533)* vous en proposera plusieurs ainsi que des peintures d'artistes canadiens. Mais la visite ne serait pas complète sans un arrêt à la **Turtle Island Gallery** *(2950 Pandosy St., ☎250-717-8235)*, qui possède une collection impressionnante d'œuvres amérindiennes exécutées par des artistes locaux. **Downtown's Art Ark** *(135-1295 Cannery Ln., ☎250-862-5080 ou 888-813-5080)* se présente comme un grand studio-galerie de peinture, de sculpture, de photographie et de céramique, et expose les œuvres d'artistes aussi bien régionaux que nationaux. Les photographies raffinées en noir et blanc de Gary Nylander y sont marquantes.

La musique et le théâtre ont aussi leur part de prestige. C'est ainsi que le théâtre communautaire de Kelowna, le **Kelowna Community Theatre** *(angle Water St. et Doyle Ave., ☎250-763-9018)*, abrite le **Sunshine Theatre Company** *(☎250-763-4025)*, qui présente régulièrement des pièces intéressantes, et l'**Okanagan Symphony Orchestra** *(☎250-763-7544)* inaugure chaque année une saison complète très variée.

De plus, la construction du **Rotary Centre for the Arts** *(☎250-717-5304)*, juste à l'ouest de la Laurel Packinghouse, s'est achevée en novembre 2002. Le centre accueille des pièces de théâtre, des expositions d'arts visuels, des concerts et des festivals.

Vernon

Reprenez la route 97 Nord vers Vernon pour aller découvrir cette ville entourée de trois lacs, qui a connu des débuts modestes dans les années 1860, lorsque Cornelius O'Keefe choisit ce site pour y installer un ranch. Le nord de cette ville constitue une grande région d'élevage de bétail; allez visiter l'**Historic O'Keefe Ranch** *(7$; tlj mai à oct; 12 km* *au nord de Vernon, sur la route 97, ☎250-542-7868)*, où ont été préservés le manoir, une église de bois et l'équipement du ranch. L'industrie forestière et l'agriculture génèrent des retombées économiques majeures pour la région, contrairement à Kelowna et à Penticton, où le tourisme est plus important.

La route 97 Nord rejoint la transcanadienne à Monte Creek, à l'est de Kamloops (voir p 251); une autre option pour rejoindre la route 1 est de prendre la route 97A, qui se rend à Sicamous, à l'ouest de Revelstoke (voir p 253). Autrement, revenez sur vos pas et, à Kelowna, suivez la routa 97C vers Merritt.

Merritt

Merritt s'étend dans une région comptant plus de 150 lacs, entourée de montagnes et de pâturages, où des dizaines de milliers de têtes de bétail paissent. Pour ceux qui veulent revivre l'époque où les cow-boys se réunissaient pour discuter et faire la fête, allez au centre-ville, au **Coldwater Hotel**, construit en 1908, ou au **Quilchena Hotel**, à 23 km au nord-est de Merritt sur la route 5A.

De Merritt, vous pouvez prendre la route 5 soit vers Kamloops (voir p 251) au nord, soit vers Princeton (voir p 254) au sud. Une autre option est d'emprunter la route 8 en direction nord-ouest jusqu'à Spences Bridge, où vous pouvez prendre la transcanadienne en direction sud vers Lytton (voir p 248).

Circuit E: Kootenay Country

Ce circuit peut commencer à Revelstoke (voir p 253) ou à Osoyoos (voir p 256). Dans ce dernier cas toutefois, vous devrez en inverser l'ordre.

Cette région, à l'écart des circuits touristiques habituels, cache des trésors inestimables que peuvent dénicher les voyageurs fervents de montagnes, de lacs d'altitude et de rencontres fortuites. Ici aussi, on parle de paysages; que voulez-vous, c'est ça la Colombie-Britannique! Il demeure que cette région est méconnue; il devient d'autant plus intéressant de la découvrir puisqu'elle est authentique, ou presque.

Situés dans le sud-est de la province, les monts Kootenay regroupent du nord au sud: les Purcell, les Selkirk et les Monashee, de petites chaînes de moindre importance. Le grand fleuve Columbia traverse cette région, créant sur son passage les très grands lacs Arrows. Les ressources naturelles telles que la forêt et les mines ont grandement contribué au développement de la région. Plusieurs villes témoignent des différentes périodes dans l'histoire des monts Kootenay.

Nakusp

Une fois arrivé à Nakusp, vous pouvez faire un arrêt sur la terrasse de l'**hôtel Leland** *(4th Ave.)*, situé au bord de l'Upper Arrow Lake, pour prendre une bouchée et contempler le site avant d'entreprendre la traversée de ce coin de pays. Le boum minier a attiré des centaines de prospecteurs ici. Après cet arrêt, empruntez la route 6 vers New Denver.

Si les eaux chaudes sulfureuses sont votre tasse de thé, vous serez intéressé d'apprendre qu'il y a deux sources d'eaux sulfureuses sur la route du nord conduisant au quai du traversier de Galena Bay. Les deux établissements thermaux suivants offrent la possibilité de camper sur leur terrain pour une vingtaine de dollars.

Les **Nakusp Hot Springs** *(5,75$; 12 km au nord de Nakusp, ☎800-909-8819; www.nakusphotspring .com)* sont nichées entre les vallées ondulantes derrière Nakusp et assez loin de l'Upper Arrow Lake. Le vieux bâtiment rond donne un charme certain à l'établissement qui parfois, de l'avis de plusieurs, semble un peu trop visité.

Les **Halcyon Hot Springs** *(9$ pour la journée; 32 km au nord de Nakusp, ☎250-265-3554 ou 888-689-4699; www.halcyon-hotsprings.com)* donne directement sur l'Upper Arrow Lake, avec en prime une vue imprenable sur les pics enneigés de l'autre rive. Prélassez-vous doucement en contemplant ce spectacle fabuleux.

New Denver

New Denver a été la porte d'entrée du pays de l'argent, le précieux métal se trouvant en quantité dans la région au tournant du XXe siècle. L'histoire de cette époque est présentée au **Silvery Slocan Museum** *(mi-mai à mi-oct sam-dim 10h à 16h, juil et août tlj; 206 6th Ave., à l'intersection de 6th St. et de Marine Dr., ☎250-358-2201).*

Lors de la Deuxième Guerre mondiale, le Canada déclare la guerre au Japon; du même coup, les Japonais vivant en Colombie-Britanique sont rassemblés dans des camps d'internement dans différentes villes de la région, entre autres à Sandon et ici à New Denver: **Nikkei Internment Memorial Centre** *(4$; mai à oct tlj 9h à 17h, en hiver sur appel; 306 Josephine St., ☎250-358-7288).*

Prenez la route 31A vers Kaslo, et faites un arrêt à la ville minière de Sandon, ancienne capitale des mines d'argent au Canada.

★★ Sandon

Au tournant du XXe siècle, 5 000 personnes habitaient et travaillaient à Sandon. En 1930, la baisse de la valeur de l'argent et l'épuisement de la mine forcent les gens à quitter le village. Pendant la Deuxième Guerre mondiale, Sandon devient un centre d'internement pour les Japonais qui avaient été évincés de la côte Pacifique. Peu après la guerre, Sandon redevient une ville fantôme après que plusieurs bâtiments sont détruits par le feu et les inondations. Il est aujourd'hui possible d'admirer de vieilles structures de bâtiments, entre autres la plus vieille centrale hydroélectrique de l'Ouest canadien, la **Silversmith Powerhouse**, qui produit encore de l'électricité. On peut visiter *(dons appréciés; avr à mi-oct tlj 10h à 16h; ☎250-358-4427)*

De Sandon, une route de 12 km, praticable en véhicule tout-terrain, mène à un point d'observation appelé **Idaho Lookout**, d'où vous pouvez voir les glaciers Kokanee et Valhalla.

Retournez à la route 31A et poursuivez vers Kaslo.

Kaslo

Kaslo a été construite dans les belles années de l'exploitation des mines d'argent sur les coteaux ouest du lac Kootenay. Une promenade sur le bord de l'eau et à l'hôtel de ville vous donnera un aperçu de la beauté du site. Au début du XXe siècle, on venait à Kaslo par bateau à aubes. Le ***SS Moyie*** a assuré pendant près de 60 ans, soit jusqu'en 1957, la navette sur le lac Kootenay pour le Canadien Pacifique. Aujourd'hui, ce navire est un musée *(5$; mi-mai à mi-oct 9h30 à 17h; 324 Front St., ☎250-353-2525).*

Le long de la rive vers le sud, **Ainsworth Hot Springs ★** *(6$; maillot et serviette de bain peuvent être loués sur place; tlj 10h à 21h30; ☎250-229-4212 ou 800-668-1171, www.hotnaturally.com)* est un site de sources naturelles où les baigneurs peuvent passer de bassins très froids à chauds, le tout dans un décor enchanteur. La piscine surplombe le lac Kootenay, et, au coucher de soleil, la vallée s'illumine. Une grotte en forme de fer à cheval est parsemée de stalactites, et l'humidité et l'obscurité presque totale qui y règnent nous transportent dans un autre monde. La température augmente vers la source, au fond de la grotte, jusqu'à 40°C.

Prenez la route 31 Sud et, à Balfour, suivez la route 3A vers Nelson.

★★
Nelson

Il faut vite laisser la voiture et découvrir à pied cette ville magnifique. Située à l'extrémité sud du bras ouest du lac Kootenay, Nelson se dresse sur le flanc ouest des monts Selkirk. En 1867, des mineurs choisissent d'y établir leur camp afin de participer à la ruée vers l'argent; les citoyens s'organisent et se mettent à construire des hôtels, des résidences et des installations publiques.

Plusieurs bâtiments témoignent de la richesse du passé de cette ville. Nelson maintient son développement économique grâce à la fonction publique, aux industries légères et au tourisme.

Vous pouvez vous procurer deux petits dépliants au Visitor Info-Centre qui vous guideront à travers plus de 350 bâtiments historiques. L'architecture riche et soignée de cette ville agrémente la marche du visiteur, des bâtiments de style classique, Queen Anne et victorien ayant fièrement pignon sur rue. Les vitraux de la **Nelson Congregational Church** ★ *(intersection de Stanley St. et de Silica St.)*, l'**hôtel de ville** ★ de style Château *(502 Vernon St.)* et, surtout, la **caserne de pompiers** ★ *(919 Ward St.)*, d'inspiration italienne, qui surplombe la ville, de même que l'ensemble des bâtiments de **Baker Street**, démontrent bien la richesse de l'époque de la ruée vers l'argent.

Pour plus de détails sur l'histoire de Nelson, rendez-vous au **Nelson Museum** *(2$; mai à oct lun-sam 13h à 18h, hors saison lun-sam 13h à 16h; 402 Anderson St.; prenez la route 3A à l'est du centre-ville;* ☎*250-352-9813)*, qui contient des vitrines présentant les Premières Nations locales, les explorateurs, les mineurs, les marchands et les colons.

Nelson ne se démarque pas des autres villes de l'intérieur de la province seulement par son architecture de qualité. Surnommée «la meilleure petite ville d'art au Canada», Nelson compte en ses murs nombre d'artistes, de musiciens et d'artisans. L'atmosphère créative qui en résulte séduit, d'autant plus que les rues de la ville grouillent de voyageurs qui y viennent par curiosité, et qui finalement décident d'y rester, soit pour faire du ski ou de la randonnée pédestre, ou tout simplement pour y flâner. Contrairement aux habitants de plusieurs petites villes de l'Ouest canadien, ici les résidants ne porteront pas de jugement sur les traits culturels d'un punk à l'iroquois

Hôtel de ville

violet ou d'un rasta aux longues dreadlocks.

Vous y trouverez de nombreuses galeries d'art qui sont souvent intégrées à des restaurants. Vous découvrirez le travail des artistes tout en parcourant des menus, parfois assez surprenants. Il s'agit de l'**Artwalk**: chaque année, des artistes exposent leurs travaux dans différents commerces participants. Pour renseignements: **Nelson and District Arts Council** *(☎250-352-2402).*

La microbrasserie **Nelson Brewing Company** ★ *(512 Latimer St., rendez-vous ☎250-352-3582),* fondée en 1893, poursuit sa production de bière à l'échelle locale et régionale. L'entreprise NBC brasse sa bière depuis 1899 dans les mêmes installations du tournant du XXe siècle, soit un bâtiment de style victorien, le vieux tramway de la **Nelson Electric Tramway Company**. Le **Streetcar n° 23** *(2$; mi-avr à fin mai sam-dim, fin mai à début sep tlj, début sep à mi-oct sam-dim, 12h à 18h; ☎250-352-7672 ou 352-3971)* a été remis en service et transporte des voyageurs sur une distance de 1 km dans le parc Lakeside, près du pont de Nelson.

À l'intersection de Ward Street et de Vernon Street, prenez la direction de la route 3A vers Castlegar.

Castlegar

Castlegar est une ville qui se dresse au confluent du fleuve Columbia et de la rivière Kootenay. Son centre-ville, situé au nord de la route 3A, n'est pas évident à voir, et on le manque assez souvent. En traversant le pont vers l'aéroport, remarquez le pont suspendu, réalisé par les Doukhobors; tournez à gauche pour aller le voir de plus près. De retour sur la route, grimpez et tournez à droite au **Doukhobor Museum** ★ *(4$; mai à sept tlj 10h à 18h; ☎250-365-6622).*

Le peuple doukhobor a émigré au Canada en 1898 pour fuir la Russie, qui le persécutait. Les Doukhobors voulaient vivre selon leurs propres règles et ne pas être soumis à celles de l'État; par exemple, ils ne voulaient pas faire la guerre. Établis dans les Prairies, ils vivaient en communauté et exploitaient la terre pour se réaliser. Ils ont implanté leur mode de vie, une architecture organisée et des industries. Un groupe quitta les Prairies pour la Colombie-Britannique avec, à sa tête, Peter Verigin, et s'installa dans la région de Castlegar.

Depuis la crise économique de 1929 et la mort de son chef Verigin, la communauté, moins nombreuse, laisse aujourd'hui à ses descendants la tâche de vous raconter l'histoire de leurs ancêtres.

À la sortie du musée, suivez la route 3 vers Grand Forks jusqu'à la route 3B afin de rejoindre Rossland. La route 22 peut également mener à cette ville; toutefois, la route 3 et la route 3B valent le détour.

★ Rossland

Rossland est une petite ville pittoresque qui a connu son essor dans la deuxième moitié du XIXe siècle et au début du XXe, au moment de la ruée vers l'or, et qui a gardé son cachet. Située dans le cratère d'un ancien volcan, à 1 023 m au-dessus du niveau de la mer, Rossland attire les skieurs et les amants de la montagne. Le parc provincial Nancy Greene, nommé en l'honneur de la championne olympique de 1968, originaire de Rossland, compte plusieurs montagnes grandioses. Red Mountain, reconnue pour la qualité de sa poudreuse, est une station de calibre international. Aux Jeux olympiques de 1992, Kerrin Lee-Gartner a remporté l'or; cette autre médaillée est aussi originaire de Rossland.

L'or est extrait des mines de la région depuis bien plus longtemps que l'arrivée de ces skieuses. En 1890, un prospecteur découvre un important gisement d'or; la nouvelle se répand; des centaines d'aventuriers tentent leur chance. Tout commence à s'organiser; c'est la ruée vers l'or. Plusieurs hôtels, bureaux de professionnels et théâtres voient le jour. Rossland vit dans la prospérité.

Arrive la crise économique de 1929, qui frappe durement; la même année, un important feu détruit une partie du centre de la ville. Rossland est sur son déclin; la fameuse mine Le Roi ferme ses portes. Le **Rossland Historical Museum** et la **mine Le Roi** ★ *(4$ pour le musée, 8$ pour le musée et la visite de la mine; mi-mai à mi-sept tlj 9h à 17h, visites de 9h30 à 15h30; à l'intersection des routes 3B et 22, à l'est du centre-ville par Columbia Avenue, ☎250-362-7722 ou 888-448-7444)* retracent l'histoire de la ruée vers l'or par des vestiges et une présentation audiovisuelle. De plus, sous le même toit, le **Ski Hall of Fame** célèbre les grands moments des carrières des skieuses Nancy Greene et Kerrin Lee-Gartner.

L'or jaune de Rossland a été remplacé par l'or «blanc» qui se retrouve sur les pentes de ski chaque année, attirant des milliers de skieurs. Voir «Red Mountain», p 287.

Trail

La ville voisine, Trail, vient en quelque sorte sauver Rossland. Cette importante ville minière transforme depuis 1896 le minerai extrait des mines de Rossland. Encore aujourd'hui, une bonne partie de la population de la région travaille pour la grande société métallurgique Cominco.

Retournez à la route 3 et roulez vers l'ouest jusqu'à Grand Forks; cette agréable route traverse la partie sud des monts Monashee en longeant le lac Christina. Vous pouvez aussi continuer vers l'est par la route 3 pour rejoindre Creston et les Kootenays de l'Est. Il y a un nouveau fuseau horaire dans les environs de Creston: donc avancez votre montre d'une heure.

Grand Forks

Grand Forks se dresse au confluent des rivières Kettle et North Fork. Plusieurs objets trouvés sur place prouvent que des Amérindiens ont habité dans cette région. Les premiers Européens à fréquenter cette vallée trappaient la fourrure pour la Compagnie de la Baie d'Hudson. Par la suite, la région s'est développée grâce aux industries minières, mais la baisse de la valeur du cuivre en 1919 allait contrecarrer les projets de la communauté. Aujourd'hui, l'industrie du bois et les exploitations agricoles contribuent à l'essort de Grand Forks.

Maintenez le cap sur la route 3 Ouest.

À partir de Grand Forks, le paysage redevient désertique; la route passe à travers de jolies vallées. Le spectacle atteint son apogée lorsque vous entrez dans la **vallée de l'Okanagan** par l'est. Plusieurs centaines de mètres plus bas, se dessinent la ville d'Osoyoos (voir p 256) et le lac du même nom.

Creston

Cette petite ville isolée (pop. 5 000) est nichée dans une belle vallée au pied (côté est) de l'imposant mont Salmo-Creston. Ce territoire ayant d'abord été habité par la nation amérindienne Kutenai (signifiant «le peuple de l'eau»), les prospecteurs étrangers commencèrent à passer par ici dans les années 1860. Le premier colon décida d'y rester pour de bon en 1883, et les vagues successives de nouveaux arrivants favoriseront un mode de vie axé sur l'exploitation minière. Aujourd'hui, la foresterie et l'agriculture (incluant les cultures de fraises, de luzerne et de canola) constituent les deux principaux secteurs économiques de la région.

La **Creston Valley Wildlife Area** ★★ *(3$; mai à mi-oct 9h à 16h; sur la droite après être descendu dans la vallée de Creston; ☎250-402-6906, www.crestonwildlife.ca)* vaut certainement un arrêt. Ce parc de conservation reconnu internationalement couvre quelque 7 000 ha de marais grouillants de vie avec ses carouges à tête jaune, ses tortues peintes de l'Ouest et ses grenouilles tachetées. Plus de 265 espèces d'oiseaux nicheurs et migrateurs peuvent y être observées. Pour seulement 5$, vous pouvez effectuer une très intéressante promenade guidée d'une heure en canot dans les marais.

Continuez vers l'est par la route 3 jusqu'à Cranbrook.

Cranbrook

Commodément située entre la vallée de l'Okanagan et Calgary, la ville de Cranbrook s'étend sur les plaines délimitées par les monts Purcell et les montagnes Rocheuses. La découverte d'or, puis l'arrivée du chemin de fer du Canadien Pacifique en 1898, ont fait de cette communauté la principale zone commerciale de la région. La ville se veut toujours le centre de services pour le secteur des Kootenays de l'Est et compte plus de 20 000 habitants, mais l'alignement disgracieux de motels et de comptoirs de restauration rapide que vous y verrez détonne. Ici vous vous retrouverez probablement à mi-chemin d'un long trajet, alors vous serez content d'apprendre qu'il y a quelques sites d'intérêt.

Le remarquable **Canadian Museum of Rail Travel** *(11,95$ visite «de luxe»; avr à mi-oct tlj 10h à 18h, mi-oct à avr mar-sam 12h à 17h; 57 Van Horne St. S., en retrait de la route 3 en ville, ☎250-489-3918)*, avec la récente reconstitution du Royal Alexandra Hall (un exemple de l'architecture des «gares-hôtels» du début du XXe siècle), fait revivre les beaux jours des voyages en train grâce à ses expositions, sans compter ses 28 locomotives et wagons restaurés.

Fort Steele Heritage Town ★★ *(8,50$; juin à août tlj 9h30 à 20h; mai, sept et oct 9h30 à 17h30; route 93/95, ☎250-426-7352)*, une merveilleuse reconstitution d'une ville champignon avec ses 58 bâtiments, se trouve à environ 10 km au nord de Cranbrook. La communauté originelle vit le jour à l'époque de la ruée vers l'or, et, en raison des conflits avec la nation amérindienne locale des Kootenays, la «police montée» du Nord-Ouest envoya l'inspecteur Sam Steele pour faire construire la caserne qui devint connue sous le nom de Fort Steele. La décision de faire passer le chemin de fer par Cranbrook plutôt que par Fort Steele en 1898 fut responsable du destin de la ville, et, à la fin de la Deuxième Guerre mondiale, la population avait tellement diminué qu'on n'y retrouvait que 50 habitants.

À votre passage, une ancienne locomotive à vapeur sifflera ou une voiture à cheval sonnera sa cloche, alors que des interprètes en costumes d'époque recréent l'atmosphère de l'Ouest du bon vieux temps. Pour éprouver une «petite» frayeur, allez visiter le cabinet de dentiste – vous ne vous plaindrez plus jamais d'avoir à vous faire plomber une dent. Appelez à l'avance pour qu'on vous donne des détails sur les spectacles de variétés musicaux présentés au Wild Horse Theatre.

Au départ de Cranbrook, prenez la route 95A Nord pendant 31 km jusqu'à Kimberley.

Kimberley

Kimberley se présente comme une petite ville de ski avantageusement située dans un cadre naturel de toute beauté. La ville s'est développée autour de la Sullivan Mine, un gisement de plomb, d'argent et de zinc qui furent extraits par la compagnie Cominco jusqu'à l'épuisement des ressources et la fermeture de la mine, au mois de décembre 2001.

Tout le monde savait depuis longtemps qu'un jour on épuiserait le filon de Kimberley, et en 1973 fut prise la décision regrettable de transformer Kimberley en ville bavaroise: la seule et unique «Bavarian City of the Rockies», la totale! avec une mascotte moustachue dénommée *Happy Hans*, des accordéonistes et une pendule à coucou ridiculement grosse. En un mot... c'est étrange, mais ironiquement les meilleurs restaurants de la région se trouvent ici, et les nombreux visiteurs qui viennent y pratiquer des activités de plein air comme le golf, le ski et la randonnée pédestre ne semblent pas s'en plaindre.

La ville est concentrée autour de la **Platzl**, soit le terrain communal de style bavarois, avec restaurants et de boutiques. Des haut-parleurs crachent des tyroliennes, et la pendule à coucou mentionnée ci-dessus se met sporadiquement en branle quand les curieux y glissent une pièce de 25 cents.

Le Visitor InfoCentre (voir p 239) est situé juste au nord de la Platzl, et le **Bavarian City Mining Railway** (BCMR) *(7$; juil et août tlj, juin et sept sam-dim; ☎250-427-3922)* part du centre d'accueil des visiteurs. Le trajet de 9 km, qui dure une heure, donne l'occasion de visiter les installations hors terre de la Sullivan Mine, alors que les guides racontent l'histoire de la région. Le **Sullivan Mine Interpretive Centre** se trouve juste à côté de l'InfoCentre et se compose d'une résidence de mineur des années 1920 et de la première école de village de Kimberley, en plus d'offrir de l'information sur la mine.

Le Kimberley Alpine Resort (voir p 288) se trouve à l'extrémité nord de Gerry Sorrensen Way et fait actuellement l'objet de travaux d'agrandissement.

Parcs

Circuit A: Sunshine Coast

Le **Porpoise Bay Provincial Park** *(☎604-689-9025)*, situé au nord-est de Sechelt, est un parc boisé qui offre des programmes d'interprétation de la nature en compagnie de naturalistes. Porpoise Bay vous fera découvrir une des plus agréables plages de la région.

Vous pourrez vous y baigner sous la surveillance d'un maître nageur. C'est un endroit idéal pour la famille. Les plongeurs seront ravis d'apprendre qu'un navire de guerre, le ***HMCS Chaudiere***, a été coulé à Kunechin Point pour créer un récif artificiel. Le parc possède 84 emplacements de camping. Les réservations *(☎800-689-9025, www.discovercamping.ca)* sont acceptées et recommandées pour l'été. Le paiement s'effectue en liquide sur place.

Le **Sargeant Bay Provincial Park** *(☎604-689-9025)* se trouve à 7 km à l'ouest de Sechelt sur la Sunshine Coast. La région offre d'infinies possibilités de promenade pour les plaisanciers mais aussi pour les kayakistes. Sargeant Bay est réputée pour la richesse de sa vie marine. On peut atteindre le parc en voiture, par la route 101, ou par bateau. Une aire de pique-nique a été aménagée à l'entrée du parc.

Les **rapides Skookumchuck ★★★** du **Skookumchuck Narrows Provincial Park** *(☎800-870-9055)* sont certainement l'une des particularités les plus spectaculaires de la Sunshine Coast. Lors des changements de marées, l'eau de mer est précipitée comme dans un entonnoir dans le canyon de Skookumchuck Narrows. Skookumchuck est un ancien mot amérindien qui signifie «eau puissante». Vous comprendrez toute la signification de ce terme quand vous verrez les rapides de vos propres yeux. Pour vous y rendre, roulez en direction nord sur la route 101, et dépassez Sechelt et Pender Harbour jusqu'à la sortie Egmont, à 1 km du terminal des traversiers d'Earl's Cove. Continuez le long d'Egmont Road jusqu'au stationnement du Skookumchuck Narrows Provincial Park. Un sentier vous conduira sur place.

Portez de bonnes chaussures, puisqu'il vous faudra une demi-heure pour vous rendre sur le site. Ces rapides figurent parmi les plus grands du monde. Si vous en avez l'occasion, vous y verrez des kayakistes littéralement surfer sur les vagues.

Le **Saltery Bay Provincial Park** *(au nord du quai d'embarquement de Saltery Bay; 42 emplacements de camping, plages, plongée sous-marine; accessible également aux personnes à mobilité réduite; BC Parks, Garibaldi/Sunshine Coast District, ☎604-689-9025 ou 800-689-9025)* est exceptionnel pour la plongée sous-marine; une sirène de bronze attend les visiteurs, et il n'est pas rare de voir des orques, des phoques et des otaries.

Le **Shelter Point Regional Park** *(Powell River Regional District, 5776 Marine Ave., Powell River, ☎604-486-7228)* est situé sur la côte sud-ouest de Texada Island, à une vingtaine de kilomètres des traversiers de Blubber Bay. Il y a ici un camping avec toilettes et douches, ainsi qu'un abri pour faire la cuisine. L'isolement, la pêche et la communion avec la nature sont les activités que l'on pratique ici. À noter que les chiens sont admis dans le parc.

Le **Jedediah Island Marine Provincial Park** *(☎604-689-9025 ou 800-689-9025)* est une île située entre Lasqueti Island et Texada Island dans le détroit de Georgie. L'île a été acquise par ses riverains en 1995; ils en ont fait un parc. On y trouve des arbres millénaires et d'importantes colonies d'oiseaux. Cet endroit magnifique et sauvage n'est accessible que par bateau.

Le **Desolation Sound Marine Park ★★** *(au nord de Lund et accessible par bateau; terrain de camping, randonnée, kayak, baignade, pêche, plongée, eau potable, toilettes; BC Parks, Tenedos Bay Sechelt Area, ☎604-885-9019)* est fréquenté par les amants de la mer qui viennent observer la vie sauvage baignée par les courants chauds. Le kayak de mer attire de plus en plus de visiteurs dans le parc marin de Desolation Sound, et vous n'avez pas besoin d'être expérimenté pour apprécier une promenade dans ce type d'embarcation.

Le **Manning Provincial Park ★★** *(information touristique, été tlj 8h30 à 16h30, hiver lun-ven 8h30 à 16h30; ☎250-840-8836)* est situé à la frontière entre le sud-ouest de la province et la grande région de Thompson-Okanagan. À 225 km de Vancouver, ce parc est un lieu privilégié des Vancouverois à la recherche de grands espaces verts. Le parc renferme un complexe hôtelier, des cabanes et des chalets à louer, ainsi que des terrains de camping.

Circuit B: La boucle de Coast Mountain

Alice Lake, Brandywine Falls, Garibaldi, Porteau Cove et Shannon Falls sont les parcs provinciaux situés autour de Squamish. Vous pourrez y camper, pêcher, nager, faire du kayak ou du canot, grimper, marcher ou même faire du vélo de montagne. Pour tout renseignement, composez le ☎800-689-9025.

Le **Shannon Falls Provincial Park** *(☎604-689-9025)*, le long de la route 99 en direction de Squamish, abrite les chutes d'eau les plus impressionnantes au Canada.

Il est presque impossible de voir l'origine de la chute en raison de sa hauteur étonnante. L'eau pure et limpide de Shannon

Creek était auparavant utilisée par les brasseries Carling O'Keefe, jusqu'à ce que celles-ci offrent les terres au gouvernement provincial. Le parc renferme des sentiers tout autour des chutes ainsi que des aires de pique-nique.

Le **Porteau Cove Provincial Park** *(☎604-689-9025)* se trouve à une vingtaine de kilomètres au nord de Horseshoe Bay, sur la rive est de Howe Sound, entre Gambier Island and Bowen Island. Ce parc est très populaire auprès des plongeurs sous-marins. Les eaux recèlent de nombreuses épaves coulées pour le plus grand plaisir des plongeurs. On y trouve par exemple un dragueur de mines datant de la Deuxième Guerre mondiale.

Le **Stawamus Chief Provincial Park** *(☎604-689-9025)* est situé presque imédiatement après le Shannon Falls Provincial Park en direction de Squamish par la route 99 (Hwy. Sea to Sky). Ce parc est très réputé pour l'escalade et la randonnée. La vue depuis le sommet du «Chief» est vraiment magnifique. Ce parc est ouvert toute l'année et compte 15 emplacements de camping. Les réservations ne sont pas possibles.

L'**Alice Lake Provincial Park** *(☎604-689-9025, réservations pour les emplacements de camping: ☎800-689-9025)* se trouve à 13 km au nord de Squamish autour du lac du même nom (Alice Lake). Ce parc est très populaire, surtout au cœur de l'été, lorsqu'il fait très chaud. Les plages sont là pour rafraîchir les voyageurs et les enfants qui fréquentent le parc en grand nombre. Vous y trouverez beaucoup de sentiers de randonnée, 88 emplacements de camping ainsi que des douches.

Le **Brandywine Falls Provincial Park** *(☎604-689-9025)* est un petit parc qui possède 15 emplacements de camping et qui est situé à 47 km au nord de Squamish. Les nombreuses cascades et les pics vertigineux font de cet endroit un paradis pour les photographes. Non loin de là se trouvent le lac Daisy et les splendides montagnes du Garibaldi Provincial Park.

Le **Garibaldi Provincial Park ★★** *(information Garibaldi/Sunshine District, Brackendale; 10 km au nord de Squamish, ☎604-689-9025)* est un très grand parc de 195 000 ha fort fréquenté l'été par les marcheurs. La route 99 longe le côté ouest du parc et donne accès aux différents sentiers de randonnée pédestre.

Dans la vallée de Whistler, à proximité du village, cinq lacs donnent l'occasion de pratiquer la natation, la planche à voile, le canotage et la voile. En voici deux:

L'**Alpha Lake** *(au feu de circulation à Whistler Creekside, tournez à gauche dans Lake Placid Road et roulez jusqu'à la plage)* est un petit lac sur les rives duquel vous pouvez pique-niquer, jouer au tennis ou au volley-ball et louer des canots.

L'**Alta Lake** *(au nord de Whistler Creekside par la route 99, tournez à gauche dans Alta Vista Road, à droite dans Alpine Crescent, et maintenez la gauche jusqu'au bout du chemin pour atteindre Lakeside Park)* reçoit les véliplanchistes, et l'on peut également y louer canots, kayaks et planches à voile.

Le **Joffre Lakes Provincial Park** *(chambre de commerce de Pemberton, ☎604-689-9025)* se trouve à une vingtaine de kilomètres de Pemberton. Il s'agit d'un superbe parc ponctué de montagnes où vous découvrirez trois lacs turquoise et des sommets vertigineux couverts d'un glacier monumental. Le sentier est en bon état, mais soyez prêt à grimper des pentes plutôt raides. Attention aux moustiques en juillet. Les réservations ne sont pas acceptées.

Le **Birkenhead Lake Provincial Park** *(☎604-689-9025)* est situé à 55 km au nord-est de Pemberton par une route d'accès au départ de D'Arcy. Le parc est équipé d'emplacements de camping et d'une rampe de mise à l'eau pour les bateaux. Les élans, les cerfs et les ours ne sont pas rares dans ce très joli parc parsemé de montagnes. La pêche à la truite est aussi très bonne dans le lac Birkenhead. Ce parc est ouvert de mai à septembre.

Le **Sasquatch Provincial Park** *(plage, toilettes, terrain de jeu, rampe de mise à l'eau; Cultus Lake, ☎604-689-9025)* se cache dans les montagnes en retrait du lac Harrison, près duquel vous pouvez faire du camping. Il y a des plages aménagées pour passer une agréable journée tout en profitant d'un des lacs. Selon la légende des Coast Salishs, le Sasquatch est une créature mi-homme mi-bête vivant dans les bois. Certains Autochtones de la région affirment, encore aujourd'hui, l'avoir vu près du lac Harrison.

Le **Kilby Provincial Park** *(☎604-689-9025, réservations pour les emplacements de camping: ☎800-689-9025)* est un très joli parc situé sur les rives du fleuve Fraser, à seulement 29 km au nord-ouest de Chilliwack.

L'endroit est réputé pour sa quiétude et pour l'abondance de rapaces qui y nichent, comme l'aigle à tête blanche et le hibou. Vous pouvez tout simplement faire un pique-nique ou bien passer quelques jours sur un des 38 emplacements du camping. Ne manquez pas de visiter le **General Store Museum**. Cette épicerie date du début du XXe siècle, et vous aurez l'impression de vous retrouver au temps des pionniers. Ce parc est ouvert toute l'année.

Le **Chilliwack Lake Provincial Park** *(☎604-689-9025, réservations pour les emplacements de camping ☎800-689-9025)* se trouve à 64 km au sud-est de Chilliwack par une route de gravillon bien entretenue. L'accès à cette route se fait par la transcanadienne. Ce parc propose beaucoup de services et d'activités: de grandes plages, des emplacements de camping, etc. Il est surtout fréquenté par les riverains. De ce fait, attendez-vous à rencontrer beaucoup de familles, d'enfants et de motomarines! Il est ouvert de mai à octobre.

Le **Cultus Lake Provincial Park** *(☎604-689-9025, réservations pour les emplacements de camping: ☎800-689-9025)*, comptant 656 ha, est situé à 13 km au sud de Chilliwack par la route transcanadienne. Vous retrouverez quatre emplacements de camping avec douches et toilettes, ainsi que du bois pour faire un feu.

En raison de la proximité des centres urbains de la vallée du fleuve Fraser, ce parc est littéralement pris d'assaut par les campeurs à l'arrivée des beaux jours. Ainsi, les campings de Fraser Creek (80 emplacements), de Delta Grove (58 emplacements), d'Entrance Bay (52 emplacements) et de Maple Bay (106 emplacements) sont presque toujours complets les fins de semaine.

Le **Golden Ears Provincial Park** *(BC Parks, ☎604-689-9025, réservations pour emplacements de camping: ☎800-689-9025)* se trouve dans les montagnes de la Chaîne côtière, non loin de la petite ville de Maple Ridge, à seulement 41 km à l'est de Vancouver par la route 7 au départ de Haney ou d'Albion.

Il y a deux campings près du lac Alouette, avec toilettes et douches. Le premier, Alouette, possède 205 emplacements, et l'autre, Gold Creek, 138. La pêche et la randonnée sont là aussi les activités de prédilection. Ce parc a la particularité d'être ouvert aux cavaliers. Il est ainsi possible de faire des promenades à cheval en vous adressant aux ranchs à l'entrée du parc.

Circuit C: La rivière Thompson jusqu'à Revelstoke

Kamloops compte pas moins de cinq parcs qui accueillent tournois et compétitions. Vous pouvez vous promener et regarder un match de football, de balle molle, de cricket, de tennis ou encore un tournoi de golf.

Le **Riverside Park**, une bande de terre gazonnée entre Lansdowne Street et la rivière Thompson, comporte un sentier longeant le cours d'eau et se trouve à une faible distance de marche du centre-ville. En juillet et en août, des musiciens sur scène s'offrent en spectacle ici tous les soirs dès 19h.

Le **Kamloops Wildlife Park** *(8$; fin juin à début sept tlj 8h à 20h30, début sept à fin juin tlj 8h à 4h30; 9077 Trans-Canada Hwy., ☎250-573-3242)* est un zoo où petits et grands peuvent contempler les animaux dans leur habitat naturel. Vous y verrez des ours, bien sûr, mais aussi des tigres sibériens et des loups.

Les parcs nationaux **Mont-Revelstoke** ★★ et **Glaciers** ★★ *(pour obtenir les cartes, des renseignements et les règles à suivre, contactez Parcs Canada à Revelstoke, ☎250-837-7500)* regorgent de sentiers pour explorer les forêts. Les degrés de difficulté sont variables; des sentiers côtoient des arbres plusieurs fois centenaires ou atteignent des sommets offrant de splendides panoramas.

Circuit D: La vallée de l'Okanagan

Le **Cathedral Provincial Park** ★★ *(interdit aux chiens et aux vélos de montagne; pour obtenir des cartes détaillées et de l'information, BC Parks District Manager,PO Box 399, Summerland, V0H 1Z0, ☎250-494-6500)* se trouve à 30 km au sud-ouest de Keremeos, dans la partie sud de la province accolée à la frontière américaine. Ce parc abrite une végétation mixte, entre la forêt humide tempérée, d'une part, et la région aride de l'Okanagan, d'autre part. En basse altitude, les sapins de Douglas dominent le paysage, pour laisser place aux épinettes et aux bruyères dans les hauteurs du parc, en plus des cerfs, des chèvres de montagne et des mouflons qui pourraient s'aventurer près des lacs turquoise.

L'**Okanagan Mountain Provincial Park** *(☎250-494-6500)* est situé à environ 15 km au sud de Kelowna et est accessible par Lakeshore Road, qui longe le lac Okanagan. Le parc compte quelque 10 000 ha de région sauvage qui s'explore seulement à pied, à vélo ou à dos de cheval. Il renferme nombre de sentiers pédestres (dont quelques-uns sont très difficiles à parcourir), des plages, des emplacements de camping et une rampe de mise à l'eau pour les bateaux. Au centre du parc, quelques lacs plus petits qu'ailleurs sur le territoire vous attendent.

Le **Knox Mountain Park** est situé au nord de Kelowna. Il offre un très beau point de vue sur le lac Okanagan, où se cache Ogopogo, le monstre qui, selon la légende, habiterait le lac. Depuis le centre-ville, suivez Ellis Street vers le nord pendant 2 km.

Le **Kalamalka Provincial Park** *(quelques kilomètres au sud de Vernon, ☎800-689-9025)* est un agréable espace boisé avec une plage idéale pour passer l'après-midi ou la journée. ***National Geographic*** classe le lac Kalamalka parmi les 10 plus beaux lacs du monde.

On comprend vite pourquoi en observant le charme des teintes azur qui brillent à sa surface. D'ailleurs, Kalamalka signifie «le lac aux plusieurs couleurs» dans la langue autochtone originelle. On y vient pour se balader sur les nombreux sentiers pédestres, pour faire du vélo de montagne, ou simplement pour se relaxer au bord de l'eau. N'oubliez pas votre maillot de bain!

Circuit E: Kootenay Country

Le **Kokanee Glacier Provincial Park** ★★ *(West Kootenay, Nelson, ☎250-689-9025)* compte 85 km de sentiers pédestres de difficulté moyenne. Vous pouvez y accéder de plusieurs points.

Activités de plein air

Randonnée pédestre

Circuit A: Sunshine Coast

L'**Inland Lake** est situé à 12 km au nord de Powell River; ces abords ont été tout spécialement aménagés afin de donner accès à la nature aux gens en fauteuil roulant. Le tour du lac fait 13 km de circonférence. Des aires de camping ont été conçues, et quelques cabanes de bois rond sont réservées aux personnes à mobilité réduite. Les tables de pique-nique et les quais pour la baignade ont été pensés en fonction des besoins des personnes qui se déplacent en fauteuil roulant. Le ministère des Forêts a d'ailleurs reçu la médaille du premier ministre provincial pour la qualité de l'aménagement des lieux.

Fierté du nord de la Sunshine Coast, le nouveau **Sunshine Coast Trail** déroule ses 180 km le long de paysages pittoresques, avec comme point de départ Saltery Bay, à l'est de Powell River, et se faufile vers le nord jusqu'à Sarah Point (Lund). Le sentier se révèle être un beau défi pour les randonneurs saisonniers, mais, puisqu'il est ponctué de quelque 20 accès, il permet aussi aux autres de le marcher en entier ou simplement d'en parcourir une section selon le temps dont ils disposent et leurs capacités physiques. Le long du sentier, on retrouve plus de 20 terrains de camping et des lieux d'hébergement plus confortables. Des cartes et des guides du sentier sont disponibles au Powell River Visitors Bureau *(☎604-485-4701)*, et plus de renseignements sont offerts sur le site Internet www.sunshinecoast-trail.com. Attendez-vous à des vues impressionnantes de la côte.

Le **Manning Provincial Park** (voir p 276) abrite de beaux sentiers de randonnée.

Circuit B: La boucle de Coast Mountain

Le **Garibaldi Provincial Park** *(information Garibaldi/Sunshine District, Brackendale; 10 km au nord de Squamish, ☎604-898-3678)* est un très grand parc sauvage dans sa presque totalité, seule la région de Whistler ayant été urbanisée. La randonnée pédestre est magique, surtout lorsque vous arrivez au lac Garibaldi, dont la couleur turquoise contraste avec le blanc du glacier en arrière-plan. Les sentiers traversent de grands secteurs; vous devez prévoir de la nourriture et des vêtements adéquats pour affronter les changements de température.

Whistler Mountain *(☎604-932-3434 ou 800-766-0449; www.whistlerblackcomb.com)* et **Blackcomb Mountain** *(☎604-932-3141 800-766-0449; www.whistler-blackcomb.com)* proposent une série de sentiers de randonnée pédestre depuis la base des montagnes jusqu'à leur sommet respectif. Du sommet du mont Whistler, vous apercevrez le Black Tusk, à 2 315 m d'altitude. Vous le reconnaîtrez car il s'agit d'un «pain de sucre noir».

Circuit C: La rivière Thompson jusqu'à Revelstoke

Des randonnées pour tous les niveaux sont possibles autour de Kamloops. Vous pouvez marcher entre une heure et sept heures. Le **Mount Peter and Paul** offre un circuit très long (7 heures de marche), mais la vue depuis le sommet est magnifique. Il faut téléphoner à l'**Indian Band Office** *(☎250-828-9700)* pour obtenir l'autorisation et remplir le permis en personne à la réserve amérindienne *(7h30 à 13h30; 355 Yellowhead Hwy.).* Le sentier du **Paul Lake Provincial Park** vous mène au lac Paul. C'est un parcours facile et agréable qui vous prendra entre une heure et demie et deux heures à effectuer.

Au **parc national Mont-Revelstoke** *(5$: accès aux monts Revelstoke et Glacier; un permis est obligatoire afin d'avoir accès au parc; à l'est du pont sur la transcanadienne, Info-Line ☎250-837-7500),* vous devez emprunter une route de 24 km qui mène au sommet, où se trouvent un sentier ainsi que différentes aires de pique-nique.

Le **parc national Glaciers** *(pour obtenir les cartes, des renseignements et les règles à suivre, contactez Parcs Canada à Revelstoke, ☎250-837-7500)* propose plusieurs sentiers pour explorer la nature florissante de la région, les degrés de difficulté étant variables; des sentiers côtoient des arbres plusieurs fois centenaires ou grimpent au sommet de montagnes offrant des vues sur les sommets voisins.

Circuit D: La vallée de l'Okanagan

L'entrée du **Cathedral Provincial Park** *(interdit aux chiens et aux vélos de montagne; pour obtenir des cartes détaillées et de l'information, BC Parks District Manager PO Box 399, Summerland, BC, V0H 1Z0, ☎250-494-6500, wlapwww.gov.bc.ca/bcparks)* se trouve près de Keremeos, par la route 3. Des sentiers pédestres de plus de 15 km sont accessibles, et il faut en moyenne une journée de marche pour les parcourir. Au sommet, les sentiers sont plus courts et sillonnent un terrain vallonneux où se côtoient une végétation et une vie animale sauvages. Il est possible de monter à bord d'un véhicule tout-terrain pour se rendre au sommet; il faut toutefois réserver son siège en appelant au **Cathedral Lakes Lodge** *(☎888-255-4453, www.cathedral-lakes-lodge.com).*

Pour des balades qui ne prennent pas plus d'une heure mais qui demeurent d'une beauté inouïe, il faut se rendre au **Kalamalka Provincial Park** (voir p 279), à quelques kilomètres au sud de Vernon. Les courts sentiers mènent jusqu'à une petite colline plongeant abruptement dans les eaux merveilleuses du lac Kalamalka.

Circuit E: Kootenay Country

Le **Kokanee Glacier Provincial Park** *(pour obtenir des cartes, contactez le bureau de la BC Parks West Kootenay Area; Nelson, ☎250-825-3500)* compte 85 km de sentiers pédestres. Le Gibson Lake Loop Trail, un sentier de 2,5 km facile à parcourir, demande seulement une heure de marche aller-retour et offre de belles vues sur les pics environnants, sans oublier les anciennes mines, les fleurs en saison et la végétation subalpine. Le long du sentier, il y a aussi de bonnes occasions de pêche.

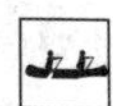

Canot

Circuit A: Sunshine Coast

Une excursion en canot s'impose surtout pour ceux qui meurent d'envie de découvrir une série de lacs et de faire le portage de leur embarcation d'un point à l'autre. La tournée des huit lacs de la **Powell**

Forest Canoe Route prend quatre jours à effectuer. Pour information, **Sunshine Coast Forest District Office** *(7077 Duncan St., Powell River, BC, V8A 1W1, ☎604-485-0700).*

Rafting

Circuit B: La boucle de Coast Mountain

Les gorges du fleuve Fraser et de la rivière Thompson accueillent chaque année des centaines d'aventuriers qui, par petits groupes, descendent dans leurs eaux tumultueuses. Plusieurs forfaits sont proposés aux visiteurs qui désirent s'adonner à la descente de rivière en radeau pneumatique par le biais de **Kumsheen Raft Adventures** *(Lytton, ☎250-455-2296 ou 800-663-6667).*

Planche à voile

Circuit B: La boucle de Coast Mountain

Squamish attire les véliplanchistes en raison des vents constants qui s'engouffrent dans le détroit et qui se déplacent vers les terres. Pour renseignements:

Squamish & Howe Sound District Chamber of Commerce
☎(604) 892-9244
www.squamishchamber-.bc.ca

L'**Alta Lake** *(au nord de Whistler Creekside, par la route 99, tournez à gauche dans Alta Vista Road, à droite dans Alpine Crescent, et maintenez la gauche jusqu'au bout du chemin pour atteindre Lakeside Park)* reçoit les véliplanchistes. Ce petit lac s'inscrit dans un site enchanteur d'où vous aurez de très beaux panoramas sur les monts Whistler et Blackcomb.

Circuit E: Kootenay Country

Le **Lakeside Park**, à droite du pont à l'entrée de Nelson, vous donne accès au lac Kootenay; l'été, les baigneurs et les véliplanchistes s'y donnent à cœur joie.

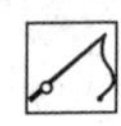

Pêche

Circuit C: La rivière Thompson jusqu'à Revelstoke

Kamloops possède le surnom de «capitale mondiale de la pêche à la mouche». Avec ses 200 lacs accessibles en moins d'une heure de route, il est très facile d'aller taquiner la truite. Parmi les lacs les plus prisés, on retrouve le lac Roche, le lac Le Jeune, le lac Crystal et le lac Tunkwa. Pour des services de guide, des permis ou n'importe quelle information, n'hésitez pas à contacter **Gordon Honey's** *(PO Box 5008, Lac Le Jeune, BC, V1S 1Y8, ☎250-828-1286, gordon@flyfishing-services.com).*

Circuit D: La vallée de l'Okanagan

Tout autour de Merritt, la **Nicola Valley** vous offre des lacs à profusion, environ 150, honorant le proverbe de l'endroit (un lac par jour aussi longtemps que vous resterez) et faisant de la vallée un paradis pour les pêcheurs. Des renseignements vous seront fournis dans les nombreuses boutiques qui vendent les permis de pêche obligatoires.

Observation des oiseaux

Circuit B: La boucle de Coast Mountain

Voir Brackendale, p 244.

Circuit D : La vallée de l'Okanagan

Si vous aimez les oiseaux, vous ne manquerez pas de passer par **Vaseaux Lake** du

Federal Migratory Bird Sanctuary, à 10 km au sud d'Okanagan Falls par la route 97. N'oubliez pas vos jumelles.

Le **Haynes Point Provincial Park** *(Summerland, ☎250-494-6500)*, situé sur le lac Osoyoos, comprend maintenant une nouvelle passerelle en bois et une cache (hutte) pour l'observation des oiseaux. Surveillez les roitelets des marais, les martinets à gorge blanche et les carouges à épaulettes; à l'occasion, vous pourrez voir des urubus à tête rouge voler très haut dans le ciel au-dessus de la vallée.

Golf

Circuit B: La boucle de Coast Mountain

Furry Creek Golf & Country Club *(150 Country Club Rd., Furry Creek; Club House ☎604-896-2224 ou 888-922-9462)*. Située sur la rive est de Howe Sound, Furry Creek se trouve à 48 km au nord de Vancouver par la route 99 (l'autoroute Sea to Sky) et à 66 km au sud de Whistler. Le paysage est fabuleux. Les golfeurs ont du mal à se concentrer, tellement les montagnes et la mer ont un effet hypnotique. Un restaurant qui propose de la cuisine Pacific Northwest présente un décor japonais avec murs de verre et offre une vue sur une magnifique verdure.

La vallée de Whistler attire des golfeurs de mai à octobre dans un décor enchanteur. Les droits d'accès varient énormément d'un club à l'autre. Le **Whistler Golf Club** *(70-160; mai à oct; par le Village Gate Blvd., tournez à droite à Whistler Way et passez sous la route 99, ☎604-932-3280 ou 800-376-1777)*, un magnifique terrain de golf, serpente à travers les vallons avec, pour toile de fond, des montagnes aux falaises abruptes.

Le **Pemberton Valley Golf and Country Club** *(45$; mai à oct; ☎604-894-6197 ou 800-390-4653)* de Pemberton, à 25 km au nord de Whistler, est beaucoup moins cher et présente un décor tout aussi beau que les golfs de Whistler.

Circuit C: La rivière Thompson jusqu'à Revelstoke

Kamloops compte au moins six terrains de golf à 18 trous et quelques neuf trous. Il y a, entre autres, **The Dunes at Kamloops** *(652 Dunes Dr., Kamloops, ☎250-579-3300)*. Le **Rivershore Golf Club** *(56$; mar à oct; South Thompson River, ☎250-573-4622 ou 866-886-4653)* est un 18 trous conçu par Robert Trent Jones Sr, situé le long de la rivière Thompson; inutile de préciser que la vue y est unique.

Circuit D: La vallée de l'Okanagan

La vallée de l'Okanagan a été désignée comme la Mecque des golfeurs en raison de la qualité de ses parcours et de ses tournois. Sans oublier son climat agréable, les vues des vignobles et les forfaits golf, bref, tout cela incite les joueurs à y venir.

L'intérieur de la province compte plus d'une cinquantaine de terrains de golf, la plupart près des villes de **Penticton**, de **Kelowna** et de **Vernon**. Seulement dans la région de Kelowna, il y a 16 terrains de golf. Le terrain varie énormément selon que vous jouez au nord, où les montagnes boisées découpent les allées, ou au sud, la région désertique étant parsemée d'arbustes d'armoires.

Le **Gallaghers Canyon Golf & Contry Club** *(95$; 4320 Gallagher's Dr. W., ☎250-861-4240)*, un 18 trous dessiné par Bill Robinson et Les Furber, comblera les golfeurs qui aiment les défis. Comme son nom l'indique, il est aménagé le long du Gallaghers Canyon, au creux de la forêt; inutile d'ajouter que la vue y est extraordinaire.

Le plus récent parcours est celui du **Bear at the Okanagan Golf Club** *(85$; 3200 Via Centrale, Kelowna, ☎250-765-5955)*, un 18 trous à normale 72. L'Okanagan Golf Club renferme aussi le **Quail Course**, conçu par les Furber.

D'autres prestigieux terrains de golf vous attendent dans cette région, et, pour de l'information complète et gratuite à ce sujet ou sur les forfaits, contactez **Tourism Kelowna** (voir p 239).

Circuit E: Kootenay Country

Le **Way-Lyn Ranch Golf Course** *(22$ pour 18 trous; route 95A, Cranbrook, ☎250-427-2825)*, un terrain de golf de neuf trous, se trouve entre les villes de Cranbrook et de Kimberley.

Trickle Creek *(99$ pour 18 trous; Kimberley, ☎250-427-5171 ou 888-874-2553)* est un terrain de 18 trous. Des réservations à l'avance sont préférables.

Planeur

Circuit B: La boucle de Coast Mountain

Les planeurs ont choisi Hope pour s'accrocher dans le ciel. Le vent d'ouest qui s'engouffre dans la vallée du fleuve Fraser remonte dans les grandes montagnes de la région de Hope et permet aux passionnés des vols planés de rester des heures dans le ciel. Pour un montant, vous pouvez accompagner un pilote à bord de son planeur.

À la sortie 165 de la route 1, à l'ouest de Hope, suivez les indications vers l'aéroport; tournez à gauche dans Old Yale, juste avant le viaduc, et suivez la route jusqu'au bâtiment rouge et blanc où se trouve la **Vancouver Soaring Association** *(☎604-869-7211, www.vsa.ca)*.

Vélo de montagne

Circuit E: Kootenay Country

Rossland s'est autoproclamée «capitale du vélo de montagne» (VTT), et c'est peut-être bien le cas. Le grand nombre de pistes de différents calibres fait de cet endroit un lieu accessible à tous ceux qui sont intéressés par ce sport. Les pistes convergent toutes vers le centre-ville, autrefois des voies ferrées, des chemins de coupes de bois ou des sentiers de ski de fond. Le terrain n'est pas plat, car il s'agit d'une région très montagneuse. Vous pouvez vous procurer le plan du réseau de pistes aux différents centres de location de vélos ou au bureau d'information touristique *(☎250-326-5666)*.

Plongée sous-marine

Circuit A: Sunshine Coast

Porpoise Bay Charters *(7629 Inlet Dr., ☎604-885-5950 ou 800-665-3483)*. Si vous êtes un plongeur certifié, on remplira vos bouteilles; sinon vous pourrez vous joindre à l'équipe de plongée de Porpoise Bay Charters, qui vous emmènera au Porpoise Bay Provincial Park pour plonger au site du *HMCS Chaudiere*, un navire de guerre qui a été coulé à Kunechin Point pour créer un récif artificiel.

Escalade

Circuit B: La boucle de Coast Mountain

L'escalade prend de l'ampleur dans la région de Sea to Sky; le rendez-vous est la **Stawamus Chief Mountain**, et les sentiers menant à ce monolithe de granit conduisent les marcheurs vers les lieux où ils pourront observer les grimpeurs. Pour plus de renseignements contactez le **Squamish & Howe Sound Chamber of Commerce** *(☎604-892-9244).*

Circuit D: La vallée de l'Okanagan

La région de Penticton est renommée auprès des grimpeurs nord-américains pour sa variété de parois d'escalade. Plusieurs de ces surfaces ne font que la longueur d'une corde simple, mais le degré de difficulté peut fluctuer. Pour de l'information sur les Skaha Bluffs ou d'autres secteurs, contactez Ray Keetch de **Ray's Sports Den** *(101-399 Main St., Suite 100, Penticton, BC, V2A 5B7, ☎250-493-1216)*, ou la Penticton and Wine Country Chamber of Commerce (voir p 239).

Un des meilleurs endroits en Amérique du Nord pour l'escalade, les **Skaha Bluffs** attirent les grimpeurs du monde entier. Ces parois rocheuses se présentent comme un ensemble de falaises gneisseuses se dressant sur le côté est du lac Skaha et surplombant Penticton, et elles offrent l'escalade la plus ensoleillée de tout le Canada. Il s'y trouve environ 60 rochers escarpés et des centaines de voies d'ascension accessibles depuis le Loop Trail, lequel couvre 8 km et demande trois heures de marche. Un escalier extrêmement à pic y mène. Aussi bien les grimpeurs que les simples marcheurs le sillonnant y apprécient les fleurs sauvages printanières et les plantes indigènes qui le bordent, de même que la possibilité d'observer la faune, sans parler des vues étonnantes dont ils jouiront pendant leur randonnée. Pour louer les services de guide (disponibles toute l'année) ou pour demander des conseils pédagogiques, contactez **Skaha Rock Adventures** *(☎250-493-1765).* Pour vous rendre aux Bluffs en voiture au départ de Penticton, prenez Main Street en direction du lac Skaha; tournez à gauche dans Lee Avenue; traversez South Main Street et roulez jusqu'à Crescent Hill Road. Puis tournez à droite dans Valleyview Road (conduisez lentement à travers ce secteur résidentiel). Vers la fin, la route se rétrécit. Gardez la droite et continuez jusqu'au parc de stationnement de la Braesyde Farm *(6$/jour).* Des cartes sont disponibles au Visitors Information Centre *(888 Westminster Ave. W., ☎800-663-5052).*

Pour les amateurs d'escalade ou de randonnée, le **Wild Horse Canyon**, au bout de Lakeshore Road, dans l'Okanagan Mountain Provincial Park, à environ 16 km au sud-ouest de Kelowna, vous offrira des vues extraordinaires sur les alentours. Il en est de même pour le **Gallaghers Canyon**, plus facilement accessible et situé juste à côté du terrain de golf.

Ski alpin et héli-ski

Circuit B: La boucle de Coast Mountain

Whistler est considérée comme la station de ski numéro 1 en Amérique du Nord avec ses 12 m de neige et ses 1 600 m de dénivellation. Une fois sur le site, vous pourrez choisir entre deux montagnes: la **Whistler Mountain** et la **Blackcomb Mountain** *(réservations hôtels, ☎604-932-4222 ou 888-403-4727, de Vancouver ☎604-685-3650).* Ski extraordinaire, installations ultramodernes, mais attention à votre budget.

Vous comprendrez pourquoi les prix sont si élevés en voyant les cohortes de touristes japonais et américains monopoliser les hôtels et les pistes bleues. Les deux montagnes de Whistler et de Blackcomb combinées forment le plus grand domaine skiable au Canada.

Ces stations de ski alpin de classe international sont privilégiées par des chutes de neige abondantes et possèdent assez d'hôtels pour héberger la population d'une ville. Cette métropole du ski de haut de gamme offre aussi la possibilité de skier sur des pistes non damées dans une poudreuse impeccable, et, si la météo est de votre côté, vous ferez des *S* dans un paysage alpin de toute beauté. **Whistler Mountain** *(adulte 51$; au départ de Vancouver, route 99 direction Nord pendant 130 km, renseignements: ☎604-932-3434, conditions de ski: ☎604-932-4191)* est l'aînée des deux stations. Les experts et les fous de la poudreuse, les sauteurs de falaise afflueront tous à la *Peak Chair*, le télésiège qui conduit au sommet de Whistler Mountain. De là-haut, les skieurs et les planchistes aguerris ont accès à une zone alpine composée de pistes rouges et noires couvertes d'une neige profonde et légère. **Blackcomb Mountain** *(48$; à Whistler, au départ de Vancouver, route 99 direction Nord pendant 130 km, renseignements: ☎604-932-3141, conditions de ski: ☎604-932-4211).* Pour les enthousiastes du ski en Amérique du Nord, Blackcomb représente la Mecque du ski «musclé».

Un débat vigoureux est entretenu depuis des années par les skieurs à savoir laquelle des deux montagnes (Whistler ou Blackcomb) est la meilleure. Chose certaine, Blackcomb remporte la première place dans la catégorie de la dénivellation verticale avec 1609 m. Quand vous serez à Blackcomb, allez faire un tour sur le glacier. C'est formidable!

À noter que ces deux stations de ski acceptent les planches à neige.

Si vous avez déjà été conquis par les paysages de Whistler, qu'à cela ne tienne: il est temps pour vous d'avoir le souffle coupé! Embarquez-vous à bord d'un hélicoptère qui vous déposera sur un sommet avec, dévalant devant vous, des kilomètres de poudreuse encore vierge. Voici quelques entreprises proposant de l'«héli-ski»: **Whistler Heli-Skiing Ltd.** *(450$, trois voyages en haut de la montagne, déjeuner et guide; ☎604-932-4105)*, **Mountain Heli Sports** *(4340 Sundial Cr., Whistler, ☎604-932-2070)*, **Tyax Heli-Skiing** *(☎604-932-7007).*

Circuit C: La rivière Thompson jusqu'à Revelstoke

Le centre de villégiature **Sun Peaks Resort** *(54$; 45 min au nord de Kamloops, sur le mont Todd, ☎250-578-7222 ou 888-578-8369)*, bien qu'il n'ait pas l'envergure de Whistler, a fait l'objet d'une sérieuse rénovation. Des services d'hébergement et de restaurants sont proposés sur le site.

Powder Springs *(Revelstoke, ☎250-837-5151 ou 800-991-4455)* est un centre familial reconnu pour la qualité de sa poudreuse et dispose également de tous les services de remontée mécanique et de restauration. Situé à 6 km au sud du centre-ville sur Airport Way, le mont Mackenzie abrite une école de ski et un centre de location d'équipement de ski.

Le **parc national Mont-Revelstoke** *(☎250-837-7500)* occupe un immense territoire de neige vierge découpé sur un fond de sommets blancs. Les amateurs de ski de randonnée peuvent s'adonner à leur sport, et des sentiers ont été aménagés de façon à donner la possibilité aux skieurs de passer la nuit dans un des abris.

Le **parc national Glaciers** propose un immense terrain aux skieurs en mal d'aventure ou à la recherche de poudreuse. En raison des pentes prononcées et des risques d'avalanche, les skieurs doivent se procurer un permis pour fréquenter le parc.

Le ski avec transport par hélicoptère ou par «autobus des neiges» attire bon nombre de skieurs à la recherche de terrains inexplorés, loin des remontées mécaniques et de la neige artificielle. Cette région est reconnue comme l'une de celles qui enregistrent des précipitations records; Environnement Canada y a d'ailleurs établi un centre pour mesurer les précipitations. Différentes entreprises proposent des forfaits en montagne: **Cat Powder Skiing Inc.** *(☎250-837-5151 ou 800-991-4455)* et **Selkirk Tangiers Heli-Skiing Ltd.** *(☎250-837-5378 ou 800-663-7080)*.

Circuit D: La vallée de l'Okanagan

La vallée de l'Okanagan est un des rares endroits où, en avril, on peut skier le matin et jouer au golf l'après-midi. Pour le ski, le centre **Silver Star Mountain Resort** *(55$; ☎250-542-0224 ou 800-663-4431)* offre une montagne située à moins d'une demi-heure de Vernon. Elle compte 84 pistes recevant au moins 6 m de neige annuellement.

Le ski, déjà réputé dans l'Okanagan, vient de connaître un nouvel essor avec la création du **Big White Ski Resort** *(☎250-765-8888 ou 800-663-2772)*, près de Kelowna. La famille Schumann a investi ici 45 millions de dollars. Chaque année, de 5 à 6 m de neige y tombe.

Le **Mount Baldy**, à deux heures de Kelowna et à une heure de Penticton, propose depuis 25 ans du ski à prix abordable très agréable sur une belle poudreuse. On trouve aussi dans la région l'**Apex Resort**, près de Penticton.

Circuit E: Kootenay Country

Le **Kokanee Glacier** est un parc provincial situé à 21 km au nord-est de Nelson par la route 3A; de ces 21 km, 16 se font sur une route de gravier. Toutefois, cette route secondaire n'est pas entretenue l'hiver. L'accès s'effectue alors par ski de randonnée ou par hélicoptère. Il est fortement recommandé de se munir d'un équipement spécialisé pour ce genre d'expédition. La Kaslo Lake Cabin peut loger jusqu'à 12 personnes. À cause de la forte demande pour louer la Kaslo Lake Cabin, on procède à un tirage au sort à chaque mois d'octobre.

Le **Whitewater Ski Resort** *(☎250-354-4944 ou 800-666-9420)* est situé à quelques minutes au sud de Nelson par la route 6. Ce centre constitue l'endroit tout désigné où passer une journée de ski, que vous soyez de calibre expert ou débutant.

La **Red Mountain**, située à 5 min de Rossland, demeure un des principaux centres d'activité économique de la région. Autrefois, les mineurs exploitaient cette montagne; aujourd'hui, les skieurs s'en donnent à cœur joie. La Granit Mountain fait également partie de cette station de ski réputée pour sa poudreuse légère et abondante. En face de la montagne Red, les **BlackJack Cross Country Trails** proposent 50 km de sentiers de ski de fond pour tous les calibres. On y trouve aussi les **Red Moun-**

tain Resorts *(☎250-362-7384, réservations: ☎800-663-0105, www.ski-red.-com).*

Juché sur une belle colline de 1 982 m, le **Kimberley Alpine Resort** *(☎250-427-4881)* offre de majestueuses vues sur les montagnes Rocheuses. Comme plusieurs stations de ski de la Colombie-Britannique, le Kimberley Alpine Resort a fait l'objet d'importants travaux de rénovation et d'agrandissement, et va probablement poursuivre son développement dans les prochaines années.

Motoneige

Circuit B: La boucle de Coast Mountain

Le **Pemberton Ice Cap** possède le plus important site pour les motoneigistes de la Colombie-Britannique. C'est une région extraordinaire située en zone alpine parmi les glaciers et les pics acérés de la Chaîne côtière. La saison commence tôt en décembre pour se terminer fin mai. Il est important de bien connaître les conditions de neige avant de s'aventurer dans ces montagnes. Les avalanches sont très fréquentes. Il est important aussi de toujours voyager en groupe et d'avoir avec soi un équipement de survie adéquat.

Hébergement

Circuit A: Sunshine Coast

Gibsons

Bonniebrook Lodge & RV Campground
$ - camping
$$$ - chambres pdj
⊛, ℑ
9,4 km à l'ouest par Gower Point Rd., suivez la signalisation sur la route 101
☎(604) 886-2887 ou 877-290-9916
⇄(604) 886-8853
www.bonniebrook.com
Le Bonniebrook Lodge & RV Campground est un *bed and breakfast* en même temps qu'un terrain de camping pour véhicules récréatifs. Comptez 35 minutes pour vous y rendre en traversier à partir de Horseshoe Bay. D'importantes rénovations y ont été effectuées récemment. L'endroit est calme et agréable, avec accès facile à la mer.

Langdale Heights RV Resort
$
2170 Port Mellon Hwy.
☎(604) 886-2182
⇄(604) 886-2182
Le Langdale Heights RV Park est situé à seulement 4,5 km du terminal des traversiers de Langdale. Il propose tous les raccordements pour les véhicules récréatifs, incluant même le téléphone et le câble pour la télévision! Les campeurs avec tentes y trouveront aussi des emplacements. La grande particularité du Langdale Heights RV Park, c'est qu'il possède un magnifique golf de neuf trous, gratuit pour tous ses clients.

The Maritimer Bed & Breakfast
$$ pdj
521 Fletcher Rd. South
☎(604) 886-0664 ou 877-886-0664
Le Maritimer Bed & Breakfast est situé à Gibsons et surplombe la ville et la marina. Le paysage charmant, l'accueil de Gerry et Noreen Tretick et la chaleur du gîte vous combleront. Le rez-de-chaussée renferme une grande chambre avec des meubles antiques et des œuvres de Noreen, qui est artiste; une très belle courtepointe orne un des murs. Le petit déjeuner est servi sur la terrasse, directement sur la baie.

Sechelt

Bella Beach Inn
$$
ℜ
au départ de Vancouver, prenez le traversier de Horseshoe Bay jusqu'à Langdale, continuez par la route 101 en direction nord jusqu'à Davies Bay
☎(604) 885-7191 ou 800-665-1925 réservations
⇄(604) 885-3794
www.bellabeachinn.com
Le site du Bella Beach Inn est considéré

comme un des plus jolis de la Sunshine Coast. Vous pourrez apprécier de magnifiques couchers de soleil depuis votre fenêtre. Les chambres sont d'ailleurs très jolies et très confortables. L'accès à la plage est pratiquement instantané. Un restaurant de sushis est intégré à l'hôtel.

Powell River

Willingdon Beach Municipal Campsite
$
4845 Marine Ave.
☎(604) 485-2242
Le Willingdon Beach Municipal Campsite est un camping municipal situé dans un joli parc non loin de la mer. Les emplacements sont bien aménagés, et les douches sont gratuites. Il se trouve à deux pas d'une aire de jeux.

Oceanside Campground & Cabins
$ - camping
$$ - chalets
8063 Hwy. 101
☎(604) 485-2435 ou 888-889-2435
www.oceansidepark.com
L'Oceanside Campground & Cabins est une excellente destination pour les familles. Les emplacements de camping sont situés face à la mer et non loin du centre-ville de Powell River. Il y a un vaste terrain de jeu pour les enfants ainsi qu'un parc aquatique avec glissades. L'Oceanside Campground accepte les véhicules récréatifs et est ouvert toute l'année.

Beacon B&B and Spa
$$ pdj
✪
enfants de 12 ans et plus
3750 Marine Ave.
☎(604) 485-5563 ou 877-485-5563
⇄(604) 485-9450
www.beaconbb.com
Vos hôtes, Shirley et Roger Randall, sauront vous mettre à l'aise, et, surtout, ils vous parleront avec passion de leur coin de pays. Le Beacon donne sur la mer et est orienté vers l'ouest pour que vous profitiez des couchers de soleil; de plus, vous pouvez les contempler en prenant un bain. Les chambres sont aménagées sobrement et sont dotées de salles de bain complètes. Au petit déjeuner, une spécialité vous est servie: les crêpes aux bleuets.

Beach Gardens Resort & Marina
$$
🐕, ⊘, ⌂
7074 Westminster Ave.
www.beachgardens.com
☎(604) 485-6267 ou 800-663-7070
⇄(604) 485-2343
Il s'agit d'un complexe récréatif avec des chambres confortables offrant une vue superbe sur le détroit de Georgie; idéal pour ceux qui aiment avoir tout à portée de la main. Un centre de conditionnement physique et un détaillant de bière et vin complètent les installations.

The Coast Town Centre Hotel
$$$
≡, 🐕, ℜ
4660 Joyce Ave.
☎(604) 485-3000 ou 800-663-1144
⇄(604) 485-3031
Le Coast Town Centre Hotel se trouve en plein centre-ville, à deux pas du grand centre commercial Town Centre Mall, au cœur de Powell River. Les chambres sont impeccables et spacieuses. L'hôtel est équipé d'un centre sportif. De plus, des forfaits de pêche et de golf sont offerts.

Texada Island

The Retreat
$$
ℂ, ℝ
Gillies Bay
☎(604) 486-7360
The Retreat est située dans une zone très isolée tout près du Shelter Point Regional Park et offre des vues fantastiques sur le détroit de Georgie et sur l'île de Vancouver depuis le balcon. L'établissement est constitué de sept unités équipées de cuisinette pour des séjours prolongés, ainsi que de sept emplacements pour véhicules récréatifs.

Lund

Lund Hotel
$$$
ℜ
au bout de la route 101
☎(604) 414-0474
Cet hôtel centenaire s'ouvrant sur la baie

invite à la détente. Les chambres sont de style motel, mais la tranquillité de l'endroit et la vue du va-et-vient des embarcations font toute la différence.

Circuit B: La boucle de Coast Mountain

Whistler

Whistler constitue un village parsemé de restaurants, d'hôtels, d'appartements et de *bed and breakfasts*. Un service de réservations peut vous aider à faire votre choix: **Whistler Resort** *(☎604-932-4222, de Vancouver ☎604-664-5625, ou d'ailleurs ☎800-944-7853).*

Whistler YHA
$
5678 Alta Lake Rd.
☎(604) 932-5492
www.hihostels.ca
L'auberge de jeunesse Whistler YHA peut accueillir 32 personnes dans une agréable ambiance de vacances! Rabais pour les membres d'Hostelling International.

Shoestring Lodge
$ - chambre
$$ - chambre commune
ℜ, *bc/bp*
1 km au nord du village, à droite dans Nancy Greene Dr.
☎(604) 932-3338 ou 877-551-4954
⇄(604) 932-8347
www.shoestringlodge.com
Le Shoestring Lodge semble être un des endroits les moins chers de Whistler; cependant vous devez absolument réserver pour obtenir une chambre. La demande est très forte à ce prix. Les chambres renferment un lit, un téléviseur et une petite salle de bain, et tout ce qu'il y a de plus neutre en fait de décor. L'ambiance jeune de cet endroit vous donne l'impression d'être dans un camp de vacances universitaire où les étudiants veulent avoir du plaisir, et c'est le cas. Les soirées au pub sont réputées pour être hautes en couleur (voir p 313).

Tantalus Resort Lodge
$$-$$$$$
ℂ, ℑ, ≈, ⌂
4200 Whistler Way
☎(604) 932-4146 ou 888-633-4046
⇄(604) 932-2405
www.tantaluslodge.com
Le luxueux Tantalus Resort Lodge est situé tout près du golf et non loin des pentes. Ses 76 condos sont spacieux et bien équipés. Des courts de tennis et des terrains de volley-ball élargissent le choix d'activités du village. Un service de navette jusqu'aux pentes est offert pendant la saison de ski.

Chalet Beau Sejour
$$$ pdj
⊛
7414 Ambassador Cr., White Gold Estate
☎(604) 938-4966
⇄(604) 938-6296
www.beausejourwhistler.com
Le Chalet Beau Sejour se présente comme une grande maison chaleureuse où vous êtes accueilli en français par Sue et Hal. Construit à flanc de montagne, il offre de très belles vues sur la vallée et les montagnes pendant que vous mangez le copieux petit déjeuner que Sue prépare avec entrain. Celle-ci connaît la région sur le bout des doigts; elle est guide touristique; donc n'hésitez pas à lui demander où aller et quoi voir.

Holiday Inn
$$$-$$$$
≡, ⊛, ⊙, ℂ, ℑ, ℝ
4295 Blackcomb Way
☎800-HOLIDAY ou (604) 938-0878
⇄(604) 938-9943
www.whistlerhi.com
Le Holiday Inn est situé tout près des montagnes Whistler et Blackcomb. Toutes les chambres ont une cheminée et une cuisinette; de plus, certaines disposent d'un balcon. Tout le confort d'un hôtel bien équipé s'y retrouve, y compris un centre de conditionnement physique très sophistiqué.

Listel Whistler Hotel
$$$$$
♞, ⊛, ≈, ℝ, ℜ, ⌂
surcharge de 15$ pour animaux domestiques
4121 Village Green
☎(604) 932-1133 ou 800-663-5472 ou (604) 688-5634 de Vancouver
≠(604) 932-8383
www.listelhotel.com
Le Listel Whistler Hotel est situé au cœur du village, à côté de tous les services de restauration et de loisir. L'aménagement sobre des chambres rendra votre séjour confortable.

Fairmont Chateau Whistler
$$$$$
≡, ♞, ⊛, ⊘, ℑ, ≈, ℜ, ⌂
4599 Chateau Blvd.
www.fairmont.com
☎(604) 938-8000 ou 800-606-8244 ou 800-441-1414
≠(604) 938-2099
Le Fairmont Chateau Whistler est une adresse luxueuse. Situé au pied des pentes de Blackcomb Mountain, l'établissement est comme un petit Whistler Village, car il offre tous les services de restauration, de loisir et de détente. Le Chateau Whistler Golf Club, un golf de 18 trous renommé, complète les installations.

Westbrook Whistler
$$$$$
≡, ♞, ⊛, ℂ, ℑ, ℜ
4340 Sundial Cr., juste au pied des remontées
☎(604) 932-2321 ou 800-661-2321
Le Westbrook Whistler propose de belles chambres, certaines avec cuisinette, et de belles suites avec cheminées; on organise même la réception des nouveaux mariés sur demande. Des forfaits golf y sont disponibles.

Pan Pacific Lodge
$$$$$
≡, ⊛, ⊘, ℂ, ℑ, ≈, ℜ
4320 Sundial Cr.
☎(604) 905-2999 ou 888-905-9995
≠(604) 905-2995
www.panpacific.com
L'architecture du Pan Pacific Lodge s'inspire des vieux hôtels des Rocheuses et se marie bien au paysage. Cet établissement étant construit au milieu du village et au pied des téléphériques menant aux sommets de Whistler et de Blackcomb, il est difficile d'en trouver de mieux situé, et de plus luxueux.

Pemberton

Hitching Post Motel
$$
ℂ
Portage Rd., mont Currie, 30 min au nord de Whistler par la route 99
☎(604) 894-6276 ou 866-894-6276
Au Hitching Post Motel, sept des dix chambres comprennent une cuisinette. L'endroit est calme et offre une belle vue sur le mont Currie.

Log House Bed & Breakfast
$$$ pdj
⊛
1357 Elmwood Dr.
☎800-894-6002 ou (604) 894-6000
≠(604) 894-6000
Le Log House Bed & Breakfast se trouve près de tout et dispose de sept belles chambres spacieuses avec tout le confort voulu, télévision câblée et bassin à remous.

Lillooet

Cayoosh Creek Campground
$
début avr à fin oct
route 99
☎(604) 256-4180 ou 877-748-2628
www.cayooshcampground.com
Le Cayoosh Creek Campground est aménagé le long du fleuve Fraser sur près de 500 m. Le camping offre des douches, une plage et un terrain de volley-ball à deux pas du centre-ville. Avertissement: il n'y a pas beaucoup d'ombre.

4 Pines Motel
$-$$
≡, ℂ, ℝ
108 8th Ave.
☎(604) 256-4247 ou 800-753-2576
≠(604) 256-4120
www.4pinesmotel.com
Le 4 Pines Motel est situé au centre-ville de Lillooet, en face de l'office de tourisme. Les chambres sont bien équipées, avec air climatisé, cuisinette et télévision par satellite.

Hope

Manning Provincial Park
$
Campings Coldspring, Hampton et Mule Deer: impossible de réserver. Camping Lightning Lake: réservation obligatoire.
☎(604) 689-9025 ou 800-689-9025 ou (250) 840-8822 ou 800-330-3321
www.discovercamping.ca
Le Manning Provincial Park est situé à la frontière entre le sud-ouest de la province et la grande région de l'Okanagan-Similkameen. Ce parc se trouve à 225 km de Vancouver et attire des milliers de Vancouverois qui vont y pratiquer une abondance de sports, dont les plus populaires sont la randonnée et le vélo de montagne (VTT) l'été, et le ski de fond l'hiver. Pendant la belle saison, les automobilistes peuvent se rendre au poste d'observation qu'est le Cascade Lookout. Outre plusieurs emplacements de camping, on retrouve des chalets, des cabanes et un complexe hôtelier sur ce site (***$$-$$$$$***).

Simon's On Fraser
$$ pdj
690 Fraser St.
☎(604) 869-2562
Ce joli petit gîte de style victorien, adjacent au Memorial Park, propose des chambres décorées chaleureusement et simplement.

Harrison Hot Springs

Sasquatch Provincial Park
$
177 emplacements boisés plage, terrain de jeu, rampe de mise à l'eau paiement en espèces seulement
Cultus Lake
☎(604) 689-9025 ou 800-689-9025
Vous devez vous choisir un emplacement, et un préposé passera se faire payer. Ce parc provincial se cache dans les montagnes en retrait du lac Harrison, où trois terrains de camping accueillent chaque année les amants de la nature. Selon la légende des Coast Salishs, le Sasquatch est une créature mi-homme mi-bête vivant dans les bois. Il y a encore aujourd'hui des Autochtones de la région qui affirment l'avoir vu près du lac Harrison.

Bigfoot Campgrounds
$
eau et électricité incluses
670 Hot Springs Rd.
☎(604) 696-9767
Le Bigfoot Campgrounds est un grand parc de 5 ha qui offre tous les avantages et le confort, avec épicerie, minigolf et jeux vidéo. Des cabanes sont également disponibles sur les lieux.

Glencoe Motel & RV Park
$ - camping
$$ - chambres
≡, ℂ
259 Hot Springs Rd., au centre-ville
☎(604) 796-2574
Le Glenco Motel & RV Park est à la fois un motel et un camping.

Harrison Heritage House and Kottage
$$-$$$ pdj
⊛, ℑ
312 Lillooet Ave.
☎(604) 796-9552
www.bbharrison.com
Jo-Anne et Dennis Sandve vous accueillent chaleureusement dans leur jolie maison à une rue de la plage et de la piscine publique. Jo-Anne prépare les confitures maison du petit déjeuner.

Harrison Hot Springs Resort & Spa
$$$-$$$$
⊙, ≈, ℜ, ⌂
100 Esplanade
☎(604) 796-2244 ou 800-663-2266
⇄(604) 796-3682
www.harrisonresort.com
Situé au bord du lac, cet hôtel possède un avantage par rapport à tous ses concurrents: il s'agit du seul hôtel qui peut exploiter la source d'eau sulfureuse. C'est un bon endroit pour toute la famille où l'on retrouve des piscines extérieures chauffées, un terrain de golf, un parc aquatique et un terrain de jeux pour les enfants. Les animaux domestiques ne sont admis que dans les chalets.

Little House on The Lake Bed & Breakfast Lodge
$$$$ pdj
⊛, ℑ
enfants de 16 ans et plus
6305 Rockwell Dr.
☎(604) 796-2186 ou 800-939-1116
⇄(604) 796-3251
www.littlehouseonthelake.com
La Little House on The Lake est une superbe maison de bois rond sur la rive est du lac Harrison où règne un grand confort. Accès aux activités nautiques, comme la voile et le kayak.

Circuit C: La rivière Thompson jusqu'à Revelstoke

Ashcroft

Sundance Guest Ranch
$$$$ pc
≡, ≈, ℜ
Highland Valley Rd.
www.sundance-ranch.com
☎(250) 453-2422 ou (250) 453-2554
⇄(250) 453-9356
Le Sundance Guest Ranch, administré et tenu par d'anciens clients du ranch, vous plonge dans une époque révolue où les cow-boys parcouraient à dos de cheval la contrée inexplorée. Une salle de séjour est à la disposition des visiteurs, qui peuvent d'ailleurs emporter leurs boissons; les enfants ont leur propre salle de séjour.

Kamloops

Kamloops Old Courthouse Hostel
$
≡, ℂ, *bc*
7 W. Seymour St.
☎(250) 828-7991
⇄(250) 828-2442
La Kamloops Old Courthouse Hostel occupe le vieux palais de justice provincial datant de 1909. La salle à manger se trouve dans la salle d'audience et conserve les vieux sièges des témoins, du jury et du juge.

Joyce's Bed and Breakfast
$$ pdj
≡, *bc*
49 W. Nicola St.
☎(250) 374-1417 ou 800-215-1417
Joyce habite une maison du début du XXe siècle, à deux pas du centre-ville, où de grands balcons offrent une vue sur le paysage environnant. Il faut aimer les chats, puisque la maison en compte deux. L'intérieur de la maison n'a pas de charme, mais le très grand balcon garni de fauteuils attire les visiteurs fatigués de leur journée, et, de là, la vue sur Kamloops les reposera. Les trois chambres sont correctes, si l'on tient compte de l'emplacement et du prix.

Lazy River Bed and Breakfast
$$ pdj
≡, ⊘, ℑ
1701 Old Ferry Rd., sortie 396, en retrait de la route transcanadienne, Monte Creek
☎(250) 573-3444
⇄(250) 573-4762
www.bbexpo.com/lazyriver
Les huit chambres du Lazy River ont un cachet champêtre, et la rivière Thompson Sud serpente paisiblement devant cette résidence aux nombreux angles. Les chambres sont décorées avec goût, et elles comportent des planchers de bois dur, de l'artisanat local et du mobilier en bois fait sur mesure, sans parler des vues qu'elles offrent sur la rivière. Tout près du gîte se trouve une rampe de mise à l'eau, et cette section de la rivière est populaire auprès de ceux qui veulent pêcher eux-mêmes leur dîner.

Courtesy Inn Motel
$$
≡, ♞, ⊛, ℂ, ≈, ℝ, ✪
1773 Trans-Canada Hwy.
☎(250) 372-8533 ou 800-372-8533
⇄(250) 374-2877
www.courtesymotel.kamloops.com
Si vous cherchez un lieu d'hébergement économique, vous ne pourrez trouver mieux que le Courtesy Inn Motel. Vous ne serez pas sidéré, mais les 45 chambres en sont plutôt confortables, et, si vous ne faites que passer par Kamloops, prenez note que l'établissement est avantageusement situé sur la

route transcanadienne. Malheureusement, le bruit de la route retentit jusqu'ici; donc, si vous avez le sommeil léger, allez dormir ailleurs.

Park Place Bed and Breakfast
$$ pdj
≡, ≈
720 Yates Rd.
☎(250) 554-2179
⇄(250) 554-2678
www.bbcanada.com/231.html
Trevor et Lynn Bentz accueillent les visiteurs dans leur résidence de Westsyde, près de la rivière Thompson Nord, depuis plus d'une douzaine d'années, et, malgré l'explosion des gîtes familiaux qui s'est produit depuis lors, ils louent encore leurs trois chambres confortables. Les Bentz se révèlent être des hôtes extrêmement aimables, et la proximité de la rivière double le plaisir de séjourner chez eux. Venez-y à l'automne pour observer le saumon royal (*chinook*) remonter la rivière et frayer juste à l'extérieur de la fenêtre de votre chambre.

Best Western Kamloops
$$-$$$
⊛, ⏲, ≈, ℜ, ⌂
1250 Rogers Way
☎(250) 828-6660 ou 800-665-6674
⇄(250) 828-6698
Situé tout près de la route transcanadienne, à l'entrée de la ville, cet hôtel de facture classique est très confortable et offre des points de vue splendides sur Kamloops et la rivière Thompson. Dans le même voisinage, une série de motels offrent également de beaux points de vue, et seuls leurs tarifs varient.

Plaza Heritage Hotel
$$$
≡, ℜ
405 Victoria St.
☎(250) 377-8075 ou 877-977-5292
⇄(250) 377-8076
www.plazaheritagehotel.com
Le Plaza Hotel se veut une surprise agréable au cœur de Kamloops. Il est difficile de dire, en en regardant l'extérieur, que l'étendue des travaux de restauration de 1999 a permis à ce vieil édifice de revivre les beaux jours des années 1920. Mais, une fois que vous serez à l'intérieur, vous découvrirez de chaleureuses chambres d'hôte d'époque – avec antiquités et couettes colorées, sans oublier les lits à baldaquin et les baignoires à pieds-de-biche dans certaines –, tout simplement magnifiques. L'ascenseur s'avère intéressant... il est en service depuis plus de 70 ans.

Coast Canadian Inn
$$$$
≡, ⏲, ≈, ✪, ℜ, ⌂
339 St. Paul St.
☎(250) 372-5201 ou 800-663-1144
⇄(250) 372-9363
Le Coast Canadian Inn est commodément situé à un pâté de maisons de la rue Victoria, au centre-ville. Il compte 98 chambres propres, et, bien que, dans l'ensemble, ce ne soit pas un lieu stimulant, il n'y a pas de surprises. S'y trouve un

Plaza Heritage Hotel

bon pub où se produisent des musiciens, au sous-sol (voir p 313).

South Thompson Inn Guest Ranch and Conference Centre
$$$$-$$$$$
≡, ♞, ⊛, ⊘, ℂ, ℑ, ≈, ℝ, ✪, ℜ
RR2, Site 12, Comp 25
prenez la sortie 390 (Lafarge Rd.) en retrait de la route transcanadienne
☎(250) 573-2853 ou 800-797-7713
⇄(250) 573-2853
www.stigr.com
Un trajet de 20 min vers l'est au départ de Kamloops le long de la rivière Thompson mène au South Thompson Inn Guest Ranch and Conference Centre, une auberge vert et blanc de style Kentucky avec 55 chambres décorées différemment les unes des autres et une atmosphère de style ranch. Les parquets en bois dur cirés, les patios regardant vers la rivière et les tissus champêtres éclatants, sans oublier le site paisible, peuvent faire de cet établissement un bon lieu où loger hors des limites de la ville.

Salmon Arm

KOA Campground
$
♞, ≈, ✪, *bc*
381 Hwy. 97B
www.koa.com
☎(250) 832-6489
⇄(250) 832-1178
Le KOA Campground propose 64 emplacements avec tous les raccordements pour autocaravanes et six sites pour les campeurs dans une grande zone boisée, à l'extrémité est de Salmon Arm. Il se veut un bon endroit où s'installer, avec son aire de jeux, sa table de billard et son magasin général.

Best Western Villager West Motor Inn
$$ pdj
⊛, ℂ, ≈
61 10th St. S.W.
☎(250) 832-9793 ou 800-528-1234
Le Best Western Villager West Motor Inn propose des chambres non-fumeurs, une piscine chauffée intérieure et un bassin à remous; on y organise des croisières sur le lac Shuswap.

Prestige Harbourfront Resort and Convention Centre
$$$-$$$$
≡, ⊛, ⊘, ℂ, ≈, ✪, ℜ
251 Harbourfont Dr. NE
☎(250) 833-5800 ou 877-737-8443
⇄(250) 833-5858
www.prestigeinn.com
Le Prestige se présente comme un nouveau complexe hôtelier, carrelé de briques et coloré de jaune, et donnant sur les plaines marécageuses du lac Shuswap. Un esprit toscan l'enveloppe, et vous pouvez faire un saut au hall pour à peu près n'importe quoi, d'une manucure à un cappuccino. Les chambres se révèlent plutôt standards. Des forfaits golf et ski y sont offerts.

Revelstoke

Samesun Hostel
$
bc
400 Second St.
☎(250) 837-4050
⇄(250) 837-6410
www.samesun.com
Le Samesun renferme 56 lits en dortoir, dans un emplacement commode au centre de la ville. Une laverie se trouve sur place, et des services Internet y sont disponibles. Des chambres privées peuvent aussi y être louées pour environ 40$ par nuitée, et vous pourrez y louer une bicyclette pour 20$ par jour.

Powder Springs Inn
$
≡, ⊘, ℂ, ℝ, ℜ
200 Third St. W.
☎(250) 837-5151 ou 800-991-4455
⇄(250) 837-5711
www.catpowder.com
Eh bien, le Powder Springs ne gagnera certainement pas de trophée pour son aménagement intérieur! Le décor à dominante verte de l'établissement, en plus des affreux stores rouge et bleu qui pendent aux fenêtres, est atroce, mais son emplacement, au centre de la ville, et les bons tarifs qu'il pratique attireront les voyageurs qui n'ont qu'un petit budget pour l'hébergement. Des forfaits ski au Powder Springs Resort y sont offerts pour le prix ridicule de 29$.

Green Gables Loft Bed and Breakfast
$$ pdj
≡, ℝ
503 Third St. East
☎(250) 814-0185 ou 877-263-4783
⇄(250) 814-0186
www.bbcanada.com/-ggablesloftbb
Le Green Gables Loft Bed and Breakfast, soit la maison aux pignons verts de Gundy Baty, se trouve près du centre de la ville et permet un séjour confortable pendant la visite de Revelstoke. La charmante Royal Suite possède un lit à baldaquin, dans un décor or et bordeaux. La Garden Suite, de couleur crème, s'ouvre sur la cour arrière où jaillit une fontaine et où est suspendu un hamac double. Des vélos et un kayak sont prêtés gracieusement aux hôtes, et vous pourrez pratiquer votre allemand ou votre français avec Gundy.

Griffin Lake Mountain Lodge Bed and Breakfast
$$-$$$ pdj
ℜ
7776 Trans-Canada Hwy., 27 km à l'ouest de Revelstoke
☎(250) 837-7475 ou 877-603-2827
⇄(250) 837-7476
www.griffinlakelodge.com
Du Griffin Lake Mountain Lodge Bed and Breakfast, un établissement de style *lodge* (grand chalet), vous aurez des vues superbes des monts English et Griffin et, bien sûr, du lac Griffin. L'air est vif ici, sauf l'été, et l'odeur que dégagent les poêles à bois, ainsi que la décoration rustique – raquettes à neige accrochées aux murs et grande pièce commune à haut plafond aux poutres apparentes –, ajoutent à l'ambiance. Cinq chambres sont offertes en location et s'avèrent de bons tremplins pour s'adonner à un grand nombre d'activités de plein air: des sentiers de randonnée pédestre sont accessibles d'ici et des canots sont prêtés gracieusement aux hôtes.

Best Western Wayside Inn
$$-$$$
≡, 🐕, ⊛, ≈, ℜ, ⌂
1901 Laforme Blvd.
☎(250) 837-6161 ou 800-663-5307
⇄(250) 837-5460
Du côté nord de la transcanadienne, les visiteurs sont près de tout, dans un cadre champêtre avec vues sur Revelstoke et le fleuve Columbia.

Coast Hillcrest Resort Hotel
$$$
≡, 🐕, ⊛, ⊘, ℝ, ✪, ℜ, ⌂
sur la route transcanadienne, à l'ouest de Revelstoke, tournez à droite
☎(250) 837-3322 ou 800-663-1144
⇄(250) 837-3340
www.coasthotels.com
L'établissement de style Château qu'est le Coast Hillcrest renferme 75 chambres et cinq suites (ayant chacune leur spécialité), et plusieurs jouxtent des balcons regardant vers le mont Begbie Glacier, qui se dresse au cœur des monts Selkirk. Cet élégant lieu d'hébergement offre une foule de services et d'installations, sans parler des chambres confortables et du site alpestre paisible.

Glacier House Resort
$$$
≡, ⊛, ⊘, ℑ, ≈, ✪, ℜ, ⌂
prenez Westsyde Rd. à 7 km au nord de Revelstoke
☎(250) 837-9594 ou 877-837-9594
⇄(250) 837-9592
www.glacierhouse.com
Situé de l'autre côté du Revelstoke Dam (voir p 253) et offrant une vue magnifique sur les monts Revelstoke et Begbie Glacier, le Glacier House Resort se présente comme une énorme cabane en bois de pin plantée en région sauvage. Les chambres en sont plutôt standards, mais le site s'avère merveilleux. Gardez les yeux grands ouverts pendant que vous prenez le petit déjeuner dans le patio, car vous pourriez voir un orignal ou un ours noir passer tout près. L'agence de tourisme Columbia Mountain Adventures gère le complexe et propose un grand nombre d'équipements et d'excursions.

Circuit D: La vallée de l'Okanagan

Cathedral Provincial Park

Cathedral Lakes Lodge
$$$$$ pc
une dizaine de chambres en plus de six petits chalets toilettes, canot et chaloupe, foyer, bar, transport aller-retour de la base à l'auberge
S4C8 Slocan Park
☎888-255-4453 ou (250) 492-1606
www.cathedral-lakes-lodge.com
L'accès au sommet est réservé au véhicule tout-terrain de l'auberge; vous devez laisser vos véhicules sur Ashnola River Road, au camp de l'auberge. À pied, il faudra plus de cinq heures pour atteindre l'auberge. Il faut absolument réserver pour prendre place dans le tout-terrain. Depuis Keremeos, tournez à gauche après 4,8 km en direction ouest, passez le pont couvert et suivez la route d'Ashnola River sur une distance de 20,8 km. En autobus, vous devez avoir fait des arrangements au préalable avec l'auberge pour qu'on aille vous chercher. Tout cela semble compliqué, mais, au sommet, les mouflons, les marmottes, les fleurs et les glaciers à perte de vue ne sauront que vous enchanter. Une réservation pour au moins deux nuits est obligatoire.

Osoyoos

Cabana Beach Campground
$
début mai à mi-sept
2231 Lakeshore Dr.
☎(250) 495-7705
⇄(250) 495-6031
www.cabanabeach.com
Le Cabana Beach Campground est aménagé pour les véhicules récréatifs et dispose de tous les services nécessaires ainsi que d'un accès à la plage. Les animaux ne sont pas admis du 1er juillet au 15 août.

Lake Osoyoos Guest House
$$ pdj
ℂ
5809 Oleander Dr.
☎(250) 495-3297 ou 800-671-8711
⇄(250) 495-5310
www.lakeosoyoosguesthouse.com
Sofia Grasso prépare les petits déjeuners dans une immense cuisine pendant que vous sirotez sur le bord du lac Osoyoos un jus fraîchement pressé. La vallée change de couleurs selon les moments de la journée, et vous pouvez profiter du lac, une embarcation étant mise à votre disposition.

Villa Blanca Bed and Breakfast
$$ pdj
ℝ, ✪
23640 Deerfoot Rd., RR1, Site 52, Comp. 11
☎(250) 495-5334
⇄(250) 495-5314
www.bbcanada.com/2681.html
Les amants de la nature tomberont en amour avec la Villa Blanca. Grâce à son emplacement, au pied du mont Anarchist, à environ 10 km à l'est de la ville sur la route 3, cet établissement à boiseries extérieures vertes et blanches surplombe la vallée de l'Okanagan desséchée, le lac Osoyoos et l'État de Washington. La Villa Blanca profite bien de l'écosystème unique de la région: les cerfs à queue blanche grignotent les plates-bandes florales des hôtes, les hiboux hululent le soir, et le rare pic à tête blanche fouille dans les arbres. Les deux chambres d'hôte modernes et la suite sont impeccables, et le petit déjeuner s'offre à partir d'un menu varié.

Bella Bella Motel
$$
ℂ, ≈
près de Hwy. 3
☎888-495-6751
Le Bella Bella Motel compte 14 chambres dans un environnement calme qui convient bien aux familles. Il possède sa propre plage de sable privée.

Holiday Inn Sunspree Resort
$$$$
≡, ⊙, ℂ, ≈, ℜ
Hwy. 3
☎***(250) 495-7223 ou 877-786-7973***
www.holidayinnosoyoos.com
Le Holiday Inn Sunspree Resort est un établissement de luxe qui propose des condos sur les berges du lac Osoyoos. Plage privée, piscine intérieure, centre de conditionnement physique, salles de réunion, restaurant, forfaits golf et plus encore. Il comprend de grandes suites pour les familles.

Kaleden

Deer Path Lookout Bed and Breakfast
$$$ pdj
≡, ℑ, ≈
150 Saddlehorn Dr.
17 km au sud de Penticton, en retrait de la route 97
☎***(250) 497-6833 ou 877-497-8999***
www.deerpathlookout.bc.ca
Juchée sur une colline, la demeure de style Santa Fe qu'occupe le Deer Path Lookout Bed and Breakfast possède quatre superbes suites. Les pièces du rez-de-chaussée comportent de beaux planchers en béton à motifs de couleur muscade, alors qu'à l'étage les planchers s'avèrent agréables avec leur revêtement en bois d'érable. Les suites arborent des portes-fenêtres et affichent des couleurs crème, sans oublier les beaux produits artisanaux autochtones et locaux dont elles s'ornent. Le mobilier qui les garnit a été fabriqué par des ébénistes locaux, à l'exception de quelques antiquités provenant du Québec. Le sommet ensoleillé de la colline où se trouve le Deer Path Lookout Bed and Breakfast donne encore plus d'ampleur à cet établissement qui se révèle être déjà un lieu d'hébergement splendide.

Penticton

HI-Penticton
$
464 Ellis St.
☎***(250) 492-3992***
www.hihostels.ca
L'auberge de jeunesse de Penticton, le HI-Penticton, accueille 52 personnes dans des dortoirs ou dans des chambres privées. Cuisine et salon communs.

Oxbow RV Resort
$
🐕
198 Skaha Place
☎***(250) 770-8147***
⇄***(250) 770-8145***
www.oxbow-rv-resort.com
Donnant sur le lac Skaha, à l'extrémité sud de la «Strip» de Penticton, le camping Oxbow RV Resort comprend tous les raccordements pour autocaravanes, un téléviseur câblé, une laverie, des toilettes et des douches. Huit des emplacements sont destinés aux campeurs, mais les réservations sont requises pour tous, et ce, bien à l'avance pour les mois d'été.

Riordan House Bed and Breakfast
$$ pdj
≡, *bc*
enfants de 13 ans et plus
689 Winnipeg St.
☎***(250) 493-5997***
⇄***(250) 493-5997***
www.icontext.com/riordan
John et Donna Ortiz ont décoré avec plusieurs antiquités cette maison de style Arts & Crafts construite en 1920. Dust, un petit chien, vous accueille bruyamment, mais il fait plus de bruit que de mal.

Butternut Ridge Bed and Breakfast
$$ pdj
≡
1080 Three Mile Rd.
☎***(250) 490-3640 ou 877-990-3650***
⇄***(250) 490-3670***
www.bbcanada.com/ butternutridge
Bob et Maggie Handfield se révèlent être des hôtes pleins d'égards, et leur résidence est bien située, au milieu des vignobles et des vergers. Leurs trois chambres d'hôte affichent le style *Arts and Crafts*, sans parler des lits confortables qu'elles renferment et des vues sereines sur le lac Okanagan ou sur les montagnes (vers l'est) qu'elles offrent. Bob se veut un excellent cuisinier (ses *burritos*, au petit déjeuner, s'avèrent fantastiques). En plus de pouvoir leur emprunter des bicyclettes, vous pourrez demander à Bob et Maggie de vous conduire gracieusement

jusqu'au Kettle Valley Railway (voir p 262) si vous le désirez.

Shimmering Lake Bed and Breakfast
$$-$$$ pdj
≡
1015 Hyde Rd. , RR1, S6, C4, Naramata
☎(250) 496-5050
⇄(250) 496-5051
www.bbcanada.com/ shimmeringlake
Le bien-nommé Shimmering Lake Bed and Breakfast (vues de Naramata, les eaux du lac Okanagan miroitent vraiment au soleil) offre deux chambres d'hôte et une suite, sur une jolie propriété de 5 ha au cœur de la région vinicole et fruitière. Les chambres ont toutes une entrée privée, la grande terrasse en bois franc regarde vers le lac, et une plage privée se trouve à une faible distance de marche.

Executive Inn and Conference Centre Penticton
$$-$$$
≡, ⊛, ⏲, ℂ, ≈, ℝ, ℜ, ⌂
333 Martin St., au centre-ville, non loin de la plage
☎(250) 492-3600 ou 800-665-2221
www.penticton-inn.com
Le nouvellement rénové Executive Inn and Conference Centre Penticton renferme 101 chambres qui ont chacune leur caractère, convenant aux vacances familiales comme aux lunes de miel ou aux séjours d'affaires. Baignoire à remous, saunas, spa, restaurant, forfaits golf et forfaits ski.

Tiki Shores Condominium Beach Resort
$$$
⊛, ℂ, ≈, ℜ
914 Lakeshore Dr.
☎(250) 492-8769 ou 866-492-8769
⇄(250) 492-8160
www.tikishores.com
Ce motel est situé à deux pas de la plage, en face du lac Okanagan, près du bureau d'information touristique et des restaurants.

Coast Inn at Apex
$$$-$$$$
≡, ℂ, ℑ, ℝ, ✪, ℜ
nov à avr
1000 Strayhorse Rd.
☎(250) 292-8126 ou 888-252-4454
⇄(250) 292-8127
www.coasthotels.com
De style Château, le Coast Inn repose au pied du mont Apex et s'avère idéal pour les skieurs et les amateurs de surf des neiges qui cherchent à la fois des installations pour pratiquer leur sport favori et des services d'hébergement. Parmi les 90 unités de l'établissement figurent des chambres standards, des studios et des lofts qui peuvent loger à eux seuls jusqu'à six personnes. L'Apex Mountain Resort, avec ses restaurants, ses pubs et ses boutiques, avoisine le Coast Inn.

Penticton Lakeside Resort and Casino
$$$$
≡, ⊛, ⏲, ℂ, ≈, ℝ, ✪, ℜ, ⌂
21 Lakeshore Dr. W.
☎(250) 493-8221 ou 800-663-9400
⇄(250) 493-0607
www.pentictonlakesideresort.com
Le Penticton Lakeside Resort and Casino offre toutes les commodités à ceux qui en auraient besoin, sans oublier la vue grandiose du lac Okanagan depuis les balcons des chambres. De bon goût, le hall à la toscane se prolonge jusqu'au casino, pour ceux qui souhaiteraient se faire rembourser (peut-être!) le prix faramineux que leur a coûté leur chambre, qui sera de toute façon d'une propreté irréprochable. Des forfaits golf et ski sont offerts ici, et les bateaux et autres yachts personnels sont à quai derrière l'établissement si vous souhaitez aller sur l'eau.

Summerland

The Illahie Beach
$
au nord de Penticton par la route 97
☎(250) 494-0800
Ce camping accueille les vacanciers d'avril à octobre dans un décor de rêve avec plages ainsi que vues sur la vallée de l'Okanagan.

Peachland

Log Home Bed and Breakfast
$$-$$$ pdj
5146 MacKinnon Rd.
☎/⇄***(250) 767-9698***
www.loghome.bb.com
Priska et Ulrich Laux sont très fiers de leur cabane en rondins qu'ils ont construite le long d'un chemin forestier isolé, et légitimement aussi. Érigée avec d'énormes billes de bois de sapin de Douglas, leur résidence se dresse sur le versant ensoleillé et lumineux d'une montagne. S'y trouvent deux chambres d'hôte de style champêtre ainsi qu'une pièce commune de couleur crème et revêtue de bois, avec un impressionnant plafond de 10 m. Cependant, cet établissement n'est pas dévolu à ceux qui chérissent l'intimité, puisque vous devrez partager l'aire commune avec vos hôtes. Non indiqué, le gîte est difficile à trouver; donc appelez Priska et Ulrich pour faire les réservations, et profitez-en pour leur demander les indications sur la route à suivre.

Kelowna

Kelowna Samesun Motel Hostel
$
≡, ℂ
245 Harvey Ave.
☎***(250) 763-9814 ou 877-562-2783***
⇄***(250) 763-9814***
www.samesun.com
L'auberge de jeunesse de Kelowna, la Kelowna Samesun Motel Hostel, est située en plein cœur de Kelowna et peut loger 24 personnes dans ses dortoirs.

Dutch's Tent & Trailer Court
$
15408 Kalamalka Rd.
☎***(250) 545-1023***
À 3 km au sud de Vernon, le Dutch's Tent & Trailer Court loue des emplacements de camping tout près d'une petite crique et à cinq minutes de la principale plage de Vernon.

Lodged Inn/Vernon Hostel
$
3201 Pleasant Valley Rd.
www.lodgedinn.com
☎***(250) 549-3742 ou 888-737-9427***
Le Lodged Inn/Vernon Hostel, aménagé dans une vieille demeure de 1894, est une des plus belles auberges de jeunesse qui soient. On s'y sent réellement chez soi, et le centre-ville est à deux pas. Le propriétaire, grand amateur d'activités de plein air (escalade, vélo de montagne, canot, ski...), saura vous prodiguer de bons conseils.

Richmond House 1894 B&B
$$ pdj
≡, ⊛
4008 Pleasant Valley Rd.
☎***(250) 549-1767***
⇄***(250) 549-1767***
www.richmondhouse-bandb.com
Le Richmond House 1894 B&B loge dans une vieille maison victorienne complètement retapée. La baignoire à remous moderne côtoie les meubles antiques des autres pièces. Le petit déjeuner, des plus savoureux, ne laissera personne sur sa faim.

Abbot House Bed and Breakfast
$$ pdj
≡, ℂ, *bc/bp*, ⊗
1763 Abbot St.
☎***(250) 763-6373***
www.bbcanada.com/ abbothouse
Installé dans une résidence patrimoniale, l'Abbot House Bed and Breakfast est bien situé, à environ 300 m du centre de la ville et du bord du lac, mais se trouve toujours caché sous les arbres dans un quartier assez tranquille. Le Mill Creek coule à travers la cour arrière, et les chambres, avec leur plancher en bois dur, leurs murs jaunes et leur mobilier éclectique, se révèlent séduisantes.

Crawford View Bed and Breakfast
$$ pdj
≡, ≈, ℝ
810 Crawford Rd.
☎(250) 764-1140
⇄(250) 764-2892
www3.telus.net/crawford-_view
Surplombant la vallée et le lac Okanagan, le Crawford View B&B vous enchantera par l'accueil en français de Fred et Gaby Geismayr et par la beauté du site. Un verger de pommes, un court de tennis et une piscine entourent cette maison de bois. À la fin de septembre, vos hôtes sont plutôt occupés à la cueillette des pommes; mais tout cela ne fait qu'accroître le charme de votre séjour.

Mission Creek Country Inn
$$ pdj
bc, ⊗
3652 Spiers Rd.
☎(250) 860-6108 ou 877-860-1909
⇄(250) 860-6108
www.bbcanada.com/6506.html
Construit en 1909 et revêtu de bardeaux de cèdre, le Mission Creek se présente comme une demeure patrimoniale de style Cape Cod. L'auberge, avec ses quatre chambres, repose sur une ferme ovine de 14,5 ha, et ses programmes d'interprétation sont offerts aux fileurs et aux tisserands, aux étudiants apprenant l'anglais ainsi qu'aux retraités. L'établissement est légèrement garni de mobilier de style *Arts and Crafts*. Il est situé le long d'une route tranquille au sud de Kelowna.

Okanagan University
$$
3180 College Way
☎(250) 470-6055 ou 877-589-6073
⇄(250) 470-6051
Durant la saison estivale, il est possible de louer une chambre à l'Okanagan University. On peut aussi y louer des appartements comprenant jusqu'à quatre chambres.

Chinook Motel
$$
≡, ℂ
1864 Gordon Dr.
☎(250) 763-3657 ou 888-493-8893
⇄(250) 860-0895
Le Chinook Motel est admirablement bien situé près de tout, autant de la plage que du centre-ville. L'établissement propose le confort typique des motels sans touche originale.

Holiday Park Resort
$$$
S1-415 Commonwealth Rd., au nord de la ville
☎(250) 766-4255 ou 800-752-9678
Le Holiday Park Resort offre confort et luxe dans une belle nature au bord de l'eau. Des forfaits spa, des forfaits golf et des forfaits «festival du vin» sont proposés à des prix intéressants.

Lake Okanagan Resort
$$$$$
≡, ⊙, ℂ, ≈, ℜ
2751 Westside Rd.
☎(250) 769-3511 ou 800-663-3273
⇄(250) 769-6665
www.lakeokanagan.com
Le Lake Okanagan Resort est situé au bord du lac Okanagan et offre un service de luxe complet pour des vacances agréables. Golf, ski, natation, tennis, randonnée et promenades à cheval vous sont proposés. Des chambres, des condos ou des chalets sont mis à la dispositions des familles; il y a même des activités pour les enfants. Après une belle journée en plein air, vous pourrez savourer un très bon dîner en musique.

Hotel Eldorado
$$$-$$$$
≡, 🐕, ⊛, ℜ
500 Cook Rd.
☎(250) 763-7500
⇄(250) 861-4779
www.hoteleldoradokelowna.com
Prenez Lakeshore Drive vers le sud pour rejoindre le modeste Hotel Eldorado, caché près du lac. De l'extérieur, l'hôtel n'attire pas l'attention avec ses réminiscences d'un passé pas si lointain – il ressemble plus ou moins à un motel floridien des années 1940. Cependant, une fois que vous vous retrouverez à l'intérieur, vous serez frappé par sa splendeur, sans compter ses 20 cham-

bres décorées différemment les unes des autres avec des antiquités. L'originel Eldorado Arms que l'établissement occupe aujourd'hui fut jadis construit pour servir de maison de ferme, mais, en raison de la demande des cowboys, il fut finalement transformé en hôtel, puis fut transporté jusqu'à son emplacement actuel dans les années 1980, sur une péniche qui traversa le lac Okanagan. Les vues que l'Hotel Eldorado offre sur le lac s'avèrent charmantes, et un superbe restaurant se trouve sur place (voir p 310).

A Vista Bella Bed, Barbecue and Spa
$$$$-$$$$$ ½p
≡, ⊛, ℂ, ℑ, ≈, ℝ
962 Ryder Ave.
☎(250) 762-7837
⇄(250) 762-7167
www.avistavilla.com
Le spa très louangé qu'est A Vista Bella Bed, Barbecue and Spa comporte quatre chambres incroyablement design aux lignes européennes, et il s'accroche au flanc d'une colline dans le nord de la ville de Kelowna. Ici les hôtes sont dorlotés, avec dîner (inclus) tous les soirs et traitements corporels, sans parler des lits aux couettes en duvet d'oie faites sur mesure. La Regal Suite possède une cheminée double dont l'un des deux foyers s'ouvre sur le lit d'un côté, pour vous garder au chaud, le second donnant sur la baignoire à remous à deux places de la salle de bain, de l'autre côté. Le seul inconvénient, c'est que l'établissement ne s'adresse qu'aux couples: les célibataires manquent ainsi tout l'apparat de ce lieu d'hébergement.

The Grand Okanagan Lakefront Resort and Conference Centre
$$$$$
≡, 🐕, ⏲, ≈, ℜ
1310 Water St.
☎(250) 763-4500 ou 800-465-4651
www.grandokanagan.com
Le Grand Okanagan, dont la devise est *Simply Grand*, vous laisse présager un séjour luxueux, les pieds dans l'eau, dans une élégante chambre, tout en dégustant une cuisine distinguée. Le personnel est attentionné, et les activités, nombreuses, sont toutes liées à une nature exceptionnelle. Autour du lac, il y a des plages, des golfs et des vignobles, sans oublier que de bons restaurants sont à deux pas.

Merritt

A.P. Guest Ranch
$$ pdj
ℜ
route 5A
☎(250) 378-6520 ou (250) 378-3492
L'AP Guest Ranch propose des chambres simples dans un paysage et un décor «vieux western». On y retrouve toutes les activités d'un ranch, en plus des promenades sur des sentiers offrant une vue exclusive, de la pêche, des balades en motoneige et du ski. Toute une expérience. Des forfaits équitation sont également offerts. Le restaurant est ouvert le soir.

Quilchena Hotel
$$-$$$
ℜ, *bc/bp*
avr à oct
23 km au nord-est de Merritt, par la route 5A Nord
☎(250) 378-2611
⇄(250) 378-6091
www.quilchena.com
Le Quilchena Hotel est situé au cœur d'un des plus gros ranchs toujours en activité en Colombie-Britannique. Cet hôtel historique rappelle l'époque où les cow-boys s'attablaient pour se détendre. Plusieurs antiquités meublent l'établissement.

Circuit E: Kootenay Country

Ainsworth Hot Springs

Ainsworth Hot Springs Resort
$$$
≡, ≈, ℜ
route 31
☎(250) 229-4212 ou 800-668-1171
⇄(250) 229-5600
www.hotnaturally.com
Cet hôtel fait partie des installations où se trouvent les grottes. L'accès aux grottes est gratuit pour les clients de l'hôtel, et ils peuvent se procurer des laissez-

passer pour invités. Sauna dans les grottes, piscine à eau chaude naturelle, bain glacial

Nelson

Dancing Bear Inn
$
bc
171 Baker St.
☎(250) 352-7573
⇄(250) 352-9818
www.dancingbearinn.com
L'auberge de jeunesse de Nelson place la barre haute pour offrir de l'hébergement abordable dans la région, et pour toutes les autres auberges de jeunesse. Elle ressemble bien plus à une hostellerie, avec son attrayant mobilier fabriqué par des artisans locaux et sa pièce commune ensoleillée et pleine de vie qui est souvent remplie de voyageurs internationaux. Des chambres privées y sont aussi disponibles. En 2001, le Dancing Bear Inn a remporté le prix *Hostelling International* en tant que l'auberge de jeunesse la plus remarquable au Canada.

Nelson Tourist Park
$
mi-avr à mi-oct
90 High St.
☎(250) 352-7618 ou 357-2152 hors saison
Situé au centre-ville de Nelson, ce terrain de camping est à distance de marche des restaurants et des attraits importants. En fin de journée, allez contempler la ville et le lac Kootenay depuis le parc Gyro, voisin du terrain de camping; la vue en vaut le détour.

The Heritage Inn
$$ pdj
ℜ
422 Vernon St.
☎(250) 352-5331 ou 877-568-0888
⇄(250) 352-5214
www.heritageinn.org
L'Heritage Inn a vu le jour en 1898, lorsque les frères Hume décidèrent de construire un grand hôtel. Avec les années, plusieurs modifications ont été apportées au bâtiment, au fur et à mesure que de nouveaux propriétaires en prenaient possession. En 1980, une importante rénovation a rafraîchi cette vieille structure. Les chambres et les corridors ont leurs murs recouverts de photos retraçant les grands moments de Nelson.
Pub.

Inn The Garden Bed & Breakfast
$$ pdj
ℂ, ℑ, ℝ, *bc/bp*
408 Victoria St.
☎(250) 352-3226 ou 800-596-2337
⇄(250) 352-3284
www.innthegarden.com
Cette charmante maison victorienne, rénovée par les propriétaires Lynda Stevens et Jerry Van Veen, est située à deux pas de la rue principale. Une maison d'invités comprenant trois chambres y est attenante. L'accueil chaleureux de ce couple agrémentera votre séjour à Nelson; demandez-lui de vous parler du patrimoine architectural de Nelson: il en est passionné!

Nelson Guesthouse
$$-$$$ pdj
⊛, ℑ
2109 Fort Sheppard Dr.
☎(250) 354-0198 ou 888-215-2500
⇄(250) 354-0198
www.nelsonguesthouse.com
Juchée sur la colline surplombant Nelson, la Nelson Guesthouse, toute en bois de cèdre, propose deux jolies chambres et une suite, garnies d'objets asiatiques et de mobiliers en osier. L'établissement offre une atmosphère chaleureuse et raffinée, très *feng shui*, et vous aurez l'impression de vous retrouver dans une charmante auberge japonaise. Malheureusement, le petit déjeuner est du genre «faites-le vous-même».

Rossland

Ram's Head Inn
$$$ pdj
ℝ, ⌂
Red Mountain Rd., au pied des pistes
☎(250) 362-9577 ou 877-267-4323
⇄(250) 362-5681
www.ramshead.bc.ca
Cette maison chaleureuse tenue par Tauna et Greg Butler donne l'impression d'être chez soi. Le foyer, le bois, la décoration simple et les bonnes odeurs de la cuisine agrémentent sans cérémonie cette auberge.

Hotel Uplander
$$$
≡, ♞, ⊛, ⊘, ℂ, ℜ, ⌂
1919 Columbia St.
☎***(250) 362-7375 ou 800-667-8741***
⇄***(250) 362-7375***
www.uplanderhotel.com
L'Hotel Uplander est l'établissement à service complet de Rossland situé directement au centre du village. Un service de navette vous conduit aux pentes de Red Mountain. L'hôtel propose des forfaits jumelés avec le ski ou le golf, selon la saison. Confort et séjour de qualité.

Cranbrook

Singing Pines Bed and Breakfast
$$-$$$
≡, ℑ, ℝ, ✪
5180 Kennedy Rd.
juste au nord de Cranbrook, en retrait de la route 95A
☎***(250) 426-5959 ou 800-863-4969***
www.bbcanada.com/singingpines
Installé dans une petite maison verte, le Singing Pines Bed and Breakfast, niché dans les pins, comporte trois chambres décorées dans un style «cowboy». Il profite d'un site paisible offrant une vue sur le Rocky Mountain Trench, qui se faufile entre le fleuve Columbia et les montagnes Rocheuses. Les chambres sont gaies, et l'ancien piano de la pièce commune attend tous ceux qui voudront bien tapoter une sonate ou deux. Ermine, le beau chien des propriétaires, garde amicalement les lieux.

Kimberley

Samesun Hostel
$ pdj
≡, *bc*, ✪
275 Spokane St.
☎***(250) 427-7191***
⇄***(250) 427-7095***
www.samesun.com
Semblable à une auberge de jeunesse, le Samesun Hostel compte 58 lits en dortoir et se trouve coincé au fond de la Platzl (voir p 275). Les prix s'avèrent corrects, même si les murs arborent une étrange couleur vert lime. C'est une bonne place où se faire des amis qui, comme vous, sont probablement à Kimberley pour profiter des activités de plein air de la région; un petit déjeuner de crêpes (à faire soi-même) est offert à la clientèle. L'inconvénient ou l'avantage, selon votre point de vue, c'est que l'établissement se trouve au-dessus d'une boîte de nuit où ont lieu des happenings (voir p 314).

Purcell-Rocky Mountain Condo Hotel
$$-$$$
ℑ, ℂ, ℝ, ⌂, ✪
suivez les indications depuis le centre de la ville jusqu'à la station de ski
☎/⇄***(250) 427-5385***
☎***800-434-3936***
www.purcellrocky.com
Ne soyez pas trop découragé en voyant la façade pseudo-bavaroise du Purcell-Rocky Mountain Condo Hotel et ses couloirs revêtus d'une miteuse moquette brune – les chambres de cet hôtel sont de meilleur goût que vous ne l'auriez cru, avec leurs lits en bois et l'artisanat local qui les orne. C'est un bon endroit pour les skieurs: un télésiège, juste à côté de l'établissement, se rend au sommet de la montagne.

Restaurants

Circuit A: Sunshine Coast

Gibsons

Daily Roast
$
lun-ven 5h à 18h, sam 6h30 à 18h, dim 8h30 à 16h
5547 Wharf Rd.
☎***(604) 885-4345***
Le Daily Roast est un bon bistro qui fait le meilleur café de la région. Il est vrai que l'espresso y est excellent. Il y a aussi des biscuits et des muffins maison.

Lighthouse Marine Pub
$
peu après Porpoise Bay Rd., au bord de l'eau
☎***(604) 885-4949***
Très bons hamburgers et bonne bière. Ambiance sympa et animée. Pendant votre repas, vous pouvez regarder les hydravions

décoller. Un magasin vendant bières et vins est intégré à l'établissement.

Molly's Reach Café
$$
647 School Rd.
☎**(604) 886-9710**
Le Molly's Reach Café est le bistro où tous les personnages de la série télévisée *The Beachcombers* se retrouvaient, ce qui le faisait apparaître dans tous les épisodes. Les murs du restaurant sont décorés de photos de la télésérie. La cuisine est très bonne, et l'ambiance toujours animée et sympathique. C'est une étape obligatoire si vous passez par Gibsons.

Sechelt

Poseidon Restaurant
$$
fermé le lun, dîner seulement le dim
Davis Bay, par la route 101
☎**(604) 885-6046**
Le Poseidon Restaurant est un bon restaurant grec qui sert aussi des pâtes, des steaks et des fruits de mer.

Circuit B: La boucle de Coast Mountain

Squamish

Midway Restaurant
$-$$
40330 Tantalus Way, dans l'hôtel Best Western
☎**(604) 898-4874**
Le Midway Restaurant propose une cuisine familiale et une ambiance animée et amicale.

Lotus Gardens
$$
38180 Cleveland Ave.
☎**(604) 892-5853**
Le Lotus Gardens est un restaurant chinois à la liste longue et détaillée avec différents mets de poulet, de porc, de poisson et de légumes. Vous pouvez aussi prendre votre repas pour apporter.

Squamish Valley Golf & Country Club
$$$
2458 Mamquam Rd.
☎**(604) 898-9521 ou 898-9691**
Le Squamish Valley Golf & Country Club, dont le restaurant est ouvert pour le petit déjeuner, le déjeuner et le dîner, offre un «spécial» chaque jour. Le personnel vous sert avec le sourire. Tout comme son Sport Bar & Grill, il est ouvert toute l'année.

Whistler

The Roundhouse
$$
nov à juin, 7h30 à 15h
au sommet de la remontée mécanique (Whistler Village Gondola)
☎**(604) 932-3434**
Les skieurs qui désirent être les premiers à descendre les pentes peuvent y prendre le petit déjeuner sur la montagne; un lendemain de tempête, ça vaut la peine de se lever tôt.

Trattoria di Umberto
$$-$$$
4417 Sundial Place, près de Blackcomb Way, au rez-de-chaussée du Mountainside Lodge
☎**(604) 932-5858**
Cette trattoria présente une sélection de pâtes, de viandes et de poissons servie dans une ambiance familiale.

Zeuski's
$$$
Town Plaza
☎**(604) 932-6009**
Zeuski's est un restaurant méditerranéen. *Tazatsikis, hommos* et *souvlakis* vous sont offerts à des prix tout à fait modiques pour Whistler.

Black's Pub & Restaurant
$$$
au pied des montagnes de Whistler et de Blackcomb
☎**(604) 932-6408 ou 932-6945**
Le Black's Pub & Restaurant propose petits déjeuners, déjeuners et dîners pour toute la famille dans une atmosphère amicale et offre une vue exceptionnelle. Le Pub possède une des meilleures sélections de bières à Whistler.

Città Bistro
$$$$
tlj 11h à 1h
Whistler Village Square
☎**(604) 932-4177**
Le Città Bistro, situé au cœur du village, présente un menu allant des salades aux pizzas-pitas en plus d'un menu plus classique. C'est l'endroit tout désigné pour déguster une

bière locale. Hiver comme été, vous y rencontrerez des résidants de la vallée et des voyageurs; cet heureux mélange crée une atmosphère des plus agréables.

Thai One On
$$$$
tlj, dîner seulement
dans l'hôtel Le Chamois, au pied des pentes de Blackcomb Mountain
☎(604) 932-4822
Le Thai One On prépare une nourriture thaïlandaise, dans laquelle le lait de coco et les piments forts se côtoient admirablement bien.

Monk's Grill
$$$$
4555 Blackcomb Way, au pied de Blackcomb Mountain
☎(604) 932-9677
Pour aller dîner après le ski. Steaks, *prime ribs*, pâtes, poissons et fruits de mer frais sont tous au menu.

Araxi Restaurant & Bar
$$$$
Whistler Village
☎(604) 938-3337
Le restaurant Araxi est l'établissement de choix dans la région Pacifique. On y retrouve une cuisine Pacific Northwest à influences française et italienne. Les fruits de mer frais, le bœuf canadien et les légumes biologiques de production locale sont à l'honneur. Le bar a été complètement rénové, et la terrasse est ouverte l'été. La cave à vins est réputée, et le chef ainsi que le pâtissier sont renommés.

Pemberton

The Pony Expresso
$$$
1426 Portage Rd.
☎(604) 894-5700
The Pony Expresso se spécialise dans les fruits de mer frais.

Harrison Hot Springs

Kitami
$$$
318 Hot Springs Rd.
☎(604) 796-2728
Kitami est un restaurant japonais qui vous accueille dans ses Tatami Rooms ou à son Sushi Bar.

Black Forest Restaurant
$$$
180 Esplanade Ave.
☎(604) 796-9343
Le Black Forest Restaurant est un établissement au style alsacien et aux fenêtres fleuries. Sa cuisine a des parfums européens avec shnitzels, chateaubriands et pâtes fraîches. On y sert aussi le saumon de la Colombie-Britannique. La liste des vins est vaste. Ouvert le soir toute l'année, mais seulement l'été pour le déjeuner.

Copper Room
$$$$
100 Esplanade Ave.
☎(604) 796-2244 ou 800-663-2266
Le restaurant du Harrison Hot Springs Resort & Spa sert des dîners qui se révèlent être des repas gastronomiques doublés d'une soirée dansante.

Circuit C: La rivière Thompson jusqu'à Revelstoke

Kamloops

Zack's
$
377 Victoria St.
☎(250) 374-6487
De style saloon, Zack's se veut le café branché de Kamloops. Bien achalandé, il propose des *bagels*, des rôties et des brioches à la cannelle pour le petit déjeuner, et des sandwichs, des *samosas* et des pâtisseries pour le déjeuner. La sélection habituelle de cafés et de thés y est disponible.

Swiss Pastries
$
mar-sam 8h à 17h
359 Victoria St.
☎(250) 372-2625
Simple café, Swiss Pastries est toujours rempli de résidants qui s'offrent des sandwichs garnis à leur choix pour le déjeuner, ou des desserts comme la forêt-noire et le gâteau d'amandes au Grand Marnier. La bruyante machine à *espresso* concocte des *lattes* et des *cappuccinos*, et quelques spécialités suisses comme le *buendnerfleisch* y sont aussi disponibles.

Hot House Bistro
$$
438 Victoria St.
☎*(250) 374-4604*
Le Hot House Bistro se révèle être un merveilleux restaurant. Des tissus guatémaltèques tapissant les murs à la vinaigrette fraise-orange assaisonnant les salades, tout fait de cet établissement LA place où vous devez naturellement manger à Kamloops, que ce soit pour le déjeuner sur la terrasse de Victoria Street ou pour le dîner dans la salle à manger. Ici la cuisine se veut mexicaine et internationale, et le service s'avère amical. Essayez les *enchiladas*, mais soyez prévenu: elles peuvent être piquantes.

Taka Japanese Restaurant
$$
[illegible]70-1210 Summit Dr.
☎*(250) 828-0806*
Consommer des plats de pâtes et de fruits de mer, apparemment variés à l'infini, peut à la longue lasser, c'est pourquoi les résidants de Kamloops fréquentent le petit Taka Japanese Restaurant, malheureusement situé dans un centre commercial près de l'université. Le restaurant fait des plats à emporter, très populaires, et le choix des mets qu'il affiche est également apprécié.

La Cucina Ristorante
$$-$$$
229 Victoria St.
☎*(250) 372-7711*
Petit café-restaurant italien, La Cucina Ristorante arbore, à l'extérieur, une enseigne lumineuse rouge au néon et, à l'intérieur, des nappes à carreaux verts et blancs. Il propose un menu de pizzas en portions individuelles, de même que des plats de pâtes et de poulet. Les déjeuners de pâtes à environ 8$ sont une bonne aubaine.

Mino's Greek Souvlaki
$$-$$$
262 Tranquille Rd.
☎*(250) 376-2010*
Traversez la rivière en direction nord par le pont pour trouver ce bijou de café dominé par une enseigne au familier lettrage grec bleu. Cet endroit se veut intime, et ne laissez surtout pas le décor du Mino's vous repousser. Souvlakis, moussakas, steaks et plats de fruits de mer se retrouvent principalement au menu, et, en prime, la fin de semaine, des danseuses du ventre agrémenteront votre repas.

Nick of Thyme
$$$
mar-sam, déjeuner et dîner
474 Tranquille Rd.
☎*(250) 376-5555*
Les murs roses du Nick of Thyme ne sont pas vraiment à leur place ici, mais la nourriture de ce restaurant populaire est recommandée. Des plats de pâtes et de fruits de mer gastronomiques – comme ces crevettes tigrées en croûte au sésame et au gingembre – y sont servis, et des musiciens s'y produisent les vendredis et samedis.

Ric's Mediterranean Grill
$$$-$$$$
lun-ven 11h à 23h, sam-dim 16h à 23h
227 Victoria St.
☎*(250) 372-7771*
Ric's se veut le restaurant servant la cuisine la plus raffinée à Kamloops, dans une salle à manger romantiquement éclairée et parée d'œuvres d'art originales qui évoquent une villa italienne. Le menu est long, affichant des plats qui vont des crevettes géantes et des coquilles Saint-Jacques grillées à la toscane au poulet grillé à la noix de coco. Les côtelettes grillées d'agneau de printemps de la Nouvelle-Zélande, accompagnées de pommes de terre rôties à la sicilienne, s'avèrent excellentes.

The Old Steak and Fish House
$$$-$$$$
172 Battle St.
☎*(250) 374-3227*
Comme son nom le laisse entendre, The Old Steak and Fish House, avec sa salle à manger qui fait penser un peu à un pont de bateau, concocte une grande variété de fruits de mer et de plats de viande, surtout de bœuf (steaks). Du flétan de la Colombie-Britannique et du thon *ahi* de qualité extra y sont apprêtés et sont servis dans la salle même ou à la terrasse du jardin regardant vers

la ville. La carte des vins est longue.

Revelstoke

Frontier Restaurant
$
tlj 5h à 22h
à l'intersection de la transcanadienne et de la route 23
☎(250) 837-5119
L'endroit tout désigné pour ceux qui désirent manger un petit déjeuner copieux dans un décor «western».

Woolsey Creek Café
$$-$$$
212 Mackenzie Ave.
☎(250) 837-5500
Se restaurer au Woolsey Creek Café, qui arbore des murs bordeaux et diffuse de la musique de blues jouée à la guitare, ajoute beaucoup de charme à un repas à Revelstoke. Les individus branchés de type grimpeur viennent y siroter quelques cocktails ou y déguster quelques mets végétariens. Mais vous pourrez tout de même y commander un bon steak, que vous voudrez peut-être accompagner d'une pinte de bière locale du nom de High Country Kölsch. Si vous n'avez pas faim, c'est un bon endroit où vous pourrez tout simplement vous offrir un verre et vous laisser aller.

Black Forest
$$-$$$
5 min à l'ouest de Revelstoke par la transcanadienne
☎(250) 837-3495
Ce restaurant de style bavarois prépare une nourriture canadienne et européenne où le fromage et le poisson sont à l'honneur. Le site est enchanteur avec vue sur le mont Albert.

Circuit D: La vallée de l'Okanagan

Osoyoos

Indiana's Café
$
7h à 14h, fermé lun
7414 Hwy. 97
☎(250) 495-2575
Pour le petit déjeuner et le déjeuner, les résidants recommandent le petit Indiana's Café, aux murs jaunes et à l'esprit mexicain. Les prix y sont certes abordables (omelettes à 6$ le matin), et vous aurez un grand choix de *burgers* et de *wraps* pour casser la croûte au milieu de la journée.

Campo Marina Café and Restaurant
$$$
mar-dim, dîner
5907 Main St.
☎(250) 495-7650
Le Campo Marina se présente comme un bistro italien aux murs jaunes et aux nappes à carreaux. L'établissement se révèle être un favori des résidants pour le dîner, avec son long menu de plats de pâtes incluant rigatoni, linguini, fettuccine, gnocchi, lasagne et cannelloni. Des plats de viande (veau), de poisson (vivaneau) et de volaille (poulet) se retrouvent également au menu. Le chef aime beaucoup l'ail, prenez donc un bonbon à la menthe avant de partir.

Penticton

Hog's Breath Coffee Co.
$
202 Main St.
☎(250) 493-7800
L'endroit tout désigné pour débuter sa journée en dégustant un bon café et surtout les muffins aux pêches en saison: vous en raffolerez! Si vous êtes à la recherche d'un endroit pour une sortie en plein air, demandez conseil au propriétaire, Mike Barrett: il se fera un plaisir de vous aider.

Gypsy Heart and Dream Café
$-$$
mar-dim
74 Front St.
☎(250) 490-9012
Branché et éclectique – peu importe les qualificatifs que vous voudrez bien lui trouver –, le Gypsy Heart and Dream Café s'impose avec ses nappes colorées et ses nombreux plats végétariens. Ce café-boutique de Front Street offre souvent des spectacles pour accompagner votre *panini* ou votre *wrap*, et vous y verrez un peu partout de beaux objets importés. L'établissement est pris d'assaut par une clientèle bohémienne: il n'y a rien à redire à cela, surtout après une journée à la plage avec sa foule de baigneurs bien mis.

Isshin Japanese Deli
$-$$
101-401 Main St.
☎***(250) 770-1141***
Vous êtes un mordu de sushis? Dans l'affirmative, courez jusque chez Isshin, un confortable *deli* tout en bois qui a été élu «meilleur nouveau restaurant» en 2002 par l'*Okanagan Life Magazine*. Tempuras, sashimis et plats de nouilles sont également au menu ici. Le restaurant est populaire auprès des résidants pour ses plats à emporter, alors commandez votre mets japonais préféré et mettez le cap sur le lac.

The Elite
$-$$
340 Main St.
☎***(250) 492-3051***
The Elite a ouvert ses portes voilà 75 ans, donc il y a de fortes chances pour qu'on y fasse les choses correctement. C'est un bon endroit où s'offrir un petit déjeuner d'œufs au bacon à 5$, ou encore un déjeuner ou un dîner copieux et sans prétention. Son décor est du style d'un petit restaurant sans façon des années 1950, avec ses box en vinyle et ses distributeurs métalliques de serviettes sur les tables, comme dans le bon vieux temps.

Front Street Pasta Factory
$$
75 Front St.
☎***(250) 493-5666***
Au Front Street Pasta Factory: ambiance familiale animée et agréable, bonnes pâtes, bon service. Réservations conseillées.

Lost Moose Lodge
$$
à 8 min du centre de Penticton, par Beaverdell Rd.
☎***(250) 490-0526***
Le Lost Moose Lodge propose un bon barbecue, de la musique et une vue spectaculaire.

Vallarta Bistro, Barbecue and Grill
$$-$$$
610 Main St.
☎***(250) 492-5610***
Le Vallarta Bistro, cette *casa* affichant un beau menu d'authentiques plats mexicains, offre une excellente ambiance, une longue carte des vins et des sièges confortables *al fresco*. La nourriture s'y révèle fraîche et savoureuse – apprêtée quotidiennement à partir de rien –, et inclut *fajitas, quesadillas* et *enchiladas*. Des plats à la musique mexicaine, en passant par les nappes à motifs de tournesols, le Vallarta Bistro, c'est tout simplement *fantástico*!

Granny Bogners Restaurant
$$$
fermé lun
302 Eckhardt Ave. W.
☎***(250) 493-2711***
Cette magnifique maison de style Tudor a été construite en 1912 pour un médecin de Penticton; depuis 1976, Hans et Angela Strobel y servent une fine cuisine selon les traditions françaises, allemandes et autrichiennes, agrémentée de produits locaux.

Theo's Restaurant
$$$
687 Main St.
☎***(250) 492-4019***
Une cuisine grecque de qualité, servie dans une ambiance décontractée, agrémentera vos moments passés dans cet endroit très couru de Penticton.

Salty's Beach House
$$$$
998 Lakeshore Dr. W.
☎***(250) 493-5001***
Les amateurs de fruits de mer aimeront cet endroit qui se spécialise dans les délices des eaux salées. Il faut venir ici pour le déjeuner et profiter de la terrasse avec vue sur le lac Okanagan. Le décor de bateau de pirate assure une ambiance festive.

Kelowna

Bean Scene Coffee House
$
274 Bernard Ave.
☎***(250) 763-1814***
Malheureusement, la ville de Kelowna loge un bon nombre de *Kens* et de *Barbies*. Mais vous ne les verrez pas au Bean Scene Coffee House, qui est décidément l'antithèse des cafés Starbucks. Des fauteuils confortables, de la musique douce et de l'information sur la scène musicale et artistique alternative locale font de cet établissement un lieu de rencontre populaire auprès de ceux qui veulent boire un café ou une

boisson au thé vert biologique. Des pâtisseries y sont disponibles.

La Bussola Restaurant
$$-$$$
234 Leon Ave., tout près de City Park
☎(250) 763-3110
La Bussola Restaurant est renommé pour la qualité de ses plats ainsi que pour son ambiance agréable et intime. Depuis 1974, Franco et Lauretta savent vous accueillir et vous faire apprécier les saveurs italiennes. Réservations recommandées.

Mekong
$$$
1030 Harvey St.
☎(250) 763-2238
Le Mekong sert une fine cuisine chinoise et sichuanaise dans une salle à manger très luxueuse.

Christopher's
$$$
242 Lawrence Ave., tout près de City Park
☎(250) 861-3464
Christopher's est un des meilleurs restaurants de Kelowna. L'ambiance est élégante et le service très amical. Réservations conseillées.

The Yamas Taverna
$$$
1630 Ellis St., centre-ville
☎(250) 763-5823
La Yamas Taverna est le restaurant grec par excellence. Bleu et blanc, tout fleuri, il vous promet une excellente soirée aux parfums de la Méditerranée. Vous ne serez pas déçu, spécialement le samedi soir, où la danse du ventre est à l'honneur.

The El
$$$-$$$$
500 Cook Rd., Hotel Eldorado
☎(250) 763-7500
Quand le soleil se couche sur le lac Okanagan, les chandelles s'allument dans le merveilleux restaurant de l'Hotel Eldorado. The El, avec sa salle à manger toute en longueur, étroite et intime, offre de belles vues, peu importe où vous êtes attablé. Vous pourrez vous y offrir, si vous avez un penchant pour l'extravagance, un carré d'agneau à 37$ ou, si vous êtes plus raisonnable, un Alfredo au poulet ou une pizza à 16$ chacun. Les linguine aux crevettes géantes et aux tomates séchées au soleil s'y révèlent tout simplement sublimes.

Old Vines Patio
$$$-$$$$
mai à oct tlj 11h à la tombée du jour
3303 Boucherie Rd., Quail's Gate Vineyard
☎(250) 769-4451
L'Old Vines Patio se présente comme une salle à manger en plein air à l'intérieur du Quail's Gate Estate Vineyard, offrant des vues superbes sur la vallée de l'Okanagan, sans compter son aménagement floral et son décor en bois de cèdre qui s'harmonise avec les rangées de vignes. Des plats de pâtes et de fruits de mer ainsi que des steaks sont au menu, alors qu'y sont servis aussi d'autres plats en plus petites portions et à plus petits prix, parfaits pour essayer quelques mets qu'on vous suggérera d'accompagner de vins appropriés. Grant de Montreuil, un chef très respecté, responsable de la cuisine ici, est propriétaire également du De Montreuil's et de la Teahouse at Kelowna Land and Orchard (voir ci-dessous).

Fresco
$$$-$$$$
1560 Water St.
☎(250) 868-8805
Le Fresco, un bon choix de restaurant pour sa cuisine raffinée, arbore des murs de béton et de briques, et renferme une cuisine à aire ouverte. L'atmosphère s'y révèle chaleureuse, et la nourriture, concoctée par le chef Rodney Butters, est quant à elle réputée. Les steaks et les plats de fruits de mer dominent le menu.

The Teahouse at Kelowna Land and Orchard
$$$-$$$$
déjeuner et dîner
3002 Dunster Rd.
☎(250) 712-9404
Le Teahouse, avec sa salle à manger ensoleillée au plancher de bois dur, a été élu le «restaurant le plus romantique» par l'*Okanagan Life Magazine*. Et il y a une raison pour cela: ses grandes fenêtres surplom-

bent les plus beaux vergers de la vallée de l'Okanagan. Des entrées succulentes, comme le flétan poché au safran et la poitrine de poulet en croûte aux pistaches, y sont servies.

De Montreuil's
$$$-$$$$
haute saison: dîner seulement
basse saison: déjeuner et dîner
368 Bernard Ave.
☎ ***(250) 860-5508***
Grant de Montreuil concocte selon lui de la Cascadian Cuisine (terme qu'il a inventé), en raison des produits qu'il utilise, toujours frais, cultivés dans la région et biologiques. Son bistro, au centre de la ville, est chaleureux, avec tons de rouge et d'orangé en plus des planchers de bois franc, alors que la carte des vins est très longue. Vous pourrez essayer le saumon frais argenté (*coho*) cuit sur le gril et couvert d'une gelée de lavande de la vallée de l'Okanagan, ou encore la poitrine de canard de la vallée du fleuve Fraser, rôtie à la casserole et accompagnée d'oignons *cipollini* confits aux mûres rôties. Le déjeuner y est offert en basse saison depuis la même cuisine, mais à un tiers du prix du dîner.

Merritt

Coldwater Hotel
$$
restaurant tlj 7h30 à 20h30, saloon jusqu'à 2h
à l'intersection de Quilchena et de Voght
☎ ***(250) 378-5711***
Lieu qui était et qui est toujours fréquenté par les cow-boys de la région, qui vont au restaurant ou au populaire saloon. La cuisine est plutôt lourde; toutefois, les bas prix font la différence. Les chambres de l'hôtel sont louées à la nuit ou à la semaine.

Best Western
$$
4025 Walters St.
☎ ***(250) 378-4253***
Le Best Western offre le service à l'intérieur ou sur la terrasse. Élégante atmosphère «country». Brunch le dimanche et *prime ribs* le vendredi.

Vernon

Johnny Appleseeds Juice Bar & Cafe
$
3018 30th Ave.
☎ ***(250) 542-7712***
Johnny Appleseeds Juice Bar & Cafe sert d'excellents mélanges de jus frais, tel le *eye opener*, qui combine jus d'orange, d'ananas et de pomme. Café et repas, légers et délicieux, sont également au menu.

Hang Chou Restaurant
$-$$
3007 30th Ave.
☎ ***(250) 545-9195***
Le Hang Chou Restaurant permet aux affamés de se rassasier avec un buffet chinois.

Eclectic Med on Main
$$$-$$$$
100-3117 32nd St.
☎ ***(250) 558-4646***
Eclectic Med on Main, ce chaleureux restaurant méditerranéen au centre de la ville, se révèle être un favori aussi bien de la population locale que des critiques culinaires. Ses influences sont variées, et l'on y sert nombre de plats de pâtes et de mets de style fusion, comme le thon à la toscane.

Circuit E: Kootenay Country

Nelson

Sidewinders
$
696 Baker St.
☎ ***(250) 352-4621***
Situé à l'extrémité nord de Baker Street, Sidewinders prépare le meilleur café de la région. Commandez un *latte* ou un thé *chai*, puis dirigez-vous vers les sièges près du trottoir, pour vous joindre aux *Nelsonites* penchés sur les jeux d'échecs. Sandwichs frais et pâtisseries figurent au menu.

All Seasons Café
$$$
tlj 17h à 22h
620 Herridge Lane, derrière Baker St.
☎ ***(250) 352-0101***
Cet endroit à ne pas manquer se cache sous

les arbres qui procurent leur ombre aux convives installés sur la terrasse. Les potages vous surprendront, par exemple celui à la pomme et au brocoli. Le menu varie en fonction des saisons et de ce que la région a à offrir, tout en laissant une place importante aux bons vins de la Colombie-Britannique. L'accueil chaleureux, l'efficacité des employés, le décor soigné et la qualité de la nourriture vous combleront. Des œuvres d'art ornent les murs.

Mazatlan
$$$
198 Baker St.
☎(250) 352-1388
Au Mazatlan, la nourriture est merveilleuse, l'atmosphère festive et authentique, mais le service déçoit. Malgré qu'on fasse semblant de ne pas vous avoir vu à votre arrivée, prenez votre mal en patience car les plats mexicains s'avèrent fantastiques ici, et les musiciens et la lumière tamisée se réflétant sur les murs de briques en font un établissement attrayant. *Tacos, enchiladas, tamales* et *burritos* y sont tous servis, que vous pourrez accompagner de différentes *tequilas* importées.

Rossland

Plusieurs cafés sympathiques jalonnent la rue Columbia au centre de Rossland. Quand la population double avec l'ouverture des pentes en décembre, ils se remplissent de gens et dégagent une atmosphère d'après ou d'avant-ski. Le **Clancy's Cappucino** *(**$**; tlj, déjeuner et dîner; 2040 Columbia St., ☎250-362-5273)* et le **Sunshine Cafe** *(**$**; tlj; déjeuner et dîner; 2116 Columbia St., ☎250-362-5070)* proposent des repas légers et de copieux petits déjeuners.

Olive Oyl's
$$-$$$
mar-dim
2067 Columbia St.
☎(250) 362-5322
Olive Oyl's sert une cuisine qualifiée de contemporaine ou moderne alliant plusieurs tendances culinaires. Pâtes, pizzas et gros brunch aux saveurs et à la présentation recherchées ponctuent son menu.

Flying Steamshovel Inn
$$$
Washington St., angle 2nd Ave.
☎(250) 362-7323
Avec ses murs verts et son décor de bois de chêne, le Flying Steamshovel Inn baigne dans une ambiance de salon. On y sert de gros sandwichs, des pâtes, des salades et, bien sûr, toute une sélection de bières en fût.

Mountain Gypsy Cafe
$$$$
tlj, déjeuner mar-ven
2167 Washington St.
☎(250) 362-3342
Le Mountain Gypsy Cafe propose une sélection originale de plats alliant toutes sortes de tendances culinaires.

Cranbrook

Max's Café
$
301 Victoria Ave.
☎(250) 439-3538
Commodément située entre l'hinterland de la Colombie-Britannique et la ville de Calgary, Cranbrook permet à plusieurs voyageurs de s'arrêter pour le déjeuner, et l'ensoleillé Max's Café se veut un bon choix. Service au comptoir: sandwichs, *wraps* et desserts, de même que nombre de salades fraîches et de pâtisseries.

Kimberley

Snowdrift Café
$
110 Spokane St.
☎(250) 427-2001
Le décor du Snowdrift Café, caché dans un recoin de la Platzl, devrait être rafraîchi, mais l'établissement se révèle populaire pour sa nourriture simple. Tellement simple que vous pourrez y commander des tartines de confiture et de beurre d'arachide. Le Snowdrift est un bon endroit pour les végétariens, car son menu affiche du chili, de la pizza et de la lasagne, tous apprêtés sans viande.

Gasthaus am Platzl
$$-$$$$
240 Spokane St.
☎(250) 427-4851
Chez Gasthaus am Platzl, un restaurant qui

fait sourire indéniablement, on sert de la cuisine canadienne, internationale et autrichienne. Le *shtick* bavarois s'y révèle passablement accentué, avec les *fraulines* en robe servant le dîner, mais les propriétaires sont en fait Autrichiens. Les steaks et les côtes premières s'avèrent appétissantes (et les portions énormes), sans compter la bière en fût Warsteiner Pilsner et la longue carte des vins. Essayez de repérer la façade de l'édifice bavarois donnant sur la Platzl, curieusement décorée avec une peinture représentant La Cène.

Sorties

Bars et discothèques

Circuit A: Sunshine Coast

Whistler

Cinnamon Bear Bar
hôtel Delta
4050 Whistler Way
☎*(604) 932-1982*
Ce bar pour sportifs attire hommes et femmes de tout âge à cause de son ambiance détendue.

The Boot Pub
1 km au nord du village, à droite dans Nancy Greene Dr.
☎*(604) 932-3338*
Il s'agit du pub de l'hôtel The Shoestring Lodge, où la musique rhythm and blues et reggae jouée par un groupe est très appréciée de la clientèle.

Tommy Africa's
Gateway Dr., dans le village de Whistler
☎*(604) 932-6090*
Les jeunes fervents de la musique *dance* s'y donnent rendez-vous et attendent parfois de longues minutes avant de pouvoir y entrer.

Circuit C: La rivière Thompson jusqu'à Revelstoke

Kamloops

Duffy's
179 Pacific Way
☎*(250) 372-5453*
Situé juste au nord du Visitor's Centre, Duffy's, à la fois un pub populaire et un bar sportif, a été élu le «meilleur pub de Kamloops» ces cinq dernières années.

Sgt O'Flaherty's
339 St. Paul St.
☎*(250) 372-5201*
Sgt O'Flaherty's, qui se trouve dans les murs du Coast Canadian Inn, se veut un bon endroit où s'offrir une pinte de bière froide accompagnée de musique jouée sur scène, folk, country ou rock.

Circuit D: La vallée de l'Okanagan

Penticton

Old Barley Mill Pub
2460 Skaha Lake Rd.
☎*(250) 493-8000*
L'Old Barley Mill Pub est populaire auprès des jeunes comme des vieux et propose une belle sélection d'ales, de pilsners et de stouts. Si vous avez envie de regarder un match quelconque, vous ne resterez pas sur votre faim car il contient plusieurs téléviseurs branchés sur différentes chaînes sportives.

Kelowna

Doc Willoughby's
353 Bernard Ave.
☎*(250) 868-8288*
La fin de semaine, Doc's grouille de jeunes *Kelownans*, alors qu'en semaine l'endroit permet de prendre une bière en toute tranquillité. Une grande terrasse y longe Bernard Avenue.

Splash's
275 Leon Ave.
☎*(250) 762-2956*
Splash's, cette populaire boîte de nuit à deux niveaux, est habituellement pleine de jeunes bronzés et pomponnés de Kelowna. Le mercredi, l'étage met en vedette un DJ rock, alternatif et hip-hop qui attire une jeunesse complètement différente.

Circuit E: Kootenay Country

Nelson

The Royal Bar and Grill
330 Baker St.
☎*(250) 352-1202*
Le Royal se remplit la fin de semaine, quand des musiciens s'y produisent. Le prix d'entrée pour ces spectacles tourne généralement autour de 5$, et vous pourrez assister alors à d'excellents concerts qui vont du rock au ska, en passant par le reggae.

Mike's Place
422 Vernon St.
☎*(250) 352-5331*
Mike's Place, un vaste pub à trois niveaux, installé dans l'Heritage Inn, peut être achalandé n'importe quel jour de la semaine.

Kimberley

Ozone Pub
275 Spokane St.
☎*(250) 427-7191*
L'Ozone Pub, situé dans les murs du Samesun Hostel, est probablement le seul endroit où vous pourrez vous risquer à entrer pour prendre un verre, que vous soyez à Kimberley ou même à Cranbrook. Ça grouille de monde: les individus passionnés de plein air de type nomade et une clientèle internationale y ajoutent un regain d'énergie opportun.

Fêtes et festivals

Les événements suivants font partie d'une liste partielle de festivals qui ont lieu dans le sud de la Colombie-Britannique. Pour une liste complète, veuillez consulter les sites Internet des associations touristiques régionales (voir p 238).

Janvier, février et mars

Whistler
Plusieurs compétitions de ski et de planche à neige.

Février

Altitude, Gay Ski and Snowboard Week
Whistler
☎*888-ALTITUDE*
Durant cette célébration de la neige qui dure une semaine complète, vous pourrez assister à des soirées de danse, observer des artistes à l'œuvre, vous costumer pour participer à des chasses au trésor, voir des défilés de mode, etc.

Kamloops Festival of Performing Arts
Kamloops
☎*(250) 374-3491*
Kamloops célèbre durant un mois ses artistes, musiciens et comédiens, en présentant des spectacles et autres événements culturels à différents endroits à travers la ville. Si vous vous retrouvez ici en février ou au début du mois de mars, vous pourrez sûrement assister à une représentation ou à un concert, ou encore voir une exposition.

Avril

Telus World Ski and Snowboard Festival
Whistler
Pendant 10 jours, vous aurez le choix entre des compétitions de ski et de planche à neige, des concerts extérieurs, des films et des rencontres avec des vedettes sportives.

Okanagan Fest-of-Ale
Penticton
☎*(250) 492-4355*
www.fest-of-ale.bc.ca
Comme le vin, la bière joue un rôle important dans cette région aux terres fécondes. L'annuel Fest-of-Ale rend hommage aux nombreuses microbrasseries de la vallée.

Mai

Okanagan Spring Wine Festival
Vallée de l'Okanagan
☎*(250) 861-6654*
www.owfs.com
Ce festival à ne pas manquer se tient en mai, en août et en octobre chaque année. Les activités entourant le festival permettent de s'offrir plusieurs agréables dégustations servant de vitrine au nombre croissant de vins de qualité supérieure produits dans la région.

Tour deVine
Penticton et les environs
☎*800-663-1900*
www.tourdevine.bc.ca
Ce festival cycliste, qui se déroule durant l'Okanagan Spring Wine Festival, consiste à effectuer des randonnées à vélo qui mènent aux différents établissements vinicoles de la région. Une belle façon de joindre l'utile à l'agréable!

Juillet

La **fête du Canada** offre l'occasion d'assister à un défilé et de participer à des festivités.

Merritt Mountain Music Festival
Merritt
☎*(604) 525-3330*
www.mountainfest.com
Préparez-vous à vous payer du bon temps à ce festival de musique annuel, auquel plus de 100 000 fervents assistent. La programmation comprend des jeux pour les enfants, des tours d'hélicoptère, de la danse, du bingo, de délicieux petits déjeuners aux crêpes servis par le Merritt Lions Club et, bien sûr, de la musique!

Kamloops Cattle Drive
Kamloops
☎*800-288-5850*
www.cattledrive.bc.ca
Tous les mois de juillet, des participants du monde entier se joignent à cette randonnée équestre de cinq jours et accompagnent le bétail du Nicola Ranch jusqu'à une prairie située près de Kamloops. Les événements comprennent une parade, un banquet et une danse pour conclure la randonnée.

Kimberley JulyFest
Kimberley
☎*(250) 427-3666*
La fête bavaroise annuelle de Kimberley se tient à la mi-juillet chaque année. Profitez-y de la bière, de la musique et de la danse, toutes allemandes, et, bien sûr, ne ratez pas les Kimberley International Old Time Accordion Championships!

Nelson StreetFest
Nelson
☎*(250) 352-7188*
www.streetfest.bc.ca
À Nelson, Baker Street est interdite aux voitures pendant trois jours chaque année au mois de juillet, pour permettre aux artistes et interprètes, ainsi qu'aux marchands de cette artère commerciale, de présenter aux passants leurs créations et leurs numéros, pour les uns, et leurs produits et articles, pour les autres.

Août

Weetama, Whistler's Celebration of Aboriginal Culture
Whistler
☎*(604) 932-2394*
Le festival autochtone de Whistler, qui s'étend sur une semaine, s'ouvre à la musique, aux arts, à la danse, aux ateliers et aux cérémonies traditionnelles.

Peach Festival
Penticton
☎*(250) 493-7385*
www.peachfest.com
Ça fait maintenant plus de 50 ans qu'a eu lieu le premier Peach Festival, tenu au début du mois d'août. Les familles de la région sont invitées à y participer et à s'offrir un petit déjeuner aux crêpes, de même que des fruits et légumes merveilleux, incluant les pêches évidemment, sans oublier la parade, le feu d'artifice et, que oui!, le couronnement de Miss Penticton!

Okanagan Summer Wine Festival
Vallée de l'Okanagan
Voir le mois de mai, ci-dessus.

Salmon Arm Roots and Blues Festival
Salmon Arm Fair Grounds
Salmon Arm
☎*(250) 833-4096*
Ces 10 dernières années, au mois d'août, les Salmon Arm Fair Grounds ont vibré au son du blues. Des musiciens et chanteurs canadiens et internationaux prennent la scène d'assaut durant les trois jours que dure le festival.

Septembre

Whistler Comedy Festival
Whistler
Ce festival d'humour dure cinq jours à la mi-septembre.

Pentastic Hot Jazz Festival
Penticton
☎ *(250) 770-3494*
www.pentasticjazz.com
Les mordus de jazz inscriront dans leur agenda le nom de ce festival qui dure trois jours en septembre, pendant lesquels Penticton est l'hôte de groupes de jazz de calibre international en différents lieux à travers la ville.

Octobre

Oktoberfest
Whistler
À la mi-octobre, vous pourrez vous encanailler pendant les trois jours que dure cette fête bavaroise, avec la bière qui coule à flots, sans oublier les *bratwurst* et les *oom-pah-pah*...

Okanagan Fall Wine Festival
Vallée de l'Okanagan
Voir le mois de mai, ci-dessus.

Novembre

Cornucopia, Whistler's Food and Wine Celebration
Whistler
Au début novembre, ces fêtes gourmandes de cinq jours permettent d'assister à des colloques et de goûter à plusieurs nouveautés culinaires et à des cuvées de la Colombie-Britannique, le tout orchestré par les professionnels de la restauration et par les vignerons.

Décembre

Western Film Festival
Whistler
☎ *(604) 938-3200*
Au début décembre, on célèbre ce qui est typique de l'Ouest canadien par des films et documentaires portant sur l'aventure et la montagne, sans compter les ateliers et les colloques.

Nokia Snowboard FIS World Cup
mi-décembre
Whistler

First Night Celebration
31 décembre
Whistler
Partie familiale de la veille du jour de l'An.

Achats

Circuit B: La boucle de Coast Mountain

Squamish

Vertical Reality Sports Store
38154 Second Ave.
☎ *(604) 892-8248*
Le Vertical Reality Sports Store vend et loue des vélos de montagne, propose des tours guidés, vous conseille sur vos projets d'escalade et vous y amène même.

Whistler

Au sud du petit village, à l'entrée de la région de Whistler, se trouve **Function Junction**, qui est, en quelque sorte, le petit quartier industriel de la région. Mais pas n'importe quelles industries!

Blackcomb Cold Beer & Wine Store
à l'intérieur du Glacier Lodge, en face du Fairmont Chateau Whistler
☎ *(604) 932-9795*
Le Blackcomb Cold Beer & Wine Store propose une grande sélection de vins de la province. Le personnel vous conseille avec courtoisie.

The Wright Choice Cathering
12-1370 Alpha Lake
☎ *(604) 905-0444*
The Wright Choice Cathering prépare votre dîner. Chaque jour, vous pourrez aller chercher un repas différent tel que *focaccia* (fougasse), pizza, légumes grillés et poulet. Vous aurez aussi la possibilité de commander un pique-nique complet pour emporter.

Little Mountain Bakery
7-1212 Alpha Lake Rd., Function Junction
☎ *(604) 932-4220*
La Little Mountain Bakery vend du pain, des pâtisseries et des «gâteries».

Mountain Blooms
Market Place
☎*(604) 932-2599 ou 877-932-2599*
Mountain Blooms présente une très bonne sélection de fleurs fraîches et de bouquets pour les grandes occasions. On peut y faire des envois dans le monde entier.

All Seasons Spa
Fairmont Chateau Whistler
☎*(604) 938-2086*
All Seasons Spa vous accueille «en beauté» pour vous relaxer et vous refaire une santé.

Whistler Sailing & Water Sports Centre Ltd.
Lakeside & Wayside Parks, Alta Lake
☎*604-932-7245*
Whistler Sailing & Water Sports Centre Ltd. répond à tous vos besoins pour la voile et les sports nautiques.

Adele-Campbell Fine Art Gallery
4050 Whistler Way, près du hall d'entrée du Delta Whistler Resort
☎*(604) 938-0887*
L'Adele-Campbell Fine Art Gallery propose des œuvres d'artistes réputés de la Colombie-Britannique et d'ailleurs au Canada.

Plaza Galleries
22-4314 Main St.
☎*(604) 938-6233*
Plaza Galleries représente les artistes internationals et de la région.

The Grove Gallery
Delta Whistler Resort
☎*(604) 932-3517*
The Grove Gallery propose des paysages de Whistler et de montagne.

Whistler Inuit Gallery
4599 Chateau Blvd., Westin Resort and Spa
☎*(604) 938-3366*
La Whistler Inuit Gallery expose de très belles œuvres de sculpteurs amérindiens en bois, en os, en marbre et en bronze.

Harrison Hot Springs

Curiosities
160 Lillooet Ave.
☎*(604) 796-9431*
Curiosities vous propose des souvenirs de la région, des jouets pour enfant et des t-shirts, ainsi que d'autres vêtements pour vos vacances.

A Question of Balance
880 Hot Springs Rd.
☎*(604) 796-9622*
A Question of Balance est une galerie d'art qui a été créée par des artisans canadiens. Le beau travail de tricot, de couture ou de poterie, ou encore de verre soufflé, est très intéressant.

Harrison Watersports
The Esplanade
☎*(604) 796-2244, poste 299*
Harrison Watersports loue des motomarines et organise des balades.

Crafts & Things Market
☎*604-796-2171*
De mars à novembre, de nombreux marchés ont lieu à Harrison Hot Springs; téléphonez pour en connaître les jours et les heures.

Circuit C: La rivière Thompson jusqu'à Revelstoke

Kamloops

Farmer's Market
☎*(250) 573-3981*
De mai à octobre, de beaux marchés d'alimentation s'installent, les samedis, au 200 Block St. Paul Street, et les mercredis, à l'angle de Third Avenue et de Victoria Street.

At Second Glance Used Books
246 Victoria St.
☎*(250) 377-8411*
At Second Glance Used Books, une librairie d'ouvrages d'occasion qui a pignon sur la rue la plus importante de Kamloops, est un bon endroit où dénicher un vieux classique.

Castles and Cottages Antiques
118 Victoria St.
☎*(250) 374-6704*
Castles and Cottages, installé dans un édifice patrimonial revêtu de briques rouges, se trouve à l'extrémité ouest de Victoria Street. La collection d'antiquités qui y sont en montre est plutôt présentée pêle-mêle, mais il s'y trouve peut-être

quelques trésors à découvrir.

Circuit D: La vallée de l'Okanagan

Kelowna

Le **Far West Factory Outlet** *(230-2469 Hwy. 97, ☎250-860-9010)* propose des grandes marques de vêtements confortables et légers.

Valhalla Pure Outfitters *(453 Bernard Ave., au centre-ville, ☎250-763-9696)* est un manufacturier local spécialisé en vêtements qui est très populaire.

Mosaic Books *(Bernard Ave., centre-ville, ☎250-736-4418)* propose un grand nombre de livres ainsi que les cartes et plans nécessaires à vos excursions.

Penticton

Front Street
La colorée Front Street bifurque vers Main Street juste avant de plonger dans le lac Okanagan. Établies dans de beaux petits bâtiments en brique, nombre de boutiques axées sur la vente de cadeaux et de produits artisanaux la bordent sur ce tronçon.

The Bookshop
242 Main St.
☎(250) 492-6661
The Bookshop s'autoproclame «la plus grande librairie d'ouvrages d'occasion dans l'Ouest canadien».

The Lloyd Gallery
598 Main St.
☎(250) 492-4484
The Lloyd Gallery possède une grande collection d'œuvres d'artistes de la vallée de l'Okanagan. Les tableaux multicolores de l'artiste peintre Jennifer Garant, originaire de Penticton, valent vraiment la peine d'être vus.

The Lane
675 Main St.
☎(250) 493-9221
The Lane se veut l'endroit où trouver, à prix plus abordable, un souvenir de votre voyage à travers la vallée de l'Okanagan. Céramiques, produits artisanaux et objets d'art y sont disponibles sous une verrière de Main Street.

Circuit E: Kootenay Country

Nelson

Craft Connection Cooperative
441 Baker St.
☎(250) 352-3006
Nelson a été surnommée la «meilleure petite ville d'art au Canada». Donc, faire un arrêt à la Craft Connection Cooperative est sûrement un geste conséquent, même si ce n'est que pour s'imprégner du génie créatif des artisans locaux.

Bleuets

Nord de la Colombie-Britannique

La Colombie-Britannique est réputée, depuis longtemps, pour ses activités de plein air variées et inattendues.

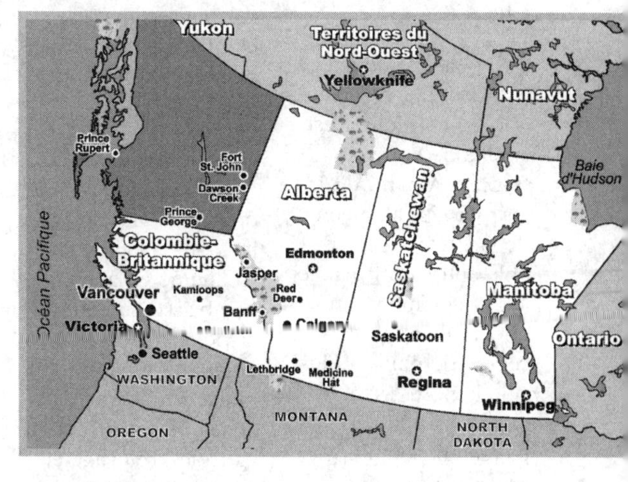

Pour ceux qui se sentent une âme d'aventuriers ou d'explorateurs, ou simplement pour les purs amoureux de la nature, il existe, au nord, une terre sauvage et méconnue qui ne finira jamais de les fasciner.

Les montagnes, souvent couvertes de neiges éternelles ou de glaciers, y occupent 80% du territoire. Les lacs qui recueillent le limon glaciaire se parent de couleurs irisées. Quant aux forêts, elles font partie des plus prestigieuses du monde. Ce décor enchanteur permet des activités de plein air illimitées, à la mesure de l'imagination la plus fertile.

Deux régions distinctes forment le nord de la Colombie-Britannique: North by Northwest et Peace River-Alaska Highway. Ensemble, elles représentent plus de 50% de la superficie totale de la province. De nombreux campings, hôtels et restaurants offrent des services comparables à ceux disponibles dans les grandes villes. Certaines localités, malgré leur isolement, sont ainsi parfaitement équipées pour recevoir les touristes.

Les voies d'accès vers ces grands espaces septentrionaux sont peu nombreuses. En fait, il n'existe que trois routes principales:

- La route Stewart-Cassiar (route 37), la route la plus à l'ouest, située au cœur de la région North by Northwest.

- La route de l'Alaska (route 97), à l'est, dont le kilomètre 0 (aussi appelé Mile 0) se trouve à Dawson Creek.

- La route de Yellowhead (route 16), qui longe le sud des deux régions et qui permet de se rendre à l'extrême ouest, sur les rives du Pacifique, d'où il est possible d'atteindre les îles de la Reine-Charlotte.

Le point de départ vers toute destination septentrionale est la ville de Prince George. À partir d'ici, les journées allongent de façon très perceptible entre le 21 mars et le 21 septembre, un phénomène qui s'accentue de plus en plus vers le nord. L'été, le ciel n'est jamais complètement sombre, et, suivant la situation géographique, il est même possible de faire l'expérience du soleil de minuit.

Aux abords de la frontière du Yukon et de la Colombie-Britannique, à la hauteur du 60e parallèle, l'été il ne fait plus vraiment nuit, et, par les longues soirées hivernales, les aurores boréales sont des manifestations célestes très communes. Le climat estival est caractérisé par de longues journées ensoleillées, avec des températures souvent plus élevées qu'au sud. Les hivers sont longs. À l'ouest, les chutes de neige sont très importantes et les températures, bien qu'inférieures à 0°C, sont plutôt clémentes. À l'est, le climat est continental, avec moins de neige et un froid sec et intense.

Contrairement à la croyance populaire, quitter les grandes villes pour la campagne n'entraîne en aucun cas une baisse du coût de la vie. En effet, le nord de la Colombie-Britannique est éloigné des zones de production agricole, d'élevage et de transformation des matières premières. Résultat: nourriture, carburant, hébergement, etc., tout y est plus cher de 50 à 100% selon les endroits!

En ce qui concerne les communications, les cabines téléphoniques sont assez rares. Elles ne se trouvent qu'aux abords des parcs et dans les villes et villages.

Ce chapitre comporte huit circuits:

Circuit A: Gold Rush Trail et Cariboo Mountains ★★

Circuit B: Accès à la route de l'Alaska ★★

Circuit C: Boucle de Hudson's Hope ★★

Circuit D: Route de l'Alaska ★★★

Circuit E: Route Stewart-Cassiar ★★★

Circuit F: Excursion à Stewart, C.-B./Hyder, AK ★★★

Circuit G: Route de Yellowhead ★★★

Circuit H: Îles de la Reine-Charlotte (Haida Gwaii) ★★★

Pour s'y retrouver sans mal

En voiture

Circuit A: Gold Rush Trail et Cariboo Mountains

Ce circuit forme un trajet linéaire d'environ 200 km entre Prince George et William's Lake. Une escapade d'une centaine de kilomètre vers l'est et les Cariboo Mountains s'effectue à mi-chemin à partir de Quesnel. C'est ici que la région a pris son envol, il y a plus d'un siècle. Avant de gagner les terres reculées, les prospecteurs d'or s'arrêtaient dans les villes de la vallée du fleuve Fraser (William's Lake et Quesnel) pour faire provision de tout l'attirail nécessaire au rude labeur du chercheur d'or.

La route 97 descend vers le sud entre Prince George et William's Lake. À mi-chemin de cette dernière ville, à quelques kilomètres au nord de Quesnel, la route 26 bifurque vers l'est, en direction des vieilles villes minières et du Bowron Lake Provincial Park, paradis du canot de lac.

Circuit B: Accès à la route de l'Alaska

Au départ de Prince George, la route 97 mène à Dawson Creek, au kilomètre 0 (que certaines personnes appellent aussi «Mile 0») de la route de l'Alaska. La région s'est principalement développée autour des industries forestières et hydroélectriques. La rencontre d'ours ou d'orignaux est un événement très commun, surtout lors de la traversée des parcs provinciaux, avec leurs campings bien aménagés.

À mi-parcours se trouve la bifurcation de la route 39 vers Mackenzie, située 29 km plus loin. Cette route 39 étant un cul-de-sac, il faut revenir sur ses pas pour reprendre la route 97. La traversée de Pine Pass donne l'occasion d'observer l'immensité de la forêt ainsi que les premiers contreforts des Rocheuses. Après la station de ski Powder King, à environ 100 km, se trouve la ville de Chetwynd. De là, il est possible d'atteindre Tumbler Ridge, mais ici encore il faut revenir sur ses pas pour rejoindre la route 97 et boucler le circuit.

Circuit C: Boucle de Hudson's Hope

Il existe une autre manière de se rendre à la route de l'Alaska au départ de Prince George. Il suffit d'emprunter la route 29 Nord, qui conduit au village de Hudson's Hope et rejoint le kilomètre 86 de la route de l'Alaska.

Circuit D: Route de l'Alaska

Le circuit proposé couvre toute la partie britanno-colombienne de la route de l'Alaska. Le départ se fait au kilomètre 0 (ou Mile 0), à Dawson Creek, et le voyage se prolonge aux confins de la province jusqu'à la ville de Watson Lake, au Yukon, sur un parcours d'un peu plus d'un millier de kilomètres au total. Vous traverserez d'abord Fort St. John puis Fort Nelson et les parcs provinciaux de Stone Mountain, de Muncho Lake et de Liard Hot Springs.

Au moment de la construction de la route de l'Alaska, les distances se mesuraient en miles (1 mile ou 1 mille = 1,6 km). Depuis l'avènement du système métrique au Canada dans les années 1970, les kilomètres font aussi partie du système de mesure officiel de cette route légendaire, mais seulement dans sa portion canadienne.

Malgré tout, encore aujourd'hui, il n'est pas rare de trouver des cartes routières et des prospectus gouvernementaux dans lesquels les distances sont encore en miles. D'ailleurs, tout le long de la route, et même au Canada, se trouvent des bornes commémoratives affichant des distances exprimées uniquement en miles. Tradition et influence américaine obligent!

Il est possible de combiner les circuits C et D en faisant une grande boucle qui relie la route Stewart-Cassiar à la route de l'Alaska, puisque les deux routes se rejoignent à Junction 37, au kilomètre 1038 (Mile 649) de la route de l'Alaska, non loin de Watson Lake.

État des routes

Dawson Creek
☎800-663-4997

Fort Nelson
☎774-7447 ou 774-6956

Circuit E: Route Stewart-Cassiar

Ce circuit s'effectue généralement au départ de Kitwanga, du sud au nord. À 169 km de Kitwanga, la bifurcation de la route 37A, à gauche, conduit à Stewart et à Hyder Alaska (voir «Circuit F», ci-dessous). Il faut rester sur la route 37 en direction nord pendant toute la durée du circuit, qui couvre un peu moins de 600 km. De nombreuses petites localités longent la route: Tatogga, Iskut, Dease Lake, Good Hope Lake et Upper Liard (Yukon).

À Dease Lake, l'excursion à Telegraph Creek vaut le déplacement; pour l'effectuer, il suffit d'emprunter une route de terre bien indiquée et en bon état sur une distance de 129 km. Tout comme le circuit C, le circuit D se termine à Watson Lake, au Yukon. Il est possible de combiner les circuits C et D en faisant une grande boucle qui relie la route Stewart-Cassiar à la route de l'Alaska, puisque les deux routes se rejoignent à Junction 37, au kilomètre 1038 (Mile 649) de la route de l'Alaska, non loin de Watson Lake.

Circuit F: Excursion à Stewart,C.-B./ Hyder, AK

Ce circuit commence dès Meziadin Junction le long de la route Stewart-Cassiar: il faut prendre à droite en direction de la route 37A, communément appelée Glacier Highway. À 65 km se trouve la ville de Stewart; et 2 km plus loin, par la route longeant le Portland Canal, est situé le village de Hyder (Alaska).

Circuit G: Route de Yellowhead

Ce circuit relie la ville de McBride, dans l'est de la Colombie-Britannique, à celle de Prince Rupert, sur la côte Pacifique, pour une distance totale d'environ 1 000 km. La route de Yellowhead traverse une impressionnante variété de paysages, de montagnes, de plaines, de plateaux ainsi que des localités assez peuplées, entre autres Prince George, Smithers, Terrace et Prince Rupert.

État des routes

Prince Rupert
☎800-663-4997

Circuit H: Îles de la Reine-Charlotte (Haida Gwaii)

La route 16, la seule route carossable de l'île Graham, l'île la plus importante et la plus peuplée de l'archipel, longe toute la côte Est sur une distance de 120 km.

En avion

Circuit B: Accès à la route de l'Alaska

Prince George

L'aéroport *(☎250-963-2400)* se trouve à quelques kilomètres à l'est du centre-ville et est accessible par le pont de Yellowhead au nord ou par le pont Simon Fraser au sud. L'aéroport est desservi par **Air Canada Regional Airlines** *(☎888-247-2262, www.aircanada.ca)*, **Berry Air** *(☎250-563-7788)* et **Westjet** *(☎800-538-5696, www.westjet.com).*

Circuit D: Route de l'Alaska

Dawson Creek

Le Dawson Creek Municipal Airport est situé au sud de la ville et est accessible par la route 2. Il est desservi quotidiennement par **Hawkair** *(☎800-487-1216, www.hawkair.ca)* et **Central Mountain Air** *(☎888-865-8585, www.cmair.bc.ca)*; une liaison régionale est assurée par **Kenn**

Borek Air *(☎250-782-5561, www.borekair.com).*

Fort St. John

L'aéroport *(☎250-787-7170)* se trouve à 10 km de la ville sur la route de Cecil Lake, le long de 100th Avenue. Il est desservi par **Air Canada Jazz** *(☎888-247-2262, www.aircanada.ca)* et **Peace Air** *(☎800-563-3060, www.peaceair.net).*

Fort Nelson

L'aéroport *(☎250-774-2069)* est situé à 10 km du centre-ville par Airport Road et est desservi par **Air Canada Jazz** et **Central Mountain Air** (voir ci-dessus).

Watson Lake (Yukon)

L'aéroport se trouve à 13 km du centre-ville et est accessible par la Campbell Highway en direction nord. Il est desservi entre autres par **Alkan Air**, la compagnie aérienne principale *(à Whitehorse, ☎867-668-2107, www.alkanair.com)* et **Central Mountain Air** (voir ci-dessus).

Circuit G: Route de Yellowhead

Smithers

L'aéroport est situé sur la route 16, à 10 km à l'ouest de Smithers *(☎250-847-3664).* Il est desservi par **Central Mountain Air** (voir ci-dessus) et **Air Canada Jazz** (voir ci-dessus).

Prince Rupert

L'aéroport *(☎250-624-6274)* se trouve sur Digby Island, avec accès par un petit traversier municipal *(11$ aller simple)*, au bout de la route 16, à la pointe sud-ouest de Prince Rupert. L'aéroport est desservi par **Hawkair Aviation Services** *(☎800-487-1216, www.hawkair.net).*

Circuit H: Îles de la Reine-Charlotte (Haida Gwaii)

On trouve un aéroport à Masset, dans le nord de l'île Graham, et un autre à Sandspit, sur l'île Moresby. Ils sont tous deux bien indiqués. L'aéroport de Sandspit est desservi par **Northern Thunderbird Air** *(☎250-963-9611 ou 866-232-9211, www.ntair.ca)* et **Air Canada Jazz** (voir ci-dessus).

En autocar

La compagnie **Greyhound** *(☎800-661-8747, www.greyhound.ca)* dessert les communautés que l'on retrouve dans ce chapitre. Vous trouverez ci-dessous les coordonnées des gares routières locales.

Circuit A: Gold Rush Trail et Cariboo Mountains

Quesnel
365 Kinchant St.
☎(250) 992-2231

William's Lake
215 Donald Rd.
☎(250) 398-7733

Circuit B: Accès à la route de l'Alaska

Prince George
angle 12th St. et Victoria St.
☎(250) 564-5454

Circuit D: Route de l'Alaska

Dawson Creek
1201 Alaska Ave.
☎(250) 782-3131

Fort St. John
10355 101st Ave.
☎(250) 785-6695

Fort Nelson
5031 51st Ave., West Fort Nelson
☎(250) 774-6322

Watson Lake (Yukon)
angle Campbell Hwy. et Alaska Hwy.
☎(867) 536-2606

Circuit E: Route Stewart-Cassiar

Stewart
Seaport Limousine
516 Railway St.
☎(250) 636-2622

Circuit G: Route de Yellowhead

Smithers
route 16, à quelques rues du Travel InfoCentre
☎ ***(250) 847-2204***

Prince Rupert
3rd Ave., angle 8th St.
☎ ***(250) 624-5090***

En train

Circuit G: Route de Yellowhead

Smithers

La gare ferroviaire *(☎800-561-8630)* se trouve sur Railway Avenue, non loin du centre-ville. Vous devez par contre acheter votre billet d'un agent de voyages, soit chez **Mackenzie Travel** *(☎250-847-2979)* ou **Uniglobe Priority Travel** *(☎250-847-4314).*

Prince Rupert

La gare de **VIA Rail** *(☎888-842-7245, www.viarail.ca)* est située en bordure de mer, sur Waterfront Avenue.

Chèvre de montagne

En traversier

Circuit G: Route de Yellowhead

Prince Rupert

BC Ferries
à l'extrémité ouest de 2nd Ave. (route 16), Fairview
☎ ***(250) 386-3431***
☎ ***888-223-3779***
www.bcferries.com

Circuit H: Îles de la Reine-Charlotte (Haida Gwaii)

Les deux seuls moyens de transport pour se rendre à cet archipel de 150 îles sont l'avion et le traversier de **BC Ferries** *(☎250-386-3431 ou 888-223-3779, www.bcferries.com)* qui va a l'île Graham. C'est l'île la plus importante et la plus peuplée de l'archipel. L'île de Moresby, la deuxième en importance, est desservie, à Alliford Bay, par le petit traversier partant de Skidegate Landing, à l'île Graham.

Renseignements pratiques

L'indicatif régional du nord de la Colombie-Britannique, de même que de Hyder, en Alaska, est le ***250***. À Watson Lake, au Yukon, c'est le ***867***.

Renseignements touristiques

Northern British Columbia Tourism Association
☎ ***561-0432 ou 800-663-8843***
⇄ ***561-0450***
850 River Rd., Prince George
www.northernbctravel.com

Circuit A: Gold Rush Trail et Cariboo Mountains

Quesnel
lun-sam 9h à 18h
405 Barlow St.
☎ ***(250) 992-8716***
visitorinfo@cityquesnel.bc.ca

Circuit B: Accès à la route de l'Alaska

Prince George
lun-sam 8h30 à 17h
1198 Victoria St
☎ ***562-3700 ou 800-668-7646***
www.tourismpg.bc.ca

Mackenzie
Le bureau de tourisme *(à l'intersection des routes 39 et 97, à 29 km du centre-ville, ☎750-4497 ou 997-5459)* est ouvert de la mi-mai à la mi-septembre. Le reste de l'année, des renseignements peuvent être obtenus à la chambre de commerce *(86 Centennial St., ☎997-5459 ou 877-622-5360, www.mackenziechamber.bc.ca).*

Chetwynd
début mai à fin oct tlj 9h à 17h
5400 North Access Rd
☎ ***788-1943***
☎ ***401-4100 (basse saison)***
www.gochetwynd.com

Dawson Creek
début mai à fin sept tlj 8h à 19h, début oct à fin avr mar-sam, 9h à 17h
900 Alaska Hwy
☎782-9595 ou 866-645-3022
www.tourismdawsoncreek.com

Circuit C: Boucle de Hudson's Hope

Hudson's Hope
mi-mai à mi-sept tlh 8h30 à 20h
en face du musée et de l'église, dans une cabane de bois rond au centre du village
☎783-9154
☎783-9901 (basse saison)
http://dist.hudsons-hope.bc.ca

Circuit D: Route de l'Alaska

Fort St. John
Afin d'illustrer la vocation industrielle et pétrolière de la ville, le bureau de tourisme *(mi-mai à début sept lun-ven 8h à 20h, sam-dim 8h à 18h; début sept à mi-mai lun-ven 9h à 17h; ☎785-3033, www.fortstjohnchamber.com)* se trouve à l'opposé d'un grand derrick (50 m), à deux pas du centre-ville.

Fort Nelson
été tlj 8h à 20h
à l'extrémité ouest du centre-ville, à l'intérieur du centre de récréation
☎774-2541

Watson Lake (Yukon)
début mai à mi-sept, tlj 8h à 20h
à la jonction de l'Alaska Hwy. et de la Campbell Hwy.
☎(867) 536-7469
www.touryukon.com

Circuit E: Route Stewart-Cassiar

Kitwanga
tlj mi-mai à mi-sept
Valley Rd.
☎866-417-3737
www.stewartcassiar.ca

Circuit F: Excursion à Stewart, C.-B./Hyder, AK

Stewart
222 5th Ave.
☎636-9224

Hyder
Main St.
☎636-9148
Le Hyder Community Building présente des archives et des documents relatifs à l'histoire de Hyder.

Circuit G: Route de Yellowhead

Prince Rupert
tlj 9h à 17h
First Ave. E., attenant au Museum of Northern British Columbia, Suite 100, 215 Cow Bay Rd.
☎624-5637 ou 800-667-1994
www.tourismprincerupert.com

McBride
mi-mai à mi-sept, tlj 9h à 17h
dans un wagon facilement repérable par sa sculpture d'une famille de grizzlys à l'entrée
☎569-3366

Vanderhoof
centre-ville, Burrard St.
☎567-2124
Pour connaître les meilleurs coins de pêche.

Burns Lake
Chambre de commerce
540 Hwy. 16
☎692-3773

Houston
le long de la route (sa canne à pêche se voit de loin)
☎845-7640

Smithers
à l'intersection de la route 16 et de Main St.
☎847-5072 ou 800-542-6673

New Hazelton
à l'intersection des routes 16 et 62
☎842-6071 *mai à sept*
☎842-6571 *sept à avr*

Terrace
mi-mai à mi-sept tlj 9h à 20h, mi-sept à mi-mai lun-ven 9h à 16h30
☎635-2063 ou 800-499-1637
www.terracetourism.com
En arrivant de l'est par la route 16, vous apercevrez le bureau de tourisme situé dans le bâtiment en bois rond de la chambre de commerce.

Kitimat
2109 Forest Ave.
☎632-6294 ou 800-664-6554
www.haisla.net

Circuit H: Îles de la Reine-Charlotte (Haida Gwaii)

Pour bien planifier un séjour aux îles de la Reine-Charlotte (*Haida Gwaii* veut dire «Terre haida» en langue autochtone), il est préférable de communiquer à l'avance avec les bureaux de tourisme.

Queen Charlotte City
Visitor InfoCentre
3320 Wharf St.
☎559-8316

Gwaii Haanas
☎559-8818

Masset
été seulement
dans une petite remorque, à l'entrée sud du village
☎626-3982
www.massetbc.com

Attraits touristiques

Circuit A: Gold Rush Trail et Cariboo Mountains

Ce parcours s'étend du nord au sud entre Prince George et William's Lake. Les incontournables attractions se trouvent à l'est de Quesnel par la route 26. À ceux qui veulent explorer un peu plus à fond, nous leur suggérons de descendre plus au sud de William's Lake pour découvrir les splendeurs du Well's Gray Provincial Park.

Il est aussi possible de prendre la route cahoteuse qui se dirige vers l'ouest à partir de William's Lake, à la découverte de Bella Coola et du seul port de mer entre Prince Rupert et l'île de Vancouver. Cette expédition, plus longue et moins confortable, plaira aux aventuriers qui seront comblés de surprises hors des sentiers battus. Pour ce qui est des paysages, par contre, vous aurez l'embarras du choix pratiquement partout où vous mettrez les pieds.

★★★ Quesnel

En partant de Prince George, on atteint Quesnel, 118 km plus au sud, en un peu plus d'une heure de voiture. Il s'agit de la plus belle ville de la région, avec ses deux fleuves qui s'y rencontrent et ses belles artères garnies de fleurs et bordées d'arbres.

Comme bien des villes des alentours, Quesnel a vu le jour pendant la ruée vers l'or du XIXe siècle. Les chercheurs d'or y faisaient le plein de denrées alimentaires et de matériel de survie avant de se lancer à la recherche de la fameuse pépite dans les vallées reculées de l'arrière-pays. D'où le surnom de la ville: *Gold Pan City*, la ville du tamis d'or.

Aujourd'hui, c'est l'industrie forestière qui a pris le dessus sur l'activité minière en tant que moteur économique de la région. Plus de 2 000 familles dépendent directement de cette industrie.

Quesnel constitue le point de départ d'une multitude d'excursions. Si vous n'avez que quelques jours à consacrer à la région, limitez-vous à Quesnel et choisissez parmi l'éventail de possibilités telles que canot, rafting et visites d'une ville minière reconstituée ou d'une papetière. La troisième fin de semaine de juillet, les Billy Barker Days soulignent le patrimoine historique de la ville autour du thème de la Ruée vers l'or. Des activités pour toute la famille sont au programme.

Le **Quesnel & District Museum** *(2$; 405 Barlow St., ☎992-9580)* loge à même le centre d'information touristique, permettant de combiner l'utile à l'agréable. L'exposition permanente présente les objets de tous les jours que les pionniers utilisaient aux champs, dans les mines et à la maison il y a plus d'un siècle.

Une attraction à la fois surprenante et gratuite se trouve au **Pinnacles**

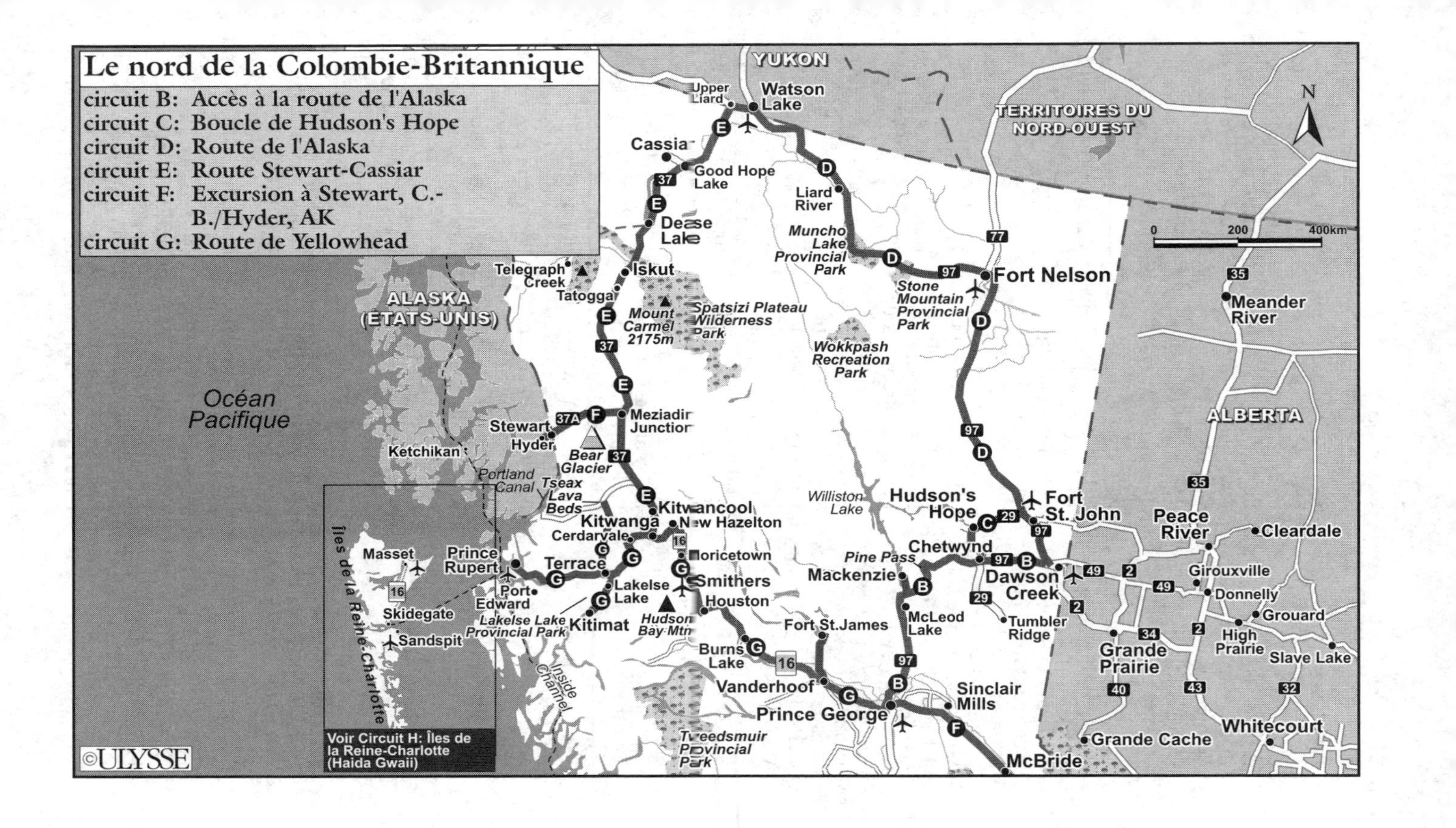
Le nord de la Colombie-Britannique
circuit B: Accès à la route de l'Alaska
circuit C: Boucle de Hudson's Hope
circuit D: Route de l'Alaska
circuit E: Route Stewart-Cassiar
circuit F: Excursion à Stewart, C.-B./Hyder, AK
circuit G: Route de Yellowhead
YUKON
TERRITOIRES DU NORD-OUEST
ALBERTA
ALASKA (ÉTATS-UNIS)
Océan Pacifique
Upper Liard
Watson Lake
Cassia
Good Hope Lake
Liard River
Muncho Lake Provincial Park
Fort Nelson
Stone Mountain Provincial Park
Telegraph Creek
Tatogga
Iskut
Mount Carmel 2175m
Spatsizi Plateau Wilderness Park
Wokkpash Recreation Park
Meander River
Stewart
Hyder
Ketchikan
Meziadin Junction
Bear Glacier
Portland Canal
Tseax Lava Beds
Kitwancool
Kitwanga
New Hazelton
Cerdarvale
Williston Lake
Hudson's Hope
Fort St. John
Peace River
Cleardale
Masset
Prince Rupert
Terrace
Moricetown
Smithers
Chetwynd
Pine Pass
Mackenzie
Dawson Creek
Girouxville
Donnelly
Grouard
Port Edward
Lakelse Lake
Kitimat
Lakelse Lake Provincial Park
Hudson Bay Mtn
Houston
Skidegate
Sandspit
Îles de la Reine-Charlotte
Fort St.James
McLeod Lake
Tumbler Ridge
Grande Prairie
High Prairie
Slave Lake
Burns Lake
Inside Channel
Vanderhoof
Prince George
Sinclair Mills
Tweedsmuir Provincial Park
Grande Cache
Whitecourt
McBride
Voir Circuit H: Îles de la Reine-Charlotte (Haida Gwaii)
0 200 400km
N
©ULYSSE

Park *(légèrement au-delà des limites de la ville, du côté ouest; suivre les indications)*. Une petite marche d'une vingtaine de minutes vous mènera, à travers une forêt de conifères, jusqu'à un groupe de monticules sablonneux qui pointent très haut, appelés *hoodoos* par les habitants de la ville. Il s'agit d'étranges formations verticales de couleur terreuse et d'origine volcanique formées il y a 12 millions d'années par l'érosion de diverses couches de sol volcanique. Il ne reste aujourd'hui que les couches les plus résistantes qui s'élancent fièrement vers le ciel.

Quesnel compte trois usines de pâtes et papiers que l'on peut visiter en appelant au préalable:

Quesnel River Pulp
1000 Finning Rd.
☎992-8919

Cariboo Pulp & Paper
North Star Rd.
☎992-0200

West Fraser Mills
1250 Brownmiller
☎992-9244

Barkerville ★★★ *(7,25$ mi-juin à début sept, entrée libre début sept à mi-juin; 125 km à l'est de Quesnel, ☎994-3302, poste. 29, www.barkerville.com)* jaillit du néant en 1862 lorsque Billy Barker découvrit de l'or dans la crique William. Pendant les huit années qui suivirent, 100 000 personnes allèrent tenter leur chance, faisant de Barkerville la plus importante ville à l'ouest de Chicago et au nord de San Francisco.

Le malheur avec les filons, c'est qu'ils s'épuisent! Aujourd'hui, la ville est un site historique protégé où plus de 125 édifices ont été restaurés avec leur look de ville frontière. Le résultat est étonnant: saloon, hôtel, bureau de poste, imprimeur, maréchal-ferrant. Tout y est et l'illusion est parfaite. Illusion dites-vous? Il y a pourtant toujours quelques prospecteurs qui tamisent le fond des rivières qui coulent dans les alentours...

À 30 km de Barkerville, le **Bowron Lake Provincial Park ★★★** est particulièrement célèbre pour une activité particulière: le canot (voir p 352). En voyant toutes ces embarcations sur le toit des voitures qui circulent à Quesnel, vous comprendrez que le circuit d'une semaine entre les montagnes est une attraction mondialement reconnue.

Le **Wells Gray Provincial Park** *(via 100 Mile House ou Clearwater, ☎851-3000)* est le deuxième parc en importance de la province. Les possibilités d'activités de plein air y sont multiples. Vous pourrez pratiquer le canot, la randonnée pédestre ou la pêche, et ce, pour une journée ou une semaine. Le parc est aussi célèbre pour ses nombreuses chutes qui hypnotisent le spectateur durant de longs moments.

Circuit B: Accès à la route de l'Alaska

Le point de départ de ce circuit est la ville de Prince George. Par la route 97, il est possible de se rendre au kilomètre 0 (Mile 0) de l'Alaska Highway, situé à Dawson Creek. L'itinéraire proposé conduit à travers d'agréables paysages boisés et parsemés de lacs. La route traverse la chaîne des montagnes Rocheuses.

★★ Prince George

Prince George se considère elle-même comme la capitale du nord de la Colombie-Britannique avec ses 70 000 habitants. À vrai dire, en regardant la carte, Prince George est, en fait, située au centre de la province. Cette situation géographique a permis à la ville d'être la plaque tournante non seulement du transport ferroviaire, mais aussi du transport routier, puisque Prince George se trouve à l'intersection de la route 16, qui traverse la Colombie-Britannique d'est en ouest, et de la route 97, qui, quant à

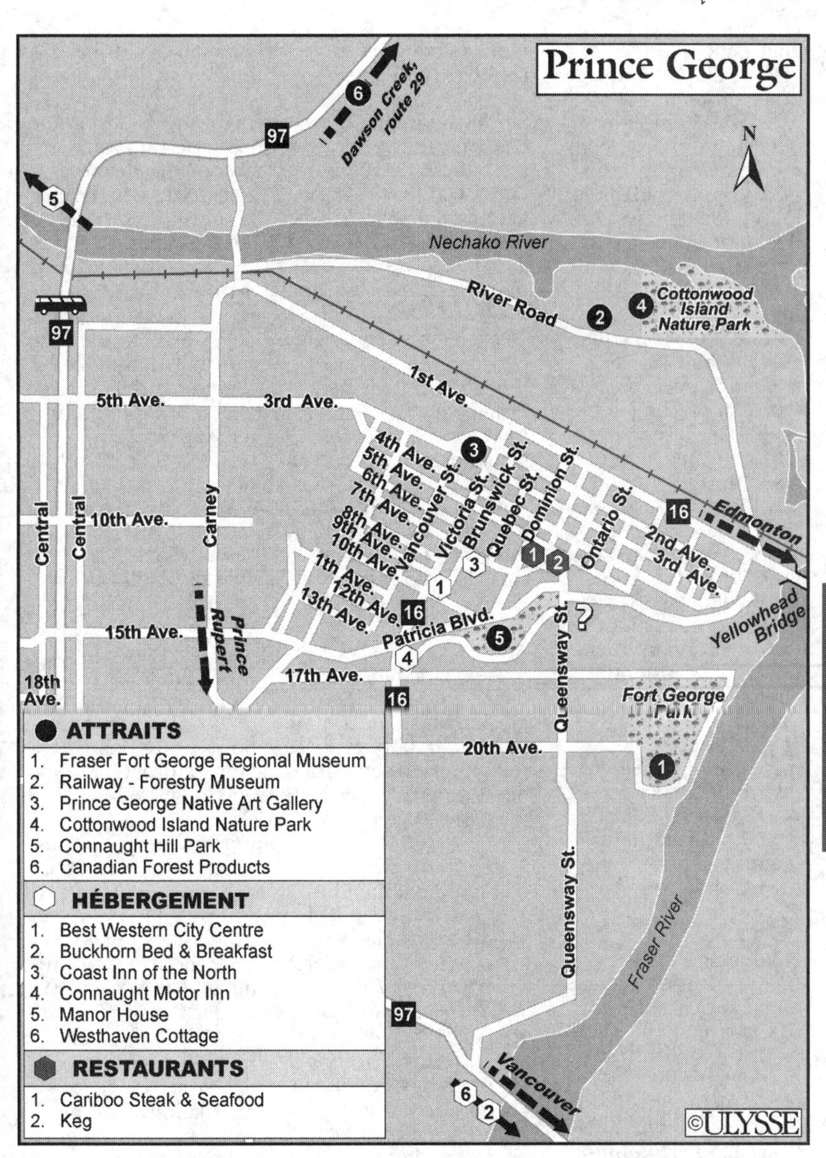

elle, traverse la province du nord au sud.

Prince George se trouve à 800 km au nord de Vancouver, à environ une heure de vol mais à 10 heures de route par la transcanadienne et la route 97 Nord. L'histoire de Prince George est liée à la présence de ses deux cours d'eau: la rivière Nechako et le fleuve Fraser.

En effet, dès le début du XIXe siècle, les trappeurs et les coureurs des bois s'en servaient comme voies de transport vers les vastes territoires du Nord. Très vite, ils se rendirent compte que la région était riche en loups, en visons, en rats musqués, en renards, etc. Ainsi, des comptoirs d'échange pour le commerce des fourrures s'établirent rapidement le long des berges du fleuve Fraser et de la rivière Nechako.

En 1807, un premier bâtiment fut construit: Fort George. En 1821, la Compagnie du Nord-Ouest et la Compagnie de la Baie d'Hudson, les deux plus importantes entreprises de traite des fourrures, absorbaient Fort George. En 1908, avec la construction du Grand Trunk Pacific Railway (GTR), Fort George allait devenir un important point de distribution pour le chemin de fer transcontinental. Tous ces grands bouleversements ont amplement contribué à accroître la population. Il fallut développer un deuxième aménagement urbain: South Fort George.

Finalement, en 1914, le GTR est mis en service dans la région. Le flot des nouveaux arrivants pousse à la construction d'un nouveau lotissement: Prince George. Aujourd'hui troisième ville en importance de la Colombie-Britannique, Prince George tire la majeure partie de ses revenus de l'industrie forestière, puisque pas moins de 15 scieries et trois usines de pâtes et papiers y sont implantées. Le climat est continental, chaud et sec l'été et froid l'hiver.

Sur le site même où fut construit Fort George en 1807 se trouve le **Fraser Fort George Regional Museum ★★** *(6,50$; mi-mai à mi-sept tlj 10h à 17h, mi-sept à mi-mai mar-dim 12h à 17h; au bout de 20th Ave., ☎562-1612)*. Le musée est un excellent endroit où retracer l'histoire de Prince George, depuis l'arrivée d'Alexander Mackenzie et les débuts du commerce des fourrures jusqu'à l'introduction et le développement des techniques d'exploitation forestière.

Aménagée dans le musée, la galerie d'exposition Northwood permet de découvrir la faune et la flore de la région, et présente un grand intérêt pour les plus jeunes.

Non loin du Fort George Regional Museum se trouve le **Railway & Forestry Museum ★★** *(6$; mi-mai à fin sept tlj 9h à 17h, oct 10h à 16h; 850 River Rd., ☎563-7351)*. Il décrit un voyage dans le temps à l'époque des débuts du chemin de fer et des premières techniques de coupe du bois.

Pour les amateurs d'art amérindien, une visite s'impose au 1600 3rd Avenue, soit à la **Prince George Native Art Gallery** *(mar-ven 9h à 17h, sam 10h à 16h; ☎614-7726)*. Cette galerie privée propose un important éventail d'art tribal, des gravures à la bijouterie.

Pour une petite promenade ou un pique-nique, le **Cottonwood Island Nature Park ★★** *(Tourism Prince George, 1198 Victoria St., ☎562-3700 ou 800-668-7646)* est recommandé. Ce parc d'une superficie de 33 ha est situé tout près du centre-ville le long de la rivière Nechako. Il renferme un intéressant site d'observation d'animaux tels que renards, castors et aigles.

Un autre parc, le **Connaught Hill Park ★**, situé au cœur de la ville, offre une vue de 360° sur Prince George et ses environs. Pour vous y rendre, prenez Queensway en direction sud, Connaught Drive à droite et Caine encore à droite.

Prince George tire ses revenus de la forêt, et il n'est pas étonnant qu'il soit possible d'y visiter trois usines reliées à cette industrie. La première, **Canadian Forest Products ★★** *(PG Pulpmill Rd., ☎563-0161)*, propose gratuitement des visites de ses installations. Un bus emmène les visiteurs dans les zones de coupe et de replantation.

La deuxième, **Northwood Pulp & Timber and North Central Plywoods ★★★** *(mi-mai à sept; réservations recommandées, ☎561-5700)*, dispose d'équipement très moderne, depuis la serre, où pousse la prochaine génération d'arbres, jusqu'à la scierie, où sont débités les troncs.

La troisième, la **Northwood**, la plus «verte» du Canada, est productrice de pâtes et papiers, ainsi que de matériaux de construction. Les visiteurs apprendront comment le papier mais aussi l'aggloméré et le contreplaqué sont fabriqués. Cette visite exige une longue marche, parfois en terrain accidenté. Les organisateurs recommandent le port de chaussures fermées à talons plats et d'un pantalon.

Mackenzie

Cette petite localité ultramoderne est l'exemple typique de la ville champignon. Mackenzie fut bâtie en 1966 à la suite de la construction du barrage Peace River. Moins d'un an après la pose de la première pierre, des centaines d'ouvriers arrivaient dans cette région de nature sauvage. Aujourd'hui, Mackenzie, avec ses 5 200 habitants, est devenu le village des superlatifs. En effet, celui-ci peut se vanter d'avoir le plus grand lac artificiel au monde, le **Williston Lake**, grâce à la construction du barrage, mais aussi le plus gros **broyeur d'arbres** au monde, utilisé à l'époque afin de se frayer un passage dans la forêt pour créer la ville.

Chetwynd

Cette petite ville s'appellait autrefois Little Prairie. Son nom fut changé en l'honneur du ministre des chemins de fer, Ralph Chetwynd, qui développa le transport ferroviaire dans le nord de la Colombie-Britannique. Aujourd'hui, Chetwynd est une ville ouvrière très prospère. Elle a été bâtie au nord de l'un des plus grands gisements de charbon au monde. Le gaz naturel et l'autre importante source de revenus qu'est la forêt ont renforcé son économie. L'influence de son activité forestière se répercute jusque dans les rues.

En effet, Chetwynd est la **capitale mondiale de la sculpture à la tronçonneuse**. Un peu partout en ville, des animaux sculptés ornent le sommet des bâtiments.

★ Dawson Creek

Dawson Creek reçut son nom en souvenir du docteur George Dawson, un géologue qui, en 1879, découvrit la fertilité des plaines environnantes, un emplacement géographique idéal pour développer l'agriculture. George Dawson pensait peut-être que Dawson Creek deviendrait une capitale agricole, mais se doutait-il qu'on y ferait la découverte de gisements de pétrole et de gaz naturel?

L'autre révolution pour Dawson Creek fut, en 1942, la construction de la route de l'Alaska, qui voyait naître ici son kilomètre 0 ou Mile 0 (les deux termes s'emploient). Aujourd'hui, près de 30 000 touristes en provenance du monde entier se rendent à Dawson Creek pour entreprendre leur voyage vers le nord.

Le bureau de tourisme est rattaché au **Northern Alberta Railway Park (NAR)** ★★, qui regroupe aussi le Station Museum et la Dawson Creek Art Gallery. Il est impossible de ne pas remarquer l'immense élévateur de grains, rénové en 1931 et situé au coin d'Alaska Avenue et de 8th Street.

Le **Station Museum** ★ *(début juin à fin août tlj 8h à 19h, début sept à fin mai mar-sam 10h à 12h et 13h à 17h; 900 Alaska Ave., ☎ 782-9595)* retrace l'histoire de la construction de la route de l'Alaska, mais aussi celle des premiers arrivants. Dans la collection d'objets du musée se trouvent la plus grande défense de mammouth découverte dans l'Ouest canadien mais aussi des os de dinosaures.

La **Dawson Creek Art Gallery** *(début juin à fin août tlj 9h à 17h, début sept à fin mai mar-sam*

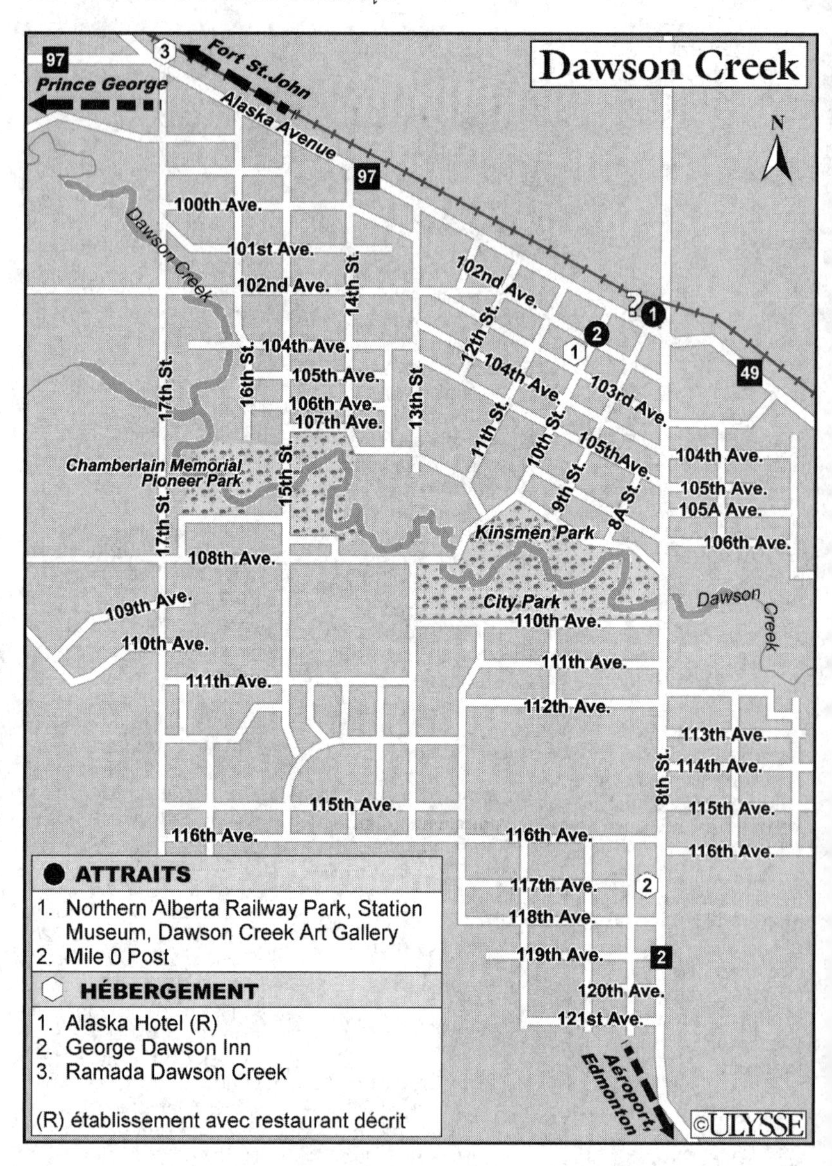

10h à 12h et 13h à 17h; ☎782-2601) propose, à l'intérieur même de l'élévateur de grains, des œuvres d'artistes locaux, de l'artisanat ainsi que des expositions itinérantes.

Juste à côté du NAR Park, un panneau indique l'entrée de la route de l'Alaska, et il est sans doute le plus photographié de la province. Au centre-ville se trouve le légendaire **Mile 0 Post**, qui, lui aussi, mérite une photographie.

Circuit C: Boucle de Hudson's Hope

Cette boucle est l'autre façon de vous rendre à Dawson Creek au départ de Prince George. À Chetwynd, il suffit d'emprunter la route 29.

Hudson's Hope

Les lieux furent explorés pour la première fois en 1793 par Alexander Mackenzie. En 1805, un comptoir de commerce des fourrures fut établi. Aujourd'hui, Hudson's Hope doit surtout sa renommée à la construction des complexes hydroélectriques WAC Bennett, dans les années 1960, et Peace Canyon, un peu plus tard.

Le bureau de tourisme est situé tout près de la charmante et ancienne petite **St. Peter's United Church** ★ en bois et du **Hudson's Hope Museum** *(mi-mai à mi-sept tlj 9h30 à 17h30, mi-sept à début oct sam-dim seulement; 9510 Beattie Dr., ☎783-5735)* qui expose des fossiles, dont ceux de dinosaures, et des vestiges des lieux.

Bien sûr, les attraits de Hudson's Hope sont les visites (gratuites) des installations hydroélectriques de **WAC Bennett** ★★★ *(mi-mai à début sept tlj 10h à 18h, visites guidées 10h30 à 16h30; début sept à début mai lun-ven 10h à 17h, visite guidée à 13h30; à environ 20 km à l'ouest de Hudson's Hope, ☎783-5000)* et de **Peace Canyon** ★★ *(fin mai à août tlj 8h à 16h, sept et oct lun-ven 8h à 16h, l'hiver sur réservation; 7 km au sud de Hudson's Hope, ☎783-9943)*. Le barrage WAC Bennett constitue la plus importante structure du monde, un amalgame de pierres et de béton fermant une vallée naturelle. Le lac de retenue, le lac Williston, constitue le plus grand plan d'eau artificiel de la planète!

Circuit D: Route de l'Alaska

Ce circuit commence au kilomètre 0 (Mile 0), à Dawson Creek, et se termine au kilomètre 1011 (Mile 632), à Watson Lake, au Yukon. La route, bien entretenue, est revêtue sur toute sa longueur. Cependant, avant de vous y engager, il est nécessaire de vous assurer du bon état de votre véhicule ainsi que de celui des pneus, car les services de réparation sont assez limités le long du trajet. Les travaux de réfection sont fréquents l'été et rendent les conditions de conduite plus difficiles à cause de la poussière. De ce fait, il convient de rouler avec les phares allumés en tout temps.

État des routes
☎(867) 667-8215

Une mesure de guerre fut à l'origine de la grande aventure de la route de l'Alaska. Cette initiative américaine visait en effet à créer une voie de communication terrestre permettant d'acheminer équipement militaire, vivres et troupes vers l'Alaska. Les travaux commencèrent dès mars 1942 au village de Dawson Creek, qui ne comptait à l'époque que 600 habitants. En l'espace de quelques semaines, la population s'est accrue de 10 000 personnes, dont la plupart étaient des ouvriers militaires.

Plus de 11 000 soldats et ingénieurs américains, 16 000 ouvriers civils et 7 000 machines et tracteurs en tout genre eurent la difficile tâche de se frayer un chemin à travers des milliers de kilomètres de nature sauvage. La facture de ce projet titanesque d'une longueur de 2 436 km, ponctué de 133 ponts, fut de 140 millions de dollars canadiens. De nos jours, la réussite de ce chantier est encore considérée comme une prouesse d'ingénierie comparable à celle du canal de Panamá. La partie canadienne de la route fut donnée au Canada par les États-Unis en 1946 et resta sous supervision militaire jusqu'en 1964.

Aujourd'hui, cette route extraordinaire est un lien économique et social essentiel pour toutes les localités septentrionales. Par ailleurs, elle permet un accès inespéré vers des paysages sublimes, pour le plaisir des voyageurs du monde entier. En 2002, la route de l'Alaska a célébré son soixantième anniversaire.

Fort St. John

kilomètre 75,6 (Mile 47)

Fort St. John est la ville la plus importante de la partie britanno-colombienne de la route de l'Alaska. Prospère et moderne, avec environ 16 000 habitants, cette petite ville bénéficie d'une économie très diversifiée. Elle tire ses revenus en partie de l'agriculture, 800 fermes étant établies dans la région, mais surtout du pétrole et du gaz naturel. Ce n'est pas pour rien que Fort St. John est la capitale énergétique de la Colombie-Britannique.

Afin d'illustrer la vocation industrielle et pétrolière de la ville, le bureau de tourisme se trouve à l'opposé d'un grand derrick (50 m) à deux pas du centre-ville.

Dans le même bâtiment, le **Fort St. John-North Peace Museum** ★ *(3$; lun-sam 9h à 17h; 9323 100th St., ☎787-0430)* regroupe près de 6 000 objets et quelques fossiles et ossements qui retracent le passé préhistorique et historique de la région de Fort St. John.

La **Peace Gallery North** *(lun-sam 10h à 17h; 10015 100th Ave., dans le centre culturel, ☎787-0993)* présente de nombreuses œuvres d'art exécutées par des artistes locaux.

The Honey Place ★ *(début mai à fin sep lun-sam 9h à 17h30, fin sept à début mai mar-sam 9h à 17h; tours guidés; kilomètre 67,2 ou Mile 42, de la route de l'Alaska, ☎785-4808)* organise des visites guidées de la plus grande «ruche vitrée» du monde. Le visiteur aura l'occasion d'observer, en temps réel, le merveilleux travail des abeilles dans leur confection du miel.

Fort Nelson

kilomètre 454,3 (Mile 283)

Cette petite ville industrielle possède une population de moins de 4 000 personnes. Son histoire est liée à la traite des fourrures depuis 1805. En 1922, le Godsell Trail, le chemin qui la reliait à Fort St. John, la sortit de son isolement.

À cette époque, Fort Nelson n'était habitée que par 200 Amérindiens et une poignée de Blancs. Ensuite, après la construction de la route de l'Alaska, la ville connut un essor considérable du fait de l'établissement de stations-service, d'hôtels et de restaurants.

Pour les amateurs d'histoire, une visite du **Fort Nelson Heritage Museum** ★ *(3$; mi-mai à sept tlj 8h30 à 19h30; face au bureau de tourisme, centre-ville, ☎774-3536)* se révèle intéressante.

★★★

Stone Mountain Provincial Park

L'entrée du **Stone Mountain Provincial Park** *(kilomètre 627 ou Mile 392 de la route de l'Alaska, BC Parks: ☎787-3411)* se trouve au point culminant de la route de l'Alaska, à 1 267 m d'altitude. Ce parc compte 25 691 ha de sommets rocheux, de formations géologiques et de lacs, et abrite la faune la plus variée du nord de la Colombie-Britannique.

Les orignaux y vivent en grand nombre, de même que les grands cerfs, les castors, les ours noirs, les grizzlys et les loups, sans parler des centaines de chèvres de montagne qu'il n'est pas rare de rencontrer près de la route. Il est conseillé aux personnes qui ne sont pas trop habituées à la randonnée en montagne sous ces latitudes septentrionales

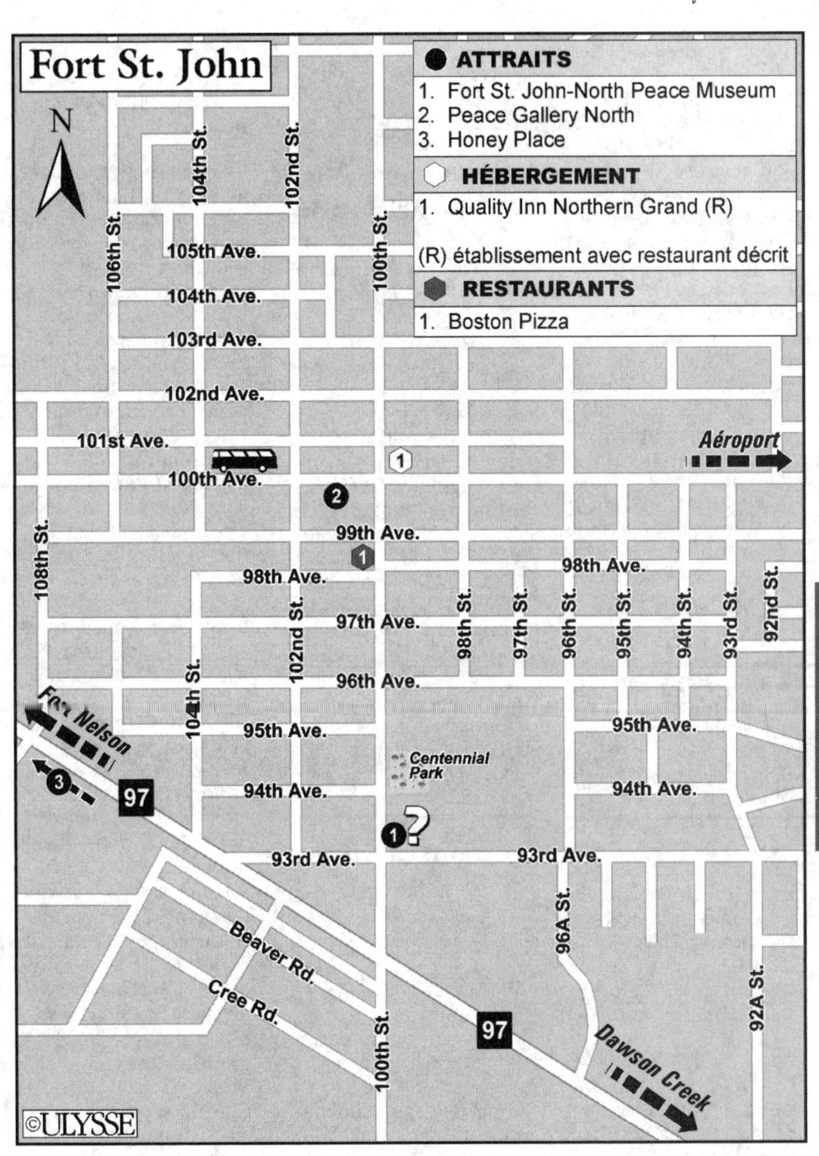

de ne pas s'aventurer trop haut en altitude. Les conditions climatiques peuvent changer très rapidement, et la température peut chuter de plus de 10°C en l'espace de quelques heures. Les chutes de neige sur les sommets ne sont pas rares, même au cœur de l'été.

★★★

Northern Rocky Mountains Park

Le **Northern Rocky Mountains Park** *(BC Parks: ☎787-3411)* est un parc provincial rattaché à

Stone Mountain et accessible seulement à pied ou à cheval. D'une superficie de 37 800 ha, cette zone de nature sauvage est réservée aux randonneurs d'expérience. Le seul fait de s'y rendre est d'ailleurs une expédition en soi. Le sentier le plus connu est le Macdonald Creek-Wokkpash Valley, d'une longueur de 70 km, avec 1 200 m de dénivellation. Il nécessite au moins sept jours de marche. Attention aux inondations instantanées les jours de pluie.

★★★
Muncho Lake Provincial Park

Le **Muncho Lake Provincial Park** *(kilomètre 729 ou Mile 456; BC Parks: ☎787-3411)* est l'un des plus beaux parcs provinciaux du Canada et offre certainement l'un des grands moments de la traversée de la route de l'Alaska en Colombie-Britannique. Il s'agit de 88 416 ha de montagnes anguleuses et dénudées qui entourent le magnifique lac Muncho, de 12 km de long. Comme tous les parcs de la région, il doit son existence à la construction de la route de l'Alaska. Castors, ours noirs, grizzlys, loups et chèvres de montagne y sont bien présents. La flore est exceptionnelle, avec ses différentes espèces d'orchidées. Il n'y a presque pas de route dans le parc; la meilleure façon de l'explorer est donc de suivre l'Alaska Highway.

★★★
Liard Hot Springs Provincial Park

Le **Liard Hot Springs Provincial Park** *(kilomètre 764,7 ou Mile 477,7; BC Parks: ☎776-7000)* est la halte favorite des voyageurs. Ils peuvent se relaxer dans les piscines naturelles, alimentées par des sources thermales à 49°C. Le microclimat créé par la température élevée et constante des cours d'eau, été comme hiver, a permis à une végétation unique de se développer ici. Des fougères géantes et de nombreuses plantes carnivores donnent une allure un peu tropicale à la région.

★★★
Watson Lake (Yukon)

kilomètre 1021 (Mile 612,9)

Watson Lake, au Yukon, marque la ligne d'arrivée du circuit de la route de l'Alaska.

Vers 1897, un Anglais du nom de Frank Watson quittait Edmonton pour vivre l'aventure des chercheurs d'or à Dawson City, au Yukon. Après avoir traversé des régions qui n'étaient même pas cartographiées, il se retrouva sur les berges de la rivière Liard. Il décida d'arrêter là son voyage et de s'installer sur le bord du lac qui porte aujourd'hui son nom.

La construction d'un aéroport militaire en 1941, ajoutée au chantier de la route de l'Alaska un an plus tard, permit à la ville de Watson Lake de se développer véritablement. Aujourd'hui, Watson Lake est une plaque tournante clé pour le transport, les communications et l'approvisionnement des localités avoisinantes ainsi que pour les industries minières et forestières.

Pour ceux qui s'intéressent à l'histoire de la route de l'Alaska, une visite s'impose à l'**Alaska Highway Interpretive Centre** ★★ *(tlj mi-mai à mi-sept 8h à 20h; à l'intersection de l'Alaska Hwy. et de la Campbell Hwy., ☎867-536-7469 ou 536-7827 en basse saison)*. Des présentations de diapositives et des photographies relatent l'épopée de la célèbre route. L'**Alaska Highway Signpost Forest** ★★★ est sans conteste la grande attraction de Watson Lake. Celle-ci regroupe plus de 37 450 pancartes du monde entier placardées sur les mâts par les touristes eux-mêmes. Certaines font preuve de beaucoup d'originalité. En planifiant votre voyage, préparez votre propre pancarte, quoiqu'il vous soit toujours possible d'en faire fabriquer une

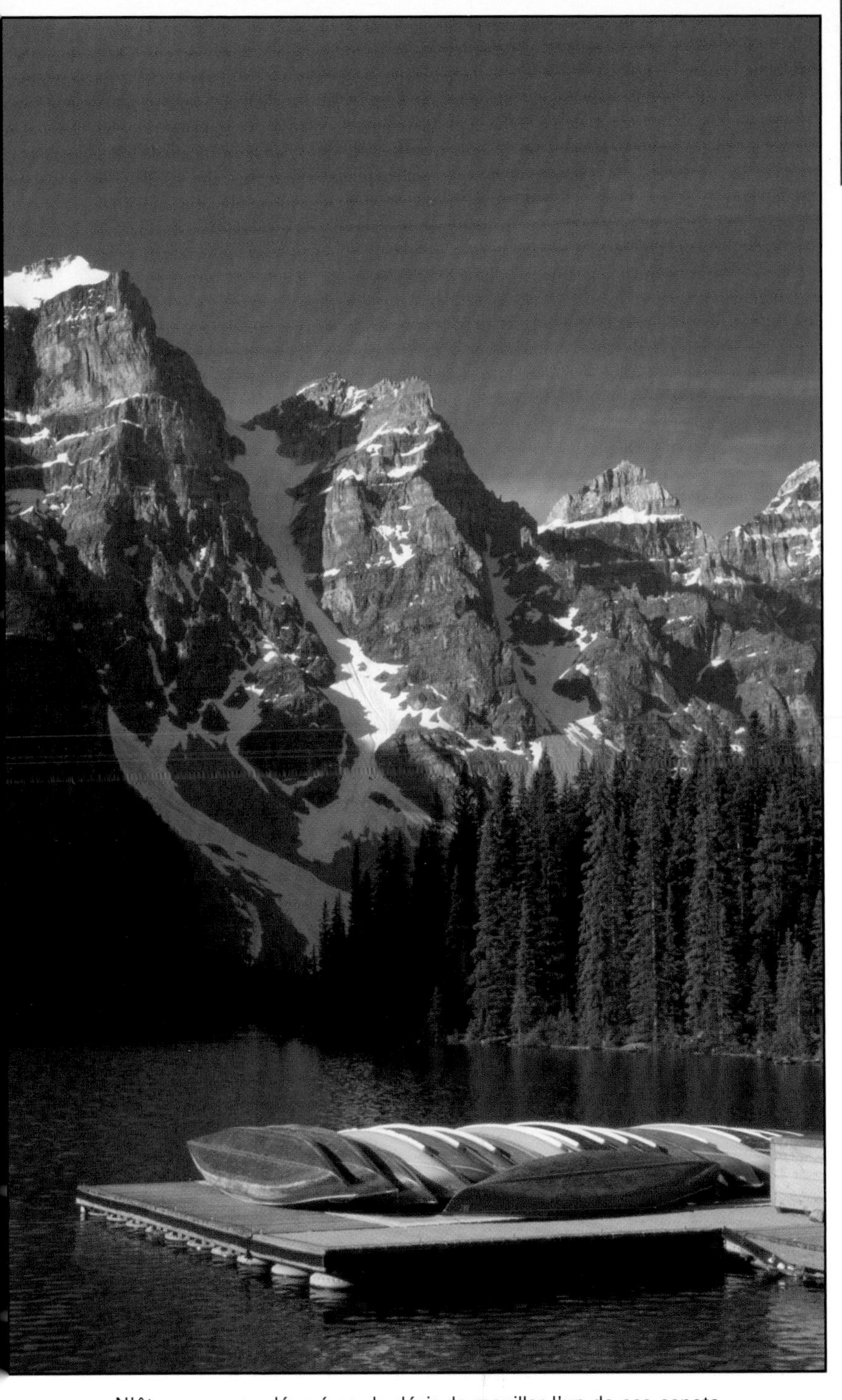

N'êtes-vous pas dévoré par le désir de mouiller l'un de ces canots et de partir en exploration? - *Tibor Bognar*

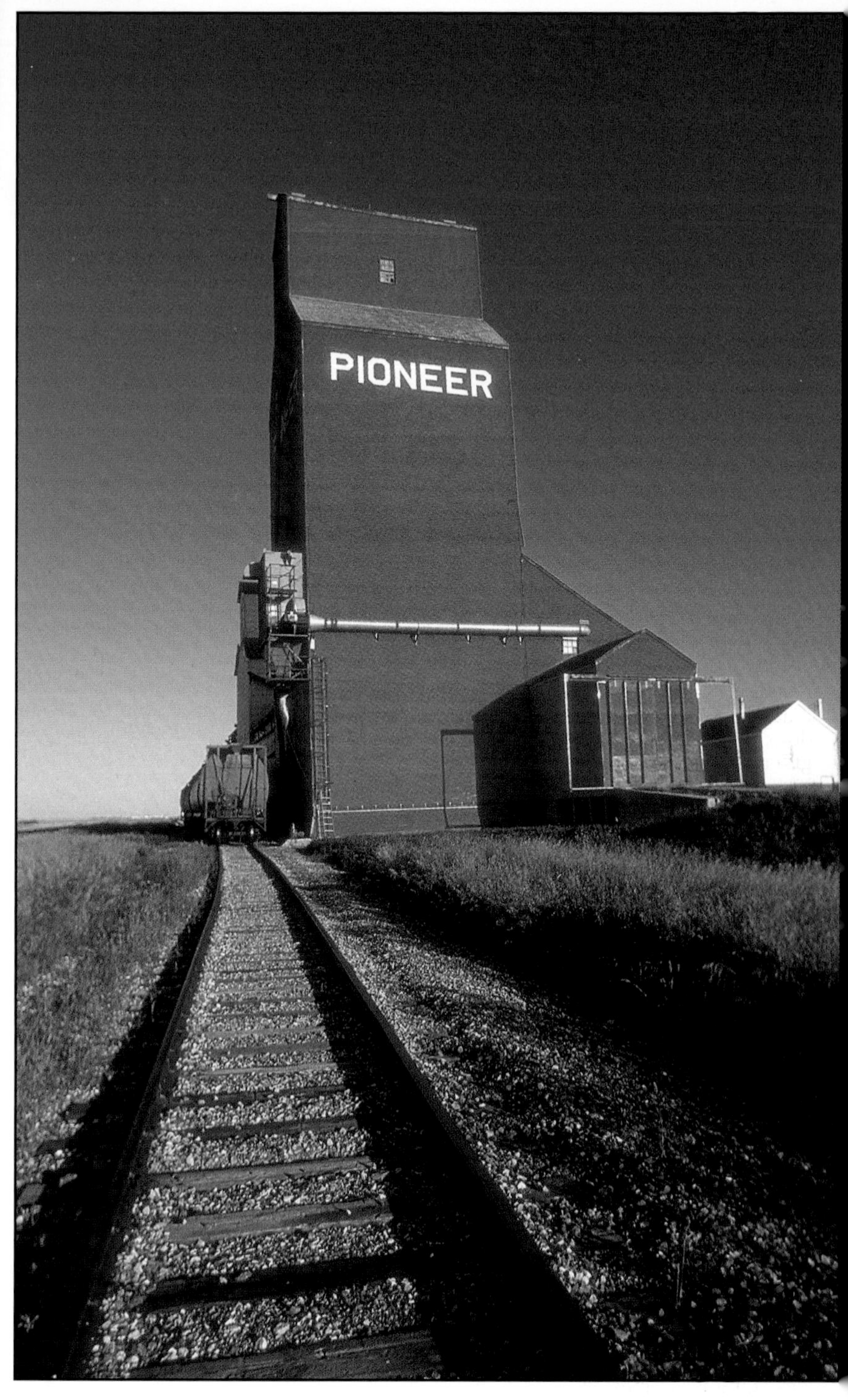

Silo à grains et chemin de fer sont des éléments classiques du paysage des Prairies.
- *Walter Bibikow*

sur place pour quelques dollars.

Circuit E: Route Stewart-Cassiar

Le départ de ce circuit se fait généralement à Kitwanga (à 43 km au sud de Hazelton, sur l'autoroute 16, voir «Circuit F», p 340), mais, pour les voyageurs qui ont déjà traversé la route de l'Alaska, le départ peut se faire à Watson Lake. En effet, il est aussi possible de combiner les circuits C et D en faisant une grande boucle Stewart-Cassiar 37 – route de l'Alaska, puisque les deux routes se rejoignent à **Junction 37**, au kilomètre 1038 (Mile 649) de la route de l'Alaska, à quelques kilomètres de Watson Lake.

Achevée en 1972, la route Stewart-Cassiar 37 répond à toutes les normes routières, c'est-à-dire qu'elle est praticable en toutes saisons. Trois importantes sections de la route ne sont pas bitumées; de fait, les conditions de conduite peuvent se révéler difficiles à cause de la poussière par temps chaud et sec, ou à cause de la boue en raison de la pluie.

Aussi le ministère des Transports préconise-t-il de garder les phares des voitures allumés en tout temps. Même s'il est plus raisonnable d'emprunter la route avec un véhicule disposant d'une importante garde au sol ou avec un tout-terrain, ces derniers ne sont pas indispensables. Une voiture conventionnelle peut faire le voyage.

La route Stewart-Cassiar est la voie commerciale des chauffeurs de camions qui approvisionnent les communautés du nord de la province et au-delà. Le trajet est un peu plus court que celui de la route de l'Alaska, mais les paysages sont tout aussi magnifiques.

★ Kitwanga

Kitwanga est la première communauté rencontrée en direction du sud. Elle compte un peu moins de 1 500 habitants. La ville est surtout connue pour son passé historique, avec le **lieu historique national Fort-Kitwanga ★** *(intersection de Hwy. 16 et de Hwy. 37)*, où se trouve la Battle Hill, qui fut le théâtre, il y a 200 ans, d'affrontements entre Amérindiens. Ce lieu historique national est ouvert toute l'année et se trouve non loin du vidéoclub qui fait aussi office de bureau de tourisme.

Les amateurs de totems pourront faire une petite visite de la **réserve amérindienne de Gitwangak** *(un peu avant le village blanc de Kitwanga et peu après l'intersection des routes 16 et 37)*, car juste en face de l'**église anglicane Saint Paul ★**, contruite en 1893, se trouve un superbe **alignement de totems ★**.

★ Kitwancool

Ce petit village amérindien est surtout réputé pour ses **totems anciens ★**, dont le plus vieux, ***Hole-in-the-Ice***, a près de 140 ans.

Meziadin Junction

À 170 km de Kitwanga, Meziadin Junction est le point de départ de l'excursion à **Stewart, C.-B. Hyder, AK ★★★** (voir «Circuit F», p 340).

★★★ Spatsizi Plateau Wilderness Park

Le Spatsizi Plateau Wilderness est un parc réservé aux vrais aventuriers *(à Tattoga Lake, non loin d'Iskut, par la route 37, à 361 km au nord de l'intersection des routes 16 et 37, à Kitwanga. Prenez Ealue Lake Rd. sur une distance de 22 km. Traversez la rivière Klappan jusqu'à la route de terre de BC Rail, qui, au bout de 114 km, atteint la pointe sud-ouest du parc. Appelez impérativement BC Parks avant toute excursion: ☎847-7320)*. Le plateau s'étend sur 656 785 ha de nature sauvage. L'accès se fait à pied,

Nord de la Colombie-Britannique

Quelques conseils avant de prendre la route

La plupart des routes nordiques de la Colombie-Britannique sont asphaltées. Malgré tout, certaines portions de la **route Stewart-Cassiar** et de la **route de l'Alaska** sont couvertes de gravillon. De ce fait, il faut être toujours certain que la roue de secours soit en bon état. Les crevaisons sont très communes et surviennent régulièrement.

Un aérosol anti-crevaison serait une bonne précaution, les ateliers de réparation de pneus étant peu nombreux. Votre véhicule doit être en excellente condition mécanique, car une panne pourrait signifier un remorquage jusqu'à la prochaine localité, une immobilisation de plusieurs jours afin d'attendre les pièces détachées qui arrivent lentement de Vancouver, entraînant ainsi de grosses dépenses inattendues.

Faites le plein chaque fois que vous en avez l'occasion, car les stations-service sont rares. Emportez un jerrican de 25 litres pour votre tranquillité d'esprit.

N'oubliez jamais d'attacher votre ceinture de sécurité, et gardez vos phares allumés en permanence pour plus de visibilité dans les longues lignes droites parfois poussiéreuses.

Climat et route

Vous avez probablement conclu par vous-même que les hivers sont froids dans cette partie de la province, mais peu de personnes savent que les étés, dans le nord de la Colombie-Britannique, sont ensoleillés et parfois très chauds. La température peut plonger sous les –50°C en janvier, mais peut aisément atteindre 35°C en juillet.

Le choix des vêtements à emporter est fondamental suivant les saisons. L'été: la fibre de prédilection est le coton, et les vêtements se résument aux shorts, chemises, t-shirts, chandails et bonnes chaussures. Des sandales sont agréables si vous conduisez pendant de longues périodes. Si vous passez par les montagnes et que vous deviez vous arrêter, il sera bon d'avoir à portée de main un coupe-vent, un chapeau et un écran solaire. Il faut se protéger contre le soleil nordique brûlant. Attention, il peut aussi parfois neiger, même au cœur de l'été, et, si les chutes de neige ne sont souvent que passagères, il convient d'être bien préparé.

Pour s'habiller, l'hiver, il faut appliquer le principe de l'oignon, c'est-à-dire additionner les couches de vêtements pour une meilleure isolation plutôt que de mettre un seul gros manteau.

N'oubliez pas gants, bonnet, bonnes bottes et couvertures. Une panne ou une crevaison peut s'avérer une expérience de survie qui pourrait se terminer en tragédie si vous n'y êtes pas préparé. Bonne route!

par bateau ou en hydravion.

Mot d'origine amérindienne tahltan, Spatsizi veut dire «chèvre rouge». Ce nom est inspiré de la couleur des montagnes écarlates dont le sol est riche en oxyde de fer. Le parc est effectivement situé sur un plateau, à une altitude presque constante d'environ 1 800 m. Le plus haut sommet du parc, le mont Will, avec 2 500 m d'altitude, se trouve dans les monts Skeena.

Cette région est dominée par un climat continental sec, donc froid l'hiver avec peu de neige et aride l'été avec une température moyenne de 20°C. Ces conditions météo permettent à une importante faune de se développer (caribous, grizzlys, castors) ainsi qu'à près de 140 espèces d'oiseaux d'établir leurs quartiers à Spatsizi.

Iskut

Iskut est une petite communauté de 300 habitants surtout composée d'une population amérindienne. Au cœur de la réserve se trouve un centre de services, c'est-à-dire une pompe à essence, un bureau de poste et une épicerie *(Iskut Lake Co-op; Hwy. 37 N, ☎234-3241)*. Ce qui caractérise surtout Iskut, c'est le **paysage** ★★★ environnant, tout simplement magnifique, surtout l'automne, alors qu'il s'habille de couleurs. En cette saison, il n'est pas rare de voir les loups traverser la route à la tombée du jour.

★★★ Mount Edziza Provincial Park

D'une superficie d'environ 230 000 ha, le **Mount Edziza Provincial Park** *(pour planifier une expédition: BC Parks, ☎771-4591 ou 847-7320 à Dease Lake)* est situé dans le nord-ouest de la province, à l'ouest de la rivière Iskut et au sud du fleuve Stikine. Ce parc a la particularité d'abriter les sites volcaniques les plus spectaculaires du Canada.

Le mont Edziza (2 787 m), point culminant du parc, est un parfait exemple de formation volcanique. L'éruption qui a créé cet imposant cône de basalte a eu lieu il y a près de quatre millions d'années. Les flots de lave provenant du mont Edziza se sont étendus sur près de 65 km. Depuis que ce volcan s'est éteint, de nombreuses petites éruptions ont eu lieu, créant ainsi près d'une trentaine d'autres cônes, entre autres le cône Eve, parfaitement symétrique.

Tout comme bon nombre de parcs du nord de la province, le Mount Edziza Provincial Park a un accès très limité et n'offre aucun service. Seuls les randonneurs d'expérience ayant un équipement adéquat pourront s'y rendre en toute sécurité. Même si la température peut parfois atteindre 30°C l'été, il peut neiger toute l'année. *(Pour planifier une expédition: BC Parks, ☎771-4591)*.

Dease Lake

Dease Lake est la communauté la plus importante sur la route Stewart-Cassiar (route 37) avec 750 habitants. Du fait des nombreuses carrières de jade autour du village, Dease Lake est la capitale mondiale du jade. On peut d'ailleurs trouver de belles sculptures artisanales dans les nombreuses boutiques situées le long de la route. C'est aussi un important centre industriel et un centre de services gouvernementaux.

Dease Lake est surtout un tremplin pour les activités de plein air. Tout d'abord, le grand **Dease Lake** ★★★, avec ses 47 km de long, est l'endroit idéal pour la pêche à la truite et au brochet, mais aussi le point de départ, en avion ou à cheval, de belles excursions dans les parcs provinciaux Mount Edziza et Spatsizi Plateau Wilderness.

★★★ Telegraph Creek

La route qui mène à Telegraph Creek vaut déjà la promenade. Cette route sinueuse fut construite en 1922, et le paysage environnant est splendide. Quant au village de Telegraph Creek, c'est une invitation à un voyage dans le temps, à l'époque des pionniers.

Le départ de cette excursion se fait à Dease Lake, au bout de Boulder Street, la rue principale. La route de 119 km qui mène à Telegraph Creek est bien entretenue, plutôt étroite et fortement déconseillée aux véhicules encombrants ou tractant une caravane.

Les différents **points de vue** ★★★ tout le long du trajet sont inoubliables: entre autres **Tuya River**, le **grand canyon de la Stikine** et les **champs de lave Tahltan-Stikine**. À Telegraph Creek, le caractère de l'endroit est frappant. Ce petit village de 450 habitants a tout ce qu'il faut pour accueillir les touristes (pompe à essence, atelier de réparation d'automobiles, restaurant, hôtel, etc.), sans oublier l'allure vieillotte des **bâtiments d'époque** ★★★. Des renseignements sur les attraits touristiques de la région sont offerts par **Stikine RiverSong** *(café, auberge, épicerie, bureau d'information; ☎235-3196)*.

Good Hope Lake

Cette petite localité amérindienne (100 personnes) est surtout remarquable par son magnifique **lac** ★★★ cristallin.

Circuit F: Excursion à Stewart, C.-B./ Hyder, AK

★★★ Trajet jusqu'à Stewart

Le circuit commence dès Meziadin Junction, le long de la route Stewart-Cassiar, et se rend jusqu'en Alaska, territoire américain (seuls les voyageurs canadiens n'ont pas besoin de passeport pour entrer). Il suffit de tourner à droite en direction de la route 37A. Cette route porte le surnom de Glacier Highway à juste titre. Le long de la route, vous noterez un grand changement dans le paysage. Les montagnes sont de plus en plus imposantes, de plus en plus proches, et les sommets sont couverts de neige et de glaciers.

Exactement 23 km après Meziadin Junction au détour d'un virage, c'est l'émerveillement, avec l'apparition du **Bear Glacier** ★★★. Celui-ci, dans toute sa splendeur, de couleur d'azur, se déverse dans les eaux laiteuses du lac Strohn, au niveau de la route! À 42 km se trouve la ville de Stewart, ville frontière puisqu'elle ne se trouve qu'à seulement 2 km du petit village de Hyder, situé du côté de l'Alaska.

Les deux localités sont situées au bout du **Portland Canal** ★★★, un fjord étroit de près de 145 km de long. C'est le quatrième fjord le plus profond du monde. Il marque la frontière naturelle entre le Canada et les États-Unis, et donne à Stewart un accès direct à la mer, faisant de cette petite ville de 1 000 habitants le port libre de glaces le plus septentrional au Canada.

Le **site** ★★★ est tout simplement superbe. Des montagnes vertigineuses, pourvues de glaciers, entourent la ville de tous côtés. L'été, la température douce est soumise au climat parfois humide du Pacifique. L'hiver, d'importantes chutes de neige peuvent s'abattre sur la région (plus de 20 m au cours de la saison).

Il y a beaucoup de bâtiments d'époque à Stewart: l'ancienne caserne des pompiers, le **Fire Hall**, construit en 1910, ou l'**Empress Hotel**, sur 4th Street, ou encore, sur la frontière américano-canadienne, le **Stone Storehouse**, un entrepôt qui fut construit par l'Armée américaine en 1896 et qui servit de prison à cette époque.

★★

Hyder, Alaska

Hyder (70 habitants) se considère comme la ville fantôme la plus amicale en Alaska. Cette petite communauté est surtout connue pour ses trois pubs, ouverts 23 heures par jour, et pour ses boutiques hors taxes. Il faut se souvenir que, même s'il n'y a pas de bureau de douane entre les deux pays, la frontière existe et que nul n'est censé ignorer la loi.

De fait, il convient de respecter la réglementation en matière de limite d'achats détaxés. Le bureau de tourisme et le **musée** ★★ *(Main St., ☎636-9148)* sont situés au sein du Hyder Community Building, qui présente des archives et des documents relatifs à l'histoire de Hyder.

Après la traversée de Hyder, à 15 min se trouve **Fish Creek** ★★★, où un ruisseau est le théâtre, de juillet à septembre, du plus important frai de **saumons roses** en Alaska. Les **ours noirs** et les **grizzlys** pullulent autour du cours d'eau et festoient, profitant de l'épuisement des saumons arrivant au bout de leur long périple. Des **gradins** ont été installés pour permettre aux touristes d'observer ce saisissant spectacle de la nature. Avertissement: restez à bonne distance des ours. Même s'ils ont l'air sympathique et semblent avoir une allure pataude, méfiez-vous-en. Les ours ont un caractère changeant et imprévisible, et leur vitesse au pas de course peut atteindre 55 km/h!

Toujours par la route, il est possible de se rendre au **Salmon Glacier** ★★★, le cinquième glacier en importance au monde. La route est parfois très étroite et ne convient pas aux gros véhicules. Attention aux ornières et aux pierres saillantes. La route est fermée de novembre à juin. Pour éviter des tracas, contactez **Seaport Limousine** *(visites guidées en minibus; ☎636-2622)*. Par temps clair, la vue du glacier est à couper le souffle.

Circuit G: Route de Yellowhead

La Yellowhead Highway est une impressionnante route qui part de Winnipeg, au Manitoba, traverse la Saskatchewan et l'Alberta, puis se termine à Prince Rupert. La portion qui nous concerne est celle comprise entre la ville de McBride, dans l'est de la Colombie-Britannique, et la ville de Prince Rupert, à l'extrême ouest, soit une distance totale d'environ 1 000 km.

Les paysages le long de ce parcours sont incroyablement variés: hautes montagnes, canyons, vallées, épaisses forêts. Ce circuit donne un excellent aperçu de la géologie, de la topographie et de la configuration de la Colombie-Britannique.

McBride

Cette petite localité ouvrière, qui vit de l'industrie forestière et qui compte 719 habitants, est située dans un cadre agréable au pied des Rocheuses sur les rives du fleuve Fraser. La promenade au **belvédère de Tear Mountain** ★★★, avec vue imprenable sur la région, est recommandée.

★★

Prince George

Voir «Circuit B: Accès à la route de l'Alaska», p 328.

Vanderhoof

Vanderhoof est une petite ville agricole d'un peu plus de 4 000 habitants. Une multitude de lacs réputés pour la pêche à la truite entoure la ville. Le bureau de tourisme révèle les meilleurs coins pour la pêche.

Fort St. James

Fort St. James est située à environ 60 km de Vanderhoof par la route 27. Cette petite ville de 2 000 habitants est réputée grâce au **lieu historique national Fort St. James ★★** *(4$; mi-mai à fin sept, tlj 9h à 17h; ☎996-7191)*. Il s'agit d'un authentique comptoir d'échange de la Compagnie de la Baie d'Hudson datant de 1896. Des acteurs en costumes d'époque font revivre aux visiteurs l'atmosphère d'antan.

Burns Lake

Difficile de se méprendre. Burns Lake est vraiment un endroit idéal pour la **pêche**. Le poisson en bois sculpté, à l'entrée de la ville, annonce tout de suite l'ambiance de l'endroit. La ville a pour slogans «3 000 milles de pêche» ou encore «la terre aux milliers de lacs». La truite de lac, le saumon et le brochet attendent les nombreux pêcheurs. Mais savoir où tremper sa ligne peut devenir un casse-tête si l'on ne connaît pas la région. Les routes en terre battue sont de véritables labyrinthes.

Le **Burns Lake Museum** *(dons acceptés; début juin à fin août lun-ven 10h à 16h; Hwy. 16 W., ☎692-3773)* est un petit musée historique qui relate les origines du village de Burns Lake et qui explique comment les pionniers sont parvenus à dompter la nature et à s'installer dans la région. Vous y trouverez aussi une collection d'outils anciens ainsi que de l'équipement des premiers bûcherons.

Houston

Houston, tout comme Burns Lake, a clairement identifié sa vocation estivale: la **pêche**. Pas n'importe quelle pêche, puisque Houston est la capitale mondiale de la *steelhead*, cette fameuse truite de mer qui fait partie des poissons les plus nobles. D'ailleurs, les pêcheurs seront rassurés en voyant la plus grande canne à pêche à la mouche au monde (20 m) exposée à l'entrée du bureau de tourisme. C'est d'ailleurs là qu'il vous sera possible d'obtenir un répertoire des meilleurs coins pour la pêche.

★★ Smithers

Smithers est une jolie et agréable ville dont l'**architecture ★★** ne manque pas d'originalité. Le **cadre montagneux ★★★** est splendide avec la vertigineuse **Hudson Bay Mountain**, surmontée d'un glacier. Après avoir été reconstruite en 1979, la ville s'est donné des allures de village tyrolien. Voilà pourquoi de nombreux Européens, séduits par le mode de vie et l'ambiance des lieux, ont décidé de s'y installer.

Surplombant la vallée, la station de ski **Ski Smithers ★★★** *(533 m de dénivellation verticale, 35 pistes; ☎847-2058 ou 800-665-4299)* offre des conditions de ski en poudreuse dès le mois de novembre.

Le **Bulkley Valley Museum ★★** *(dons acceptés; mi-mai à mi-sept tlj 10h à 17h, mi-sept à mi-mai lun-sam 10h à 17h; à l'intersection de Main St. et de la route 16, Central Park Building, ☎847-5322)* présente des photographies d'archives relatant l'histoire de Smithers ainsi que des objets jadis utilisés par les pionniers.

Le Central Park Building abrite également la **Smithers Art Gallery** *(☎847-3898)*. Un autre endroit intéressant à visiter est le **Driftwood Canyon Provincial Park ★★**. Ce parc est un haut lieu en matière de fossiles dans la région; le bureau de tourisme fournit une carte afin de ne pas se perdre en route. À Smithers, pendant la fin de semaine précédant le Labour Day (fête du Travail), a lieu l'une des plus importantes expositions agricoles de la Colombie-Britannique, la **Bulkley Valley Fall Fair ★★★**.

★★★
Moricetown Canyon and Falls

À 40 km à l'ouest de Smithers, le long de la rivière Bulkley, sur un territoire amérindien, se trouve un lieu de pêche fréquenté par les Autochtones depuis plusieurs siècles et appelé **Moricetown Canyon**. Des techniques ancestrales sont employées pour attraper le poisson. Les **saumons** sont capturés au moyen de longues perches munies de crochet, puis ils sont piégés dans des filets lors de leur remontée dans le courant. C'est une halte photographique réputée.

★★
Hazelton

Hazelton est le plus important de trois villages, les deux autres étant South Hazelton et New Hazelton. Ces trois communautés ont une population essentiellement amérindienne, et leur histoire remonte à la fin du XIXe siècle. En 1868, la Compagnie de la Baie d'Hudson y installa un comptoir de traite des fourrures. Hazelton veut dire «la ville des noisettes», de l'anglais *hazelnut* et *town*.

Aujourd'hui, les trois villages (8 000 habitants) sont surtout réputés pour le **Ksan Historical Village and Museum** ★★★ *(2$, 7$ tours guidés; avr à sept tlj 9h à 18h, l'hiver vous devez téléphoner; à 7 km de la route 16, peu après Hazelton; ☎842-5544)*. Il s'agit de la réplique d'un village gitksan où les visiteurs peuvent observer les artistes au travail.

Terrace

Terrace est une des grandes villes sur la route de Yellowhead (route 16); elle est établie sur les rives du magnifique fleuve Skeena, le deuxième cours d'eau en importance de la province après le fleuve Fraser, avec, comme décor environnant, les montagnes de la Chaîne côtière. Terrace est l'exemple typique d'une localité qui se consacre au travail. De fait, peu d'efforts ont été entrepris dans le but de rendre la ville esthétique et attrayante. Par contre, le **paysage** ★★★ tout autour est magnifique.

La visite peut commencer au **Heritage Park Museum** ★★ *(tlj l'été 10h à 18h; Kerby St., ☎635-4546)*. Il s'agit d'un musée à ciel ouvert retraçant l'histoire des pionniers. Des bâtiments d'époque ont été rassemblés: un hôtel complet, une grange, une salle de spectacle et six cabanes en rondins. La plupart de ces constructions datent de 1910.

★★★
Tseax Lava Beds
(150 km au nord de Terrace)

En quittant la route 16 et Terrace vers le nord par Kalum Lake Drive, vous avez la possibilité d'aller visiter les **Tseax Lava Beds** *(quittez la route 16 à Terrace par Kalum Lake Drive en direction nord)*. Il s'agit d'un site unique au Canada composé de **cratères volcaniques** et d'un champ de lave de 3 km de large sur 18 km de long. D'après les experts, les dernières éruptions auraient eu lieu il y a environ 350 ans, ce qui, à l'échelle géologique, ne représente que quelques minutes. Des résurgences d'eau turquoise donnent une touche de couleur à ce paysage lunaire.

Juste à côté se trouve le **Nisga'a Memorial Lava Bed Park**, fondé en souvenir des 2 000 Nisga'a décimés par la dernière éruption. Avec un peu de chance, une rencontre avec un ours kermode, de la famille des ours noirs mais au pelage blanc immaculé, peut rendre la balade inoubliable.

★★
Lakelse Lake Provincial Park

Le Lakelse Lake Provincial Park est la halte idéale pour le vacancier qui aime se détendre. Situé à mi-chemin entre

Terrace et Kitimat sur la route 37, cet espace vert abrite une splendide **plage de sable ★★★** autour du magnifique lac qui a donné son nom au parc. Plusieurs aires de pique-nique ont été aménagées, de même que des sentiers de randonnée et un camping.

Kitimat

Pour ceux que l'industrie et la nature intéressent, la petite ville de Kitimat (11 300 habitants) offre une combinaison des deux. Elle est située à moins d'une heure de Terrace.

Kitimat est une ville industrielle dans le vrai sens du terme. Elle fut fondée au milieu des années 1950 pour accueillir les ouvriers de la fabrique d'aluminium **Alcan** *(☎639-8259)*, de la papeterie **Eurocan Pulp** *(☎639-3597)* et de l'usine pétrochimique **Methanex** *(☎639-9292)*, qui, toutes trois, emploient aujourd'hui plus des deux tiers de la population. Ces entreprises proposent des visites guidées gratuites pour lesquelles il est nécessaire de réserver à l'avance.

Quant aux amateurs de musées d'histoire locale, le **Centennial Museum** *(juin à août lun-sam 10h à 17h, sept à mai lun-ven 10h à 17h, sam 12h à 17h; 293 City Centre, ☎632-8950)* leur présente des vestiges amérindiens trouvés dans la région. Même si Kitimat semble être à l'intérieur des terres en raison de la présence des montagnes environnantes, il n'en est rien. Kitimat est un port avec accès direct à l'océan Pacifique grâce au **Douglas Channel ★★★**, un fjord naturel. Par ce fjord, les **saumons** rejoignent les affluents, faisant de Kitimat un endroit réputé pour la **pêche**. Le bureau de tourisme vous indiquera les meilleurs coins pour la pêche.

★★★ De Terrace à Prince Rupert

Le parcours routier de 132 km qui conduit de Terrace à Prince Rupert est très certainement l'un des plus beaux trajets à faire en voiture au Canada. La route épouse presque parfaitement les contours du magnifique **fleuve Skeena ★★★**, qui s'écoule paisiblement dans ses méandres entre les **montagnes ★★★** de la Chaîne côtière. Par beau temps, le **paysage ★★★** est extraordinaire. De nombreuses aires de repos et de pique-nique ont été aménagées le long du chemin.

★★★ Prince Rupert

Aux abords de Prince Rupert, le changement de paysage est radical. La végétation typique de la côte Pacifique, avec ses grands cèdres et ses épinettes, recouvre de vastes collines qui s'étendent à perte de vue. L'eau est partout, et, bien qu'on ait l'impression d'être entouré d'une myriade de lacs, il n'en est rien. Il s'agit bel et bien de l'océan, qui s'insinue ici à l'intérieur des terres. Il suffit de consulter une carte pour s'apercevoir que la région compte des îles et des fjords par milliers. La ville de Prince Rupert est d'ailleurs bâtie sur une île, l'île de Kaien, située à 140 km au sud de Ketchikan (Alaska). Prince Rupert est le point le plus septentrional pour les traversiers de BC Ferries et aussi un port d'embarquement important pour les traversiers de l'Alaska (Alaska Marine Highway).

Le **site ★★★** est tout simplement superbe; des montagnes recouvertes d'une forêt dense encerclent la ville de toutes parts, et le splendide **port naturel ★★★**, le deuxième en importance dans l'Ouest canadien, rappelle la proximité de l'océan Pacifique. L'histoire de Prince Rupert commence en 1905, lorsque les ingénieurs du Grand Trunk Pacific Railway (GTPR), le chemin de fer qui va de Winnipeg à Prince Rupert, sont venus étudier la possibilité de terminer la ligne sur l'emplacement actuel de la ville.

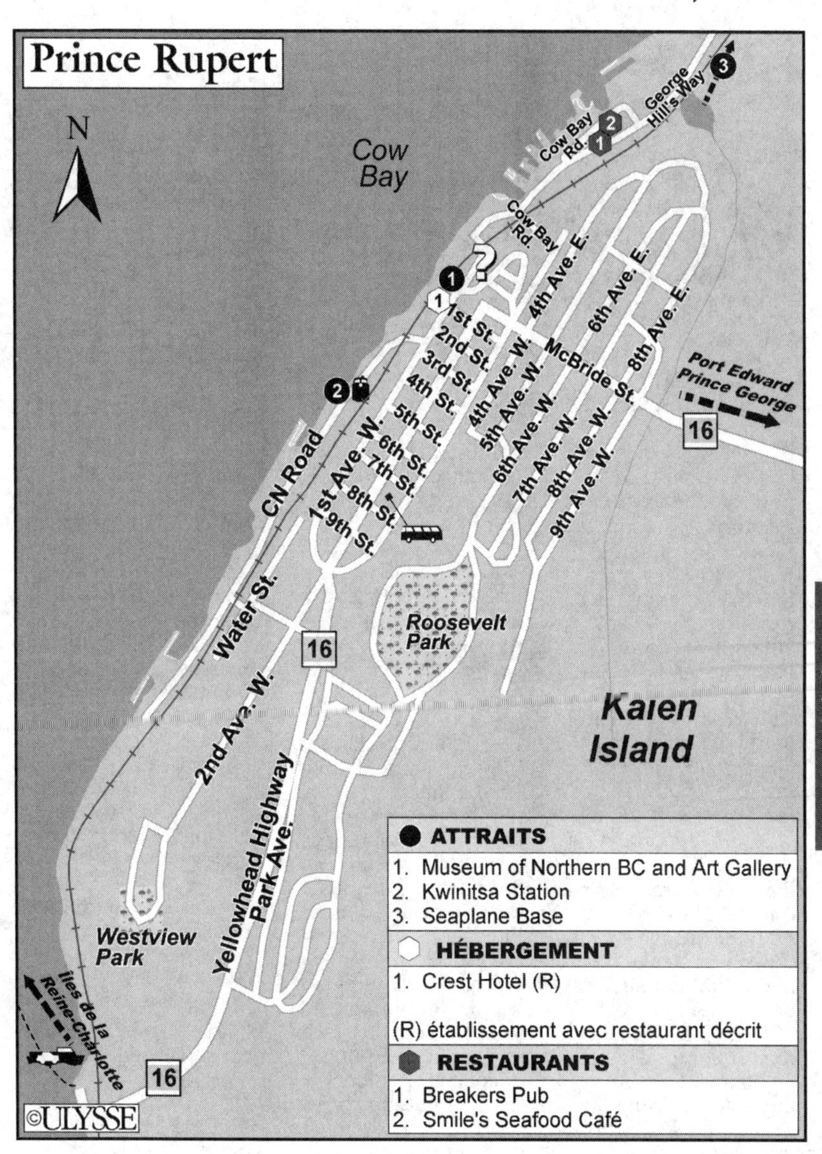

Plus de 19 000 km de ligne furent mis à l'étude avant qu'on ne décide du tracé du chemin de fer le long du fleuve Skeena. Charles Hays, le président du GTPR, lança alors un grand concours pour baptiser le nouveau terminus. Le nom de Prince Rupert fut choisi sur près de 12 000 bulletins, en l'honneur de l'explorateur et cousin de Charles II d'Angleterre, et premier gouverneur de la Compagnie de la Baie d'Hudson.

Aujourd'hui, Prince Rupert (14 600 habitants) se présente comme une très jolie localité prospère qui se distingue de toutes les

Cow Bay

autres villes du nord de la province. Ici, pas de béton, pas d'enseignes lumineuses criardes, mais plutôt une **architecture victorienne ★★** cossue, des rues vastes et agréables, de belles boutiques et de nombreux restaurants reflétant une atmosphère cosmopolite.

L'intéressant **Museum of Northern British Columbia ★★** *(5$; juin à août lun-sam 9h à 20h dim 9h à 17h, sept à mai lun-sam 9h à 17h; 100 1st Ave. W., ☎624-3207)* présente des pièces archéologiques ainsi que de magnifiques œuvres d'art, des sculptures et des bijoux qui témoignent de la présence des Amérindiens dans la région depuis plus de 5 000 ans. Une boutique de cadeaux, au sein du musée, propose une vaste sélection d'ouvrages traitant de l'art autochtone, mais aussi de l'artisanat et des tableaux.

Les **excursions ★★★** sur des **sites archéologiques**, avec accès par bateau, sont proposées au bureau de tourisme. Les places sont limitées et les réservations, obligatoires.

Au bord de la mer se trouve la petite **gare de Kwinitsa** *(cette «gare-musée» est ouverte l'été seulement)*, construite en 1911. Elle fait partie des 400 autres gares identiques installées le long du Grand Trunk Pacific Railway, ce chemin de fer sur lequel le train va de Winnipeg jusqu'à Prince Rupert. Sur 6th Avenue, en direction nord, des indications mènent à la **Seaplane Base ★★**, l'une des bases d'hydravions les plus importantes au Canada. Le ballet incessant de ces aéronefs, décollant et amerrissant, a quelque chose d'hypnotique et de très esthétique à photographier.

La visite à ne pas manquer est celle du quartier pittoresque de **Cow Bay ★★★**, bâti sur pilotis et surplombant un joli port de plaisance. Des boutiques, cafés et restaurants y sont rassemblés dans une ambiance balnéaire et colorée. Pendant la deuxième fin de semaine de juin a lieu le **Seafest**, le festival de la mer. Le samedi à 11h, c'est le défilé dans les rues de la ville, et de nombreuses activités sportives se déroulent tout au long de la fin de semaine.

À une quinzaine de kilomètres de Prince Rupert, dans le petit village de Port Edward, se trouve le **North Pacific Cannery Village Museum ★★** *(10$; mai à fin sept tlj 9h à 18h; 1889 Skeena Dr., ☎628-3538)*. Il s'agit d'une ancienne conserverie de saumon construite il y a plus de 100 ans. De plus, l'été, le comédien David Boyce propose un spectacle qui fait revivre aux visiteurs l'histoire du fleuve Skeena et de la pêche au saumon, laquelle est à la base de l'économie de la région depuis maintenant plus d'un siècle.

À quelque 40 km au nord-est de Prince Rupert s'étend le **Khutzey-Mateen Grizzly Bear Sanctuary**, le seul endroit du genre au Canada. Cet écosystème côtier couvrant 44 300 ha est un parc provincial qui n'est accessible que par bateau. Les visiteurs doivent se procurer un permis au **Terrace District Office de BC Parks** *(☎638-6530)*

Circuit H: Îles de la Reine-Charlotte (Haida Gwaii)

Quelle que soit la façon de s'y rendre, l'atmosphère et le paysage de l'endroit sont uniques. Aucune comparaison n'est possible. Les 5 500 insulaires, qui paraissent très discrets quant à leur coin de paradis, font bien au contraire tout leur possible pour attirer les visiteurs du monde entier et bien les accueillir.

L'archipel de la Reine-Charlotte compte 150 îles de différentes tailles. L'**île Graham**, au nord, est la plus importante et regroupe pratiquement toutes les agglomérations urbaines. L'**île Moresby** est la deuxième en importance par sa population. Elle compte deux communautés, Sandspit et Alliford Bay, et comprend l'étonnant parc national de Gwaii Haanas (voir p 348).

Les îles de la Reine-Charlotte sont situées à environ 770 km à vol d'oiseau de Vancouver. En raison de leur situation, à l'extrême ouest, les heures de lever et de coucher de soleil sont plus tardives que celles du continent. Même si les îles ont la réputation de recevoir énormément de pluie, leur côte orientale, la région la plus habitée, en reçoit environ 1 250 mm par année, soit juste un peu plus que Vancouver. Par contre, sur leur littoral ouest, les îles reçoivent des précipitations records de 4 500 mm par année!

Le relief escarpé des **montagnes Queen Charlotte** et **San Christoval** a depuis toujours protégé la côte Est des tempêtes de l'Ouest. Malgré tout, il y a 10 000 ans, les **Haidas**, qui peuplaient déjà l'archipel, avaient établi des zones d'habitation sur le littoral ouest. Aujourd'hui, les Haidas sont reconnus pour la qualité de leur artisanat et pour la beauté de leurs œuvres d'art.

Du fait de l'isolement insulaire, les services sont limités. Il n'y a que deux guichets automatiques, l'un à Masset et l'autre à Queen Charlotte City.

Skidegate

Skidegate est le premier lieu qui accueille le voyageur lorsqu'il débarque du traversier de BC Ferries, puisque l'embarcadère est situé aux portes de la ville. Ce petit village amérindien de 470 habitants est bâti sur la plage au creux de **Roonay Bay** ★★★. La visite à ne pas manquer est celle du **Queen Charlotte Islands Museum** ★★★ *(juin à août, lun-ven 10h à 17h, sam-dim 13h à 17h; mai à sept, lun-ven 10h à 12h et 13h à 17h, sam 13h à 17h; l'hiver fermé mar; ☎559-4643)*. Ce musée de réputation internationale rassemble des œuvres haidas, de l'Antiquité jusqu'à nos jours. Totems, sculptures, tissus, vannerie, bijouterie sur métaux précieux, dessins: tous les modes d'expression sont représentés. La boutique propose un impressionnant choix de livres et de souvenirs de qualité, mais les prix sont prohibitifs.

En direction opposée, vers le nord, au bout de 1 km, se trouve **Balance Rock**, la grande curiosité locale, soit un rocher en équilibre au milieu d'une jolie **plage** ★★ de galets. Il est impossible de le manquer.

★★

Queen Charlotte City

À 4 km au sud de Skidegate, Queen Charlotte City est un agréable village de 1 100 habitants construit au bord de l'eau. L'ambiance y est très détendue, et beaucoup de jeunes arpentent les rues pendant la saison estivale. C'est le point de ralliement pour les expéditions en kayak de mer.

Juste avant d'arriver à Queen Charlotte City, au départ de Skidegate, vous trouverez la boutique de cadeaux **Joy's Island Jewellers**, qui est aussi le bureau de tourisme officiel de l'archipel. Il n'y a pas grand-chose à faire dans la ville. Ici les attraits sont plutôt la mer, la forêt, la faune (les aigles sont partout) et l'exploration des côtes sur les traces de la nation Haida.

Aucun accès terrestre n'est possible pour se rendre au **parc national Gwaii Haanas ★★★** *(10$; réservations conseillées; ☎604-435-6522 ou 800-435-5622)*, à la pointe sud des îles de la Reine-Charlotte, l'un des plus beaux parcs marins du monde. Les seuls moyens de transport pour s'y rendre sont le bateau à moteur, le voilier et l'hydravion. Il abrite de nombreuses curiosités, toutes aussi extraordinaires les unes que les autres: tout d'abord, **Hot Springs Island ★★★**, paradis des amateurs de sources thermales, puis **Laskeek Bay ★★★**, où les dauphins et les baleines se rassemblent.

Ce parc est aussi l'hôte du **lieu historique national Ninstints ★★**. L'ancien village haida de Ninstints, dans l'île de Skung Gwaii, rassemble la plus importante collection de totems et de contructions amérindiennes des îles de la Reine-Charlotte. Sa situation géographique, à la pointe de l'île, semble irréelle et mystique. Ninstints fait d'ailleurs partie des sites du patrimoine mondial de l'Unesco.

Sandspit

Situé sur Moresby Island, tout comme le parc national Gwaii Haanas, Sandspit (740 habitants) est un village de bûcherons qui possède le deuxième **aéroport** en importance de l'archipel après celui de Masset. Le traversier fait la navette entre Queen Charlotte City et l'île Moresby plusieurs fois par jour. La traversée ne dure que quelques minutes, et son coût est modique.

Tlell

À 43 km au nord de Skidegate par la route, ce joli petit village de 150 habitants est construit le long de la jolie **Tlell River**, réputée pour la pêche.

Port Clements

Port Clements est un village de 450 personnes qui vivent surtout de la pêche et de l'industrie forestière.

L'attrait touristique majeur de la région était auparavant la **Golden Spruce**, une imposante épinette de 50 m de haut, âgée de 300 ans. Elle avait la particularité d'exhiber des rameaux dorés, dus à une mutation d'origine génétique qui est demeurée un mystère pour les scientifiques. Malheureusement, ce trésor écologique, qui était aussi un objet de vénération pour les Haidas, a été rasé en janvier 1997 par un protestataire indépendant.

Masset

Masset est la ville principale des îles de la Reine-Charlotte avec une population de 1 400 personnes. Depuis 1971, elle vit au rythme de la base militaire des Forces armées canadiennes. Avec Queen Charlotte City et Sandspit, c'est une des rares villes qui soit dotée d'un **bureau de tourisme**. Masset possède tous les services que l'on peut s'attendre à retrouver dans une grande ville: aéroport, restaurants, atelier de réparation de voitures, hôpital, etc.

Old Masset

Connu aussi sous le nom de Haida, Old Masset est un village amérindien de 630 habitants qui fait face au paisible **Masset Sound**. Il est préférable de se rendre directement au bureau de tourisme afin

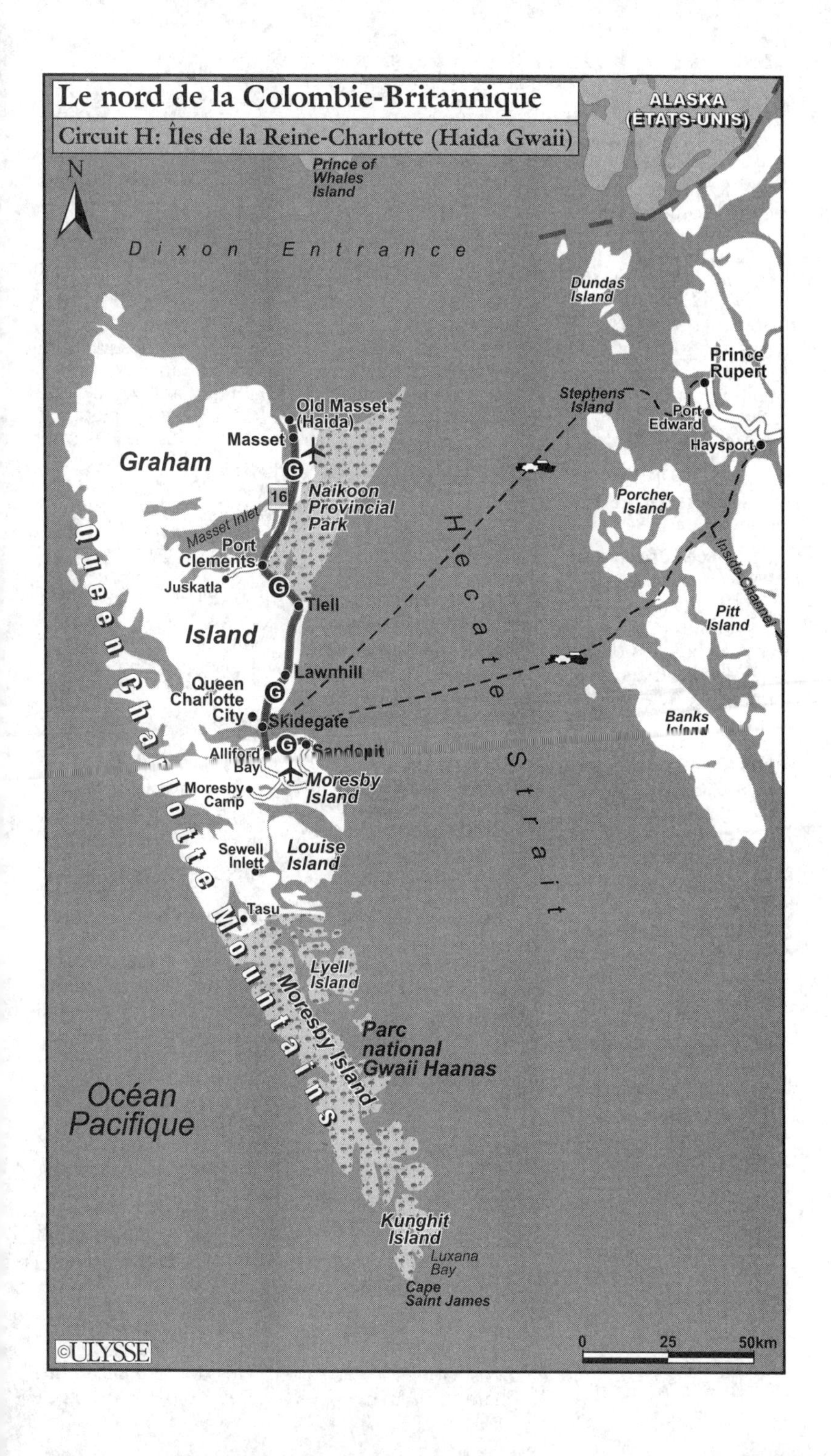

Le nord de la Colombie-Britannique
Circuit H: Îles de la Reine-Charlotte (Haida Gwaii)
N
ALASKA
(ÉTATS-UNIS)
Prince of Whales Island
Dixon Entrance
Dundas Island
Prince Rupert
Stephens Island
Port Edward
Haysport
Old Masset (Haida)
Masset
Graham
Island
16
Naikoon Provincial Park
Masset Inlet
Port Clements
Juskatla
Tlell
Porcher Island
Inside Channel
Pitt Island
Hecate Strait
Queen Charlotte Mountains
Lawnhill
Queen Charlotte City
Skidegate
Sandspit
Alliford Bay
Moresby Camp
Moresby Island
Banks Island
Sewell Inlett
Louise Island
Tasu
Lyell Island
Moresby Island
Parc national Gwaii Haanas
Océan Pacifique
Kunghit Island
Luxana Bay
Cape Saint James
©ULYSSE
0
25
50km

de se faire indiquer les adresses des **artistes** et des **sculpteurs** qui habitent le village. Beaucoup d'œuvres d'art sont regroupées à la **Haida Arts and Jewellery** *(tlj l'été 11h à 17h; 387 Eagle, repérable de loin avec ses deux totems à l'entrée; ☎626-5560)*, une boutique à l'architecture traditionnelle.

★★★ Naikoon Provincial Park

Le **Naikoon Provincial Park** *(BC Parks: ☎557-4390)* est un des joyaux de ces îles. On s'y rend par la route au départ de Masset, mais aussi par Tlell, depuis le siège administratif du parc. La route qui passe par McIntyre Bay (par Masset) est la plus spectaculaire: elle traverse une dense **forêt humide** ★★ et moussue tout en longeant **South Beach** ★★★, une extraordinaire plage de sable de 15 km de long.

La route se termine à **Agate Beach** ★★★, où se trouve le camping du parc. Agate Beach est au pied de **Tow Hill** ★★★, un gros rocher de 109 m de haut, peuplé d'aigles à tête blanche. La **vue** ★★★ à partir du sommet est phénoménale (30 min de marche). Après Tow Hill, la plage s'étire et devient **North Beach** ★★★ sur 10 km.

Le parc est aussi connu pour les randonnées de longue haleine, par exemple sur le sentier d'**East Beach** ★★★: 89 km de marche sur une plage sans fin à travers des forêts et des marées. Une véritable aventure.

Activités de plein air

Randonnée pédestre

La randonnée pédestre est sans aucun doute l'activité première dans le nord de la Colombie-Britannique. Elle permet de goûter de près la nature envoûtante et sauvage de cette région. Il faut dire qu'avec la quantité impressionnante de parcs provinciaux et nationaux qui s'y trouvent, même le marcheur le plus exigeant ne sait plus où donner de la tête, tellement le choix est grand.

Parmi les parcs du nord de la province, il faut visiter Stone Mountain, la Wokkpash Recreation Area, Muncho Lake, les Liard Hot Springs, le Spatsizi Plateau Wilderness et le mont Edziza, sans oublier les Tseax Lava Beds, constitués de champs de lave.

Circuit A: Gold Rush Trail et Cariboo Mountains

À **Barkerville**, tout un réseau de sentiers suit les traces des chercheurs d'or. La nature y est encore presque vierge et l'observation de la faune, des plus intéressantes. Sur votre chemin, vous passerez devant les vieilles cabanes des prospecteurs. Les circuits proposés se font en une journée, mais il est aussi possible de camper une nuit et de revenir le lendemain. Une carte des sentiers est disponible au comptoir de renseignements à l'entrée du village historique de Barkerville.

★★★ Tweedsmuir Provincial Park

Il s'agit du plus grand parc de la Colombie-Britannique. La meilleure façon de s'y rendre est de prendre la route 20, qui rejoint le littoral ouest dès William's Lake. Après 360 km de route, on arrive enfin dans ce paradis de lacs, de verdure et de montagnes. On parcourt cet éden terrestre à pied grâce à un réseau de sentiers permettant de faire une excursion qui peut durer quelques heures ou un mois.

L'un des endroits les plus fantastiques est sans doute **Hunlen Falls**. Nourrie par les eaux du lac Turner, cette chute fait 260 m de hauteur (plus de quatre fois la hauteur des chutes du Niagara). Un sentier de 16,4 km permet d'atteindre à un bon point de vue sur la chute. Prévoyez une journée complète pour cette excursion. Très accidenté, le sentier présente un dénivelé de 2 000 m et s'adresse aux randonneurs expérimentés. Pour vous y rendre, suivez les indications le long de la route 20.

L'**Alexander Mackenzie Trail** est un périple de 420 km. e sentier suit la dernière section du parcours qu'emprunta Alexander Mackenzie pendant de longs mois en 1793, avant de devenir le premier Anglais à contempler la côte ouest de l'Amérique du Nord à cette latitude. La section de 80 km (5 à 7 jours) qui traverse le Tweedsmuir Park est probablement celle qui offre les plus impressionnants panoramas. Ceux qui sont intéressés à effectuer le parcours en entier, qui débute près de Quesnel et se termine à Bella Coola, peuvent se renseigner auprès de l'Alexander Mackenzie Trail Association: PO Box 425, Station A, Kelowna, BC, V1Y 7P1.

Pêche

Le nord de la Colombie-Britannique en est le paradis. Pour la truite bien sûr, mais aussi pour le saumon, le roi des poissons. Celui-ci peut être capturé en rivière ou en mer. Attention de ne pas oublier de vous munir d'un permis.

Il y a des endroits réputés comme **Burns Lake**, la ville aux slogans qui en disent long: «3 000 milles de pêche» ou encore «la terre aux milliers de lacs». La Chambre de commerce est une mine de renseignements pour les pêcheurs. **Houston**, tout comme Burns Lake, a clairement identifié sa vocation estivale: la pêche. Pas n'importe laquelle, puisque Houston est la capitale mondiale de la *steelhead*, cette fameuse truite de mer.

Le bureau de tourisme vous indiquera les meilleurs lieux de pêche. Le long de la rivière Bulkley, dans la région de **Smithers**, le saumon et la *steelhead* pullulent. À **Kitimat**, les saumons remontent le Douglas Channel, un

fjord naturel, et rejoignent les affluents, faisant de Kitimat un endroit réputé pour la pêche. Le bureau de tourisme offre beaucoup d'indications. L'archipel de la Reine-Charlotte propose la pêche rêvée: celle du saumon royal *(chinook)*, que l'on surnomme aussi *king*, à juste titre, puisque son poids peut atteindre 40 kg. On le pêche en pleine mer. Contactez **Queen Charlotte Adventures** *(3207 Wharf St., ☎559-8990 ou 800-668-4288).*

Circuit A: Gold Rush Trail et Cariboo Mountains

Les alentours de **Quesnol** recèlent de nombreux coins bénis des dieux pour la pêche à la mouche. **Fishpot Lake**, à 125 km à l'ouest de la ville, est un de ces endroits. On se renseigne au bureau d'information touristique (voir p 324).

Rafting

Circuit A: Gold Rush Trail et Cariboo Mountains

Big Canyon Rafting *(à compter de 90$; mai à mi-sep; 120 Lindsay St., ☎992-RAFT)* propose des forfaits de quelques heures sur la tumultueuse rivière Quesnel.

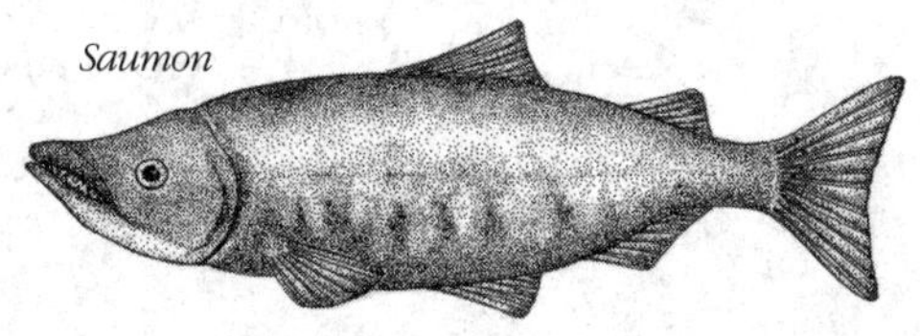
Saumon

Canot

Circuit A: Gold Rush Trail et Cariboo Mountains

Le **Tweedsmuir Provincial Park** *(8$ pour véhicule)* permet de faire un circuit de canot qui relie six lacs entre le lac Kidney et le lac Turner. Six portages très courts offrent des vues à couper le souffle. Plusieurs plages sont également éparpillées le long du parcours d'environ 15 km. On peut louer des canots sur place *(☎398-4414)*.

Le **Bowron Lake Provincial Park** *(50$; ☎800-435-5622)* n'est rien de moins qu'un des plus beaux circuits de canot au monde: quelque 115 km de lacs, de rivières et de courts portages, le tout encaissé entre des montagnes culminant à plus de 2 500 m. L'expérience s'avère mémorable, et l'on veut y revenir alors même que la première journée n'est pas encore terminée. Tout l'équipement de camping et de canot se loue chez **Becker's** *(Lodge Bowron Lake Rd., ☎992-8864)*. Faites vos provisions à Quesnel avant de partir, et prévoyez environ sept jours pour cette épopée au milieu des orignaux et des aigles.

Kayak

Le **parc national de Gwaii Haanas** offre de belles occasions pour pratiquer le kayak de mer. Des excursions sont organisées par **Queen Charlotte Adventures** *(Queen Charlotte City, ☎559-8990 ou 800-668-4288)* et par **Moresby Explorers** *(469 Alliford Bay Rd., Sandspit, ☎637-2215 ou 800-806-7633)*.

Observation des oiseaux

Les oiseaux règnent dans ces grands espaces septentrionaux. Le meilleur exemple en est l'archipel de la Reine-Charlotte, où se trouve la plus importante concentration de faucons pèlerins en Amérique du Nord. Sans compter les grands hérons et les aigles à tête blanche, aussi nombreux autour des villages que les pigeons dans les grandes villes du Sud.

Forfaits aventure

Circuit G: Îles de la Reine-Charlotte (Haida Gwaii)

Pour l'organisation d'excursions, l'entreprise la plus réputée est sans doute **Queen Charlotte Adventures** *(3207 Wharf St., ☎559-8990 ou 800-668-4288)*. Elle propose des visites du parc national Gwaii Haanas en bateau à moteur, en voilier ou en kayak de mer.

Loisirs d'hiver

L'hiver, la neige prend possession du paysage. Le ski de fond peut se pratiquer pour ainsi dire partout, de même que la raquette. Pour le ski alpin, la ville de Smithers, avec sa station de ski **Ski Smithers** *(35$ par jour; ☎847-2058 ou 800-665-4299)*, sur **Hudson Bay Mountain**, comptant 533 m de dénivellation et 35 pistes, offre des conditions de ski en poudreuse dès le mois de novembre. C'est la plus importante station dans le nord de la province. Entre Prince George et Dawson Creek, une autre station de ski régionale propose un excellent enneigement: **Powder King** *(35$ par jour; ☎962-5899).*

Hébergement

Circuit A: Gold Rush Trail et Cariboo Mountains

Quesnel

Gold Pan Motel
$
≡, ℂ, ℝ
855 Front St.
☎992-2107 ou 800-295-4334
⇄992-1125
Le Gold Pan Motel est situé en plein centre de Quesnel. On y trouve tout le confort d'un établissement de classe moyenne.

Ramada
$$ pdj
≡, ℂ, ≈, ℝ
383 St. Laurent Ave.
www.ramada.ca
☎992-5575 ou 800-663-1581
⇄992-2254
Autre motel au confort moyen, Le Ramada se révèle très calme.

Barkerville

Plusieurs terrains de camping sont situés autour du village historique de Barkerville. Plus de 160 emplacements sont disponibles et l'on réserve en composant le ☎800-689-9025. Les prix varient entre 10$ et 22$.

White Cap Motor Inn
$/camping
$$/chambre
⊛, ℂ
Ski Hill Rd.
☎994-3489 ou 800-377-2028
⇄994-3426
Le White Cap Motor Inn propose des chambres correctes décorées à la va-vite. Le personnel suisse parle l'allemand et est très chaleureux.

Le seul moyen de loger à Barkerville même consiste à opter pour un des deux *bed and breakfasts.* Qu'il s'agisse de la Kelly House ou du St. George, assurez-vous de réserver plusieurs semaines à l'avance. Dans les deux cas, l'ambiance «fin du XIXe siècle» est recréée à merveille, autant par la décoration que par la courtoisie du personnel. Mention particulière pour le St. George.

Kelly House
$$ pdj
Hwy. 26
bcity@goldcity.com
☎994-3328
☎994-3312 en basse saison
⇄994-3328

St. George Hotel
$$$ pdj
Hwy. 26
☎994-0008 ou 888-246-7690
⇄994-0008
www.cariboo.net.com/stgeorge

Les options moins dispendieuses se regroupent sous la forme d'hôtels de catégorie moyenne situés dans le village voisin, Wells.

Bowron Lake

L'hébergement se résume ici à seulement quelques établissements vous offrant le choix entre des emplacements de camping *(10-20)*, des cabanes *(15$)* et des chalets plus luxueux *(50-150).*

Becker's Lodge Resort
$$$
ℂ, ℝ
mai à sept, déc à mars
Bowron Lake Rd.
☎992-8864 ou 800-808-4761
⇄992-8893
www.beckers.bc.ca
Le Becker's Lodge compte plusieurs superbes bâtiments en bois rond. Le propriétaire est un riche Allemand qui possède une chaîne de boulangeries dans le Vieux Continent, en plus d'une poigne de fer. Avec son chapeau de cowboy et son humeur de cabotin, Lother est un personnage pour le moins coloré. Les installations qu'il a construites sont de toute beauté et s'insèrent parfaitement dans le paysage. Les luxueux chalets surprennent par leur confort chaleureux et leur aménagement recherché.

Circuit B: Accès à la route de l'Alaska

Prince George

Buckhorn Bed & Breakfast
$ pdj
, ℂ
14900 Buckhorn Pl.
☎888-933-8555
⇄963-8884
www.pgonline.com/bnb/buckhorn.html
À 1 km à l'est de la route 97 et à 13 km au sud du pont Fraser, à l'entrée sud de Prince George, se trouve le Buckhorn Bed & Breakfast. Il est installé dans une charmante maison victorienne et dispose de deux chambres équipées de très grands lits. Les salles de bain sont attenantes aux chambres.

Connaught Motor Inn
$$
≡, , ≈, ℝ, ℜ
1550 St. Victoria
☎562-4441 ou 800-663-6620
⇄562-4441
Au centre-ville, le Connaught Motor Inn est un vaste motel confortable de 98 chambres avec télévision câblée et réfrigérateur, tout près des boutiques et de tous les services.

Westhaven Cottage by the Lake
$$
23357 Fyfe Rd.
☎964-0180
Au sud de Prince George se trouve un petit coin de paradis, le Westhaven Cottage by the Lake. Ce coquet gîte en pleine nature offre une splendide vue sur le lac. Une plage privée et des sentiers de randonnée et de ski de fond sont à la portée de la clientèle.

The Manor House
$$
⊛, ℂ, ℑ
8384 Toombs Dr.
☎562-9255
⇄562-8255
«Élégance» est le mot qui convient le mieux pour décrire le Manor House, situé au bord de la rivière Nechako, au nord-ouest de la ville. Il s'agit d'une immense maison qui porte bien son nom de manoir. Les chambres sont luxueuses: foyer au gaz, salle de bain, cuisinette et entrée privée pour certaines.

Best Western City Centre
$$$
≡, ⊙, ≈, ℜ, ⌂
910 Victoria St.
☎563-1267 ou 800-528-1234
⇄563-9904
www.bestwesternbc.com
Le Best Western, nouvellement rénové, loge en plein cœur de Prince George. Ses 53 chambres sont propres et agréables.

Coast Inn of the North
$$$
, ⊙, ≈, ℜ, ⌂
770 Brunswick St.
☎563-0121 ou 800-663-1144
⇄563-1948
www.coasthotels.com
Pour les amateurs de confort urbain, toujours au centre-ville, le Coast Inn of the North se présente comme un hôtel moderne de 152 chambres avec piscine, sauna, salle de conditionnement physique, boîte de nuit, pub, boutique, etc.

Mackenzie

Alexander Mackenzie Hotel
$$
≡, , ℂ, ℜ, ⌂
403 Mackenzie Blvd.
☎997-3266 ou 800-663-2964
⇄997-4675
Difficile d'aller à Mackenzie sans séjourner à l'Alexander Mackenzie Hotel. Cet établissement moderne et luxueux de 99 chambres constitue une oasis au milieu des grandes étendues sauvages de la région. Il est situé en plein centre-ville, à deux pas du lac Williston, et renferme un centre commercial de 37 boutiques. Les chambres sont spacieuses; quelques-unes disposent d'une cuisinette.

Chetwynd

Stagecoach Inn
$$
≡, , ℂ, ℝ, ℜ, ⌂
5413 South Access Rd
☎788-9666 ou 800-663-2744
⇄788-3418
De nombreux motels de qualité jalonnent la rue principale de Chetwynd. Le Stagecoach Inn, situé au cœur du village, est à deux pas des services. Il comprend un restaurant (voir p 362), un sauna et 55 chambres dont certaines avec cuisinette et réfrigérateur. Les chambres sont mo-

dernes et spacieuses, équipées de téléviseurs avec accès à une chaîne de cinéma.

Country Squire Inn
$$
🐕, ⊛, ℝ, ℜ, ⌂
5317 South Access Rd.
☎788-2276
⇄788-3018
Toujours dans le même style, le Country Squire Inn est un motel moderne tout confort: réfrigérateur dans toutes les chambres, télévision par satellite, laverie, machine à glace, sauna et baignoire à remous.

Dawson Creek

Alaska Hotel
$
ℜ, *bc*
10209-10213 10th St.
☎782-7991
⇄782-6277
L'Alaska Hotel est le symbole de Dawson Creek au même titre que la tour Eiffel est celui de Paris. Difficile de manquer ce bâtiment blanc qui date de 1928, avec le mot «Alaska» écrit en grandes capitales sur sa façade. Les chambres ont conservé leur charme vieillot, puisque certaines ont la salle de bain sur le palier. Pub, voir p 365. Restaurant, voir p 362.

Ramada Dawson Creek
$$ pdj
🐕, ℝ
1748 Alaska Ave.
☎782-8595 ou 800-663-2749
⇄782-9657
www.ramada.ca
Le Ramada est situé à l'intersection de la route de l'Alaska et de la Hart Highway, peu après le Pioneer Village. L'hôtel est très confortable et est équipé de mini-réfrigérateurs.

George Dawson Inn
$$ pdj
≡, 🐕, ⊙, ℝ, ℜ
11705 8th St.
☎782-9151 ou 800-663-2745
⇄782-1617
www.georgedawsoninn.bc.ca
Dans un style plutôt différent, le George Dawson Inn se présente comme un grand hôtel moderne de 80 chambres spacieuses et bien équipées. Il propose aussi des suites de grand luxe. Une taverne et un restaurant font partie de l'établissement.

Circuit C: Boucle de Hudson's Hope

Hudson's Hope

Sportsman's Inn
$
≡, 🐕, ℂ, ℜ
10501 Cartier Ave.
☎783-5523 ou 877-783-5520
⇄783-5511
Le Sportsman's Inn est bien équipé pour les longs séjours, puisque, sur 50 chambres, 37 disposent d'une cuisinette. L'hôtel renferme aussi un bar et un restaurant; de nombreux renseignements nécessaires aux pêcheurs y sont offerts gracieusement.

Circuit D: Route de l'Alaska

Fort St. John

Quality Inn Northern Grand
$$$
🐕, ⊛, ≈, ℝ, ℜ, ⌂
9830 100th Ave.
☎787-0521 ou 800-663-8312
⇄787-2648
www.choicehotels.ca
Situé au centre-ville, le Quality Inn Northern Grand est le dernier des hôtels tout confort qui sont situés le long de la portion britanno-colombienne de la route de l'Alaska, à seulement 8 km de l'aéroport. Il comprend un bar, un restaurant, une piscine intérieure, un sauna et un bassin à remous. Les chambres, vastes et bien équipées, disposent de téléviseurs câblés avec chaînes de sports et de cinéma.

Mile 72 Alaska Highway

Shepherd's Inn
$
🐕, ℜ
Mile 72 de l'Alaska Hwy.
☎827-3676
Le Shepherd's Inn est situé à 45 km au nord de Fort St. John. Vous y

trouverez des chambres confortables et rustiques ainsi qu'un petit restaurant qui propose des plats maison.

Pink Mountain

Mai's Kitchen
$$
Mile 143 de l'Alaska Hwy.
☎***772-3215***
Mai's Kitchen est un havre de paix où passer la nuit. Les chambres ont un caractère rustique, et vous dégusterez du pain fait maison. Vous pourrez aussi avoir une aide mécanique pour votre véhicule si besoin est.

Fort Nelson

Travelodge Fort Nelson
$$
≡, ℝ, ℜ, ⌂
4711 50th S. Ave.
☎***774-3911 ou 800-578-7875***
⇄***774-3730***
Avec son confort presque «citadin», le Travelodge Fort Nelson est sans doute le meilleur hôtel de Fort Nelson. Il se trouve au centre-ville sur la voie de service ouest de la route de l'Alaska. Il propose 70 chambres climatisées et spacieuses. Un sauna, un bar et deux restaurants sont à la disposition des clients.

Muncho Lake Provincial Park

Northern Rockies Lodge
$$
ℜ
kilomètre 739,2 ou Mile 462 de la route de l'Alaska
www.northern-rockies-lodge.com
☎***776-3481 ou 800-663-5269***
⇄***776-3482***
Le Northern Rockies Lodge est en passe de devenir plus connu en Europe qu'au Canada. Il faut dire que les propriétaires (Urs, un pilote de brousse, et sa femme Marianne) attirent de nombreux visiteurs en provenance de leur pays d'origine: l'Allemagne. Il n'est pas rare de trouver des cars nolisés garés devant l'hôtel de 40 chambres. Certaines chambres sont de type «motel», d'autres sont de type chalet, le tout à deux pas du lac Muncho.

J & H Wilderness Resort
$$
ℜ
mai à sept
kilomètre 740,8 ou Mile 463 de l'Alaska Hwy.
☎***776-3453***
⇄***774-3454***
Le J & H Wilderness Resort est le motel septentrional par excellence. Huit petites cabanes de bois de style rustique accueillent les voyageurs à deux pas du magnifique lac Muncho. Pas de téléphone ni de téléviseur dans les chambres, mais rien ne vaut la sensation de passer la nuit au milieu d'un paysage de rêve. Des emplacements de camping sont également disponibles.

Liard Hot Springs Provincial Park

Liard River Lodge
$$
ℜ
kilomètre 801 ou Mile 496 de la route de l'Alaska
☎***776-7349***
⇄***776-7340***
Au kilomètre 801 (Mile 496) de la route de l'Alaska, juste en face de l'entrée du Liard Hot Springs Provincial Park, le Liard River Lodge se présente comme un établissement construit dans le plus pur style nordique, puisqu'il s'agit d'une immense «cabane» en rondins de deux étages. Il dispose de 12 chambres, d'un restaurant, d'une boutique de cadeaux et d'une station-service. Des emplacements de camping sont aussi disponibles.

Watson Lake (Yukon)

Watson Lake Hotel
$$
ℂ, ℜ
centre-ville à deux pas de la Signpost Forest, du côté est de la route de l'Alaska
www.watsonlakehotels.com/watson/
☎***536-7781***
⇄***536-7563***
Le Watson Lake Hotel est l'établissement hôtelier le plus connu à Watson Lake. Il s'agit du plus vieil hôtel de la

ville, avec son architecture typique du Yukon, aux poutres imposantes et aux murs en rondins. Les 48 chambres offrent un grand confort. L'hôtel comprend un café, un restaurant et un bar.

Big Horn Hotel
$$
⊛, ©
du côté ouest de la route de l'Alaska, au centre-ville
www.yukonweb.com/ tourism bighorn/
☎536-2020
⇄536-2021
Vu de l'extérieur, le Big Horn Hotel n'a vraiment rien d'attrayant avec son architecture de type «roulotte». Quoi qu'il en soit, cet établissement propose 29 vastes chambres confortables et luxueuses, au style chargé qui mérite le coup d'œil. Certaines sont équipées d'une cuisinette et d'une baignoire à remous. De plus, les prix sont raisonnables pour la région.

Belvedere Motor Hotel
$$$
≡, ⊛, ℜ
du côté ouest de la route de l'Alaska, au centre-ville
www.watsonlakehotels.com /belvedere/
☎867-536-7712
⇄867-536-7563
Le Belvedere Motor Hotel est situé tout près du Big Horn Hotel & Tavern (voir ci-dessus). Il offre des caractéristiques similaires à celui-ci en bien des points, mais propose aussi des chambres avec lit d'eau *(waterbeds)*, en plus d'une agence de voyages, d'une boutique de magazines et de cadeaux ainsi que d'un salon de coiffure.

Circuit E: Route Stewart-Cassiar

Meziadin Junction

Meziadin Lake Provincial Park
$
mai à oct
en espèces seulement
☎847-7320
Le Meziadin Lake Provincial Park compte 62 emplacements de camping pour tentes et véhicules récréatifs, une aire de pique-nique et une plage. C'est une halte agréable surtout si vous aimez la pêche.

Iskut

Red Goat Lodge
$/auberge
$/camping
$$/B&B
©
3,2 km au sud d'Iskut
www.karo-ent.com/ redgoat.htm
☎234-3261 ou 888-733-4628
⇄234-3261
Le Red Goat Lodge est l'auberge de jeunesse d'Iskut, attenante à un camping de grande classe même si l'endroit est sauvage et isolé. Le Red Goat Lodge fait face au joli lac Eddontenajon. Les lits se trouvent dans des dortoirs. Le coin étant réputé, il est conseillé de réserver. Des lave-linge, une cuisine, une salle de télévision et des canots sont mis à la disposition de la clientèle.

Trappers Souvenirs
$
7 km au nord d'Iskuti bande publique 2M3 520, canal Mehaus
Trappers Souvenirs est une boutique de souvenirs qui fait la location d'une cabane en rondins à un prix modique. C'est aussi la halte obligatoire pour parler français et prendre un café avec Lorraine Charrette, une Franco-Albertaine loquace et sympathique.

Dease Lake

Northway Motor Inn
$$
©, ℜ
Boulder Ave., centre-ville
☎771-5341
⇄771-5342
Le Northway Motor Inn se présente comme un motel de 46 chambres spacieuses et confortables, la plupart équipées d'une cuisine complète avec lave-vaisselle. L'établissement pratique aussi des tarifs mensuels. Tout près se trouvent un restaurant, ouvert de mai à octobre, et un *coffee shop*.

Telegraph Creek

Stikine River Song Lodge
$$
©
Stikine Ave.
☎235-3196
www.stikineriversong.com
Le Stikine River Song Lodge est à la fois un café (voir p 363), une

auberge (huit chambres) et une épicerie, le tout installé dans un édifice historique. Les chambres, malgré leur confort plutôt rustique, sont très agréables. C'est le seul établissement de ce type à Telegraph Creek, et il est préférable de réserver afin d'éviter une mauvaise surprise.

Circuit F: Excursion à Stewart, C.-B./ Hyder, AK

Stewart

King Edward Hotel & Motel
$$
≡, ℂ, ℜ
angle 5th St. et Columbia St., en plein centre du village
www.kingedwardhotel.com
☎636-2244
⇌636-9160
Le King Edward constitue le meilleur lieu d'hébergement en ville. Les 50 chambres sont très confortables et bien équipées, certaines disposant même d'une cuisine complète pour séjours prolongés. Un café et un restaurant de fruits de mer licencié font partie de l'établissement.

Pika

Hyder, Alaska

Sealaska Inn & Camp Run-A-Muck
$
ℂ, ℜ
Premier Ave.
☎636-9006 ou 888-393-1199
⇌636-9003
www.sealaskainn.com
Le Sealaska Inn est un hôtel sympathique situé au-dessus d'un pub. L'ambiance y est animée, et même bruyante, surtout les fins de semaine. Ainsi ne faut-il pas s'étonner si, certains soirs, il est difficile de s'endormir.

Circuit G: Route de Yellowhead

Prince George

Voir «Circuit B: Accès à la route de l'Alaska», p 354.

Vanderhoof

Grand Trunk Inn
$$
ℂ, ℜ
2351 Church Ave.
☎567-3188 ou 877-567-3188
⇌567-3056
Le Grand Trunk Inn est situé au centre-ville, à une rue au nord de la route 16. C'est un des hôtels importants de la ville, avec 32 chambres simples mais confortables, dont certaines avec cuisinette. Un pub et un restaurant en font partie.

Fort St. James

The Stuart Lodge
$$
ℂ
Stone Bay Rd.
☎996-7917
⇌996-7917
Le Stuart Lodge, à 5 km au nord de Fort St. James, sur les rives du lac Stuart, est composé de six charmants petits cottages indépendants. Les propriétaires de ce domaine privé de 24 ha parlent français. Les chalets offrent une vue sur le lac et sont entièrement équipés, avec gril et téléviseur. Il y a aussi possibilité de louer des barques à moteur.

Smithers

Berg's Valley Tours Bed & Breakfast
$$ pdj
3924 13th Ave.
☎847-5925 ou 888-847-5925
⇌847-5945
Le Berg's Valley Tours Bed & Breakfast est destiné aux gens actifs, puisque les propriétaires, David et Beverley, proposent des randonnées guidées en montagne, avec trajet en tout-terrain et casse-croûte fourni, des tours guidés de la région en voiture et aussi des forfaits ski.

Hazelton

Ksan Campground
$
à deux pas du Ksan Historic Indian Village Museum
☎842-5544
Le Ksan Campground est un camping extrê-

mement bien équipé et très bien entretenu. Il est en mesure d'accueillir les véhicules récréatifs de grande taille. Il y a des sentiers de promenade tout autour du site. Une petite boutique de cadeaux y est installée.

Terrace

Mount Layton Hotsprings Resort
$$
ℜ
par la route 37 direction sud, à 15 min de Terrace
☎798-2214 ou 800-663-3862
⇄798-2478
www.kurtknoll.com/hot springs.html
Le Mount Layton Hotsprings Resort, situé à seulement 22 km de Terrace, est une des destinations estivales par excellence, puisque des toboggans nautiques et des piscines alimentées par des sources thermales naturelles ont été aménagés sur place. Le complexe propose 22 chambres confortables et bien équipées.

Coast Inn of the West
$$$
ℜ
4620 Lakelse Ave.
☎638-8141 ou 800-663-1144
⇄638-8999
www.coasthotels.com
Un grand hôtel pour une grande ville: le Coast Inn of the West. Cet établissement est impeccable mais cher. Les 58 chambres sont très luxueuses, et rien n'y manque.

Kitimat

City Centre Motel
$$
ℂ
480 City Centre
☎632-4848 ou 800-663-3391
⇄632-5300
Le City Centre Motel est en plein centre-ville, à proximité de tous les services. Ce motel propose à des prix modiques des chambres confortables, spacieuses et équipées de cuisinettes. Il s'agit sans doute de l'un des meilleurs rapports qualité/prix à Kitimat.

Prince Rupert

Crest Hotel
$$$
ℜ, ⌂
222 First W. Ave.
☎624-6771
⇄627-7666
Le Crest Hotel offre la plus belle vue car il est situé à flanc de falaise au-dessus du port. Ses chambres sont dignes du meilleur palace. Le service est impeccable. Le client en a véritablement pour son argent. Le Crest compte aussi deux excellents restaurants (voir p 364). Tous ces attributs en font l'un des meilleurs hôtels de la région.

Circuit H: Îles de la Reine-Charlotte (Haida Gwaii)

Queen Charlotte City

Sea Raven
$$
≡, ℂ, ℝ, ℜ
3301 3rd Ave.
☎559-4423 ou 800-665-9606
⇄559-8617
www.searaven.com
Le Sea Raven est moderne et confortable. Certaines chambres offrent une vue sur la mer. Un excellent restaurant de fruits de mer est attenant à l'hôtel (voir p 364).

Spruce Point Lodge
$$ pdj
8234 6th Ave.
☎/⇄559-6234
www.qcislands.net/sprpoint
Le Spruce Point Lodge est une jolie auberge avec une entrée privée pour chaque chambre et une terrasse commune offrant une belle vue sur le superbe Hecate Strait. Les chambres sont très simples mais très confortables, chacune avec salle de bain et téléviseur. Mary, la patronne, est très au courant de tout ce qui se passe dans la région et connaît bien les entreprises qui proposent des activités de plein air et du tourisme d'aventure.

Sandspit

Seaport Bed & Breakfast
$ pdj
ℂ
371 Alliford Bay Rd.
☎637-5698
⇄637-5697
À deux pas de l'aéroport, le Seaport Bed & Breakfast dispose de deux cottages qui sont en fait des roulottes offrant une vue sur la baie. Chacune d'entre elles est équipée d'une cuisinette. Les cartes de crédit n'y sont pas acceptées, mais c'est le meilleur rapport qualité/prix sur l'île Moresby.

Sandspit Inn
$$
ℂ
Airport Rd.
☎/⇄637-5334
Le Sandspit Inn est un hôtel moderne de 35 chambres situé tout près de l'aéroport de Sandspit et accueille une importante clientèle d'affaires.

Moresby Island Guest House
$$
385 Rd. Alliford Bay
☎637-5300 ou 894-6466
⇄637-5300
www.moresbyisland-bnb.com
La Moresby Island Guest House se trouve au bord de la magnifique baie de Shingle et est proche de l'aéroport, des boutiques, des restaurants et des plages. Les 10 chambres sont propres, confortables et assez grandes pour accueillir les familles. Une cuisine commune est disponible pour la préparation des petits déjeuners.

Tlell

Tlell River House
$$
♞, ℜ
Beitush Rd.
☎557-4211 ou 800-667-8906
⇄557-4622
La Tlell River House se présente comme une auberge cachée au fond d'un bois dans un cadre agréable au bord de la rivière Tlell et du détroit de Hecate. Les chambres sont simples et confortables, et le restaurant de la Tlell River House propose des plats de qualité (voir p 364).

Port Clements

Golden Spruce Motel
$$
♞, ℝ
2 Grouse St.
☎557-4325 ou 877-801-4653
⇄557-4502
www.qcislands.net/golden
Il y a très peu d'hôtels dans la région de Port Clements, si ce n'est le Golden Spruce Motel, qui compte 12 chambres très simples. L'établissement dispose d'une laverie.

Masset

Alaska View Lodge
$$ pdj
bc/bp
près de l'entrée du Naikoon Provincial Park, à mi-chemin entre Masset et Tow Hill
☎626-3333 ou 800-661-0019
⇄626-3303
www.alaskaviewlodge.com
L'Alaska View Lodge est construit sur un site privilégié à l'orée de la prestigieuse forêt humide du Pacifique et au bord de South Beach, une merveilleuse plage de 10 km de long. Les propriétaires, Eliane, de Paris, et son mari Charly, un Suisse de Berne, accueillent les visiteurs selon une tradition «Vieille Europe». L'Alaska View Lodge constitue véritablement un endroit de choix pour ceux qui recherchent un dépaysement total dans un véritable petit coin de paradis.

Singing Surf Inn
$$
ℂ, ℜ
1504 Old Beach Rd.
☎626-3318 ou 888-592-8886
⇄626-5204
www.singingsurfinn.com
Situé à l'entrée de la ville, le Singing Surf Inn est la grande institution de Masset. Les chambres nouvellement rénovées sont confortables et pourvues de la télévision par satellite, et certaines offrent une vue sur le port. Une boutique de cadeaux, un bar et un restaurant (voir p 364) font partie de l'hôtel.

Castor

Naikoon Provincial Park

Au **Naikoon Provincial Park** *(BC Parks: ☎557-4390)*, vous trouverez deux terrains de camping: l'un à **Agate Beach**, qui compte 43 emplacements et qui est situé à l'ouest du rocher de Tow Hill, et l'autre à **Misty Meadows**, qui propose une trentaine d'emplacements. Vous trouverez dans chacun de ces campings des toilettes, de l'eau potable ainsi que du bois pour faire du feu.

Il se peut que les deux campings soient complets pendant la saison estivale, mais rassurez-vous car le **camping sauvage** est autorisé dans le parc. Vous trouverez aussi **trois abris rustiques** pour vous protéger des intempéries et faire un peu de cuisine: ils sont situés à Cape Ball, Oceanda et Fife Point. Il n'y a **pas de services commerciaux** autour du parc. Si vous avez besoin de provisions, la ville la plus proche est Masset, à 30 km d'ici.

Restaurants

Circuit A: Gold Rush Trail et Cariboo Mountains

Quesnel

Granville's Coffee
$
383 Reid St.
☎992-3667
Le Granville's Coffee est un mignon petit endroit où l'on s'arrête pour déguster l'un des bons cafés soigneusement préparés. Les boiseries et les sacs à café en jute qui recouvrent le plafond égaient le décor. On y sert également des sandwichs savoureux et des desserts exquis.

Mr Mikes
$$-$$$
450 Reid St.
☎992-7742
Mr Mikes fait penser à un chalet: trône un foyer en plein centre de la salle à manger. On y sert de bons hamburgers, et le service est impeccable.

Savata's
$$$
240 Reid St.
☎992-9453
Le Savata's cuit ses steaks à la perfection et au goût du client. L'ameublement antique et la lumière tamisée confèrent à cet établissement un statut privilégié à Quesnel. Ne manquez pas le comptoir à salades, d'une diversité réussie.

Circuit B: Accès à la route de l'Alaska

Prince George

The Keg
$$$
582 George St.
☎563-1768
Un autre endroit rêvé où déguster des steaks est The Keg, un restaurant membre de la chaîne du même nom, dont c'est d'ailleurs la spécialité. Les steaks sont préparés de différentes façons et peuvent s'accompagner de fruits de mer.

Cariboo Steak & Seafood
$$$-$$$$
lun-ven
1165 5th Ave.
☎564-1220
Ceux et celles qui sont las d'engloutir des hamburgers se retrouvent au restaurant Cariboo Steak & Seafood. De très bons steaks y sont proposés, sans oublier le copieux buffet à volonté le midi.

Mackenzie

The Alexander Mackenzie Hotel
$$
403 Mackenzie Blvd.
☎997-6549
C'est à l'Alexander Mackenzie Hotel qu'il faut aller manger. Au menu, bien sûr, différents hamburgers, mais aussi du poulet et un bon choix de salades.

Chetwynd

Stagecoach Inn
$$
5413 South Access Rd.
☎788-9666
Le Stagecoach Inn, au cœur du village, renferme un petit restaurant de type familial. Les repas ne sont pas gastronomiques mais de qualité.

The Swiss Inn Restaurant
$$-$$$
800 m à l'est du feu de signalisation sur la route 97,au centre-ville
☎788-2566
Le Swiss Inn Restaurant propose une cuisine de type allémanique. On y trouve d'ailleurs des *schnitzels*, mais aussi des plats plus nord-américains comme des pizzas, des steaks ou encore des fruits de mer.

Dawson Creek

Alaska Restaurant
$$$
10209 10th St.
☎782-7040
L'Alaska Restaurant, attenant à l'Alaska Hotel (voir p 355), est un bon restaurant à Dawson Creek. Le bâtiment multicolore, construit en 1928, avec le mot «ALASKA» écrit en lettres orange sur la façade, est visible de loin. La décoration de style rustique est agréable et la cuisine de qualité. À noter, l'imposante carte des vins.

Circuit C: Boucle de Hudson's Hope

Hudson's Hope

Sportsman's Inn
$$
10501 Beattie Ave.
☎783-5523
Le restaurant du Sportsman's Inn est sans doute le bon endroit où manger à Hudson's Hope. L'ambiance est familiale et le menu traditionnel.

Circuit D: Route de l'Alaska

Fort St. John

Boston Pizza
$$$
9824 100th St.
☎787-0455
Boston Pizza, comme son nom l'indique, propose un vaste choix de pizzas, mais aussi des côtelettes, des pâtes, des steaks et des sandwichs.

White Spot Restaurant
$$$
9830 100th Ave.
☎261-6961
Au centre-ville, le restaurant du Northern Grand Quality Inn prépare une cuisine variée et servie en copieuses portions.

Fort Nelson

Coach House Restaurant
$$$
4711 50th S. Ave.
☎774-3911
Le restaurant du Travelodge, toujours très animé pendant la période estivale, est une étape traditionnelle pour les voyageurs sur la route de l'Alaska. Son menu est varié. Il y a même un menu pour enfants. Un buffet à volonté est servi le dimanche de 10h à 14h.

Muncho Lake Provincial Park

The Northern Rockies Lodge
$$$-$$$$
kilomètre 739,2 ou Mile 462 de la route de l'Alaska
☎776-3481
Le Northern Rockies Lodge sert des hamburgers mais aussi des plats allemands. N'hésitez pas à commander saucisse et choucroute. En fermant les yeux, vous vous sentirez transporté en Alsace ou en pays teu-

ton. Il y a aussi de la bière pression... allemande!

Liard Hot Springs Provincial Park

Liard River Lodge
$$$
kilomètre 801 ou Mile 497 de la route de l'Alaska
☎776-7349
Le Liard River Lodge se trouve juste en face de l'entrée du Liard Hot Springs Provincial Park et propose de bons petits déjeuners copieux.

Circuit E: Route Stewart-Cassiar

Iskut

Tenajohn Motel
$$
au centre du village d'Iskut, sur la route 37
☎234-3141
Le restaurant du Tenajohn Motel sert une variété de plats, dont des hamburgers et des salades.

Dease Lake

Northway
$$
Boulder Ave., au centre-ville
☎771-4114
Le restaurant du Northway Motor Inn est l'établissement le plus facile à trouver, car il est bien visible avec son grand toit vert. Sandwichs et soupes sont au menu.

Telegraph Creek

Stikine Riversong
$$
Stikine Ave.
☎235-3196
Dans l'édifice historique du Riversong se trouve un petit bistro (en plus d'une épicerie et d'une auberge). C'est le seul endroit à Telegraph Creek où il est possible de prendre un bon repas. L'établissement a bonne réputation.

Circuit F: Excursion à Stewart, C.-B./ Hyder, AK

Stewart

King Edward Restaurant
$$
angle 5th St. et Columbia St., en plein centre du village
☎636-2244
Le restaurant King Edward Hotel & Motel se présente comme une cafétéria toujours très animée où les camionneurs, les mineurs et les voyageurs se retrouvent dès le matin au petit déjeuner.

Circuit G: Route de Yellowhead

Prince George

Voir «Circuit B: Accès à la route de l'Alaska», p 361.

Smithers

Aspen Restaurant
$$$
route 16, à l'ouest de la ville, à l'intérieur de l'Aspen Motor Inn
☎847-4551
Le Restaurant Aspen est très réputé à Smithers. Il sert de très bons fruits de mer frais.

Terrace

Lakelse Lake Lodge
$$$
route 37, à mi-chemin entre Terrace et Kitimat
☎798-9541
Le Lakelse Lake Lodge est une auberge de style «pension de famille» à l'européenne. Le patron, Emmanuel, un Français du Pays basque, apprête de petits plats à base de gibier local, de truite ou de saumon, dans une ambiance sympathique et conviviale.

White Spot
$$$
4620 Lakelse Ave.
☎638-7977
Le White Spot est installé dans le même édifice que le Coast Inn of the West. Il fait partie de la chaîne des restaurants White Spot de la Colombie-Britannique, réputés pour leurs sandwichs, leurs salades et leurs hamburgers.

Kitimat

The Chalet Restaurant
$$$$
852 Tsimshian
☎632-2662
Le Chalet Restaurant présente un menu varié à l'image de la cosmopolite Kitimat. Le restaurant est ouvert dès le matin pour de copieux petits déjeuners.

Prince Rupert

Breakers Pub
$$$
117 George Hill's Way
☎624-5990
Le Breakers Pub, dans le joli quartier de Cow Bay, propose d'excellents poissons-frites et d'autres délicieux produits de la mer bien apprêtés et servis sur une charmante terrasse avec vue sur le port. C'est un endroit bien agréable où passer l'après-midi. Il y a aussi un grand choix de bières pression.

Smile's Seafood Café
$$$
au cœur du quartier de Cow Bay
☎624-3072
Le Smile's Seafood Café est, avec raison, l'endroit le plus réputé pour les fruits de mer et le poisson à Prince Rupert. Les portions sont généreuses et les prix modérés malgré tout.

The Crest Motor Hotel
$$$
222 First Ave.
☎624-6771
Le Crest Motor Hotel compte deux restaurants de qualité. L'un, plutôt casse-croûte, sert de très bons sandwichs, et l'autre, plutôt classique, propose d'excellents plats très élaborés.

Circuit H: Îles de la Reine-Charlotte (Haida Gwaii)

Queen Charlotte City

Sea Raven Restaurant
$$$
3301 3rd Ave.
☎559-4423
Le Sea Raven est un très bon restaurant de fruits de mer au menu varié. Le plat du jour, toujours bien préparé, change quotidiennement.

The Oceana
$$$
3rd Ave.
☎559-8683
L'Oceana est un restaurant de cuisine chinoise de très bonne qualité offrant une jolie vue sur le détroit de Hecate. Les plats sont copieux et bien apprêtés.

Tlell

Tlell River House
$$$
Beltush Rd.
☎557-4211
Le restaurant de la Tlell River House sert des plats gourmets nord-américains et représente une des bonnes tables de l'île. Avertissement: l'addition grimpe vite!

Masset

Singing Surf Inn Restaurant
$$
1504 Old Beach Rd.
☎626-3318
Le restaurant du Singing Surf Inn Restaurant est une institution à Masset. La cuisine n'a rien de gastronomique, mais le cadre et la vue sont agréables.

Sorties

Bars et discothèques

Une visite dans le nord de la Colombie-Britannique fait bien sûr découvrir de grands espaces sauvages. Malgré tout, après une belle journée passée en plein air, rien de tel que de se détendre quelque part tout en écoutant de la musique et en dégustant sa bière préférée. Malheureusement, le choix des établissements risque d'être très limité selon l'endroit où vous vous trouverez.

En effet, à cause de la faible densité de population et de la petitesse des localités traversées, les discothèques telles qu'elles sont conçues dans les grandes villes sont inexistantes dans le nord de la Colombie-Britannique.

Il est tout de même possible d'y trouver des bars à l'atmosphère typique et amicale. En général, ces derniers font partie d'un hôtel ou, parfois, d'un restaurant.

Les bars rattachés aux hôtels qui portent, en anglais, le nom de *lounge* ont un rôle social indéniable. Ils sont le lieu où tout le village se retrouve. Pour les voyageurs, c'est l'occasion de passer un moment privilégié et de faire connaissance avec les personnalités locales. Il n'est pas rare de discuter à bâtons rompus avec un prospecteur d'or, un trappeur ou un pêcheur amérindien autour d'un verre.

Circuit B: Accès à la route de l'Alaska

Dawson Creek

Alaska Hotel
10209 10th St.
☎782-2625
Au rez-de-chaussée de l'Alaska Hotel, vous trouverez le meilleur pub de la ville, avec groupes rock, country ou blues toutes les fins de semaine.

Circuit D: Route de l'Alaska

Watson Lake (Yukon)

1940's Canteen Show
juin à août tlj dès 20h
derrière la Signpost Forest
☎536-7781
Le 1940's Canteen Show est un «musical» qui vous replongera dans les années 1940, à l'époque du chantier de la route de l'Alaska.

Activités culturelles

Circuit B: Accès à la route de l'Alaska

Prince George

Prince George est véritablement la capitale culturelle du Nord, avec son propre orchestre symphonique et ses nombreuses troupes de théâtre. Il est possible d'assister aux spectacles seulement pendant l'hiver. Durant la belle saison, la population préfère s'adonner aux activités de plein air.

Prince George Symphony Orchestra
saison musicale sept à mai
☎562-0800
www.pgso.com
Prince George possède son propre orchestre symphonique. Téléphonez pour connaître le programme.

Le **Prince George Theatre Workshop** *(saison théâtrale sept à mai; ☎563-8401; www.pgtw.bc.ca)* est actif à Prince George depuis déjà 30 ans. Il est possible d'assister à des comédies, des dramatiques et des classiques.

Theatre NorthWest *(118-101 North Tabor Blvd., ☎563-6969)* est une compagnie théâtrale professionnelle qui produit des spectacles de qualité joués par des artistes canadiens et internationaux. Contactez la troupe pour connaître le programme.

Calendrier des événements

Février

The Prince George Iceman *(Prince George, ☎564-1552; www.mag-net.com/iceman)* est une compétition comptant quatre épreuves: ski de fond (8 km), course à pied (10 km), patin à glace (5 km) et natation (800 m).

Le **Mardi Gras of Winter** *(Prince George, ☎564-3737; www.city.pg.bc.ca/wintercities/events.html)* est une importante fête de l'hiver avec une centaine d'événements organisés.

Mars

Le **Prince George Music Festival** *(Prince George, www.pgmusicfestival.com)* est un festival qui met en vedette tous les ténors de la musique de Prince George. Orgue, cuivres, instruments à cordes et chant.

Mai

Le **Northern Children's Festival** *(Prince George, ☎562-4882, www.princegeorge.com/cncf)* est un impressionnant événement consacré à la jeunesse. Des milliers de familles se rendent au Fort George Park pour assister à des spectacles offerts par des artistes internationaux. De plus, l'entrée du festival est libre.

Mile 0 Celebration *(3e semaine de mai; Dawson Creek, ☎782-5804).*

Juin

Rodéo de Prince George *(Exhibition Grounds, Prince George).* Si vous n'avez jamais assisté à un rodéo, celui de Prince George vaut vraiment le déplacement. En plus, vous pourrez assister à un spectacle aérien offert par des parachutistes et à des spectacles de *square dance* et de *country music*.

Rodéo de Hudson's Hope *(1re semaine; Hudson's Hope, ☎783-9901).*

Juillet

Pour la **fête du Canada** *(Prince George, ☎563-8525),* de nombreuses festivités sont organisées au Fort George Park: spectacles musicaux, danses et, bien sûr, feux d'artifice en soirée.

Triathalon de Prince George *(Prince George, ☎964-3936).* Si le cœur vous en dit, vous pouvez participer à cette compétition: natation (1,5 km), cyclisme (40 km) et course à pied (10 km).

Août

World Invitational Gold Panning Championships *(1re semaine d'août; ☎789-3392).* Essayez de trouver de l'or, jouez au bingo, profitez d'un barbecue ou flânez dans les marchés et assistez au défilé.

International Food Festival *(Prince George, ☎563-4096).* Pendant ce festival gastronomique, vous pourrez goûter à toutes les cuisines du monde! Délicieux!

La **Prince George Exhibition** *(Prince George, ☎563-4096)* est un événement dans la vie de Prince George. Il s'agit d'une foire agricole et culinaire avec des aspects reliés à l'habitation et à l'horticulture. Auprès des enfants, le spectacle de bûcherons a toujours un gros succès.

Rodeo, Fall Fair Stampede *(2e semaine d'août; Dawson Creek, ☎782-9595).*

River Beat Days *(1re semaine d'août; Terrace, ☎635-4997).* Saumon sur barbecue, feux d'artifice, course de lits, défilé, etc.

Octobre

L'**Oktoberfest** *(Prince George)* est une tradition à Prince George, qui possède une importante communauté allemande. Vous aurez l'occasion de danser sur les rythmes des «Oom-pah-pah» bavarois tout en buvant de la bière.

Achats

Circuit B: Accès à la route de l'Alaska

Dawson Creek

Pour goûter les produits locaux, une halte s'impose au **Dawson Creek Farmers Market** *(sam 8h à 15h).* Ce marché est situé près du NAR Park, juste derrière le panneau indiquant l'entrée de la route de l'Alaska.

Circuit D: Route de l'Alaska

Chetwynd et Fort St. John

Marché fermier tous les samedis du début mai à début octobre.

Circuit H: Îles de la Reine-Charlotte (Haida Gwaii)

Tlell

Le **Sitka Studio** *(au bout de Richardson Rd., ☎557-4241)* est une petite galerie d'art et d'artisanat ouverte tous les jours. Vous y trouverez aussi des livres.

Old Masset

Beaucoup d'œuvres d'art sont regroupées à l'intérieure de la **Haida Arts and Jewellery**, une boutique à l'architecture traditionnelle amérindienne *(tlj l'été 11h à 17h; visible de loin avec ses deux totems à l'entrée).*

Grizzly

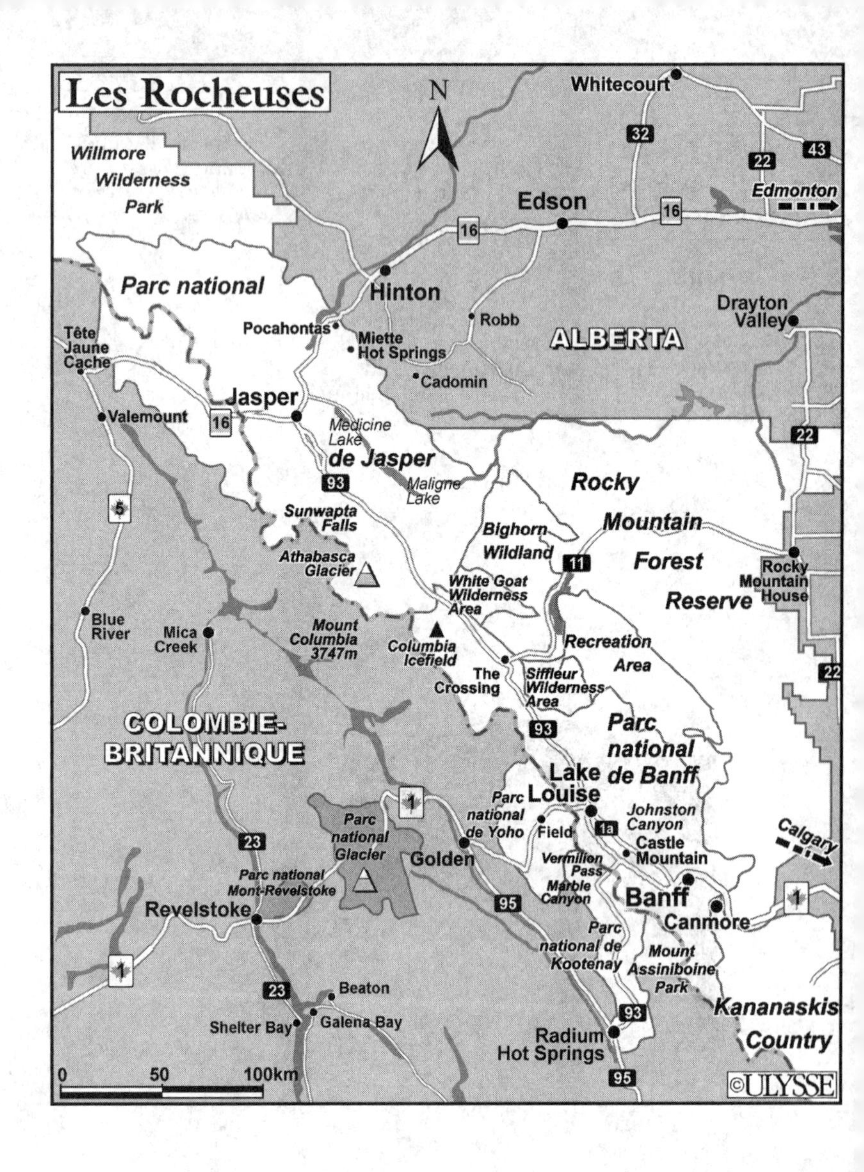
Les Rocheuses
N
Whitecourt
32
22
43
Willmore
Wilderness
Park
Edson
16
Edmonton
Parc national
Hinton
Drayton
Valley
Robb
ALBERTA
Tête
Jaune
Cache
Pocahontas
Miette
Hot Springs
Cadomin
Jasper
Valemount
Medicine
Lake
de Jasper
93
Maligne
Lake
Rocky
Mountain
Forest
Reserve
Bighorn
Wildland
11
Sunwapta
Falls
Athabasca
Glacier
White Goat
Wilderness
Area
Rocky
Mountain
House
5
Blue
River
Mica
Creek
Mount
Columbia
3747m
Columbia
Icefield
Recreation
Area
The
Crossing
Siffleur
Wilderness
Area
COLOMBIE-
BRITANNIQUE
Parc
national
de Banff
Lake
Louise
Parc
national
Glacier
Parc
national
de Yoho
Field
Johnston
Canyon
Castle
Mountain
1a
Calgary
Golden
23
Vermilion
Pass
Marble
Canyon
Parc national
Mont-Revelstoke
Banff
Canmore
Revelstoke
95
Parc
national de
Kootenay
Mount
Assiniboine
Park
Kananaskis
Country
Beaton
Shelter Bay
Galena Bay
Radium
Hot Springs
0
50
100km
©ULYSSE

Les Rocheuses

Le terme «Rocheuses» désigne, au Canada, une chaîne de hautes montagnes avec des sommets variant entre 3 000 m et 4 000 m, et qui est formée d'anciennes roches cristallines et métamorphiques soulevées, basculées, puis modulées par les glaciers.

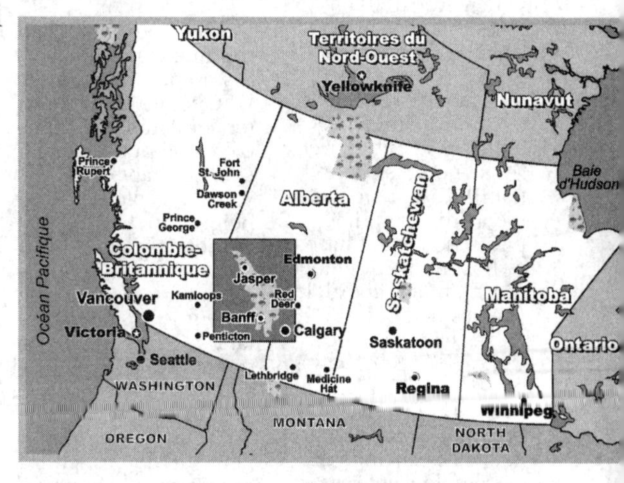

Cette chaîne de montagnes orientée du nord au sud est située à cheval sur les provinces de l'Alberta et de la Colombie-Britannique, et recouvre le territoire du Yukon. Couvrant plus de 22 000 km^2, cette vaste région, reconnue dans le monde entier pour ses beautés naturelles hors du commun, accueille des millions de visiteurs chaque année. Des paysages de hautes montagnes d'une rare beauté, des rivières déchaînées sur lesquelles les amateurs de descente de rapides s'en donnent à cœur joie, des lacs étales dont la couleur des eaux varie du vert émeraude au bleu turquoise, une faune diversifiée et omniprésente dans les parcs, des stations de ski renommées et un parc hôtelier d'une grande qualité, tout cela concourt à rendre votre séjour inoubliable.

Géographie

L'histoire des Rocheuses commence il y a environ 600 millions d'années, époque à laquelle une mer peu profonde recouvrait leur emplacement actuel. Des sédiments, entre autres d'argile schisteuse, de roche limoneuse, de sable et de conglomérats, provenant de l'érosion, à l'est, du Bouclier canadien, s'accumulèrent petit à petit, couche après couche, au fond de cette mer. Sous la pression de leur propre poids, ces couches sédimentaires, qui parfois atteignaient une épaisseur de 20 km, se cristallisèrent pour enfin former une plate-forme rocheuse. C'est ce qui explique la présence de fossiles marins tels que coquillages ou d'algues sur de nombreuses falaises; les schistes argileux de Burgess, dans le parc national de Yoho, site du patrimoine mondial de l'Unesco depuis 1981, constituent l'un des sites fossilifères les plus importants du monde et contiennent les restes fossilisés de près de 140 espèces. Il y a environ 160 millions d'années, à la suite du mouvement de dérive des plaques tectoniques, les forces terrestres commencèrent à se manifester et, sous une pression extraordinaire, le roc sédimentaire, comprimé, plié et soulevé, finit par se fracturer. Ainsi émergèrent, tout d'abord, les chaînes de l'ouest (parcs nationaux de Yoho et de Kootenay), puis les chaînes principales (les plus hautes, dont font partie les immenses champs de glace et le **mont Robson,** point culminant des Rocheuses avec ses 3 954 m), chevauchant la ligne continentale de partage des eaux qui divise en deux le bassin hydrographique de l'Amérique du Nord. Quelques millions d'années plus tard suivirent les premières chaînes tournées vers les Prairies; puis, à la suite d'une dernière secousse terrestre, surgirent les contreforts vallonnés des Rocheuses. On peut aisément constater aujourd'hui l'impact qu'ont eu ces forces terrestres sur cet ancien socle de roches sédimentaires. Il n'est pas rare, en effet, de contempler sur les versants des montagnes les ondulations subies par la roche, que les géologues appellent tantôt «anticlinaux», lorsque le mouvement ondulatoire de la pierre prend la forme d'un *A*, tantôt «synclinaux», lorsque l'ondulation dessine la forme d'un *U*.

L'aspect morphologique des montagnes Rocheuses ne pouvait en rester là. C'eût été sans compter sur l'immense force d'érosion due à l'agression constante des vents, des pluies, des neiges, des glaces, des gels et des dégels.

L'eau fut tout d'abord le facteur le plus important de transformation des assises rocheuses. Il suffit de penser que, chaque année, environ 7 500 km³ d'eau tombent sur la terre, pour se faire une idée de l'énorme potentiel d'énergie dégagé par les cours d'eau ainsi créés. L'eau peut, par sa simple force, éroder les roches les plus dures en agissant comme un véritable papier de verre. Les grains de sable arrachés à la roche, et transportés dans les eaux torrentueuses des ruisseaux de montagne, râclent le fond de la roche; ils parviennent à en polir les parois, à s'infiltrer dans des failles pour patiemment les élargir et à détacher ainsi des pans entiers de rochers, ou parfois à y creuser d'énormes trous, comme ceux que l'on peut admirer dans le canyon de la rivière Maligne et que l'on appelle poétiquement «les marmites de géants». Lorsque la nature de la roche est plus friable, ou même soluble dans l'eau, comme dans le cas du calcaire, les pluies et la neige creuseront facilement de profonds sillons dans la roche. Par la récurrence de cette lente mais inexorable érosion, les montagnes ont fini par perdre leurs contours primitifs, et l'eau est parvenue à se frayer un chemin à travers les différentes couches rocheuses, creusant ainsi de profondes vallées encaissées en forme de *V*.

Glaciers

Il y a environ deux millions d'années, lors de la période glaciaire, un immense champ de glace en mouvement recouvrit plus d'un cinquième de la surface du globe terrestre, d'où n'émergeaient que quelques-uns des plus hauts sommets des Rocheuses. À trois reprises, la glace fondit, puis revint occuper cette région.

Les glaciers et leurs eaux de fonte ont radicalement changé le paysage des Rocheuses en s'attaquant aussi bien à la roche qui les borde, au point d'en faire basculer les pans supérieurs, qu'à celle sur laquelle ils glissent. Aussi, contrairement à l'eau qui creuse le sol en profondeur, les glaciers modifient-ils les montagnes en profondeur et en largeur, créant des vallées en forme de *U*, également appelées «auges glaciaires». La région des champs de glace en fournit un magnifique exemple, avec ses larges vallées bordées de parois très abruptes, appelées «falaises glaciaires». Plus le glacier est énorme, plus l'érosion est dangereuse pour la montagne, et plus la vallée est large et profonde. Dans la région des champs de glace, le visiteur pourra facilement contempler les vallées, que l'on dit «suspendues» ou «en surplomb», et qui sont le fruit de l'érosion d'un petit glacier qui est venu se joindre à une autre étendue de glace de plus grande importance. Il en résulte que la vallée creusée par le petit glacier est nettement moins profonde que celle creusée par le glacier principal, et qu'elle laisse ainsi l'impression, une fois la glace disparue, d'être suspendue; par exemple, la vallée de la Maligne est suspendue à 120 m au-dessus de la vallée d'Athabasca.

Flore

Les forêts que vous allez croiser tout le long de votre route sont essentiellement formées de **pins de Murray**. Les Amérindiens s'en servaient pour ériger leurs tipis, car ces arbres, peu fournis en feuillage, poussent bien droit et sont assez hauts. Curieusement, ce sont les feux de forêt qui favorisent leur régénérescence. En effet, sous l'effet de la chaleur, la résine des pommes de pin fond doucement, libérant ainsi les graines qui y étaient contenues. Par la suite, sous l'action du vent, les graines seront dispersées, et la forêt pourra ainsi renaître de ses propres cendres. Si l'on élimine totalement les incendies, les pins de Murray vieillissent. Leur forêt se laissant alors envahir par d'autres végétaux finit par mourir, ce qui entraîne ainsi l'exode des élans d'Amérique. Pour cette raison, vous pourrez à maintes reprises apercevoir le long des routes des troncs de pins de Murray calcinés par les feux contrôlés qu'allument parfois les services de Parcs Canada.

Le **tremble** est le feuillu le plus courant que vous verrez dans les forêts des Rocheuses. Son tronc est blanc, et ses feuilles sont rondes. Cet arbre tire son nom du fait que ses feuilles frémissent à la moindre petite brise.

L'**épinette d'Engelmann** se retrouve en haute altitude, à la limite supérieure des arbres. À cette altitude, il s'agit du premier arbre à pousser sur le gravier des anciennes moraines. Vivant très vieux (certains aux environs du glacier Athabasca ont plus de 700 ans), ils ont généralement un tronc plutôt tordu en raison des vents forts qui balaient les versants des montagnes. Plus bas dans les vallées, l'épinette peut mesurer jusqu'à 20 m de hauteur.

Le **sapin de Douglas** pousse dans les forêts septentrionales situées dans le fond des vallées des Rocheuses. On en trouve au nord de Jasper.

La saison des fleurs sauvages ne dure pas longtemps en milieu alpin. La floraison, la production de graines et la reproduction constituent une véritable course contre la montre pendant les quelques semaines que dure l'été. Leur caractère vivace les aide à y parvenir. En effet, les plantes vivaces emmagasinent, dans leurs racines et rhizomes ou dans leur bulbe de l'année précédente, tout ce dont elles auront besoin pour les nouvelles pousses, les feuilles et les fleurs. Avant même que la neige ne fonde, elles sont déjà prêtes à sortir de terre. Ainsi, le secret des fleurs de zone alpine réside dans le fait qu'elles dorment tout l'hiver et profitent au maximum de l'humidité et du fort ensoleillement de l'été.

L'**anémone occidentale** est une fleur courante dans les zones montagneuses. S'il est peu courant de la voir épanouie, il vous sera cependant facile de l'observer durant tout l'été, alors que sa tige est recouverte de poils laineux. Vers la fin de la saison chaude, le vent détachera ces graines à long appendice plumeux, assurant ainsi sa reproduction.

La **bruyère** est également adaptée aux saisons rigoureuses des milieux alpins. Ses feuilles persistantes aident à sauvegarder l'énergie, et la bruyère n'a pas à reproduire chaque année de nouvelles feuilles. Parmi les différents types de bruyères, on rencontrera souvent le **phyllodoce à feuille de camarine**, dont les petites fleurs sont rouges, le **phyllodoce glanduleux**, aux petites fleurs blanches flanquées de sépales jaunes, et la **cassiope de Mertens**, aux clochettes blanches et aux sépales de couleur brun rouge, qui pousse en forme de coussins spongieux à la limite supérieure des arbres et sur les pentes alpines abandonnées depuis longtemps par les glaciers.

La **castilléjie** varie du jaune pâle au rouge très brillant. Cette plante se reconnaît aisément, car ce sont en fait ses feuilles qui sont colorées, alors que les fleurs sont cachées dans les replis supérieurs de la tige.

La **belle-de-rivière** est une petite fleur violette qui pousse, en coussin, sur le gravier et sur le sable, au bord de l'eau.

Faune

L'**ours noir**: il est le plus petit ours d'Amérique du Nord. Généralement noir, bien qu'il en existe certains tirant sur le brun, il possède un port de tête haut, et la ligne entre ses épaules et sa croupe se révèle plus droite que celle du grizzli. Le mâle pèse de 170 kg à 350 kg, et sa taille peut atteindre 168 cm de long et 97 cm au garrot. Quant à la femelle, elle est plus petite d'un tiers. Ces ours se rencontrent dans les forêts denses peu élevées et dans les clairières. Ils se nourrissent de racines, de baies sauvages et de feuilles.

Le **grizzli**: sa couleur varie entre le noir, le brun et le blond, et l'apparence de sa fourrure est souvent grisonnante. Plus grand et plus lourd que son cousin l'ours noir, il mesure environ 110 cm au garrot et jusqu'à 2 m lorsqu'il se dresse sur ses pattes arrière. Il pèse environ 200 kg, mais on en a déjà remarqué certains qui avaient atteint un poids de 450 kg. On peut différencier le grizzli de l'ours noir par la bosse située au-dessus des épaules qui est en fait formée par les muscles de ses imposantes pattes avant. La croupe est également plus basse que les épaules, et son port de tête est plutôt bas. Même avec ces différences, il est souvent difficile de distinguer un jeune grizzli d'un ours noir. Soyez extrêmement vigilant chaque fois que vous rencontrez des ours, car ils sont imprévisibles et souvent très dangereux.

Le **puma**: il est le plus gros félidé que vous puissiez rencontrer dans les Rocheuses et dans la région de Kananaskis, où l'on en recense environ une centaine. Ces gros chats

Grizzli

plé. Le transport crée le commerce, et, à l'évidence, une si grande nation ne pouvait grandir et prospérer sans s'équiper de moyens de communication modernes qui lui permettraient d'asseoir une stabilité commerciale que les hivers mettaient à rude épreuve en retardant, ou en immobilisant, les transports routiers et maritimes, ce qui isolait ainsi des régions entières de cette vaste contrée.

C'est avec la construction du chemin de fer que l'économie de la région des Rocheuses prit vraiment son essor, et l'on vit alors s'établir, en plus des agents du chemin de fer, des prospecteurs, des alpinistes, des géologues et toutes sortes de visiteurs qui écrivirent quelques-uns des chapitres les plus mémorables de cette région.

Vie économique

Si l'on ne peut exporter la vue des paysages, alors importons les touristes! Cette phrase de William C. Van Horne, vice-président de la société de chemins de fer du Canadien Pacifique, résume bien à elle seule la situation. L'économie des Rocheuses canadiennes, dans les cinq grands parcs nationaux de la Colombie-Britannique et de l'Alberta, ne repose effectivement que sur le tourisme. La préservation des sites est assurée par leur statut de parc national, qui garantit à cette région l'absence totale d'une quelconque forme d'exploitation, fût-elle forestière ou même minière. Ainsi les sites d'extraction minière de charbon, de cuivre, de plomb et d'argent (voir «Silver City», p 387) ainsi que les exploitations de gisements d'ocre (voir «pots de peinture», p 399) furent-ils fermés, et les villages déménagés, pour rendre aux montagnes leur aspect vierge d'antan et empêcher que l'industrie humaine ne défigure une telle beauté naturelle.

Pour s'y retrouver sans mal

Accès aux Rocheuses

L'accès aux parcs canadiens des Rocheuses est soumis à des droits d'entrée assez modiques que vous devrez acquitter au poste de péage situé à l'entrée de chaque parc *(5$ par jour, 35$ par année).*

Jusqu'à récemment, le droit de péage n'était exigible que pour les véhicules qui pénétraient sur le site, mais désormais chaque visiteur doit payer des droits d'entrée individuels. Ce système permet à Parcs Canada d'exiger une participation financière des personnes qui viennent à pied, en train ou en autobus afin d'amortir le coût des services et des installations mis en place pour le public.

Parcs Canada exige également des droits individuels pour la pratique de certaines activités (excursions de plus d'une journée, alpinisme, activités d'interprétation...) ou l'utilisation de certaines installations, comme les piscines thermales.

Pour obtenir un exemplaire de la liste complète des droits exigibles actuellement, vous pouvez vous adresser aux postes de peage ou aux centres d'information des parcs (voir p 378) ou en composant le ☎800-651-7959.

En avion

L'accès se fait habituellement par avion à Calgary (voir p 455), Edmonton (voir p 549) ou Vancouver (voir p 77), puis en voiture jusqu'à l'entrée des différents parcs nationaux ou provinciaux.

En voiture

La situation très enclavée des Rocheuses fait de la voiture le meilleur moyen pour se déplacer. L'état du réseau routier de cette région montagneuse est généralement bon, compte tenu des vents, de la neige et de la glace qui ont tôt fait d'en endommager l'infrastructure. La conduite sur les petites routes sinueuses de montagne nécessite cependant plus d'attention et de prudence, surtout l'hiver. Ne négligez pas de faire régulièrement quelques arrêts pour vous reposer et contempler les paysages grandioses. Prenez garde aussi aux animaux qui traversent les routes.

L'hiver, il est nécessaire de s'informer de l'état des routes avant d'entreprendre son voyage, car les précipitations de neige importantes obligent parfois les autorités locales à fermer l'accès de certaines routes. De plus, votre véhicule devra impérativement être équipé de pneus d'hiver, de pneus à clous ou parfois même de chaînes. Mais en règle générale, les principaux axes routiers restent ouverts toute l'année, tandis que les voies secondaires sont aménagées en sentiers de ski de fond.

Pour obtenir de l'information sur l'état des routes à Banff, vous pouvez téléphoner à l'**Alberta Motor Association (AMA)** *(☎780-471-6056, www. trans-.gov.ab.ca)*; pour Jasper, téléphonez à **The Weather Service** *(☎780-852-3185)* ou au **Jasper National Park Road Report** *(☎780-852-3311)*. Pour le parc national de Yoho, contactez l'office de tourisme *(☎250-343-6100)* et, pour le parc national de Kootenay, les bureaux d'admi-nistration du parc *(☎250-347-9615)*.

Ces renseignements sont également donnés aux postes de péage, à l'entrée des parcs nationaux et dans tous les bureaux locaux de Parcs Canada.

Le chapitre des Rocheuses se divise en cinq différents circuits:

Circuit A: Parc national de Banff ★★★

Circuit B: Promenade des glaciers ★★★

Circuit C: Parc national de Jasper ★★★

Circuit D: Parcs nationaux de Kootenay et de Yoho ★★

Circuit E: Région de Kananaskis ★★

Circuit A: Parc national de Banff

Le parc national de Banff est le plus connu et le plus visité des parcs canadiens. Il est d'une incroyable beauté, mais sa renommée en fait un des parcs les plus envahis par les visiteurs de toutes nationalités. Sa ville principale, Banff, s'est d'ailleurs développée en fonction de ce tourisme. Vous y trouverez ainsi en grand nombre des commerces, des hôtels et des restaurants pour tous les goûts.

Ce circuit part à l'extérieur de la petite ville de Canmore, située à une vingtaine de kilomètres seulement de l'entrée du parc, puis mène à Banff par la route transcanadienne ou par la Bow Valley Parkway 1A, qui lui est parallèle. Le circuit sillonne les environs de Banff et, enfin, aboutit au village de Lake Louise, mondialement connu pour son merveilleux lac à la couleur vert émeraude si chatoyante.

La **gare d'autocars** *(☎403-762-6767 ou 800-661-8747)* est située à l'entrée de la ville sur Mount Norquay Road, à la jonction avec Gopher Road, et est utilisée par la compagnie **Greyhound** *(☎800-661-8747, www. greyhound.ca)* et la compagnie **Brewster Transportation and Tours** *(☎403-762-6767 ou 800-661-1152, www.brewster.-ca)*. Cette dernière assure le transport local et organise des excursions au champ de glace Columbia et à Jasper. La gare ferroviaire des **Rocky Mountaineer Railtours** *(www.rockymountaineer.com)* est située juste à côté de la gare routière, sur Railway Drive. On peut se rendre au centre-ville en taxi:

Legion Taxi
☎*(403) 762-3353*

Mountain Taxi and Tours
☎*(403) 762-3351*

Taxi Taxi and Tours
☎*(403) 762-3111*

Banff Taxi and Tours and Limousine
☎*(403) 762-4444*

Circuit B: Promenade des glaciers

Ce circuit part du village de Lake Louise et serpente dans le parc national de Banff par la route 93. Il permet de découvrir les sommets les plus hauts des Rocheuses canadiennes et, finalement, aboutit à l'immense champ de glace Columbia (Columbia Icefield). Vous pourrez admirer, le long de cette route, d'étonnants paysages. En vous arrêtant aux nombreux points de vue aménagés, vous pourrez vous replonger dans le passé géologique de ces montagnes et de ces vallées, et revivre bien des épisodes du passé historique des aventuriers qui ont découvert cette région. Le point central de ce circuit est situé au glacier Athabasca, à l'entrée du parc national de Jasper. Du centre d'information touristique du champ de glace Columbia, vous pourrez partir à la conquête des glaciers Athabasca, Dome et Stutfield, si vous avez l'équipement adéquat et si vous connaissez les techniques sécuritaires de randonnée sur la glace. Si vous n'avez jamais fait d'excursion sur des langues de glace, la compagnie **Brewster Transportation and Tours** vous y conduira en toute sécurité au moyen d'autobus spécialement équipés pour l'occasion.

Circuit C: Parc national de Jasper

À Jasper, point central du parc national portant le même nom, ce circuit parcourt les environs, puis remonte vers le nord-est par la route 16 jusqu'à la petite ville de Hinton, située à une trentaine de kilomètres de l'entrée du parc national de Jasper.

La gare d'autocars **Greyhound** *(☎780-852-3926)* et la gare ferroviaire **VIA Rail** *(☎800-561-8630, www.viarail.ca)* sont situées en plein centre-ville de Jasper, sur Connaught Drive. Les compagnies de taxis **Heritage Cabs** *(☎780-852-5558)* et **Jasper Taxi** *(☎780-852-3600)* proposent leurs services dans les environs.

Circuit D: Parcs nationaux de Kootenay et de Yoho

Parfois appelé le «triangle d'or», ce circuit part de Castle Mountain (Castle Junction), dans le parc national de Banff, puis descend la route 93, qui traverse le parc national de Kootenay et se rend à Radium Hot Springs. Le circuit remonte alors par la vallée du fleuve Columbia vers Golden et va jusqu'à Lake Louise en passant par le parc national de Yoho.

Circuit E: Région de Kananaskis

En raison de son infrastructure bien aménagée pour recevoir de nombreux visiteurs, Canmore a été prise comme point central de ce circuit. C'est donc à partir de cette petite ville que vous allez découvrir la région de Kananaskis, aux paysages montagneux un peu moins spectaculaires que ceux des parcs nationaux des Rocheuses, mais qui offre néanmoins aux amoureux de la nature de très beaux sentiers de randonnée, moins courus par la cohorte des touristes que ceux aménagés aux abords de Banff et de Jasper.

Renseignements pratiques

Les parcs des Rocheuses s'étendent à cheval sur deux provinces canadiennes, l'Alberta et la Colombie-Britannique, qui ont toutes deux des indicatifs régionaux de téléphone différents dans cette zone. Pour éviter tout risque de confusion, nous mentionnerons pour chaque ville le numéro de l'indicatif régional s'y rapportant.

Indicatif régional de l'Alberta: ***403***, sauf Jasper: ***780***;, indicatif régional de la Colombie-Britannique: ***250***.

Vous pouvez obtenir de l'information concernant les différents parcs et régions en communiquant avec les bureaux de **Parcs Canada** *(www.parkscanada.gc.ca)* ou les bureaux d'information touristique.

Bureaux de Parcs Canada

Banff National Park
224 Banff Ave.
PO Box 900
Banff, AB, T0L 0C0
☎(403) 762-1550

Jasper National Park
607 Connaught Dr.
PO Box 10
Jasper, AB, T0E 1E0
☎(780) 852-6176

Kootenay National Park
PO Box 220
Radium Hot Springs, BC,
V0A 1M0
☎(250) 347-9615

Renseignements touristiques

Sur votre chemin vers la route 1A, vous croiserez l'**Alberta Visitor Information Centre** *(☎800-661-8888)* à l'extrémité ouest de Canmore, en un lieu dénommé Dead Mans Flats.

Banff/Lake Louise Tourism Bureau
224 Banff Ave.
PO Box 1298
Banff, AB, T1L 1B3
☎(403) 762-8421
www.banfflakelouise.com

Lake Louise Visitor Information Centre
Samson Mall
PO Box 213
Lake Louise, AB, T0L 1E0
☎(403) 522-3833
www.lakelouise.com

Jasper Tourism & Commerce
500 Connaught Dr. ou 409 Patricia St., Jasper, AB, T0E 1E0
☎(780) 852-3858 ou 852-6176
www.jaspercanadianrockies.com

Ski Jasper
PO Box 98
Jasper, AB, T0E 1E0
☎(780) 852-5247 ou 800-473-8135
www.skijaspercanada.com

Radium Hot Springs Chamber of Commerce
PO Box 225
Radium Hot Springs, BC,
V0A 1M0
☎(250) 347-9331
www.rhs.bc.ca

Golden and District Chamber of Commerce and Travel Information Centre
500-10th Avenue North,
Golden, BC, V0A 1H0
☎(250) 344-7125 ou 800-622-4653

Centre d'information touristique de Field
à l'entrée de la ville de Field
☎(250) 343-6783

Kananaskis Country Head Office
Suite 200, 3115 12th St. NE.
Calgary, AB, T2E 7J2
☎(403) 297-3362
Ce bureau n'offre que de l'information basique: pour plus de détails, contactez le Barrier Lake Information Centre (voir ci-dessous).

Tourism Canmore
2801 Bow Valley Trail, Canmore, AB, T1W 2B3
☎866-226-6673
www.tourismcanmore.com

Bow Valley Provincial Park Office
PO Box 280
Exshaw, AB, T0L 2C0
(situé près de la ville de Seeby)
☎(403) 673-3663

Peter Lougheed Provincial Park Visitor Information Centre
PO Box 130
Kananaskis, AB, T0L 2H0
(situé à 3,6 km de Kananaskis Trail - route 40)
☎(403) 591-6322

Barrier Lake Information Centre
PO Box 280
Exshaw, AB, T0L 2C0
(situé sur la route 40, à 7 km de la transcanadienne)
☎*(403) 673-3985*

Elbow Valley Information Centre
☎*(403) 949-4261*

Internet

Circuit A: Parc national de Banff

Cyber Web Café *(8$ l'heure, 5$ après 21h30; tlj 10h à 24h; 215 Banff Ave., sous-sol du Sundance Mall, ☎403-762-9226.*

Circuit B: Parc national de Jasper

Les deux endroits où l'on peut se brancher sur le Net à Jasper sont situés l'un en face de l'autre. Le **Soft Rock Internet Cafe** *(8$ l'heure; 632 Connaught Dr., ☎780-852-5850)* offre aussi la possibilité de casser la croûte (voir p 443). Quant au **More Than Mail** *(6$ l'heure; 620 Connaught Dr., ☎780-852-3151)*, c'est un comptoir qui propose de plus des services de fax, de téléphone et d'envois postaux.

Attraits touristiques

Circuit A: Parc national de Banff

L'histoire du **Canadien Pacifique** et celle des parcs nationaux des Rocheuses sont étroitement liées. En novembre 1883, trois ouvriers du chantier de construction du chemin de fer de la vallée de la Bow partirent en direction de Banff dans le but de chercher de l'or. Tandis qu'ils atteignaient la montagne Sulphur, les deux frères William et Tom McCardell, ainsi que Frank McCabe, découvrirent des sources d'eau chaude sulfureuse. Ils prirent alors une concession afin de les exploiter, mais s'avérèrent incapables de faire face aux différentes contestations de droits de propriété qui s'en suivirent. L'attention du gouvernement fédéral fut attirée par ces querelles, et un agent fut envoyé sur place afin de contrôler la concession. La renommée des sources était déjà telle auprès des employés du chemin de fer que l'histoire parvint jusqu'au vice-président du Canadien Pacifique, qui les visita en 1885 et déclara que ces sources valaient bien un million de dollars. S'apercevant dès lors de l'énorme potentiel économique de ces sources thermales de la montagne Sulphur, que l'on appelait déjà **Cave and Basin**, le gouvernement fédéral acheta les droits de la concession aux trois ouvriers et confirma ses droits de propriété sur l'emplacement en créant une réserve naturelle dès la même année. En 1887, soit deux ans après, la réserve devint le premier parc national du Canada, qui fut appelé parc des Rocheuses, puis parc national de Banff. À cette époque, nul n'était besoin de créer un parc pour préserver une faune alors très abondante, et la mentalité des pouvoirs publics n'était pas encore à se préoccuper de la préservation des sites naturels. Par contre, il était primordial pour le gouvernement de trouver des sites économiquement exploitables qui permettraient de renflouer quelque peu les caisses de l'État, mises à mal par les travaux de construction du chemin de fer. Pour accompagner l'exploitation de Cave and Basin, déjà très en vogue auprès des riches touristes fervents de cures thermales, des infrastructures touristiques et de luxueux hôtels furent construits. Ainsi prenait forme la ville de Banff, qui est aujourd'hui devenue un haut lieu du tourisme mondial.

★★★ Banff

Au premier abord, Banff ressemble à une petite ville composée d'hôtels, de motels, de magasins de souvenirs et de restaurants accolés le long de Banff Avenue. Mais la ville offre plus à découvrir.

Le meilleur endroit où débuter la visite de Banff est le **Banff/Lake Louise Tourism Bureau** (voir p 378). Si vous séjournez à Banff durant la saison estivale, vous pourrez demander aux agents d'infor-mation un calendrier des événements organisés chaque été lors du festival des arts (Banff Arts Festival). Au même endroit, vous trouverez les bureaux de Parcs Canada.

Un peu plus loin sur Banff Avenue, vous pourrez visiter le **Natural History Museum ★** *(1,50$; juin à sept 10h à 17h; 108 Banff Ave., ☎403-762-4652)*. Ce musée retrace l'histoire des Rocheuses et expose différentes pierres, des fossiles et des empreintes de dinosaures, ainsi que les espèces végétales que vous pourrez contempler pendant vos randonnées. Au moment de mettre sous presse, on parlait de fermer ce musée, donc vérifiez en téléphonant avant de vous y rendre.

La perspective de l'artère principale de la ville, Banff Avenue, se termine de l'autre côté du pont de la rivière Bow, sur les fameux **Cascade Gardens** et les bureaux administratifs du parc. De là, vous pourrez admirer une jolie vue de la montagne Cascade.

Le **Whyte Museum of the Canadian Rockies ★★★** *(6$; tlj 10h à 17h; 111 Bear St., ☎403-762-2291)* relate l'histoire des Rocheuses canadiennes. Vous y trouverez le résultat des fouilles archéologiques menées sur les anciens campements amérindiens kootenays et stoneys. Vous pourrez ainsi contempler quelques-uns

● ATTRAITS

1. Natural History Museum
2. Cascade Gardens
3. Whyte Museum of the Canadian Rockies
4. Banff Public Library
5. Luxton Museum
6. Cave and Basin
7. Banff Upper Hot Springs
8. Banff Gondola
9. Bow River Falls
10. Banff Centre
11. Hoodoos Lookout

⬡ HÉBERGEMENT

1. Banff Alpine Centre Hostel
2. Banff Caribou Lodge
3. Banff Rocky Mountain Resort
4. Banff Voyager Inn
5. Bow View Motor Lodge
6. Brewster's Mountain Lodge
7. Cascade Court Bed and Breakfast
8. Douglas Fir Resort & Chalets
9. Fairmont Banff Spring Hotel
10. Global Village Backpackers
11. High Country Inn
12. Holiday Lodge
13. Homestead Inn
14. Inns of Banff, Swiss Village and Rundle Manor
15. Johnston Canyon Campground
16. King Edward Hotel
17. Mount Royal Hotel
18. Norquay's Timberline Inn
19. Pension Tannanhof
20. Red Carpet Inn
21. Rimrock Resort Hotel
22. Rundle Stone Lodge (R)
23. Traveller's Inn
24. Tunnel Mountain I
25. Tunnel Mountain II
26. Tunnel Mountain Resort
27. Tunnel Mountain Trailer Campground
28. Two Jack Lake Campgrounds

(R) établissement avec restaurant décrit

⬢ RESTAURANTS

1. Balkan Restaurant
2. Barpa Bill's Souvlaki
3. Beaujolais
4. Caboose
5. Grizzly House Fondue Dining
6. Joe BTFSPLK's
7. Korean Restaurant
8. Magpie & Stump
9. Rose and Crown
10. Saltlik
11. St. James Gate
12. Sukiyaki House
13. Sunfood Café
14. Ticino

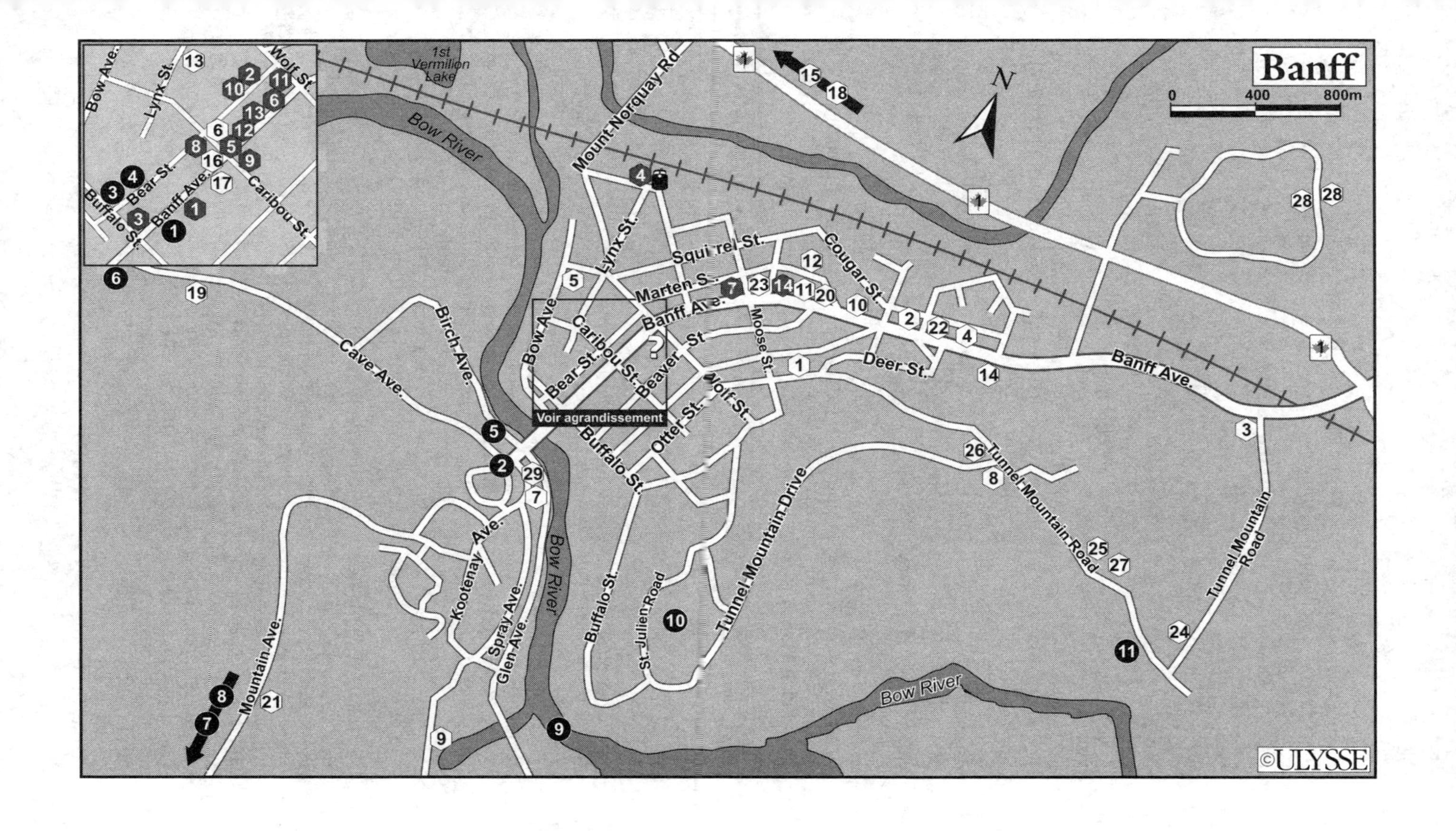

Banff
0
400
800m
N
1st Vermilion Lake
Bow River
Mount Norquay Rd
Lynx St.
Squirrel St.
Cougar St.
Marten St.
Banff Ave.
Moose St.
Deer St.
Bow Ave.
Caribou St.
Bear St.
Beaver St.
Wolf St.
Otter St.
Buffalo St.
Voir agrandissement
Birch Ave.
Cave Ave.
Kootenay Ave.
Spray Ave.
Glen Ave.
Mountain Ave.
St. Julien Road
Tunnel Mountain Drive
Tunnel Mountain Road
©ULYSSE

de leurs vêtements, de leurs outils et de leurs bijoux. Vous apprendrez également à connaître l'histoire de fameux explorateurs, comme Bill Peyto, certaines figures locales devenues célébres ou encore l'histoire du chemin de fer et de la ville de Banff. Objets personnels et vêtements appartenant aux figures locales y sont exposés. Le musée renferme également une salle d'exposition de peinture, ainsi qu'une salle d'archives si vous désirez en savoir plus sur la région. Juste à côté du Whyte Museum se trouve la **Banff Public Library** *(lun-jeu 11h à 18h, ven 10h à 18h, sam 11h à 18h, dim 13h à 17h, fermé dim de fin mai à début sept; 101 Bear Ave., angle Buffalo St., ☎403-762-2661).*

Le **Luxton Museum** ★★ *(6$; juin à mi-oct 10h à 18h, mi-oct à juin 13h à 17h; 1 Birch Ave., de l'autre côté du pont de la rivière Bow, ☎403-762-2388)* est un musée consacré à la vie des Amérindiens qui vivaient dans les plaines du Nord et dans les Rocheuses canadiennes. Leur mode de vie, leurs rites, leurs techniques de chasse, leurs habitations et l'équipement dont ils se servaient vous seront présentés et expliqués. Ce musée est accessible aux personnes en fauteuil roulant, et il est possible de profiter d'une visite guidée. Pour cela, prévenez le musée à l'avance.

Cave and Basin ★★★ *(4$; mi-mai à fin sept tlj 9h à 18h; oct à mi-mai lun-ven 11h à 16h, sam-dim 9h30 à 17h; au bout de Cave Ave., ☎403-762-1566)* est aujourd'hui un lieu historique national. Ces sources sont à l'origine du vaste réseau des parcs nationaux du Canada, comme nous l'avons expliqué plus haut. Mais depuis 1992, et bien que les bassins aient été rénovés en 1984 à un prix exorbitant, la piscine est fermée pour des raisons de sécurité. En effet, la teneur sulfureuse des eaux altère rapidement le béton, et le dallage de la piscine est par endroits fortement endommagé. On peut néanmoins toujours visiter la grotte dans laquelle les trois employés du Canadien Pacifique descendirent pour découvrir la source, et aussi respirer cette odeur caractéristique d'hydrogène sulfuré causée par les bactéries qui oxydent les sulfates dans l'eau avant que celle-ci ne jaillisse de terre. Le bassin original est toujours là, mais on ne peut plus s'y baigner. En observant bien la surface de l'eau, on pourra y voir éclater les bulles de gaz sulfurique, tandis qu'au fond du bassin on pourra apercevoir des alvéoles de sable bouger en raison de ce même gaz (sutout visible au centre du bassin). Un petit film sur l'histoire des sources et leur achat par le gouvernement pour 900$ seulement, ainsi que sur le parc national de Banff en général est présenté. Vous y apprendrez qu'en fait les frères McCardell et Frank McCabe ne furent pas les premiers à découvrir la source, puisque les Assiniboines connaissaient déjà leurs vertus thérapeutiques. Des explorateurs européens en avaient d'ailleurs révélé la présence, mais les trois ouvriers du Canadien Pacifique, flairant la bonne affaire, avaient tout simplement voulu se les approprier. Le gouvernement fit de même pour des raisons identiques.

Si vous souhaitez goûter à la sensation que procurent les eaux de la montagne Sulphur (et c'est un véritable ravissement que de s'y prélasser après une longue journée de randonnée pédestre), vous devrez monter tout en haut de Mountain Avenue, au pied de la montagne. Là se trouvent les installations thermales des **Banff Upper Hot Springs** ★★★ *(7,50$ mi-mai à mi-oct tlj 9h à 23h; 5,50$ mi-oct à mi-mai, dim-jeu 10h à 22h, ven-sam 10h à 23h; location de maillots de bain et de serviettes; au haut de Mountain Ave., ☎403-762-1515 ou 800-767-1611).*

L'établissement comprend une piscine d'eau chaude (41°C) pour le bain et une piscine d'eau tiède (27°C) pour la natation. Le site a fait l'objet d'une rénovation de 4,5 millions de dollars: la piscine a été redessinée et l'on y trouve des vestiaires, des restaurants et des boutiques, sans oublier les services de massage.

Autrefois, les Amérindiens et les visiteurs croyaient aux vertus curatives de l'eau sulfureuse, qui était censée améliorer la santé, voire guérir certaines maladies de la peau. Si les effets curatifs sont aujourd'hui contestés, il n'en reste pas moins que ces eaux ont un effet apaisant sur le corps et l'esprit.

Le téléphérique du mont Sulphur, **Banff Gondola** *(20$; jusqu'au coucher du soleil; en haut de Mountain Ave., à l'extrémité du stationnement d'Upper Hot Springs, ☎403-762-2523)* vous permet, si vous ne vous sentez pas la force d'y aller à pied, de monter au sommet de cette montagne. Le panorama de la ville de Banff, du mont Rundle, de la vallée de la Bow et des monts Aylmer et Cascade est superbe. La station de départ du téléphérique est à 1 583 m, et celle d'arrivée est à 2 281 m d'altitude. Munissez-vous de vêtements chauds car, au sommet, la température est fraîche.

Le **Fairmont Banff Springs** ★★★ *(405 Spray Ave.)* mérite également une visite. William Cornelius Van Horne, vice-président de la compagnie de chemin de fer du Canadien Pacifique, décida, après sa visite des sources de Cave and Basin, de faire construire un somptueux hôtel destiné à recevoir les touristes qui ne tarderaient pas à affluer pour profiter des sources thermales. C'est ainsi que les travaux débutèrent dès 1887. L'hôtel fut construit rapidement et ouvrit ses portes en juin 1888. Le coût des travaux s'élevait déjà à 250 000$; aussi la compagnie du Canadien Pacifique entreprit-elle une véritable campagne de promotion afin d'attirer de riches visiteurs du monde entier. Au début du XXe siècle, la renommée de Banff était telle que le Banff Springs Hotel était devenu l'un des hôtels les plus fréquentés en Amérique du Nord. De nouveaux travaux furent donc entrepris afin de l'agrandir, et, en 1903, une nouvelle aile fut créée. Les deux bâtiments, construits dans le prolongement l'un de l'autre, étaient néanmoins séparés par une simple passerelle de bois en prévision d'un éventuel incendie. Une année plus tard, une tour s'éleva à

Pourquoi les eaux sont-elles chaudes?

En pénétrant par les fissures de la roche, l'eau s'infiltre sous le versant ouest du mont Sulphur et absorbe, dans sa course, calcium, sulfure et autres minéraux. À une certaine profondeur, la chaleur du noyau de la Terre réchauffe l'eau qui remonte, sous l'effet de la pression, par une faille du versant nord-est de la montagne. En s'écoulant à l'extérieur, l'eau dépose de nouveau, autour des sources, le calcium en couches légèrement colorées qui vont durcir pour finalement devenir de la roche appelée **tuf**. Il est possible d'examiner ces formations sur le flanc de la montagne, à la petite source extérieure aménagée à 20 m de l'entrée de l'établissement.

l'extrémité de chaque aile. Bien que cet immense hôtel ait hébergé en 1911 quelque 22 000 clients, l'infrastructure s'avérait encore trop étroite pour la demande sans cesse croissante. Les travaux reprirent donc pour ériger, cette fois, une tour centrale. C'est finalement en 1928 que l'infrastructure du bâtiment fut achevée telle que l'on peut aujourd'hui la contempler. Une visite des salles communes vous permettra d'admirer le style Tudor de l'aménagement intérieur, ainsi que les tapisseries, les tableaux et le mobilier qui s'y trouvent encore. Par ailleurs, si vous désirez séjourner au Fairmont Banff Springs (voir p 423), peut-être aurez-vous la chance de rencontrer la nuit le fantôme de Sam McAuley, le garçon d'étage qui aide les clients qui ont oublié leurs clés à les retrouver, ou encore celui de la mariée malchanceuse qui s'est tuée le jour de son mariage en tombant des escaliers et qui, dit-on, est revenue une fois hanter les couloirs de l'hôtel.

En descendant du Fairmont Banff Springs, vous pourrez rejoindre à pied un joli point de vue sur les **chutes de la rivière Bow**.

Le **Banff Centre** *(107 Tunnel Mountain Dr., ☎403-762-6300, 403-762-6100, 403-762-6180 ou 800-565-9989)*, créé en 1933, loge le Banff Centre of the Arts. Ce centre culturel de renom, qui attire chaque année de nombreux artistes, organise au mois d'août le **Banff Arts Festival** *(☎403-762-6301 ou 800-413-8368)*, durant lequel de nombreuses représentations de danse, d'opéra, de jazz et de théâtre sont proposées. Des cours sont également donnés aux étudiants en arts qui décident de se parfaire dans des disciplines telles que la danse classique ou le ballet jazz, le théâtre, la musique, la photographie et la poterie. Chaque année, le centre organise également un festival international des films de montagne. À l'intérieur de ce complexe se trouve un centre sportif.

Aux environs de Banff

Le **Hoodoos Lookout** *(prenez Tunnel Mountain Rd. vers l'ouest à l'extrémité sud de Banff Ave.)* se trouve en bordure de la ville de Banff. Les *hoodoos* («cheminées de fée», en français) qui se trouvent ici ne sont pas aussi impressionnantes que celles qui se dressent sur les badlands du centre de l'Alberta, mais elles valent la peine que vous y jetiez un coup d'œil. Semblables à des stalagmites géantes, ces colonnes de sable, d'argile, de gravier et de calcaire dissous par l'eau, coiffées de blocs qui les protègent de l'érosion et balayées par le vent, font le guet comme des sentinelles à l'orée de la forêt. Une petite marche de 5 min vous mènera jusqu'au belvédère.

Ski Banff@Norquay (voir p 416) fut la première station de ski à être aménagée dans le parc national de Banff. Cette montagne de 2 522 m d'altitude reçut son nom en hommage à John Norquay, premier ministre du Manitoba. Un téléphérique, qui ne fonctionne que l'hiver, vous emmènera au sommet de la montagne, d'où vous pourrez contempler le magnifique paysage de la vallée de la rivière Bow ainsi que de la ville de Banff.

En suivant la route du lac Minnewanka, vous trouverez, sur votre gauche, les vestiges d'une ancienne ville minière appelée **Bankhead ★**. La disparition de cette petite localité est liée à l'avènement du parc national de Banff. En effet, Bankhead, née de l'ex-traction de charbon qui s'y faisait, a dû être entièrement démantelée, car la préservation des sites naturels est assurée par le statut de parc national en garantissant à la région l'absence totale de toute forme d'exploi-tation, fût-elle forestière ou minière. Aujourd'hui, un sentier vous conduit à travers les quelques fondations restantes et les cras-

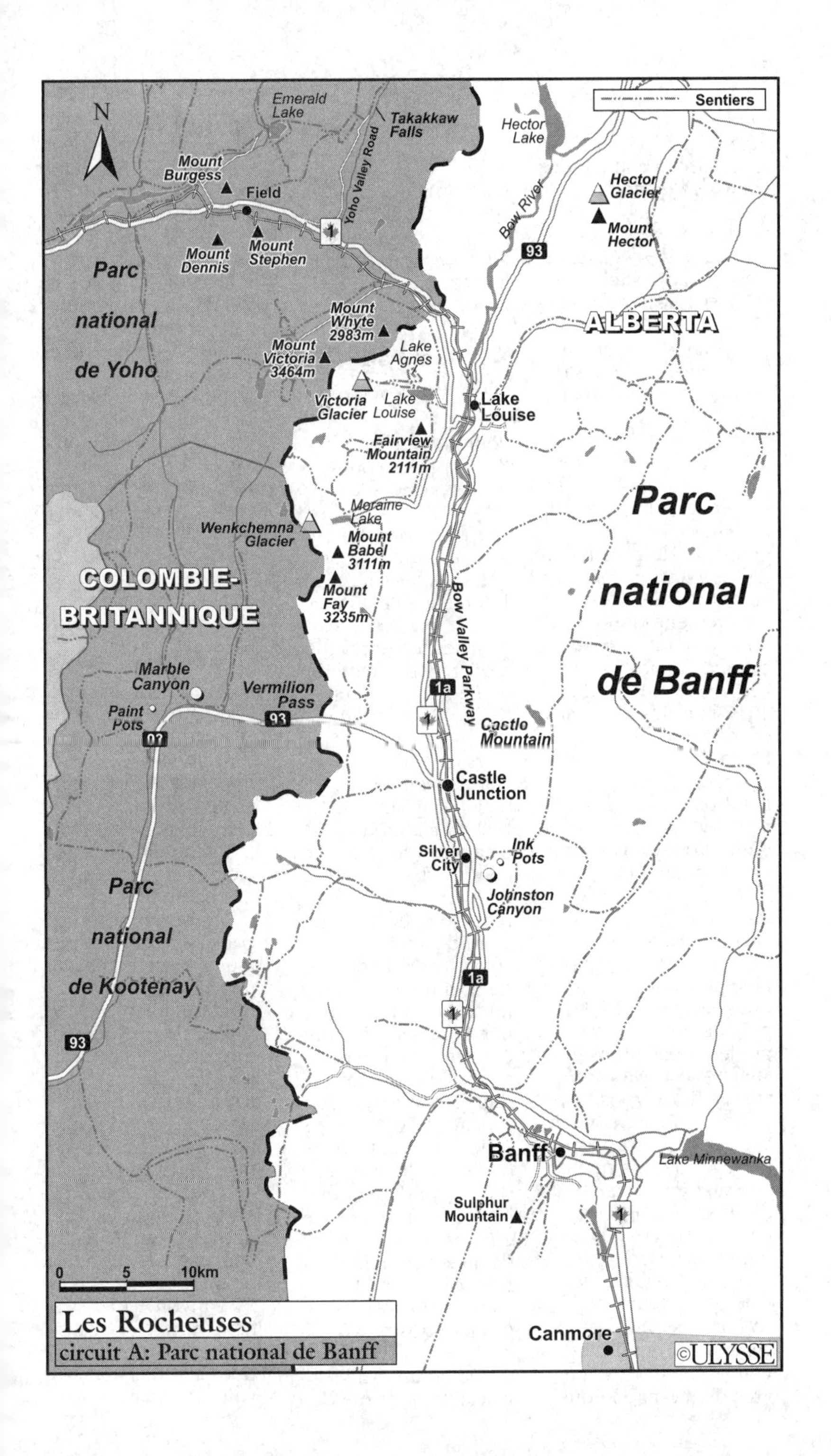

Les Rocheuses
circuit A: Parc national de Banff

siers, que vous apercevrez à l'arrière-plan. En reprenant la route, vous trouverez également, 200 m plus haut sur votre droite, les restes du parvis de l'église. Le très agréable site d'**Upper Bankhead**, que vous verrez un peu plus loin sur la gauche, a été garni de tables de pique-nique et de petits foyers à barbecue.

Avec ses 22 km de long et ses 2 km de large, le **lac Minnewanka** ★★ est aujourd'hui le plus grand lac du parc national de Banff, mais cette étendue d'eau n'est pas entièrement naturelle. Son nom autochtone signifie «le lac de l'esprit des eaux». Il est aussi l'un des rares lacs du parc où les embarcations à moteur sont autorisées. Jadis, l'endroit abritait les campements des Indiens stoneys. Les plongeurs, qui affectionnent beaucoup ce lac en raison des difficultés accrues d'effectuer des plongées en eaux alpines, peuvent en voir quelques vestiges. En plus de faire un tour guidé en bateau avec **Minnewanka Boat Tours** (voir p 413), vous pourrez pêcher si vous avez obtenu un permis en règle délivré par les bureaux de Parcs Canada. L'hiver, on peut y patiner. Un sentier de randonnée de 16 km mène au bout du lac. Une fois arrivé à l'**Aylmer Lookout Viewpoint**, vous devriez pouvoir observer des chèvres de montagne qui viennent souvent à cet endroit.

En tournant à gauche, à l'entrée du lac Minnewanka, vous pourrez rejoindre les lacs **Two Jack**.

★★ Bow Valley Parkway

Pour vous rendre de Banff à Lake Louise, prenez la Bow Valley Parkway 1A, qui est une route plus pittoresque que la transcanadienne. Il y a environ 140 millions d'années, sous la pression des couches terrestres, des montagnes émergèrent d'une mer ancienne. La rivière Bow, qui coulait des montagnes, prit alors naissance et joncha de sédiments la plaine qui s'étendait à l'est. Quarante millions d'années plus tard, des contreforts s'élevèrent de la plaine et menacèrent d'empêcher la rivière de suivre son cours, mais, à mesure que les rochers lui barraient la route, la rivière parvint à se frayer un chemin en emportant avec elle des débris de roche. Ainsi, sous l'effet répété de l'érosion, une vallée aux versants escarpés, dite en *V*, se forma. Au début de l'époque glaciaire, il y a environ un million d'années, la rivière Bow céda son lit à une glace mouvante. Le glacier transforma le profil escarpé de la vallée en une vallée glaciaire en forme de *U*. En reculant, le dernier glacier déchargea les débris qu'il charriait, et ses eaux de fonte formèrent une immense rivière dévalant la vallée en torrent. Aujourd'hui, l'eau de fonte des glaciers n'alimente plus la rivière Bow, qui coule désormais péniblement à travers les débris jadis déposés par les glaciers. Serpentant le long des montagnes, la Bow Valley Parkway réserve quelques beaux panoramas de la rivière Bow. La consigne de rouler lentement est impérative, car les animaux s'approchent fréquemment de la route à l'aurore ou au crépuscule. Une vingtaine de kilomètres après Banff, sur la droite, se trouve le **Johnston Canyon** ★★★. Un arrêt s'impose pour visiter cette jolie gorge. Un petit chemin de terre a été aménagé pour remonter le long du Canyon, où vous pourrez constater l'effet dévastateur que peut avoir un torrent d'eau, aussi modeste soit-il, sur la roche, de quelque nature qu'elle soit. La première chute, dite «chute inférieure», est située à 1,1 km seulement, et le sentier qui y mène est très facile à parcourir, quoique glissant par endroits. La deuxième chute, la «chute supérieure», est, quant à elle, à 2,7 km. Ce canyon est un véritable refuge pour les oiseaux; peut-être pourrez-vous apercevoir des cincles d'Amérique, car ces oiseaux résident toute l'année dans le canyon et aiment plonger dans les eaux glacées du torrent, où ils recherchent des larves d'insectes. Les martinets noirs viennent faire leur nid dans les cavités sombres du canyon. Ils arrivent à la mi-juin et restent jusqu'au début de l'automne, le temps d'élever leurs petits avant de repartir pour la chaleur des tropiques. En parvenant à la deuxième chute, vous pourrez apercevoir ce qui est appelé des «murs miroitants». Un panneau explicatif vous donnera l'explication de ce phénomène résultant de l'amalgame de plusieurs variétés d'algues gorgées de minéraux. Sous un rayon de soleil, l'effet en est saisissant. La deuxième chute est la plus haute du canyon. Il est possible de poursuivre le chemin pendant encore 3 km, jusqu'aux **Ink Pots**, formés de sept sources fraîches présentant des nuances différentes de vert ou de bleu. Le sentier des Ink Pots fait 5,8 km de longueur.

En amont de la Bow Valley Parkway se trouve, un peu plus loin sur la gauche, l'ancienne ville désaffectée de **Silver City**. En 1883, on découvrit, dans les environs, de l'argent, du cuivre et du plomb. Les prospecteurs arrivèrent deux ans plus tard, mais les poches de minerai s'épuisèrent rapidement. La population repartie, la ville fut laissée à l'abandon. En pleine heure de gloire, cette petite ville comptait néanmoins quelque 175 bâtiments et plusieurs hôtels. Vous n'en retrouverez que quelques vestiges.

★★★

Lake Louise

Joyau des Rocheuses canadiennes, Lake Louise est sans aucun doute renommée dans le monde entier pour la beauté de son petit lac étale à la couleur vert émeraude. Peu de sites naturels au Canada peuvent s'enorgueillir d'un tel succès, cette petite localité accueillant, bon an mal an, quelque 4,5 millions de visiteurs.

L'engouement ne date pas d'aujourd'hui, et les Blancs doivent à un fournisseur du chemin de fer du Canadien Pacifique, Tom Wilson, la découverte de cet endroit. En 1882, alors qu'il travaillait près de la Pipestone River, Tom Wilson entendit le grondement sourd d'une avalanche provenant du glacier Victoria. Il demanda alors à un Stoney, appelé Nimrod, de le mener jusqu'au Lake of the Little Fishes, le «lac des petits poissons», comme l'appelaient les Amérindiens de la région. Frappé par la couleur des eaux de ce lac, Tom Wilson le rebaptisa du nom d'Emerald Lake, le «lac émeraude». Conscient de la beauté du site, la compagnie de chemin de fer du Canadien Pacifique fit construire, en 1890, un premier bâtiment au pied du lac et de son glacier. Cette construction fut entièrement ravagée par un incendie, puis reconstruite, et put abriter, dès 1909, environ 500 personnes. Le prix des chambres du Chateau Lake Louise était alors de 4$. Pour drainer les nombreux visiteurs qui voulaient déjà, à l'époque, contempler ce paysage, la construction d'une ligne de chemin de fer fut entreprise. Jusqu'en 1926, date à laquelle une route fut construite, tous les touristes arrivaient par le chemin de fer à la gare Laggan, située à 6 km du lac. De là, les clients du Chateau Lake Louise étaient emmenés, dans une sorte de petit trolleybus tiré par des chevaux, jusqu'au bâtiment de l'hôtel.

Aujourd'hui, vous pourrez vous rendre jusqu'au lac en voiture, mais trouver à se garer dans les environs relève de l'exploit. Le long des rives du lac, vous verrez tout un réseau de petits sentiers qui vous permettront de vous promener tranquillement ou de gravir la montagne pour jouir d'une vue magnifique du glacier Victoria, du lac et de la vallée glaciaire. Parvenir jusqu'au

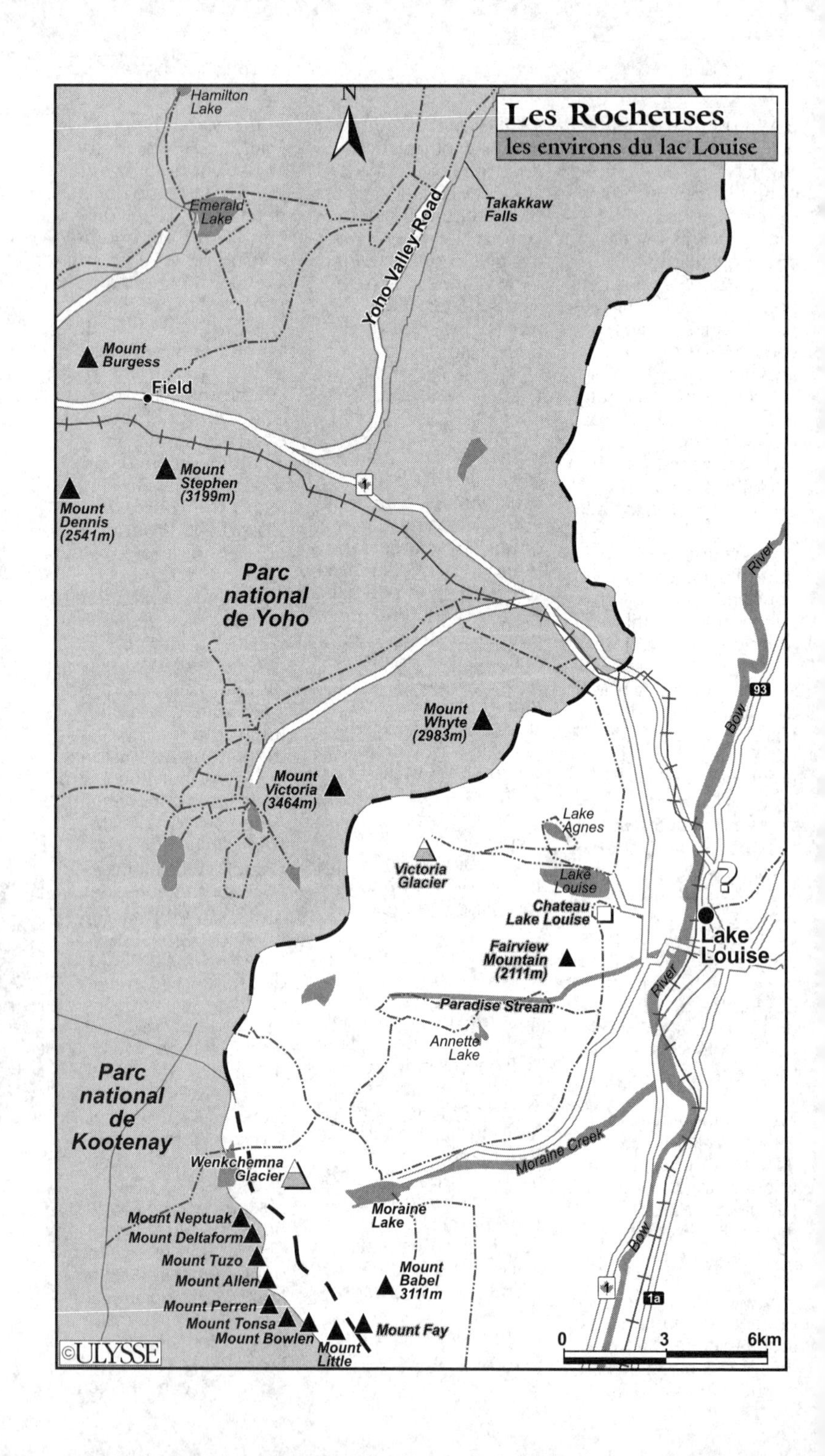
Les Rocheuses
les environs du lac Louise
N
Hamilton Lake
Emerald Lake
Takakkaw Falls
Yoho Valley Road
Mount Burgess
Field
Mount Stephen (3199m)
Mount Dennis (2541m)
1
Parc national de Yoho
River
93
Bow
Mount Whyte (2983m)
Mount Victoria (3464m)
Lake Agnes
Victoria Glacier
Lake Louise
Chateau Lake Louise
Lake Louise
Fairview Mountain (2111m)
River
Paradise Stream
Annette Lake
Parc national de Kootenay
Moraine Creek
Wenkchemna Glacier
Moraine Lake
Mount Neptuak
Mount Deltaform
Mount Tuzo
Mount Allen
Mount Babel 3111m
Bow
1
1a
Mount Perren
Mount Tonsa
Mount Bowlen
Mount Little
Mount Fay
0
3
6km
©ULYSSE

petit **Lake Agnes** vous demandera quelques efforts, mais la **vue ★★★** superbe des les monts **Victoria** (3 464 m), **Whyte** (2 983 m), **Fairview** (2 111 m), **Babel** (3 111 m) et **Fay** (3 235 m) en vaut largement la peine.

Si vous ne désirez pas fournir l'effort physique d'une telle ascension, vous pourrez toujours emprunter la **Lake Louise SightSeeing Gondola** *(18,95$; mai 9h à 16h, juin et sept 8h30 à 18h, juil et août 8h à 18h; ☎403-522-3555)*, un téléphérique en service de 9h à 21h, qui vous déposera au bout de 10 min à 2 089 m d'altitude.

Le **Fairmont Chateau Lake Louise ★★** *(111 Lake Louise Dr.)*, bien qu'il n'ait plus rien à voir avec la construction initiale de 1909, constitue à lui seul toute une attraction touristique. Ce vaste hôtel peut héberger aujourd'hui plus de 700 visiteurs. Vous trouverez à l'intérieur du bâtiment, outre les restaurants de l'hôtel, une petite galerie marchande remplie de boutiques de cadeaux en tout genre.

Au centre du village de Lake Louise, le Samson Mall abrite les bureaux du centre d'information touristique *(☎403-522-3833)* et de Parcs Canada. Juste à côté, vous trouverez boutiques de souvenirs et de photographies, librairies et quelques cafés-restaurants, tous envahis par la cohorte des touristes. Attention, les prix ont tendance à être très élevés, et vous seriez avisé de prévoir suffisamment de pellicules pour votre appareil photo afin de ne pas être obligé de vous ravitailler là-bas.

★★★ Moraine Lake

En vous rendant au lac Louise, vous trouverez un embranchement qui mène, sur la gauche, vers le lac Moraine. La petite route sinueuse serpente le long de la montagne pendant une dizaine de kilomètres avant d'atteindre le lac Moraine, autrefois immortalisé par le billet de 20$ canadiens, qui le représentait, et qui a depuis été remplacé. Bien que plus petit que le lac Louise, le lac Moraine n'en est pas moins spectaculaire. Inaccessible durant tout l'hiver, ce petit lac n'est souvent dégelé qu'au mois de juin. La température souvent fraîche, même durant l'été, ne devrait pas vous surprendre. Emportez un petit lainage, ainsi qu'un coupe-vent, si vous voulez vous promener le long de ses rives. La vallée du lac Moraine, creusée jadis par le glacier **Wenkchemna**, qui subsiste encore tout au fond, fut appelée la «vallée des 10 pics» (Ten Peaks Valley). Ces [...] mets furent da[...] premier temps b[...] respectivement d'u[...] nom assiniboine corr[...]pondant aux chiffres de 1 à 10. Depuis, plusieurs de ces sommets ont été rebaptisés, et seul le nom de Wenkchemna est resté. Vous trouverez au bord du lac, dans le Moraine Lodge, un restaurant et un petit café où vous pourrez vous réchauffer (voir p 442).

Circuit B: Promenade des glaciers

La Promenade des glaciers (**Icefields Parkway**) emprunte, depuis Lake Louise, la route 93 pendant 230 km, remonte jusqu'à la ligne con-tinentale de partage des eaux, recouverte de champs de glace, puis prend fin à Jasper. Cette large route, bien revêtue, est une des plus fréquentées des parcs des Rocheuses l'été, et la vitesse y est limitée à 90 km/h. Les paysages que ce circuit vous fera découvrir sont véritablement grandioses.

Le belvédère du **Hector Lake ★★**, que vous trouverez sur votre gauche à 17 km de Lake Louise, vous réserve un très beau point de vue sur le lac et sur le mont Hector. Le lac est alimenté par depuis la route, le glacier Crowfoot, ou «patte de corbeau». Quelques photographies reproduites sur des panneaux sur l'accotement de la route montrent à quel point le glacier a reculé ces dernières années. Un peu plus loin, vous pourrez vous arrêter pour admirer la magnifique vue du lac Bow, puis rendez-vous au petit chalet **Num-Ti-Jah** (nom d'origine stoney qui signifie «martre»), jadis construit en 1922 par un montagnard du nom de Simpson, guide à ses heures. À cette époque, aucune route n'avait encore été tracée jusque-là, et tout le matériel nécessaire à la construction de ce chalet dut être transporté à dos de cheval. Aujourd'hui, le descendant de Jimmy Simpson a ouvert le site à la clientèle du petit hôtel qu'il y a aménagé. Comme tous les autocars s'arrêtent à cet endroit, l'administration du Num-Ti-Jah Lodge (voir p 428) a décidé, pour protéger sa clientèle, d'interdire l'accès de l'intérieur du chalet à toute personne qui n'y a pas de réservation pour la nuit. Il est donc préférable de découvrir ce chalet uniquement de l'extérieur, sous peine de vous faire recevoir de façon assez directe.

Au point le plus élevé de la Promenade des glaciers, correspondant à la ligne continentale de partage des eaux des rivières Bow et Mistayac, est situé le **Bow Summit ★★** (2 609 m). À cet endroit, le type de végétation change drastiquement pour ne faire place qu'à un paysage de type subalpin. Une aire de repos, aménagée au bord de la route, surplombe le **Peyto Lake** (prononcer *Pi-Toh*). Une randonnée vous fera découvrir une végétation alpine, et, si les conditions atmosphériques sont favorables, vous pourrez contempler ce charmant petit lac. Durant votre randonnée, vous pourrez observer des anémones occidentales *(Anemone occidentalis)*, différentes sortes de bruyères et de très jolies castilléjies. Apportez un bon chandail et un coupe-vent pour cette promenade, sous peine d'avoir cruellement à ressentir l'effet du vent et de l'altitude. Bill Peyto, originaire de la région du Kent, en Angleterre, est une des figures locales les plus connues. Vous aurez sûrement l'occasion de rencontrer plusieurs fois, lors de votre séjour dans le parc national de Banff, l'effigie de cet homme remarquable au regard perçant, le chapeau sur la tête et la pipe à la bouche. À l'âge de 18 ans, Peyto arriva au Canada et vint s'installer dans les Rocheuses, où il devint un des plus célèbres trappeurs, prospecteurs et guides de haute montagne. Bill Peyto aimait s'arrêter à Bow Summit pour y admirer le petit lac, en contrebas, et c'est en son souvenir que fut donné au lac son nom. Le lac Peyto a une particularité peu commune. La couleur de ses eaux varie en effet considérablement selon les saisons. Ainsi, dès les premiers signes du printemps, revêt-il une merveilleuse couleur bleue métallique, et, à mesure que ses eaux se mélangent aux nombreux sédiments, sa couleur pâlit-elle.

Une fois arrivé à l'intersection des routes 93 et 11, appelée **The Crossing**, vous trouverez quelques magasins de souvenirs, un hôtel et de quoi vous restaurer. Assurez-vous que votre réservoir d'essence est suffisamment rempli, car vous ne trouverez plus d'autres stations-service jusqu'à Jasper. La région était jadis occupée par les Kootenays. Armés de fusils par les commerçants blancs du sud-est des Rocheuses, les Peigans refoulèrent les Kootenays sur le versant ouest. Craignant que ces derniers soient, à leur tour, armés par les Blancs, les Peigans empêchèrent les Blancs de traverser le col afin de maintenir un isole-

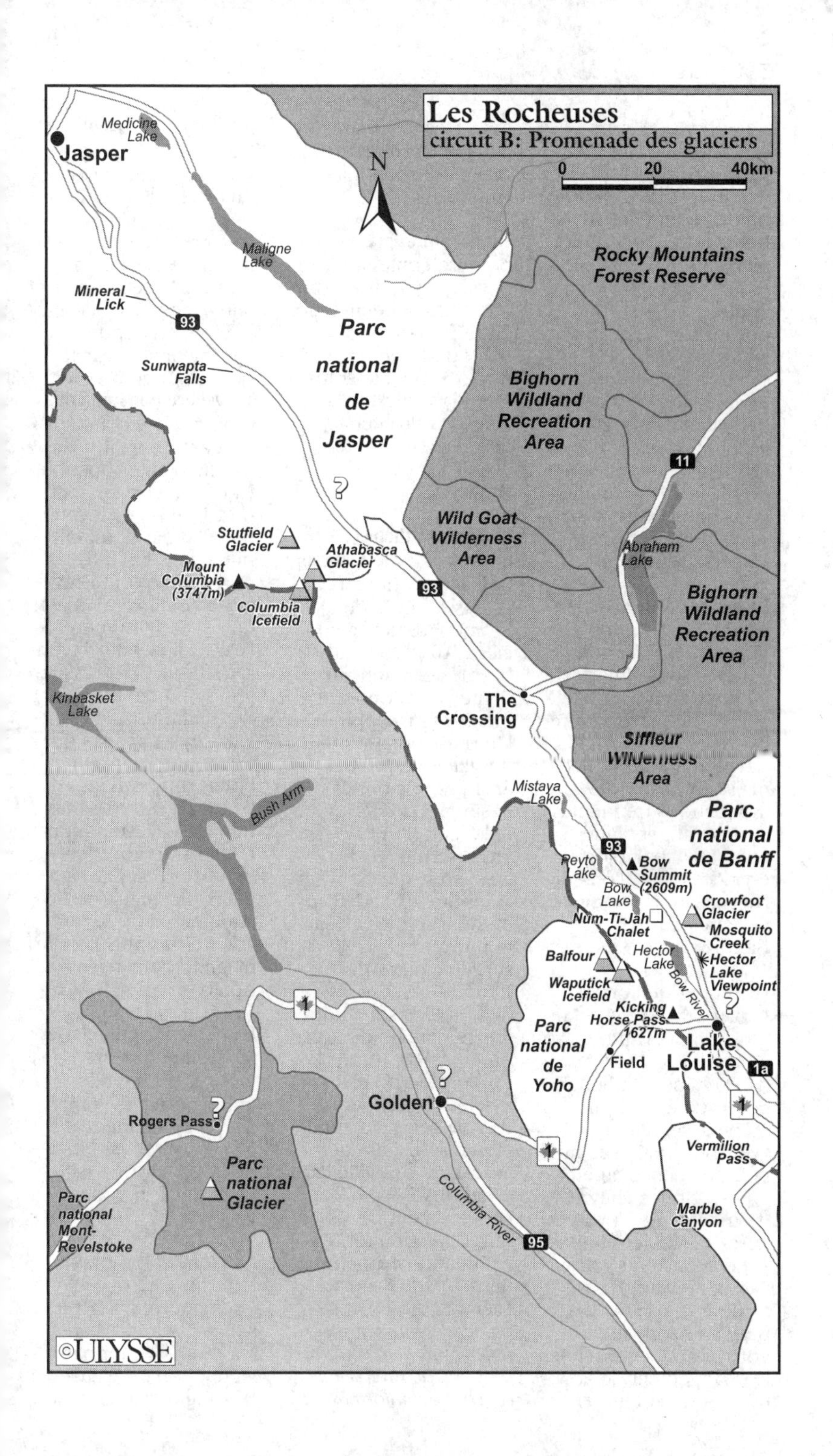

Les Rocheuses
circuit B: Promenade des glaciers
0
20
40km
N
Medicine Lake
Jasper
Maligne Lake
Mineral Lick
93
Sunwapta Falls
Parc national de Jasper
Rocky Mountains Forest Reserve
Bighorn Wildland Recreation Area
11
Wild Goat Wilderness Area
Stutfield Glacier
Athabasca Glacier
Mount Columbia (3747m)
Columbia Icefield
Abraham Lake
Bighorn Wildland Recreation Area
Kinbasket Lake
The Crossing
Siffleur Wilderness Area
Bush Arm
Mistaya Lake
Parc national de Banff
Peyto Lake
Bow Summit (2609m)
Bow Lake
Crowfoot Glacier
Num-Ti-Jah Chalet
Mosquito Creek
Balfour
Hector Lake
Hector Lake Viewpoint
Waputick Icefield
Bow River
Kicking Horse Pass 1627m
Parc national de Yoho
Lake Louise
Field
1a
1
Golden
Rogers Pass
Parc national Glacier
Vermilion Pass
Parc national Mont-Revelstoke
Columbia River
95
Marble Canyon
©ULYSSE

ment total de leurs ennemis.

Une trentaine de kilomètres plus loin, sur le belvédère appelé **Weeping Wall** (la paroi en pleurs), vous pourrez apercevoir, à la fonte des glaces, de nombreuses chutes d'eau qui tombent en gradins de la falaise de calcaire du **Mount Cirrus**. L'hiver, les chutes gèlent et forment une concrétion de glace spectaculaire, où de nombreux fervents de l'escalade de glace se retrouvent.

La **grotte Castleguard** est située à 117 km de Jasper. Un réseau de galeries souterraines de 20 km s'étend sous le champ de glace Columbia. C'est la caverne la plus longue du Canada, mais, en raison des inondations fréquentes et des dangers inhérents à la spéléologie, il est nécessaire d'obtenir l'autorisation des agents de Parcs Canada, à Banff, pour y pénétrer.

Le sentier de la **crête Parker ★★**, situé 3 km plus loin, constitue un merveilleux lieu d'excursion. D'une longueur de 2,5 km, il mène à la crête, d'où vous pourrez, avec un peu de chance, apercevoir quelques chèvres de montagne. Vous y aurez également une superbe vue du glacier Saskatchewan. En passant de la zone subalpine à la zone alpine, vous pourrez constater le changement de la flore et de la température. Des vêtements chauds et une paire de gants ne seront pas superflus.

Au **col Sunwapta**, vous pourrez contempler un paysage grandiose qui constitue la délimitation entre les parcs nationaux de Banff et de Jasper. Après le sommet Bow, il s'agit du col de la Promenade des glaciers le plus élevé, à 2 035 m d'altitude.

Le **glacier Athabasca ★★★** et le **Columbia Icefield** constituent les points de mire de la Promenade des glaciers. Au glacier Athabasca, des panneaux d'interprétation informent les visiteurs de l'impressionnant recul du glacier au fil des ans. Les personnes qui désirent s'aventurer sur la langue de glace devront se méfier des crevasses, qui peuvent atteindre 40 m de profondeur. On en dénombre environ 30 000 sur le glacier Athabasca, dont certaines sont dissimulées sous une mince couche de neige ou de glace. Il est plus prudent de ne pas s'y aventurer, à moins d'avoir déjà une expérience suffisante de l'escalade des glaciers et de posséder l'équipement nécessaire. Il est plutôt recommandé de prendre un ticket de **Snocoach Tour** *(27,95$; tlj mai à mi-oct; les tours quittent aux 15 min; en vente aux bureaux de Brewster, près du centre d'information touristique de Banff; ☎877-423-7433)*, qui vous amènera dans des bus spécialement équipés pour rouler sur le glacier. Une fois parvenu sur le glacier, vous pourrez descendre et faire quelques pas sur la glace aux endroits bien délimités par le personnel de **Brewster Transportation and Tours** (voir p 376), qui se sera assuré qu'il n'y a pas de danger possible. La compagnie de transport Brewster fut créée en 1900 par deux entrepreneurs de Banff, les frères Jim et Bill Brewster. La compagnie n'eut de cesse de prendre de l'expansion pour favoriser le tourisme dans la région du parc national de Banff, jusqu'à s'engager dans la construction de plusieurs hôtels. Aujourd'hui, l'entreprise florissante donne l'occasion à des millions de voyageurs de se déplacer dans les parcs nationaux et, notamment, de pouvoir admirer de plus près le magnifique glacier Athabasca.

Le belvédère du **glacier Stutfield ★★** offre une vue sur un des six grands glaciers alimentés par le champ de glace Columbia, qui descend sur une distance de 1 km dans la vallée.

Quelque 3 km plus loin, du côté ouest, vous pourrez voir plusieurs couloirs d'avalanche, qui parviennent parfois jusqu'à la route. Mais en géné-

Quelques termes géologiques usuels aux reliefs montagneux

Vallée suspendue, ou en surplomb: Se dit d'une vallée dont le fond est plus haut que celui de la vallée vers laquelle elle se dirige.

Cirque glaciaire: Se dit d'une montagne qui a été creusée en forme d'amphithéâtre par la glace. La rencontre de deux cirques dos à dos crée une «arête».

Crevasse: Cassure étroite et profonde qui se rencontre dans la surface supérieure cassante d'un glacier. On distingue les «crevasses transversales», qui fracturent le glacier d'un côté à l'autre et qui se produisent lorsque le glacier suit une forte dénivellation de la montagne, les «crevasses marginales en chevrons», que l'on retrouve sur les bords du glacier, là où la friction se fait sentir avec le versant de la montagne, et enfin les «crevasses longitudinales», qui sont situées à l'extrémité du glacier.

Serac: Série de crevasses situées à l'endroit où le glacier coule par-dessus une falaise. Comme le glacier avance continuellement, au bas de la falaise, ces crevasses se refermeront tandis que d'autres s'ouvriront plus haut.

Ogives: Lorsqu'on observe un glacier, on s'aperçoit que la couleur n'en est pas uniforme, mais présente des stries longitudinales tantôt plus blanches, tantôt plus grises. Ces bandes pâles puis foncées, appelées «ogives», résultent des crevasses du «serac» qui, lorsqu'elles s'ouvrent en été, emmagasinent dans la glace de la poussière et du limon, et, lorsqu'elles s'ouvrent en hiver, se remplissent de neige et de bulles d'air.

Moraines: Ce sont des dépôts glaciaires (mélange de limon, de sable, de gravier et de blocs de roche charriés par la course du glacier). À la période de fonte, le glacier recule et dépose ces amas de roches sur les côtés, soit les «moraines latérales», provenant des falaises avoisinantes, soit les «moraines frontales» au bout du glacier.

Névés: Masses de neige durcie qui alimentent un glacier.

Auges glaciaires: Se dit des vallées façonnées par un glacier et qui sont en forme de *U*.

Calotte glaciaire: Étendue de glace de forme convexe, très épaisse, qui recouvre tout un relief. D'une calotte peuvent partir plusieurs glaciers, comme c'est le cas pour le champ de glace Columbia.

Glaciers de vallée alpine: Ce sont de petits glaciers, situés dans des vallées très élevées, et qui ressemblent à des langues, mais qui ne proviennent pas d'une calotte glaciaire. L'Angel Glacier, au mont Edith Cavell, en est un bel exemple.

Glaciers de niche: Ce sont de petits glaciers qui se forment sur des parois rocheuses et qui paraissent suspendus.

ral, les gardes du parc déclenchent les avalanches avant que les épaisses couches de neige ne deviennent dangeureuses.

La **chute Sunwapta ★★★**, située à 55 km de Jasper, et le canyon sont un bel exemple du travail de l'eau sur la roche calcaire. Le paysage offre un exemple typique de vallées que l'on dit «suspendues» ou en «en surplomb», et qui sont le fruit de l'érosion d'un petit glacier venu se joindre à une autre étendue de glace de plus grande importance. Il en résulte que la vallée creusée par le petit glacier est nettement moins profonde que celle creusée par le glacier principal et qu'elle laisse ainsi l'impression, une fois la glace disparue, d'être suspendue. Plusieurs sentiers de randonnée ont été aménagés, dont l'un mène au pied de la chute Sunwapta. La prudence s'impose lors d'une randonnée, car ce site constitue l'un des meilleurs habitats du parc pour les ours et les orignaux.

Dix-sept kilomètres plus loin, en direction de Jasper, vous atteindrez un endroit appelé **Mineral Lick**, où les chèvres de montagne viennent souvent lécher le sol, riche en minéraux.

Haute de 25 m, la **chute Athabasca ★★** se trouve 7 km plus loin. Un sentier vous la fera découvrir en une heure environ. On pourrait quelque peu regretter l'infrastructure en béton qui dénature le paysage, mais il est vrai que les nombreux touristes qui circulent à cet endroit auraient tôt fait de saccager la végétation très fragile. De plus, quelques-uns d'entre eux, fort indisciplinés, se sont déjà approchés trop près du bord du canyon, et des accidents se sont produits. Il est donc formellement interdit de franchir les barrières, car certains ont payé de leur vie cette imprudence.

Circuit C: Parc national de Jasper

★★ Jasper et les environs

La ville de Jasper tire son origine d'un ancien poste de traite des fourrures fondé en 1811 par William Henry pour le compte de la Compagnie du Nord-Ouest. Jasper n'est qu'une petite localité d'environ 4 000 habitants, mais elle doit son développement touristique à sa situation géographique et à la gare ferroviaire qui y fut construite dès 1911. Lorsque la Promenade des glaciers (Icefields Parkway) fut ouverte en 1940, le nombre des visiteurs à vouloir découvrir les environs majestueux de la petite ville ne cessa d'augmenter. Il n'en reste pas moins, bien que l'engoue-ment des touristes pour cette région soit réel, que Jasper est une petite ville beaucoup plus tranquille que Banff et, surtout, moins commerciale. Mais tourisme oblige, les prix des chambres d'hôtel restent, comme partout dans les Rocheuses, horriblement élevés.

Pour bien commencer votre visite de Jasper et des environs, un petit détour s'impose au **centre d'information touristique** *(500 Connaught Dr.)*, qui vous fournira les plans de la région. Les bureaux de Parcs Canada à Jasper se trouvent à la même adresse.

Le **Jasper-Yellowhead Museum and Archives ★** *(3,50$; mi-mai à début sept tlj 10h à 21h, début sept à mi-oct tlj 10h à 17h, mi-oct à mi-mai jeudim 10h à 17h; 400 Pyramid Lake Rd., en face de l'Aquatic Centre, ☎780-852-3013)* relate l'histoire des premiers habitants amérindiens, des guides de haute montagne et d'autres personnalités légendaires de la contrée.

Le **Den Wildlife Museum ★** *(3$; tlj 9h à 22h; angle Connaught Dr. et Miette St., à l'intérieur du Whistler Inn, ☎780-852-3361)* expose une collection d'animaux empaillés de la région.

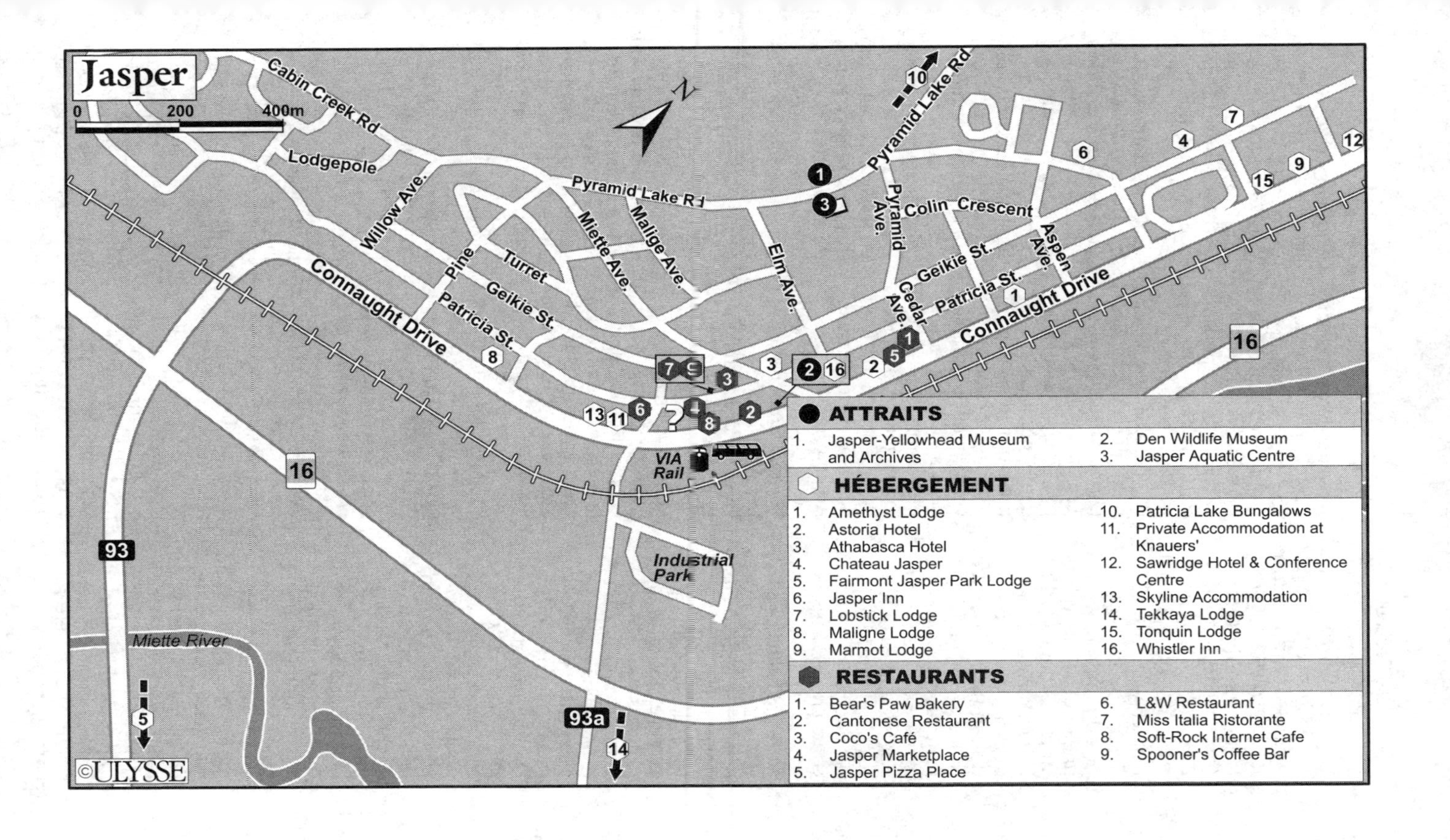
Jasper
0
200
400m
Cabin Creek Rd
Lodgepole
Willow Ave.
Pyramid Lake Rd
Pine
Turret
Miette Ave.
Malige Ave.
Elm Ave.
Pyramid Ave.
Colin Crescent
Aspen Ave.
Cedar Ave.
Geikie St.
Patricia St.
Connaught Drive
VIA Rail
Industrial Park
Miette River
16
93
93a
ATTRAITS
1. Jasper-Yellowhead Museum and Archives
2. Den Wildlife Museum
3. Jasper Aquatic Centre
HÉBERGEMENT
1. Amethyst Lodge
2. Astoria Hotel
3. Athabasca Hotel
4. Chateau Jasper
5. Fairmont Jasper Park Lodge
6. Jasper Inn
7. Lobstick Lodge
8. Maligne Lodge
9. Marmot Lodge
10. Patricia Lake Bungalows
11. Private Accommodation at Knauers'
12. Sawridge Hotel & Conference Centre
13. Skyline Accommodation
14. Tekkaya Lodge
15. Tonquin Lodge
16. Whistler Inn
RESTAURANTS
1. Bear's Paw Bakery
2. Cantonese Restaurant
3. Coco's Café
4. Jasper Marketplace
5. Jasper Pizza Place
6. L&W Restaurant
7. Miss Italia Ristorante
8. Soft-Rock Internet Cafe
9. Spooner's Coffee Bar
©ULYSSE

Le **Jasper Aquatic Centre** *(6,25$ juil et août; 5$ sept à juin; 401 Pyramid Lake Rd., ☎780-852-3663)* et le **Jasper Activity Centre** *(sur Pyramid Ave., près du centre aquatique, ☎780-852-3381)* accueillent les visiteurs qui désirent se baigner, prendre un sauna ou une douche, ou jouer au tennis ou au racketball (réservations nécessaires). Au mois d'août, un concours de rodéo est organisé à l'intérieur du Jasper Activity Centre (se renseigner auprès du bureau d'information touristique pour en connaître les dates).

Le **Mount Edith Cavell** ★★★ culmine à 3 363 m d'altitude. Pour vous y rendre, prenez la sortie sud de Jasper et suivez les indications vers la station de ski Marmot. En tournant à droite, puis à gauche, vous arriverez sur la petite route qui mène à l'un des plus prestigieux sommets de la région. La route serpente dans la forêt pendant une vingtaine de kilomètres, puis aboutit à un stationnement. Plusieurs sentiers de randonnée ont été balisés pour permettre aux visiteurs de mieux observer cette imposante et majestueuse montagne, ainsi que son glacier suspendu, l'**Angel Glacier**. Cette montagne tire son nom d'une infirmière britannique, Edith Louisa Cavell, qui se distingua durant la Première Guerre mondiale en refusant de quitter son poste, près de Bruxelles, en Belgique, pour continuer à soigner les blessés des deux camps. Arrêtée pour espionnage par les Allemands et accusée d'avoir aidé des prisonniers alliés à s'enfuir, elle fut fusillée le 12 octobre 1915. Pour perpétuer le souvenir d'une femme ayant fait preuve d'un courage exceptionnel, le gouvernement du Canada décida de baptiser la plus impressionnante montagne de la vallée de l'Athabasca du nom de l'infirmière martyre. Auparavant, le mont Edith Cavell avait porté de nombreux noms. Les Amérindiens l'avaient dénommé «le fantôme blanc», tandis que les voyageurs qui s'en servaient comme point de repère l'appelèrent «la montagne de la Grande Traverse», puis «le Duc», «le mont Fitzhugh» et enfin «le mont Geikie». Mais aucun nom n'était parvenu à s'imposer avant la décision gouvernementale de l'appeler «mont Edith Cavell».

Le **Jasper Tramway** ★★ *(18$; mi-avr à fin oct; prenez la sortie sud de Jasper, et suivez les indications vers Whistler's Mountain, ☎780-852-3093)* est un téléphérique qui vous déposera au bout de quelques minutes à 2 277 m d'altitude sur la face nord de la **Whistler's Mountain**. Au point d'arrivée se trouvent un restaurant et une boutique de souvenirs, ainsi qu'un petit sentier qui permet de gravir les derniers mètres pour arriver au sommet, à 2 470 m d'altitude. La vue y est splendide.

La route qui mène au lac Maligne s'étend sur une distance de 46 km en suivant la vallée de la rivière du même nom. La vitesse y est limitée à 60 km/h en raison des virages serrés et des nombreux animaux qui la traversent. Avant d'atteindre le lac, la route conduit au **Jasper Park Lodge**, un des plus beaux centres de villégiature du Canada, administré par le Canadien Pacifique. Juste à côté de ce centre, on peut aller pique-niquer, faire du bateau ou aller se baigner aux deux petits lacs **Annette** et **Edith**. Il y a 10 000 ans, lorsque les glaciers quittèrent la vallée, deux immenses blocs de glace se détachèrent et restèrent sur place, au milieu des moraines et autres débris charriés par les glaciers. Leur fonte amena la formation de ces deux lacs. Le lac Agnes est bordé d'une plage.

Le **Maligne Canyon** ★★★ se trouve juste au début de la route Maligne. Des sentiers de randonnée ont été aménagés en vue de contempler ce spectaculaire défilé étroit qui regorge de cascades, de fossiles et de marmites de géants sculptées dans la roche

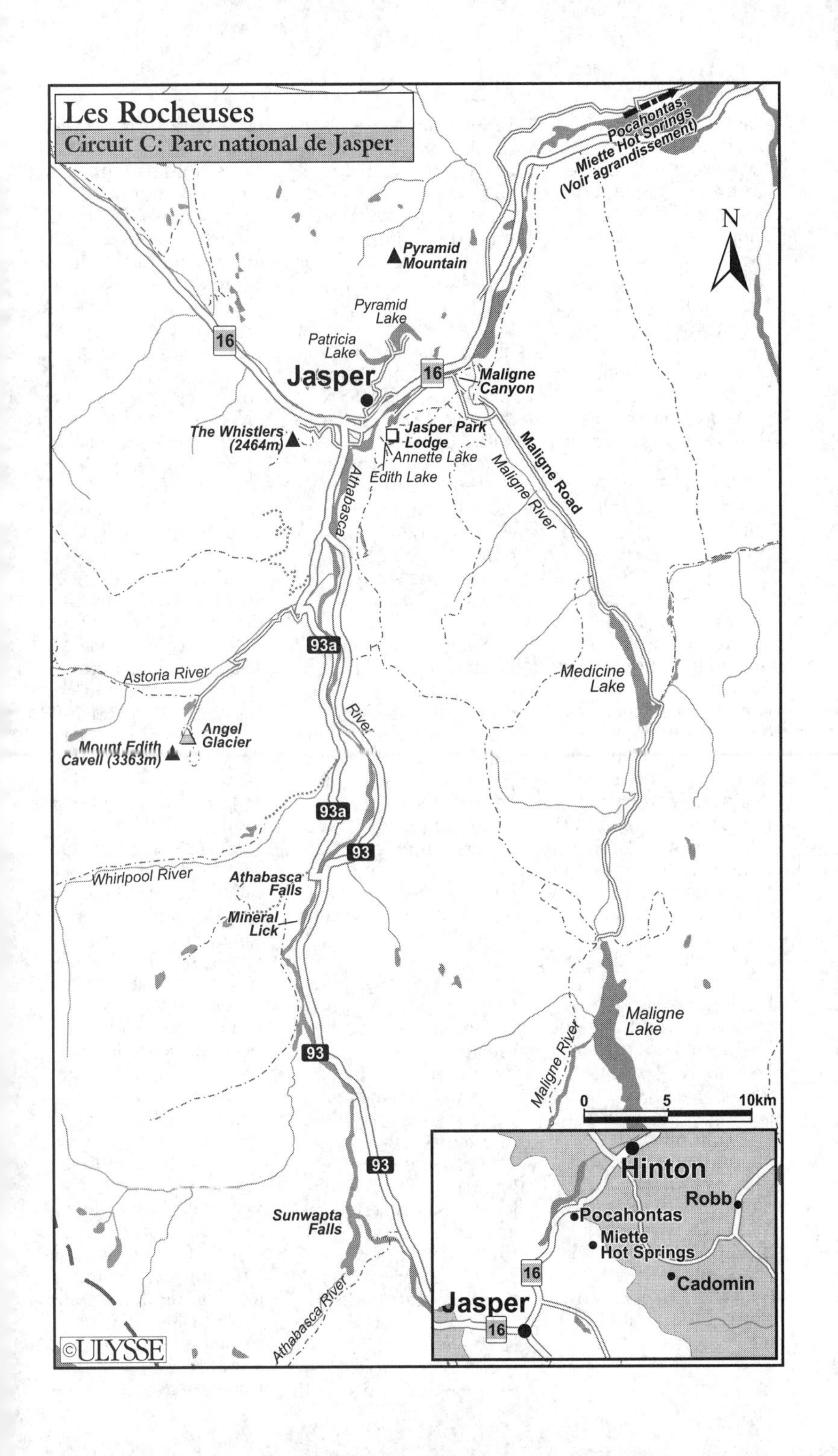

Les Rocheuses
Circuit C: Parc national de Jasper
Pocahontas, Miette Hot Springs (Voir agrandissement)
N
Pyramid Mountain
Pyramid Lake
Patricia Lake
16
Jasper
16
Maligne Canyon
The Whistlers (2464m)
Jasper Park Lodge
Annette Lake
Edith Lake
Athabasca
Maligne Road
Maligne River
93a
Astoria River
River
Medicine Lake
Angel Glacier
Mount Edith Cavell (3363m)
93a
93
Whirlpool River
Athabasca Falls
Mineral Lick
Maligne Lake
93
Maligne River
0
5
10km
Hinton
Robb
Pocahontas
Miette Hot Springs
16
Cadomin
Jasper
16
93
Sunwapta Falls
Athabasca River
©ULYSSE

par les tourbillons d'eau. Plusieurs ponts enjambent le canyon. Au premier pont, vous pourrez admirer des chutes; au deuxième, l'action du gel sur la roche; et au troisième, le point le plus profond (51 m) du défilé.

Dominé par les chaînes Maligne et Colin, le **Medicine Lake** ★ ressemble, l'été, à tous les autres lacs, mais sa particularité tient à ce qu'en octobre il disparaît complètement. Au printemps ne reste qu'un petit ruisseau qui s'étire péniblement dans des bas-fonds vaseux. La profondeur de ce lac peut varier de 20 m au cours de l'année. Les Amérindiens attribuaient ce phénomène à une semonce du «sorcier médecin» (le sorcier magique). Il est en fait dû à la présence d'une rivière souterraine qui s'est infiltrée dans la roche calcaire, pour réapparaître dans la rivière Maligne. Lorsque les eaux des glaciers fondent en été, le réseau souterrain devient insuffisant pour drainer les masses d'eau, qui remontent alors à la surface pour créer un lac. Le fond du lac Medicine comporte des dolines (sortes d'entonnoirs naturels) engorgés de gravier, par lesquelles s'écoule l'eau. On peut en voir quelques-unes en empruntant le petit chemin en contrebas.

Le **Maligne Lake** ★★ est un des plus beaux lacs des Rocheuses. Plusieurs activités nautiques telles que la promenade en bateau, la pêche et le canot y sont possibles. Un petit sentier longe en partie le lac. Vous trouverez, au chalet construit au bord du lac, des magasins de souvenirs, un café-restaurant et les comptoirs d'une entreprise qui organise des promenades en bateau jusqu'à **Spirit Island**, petite île d'où l'on peut jouir d'une magnifique vue des sommets environnants.

La route 16, qui mène à Edmonton, vers l'est, traverse toute la vallée de l'Athabasca. Un grand troupeau d'élans vient paître dans cette partie de la vallée, et l'on peut souvent en observer plusieurs spécimens entre le croisement avec la route Maligne et l'ancienne ville de Pocahontas, près de Miette Hot Springs.

En remontant la route vers Hinton, on peut se rendre aux sources les plus chaudes des parcs des Rocheuses. Il s'agit des **Miette Hot Springs**. L'eau sulfureuse jaillit à une température de 57°C et doit être abaissée à 39°C pour les bains. Un sentier asphalté, qui suit le ruisseau Sulphur et se prolonge après la station d'épuration des eaux, mène à l'ancienne piscine, construite en rondins en 1938, avant d'aboutir à l'une des trois sources chaudes sur le bord du ruisseau. Plusieurs sentiers de randonnée pédestre ont été aménagés dans les environs pour ceux qui désirent s'aven-turer dans l'arrière-pays et admirer de somptueux paysages. À l'entrée de la route qui mène aux Miette Hot Springs se trouvent les vestiges de la ville de **Pocahontas**, qui fut abandonnée en 1921. La nature a repris le dessus et a peu à peu envahi les restes des structures. Un petit sentier, appelé «sentier de la mine de charbon», sillonne quelques vestiges. À l'origine, Pocahontas était le nom d'une princesse amérindienne. Lorsqu'en 1908 on découvrit du charbon à cet endroit, une concession fut établie, et la région fut intensivement exploitée. Pleins d'espoir, les habitants donnèrent à la ville le nom du fameux bassin houiller de Virginie, Pocahontas, où se trouvait le siège social de la société. Lorsqu'en 1921 le site fut fermé, un grand nombre de bâtiments furent démontés et transportés vers d'autres villes.

La route 16 Ouest, soit la Yellowhead Highway, relie Jasper au Mount Robson Provincial Park, en Colombie-Britannique, par un tronçon de 26 km. Elle traverse les chaînes principales des Rocheuses et réserve des panoramas grandioses.

Elle passe par le col de Yellowhead, qui franchit la ligne continentale de partage des eaux.

Pour vous rendre aux lacs **Patricia** et **Pyramid**, à 7 km seulement de Jasper, vous devez, depuis le centre-ville de Jasper, prendre Cedar Avenue à partir de Connaught Road. Cette rue devient alors Pyramid Avenue et mène au lac Pyramid. L'endroit est agréable pour la promenade ou les pique-niques. Il est possible de faire du canot ou de se baigner dans le lac.

Circuit D: Parcs nationaux de Kootenay et de Yoho

★★ Parc national de Kootenay

Le parc national de Kootenay, moins visité que ses voisins de Banff et de Jasper, révèle toute sa beauté dans ses paysages grandioses. Moins touristique, il n'en demeure pas moins intéressant à visiter. Il renferme deux grandes vallées, celle de la rivière Vermilion, au climat humide, et celle de la rivière Kootenay, au climat plus sec. Le contraste est saisissant. Ce parc est né d'un pari audacieux de créer une route pour relier la région de Windermere à la province de l'Alberta. En 1905, Randolphe Bruce, un homme d'affaires de la ville d'Invermere qui devint lieutenant-gouverneur de la Colombie-Britannique, décida de rentabiliser les vergers de sa région. Pour cela, il fallait absolument désenclaver Windermere afin d'acheminer ses produits vers l'est du pays. Il devenait donc indispensable de créer une route menant vers les villes des provinces de l'est du pays. L'influence de cet homme fut telle que les travaux commencèrent en 1911. Mais le projet audacieux s'avèra, en raison des obstacles, trop coûteux pour la seule province de la Colombie-Britannique. Les 22 km de route, péniblement arrachés à la nature, ne menèrent nulle part, et le projet fut abandonné. Sans pour autant s'avouer vaincu, Randolphe Bruce se tourna vers le gouvernement fédéral. Moyennant des terrains qui seraient concédés tout le long de la voie, le gouvernement fédéral accorda son aide, et les travaux purent reprendre. C'est ainsi qu'est né le parc national de Kootenay en 1922, bordant de chaque côté, et ce, sur plusieurs hectares, cette route historique.

L'accès au parc, depuis Banff, se fait en empruntant la transcanadienne jusqu'à Castle Junction, devant la Castle Mountain. La route 93, sur la gauche, traverse dans toute sa longueur le parc national de Kootenay.

Le **Vermilion Pass**, à l'entrée du parc national de Kootenay, marque la ligne continentale de partage des eaux. À partir de cet endroit, les cours d'eau du parc national de Banff coulent vers l'est, tandis que ceux du parc national de Kootenay coulent vers le Pacifique.

Quelques kilomètres plus loin se trouvent le **Marble Canyon ★★**. Le Marble Canyon est très étroit, mais on peut y contempler une belle chute située en bout de course du sentier. Plusieurs ponts enjambent le défilé, et les conséquences de l'érosion des eaux torrentueuses laissent pantois. À 500 m sur la droite après le canyon, un chemin mène aux fameux **Paint Pots ★★**, ou «pots de peinture». Ces gisements d'ocre sont formés par les sources souterraines qui font remonter des oxydes de fer à la surface. Il semblerait que les Amérindiens se soient servis de cette ocre pour s'enduire le corps. L'ocre, nettoyée, puis mélangée à de l'eau, était pétrie en forme de petits pains qu'ils faisaient cuire dans un feu. L'opération effectuée, les pains d'ocre étaient finement broyés en poudre, puis mélangés à de l'huile de poisson. Ils pouvaient ainsi s'en servir pour se peindre le corps et décorer les tipis ou les vêtements. Selon les Amérindiens, vivaient dans les ruisseaux un grand esprit animal et un esprit du tonnerre. Ils y entendaient tantôt une mélodie, tantôt des chants de guerre, et c'étaient, à leurs yeux, les esprits qui leur parlaient. L'ocre était, chez les Amérindiens, symbole des esprits, des légendes et des coutumes importantes. Les premiers Blancs y virent, quant à eux, l'occasion de faire un peu d'argent en exploitant l'endroit. Au début du XXe siècle, l'ocre était extraite à la main, puis envoyée à Calgary pour servir de colorant dans la peinture. On peut encore voir quelques vestiges, soit des machines ou des outils et même quelques tas d'ocre déjà extraits, restés là lorsque le territoire devint un parc national et que l'exploitation cessa.

L'un des meilleurs endroits du parc où observer les élans et les orignaux se trouve dans le secteur salin de l'**Animal Lick** (pré salé), car la boue et l'eau qui s'y trouvent sont riches en minéraux. Il faut s'y rendre tôt le matin ou à la brunante pour pouvoir mieux les observer. Vous trouverez tout le long de la route quelques belvédères aménagés pour admirer le paysage. Le **Kootenay Valley Viewpoint ★★**, à la sortie du parc, offre une très belle vue.

Radium Hot Springs

En arrivant à Radium Hot Springs, juste après le tunnel, vous trouverez, sur votre gauche, un stationnement. Vous pourrez alors découvrir les falaises de calcaire teintes en rouge par l'oxyde de fer.

Située à l'entrée du parc, cette petite ville, qui n'offre d'autre attrait que sa source thermale, surprend par sa banalité. Vous pourrez néanmoins vous plonger dans la piscine du **Radium Hot Pools ★★** *(6,25$; à l'entrée du parc national de Kootenay, ☎250-347-9485 ou 800-347-9704)*, dont les eaux chaudes sont reconnues, paraît-il, pour être thérapeutiques. Le fondement médical de ces valeurs curatives n'a jamais été démontré, mais, que l'on y croie ou non, l'effet relaxant d'une immersion dans des eaux à 38°C non sulfureuses est, lui, bien réel.

Au sud de Radium Hot Springs, la route 95 continue vers le sud à travers les Rocheuses du côté de la Colombie-Britannique, où elle rejoint la route 3 à Crowsnest Pass. Sachez que si vous poursuivez ce circuit alternatif, vous atteindrez le sud de l'Alberta (voir le chapitre consacré à cette région). En continuant vers le sud par la route 95, puis vers l'ouest par la route 3, vous atteindrez Trail (voir p 273), à quelque 230 km de Fort Steele.

Invermere

Invermere est une petite ville qui offre divers services aux nombreux occupants des chalets environnants, pris d'assaut chaque fin de semaine par les Albertains et les habitants de la Colombie-Britannique en quête d'évasion. Le pittoresque **lac Windermere ★**, en fait formé par un élargissement du fleuve Columbia, bénéficie d'une grande popularité auprès des plaisanciers.

Le **Windermere Valley Pioneer Museum** *(2$; juil et août mar-sam 9h30 à 17h30, juin et sept lun-ven 13h à 16h; 622 3rd St., ☎250-342-9769)*, qui possède une collection de souvenirs des temps passés, est un autre de ces endroits où vous remonterez le temps jusqu'à l'époque des pionniers.

À 18 km à l'ouest d'Invermere vous attend le **Panorama Resort**, avec ses pentes de ski (voir p 417) et son hôtel (voir p 435). Il propose de nombreuses formules d'hébergement.

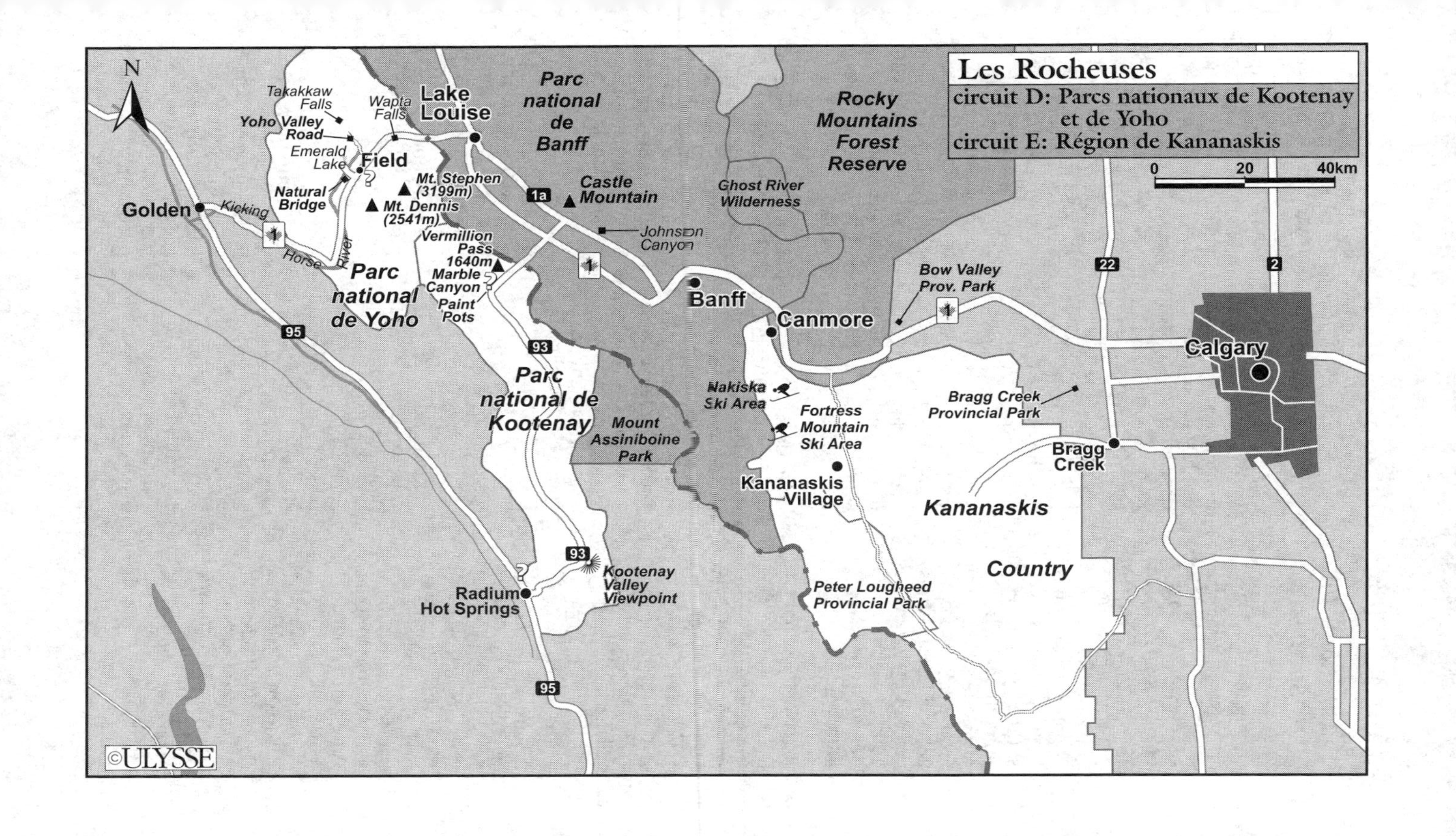
Les Rocheuses
circuit D: Parcs nationaux de Kootenay et de Yoho
circuit E: Région de Kananaskis
0
20
40km
N
Takakkaw Falls
Yoho Valley Road
Emerald Lake
Wapta Falls
Field
Lake Louise
Parc national de Banff
Rocky Mountains Forest Reserve
Natural Bridge
Mt. Stephen (3199m)
Mt. Dennis (2541m)
Golden
Kicking
Horse
River
1a
Castle Mountain
Ghost River Wilderness
Johnson Canyon
Vermillion Pass 1640m
Marble Canyon
Paint Pots
Parc national de Yoho
1
Banff
Canmore
Bow Valley Prov. Park
22
2
95
93
Calgary
Parc national de Kootenay
Nakiska Ski Area
Fortress Mountain Ski Area
Bragg Creek Provincial Park
Mount Assiniboine Park
Bragg Creek
Kananaskis Village
Kananaskis
Country
Kootenay Valley Viewpoint
Radium Hot Springs
Peter Lougheed Provincial Park
©ULYSSE

Fairmont Hot Springs

Ce minuscule village doit en fait son existence aux touristes qui se rendent aux **sources thermales** *(tlj 8h à 22h; ☎800-663-4979)*. Vous pourrez y pratiquer le golf ou le ski et y contempler de somptueux paysages. Les sources, encerclées par un complexe du même nom que le village (voir p 434), sont accessibles sans frais à ceux qui y logent; les autres visiteurs doivent débourser 9$ (une journée).

En continuant vers l'est par la route 3 en direction de la frontière avec l'Alberta, vous croiserez de belles pentes de ski à Fernie.

D'un autre côté, au départ de Radium Hot Springs, le circuit remonte la route 95, au fond de la vallée de la Columbia, jusqu'à la petite ville de **Golden**. Le paysage des contreforts des Rocheuses, d'un côté, et des montagnes Purcell, de l'autre, que l'on traverse tout le long de cette petite route, est assez joli.

Au départ de Golden, la route transcanadienne file jusqu'à Revelstoke *(voir p 253)**, à quelque 150 km à l'ouest des abords des parcs des Rocheuses.*

★★ Parc national de Yoho

Comme tous les parcs des Rocheuses, des droits d'entrée *(6$ par jour, 42$ par année)* sont exigés pour les personnes qui désirent séjourner dans le parc. Les autres qui, en revanche, ne font que transiter ne seront pas assujetties au paiement de cette redevance.

À environ 5 km de l'entrée du parc se trouve, sur la droite, le sentier de la **chute Wapta**. En 1858, l'aventurier James Hector reçut un coup de sabot de son cheval dans la poitrine. Cette douloureuse mésaventure permit de trouver un nom à la rivière qui coulait là: **The Kicking Horse River**, un des lieux de prédilection des amateurs de descente de rivière. La chute est d'une hauteur de 30 m, et le chemin, assez court, qui y mène ne comporte aucune difficulté.

Un peu plus loin, un autre sentier mène aux **Hoodoos** (cheminées de fée), soit des formations naturelles de roche qui ont été façonnées par l'éro-sion. Le sentier qui part du terrain de camping Hoodoo Creek grimpe fort, mais n'est que de 3,2 km. La vue de ces cheminées de fée est excellente.

Une petite route permet d'atteindre le **Natural Bridge**. Ce pont naturel, où se trouvaient auparavant d'anciennes chutes d'eau, a été formé par l'érosion intense de la Kicking Horse River, très torrentueuse à cet endroit. L'eau charriant sable et gravier agit petit à petit comme un véritable papier de verre, permettant ainsi à l'eau de s'infiltrer dans la roche et de créer, au fil du temps, un pont suspendu. On peut également admirer d'ici une superbe vue du **Mount Stephen** (3 149 m) et du **Mount Dennis** (2 541 m).

La promenade vers l'**Emerald Lake ★★** est devenue un classique du parc national de Yoho. Un petit sentier de 5,2 km seulement en fait le tour. De là, vous pourrez rejoindre la **chute Hamilton**. Des aires de pique-nique ont été aménagées près du lac Emerald. Un petit comptoir de location de canots donne l'occasion de se promener sur le lac. Une petite boutique de souvenirs est située juste à côté de la rampe de mise à l'eau.

Le centre d'information touristique du parc national de Yoho se trouve à **Field**, à 33 km à l'est de l'entrée du parc. L'été, diverses activités d'interprétation sont organisées pour mieux faire connaître la vallée de la Yoho. Dans cette vallée, en effet,

400 km de sentiers de randonnée ont été aménagés pour permettre l'accès à l'arrière-pays. Vous pourrez vous procurer des plans de randonnée pédestre, ainsi que d'autres consacrés au vélo de montagne, au **centre d'information touristique** (voir p 378). Des cartes topographiques du parc national de Yoho sont en vente au prix de 13$ chez les **Friends of Yoho** *(☎250-343-6364)*, organisme situé à côté du centre d'information touristique. Si vous devez rester plus d'une journée dans le parc, vous devrez obligatoirement vous enregistrer auprès des bureaux de Parcs Canada, situés au même endroit. Un certain nombre de montagnes peuvent être escaladées, mais un permis spécial est requis pour entreprendre l'ascension du mont Stephen, en raison des gisements de fossiles par lesquels les alpinistes doivent passer.

À Field, vous trouverez un petit magasin général, **The Siding General Store and Cafe** *(tlj 9h à 21h, en été 8h à 22h; Stephen Ave., à côté du bureau de poste, ☎250-343-6462)*, où vous pourrez acheter quelques provisions.

Les **Burgess Shale** ★★★ ne sont accessibles que si les visiteurs sont accompagnés par un guide. En 1886, un paléontologue découvrit d'importants lits de trilobites sur le mont Stephen, à côté de Field. Les Rocheuses ayant jadis été recouvertes par une mer, tous ces fossiles furent admirablement protégés par une épaisse couche de sédiments marins. Poussés vers la surface lors des bouleversements géographiques qui causèrent la naissance des Rocheuses, les inestimables gisements fossilifères du mont Burgess, à côté du mont Stephen, purent ainsi être trouvés. Il faut prévoir une journée complète, car la randonnée est de 20 km aller-retour jusqu'aux schistes de Burgess, et elle ne peut être effectuée qu'avec l'entremise d'un guide. Pour louer les services d'un guide, adressez-vous plusieurs jours d'avance aux bureaux du parc *(☎250-343-6783)* ou à la **Yoho Burgess Shale Fondation** *(☎250-343-3006)*

Quelques kilomètres après Field, à l'embranchement, la voie de gauche conduit à la chute Takakaw par la **Yoho Valley Road**. Sur cette route, l'**Upper Spiral Tunnel Viewpoint** ★★ donne l'occasion d'admirer les prouesses techniques que les ingénieurs de la compagnie de chemin de fer ont dû faire pour entreprendre la construction d'une ligne de chemin de fer fiable dans un lieu aussi accidenté. Après avoir parcouru 13 km, la petite route en lacet de la vallée de la rivière Yoho mène à un superbe point de vue sur les rivières Yoho et Kicking Horse. La route se termine en cul-de-sac à la **chute Takakaw** (254 m), parmi les plus hautes du Canada.

Circuit E: Région de Kananaskis

Lorsque, de 1857 à 1860, le capitaine John Paliser conduisit une expédition scientifique britannique dans cette région, l'abondance des lacs et des cours d'eau l'amena à lui donner le nom de Kananaskis, qui signifie «rassemblement des eaux». Située à 90 km de Calgary, la région s'étend sur plus de 4 000 km², englobant les parcs provinciaux de **Bow Valley**, **Bragg Creek** et **Peter Lougheed**. En raison de la beauté des paysages, des immenses possibilités offertes aux amateurs de plein air et de la proximité de Calgary, la région de Kananaskis est rapidement devenue l'un des centres les plus fréquentés par la population albertaine, puis par les visiteurs venus de toutes parts.

La région offre des attraits quelle que soit la saison. L'été, elle se transforme en un véritable paradis pour les amateurs de plein air, qui peuvent s'adonner à des activités telles que le tennis, l'équitation, le vélo de montagne, le canot-kayak, la descente de rivière, le golf, la pêche ou la randonnée pédestre. Avec ses 250 km de routes revêtues et ses 460 km de sentiers balisés, la région dispose, plus que toute autre en Alberta, d'un choix considérable d'excursions. L'hiver, tous ces sentiers deviennent des pistes réservées au ski de fond ou à la motoneige. Les visiteurs peuvent également jeter leur dévolu sur les stations de ski alpin de Fortress Mountain ou de Nakiska, patiner sur les nombreux lacs, s'initier à la conduite d'un traîneau à chiens ou se lancer sur les rampes de luge.

Canmore

Le nom de Canmore provient du gaélique **Ceann mor**, qui signifie «grosse tête». Ce terme fut donné comme surnom à un roi écossais, Malcom III, fils de Duncan Ier, qui devint roi et se fit connaître en 1054 après avoir battu l'usurpateur Macbeth.

Le Canadien Pacifique, qui cherchait le tracé le plus pratique pour construire une ligne de chemin de fer rejoignant l'Ouest canadien, décida de la faire passer par la vallée de la Bow. Il fut alors décidé de stationner l'intendance du chantier de construction à l'entrée des Rocheuses, et c'est ainsi qu'est née la ville de Canmore. Par la suite, on devait y découvrir quelques gisements de charbon, qui furent exploités jusqu'au 13 juillet 1979.

Canmore est très prisée des amateurs de plein air. On trouve ici la plus forte concentration d'alpinistes canadiens ayant participé à des expéditions dans le massif de l'Himalaya. Canmore est un terrain d'entraînement unique pour les alpinistes. C'est aussi à Canmore que se retrouvent les inconditionnels de la pêche à la mouche. Canmore est aussi un paradis du vélo de montagne, et la ville a accueilli entre 1998 et 2000 une épreuve de la Coupe du monde dans cette discipline. En raison de son site enchanteur et de ses attraits récréatifs, il s'agit d'une des villes qui se développent le plus rapidement au pays.

Petite localité tranquille d'environ 11 000 habitants, Canmore connut son heure d'activités la plus intense en 1988, lors des Jeux olympiques d'hiver. C'est en effet dans cette ville qu'eurent lieu les compétitions de ski de fond, du combiné nordique et du biathlon, ainsi que des démonstrations de ski nordique pour personnes handicapées. Depuis, les installations du **Canmore Nordic Centre** *(tlj 9h à 17h30; du centre-ville, remontez Main St., puis tournez à gauche dans 8th Ave., et à droite pour passer au-dessus de la rivière Bow. Montez Rundle Dr., sur votre gauche, et prenez à gauche Three Sisters Dr. À droite, prenez Spray Lakes Rd., et continuez tout droit. Plus haut, vous trouverez, sur votre droite, le stationnement du centre nordique de Canmore; ☎403-678-2400)*, construites à l'occasion des Jeux olympiques, ont accueilli d'autres épreuves internationales telles que la Coupe du monde de ski en 1995. L'été, les pistes de ski de fond se transforment en sentiers pédestres ou en pistes pour vélo de montagne. Les animaux domestiques y sont admis du 11 avril au 30 octobre, à condition d'être tenus en laisse. Les ours sont fréquents dans cette région l'été, aussi faut-il redoubler de prudence.

En continuant votre route un peu au-delà du Canmore Nordic Centre, vous rejoindrez deux petits lacs appelés **Grassi Lakes**. Pour vous y rendre, remontez Three Sisters Drive, puis tournez à droite dans Spray Lakes Road. À l'embranchement situé près du lac artificiel, appelé le Réservoir, prenez à gauche, puis empruntez le premier chemin de gravillon, également sur votre gauche. Vous atteindrez, un peu plus loin, le point de départ du sentier de randonnée. Lawrence Grassi, immigré italien qui travaillait comme mineur, a légué son nom aux lacs, car c'est à lui que l'on doit le petit chemin qui permet de s'y rendre. Une courte promenade, mais qui grimpe rapidement, mène aux Grassi Falls, puis à ces deux petits lacs aux eaux cristallines. De là, vous pourrez jouir d'une belle vue de Canmore et de la vallée de la Bow. De bonnes chaussures de marche sont requises. Le site de Canmore est également reconnu pour sa compétition de traîneaux à chiens, qui a lieu annuellement en janvier.

Merveilleusement bien située, à l'entrée du parc national de Banff et aux portes de la région de Kananaskis, Canmore accueille beaucoup de visiteurs chaque année, mais il est souvent plus facile d'y trouver à mieux se loger qu'à Banff. Il n'en reste pas moins qu'il est préférable de réserver sa chambre longtemps à l'avance.

Les principaux points d'intérêt de cette petite ville, outre le Canmore Nordic Centre, sont la localisation de cette bourgade et les nombreuses activités sportives qu'elle offre. Outre le ski, les courses de traîneaux à chiens, l'escalade de glace, l'«héli-ski», la motoneige et la pêche sous la glace (pêche blanche) l'hiver, vous pourrez vous adonner, la saison chaude revenue, au vol à voile, au deltaplane, à la randonnée pédestre, au vélo de montagne, à l'alpi-nisme, au canot... Vous trouverez une foule d'adresses dans la section réservée aux activités de plein air.

Le **Canmore Centenial Museum** *(entrée libre; fin mai à début sept mar-dim 10h à 17h, début sept à fin mai lun-ven 12h à 16h; 801 7th Ave., ☎403-678-2462)* est un tout petit musée qui retrace l'histoire de l'extraction minière de la ville. Il présente également une petite section sur les Jeux olympiques d'hiver de 1988.

Le **Canmore Recreation Centre** *(tlj 6h à 22h, 1900 8th Ave., ☎403-678-5597)* organise de nombreux camps d'été pour les jeunes. Les locaux abritent une piscine municipale, un centre sportif et un centre de conditionnement physique.

Les visiteurs de Kananaskis peuvent se procurer différents plans auprès du **Barrier Lake Information Centre** (voir p 379). Vous trouverez dans ce centre d'information touristique la torche des Jeux olympiques de Calgary. Elle fut, durant trois mois, promenée à travers tout le Canada et servit finalement à allumer la flamme olympique, le 13 février 1988, à Calgary. Huit compétitions se tinrent dans la région de Kananaskis, à Nakiska, sur le mont Allan. Il s'agissait des épreuves de descente, de slalom et de slalom géant.

★★

Kananaskis Valley

Le **Nakiska Ski Resort** *(près de Kananaskis Village, ☎403-591-7777 ou 800-258-7669)* fut spécialement construit à l'occasion des Jeux olympiques, en même temps que le complexe hôtelier du village de Kananaskis. Cette station offre une excellente infrastructure moderne et des pistes de grande qualité.

Le **Kananaskis Village** est en fait composé en grande partie de deux hôtels luxueux, disposés autour d'une place centrale. Il fut érigé pour les Albertains et les nombreux visiteurs comme principal centre de villégiature de la région. Sa construction a été rendue possible grâce au concours des fonds de l'Alberta Heritage Savings Trust et à des capitaux privés. Le village fut officiellement inauguré le 20 décembre 1987. Vous trouverez à l'intérieur du village un bureau de poste situé à côté du centre d'information touristique *(été tlj 9h à 21h, hiver lun-ven 9h à 17h)*, ainsi qu'un sauna et un bain thermal *(2$; tlj 9h à 20h)* accessibles à tous. Au Lodge at Kananaskis, une galerie marchande a été aménagée. On peut y trouver des magasins de souvenirs et de vêtements, des cafés et des restaurants.

Le **Kananaskis Golf Club** est une pure réussite. Ce fabuleux golf de 36 trous s'étire le long de l'étroite vallée de la rivière Kananaskis, au pied des monts **Lorette** et **Kidd**.

Le **Fortress Mountain Ski Resort** *(à droite à Fortress Junction, ☎403-591-7108 ou 800-258-7669)* est moins fréquenté que la station de ski de Nakiska, bien qu'il possède également un domaine skiable intéressant. De plus, situé sur la ligne continentale de partage des eaux, aux limites du Peter Lougheed Provincial Park, il reçoit des précipitations de neige abondantes.

★ Peter Lougheed Provincial Park

Le centre d'information touristique du Peter Lougheed Provincial Park *(près des deux lacs Kananaskis)* a conçu pour ses visiteurs une présentation interactive donnant de nombreux renseignements sur la faune, la flore, la géographie, la géologie et les phénomènes climatiques de la contrée. Le mont Lougheed et le parc tirent leur nom de deux membres renommés de la famille Lougheed. Originaire de la province d'Ontario, l'hono-rable Sir James Lougheed (1854-1925) devint un avocat très en vue dans sa province natale et en Alberta, notamment à Calgary, où il fut le conseiller juridique du Canadien Pacifique. Il fut nommé sénateur en 1889 et désigné comme chef du Parti conservateur de 1906 à 1921 avant d'obtenir, par la suite, un portefeuille ministériel. Son petit-fils, l'honorable Peter Lougheed (1928-), est devenu quelque temps premier ministre de l'Alberta à la suite de l'élection provinciale du 30 août 1971 et fut l'instigateur de la création du parc. Un grand nombre de programmes d'inter-prétation sont organisés dans ce parc. On peut en trouver la liste au centre d'information touristique.

Tout près de là se trouve un centre spécialisé pour les personnes âgées et les personnes avec mobilité réduite. Il s'agit du **William Watson Lodge**, d'où l'on a une vue du **Lower Kananaskis Lake**. Une route continue jusqu'à l'**Upper Kananaskis Lake**. Il faut alors, en sortant de la route qui mène à ce lac, prendre à gauche et rouler quelques kilomètres avant de parvenir à **Interlakes**. La vue en ce point est superbe. Un retour vers Canmore peut se faire en empruntant, sur une distance de 64 km, le **Smith-Dorrien Trail**. Il s'agit d'une route de gravier, par endroits très cahoteuse, car la pluie et la neige ont causé de grosses ornières. Le chemin est cependant large et peu passant. Il n'y a pas de station-service sur cette route. Les paysages sont beaux et semblent totalement coupés du reste du monde.

Activités de plein air

Couvrant plus de 22 000 km^2, le massif des Rocheuses canadiennes est un véritable paradis pour qui aime une nature à la topographie accidentée, apprécie l'air pur et les grands espaces à découvrir, et pratique des sports de plein air comme la randonnée pédestre, l'alpinisme, l'équitation, le canot, la descente de rivière en radeau pneumatique, le golf, le ski de fond ou le ski alpin. Les Rocheuses ont été merveilleusement bien épargnées grâce à la création des innombrables parcs nationaux et provinciaux, et malgré la construction effrénée de stations de ski et de logements qui ne correspondent pas toujours à l'esthétique du paysage. Ainsi, bien que six millions de visiteurs parcourent cette région chaque année, il demeure possible d'y passer des moments tranquilles et inoubliables, pour peu que l'on s'éloigne des sentiers battus.

Climat

Le soleil en montagne

Les vents frais qui soufflent sur les Rocheuses peuvent parfois vous faire oublier les dangers des rayons du soleil qui sont, en altitude, particulièrement traîtres. Aussi faut-il se prémunir des effets du soleil en se procurant une bonne crème solaire ainsi qu'un chapeau et des lunettes de soleil. En montagne, l'effort physique, le soleil et les conditions climatiques changeantes sont souvent les éléments déclencheurs d'une crise d'hypothermie qui peut, à son stade ultime, entraîner la mort. Il convient donc d'être particulièrement vigilant et d'observer certaines règles afin d'éviter que vous-même ou l'un de vos partenaires de route ne soyez confronté à ce problème.

L'habillement

Un séjour en montagne nécessite une bonne préparation. Que vous comptiez séjourner dans les Rocheuses en hiver comme en été, il est important de toujours mettre dans ses valises des vêtements chauds et confortables. Durant la saison hivernale, n'oubliez pas d'emporter des sous-vêtements chauds qui laisseront votre peau respirer, des chandails en laine naturelle ou en laine polaire, de bonnes paires de chaussettes, des pantalons et un blouson de ski qui coupent bien le vent, des gants, une écharpe et un bonnet.

Si vous prévoyez faire du ski de fond, rappelez-vous qu'il est toujours préférable de s'habiller de couches superposées plutôt que de porter des vêtements lourds, qui seront trop chauds lorsque vous serez en plein effort, mais qui s'avéreront insuffisants lorsque vous serez au repos. Mieux vaut emporter un petit sac à dos, dans lequel vous mettrez, en plus de votre nourriture, une laine polaire supplémentaire et une paire de chaussettes, au cas où vos pieds seraient mouillés. Ne restez jamais au repos dans des vêtements humides. Prévoyez donc un rechange de vêtements en conséquence.

L'été, les mêmes précautions contre le vent et le froid s'imposent. Les températures descendent vite en altitude, et le vent constitue un facteur de refroidissement considérable. Dans les régions alpines, vous ressentirez vite l'effet de l'altitude sur la température. De plus, les conditions climatiques sont très changeantes en montagne. Il est donc important, pour apprécier les randonnées qui vous sont proposées, de bien vous habiller. Même l'été, portez une bonne laine polaire et un blouson coupe-vent pendant vos excursions. Vous pouvez également prévoir vous munir d'un bandeau pour vos oreilles et d'une petite paire de gants. Comme il n'est pas rare qu'il pleuve, il serait bon que votre blouson soit imperméable. De plus, avec de bonnes paires de chaussettes et de solides chaussures de marche, vous serez en mesure d'affronter les meilleurs sentiers de randonnée pédestre de la région.

Randonnée pédestre

La randonnée pédestre constitue probablement l'activité de plein air la plus en vogue dans les parcs nationaux des Rocheuses, qui regorgent de sentiers pouvant aussi bien satisfaire les marcheurs débutants ou peu entraînés que les plus exigeants. Des brochures publiées par le service des parcs d'Environnement Canada sont distribuées gratuitement dans les centres d'information touristique de Banff, de Lake Louise et de Jasper. Ces brochures vous renseigneront sur quelques magnifiques randonnées à faire dans les Rocheuses. Il existe également un plan du réseau des sentiers de randonnée pédestre du parc national de Kootenay, disponible au prix de 1$. Vous pouvez vous le procurer auprès des bureaux de Parcs Canada situés à chacune des entrées du parc national de Kootenay. N'oubliez pas que, pour vous aventurer durant plusieurs jours dans l'arrière-pays des parcs nationaux des Rocheuses, il faut vous enregistrer auprès des bureaux de Parcs Canada en les informant de votre itinéraire ainsi que de la durée de votre séjour.

Banff

La **boucle de Cave and Basin**, un sentier assez facile de 6,8 km, mène jusqu'au lieu historique de Cave and Basin et offre de belles vues sur la rivière Bow. Le départ se fait derrière le Banff Centre, sur St. Julian Road. Empruntez le sentier de la rivière Bow jusqu'à la chute. Longez la rivière. Traversez le pont de Banff Avenue, et tournez à droite dans Cave Avenue. Le sentier conduit au stationnement des thermes de Cave and Basin. Le retour s'effectue par le même chemin.

Le sentier **Stoney Squaw** est idéal pour se mettre en forme. Le départ se fait au stationnement Mount Norquay Ski Centre. La boucle du sentier grimpe jusqu'à 1 880 m, et le parcours de 5 km s'effectue en deux heures environ. Le sentier est relativement facile et offre un magnifique point de vue sur le mont Cascade.

Ceux qui en redemandent seront contentés par les 6 km de montées abruptes menant au sommet du **Mount Rundle**, à près de 3 000 m d'altitude. Le sentier zigzague dans la vallée avant de venir à bout de la forêt et de se poursuivre à même le roc. Pendant un bon moment, la randonnée se fait sur un couloir à peine large de quelques mètres, avec des falaises coupées au couteau de chaque côté. La vue de la rivière Spray et du mont Sulphur est époustouflante. Ne partez pas sans vêtements chauds car des tempêtes de neige peuvent faire rage au sommet même au mois de juin. Le départ se fait après le pont qui enjambe la rivière Spray, au niveau du club de golf. Suivez l'orée du bois du côté droit après le pont. Prévoyez au moins six heures de randonnée et comptez sur de bonnes jambes!

Le **Sundance Canyon Trail**, un sentier qui ne comporte aucune difficulté, est le prolongement de celui de Cave and Basin. La distance à parcourir est de 13,6 km. Le sentier de Sundance Canyon mène en effet au-delà des anciens thermes de Banff. Pour cela, continuez après le bâtiment de Cave and Basin en redescendant vers la rivière Bow. Le sentier, bien balisé, grimpe le long de Sundance Creek vers le canyon avant de former une boucle qui donne l'occasion d'explorer un peu plus loin le paysage.

Le **Sulphur Mountain Trail** est un sentier de randonnée un peu plus difficile que les précédents (sauf Rundle) en raison de l'importante dénivellation à franchir. Près du téléphérique de la montagne Sulphur, vous trouverez le point de départ de ce sentier qui serpente dans la montagne et offre un magnifique panorama de la vallée de la rivière Bow.

Le départ pour les **Vermilion Lakes** se fait au Banff Centre, bien qu'il existe beaucoup d'autres possibilités. Empruntez le Tunnel Mountain Trail, qui conduit aux chutes de la rivière Bow. Prenez Buffalo Street puis, un peu plus loin sur votre gau-che, le sentier qui redescend le long de la rivière. Traversez le pont de Banff Avenue, puis longez la rive de la rivière Bow. Ce chemin mène à l'emplacement du centre de loca-

Respectez la montagne!

Il est important de savoir marcher en montagne en respectant la fragilité écologique de la région. Pour cela, un certain nombre de règles doivent être suivies.

Tout d'abord, pour préserver le sol et la végétation, il est primordial de demeurer dans les sentiers même s'ils sont couverts de neige ou de boue. En respectant cette simple règle, vous protégerez la végétation qui borde le sentier, et vous éviterez ainsi qu'il ne s'élargisse.

Si vous ne partez pas pour une grande randonnée, il est préférable de vous chausser de bottes légères car elles endommagent moins le sol.

Si vous êtes en groupe, dispersez-vous dans les régions alpines, et marchez sur les rochers autant que possible afin de laisser intacte la végétation.

Il est également important en montagne de protéger les plans et cours d'eau environnants ainsi que la nappe phréatique, et de ne pas les contaminer. Ainsi, lorsqu'il n'y a pas de latrines extérieures, creusez un petit trou au moins à 30 m de toute source d'eau, et recouvrez le tout (y compris le papier hygiénique) avec de la terre.

Ne vous lavez ni dans les lacs ni dans les ruisseaux.

Dans les terrains de camping, ne jetez les eaux usées qu'aux endroits réservés à cet effet.

L'eau que vous trouverez en montagne n'étant pas toujours propre à la consommation, il est important de la faire bouillir au moins 10 min avant de la boire.

Ne laissez jamais derrière vous des déchets. Des sacs prévus à cet effet vous seront donnés dans les bureaux de Parcs Canada.

Certaines espèces de fleurs sont menacées d'extinction; ne les cueillez donc pas.

Laissez à la nature ce qui lui appartient; les autres marcheurs pourront ainsi également en profiter.

Pour des raisons de sécurité, gardez toujours votre chien en laisse, ou laissez-le chez vous. En effet, les chiens qui se promènent en liberté ont tendance à s'éloigner et à courir après les animaux sauvages. C'est ainsi qu'on a déjà vu des chiens provoquer des ours, puis, s'apercevant du danger, se réfugier auprès de leur maître...

Enfin, si vous parcourez les parcs nationaux des Rocheuses à cheval, n'oubliez pas que seuls les sentiers désignés à cet effet peuvent être empruntés.

tion de canots sur Bow Avenue. Traversez ensuite la voie ferrée, et vous arriverez au premier des trois lacs Vermilion. Continuez alors votre marche par Vermilion Lakes Drive. Les alentours de ces lacs marécageux sont particulièrement intéressants pour observer les oiseaux. Cette randonnée, quoiqu'un peu longue, ne comporte aucune difficulté. Il est également possible de se rendre aux Vermilion Lakes en canot à partir de la rivière Bow.

Ce guide serait incomplet s'il ne mentionnait pas la randonnée menant au sommet de la **Cascade Mountain**. Le départ se fait au stationnement du Mount Norquay Ski Centre, de l'autre côté de la transcanadienne. Ce sentier de 18 km est encore plus fatigant que celui du mont Rundle. Par contre, vous aurez le plus beau panorama qu'offrent Banff et la Bow Valley. La neige fond toujours tard sur la façade ombragée de la montagne Cascade. Pour cette raison, le sentier n'est accessible, au mieux, qu'au début du mois de juillet.

Si vous désirez faire partie d'une excursion d'une ou plusieurs journées, organisée par des professionnels, ces quelques agences de tourisme pourraient vous intéresser: **White Mountain Adventures** *(transport et guides gratuits pour la randonnée à Sunshine Meadows; Canmore, ☎403-678-4099 ou 800-408-0005)* et **Canadian Active Experience** *(☎403-678-3336)*, qui dispose également d'un service d'excursions guidées en français. Il faut absolument réserver à l'avance.

Lake Louise

Le départ pour **Lake Agnes et Big Beehives** se fait au lac Louise juste devant le Chateau Lake Louise. En empruntant la promenade aménagée au bord du lac, vous trouverez, sur votre droite, un petit sentier qui grimpe dans la montagne à travers la forêt vers le lac Mirror (2,7 km) puis vers le lac Agnes (3,6 km). Une fois parvenu au lac Agnes, 365 m plus haut que le lac Louise, vous trouverez un petit refuge qui fait office de café et où vous pourrez reprendre vos forces en consommant un chocolat chaud ou un bon thé avant de continuer votre ascension vers les Big Beehives. Le sentier longe en effet le petit lac Agnes avant de grimper abruptement pendant 140 m vers les Little Beehives et pendant 170 m vers les Big Beehives. L'effort demandé par cette ascension sera largement récompensé par la superbe vue du lac Louise et de sa vallée, que vous embrasserez du regard.

Le départ pour la **Plain of the Six Glaciers** se fait devant le Chateau Lake Louise. Prenez la direction de la promenade aménagée le long du lac. Une fois arrivé à la bifurcation qui mène au lac Agnes, continuez tout droit par le chemin qui longe le bord de l'eau. Ce sentier passe près des accumulations de moraines déposées là par les glaciers, puis aboutit près d'un petit refuge, à 5,5 km du point de départ, qui vous proposera un petit repas et quelques boissons chaudes. De là, vous pouvez continuer votre route et monter jusqu'au magnifique point de vue d'Abbot Pass et de Death Trap, situés 1,3 km plus loin.

À l'entrée du site du lac Moraine, sur la gauche après le stationnement, se trouve un petit sentier qui mène aux **Consolation Lakes**. La marche de 3 km ne pose aucune difficulté, mais réserve plutôt quelques panoramas grandioses des monts Temple et des Ten Peaks. Il est conseillé de porter de bonnes chaussures de marche pour faire cette excursion, car des moraines, qui se sont accumulées à cet endroit, et des blocs de pierre jonchent le sentier.

Pour admirer le lac Moraine et les sommets des Ten Peaks, qui sont représentés sur les billets de 20$ canadiens, vous pouvez emprunter le **Moraine Lakeshore**, un petit sentier qui vous mènera jusqu'au bout du lac.

Jasper et les environs

Le sentier **Old Fort Point** se grimpe facilement et est réellement accessible à tous, jeunes et moins jeunes. La boucle s'effectue en une heure environ. On peut y admirer les sommets des environs, les multiples dédales de la rivière Athabasca et le petit village de Jasper. Pour vous y rendre, prenez la route 93A vers le sud de Jasper et tournez ensuite à gauche après l'autoroute 16.

Le **Path of the Glacier Trail**, un chemin de 1,5 km, a son point de départ près du stationnement aménagé au mont Edith Cavell. Il conduit au petit lac formé par les eaux du glacier. Vous pourrez contempler ce glacier suspendu au-dessus de votre tête et vous rendre compte des bouleversements occasionnés par les glaciers sur la végétation et la configuration des vallées alpines.

Pour vous rendre sur le **Cavell Meadow Trail and Peak**, toujours depuis l'aire de stationnement du mont Edith Cavell, vous pouvez emprunter le sentier qui grimpe sur votre gauche et qui mène en face du glacier Angel. Durant votre marche, vous pourrez aisément observer des marmottes ou des pikas qui peuplent l'endroit. Arrivé à la forêt, le sentier grimpe à pic jusqu'à une zone dénudée. Déjà de cet endroit, vous pouvez admirer le glacier Angel, qui semble tout proche. Vous pouvez décider de poursuivre votre ascension jusqu'au Cavell Meadow Peak, car le sentier n'en finit pas de serpenter et de grimper toujours plus haut. Les derniers 500 m sont les plus exigeants, mais votre effort sera largement récompensé par le magnifique paysage qui s'offrira à vos yeux.

Le **Maligne Lake Trail**, un petit sentier, longe la rive du lac Maligne. Son point de départ est situé au deuxième parc de stationnement aménagé près du chalet, où vous pouvez acheter souvenirs et boissons. Longue de 3,2 km seulement, cette petite promenade, très accessible à tous, mène au **Schäffer Viewpoint**, appelé ainsi en l'honneur de Mary Schäffer, qui fut la première femme à explorer la vallée. Passé ce point de vue, le chemin bifurque vers la forêt, où se trouve une «marmite de géant» créée par les glaciers, et revient vers le chalet, situé près du stationnement.

Pour vous rendre aux **Mona and Lorraine Lakes**, il s'agit, là encore, de faire une promenade assez simple de 2 km, mais fort agréable. Le chemin conduit à une forêt de pins de Murray, puis jusqu'à ces deux charmants petits lacs.

Pour faire la **boucle de Patricia Lake**, suivez la route du lac Pyramid jusqu'au stationnement des écuries. Il s'agit là d'une petite randonnée de 4,8 km qui ne comporte guère de difficulté; de plus, la promenade est très charmante. Le sentier s'engage en grimpant un peu à travers la forêt avant de redescendre sur la rive sud du lac Patricia. Il descend de nouveau en serpentant vers une petite vallée qui s'avère un des habitats de prédilection de quelques cerfs, orignaux et castors, ainsi que d'une quantité d'oiseaux. Aussi est-il préférable de s'y aventurer tôt le matin ou en fin d'après-midi, lorsque la température encore fraîche amène ces animaux à sortir de la forêt pour venir se nourrir dans les prés et boire aux points d'eau. Pour la petite histoire, le lac Patricia tire son nom de la fille du duc de Connaught, gouverneur général du Canada de 1911 à 1914.

Vélo de montagne

Certains sentiers peuvent être parcourus en vélo de montagne.

N'oubliez qu'il peut s'y trouver des randonneurs ou des ours, que vous pourriez rencontrer à la sortie d'un tournant. Aussi, nous vous conseillons de ralentir dans les descentes.

Circuit A: Parc national de Banff

Vous trouverez plusieurs points de location de vélos, car plusieurs hôtels de Banff assurent ce service. **Bactrax** *(à compter de 8$ l'heure pour un vélo de montagne et de 6$ pour un vélo de ville, 30$ la journée; tlj 8h à 20h; 225 Bear St., ☎403-762-8177)* organise des excursions en vélo de montagne dans les environs de Banff (le forfait comprend la location du vélo et du casque, le transport jusqu'au point de départ, les services d'un guide et les rafraîchissements en cours de route).

Circuit C: Parc national de Jasper

Plusieurs pistes pour la randonnée à bicyclette sillonnent les environs de Jasper.

La **boucle des lacs Mina** et **Riley**, un sentier de 9 km, part du stationnement qui fait face au centre aquatique de Jasper. La pente est plutôt raide jusqu'au croisement avec la route coupe-feu du lac Cabin. Traversez la route, et continuez jusqu'au lac Mina. Trois kilomètres et demi plus loin, vous trouverez la voie d'embranche-ment qui mène au lac Riley. Pour revenir à Jasper, reprenez le chemin du lac Pyramid.

Le départ de la **boucle du lac Saturday Night** se fait au stationnement de Cabin Creek West. Ce chemin de 24,6 km s'élève doucement dès le début et offre une vue sur les vallées Miette et Athabasca. Après le lac Caledonia, le sentier continue en pente légère et serpente dans la forêt. Il mène aux lacs High et devient alors plus à pic. La route se prolonge ensuite vers le lac Saturday Night puis vers le lac Cabin. À partir de là, prenez la route coupe-feu jusqu'à la voie d'embranche-ment vers le lac Pyramid, et tournez à droite pour revenir à Jasper.

Le point de départ du **sentier de la rivière Athabasca** se situe au stationnement d'Old Fort Point, près du Jasper Park Lodge. Dépassé le terrain de golf du Jasper Park Lodge, ce sentier de 25 km comporte sur ses 10 premiers kilomètres de belles montées, assez raides, surtout lorsqu'on s'approche du canyon Maligne. Les bicyclettes sont interdites entre le premier et le cinquième pont du sentier du canyon. Vous devez donc passer par la route Maligne pour cette portion. Après le cinquième pont, tournez à gauche, et suivez le sentier n° 7, qui longe la rivière Athabasca. Vous pouvez, au choix, décider de revenir par la route 16 ou de rebrousser chemin.

Le départ du **sentier de la vallée des cinq lacs** et du sentier du lac Wabasso se situe, comme pour le sentier de la rivière Athabasca, au stationnement d'Old Fort Point. Les sentiers n°s 1, 1A et 9 partent de cet endroit. La route (11,2 km) n'est guère compliquée jusqu'au premier lac de la vallée des cinq lacs, malgré quelques passages un peu rocailleux. Au premier lac, vous arriverez à un embranchement. Prenez à gauche car ce chemin vous offre une plus belle vue sur les lacs. Les deux routes se rejoignent à la jonction vers le lac Wabasso, près d'un étang. Rendez-vous sur la route 93. Mais si vous désirez aller au lac Wabasso, prenez le sentier n° 9 (19,3 km), à gauche de l'étang. Le retour à Jasper se fait par la Promenade des glaciers.

Vous devez utiliser une voiture pour vous rendre au stationnement du lac Celestine, qui marque l'entrée du sentier (48 km). En suivant un chemin de gravier sur 22 km, vous arriverez à la **chute Snake Indian**; environ 1 km après cette chute, la route devient un petit sentier qui mène au lac Rock.

Location de vélos de montagne

Freewheel Cycle *(8$ l'heure, 24$ par jour; 618 Patricia St., Jasper, ☎780-852-3898)* loue de bons vélos de montagne et fait aussi les réparations.

On-Line Sport & Tackle *(15$ pour une demi-journée, 20$ pour une journée; 600 Patricia St., Jasper, ☎780-852-3630)* propose vélos, casques et cartes des sentiers praticables à bicyclette.

Circuit E: Région de Kananaskis

Canmore est un endroit de rêve pour tout adepte de vélo de montagne, avec ses sentiers stimulants et les vues à couper le souffle qu'ils offrent. De 1998 à 2000, le **Canmore Nordic Centre** *(1988 Olympic Way, ☎403-678-2400)* a été l'hôte de la Coupe du Monde de vélo de montagne, et les meilleurs sportifs de cette discipline s'y retrouvèrent. Aujourd'hui les débutants peuvent s'initier à ce sport au centre, où une piste double s'offre à eux, tandis que les cyclistes chevronnés suivront un sentier sinueux jusqu'aux pistes à pic des versants de la vallée. Vous pouvez aussi vous arrêter à n'importe quelle boutique de vélo en ville pour demander où se trouvent les meilleurs sentiers.

Le **Banff Trail** est une boucle de 40 km qui va jusqu'au terrain de golf de Banff Springs avant de revenir à Canmore.

Le **Georgetown Trail** est relativement peu dénivelé et rejoint la rivière Bow près du site de l'ancienne ville minière de Georgetown.

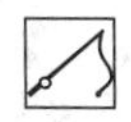

Pêche

Au Canada, il est obligatoire d'avoir un permis pour pêcher dans les parcs nationaux. Vous pouvez vous procurer un permis de pêche dans tous les bureaux de renseignements et d'administration des parcs, auprès des gardes de parc ou à certains comptoirs de location d'embarcations. Les moins de 16 ans n'ont pas besoin de permis s'ils sont accompagnés d'une personne titulaire d'un permis. Les eaux regorgent de truites (arc-en-ciel ou brunes), d'ombles de fontaine, de grands brochets et de meuniers. Un certain nombre de règles sont à respecter; aussi pourrez-vous obtenir, en vous adressant aux bureaux de Parcs Canada, une copie des règlements concernant la pêche sportive dans les parcs nationaux des Rocheuses. La pêche est autorisée toute l'année dans la rivière Bow, mais certains lacs ne sont ouverts aux pêcheurs qu'à des dates très précises. Pour de l'information sur les dates d'ouverture de la saison de la pêche, veuillez vous renseigner auprès des bureaux de Parcs Canada.

Circuit A: Parc national de Banff

Monod Sports *(129 Banff Ave., Banff, ☎403-762-4571)* se spécialise dans la pêche à la mouche: location de l'équipement nécessaire ainsi que services professionnels assurés.

Il y a aussi **Minnewanka Boat Tours** *(mi-mai à début oct; sur le ponton à l'entrée du lac Minnewanka; ☎403-762-3473).*

Circuit C: Parc national de Jasper

Maligne Tours *(à compter de 185$ par personne; 627 Patricia St., Jasper, ☎780-852-3370 ou 866-625-4463)* propose des parties de pêche accompagnées de guides professionnels. La location de l'équipement et le repas sont compris. Réservation obligatoire.

On-Line Sport & Tackle *(149$ pour une demi-journée, 189$ pour une journée incluant le déjeuner; 600 Patricia St., Jasper, ☎780-852-3630)* organise des excursions de pêche avec des guides professionnels.

Circuit E: Région de Kananaskis

Banff Fishing Unlimited *(Canmore, ☎403-762-4936)* fournit des guides professionnels qui vous indiqueront les meilleurs «coins». Équipement inclus dans les tarifs de guides.

Mountain Fly Fishers *(102-512 Bow Valley Trail, Canmore, ☎403-678-9522 ou 800-450-9664)* propose des excursions de pêche à la mouche de plusieurs jours. Les prix varient selon la durée de l'excursion choisie.

Rafting

Les rivières des Rocheuses offrent bien des possibilités pour les amateurs de sensations fortes qui descendent les rapides sur des embarcations pneumatiques. Que ce soit pour vous un coup d'essai ou que vous ayez déjà une expérience en la matière, les rivières pourront vous offrir des défis intéressants.

Dans les environs de Banff, les descentes se font essentiellement du côté de la **Kicking Horse River** ou du **Lower Canyon**. Quelques petits conseils: portez des chaussures de sport fermées que vous ne craindrez pas de mouiller et un maillot de bain, apportez une serviette et habillez-vous très chaudement (laine polaire et coupe-vent). N'oubliez pas de vous munir aussi de vêtements pour vous changer à la fin de la journée.

Circuits A et D: Parc nationaux de Banff, de Kootenay et de Yoho

Hydra River Guides *(90$; fermé oct et nov; 211 Bear St., Banff, ☎403-762-4554 ou 800-684-8888)* propose des excursions d'une journée dans l'Upper Canyon sur la rivière Kicking Horse, incluant le transport et le déjeuner ou le dîner sur barbecue. Réservations requises.

Wild Water Adventures *(mi-mai à mi-sept; Lake Louise et Banff, ☎403-522-2211 ou 800-647-4444)* propose des forfaits de deux jours, d'une journée *(99$)* et d'une demi-journée *(72$)*.

Rocky Mountain Raft Tours *(26$ l'heure; mi-mai à fin sept; Banff, ☎403-762-3632)* dispose de services en français. Aussi location de canots.

La **Glacier Raft Company** *(fin mai à fin août; 55$ pour une demi-journée, 89$ pour une journée; Banff: ☎403-762-4347; Golden, ☎250-344-6521)* organise des descentes de la Kicking Horse River. Elle propose un forfait appelé **Kicking Horse Challenge**, qui offre l'occasion d'éprouver des sensations un peu plus fortes et qui coûte 110$.

Wet'n'Wild Adventure *(à compter de 83$; mi-mai à début sept; Golden, ☎250-344-6546 ou 800-668-9119)* propose des départs de Golden, de Lake Louise et de Banff. Une demi-journée sur la Kicking Horse River vous coûtera environ 55$, mais il existe également des forfaits intéressants de plusieurs jours *(160$ par personne)*. Un minimum de participants est néanmoins requis.

The Alpine Rafting Company *(60-110; fin avr à début sept; Golden, ☎250-344-6778 ou 800-599-5299)* dispose aussi de différents forfaits pour les sportifs plus ou moins expérimentés.

The Kootenay River Runners *(85$ à 123$ incluant le déjeuner; Edgewater, ☎250-347-9210 ou 800-599-4399; Banff: ☎403-762-5385)* propose des excursions en rabaska (canadienne), qui ajoutent une dimension historique à la descente du fleuve Columbia, bordé de vie sauvage.

Circuit C: Parc national de Jasper

Whitewater Rafting Jasper *(42-58; début mai à début oct; Jasper, ☎780-852-7238 ou 800-557-7238)* possède un comptoir au **Jasper Park Lodge** *(☎780-852-6091)* ainsi qu'un autre à la station-service **Alpine Petro Canada** *(711 Connaught Dr., ☎780-852-3114)*. L'entreprise propose des descentes des rivières Athabasca, Maligne et Sunwapta.

Maligne River Adventures *(à compter de 45$; 627 Patricia St., Jasper, ☎780-852-3370 ou 866-625-4463)* organise entre autres une intéressante excursions de trois jours sur la rivière Kakwa pour 450$ aux mois de mai et de juin. On exige cependant une expérience préalable, car il s'agit d'une descente de catégorie IV, comportant un degré de difficulté assez élevé.

Pour les amateurs débutants ou pour les enfants qui désirent néanmoins essayer le radeau pneumatique sur de faibles rapides: **Jasper Raft Tours** *(46$, enfant 16$;, Jasper, ☎780-852-2665 ou 888-553-5628)*.

Équitation

La randonnée équestre est un agréable moyen de s'aventurer dans les régions plus reculées des parcs des Rocheuses. Des pistes ont été spécialement désignées pour les cavaliers et leur monture; par ailleurs, si vous désirez monter votre propre cheval, vous devez aviser les agents des bureaux de Parcs Canada et vous procurer une carte des sentiers équestres.

Circuit A: Parc national de Banff

Warner Guiding and Outfitting *(Banff, ☎403-762-4551 ou 800-661-8352)* propose de courtes randonnées faciles de une, deux ou trois heures, mais aussi de véritables expéditions. Trois jours de randonnée dans la Mystic Valley vous coûteront environ 540$, ou six jours de randonnée d'interprétation faunique, 1 200$. Cette entreprise organise en fait une quinzaine de randonnées différentes, et vous devriez trouver parmi ce large éventail de choix ce dont vous rêvez, selon que vous êtes fervent du camping ou que vous préférez loger dans des gîtes. Ces expéditions sont bien sûr accompagnées de guides professionnels qui ont en outre été formés pour vous fournir tout renseignement désiré sur la faune et son habitat, ainsi que sur la flore et la géologie.

Les **Brewster Lake Louise Stables** *(35$ l'heure, 130$ pour une journée; Lake Louise, ☎403-762-5454 ou 800-691-5085)* sont situées juste à côté du Chateau Lake Louise.

Circuit C: Parc national de Jasper

Les **Pyramid Stables** *(26$ l'heure, 45$ pour 2 heures, 65$ pour 3 heures; mai à oct; près de Patricia Lake, à environ 4 km de Jasper en direction de Pyramid Lake, ☎780-852-7433)* préparent de petites randonnées qui sauront satisfaire les tout-petits, avec leurs poneys, et d'autres plus importantes pour les adultes.

Skyline Trail Rides *(25$ et plus; Jasper Park Lodge, Jasper, ☎780-852-4215, en hiver ☎780-865-4021, ☎888-852-7787)*.

Parapente

Circuit E: Région de Kananaskis

Cette activité est interdite dans les parcs nationaux des Rocheuses, mais est néanmoins possible dans la région de Kananaskis. **Paraglide Canada** *(avr à oct; 6857 Hwy. 6 East, Vernon, ☎250-503-1962)* propose entre autres des cours d'une journée *(180$)* et des vols en tandem *(150$)*. Vente d'équipement.

Golden Mountain Adventures *(Golden, ☎250-344-4650 ou 800-433-9533)* offre des forfaits de parapente près du mont Stephen.

Golf

Circuit A: Parc national de Banff

Le terrain de golf du **Banff Springs Hotel** *(☎403-762-6801)* est un magnifique parcours à 18 trous qui enchantera les joueurs par la beauté des paysages environnants.

Circuit C: Parc national de Jasper

Jasper possède un très joli terrain de golf situé près du **Jasper Park Lodge**. Les réservations peuvent se faire à l'administration de cet hôtel *(☎780-852-3301)*.

Circuit D: Parcs nationaux de Kootenay et de Yoho

La vallée du fleuve Columbia constitue un véritable paradis pour les golfeurs, et l'on ne compte plus les terrains de golf qui y ont été aménagés. La liste présentée ci-dessous n'est pas exhaustive, mais vous pourrez en obtenir une plus complète en demandant au centre de renseignements touristiques de Radium Hot Springs la brochure consacrée à cette activité.

Le **Golden Golf & Country Club** *(49,50$ pour 18 trous; Golden, ☎866-727-7222)* est un magnifique terrain de golf qui offre des panoramas grandioses. Il est aménagé à côté de la route transcanadienne, près du fleuve Columbia, entre les montagnes Rocheuses et le mont Purcell.

Le terrain de golf du **Radium Resort** *(45$; Radium Hot Springs, ☎250-347-9311 ou 800-667-6444)* et le **Springs Golf Course** *(69$)* se présentent comme deux des plus beaux terrains de golf de la Colombie-Britannique.

Circuit E: Région de Kananaskis

Canmore Golf & Curling Club *(25$ pour 9 trous, 38$ pour 18 trous; ☎403-678-5959)*. Location d'équipement sur place *(40$)*.

Le **Kananaskis Country Golf Course** *(70$ pour 18 trous; mars à oct; Kananaskis Village, ☎403-591-7272 ou 877-591-2525)* englobe deux parcours de 18 trous de qualité situés au sud de la transcanadien-ne via la route 40.

Le **SilverTip** *(140$ jeu-dim, 120$ lun-mer; 1000 SilverTip Trail, Canmore, ☎403-678-1600 ou 877-877-5444)* a été aménagé en 1998 du côté ensoleillé de la vallée de la rivière Bow. Chaque trou du parcours offre un paysage exceptionnel, car ce golf audacieux ondule à flanc de montagne. Experts, à vos bâtons!

Ski alpin

On ne peut voir les Rocheuses sans imaginer les heures de plaisirs qu'on aura à dévaller les interminables pentes des stations de ski alpin. Elles offrent en effet aux skieurs les plus exigeants une variété de pistes de tous niveaux admirablement entretenues et des conditions d'enneigement de première qualité. La saison de ski commence en général vers le mois d'octobre et peut s'étaler jusqu'en mai.

Circuit A: Parc national de Banff

Ski Banff@Norquay *(39$; Norquay Road, Banff, ☎403-762-4421)* est une des premières stations de ski aménagées en Amérique du Nord. Elle est situé à 10 min de route du centre-ville de Banff. Pour l'état des pistes, composez le ☎(403) 762-4421. École de ski et location d'équipement sur place.

Sunshine Village *(60$; 8 km à l'ouest de Banff, ☎403-760-6500 ou 800-661-1676)* est une belle station de ski située à 2 700 m d'altitude, sur la ligne continentale de partage des eaux entre les provinces de l'Alberta et de la Colombie-Britannique. Vous pouvez louer sur place de l'équipement de ski. Du fait de son altitude, cette station de ski offre l'avantage d'être située au-dessus des forêts et bénéficie, de ce fait, d'un excellent ensoleillement. Pour l'état des pistes, com-posez le ☎*(403) 760-7669.*

La station de ski de **Lake Louise** *(59$; Lake Louise, ☎403-522-3555)* est la plus vaste station de ski du Canada, couvrant quatre versants de montagne et offrant plus de 50 pistes différentes aux skieurs. Vous pouvez louer sur place de l'équipement de ski alpin et de ski de fond. Pour l'état des pistes, composez le (403) 762-4766.

Circuit C: Parc national de Jasper

La station de ski **Marmot Basin** *(52$; prenez la route 93 vers Banff, puis tournez à droite dans la route 93A, Jasper, ☎780-852-3816, ou ☎780-488-5909 pour l'état des pistes)* est située à environ 20 min de route du centre-ville de Jasper. Vous trouverez sur place une boutique de location d'équi-pement de ski.

Circuit D: Parcs nationaux de Kootenay et de Yoho

Le **Kicking Horse Mountain Resort** *(49$; 1500 Kicking Horse Way, Golden, ☎250-439-5400 ou 866-754-5425)*, anciennement Whitetooth, et la plus récente des stations de ski canadiennes, a ouvert ses portes à l'hiver 2000. Elle comporte un dénivelé de 1 250 m et offre ses complexes hôteliers au pied de la montagne.

Le **Panorama Resort** *(49$; Panorama, ☎800-663-2929)* s'enorgueillit d'un dénivelé de 1 300 m, mais aussi de pistes en sous-bois et de tracés sinueux sur les monts Purcell.

Circuit E: Région de Kananaskis

La station de ski **Nakiska** *(46$; Kananaskis Village, ☎403-591-7777 ou 800-258-7669)* fut le site des Jeux olympiques d'hiver de 1988 pour les épreuves de descente, de combiné et de slalom, hommes et femmes. Construite spécialement pour l'occasion des Jeux olympiques d'hiver, en même temps que le village de Kananaskis, cette station offre une excellente infrastructure moderne et des pistes de grande qualité. Vous trouverez sur place une boutique de location d'équipement de ski alpin et de ski de fond.

Fortress Mountain *(34$; prenez la route 40, passez Kananaskis Village, et tournez à droite à Fortress Junction; Kananaskis Village, ☎403-256-8473 ou 800-258-7669, pour l'état des pistes ☎403-244-6665)* est une station de ski moins achalandée que Nakiska; pourtant, elle possède un domaine skiable très intéressant, situé sur la ligne continentale de partage des eaux, aux limites du Peter Lougheed Provincial Park.

Ski de fond

Les pistes de ski de fond sont innombrables dans les parcs des Rocheuses, aussi les centres d'information touristique des différents parcs offrent-ils des cartes des principaux sentiers ceinturant les villes de Banff et de Jasper, ainsi que le village de Lake Louise. Adressez-vous à ces centres pour plus de renseignements. Un centre de ski de fond, cependant, mérite un peu plus d'attention en raison du magnifique réseau de sentiers qu'il entretient durant la saison hivernale. Il s'agit du **Canmore Nordic Centre** *(1988 Olympic Way, Canmore, ☎403-678-2400)*, qui fut, pendant les Jeux olympiques d'hiver de 1988, le site des épreuves de ski de fond.

«Héli-ski»

Pour les très bons skieurs, amateurs de poudreuse et de sites encore vierges, l'«héli-ski» est une expérience extraordinaire qui procure des sensations de calme et d'immensité, et offre une découverte de panoramas dont seuls les alpinistes de haute montagne avaient jusqu'ici la chance de profiter. Les prix de ce genre d'expédition varient énormément selon l'endroit où vous serez déposé. Nous vous conseillons donc de bien vous renseigner en appelant les différentes entreprises dont nous vous donnons les adresses ci-dessous.

Assiniboine Heli Tours *(1225 Railway Ave., Canmore, ☎403-678-5459)* organise des expéditions en groupe vers les sommets entourant Banff, Lake Louise et Whistler. Cette entreprise se rend aussi aux montagnes Purcell, Selkirk et Chilcotin.

Canadian Mountain Holidays *(Banff, ☎403-762-7100 ou 800-661-0252)* est une entreprise en activité depuis plus de 30 ans, et le sérieux de ses services ne laisse pas à désirer. De nombreuses expéditions d'une ou plusieurs journées, accompagnées de guides professionnels, sont organisées tant du côté des monts Revelstoke, Valemount et Monashees que des Cariboos.

Selkirk Tangiers Helicopter Skiing *(jan à mi-avr; Revelstoke, ☎250-837-5378 ou 800-663-7080)* propose des excursions à la journée ou à la semaine vers les monts Selkirk et Monashee.

R.K. Heli-ski Panorama *(déc à avr; comptoirs de réservation dans le centre-ville de Banff, au Banff Springs Hotel et au Chateau Lake Louise; ☎250-342-3889 ou 800-661-6060)* organise des excursions accompagnées de guides, pour les skieurs de niveau intermédiaire et avancé, sur les montagnes Purcell, en Colombie-Britannique.

Alpinisme

Circuit C: Parc national de Jasper

Peter Amann, de la **Mountain Guiding and School** *(à compter de 150$ pour 2 jours; Jasper, ☎780-852-3237)*, offre des cours d'escalade pour les débutants et les initiés à des prix qui varient selon le forfait choisi.

Circuit E: Région de Kananaskis

Yamnuska *(200 Summit Centre, 50 Lincoln Park, Canmore, ☎403-678-4164)* est à la fois le nom de cette école de grimpe et celui de la première montagne que l'on aperçoit en partant de Calgary. L'école propose toute une gamme de cours d'escalade, de randonnées sur glacier, de survie en montagne et de tout ce qui peut avoir rapport à la montagne en général, à pied, à ski ou en planche à neige. Cette école est la plus reconnue au pays, et son professionnalisme est indiscutable.

L'**Alpine Club of Canada** *(Indian Flats Rd., 4,5 km à l'est de Canmore, ☎678-3200)* conviendra également aux amants de la montagne grâce à tous les types d'expéditions suggérés, de la première grande traversée à la simple sortie d'escalade en après-midi. Les possibilités sont nombreuses et s'adressent à tous les budgets. L'une des plus intéressantes consiste à partir plus d'une journée et à passer la nuit dans une des nombreuses huttes de l'association.

Traîneau à chiens

Circuit A: Parc national de Banff

Kingmik Expeditions Dog Sled Tours *(Lake Louise, ☎250-344-5298 ou 877-919-7779, en Colombie-Britannique: ☎250-344-5298)* propose différentes expéditions pouvant durer d'une demi-heure à cinq jours.

Circuit D: Parcs nationaux de Kootenay et de Yoho

Golden Mountain Adventures (voir p 415) offre aussi des sorties en traîneau à chiens.

Circuit E: Région de Kananaskis

Snowy Owl Sled Dog Tours *(80$ pour 2 heures, 295$ pour 8 à 10 heures; Canmore, ☎403-678-4369 ou 888-311-6874)* se spécialise dans les randonnées en traîneau à chiens et dans la pêche sous la glace (pêche blanche).

Howling Dog Tours *(Canmore, ☎403-678-9588 ou 877-DOG-SLED)* propose des excursions de deux heures ou de 3 heures 30 min au départ de Banff ou de Canmore, ainsi que d'autres sorties en traîneau à chiens.

Motoneige

Circuit D: Parcs nationaux de Kootenay et de Yoho

Le **Golden Snowmobile Club** *(☎250-344-6012)* organise des excursions dans les environs de Golden. Une carte des différents sentiers aménagés vous sera remise sur place.

Circuit E: Région de Kananaskis

Challenge Snowmobile Tours *(Canmore, ☎403-678-2628 ou 800-892-3429)* propose des circuits en motoneige en compagnie de guides instructeurs. Certains forfaits durent plusieurs jours et donnent l'occasion de découvrir l'arrière-pays accessible à ces véhicules motorisés. La nuit se passe dans des refuges en montagne.

Hébergement

Circuit A: Parc national de Banff

Banff

Banff est un village touristique qui voit sa population doubler l'été. Inutile de faire un exposé fastidieux sur la loi de l'offre et de la demande pour vous faire comprendre que le prix d'une unité double lui aussi.

Une liste de tous les logements chez l'habitant *(bed and breakfasts)* vous sera fournie au centre d'information touristique situé au 224 Banff Avenue. Vous pouvez l'obtenir en écrivant au Banff-Lake Louise Tourism Bureau (voir p 378).

Il est impossible de réserver à l'avance votre emplacement sur un terrain de camping, la politique du parc étant celle du «premier arrivé, premier servi», à moins que vous ne formiez un groupe d'une certaine importance. En tel cas, vous devrez vous adresser aux bureaux de Parcs Canada situés à Banff (voir p 378).

Les prix des emplacements de camping varient en général de 13$ à 16$ selon le site et la qualité de son aménagement. Nous vous conseillons d'arriver tôt sur place pour choisir votre emplacement, car, en haute saison, les campings de Banff sont littéralement pris d'assaut par les cohortes de touristes. Il est interdit d'installer votre tente en dehors des endroits prévus à cet effet. Le camping sauvage est strictement interdit pour des raisons de sécurité ainsi que pour préserver l'environnement du parc.

Tunnel Mountain Trailer Campground
$
Tunnel Mountain Rd., près de l'auberge de jeunesse de Banff
Le Tunnel Mountain Trailer Campground dispose de plus de 300 emplacements aménagés uniquement pour les véhicules récréatifs.

Tunnel Mountain 1 et 2
$
mi-mai à fin sept
Tunnel Mountain Rd., près de l'auberge de jeunesse de Banff
Les Tunnel Mountain 1 et 2 comptent environ 840 emplacements pour les véhicules récréatifs et pour les tentes. On retrouve des toilettes et des douches sur les lieux.

Two Jack Lake Campgrounds
$
fin mai à mi-sept
prenez la route du lac Minnewanka puis la direction du lac Two Jack
Les deux campings du lac Two Jack se trouvent de chaque côté de la route qui longe le lac Two Jack. Au camping aménagé en bordure de l'eau, vous aurez la possibilité de prendre une douche. L'autre, situé en pleine forêt, offre un confort plus rudimentaire. Il est plus facile de trouver un emplacement dans ces campings que dans ceux de Banff. Des toilettes sont disponibles pour les campeurs.

Johnston Canyon Campground
$
début juin à mi-sept
toilettes, douches
route 1A, direction de Lake Louise, un peu avant Castle Junction
☎(403) 762-1581
Le Johnston Canyon Campground est un terrain de camping beaucoup moins couru que les autres, et il est situé en pleine forêt. Aménagé pour les véhicules récréatifs et les tentes, il compte une centaine d'emplacements et des toilettes et des douches y sont disponibles.

YWCA
$-$$
102 Spray Ave.
☎(403) 762-3560 ou 800-813-4138
⇄(403) 762-2602
www.ywcabanff.ab.ca
Le YWCA offre un confort très rudimentaire. Vous devez y apporter votre sac de couchage si vous désirez dormir dans un dortoir; sinon vous aurez la possibilité, pour environ 79$, de louer une chambre privée avec salle de bain. Très proche du centre-ville.

Banff Alpine Centre Hostel
$-$$
801 Coyote Dr.
Tunnel Mountain Rd.
☎(403) 762-4122 ou 866-762-4122
⇄(403) 283-6503
www.hihostels.ca
Le Banff Alpine Centre Hostel demeure la solution la moins chère, mais il est souvent complet, aussi est-il important de réserver longtemps à l'avance, sinon d'arriver très tôt sur place. Cette auberge de jeunesse, très sympathique, est à quelque 20 min de marche seulement du centre-ville. L'accueil y est chaleureux, et le personnel à la réception se fera un plaisir de vous aider à organiser une descente de rivière en radeau pneumatique ou toute autre activité de plein air. Des chambres privées et familiales sont également disponibles.

Global Village Backpackers
$-$$
bc/bp
449 Banff Ave.
☎(403) 762-5521
⇄(403) 762-0385
www.globalbackpackers.com
Auberge pour les jeunes bourlingueurs (et les plus vieux aussi), Global Village Backpackers propose plusieurs formules d'hébergement, des dortoirs aux chambres semi-privées, en passant par les chambres d'hôtel tout équipées. Banff se veut une ville festive notoire pour les voyageurs et le personnel de cet hôtel international, et la place peut devenir pas mal bruyante les fins de semaine. L'établissement est quand même abordable, et, si vous êtes sociable, vous pourrez sûrement vous donner du bon temps avec tous les invités étrangers qui y logent. Le rez-de-chaussée renferme une table de billard, une cuisine

commune, un poste Internet et des jeux vidéo.

Holiday Lodge
$$ pdj
🐈
311 Marten St.
☎(403) 762-3648
www.banffholidaylodge.com
Le Holiday Lodge compte cinq chambres propres et relativement confortables, ainsi que deux chalets. Cette vieille maison restaurée, située au centre-ville, vous proposera de bons petits déjeuners copieux.

Cascade Court Bed and Breakfast
$$-$$$ pdj
2 Cascade Court
☎(403) 762-2956
⇌(403) 762-5653
www.tarchuk.com
Situé à seulement 5 min de marche du Banff Springs Hotel, le Cascade Court niche dans un cul-de-sac luxueux. Cette résidence d'architecture victorienne contemporaine, revêtue de bardeaux de cèdre, comporte deux grandes chambres de style moderne. En ordre, et avec peu de décoration intérieure, le gîte offre le choix entre un très grand lit et deux lits jumeaux. Le salon des invités est superbe, avec sa petite bibliothèque et sa lucarne offrant une vue magnifique sur le versant du mont Rundle.

King Edward Hotel
$$-$$$
137 Banff Ave.
☎(403) 762-2202 ou 800-344-4332
⇌(403) 670-0876
www.banffkingedwardhotel.com
Le King Edward Hotel jouit depuis 1904 d'un bon emplacement, au milieu du centre d'action de Banff. C'est loin d'être charmant, mais de nombreuses personnes seront très heureuses d'y loger en raison de ces prix abordables et de sa situation. Les chambres se révèlent plutôt de style dépouillé, mais quand même assez standards, et vous aurez le choix ici entre de grands lits, de très grands lits ou des lits jumeaux. S'y trouve une chambre familiale avec un très grand lit et deux lits jumeaux. L'établissement privilégie la sécurité: on vous laissera même une clé pour utiliser l'ascenseur.

Pension Tannenhof
$$$ pdj
ℑ, *bc/bp*
121 Cave Ave.
☎(403) 762-4636 ou 877-999-5011
⇌(403) 762-5660
www.pensiontannenhof.com
La Pension Tannenhof dispose de huit chambres et de deux suites aménagées dans une belle grande demeure. Toutes les chambres ont la télévision par câble et une salle de bain privée. Chacune des deux suites comprend une salle de bain avec baignoire à remous et douche, un foyer et un canapé-lit pouvant accueillir deux personnes additionnelles. Le petit déjeuner servi est de style allemand et comporte quatre choix de plats.

Homestead Inn
$$$
217 Lynx St.
☎(403) 762-4471 ou 800-661-1021
⇌(403) 762-8877
www.homesteadinn banff.com
L'Homestead Inn est situé au centre de Banff mais pas directement sur la très achalandée Banff Avenue, ce qui est un avantage en soi. Chambres bien décorées et lits spacieux.

Red Carpet Inn
$$$
≡, 🐈
425 Banff Ave.
☎(403) 762-4184 ou 800-563-4609
⇌(403) 762-4894
Le Red Carpet Inn propose des chambres au décor simple mais beau. Les matelas moelleux assurent de bonnes nuits.

Banff Voyager Inn
$$$
≈, ℜ, ⌂
555 Banff Ave.
☎(403) 762-3301 ou 800-879-1991
⇌(403) 762-4131 ou 760-7775
Le Banff Voyager Inn propose des chambres confortables dont certaines offrent une vue sur la montagne.

High Country Inn
$$$$
≈, ℝ, ⌂
419 Banff Ave.
☎(403) 762-2236 ou 800-293-5142
⇄(403) 762-5084
www.banffhighcountryinn.com
Le High Country Inn, situé sur l'avenue principale de Banff, renferme de grandes chambres confortables et spacieuses avec balcon. D'im-portants travaux de rénovation ont eu lieu en 1998 et ont rendu l'endroit beaucoup plus chaleureux qu'auparavant.

Brewster's Mountain Lodge
$$$$
ℜ, ⌂
208 Caribou St.
☎(403) 762-2900 ou 800-762-2900
www.brewsteradventures.com
Le Brewster's Mountain Lodge propose de spacieuses chambres garnies de chaleureux meubles en rondins dans un décor montagnard. Il se trouve à proximité de tout et est un bon point de chute dans la mesure où l'on y organise de nombreuses excursions.

Traveller's Inn
$$$$
ℜ, ⌂
401 Banff Ave.
☎(403) 762-4401 ou 877-886-6660
⇄(403) 762-5905
www.banfftravellersinn.com
La plupart des chambres de cet hôtel ont un petit balcon d'où l'on peut admirer la belle vue des montagnes. Toutes les chambres, décorées simplement, sont grandes et chaleureuses. L'hôtel abrite un petit restaurant où vous pourrez prendre votre petit déjeuner, ainsi qu'un stationnement souterrain chauffé, ce qui est un atout en hiver. Durant la saison de ski, vous pourrez également y trouver des casiers pour ranger vos skis et vos chaussures, ainsi qu'un petit magasin de location et de réparation de matériel de sports d'hiver.

Rundle Stone Lodge
$$$$
⊛, ≈, ℜ
537 Banff Ave.
☎(403) 762-2201 ou 800-661-8630
⇄(403) 762-4501
www.rundlestone.com
Le Rundle Stone Lodge occupe un beau bâtiment de l'avenue principale de Banff. Dans la partie de l'immeuble située le long de cette avenue, les chambres sont belles et spacieuses, et disposent d'un balcon. Quelques-unes renferment également une baignoire à remous. L'hôtel met à la disposition de ses clients un stationnement couvert, chauffé en hiver. Au rez-de-chaussée, des chambres ont été aménagées pour les personnes en fauteuil roulant.

Bow View Motor Lodge
$$$$
≈, ℝ, ℜ
228 Bow Ave.
☎(403) 762-2261 ou 800-661-1565
⇄(403) 762-8093
www.bowview.com
Le Bow View Motor Lodge est un hôtel qui a l'immense avantage d'être situé en bordure de la rivière Bow et loin de l'artère bruyante qu'est Banff Avenue. Retiré du centre-ville, bien qu'il s'en trouve à 5 min de marche, ce charmant hôtel met à votre disposition des chambres confortables dotées, pour celles qui donnent sur la rivière, d'un balcon. Le restaurant, joli et paisible, vous accueillera pour prendre le petit déjeuner.

Norquay's Timberline Inn
$$$$ pour les chambres
$$$$$ pour les chalets
un peu avant l'entrée de Banff, au nord de la transcanadienne et près du mont Norquay
☎(403) 762-2281 ou 877-762-2281
⇄(403) 762-8331
www.banfftimberline.com
Le Norquay's Timberline Inn propose des chambres avec vue sur le mont Norquay, pour les moins chères, et d'autres avec vue sur la vallée et la ville de Banff. Si ces dernières offrent un plus joli panorama, elles ont par contre le désavantage d'avoir à leur pied la transcanadienne. Deux chalets très paisibles, pouvant loger six personnes, sont en location du côté du mont

Norquay, au milieu de la forêt.

Douglas Fir Resort & Chalets
$$$$ - chambres
$$$$$ - chalets
⊛, ⊙, ℂ, ℑ, ≈, ⌂
525 Tunnel Mountain Rd.
☎(403) 762-5591 ou 800-661-9267
⇄(403) 762-8774 ou 800-267-8774
www.douglasfir.com
Le Douglas Fir Resort & Chalets possède 133 chambres et chalets idéals pour les familles, entièrement équipés (frigo, poêle, foyer...) et récemment rénovés. Leur agréable disposition fait penser à un petit appartement. La vue du mont Rundle est imbattable, et vous pourrez aussi profiter des courts de squash, de la piscine, des baignoires à remous et des glissades d'eau intérieures.

Inns of Banff, Swiss Village et Rundle Manor
$$$$ - Swiss Village
$$$$$ - Rundle Manor
$$$$$ - Inns of Banff
🐕, ℂ, ≈, ℝ, ℜ
600 Banff Ave.
☎(403) 762-4581 ou 800-661-1272
⇄(403) 762-2434
www.innsofbanff.com
Ces trois hôtels n'en font qu'un, et la centrale de réservations est la même. Selon le budget dont vous disposez, vous aurez le choix entre trois bâtiments distincts: le Inns of Banff, le plus luxueux, compte 180 chambres très spacieuses, chacune donnant sur une petite terrasse; les chalets du Swiss Village ont un peu plus de caractère et ont l'avantage de mieux se fondre dans le paysage, mais les chambres, au prix de 185$ (en haute saison), sont moins confortables; enfin, le Rundle Manor est le plus rustique des trois et sans charme particulier. Les appartements du Rundle comportent une cuisinette, un salon et une ou deux chambres séparées. Il s'agit d'un endroit tout à fait honnête pour qui voyage en famille. Il est à noter que les clients et invités du Rundle Manor et du Swiss Village ont accès aux aménagements du Inns of Banff.

Mount Royal Hotel
$$$$$ pdj
≡, ⊙, ℜ, ⌂
138 Banff Ave.
☎(403) 762-3331 ou 800-267-3035
⇄(403) 762-8938
www.mountroyalhotel.com
Le Mount Royal Hotel, établi en plein cœur de la ville, non loin du centre d'information touristique, loue des chambres confortables.

Fairmont Banff Springs Hotel
$$$$$
🐕, ⊙, ≈, ✪, ℜ, ⌂
Spray Ave.
☎(403) 762-2211 ou 800-441-1414
⇄(403) 762-4447
www.fairmont.com
Le Fairmont Banff Springs Hotel est le plus grand hôtel de Banff. Surplombant la ville, cet hôtel cinq étoiles qui appartenait autrefois à la chaîne du Canadien Pacifique propose 770 chambres de luxe dans un cadre rappelant les anciens châteaux seigneuriaux d'Écosse. Cet hôtel fut

Fairmont Banff Springs Hotel

conçu par l'architecte Price, à qui l'on doit aussi la gare Windsor, à Montréal, et le Château Frontenac, à Québec. En plus de son architecture typique des hôtels du Canadien Pacifique datant du début du XXe siècle, de son mobilier de style ancien et de la superbe vue qui s'étend sous les fenêtres, l'hôtel met à la disposition de sa clientèle salle de bowling, courts de tennis, piscine, sauna, bassin à remous et salle de massage. Vous pourrez également vous promener et magasiner dans plus de 50 boutiques installées dans cet hôtel. Les amateurs de golf seront enchantés de trouver à leur porte un superbe terrain de 27 trous dessiné par l'architecte paysagiste Stanley Thompson.

Rimrock Resort Hotel
$$$$$
≡, ⊘, ≈, ⊛, ℜ, ⌂
100 Mountain Ave.
☎(403) 762-3365 ou 800-661-1587
⇄(403) 762-4132
www.rimrockresort.com
De loin, le Rimrock Resort Hotel se dresse à flanc de montagne avec une majesté comparable à celle du Banff Springs. Ses chambres sont d'ailleurs tout aussi bien aménagées, quoique plus modernes. Les différentes catégories de prix sont déterminées en fonction des vues offertes, les plus belles étant celles de la Bow Valley et de la Spray Valley. L'hôtel se trouve tout juste en face des Upper Hot Springs.

Tunnel Mountain Resort
$$$$$ par chalet
⊘, ℂ, ℑ, ≈, ⌂
à l'intersection de Tunnel Mountain Rd. et de Tunnel Mountain Dr.
☎(403) 762-4515 ou 800-661-1859
⇄(403) 762-5183
www.tunnelmountain.com
Les Tunnel Mountain Chalets sont des cottages complètement équipés de même que des chambres de style condo avec cuisine, foyer et terrasse. Il s'agit d'un choix de tout premier ordre pour les familles et tout ceux qui cherchent à réaliser des économies en évitant de manger dans les restaurants. Décor conventionnel, mais propre et très confortable; les plus grandes unités d'hébergement peuvent accueillir jusqu'à huit personnes.

Banff Rocky Mountain Resort
$$$$$
⊘, ℑ, ≈, ℜ, ⌂
1029 Banff Ave., à l'entrée de la ville
☎(403) 762-5531 ou 800-661-9563
⇄(403) 762-5166
www.rockymountainresort.com
Le Banff Rocky Mountain Resort est un endroit idéal si vous devez séjourner en famille dans le parc national de Banff. Les ravissants petits chalets sont chaleureux et fort bien équipés. Au rez-de-chaussée, vous trouverez une salle de bain avec douche, une cuisine bien équipée donnant sur un salon et une salle à manger avec foyer et, à l'étage, deux chambres et une salle de bain. Ces chalets disposent également d'une petite terrasse privée. Près du bâtiment principal, un espace a été aménagé pour vos pique-niques et barbecues, et quelques chaises longues y ont été disposées pour que vous puissiez vous étendre au soleil.

Banff Caribou Lodge
$$$$$
⊘, ℜ, ⌂
521 Banff Ave.
www.banffcariboupropereties.com
☎(403) 762-5887 ou 800-563-8764
⇄(403) 760-8287
Le Banff Caribou Lodge est un autre hôtel de Banff Avenue qui propose des chambres confortables et spacieuses. La décoration des salles de réception et des chambres est empreinte du style «western», et le bois brut et rustique prédomine partout. Le confort n'en est pour autant pas limité, et les chambres se révèlent agréables.

De Banff à Lake Louise

Johnston Canyon Resort
$$$-$$$$$
ℋ, ℂ, ℑ, ℜ
de Banff, empruntez la transcanadienne, et prenez la sortie Bow Valley par la route 1A, soit Bow Valley Parkway
☎(403) 762-2971 ou 888-378-1720
⇌(403) 726-0868
www.johnstoncanyon.com

Le Johnston Canyon Resort constitue un ensemble de petits chalets construits en rondins au beau milieu de la forêt. Le calme y est absolu et propice aux retraites. Certains chalets sont d'un confort rudimentaire, mais d'autres sont entièrement équipés et disposent d'une cuisine, d'une salle de séjour et d'un foyer. Le plus grand chalet peut confortablement accueillir quatre personnes. Une petite épicerie, où vous trouverez quelques produits de subsistance, un café et un restaurant complètent les installations de ce complexe touristique.

Près de Silver City

Castle Mountain Camp Ground
$
mi-mai à début sept
sur la droite, juste après Silver City
☎(403) 762-1550
⇌(403) 762-3380

Aucune réservation n'est requise pour y passer la nuit. Il vous suffira de vous enregistrer par vous-même à l'entrée du camping et de mettre votre paiement dans une enveloppe prévue à cet effet, que vous déposerez dans la boîte située à l'entrée.

Castle Mountain Wilderness Hostel
$
à 27 km de Banff sur la route 1A, au croisement vers Castle Junction, en face du Castle Mountain Village. Pour réserver, appelez la centrale de réservations de Calgary
☎(403) 521-8421 ou 866-762-4122
⇌(403) 522-2253
www.hihostels.ca

L'auberge de jeunesse Castle Mountain Wilderness Hostel occupe un petit bâtiment qui comporte deux dortoirs et une salle commune aménagée autour d'une grande cheminée. L'ambiance y est très agréable.

Castle Mountain Chalets
$$$$$
⊛, ℂ
Lake Louise
☎(403) 522-2783 ou 762-3868
www.castlemountain.com

Le Castle Mountain Chalets se présente comme un superbe ensemble de 20 petits chalets de bois rond, situés à Castle Junction, sur la route 1A, et pouvant accueillir jusqu'à six personnes. Une petite épicerie y vend les produits les plus courants. L'inté-rieur des chalets, très confortable, est tout spécialement prévu pour que vous vous sentiez à l'aise. Les plus gros chalets ont une cuisine tout équipée, y compris un four à micro-ondes et un lave-vaisselle, et la grande salle de bain est munie d'une baignoire à remous. Un bon feu de cheminée et un magnétoscope, installé dans les chalets les plus récents, vous feront oublier les soirées fraîches, fréquentes en montagne. Une très bonne adresse.

Lake Louise

Lake Louise Campground
$
en sortant de la transcanadienne, tournez à gauche au croisement principal vers Lake Louise et continuez tout droit, puis passez la ligne de chemin de fer et prenez à gauche Fairview : le camping se trouve au bout du chemin
☎(403) 522-3833: Lake Louise Visitor Centre pour informations

Comme partout à Lake Louise, les emplacements disponibles sont rares et les réservations ne sont pas acceptées. Il est donc important d'arriver tôt sur place. La rivière Bow traverse le camping.

Lake Louise Inn
$$$$
ℋ, ≈, ℜ
210 Village Rd.
☎(403) 522-3791 ou 800-661-9237
⇌(403) 522-2018
www.lakelouiseinn.com

Le Lake Louise Inn est situé dans le village de Lake Louise. L'hôtel propose des chambres chaleureuses et très confortables.

Deer Lodge
$$$$
ℜ, ⌂
près du lac, sur la droite, avant d'arriver au Chateau Lake Louise
☎(403) 522-3747 ou 800-661-1595
⇄(403) 522-3883
Le Deer Lodge est un très bel hôtel confortable. Les chambres sont spacieuses et meublées avec goût. L'ambiance y est très agréable.

Mountaineer Lodge
$$$$
⌂
101Village Rd.
☎(403) 522-3844
⇄(403) 522-3902
www.mountaineerlodge.com
Le Mountaineer Lodge, situé dans le village de Lake Louise, dispose de 78 chambres assez simplement meublées.

Baker Creek Chalets
$$$$
ℜ, ℂ, ℑ
☎(403) 522-3761
⇄(403) 522-2270
www.bakercreek.com
À seulement 10 min au sud de Lake Louise, près de la Bow Valley Parkway, se trouvent les Baker Creek Chalets, soit de charmantes cabanes de bois rond équipées de tout le nécessaire tel que cuisinière et réfrigérateur. Les cabanes sont disponibles pour petits ou grands groupes. En plus de vous offrir la proximité du Lake Louise Ski Resort et l'accès à plusieurs sentiers de randonnée pédestre, ce petit paradis vous permettra de relaxer dans la campagne environnante.

Skoki Lodge
$$$$$ pc
⌂
mi-déc à avr et juin à sept
accessible par un chemin de 11 km depuis les pistes de ski de Lake Louise
☎(403) 522-3555
⇄(403) 522-2095
www.skokilodge.com
Au Skoki Lodge, les trois repas sont inclus dans le prix de la chambre.

Paradise Lodge & Bungalows
$$$$$
ℂ, ℝ
sur la droite, juste après la voie d'embranchement vers le lac Moraine
☎(403) 522-3595
⇄(403) 522-3987
www.paradiselodge.com
Les Paradise Lodge & Bungalows se présentent comme un complexe formé de 21 petits bungalows de bois rond et de 24 suites tout confort. Il est à noter que les chambres n'ont pas de téléphone.

Moraine Lake Lodge
$$$$$
ℜ
juin à oct
☎(403) 522-3733
⇄(403) 522-3719
www.morainelake.com
Le Moraine Lake Lodge est situé sur le bord du lac Moraine. Il est à noter que les chambres n'ont ni téléphone ni téléviseur. L'endroit est magnifique, mais bondé de touristes en tout temps, ce qui nuit quelque peu à la tranquillité.

Post Hotel
$$$$$
≈, ℜ
☎(403) 522-3989 ou 800-661-1586
⇄(403) 522-3966
www.posthotel.com
Le Post Hotel est un magnifique hôtel de l'association «Relais et Châteaux». Très élégant, il est aménagé avec goût et avec soin, depuis les chambres jusqu'à ses abords. Le restaurant (voir p 442) est exquis, et le personnel sympathique. Si vous en avez les moyens, ou que vous vouliez pour une fois vous faire plaisir, c'est la meilleure adresse de Lake Louise.

Fairmont Chateau Lake Louise
$$$$$
⊙, ≈, ℜ, ⌂
111 Lake Louise Dr.
☎(403) 522-3511 ou 800-257-7544
⇄(403) 522-3834
www.chateaulakelouise.com
Le Fairmont Chateau Lake Louise est sans doute un des hôtels les plus connus de la région. Construit à l'origine en 1890, le château brûla complètement en 1892, puis fut reconstruit l'année suivante. Un nouvel incendie le dévasta en partie en 1924. Depuis lors, des travaux n'ont cessé d'être entrepris pour l'agrandir et l'embellir. Aujourd'hui, ce vaste hôtel, qui faisait autrefois partie de la chaîne du Canadien Pacifique, propose 511 chambres pouvant accueillir plus de

1 300 personnes et compte près de 725 membres du personnel affectés à votre bien-être. Les pieds dans l'eau turquoise du lac Louise, en face du glacier Victoria, l'hôtel baigne dans un cadre tout simplement divin.

Circuit B: Promenade des glaciers

De Lake Louise à la Promenade des glaciers

Athabasca Falls Youth Hostel
$
ℂ
fermé mar de oct à avr
Skytram Rd., 32 km au sud de Jasper
☎(780) 852-3215 ou
877-852-0781
⇄(780) 852-5560
www.hihostels.ca
Bien que sans eau courante, cette auberge assez rustique est dotée d'électricité et d'une cuisine. Elle est située à côté de la chute Athabasca. Les cyclistes et les randonneurs affectionneront particulièrement cet endroit, notamment pour son emplacement.

Wilcox Creek Campground et Columbia Icefield Campground
$
à quelques kilomètres du champ de glace Columbia
Ces deux terrains de camping sont simplement aménagés. Vous aurez à vous enregistrer par vous-même.

Rampart Creek Campground
$
fin juin à début sept
à quelques kilomètres de l'intersection des routes 11 et 93
Il n'y a pas de garde à l'entrée du terrain. Il faudra donc vous enregistrer par vous-même et laisser dans une enveloppe le montant de votre nuitée.

Mount Kerkeslin Campground
$
35 km au sud de Jasper

Honeymoon Lake Campground
$
mi-mai à nov
51 km au sud de Jasper et 52 km au nord du centre d'interprétation du champ de glace Columbia
En plus de la chute Sunwapta tout près, les environs du camping vous réservent une très belle vue de la vallée de l'Athabasca.

Waterfowl Lake Campground
$
fin juin à mi-sept
à la hauteur du lac Mistaya, juste après le point de vue du mont Chephren
Comme partout dans les parcs, le premier arrivé est le premier servi. Pas de réservation possible, sauf si vous constituez un groupe. Si tel est le cas, appelez les bureaux de Parcs Canada à Banff (voir adresse, p 378).

Rampart Creek Wilderness Hostel
$
peut être fermé de oct à déc, appeler pour vérifier
près du camping du même nom sur la route 93
☎(403) 521-8421 ou
866-762-4122
⇄(403) 762-3441
www.hihostels.ca
L'auberge de jeunesse de Rampart Creek s'avère un peu rustique, mais magnifiquement bien située pour qui s'adonne à la randonnée pédestre ou pour les cyclistes qui parcourent la Promenade des glaciers.

Beauty Creek Youth Hostel
$
fermeture partielle de oct à avr
dépôt de 50$ requis
87 km de Jasper et 17 km au nord du centre d'interprétation du champ de glace Columbia
☎(780) 852-3215 ou
877-852-0781
⇄(780) 852-5560
www.hihostels.ca
Se trouvant à une journée de vélo de Jasper, l'endroit est intéressant pour les cyclistes. Le confort est rudimentaire, mais l'ambiance agréable. De plus, vous pouvez toujours faire une petite randonnée vers la belle chute Stanley, située non loin de là.

Jonas Creek Campground
$
mi-mai à nov
77 km au sud de Jasper et 9 km au nord de l'auberge de jeunesse Beauty Creek

Mosquito Creek Wilderness Hostel
$ dortoir
$$ chambre privée
⌂
sur la route 93, quelques kilomètres après le lac Hector
☎(403) 521-8421 ou 866-762-4122
⇄(403) 762-3441
www.hihostels.ca
L'auberge de jeunesse Mosquito Creek est une auberge au confort très rudimentaire, sans eau courante ni électricité. Il y a, par contre, un sauna qui fonctionne au feu de bois. Les dortoirs sont mixtes. Des chambres privées et familiales sont aussi disponibles.

The Crossing
$$
ℜ, ⌂
au croisement des routes 93 et 11, à 80 km de Lake Louise
☎(403) 761-7000 ou 800-387-8103
⇄(403) 761-7006
The Crossing peut constituer un bon point de chute sur le circuit de la Promenade des glaciers.

Columbia Icefield Chalet
$$$$
ℜ
mai à mi-oct
Icefields Parkway, au pied du glacier Athabasca
☎877-423-7433
⇄877-766-7433
www.brewster.ca/attractions/chalet.asp
Le Columbia Icefield Chalet, qui bénéficie d'un emplacement incomparable, offre des vues tout aussi époustouflantes. Si vous pouvez vous permettre un supplément de 20$, optez pour une des chambres donnant directement sur le glacier, tout en sachant que toutes les chambres sont assez conventionnelles et pourvues d'un grand lit de même que d'une salle de bain spacieuse. Après tout, ne logez-vous pas ici d'abord et avant tout pour la vue?

Num-Ti-Jah Lodge
$$$$$
ℜ, ⌂
au bord du lac Bow, à environ 35 km de Lake Louise
☎(403) 522-2167
⇄(403) 522-2425
www.num-ti-jah.com
Le Num-Ti-Jah Lodge est un chalet qui fut construit par Jimmy Simpson, un très célèbre guide de montagne et trappeur de la région. Les deux filles de Jimmy Simpson font également partie de l'histoire des Rocheuses. En effet, Peg et Mary devinrent des patineuses artistiques mondialement connues en leur temps et firent de nombreuses tournées à travers le Canada et les États-Unis. L'appellation de Num-Ti-Jah tire son origine d'un nom stoney qui signifie «martre». L'endroit est très touristique car le lac Bow est un des plus beaux de la région.

Circuit C: Parc national de Jasper

Jasper

Jasper Home Accommodation Association
$-$$
www.visit-jasper.com/JHAA.html
La Jasper Home Accommodation Association est un regroupement de maisons privées proposant jusqu'à trois chambres à coucher par adresse. Les prix et l'inspection des demeures relèvent de Parcs Canada, ce qui assure une certaine qualité. Une bonne et peu coûteuse solution de rechange pour qui veut quitter l'anonymat d'une chambre d'hôtel. Plusieurs familles parlent français.

Athabasca Hotel
$$-$$$
ℜ, *bc/bp*
510 Patricia St.
☎(780) 852-3386 ou 877-542-8422
⇄(780) 852-4955
www.athabascahotel.com
L'Athabasca Hotel, récemment rénové, est situé en plein centre-ville de Jasper, tout près de la gare ferroviaire de VIA Rail et de la gare routière de Brewsters et de Greyhound. Décorées dans un vieux style anglais, les chambres ne sont pas très grandes, mais très mignonnes. Les moins chères d'entre elles avoisinent une salle de bain centrale, mais les autres disposent de leur propre

salle d'eau. Sans être d'un luxe tapageur, cet hôtel est très correct, et les chambres sont bien agréables. L'adresse la moins dispendieuse à Jasper, aussi faut-il réserver à l'avance. Il est à noter que l'hôtel ne possède pas d'ascenseur.

Astoria Hotel
$$$$
ℝ, ℜ
404 Connaught Dr.
☎(780) 852-3351 ou 800-661-7343
⇄(780) 852-5472
www.astoriahotel.com

L'Astoria Hotel a le caractère et le charme d'un petit hôtel européen. Bien aménagé, l'établissement donne sur l'artère la plus fréquentée de Jasper, au centre du village. Construit en 1920, c'est une des plus vieilles structures de Jasper.

Tekarra Lodge
$$$$/chalet
ℂ, ℑ, ℜ
début mai à mi-oct
1 km au sud de Jasper
☎(780) 852-3058 ou 888-404-4540
⇄(780) 852-4636

Le Tekarra Lodge n'est ouvert que l'été et avantageusement situé près des berges où se rencontrent les rivières Miette et Athabasca. L'ameublement est luxueux et bien espacé, avec en prime un foyer et une cuisinette. Ouvrez votre fenêtre, et laissez-vous bercer par les torrents qui descendent des glaciers devant votre porte.

Marmot Lodge
$$$$
ℂ, ℑ, ≈, ℜ
86 Connaught Dr., à la sortie est de Jasper vers Edmonton
☎(780) 852-4471 ou 888-852-7737
⇄(780) 852-3280
www.marmotlodge.com

Le Marmot Lodge propose, à un prix raisonnable pour Jasper, de très belles chambres décorées de couleurs chatoyantes; d'anciennes photographies ont été accrochées aux murs, ce qui change des éternels paysages que vous retrouvez ordinairement ailleurs. Une terrasse avec tables a été aménagée devant la piscine, où il fait bon prendre un bain de soleil. La décoration, le personnel sympathique et le paysage contribuent tous à faire de cet hôtel un endroit très agréable. Le meilleur rapport qualité/prix que vous trouverez en ville.

Maligne Lodge
$$$$
⊛, ℂ, ℑ, ≈, ℜ, ⌂
900 Connaught Dr., à la sortie de Jasper vers Banff
☎(780) 852-3143 ou 800-661-1315
⇄(780) 852-4789
www.malignelodge.com

Le Maligne Lodge propose 98 chambres et suites très confortables, dont certaines comprennent des foyers et des baignoires à remous.

Whistlers Inn
$$$$
≡, ℜ, ⌂
☎(780) 852-3361 ou 800-282-9919
⇄(780) 852-4993
www.whistlersinn.com

À la suite de travaux de rénovation, l'ancien Pyramid Hotel est devenu le Whistlers Inn. Vous y trouverez un bain de vapeur, ainsi qu'un bassin à remous à ciel ouvert sur le toit. Chacune de ses chambres, aménagées de façon conventionnelle quoique avec goût, offre une vue sur les environs. Stationnement et casiers de rangement pour skis.

Patricia Lake Bungalows
$$$$
ℂ
début mai à mi-oct
5 km au nord par Patricia Lake Rd.
www.patricialakebungalows.com
☎(780) 852-3560 ou 888-499-6848
⇄(780) 952-4060

Les Patricia Lake Bungalows sont localisés dans un idyllique décor de montagnes se reflétant sur un joli lac. Sobrement décorées, les habitations, indépendantes les unes des autres, s'avèrent chaleureuses et à deux pas de nombreuses activités de plein air. Les cuisinettes ajoutent au sentiment d'indépendance de ceux qui veulent être autonomes.

Tonquin Inn
$$$$
≡, ♞, ℂ, ℑ, ≈, ℜ, ⌂
100 Juniper St., à l'entrée est de Jasper, par Icefields Parkway
☎(780) 852-4987 ou 800-661-1315
⇄(780) 852-4413
www.tonquininn.com
Au Tonquin Inn, une nouvelle aile a été ajoutée autour de la piscine, de sorte que toutes les chambres y ont directement accès. Toutes les chambres de cette nouvelle aile comprennent l'air conditionné. Dans l'ancienne aile, les chambres sont moins jolies et ressemblent plus à des chambres de motel, bien qu'elles soient de confort tout à fait correct. Nous conseillons néanmoins, lors de votre réservation, de bien spécifier que vous désirez ou non une chambre dans le bâtiment récemment construit.

Amethyst Lodge
$$$$
≡, ℜ
200 Connaught Dr.
☎(780) 852-3394 ou 888-852-7737
⇄(780) 852-5198
www.amethystlodge.com
L'Amethyst Lodge est un luxueux hôtel dont l'allure extérieure ne redéfinira pas les normes esthétiques du bon goût... Confortables et grandes, les chambres sont correctes sans plus. Bien situé.

Jasper Inn
$$$$$
ℂ, ≈, ℜ, ⌂
98 Geikie St.
☎(780) 852-4461 ou 800-661-1933
⇄(780) 852-5916
www.jasperinn.com
Le Jasper Inn dispose de belles chambres spacieuses et confortables dont certaines sont équipées d'une cuisinette.

Fairmont Jasper Park Lodge
$$$$$
♞, ◷, ≈, ℝ, ✪, ℜ, ⌂
☎(780) 852-3301 ou 800-441-1414
⇄(780) 852-5107
www.fairmont.com
Le Fairmont Jasper Park Lodge constitue sans conteste le plus beau complexe hôtelier de toute la région de Jasper. Appartenant autrefois à la chaîne hôtelière du Canadien Pacifique, le Jasper Park Lodge dispose de très belles chambres spacieuses et très confortables. Il a été construit en 1921 par la compagnie ferroviaire Grand Trunk pour concurrencer le Banff Springs Hotel du Canadien Pacifique. Le personnel, très professionnel, est empressé et sympathique. Toute une foule d'activités, organisées pour votre plaisir, vous attendent, telles que l'équitation et la descente de rivière en radeau pneumatique. On y trouve un des plus beaux terrains de golf du Canada, plusieurs courts de tennis, une grande piscine, un centre d'activités sportives et un service de location de canots, de planches à voile et de bicyclettes l'été, ou d'équipement de ski l'hiver.

Plusieurs sentiers de randonnée sillonnent le site, dont un très agréable de 3,8 km qui longe le lac Beauvert. Que vous réserviez une chambre dans le bâtiment principal ou que vous préfériez un petit chalet, confort et tranquillité seront au rendez-vous.

Le Fairmont Jasper Park Lodge organise chaque année plusieurs rencontres à thème, auxquelles la clientèle de l'hôtel est invitée à participer: par exemple, des fins de semaine «montagnes et relaxation», avec des cours de yoga et d'aérobic, et des séances de sauna et de gymnastique aquatique; ou une fin de semaine réservée à la dégustation du Beaujolais nouveau; ou encore des activités dans le cadre du Nouvel An. Demandez la brochure pour plus de renseignements.

Lobstick Lodge
$$$$$
≡, ℂ, ≈, ℜ, ⌂
96 Geikie St.
☎(780) 852-4431 ou 888-852-7737
⇄(780) 852-4142
www.lobsticklodge.com
Le Lobstick Lodge est situé un peu à l'écart du village, mais il s'agit d'un bon hôtel de qualité.

Sawridge Hotel & Conference Centre
$$$$$
≡, ≈, ✪, ℜ, ⌂
82 Connaught Dr.
☎ ***(780) 852-5111 ou 800-661-6427***
⇄ ***(780) 852-5942***
www.sawridge.com/jasper
Le Sawridge Hotel loue de grandes chambres chaleureuses.

Chateau Jasper
$$$$$
≡, ≈, ℜ
☎ ***(780) 852-5644 ou 800-661-9323***
⇄ ***(780) 852-4860***
www.chateaujasper.com
Le Chateau Jasper propose de très belles chambres confortables.

Environs de Jasper

Mount Edith Cavell Youth Hostel
$
mi-juin à mi-oct
26 km au sud de Jasper; prenez la route 93A et montez pendant 13 km la route sinueuse qui mène au mont Edith Cavell
☎ ***(780) 852-3215 ou 877-852-0781***
⇄ ***(780) 852-5560***
www.hibostels.ca
L'auberge de jeunesse du mont Edith Cavell constitue un véritable refuge de haute montagne, sans eau ni électricité, adossé à l'une des plus belles montagnes de la région, le mont Edith Cavell. Munissez-vous de vêtements chauds et d'un bon sac de couchage, car vous êtes en haute montagne et les températures sont imprévisibles. Si vous aimez la tranquillité et les belles promenades, vous êtes ici au paradis.

Whistler Campground
$
début mai à mi-oct
2,5 km au sud de Jasper; prenez la route 93, puis tournez dans la route qui mène au téléphérique de la montagne Whistler, et enfin prenez la première à gauche pour le camping
Le camping de Whistler, avec ses 781 emplacements, est aménagé pour recevoir véhicules récréatifs et tentes. Eau, douches et électricité sont disponibles. Vous pourrez également trouver du bois sur place pour faire un feu. La durée maximale du séjour dans le camping est de 15 jours. Pour réserver, téléphonez au bureau de Parcs Canada à Jasper.

Wapiti Campground
$
mi-juin à début sept
à 4 km de Jasper
Le camping Wapiti, avec ses 366 emplacements, accueille véhicules récréatifs et tentes. Vous y trouverez de l'eau, de l'électricité et des toilettes.

Jasper International Youth Hostel
$
7 km à l'ouest de Jasper, par la route de Skytram
☎ ***(780) 852-3215 ou 877-852-0781***
⇄ ***(780) 852-5560***
www.hibostels.ca
L'auberge de jeunesse internationale de Jasper est un établissement assez confortable. À quelques minutes de marche des télécabines qui vous emmènent au sommet de la montagne Whistler, d'où vous aurez une vue superbe de la vallée de l'Athabasca. Des chambres familiales sont aussi disponibles. Réservez longtemps à l'avance.

Maligne Canyon Hostel
$
fermé mer de oct à avr
11 km à l'est de Jasper, sur la route de Maligne Lake
☎ ***(780) 852-3215 ou 877-852-0781***
www.hibostels.ca
L'auberge de jeunesse de Maligne Canyon se présente également comme l'endroit idéal pour qui aime la randonnée pédestre et les activités de plein air. Tout près de l'auberge, en effet, débute le Skyline Trail, qui mène les marcheurs expérimentés vers des paysages alpins. La randonnée dure deux ou trois jours, mais la superbe vue de la vallée de Jasper récompense bien tous les efforts. Également situé à proximité de l'auberge, le canyon de la rivière Maligne offre quelques belles prises de vues de rapides et de chutes d'eau. N'hésitez pas à vous entretenir avec le gérant de l'auberge; il est un expert de la faune et fait des recherches pour le parc national de Jasper.

Pine Bungalow Cabins
$$
ℂ, 𝔍
route 16, près du golf de Jasper
☎(780) 852-3491
⇄(780) 852-3432
Les Pine Bungalow Cabins sont conformes à la catégorie des motels. Les chalets sont entièrement équipés; certains ont même un foyer, mais l'ameublement très modeste est de bien mauvais goût. Il n'en reste pas moins que c'est une des adresses les moins chères à Jasper.

Jasper House Bungalows
$$$
ℂ, ℜ
quelques kilomètres au sud de Jasper sur Icefields Parkway, au pied du mont Whistler
www.jasperhouse.com
☎(780) 852-4535
⇄(780) 852-5335
La Jasper House se présente comme un ensemble de petites maisons de style chalet en rondins construites le long de la rivière Athabasca. Confortables et tranquilles, les chambres sont grandes et bien équipées.

Alpine Village
$$$
ℂ, 𝔍, ℝ
2 km au sud de Jasper, près de l'embranchement vers le mont Whistler
☎(780) 852-3285
www.alpinevillagejasper.com
L'Alpine Village constitue un très bel ensemble de petits chalets en bois très confortables. Situé en face de la rivière Athabasca, l'endroit est calme et paisible. Choisissez, autant que possible, l'un des chalets donnant directement sur la rivière, ce sont les plus agréables. Réservez longtemps à l'avance, soit dès janvier si vous prévoyez venir durant l'été.

Becker's Chalets
$$$ par chalet
ℂ, 𝔍, ℜ
Icefields Parkway, route 93 sud, 5 km au sud de Jasper
☎(780) 852-3779
⇄(780) 852-7202
www.beckerschalets.com
Les Becker's Chalets, également situés le long de la rivière Athabasca, sont confortables et bien équipés. Vous y trouverez aussi une laverie.

Pyramid Lake Resort
$$$$
ℝ, ℜ
de la ville, suivez Pyramid Lake Rd. jusqu'aux lacs Patricia et Pyramid
☎(780) 852-4900, (780) 852-3536 ou 888-852-4900
⇄(780) 852-7007
www.pyramidlakeresort.com
Le Pyramid Lake Resort propose des chambres simples mais confortables donnant directement sur le lac Pyramid, où vous pouvez vous adonner à vos activités nautiques préférées. Location de bateaux à moteur, de canots et de skis nautiques.

Miette Hot Springs

Miette Hot Springs Bungalows
$-$$
ℂ, ℜ
tout juste à côté des sources d'eau chaude de Miette, Jasper East
☎(780) 866-3750 ou 866-3760 hors saison
⇄(780) 866-2214
Les Miette Hot Springs Bungalows se présentent comme un ensemble de logements composé de bungalows et d'un motel. Les chambres du motel sont un peu quelconques, mais celle des bungalows sont de bonne qualité.

Pocahontas Bungalows
$$ par chalet
ℂ, ≈
route 16, près de la chute Punchbowl
☎(780) 866-3732 ou 800-843-3372
⇄(780) 866-3777
Les Pocahontas Bungalows constituent un petit ensemble de chalets situé à l'entrée du parc national de Jasper, sur la route menant à Miette Hot Springs. Les chalets les moins chers ne sont pas équipés de cuisinette.

Hinton et les environs

Suite Dreams B&B
$$$ pdj
⊛, ℝ
en arrivant à la jonction de la route 40N, prenez à droite vers le sud, puis tout de suite à gauche William's Rd.
☎(780) 865-8855
www.suitedream.com
Quelques kilomètres avant d'arriver à Hinton, se trouve le Suite Dreams B&B, une superbe résidence victorienne qui compte quatre chambres magnifiquement décorées où l'on passe de bonnes nuits. Une des chambres offre une baignoire à remous. Réservez tôt pour la période estivale.

Overlander Mountain Lodge
$$$$
≡, ℂ, ℜ
2 km à gauche, après la sortie du parc national de Jasper en direction de Hinton
☎(780) 866-2330
⇄(780) 866-2332
www.overlandermountainlodge.com
L'Overlander Mountain Lodge est un hôtel constitué de plusieurs chalets très charmants. L'établissement est d'autant plus agréable qu'il se trouve dans une région moins fréquentée que les abords de Jasper, et le paysage environnant est des plus exquis. Une bonne adresse, parce que l'hébergement à Hinton est presque exclusivement de type motel. Les réservations doivent être faites longtemps à l'avance, car les visiteurs n'ayant pas trouvé à se loger à Jasper poursuivent souvent leur route vers Hinton.

Circuit D: Parcs nationaux de Kootenay et de Yoho

De Castle Junction à Radium Hot Springs

Kootenay Park Lodge
$$-$$$
♞, ℝ, ℜ
mi-mai à fin sept
route 93 direction sud, à 42 km de Castle Junction
☎(403) 762-9196
☎(403) 283-7482 hors saison
www.kootenayparklodge.com
Le Kootenay Park Lodge dispose de 10 petits chalets de bois rond accrochés aux pentes abruptes des montagnes du parc national de Kootenay. Vous trouverez sur place un petit magasin proposant des sandwichs et des produits de consommation courante.

Radium Hot Springs

Redstreak
$
route 93/95, à 2 km de Redstreak Rd.
Le camping le moins cher est légèrement à l'écart de la route avant d'arriver à Radium. Il se nomme Redstreak et compte 242 emplacements. Les réservations ne sont pas acceptées.
toilettes, douches

Canyon RV Resort
$
♞, ☎
5012 Sinclair Creek Rd.
☎(250) 347-9564
⇄(250) 347-9501
www.canyonrv.com
Le Canyon RV Resort est un joli terrain de camping qui regroupe plusieurs emplacements pour les véhicules récréatifs et les tentes le long du ruisseau Sinclair. Les lieux ombragés par de nombreux arbres confèrent à ce camping une atmosphère attrayante. Toilettes et douches.

Chalet Europe
$$ pdj
♞, ⊙, ℂ, ℑ
☎(250) 347-9305 ou 888-428-9998
⇄(250) 347-9306
www.chaleteurope.com
Le Chalet Europe propose plusieurs chambres avec balcon, modestement meublées mais de tout confort. Surplombant la petite ville de Radium Hot Springs, cette grande maison de style chalet savoyard offre une vue intéressante sur la vallée en contrebas.

Radium Resort
$$ (pdj en basse saison)
≡, ⊙, ℂ, ≈, ℝ, ✪, ℜ, ⌂
8100 Golf Course Rd.
☎(250) 347-9311
⇄(250) 347-6299
www.radiumresort.com
Le Radium Resort a connu une croissance inégalée de son activité économique en 2002, quand le nouveau di-

recteur de l'établissement, dès qu'il fut embauché, a baissé les tarifs à 89$ par nuitée. C'est vraiment agréable de voir un complexe hôtelier pratiquer des prix honnêtes, et le rapport qualité/prix est ici très appréciable. Le Radium Resort présente plein d'avantages, comme son parcours de golf sur les lieux mêmes. L'hôtel se veut une bonne adresse pour les familles et offre toutes les commodités de la vie moderne. Même si la moquette brune se révèle certainement d'un goût douteux, le personnel nombreux s'avère très amical et attentionné.

Motel Tyrol
$$
ℂ, ≈
5016 Highway 93
☎(250) 347-9402 ou 888-881-1188
⇌(250) 347-6363
www.moteltyrol.com
Le Motel Tyrol propose des chambres correctes, meublées modestement. La terrasse donnant sur la piscine est agréable.

Misty River Lodge
$$
≡, ℋ, ℂ
5036 Highway 93
☎/⇌(250) 347-9912
www.mistyriver.ca
Le Misty River Lodge est maintenant un *bed and breakfast* et une auberge de jeunesse. Les chambres offrent un bon confort, même pour ce type d'établissement. Les salles de bain sont spacieuses et très propres. Sans conteste le meilleur hébergement en ville.

Radium Hot Springs Lodge
$$$
ℋ, ≈, ℜ, ⌂
en face de la piscine thermale de Radium Hot Springs
www.radiumhotspringslodge.com
☎(250) 347-9341 ou 888-222-9341
⇌(250) 347-9342
Le Radium Hot Springs Lodge est un hôtel sans grand luxe, avec de grandes chambres confortables mais modestement meublées. Son restaurant, qui se veut chic, ne sert malheureusement qu'une cuisine de qualité moyenne qui ne justifie pas les prix relativement élevés. Néanmoins, l'hôtel offre l'avantage d'être bien situé et se classe parmi les rares bonnes adresses à Radium Hot Springs.

Nipika Lodge and Touring Centre
$$$-$$$$
ℋ, ℑ, ❂, ⌂
4968 Timbervale Place
☎(250) 342-6516 ou 877-647-4525
⇌(250) 342-0516
www.nipika.com
«Le lieu où vont les gens», ou *Nipika* dans la langue des Indiens Kootenays locaux, est le nom d'un bel ensemble de cabanes en bois de pin, qui se développe progressivement dans une forêt en retrait de la route passant à travers le parc national de Kootenay. Bien qu'il se trouve officiellement dans l'Invermere Forest District le long de la rivière Kootenay, le lieu d'hébergement est en fait situé à environ 30 km au nord de Radium, et il est accessible par Settler Road, un vieux chemin très peu balisé, construit pour l'exploitation forestière. L'endroit s'avère pittoresque et attrayant avec ses cabanes à charpente de bois, son bâtiment central, son décor impressionnant et, l'hiver venu, ses 50 km de sentiers de ski de fond entretenus. Vous vivrez à la dure ici, avec les chaudrons, casseroles et poêles disponibles, mais pas grand-chose d'autre. Sachez à quoi vous en tenir: il s'y trouve encore une baignoire à eau chaude et un sauna, tous deux à structure de bois, et les chambres sont mignonnes.

Fairmont Hot Springs

Fairmont Hot Springs Resort
$$$$
≈, ℝ, ❂, ℜ, ⌂
route 93-95, près de la station de ski de Fairmont
☎(250) 345-6311 ou 800-663-4979
⇌(250) 345-6616
www.fairmonthotsprings.com
Le Fairmont Hot Springs Resort, nouvellement rénové, se présente comme une magnifique station de villégiature merveilleusement aménagé qui propose des forfaits santé.

Les clients de l'hôtel peuvent en plus profiter de courts de tennis et d'un superbe terrain de golf. Il est enfin à noter que l'établissement possède également un vaste terrain avec emplacements pour véhicules récréatifs *(30$, réservations requises)*.

Invermere

Delphine Lodge
$$, pdj
bc/bp
Main St.
(250) 342-6851 ou 877-342-6869
(250) 342-6110
Le Delphine Lodge se trouve en fait à Wilmer, soit à 5 km d'Invermere. Bien que les chambres soient quelque peu exiguës, elles sont, tout comme le chalet lui-même, truffées de charmantes antiquités et de meubles rustiques. Les courtepointes faites à la main, le joli jardin, la cheminée et divers autres accents chaleureux font de cette auberge historique datant des années 1890 une favorite des amants de l'intimité.

Best Western Invermere Inn
$$$ pdj
≡, ⊙, ℝ, ℜ
1310 Seventh Ave.
(250) 342-9246 ou 800-661-8911
(250) 342-6079
www.invermereinn.com
Le Best Western Invermere Inn bénéficie d'un bon emplacement, au centre de la ville et à seulement 5 min de marche du lac Windermere et d'une belle plage. Les chambres sont plutôt typiques de cette chaîne, et de grands ou de très grands lits y sont offerts au choix. Sur place, vous trouverez un restaurant et un pub.

Panorama Resort
$$$$
⊙, ≈, ℜ, ⌂
18 km à l'ouest d'Invermere
(250) 342-6941 ou 800-663-2929
(250) 342-3395
www.panoramaresort.com
Le Panorama Resort propose des chambres d'hôtel régulières assez jolies, de même que des appartements de type condominium particulièrement pratiques si vous comptez faire du ski alpin ou de fond sur les lieux. Vous pourrez en outre vous adonner au tennis, à l'équitation et au golf. Agréable atmosphère familiale.

Parc national de Yoho

Monarch & Kicking Horse Campsites
$
début mai à mi-oct
(250) 343-6827
Les campings Monarch et Kicking Horse sont situés à quelques kilomètres à l'est de Field. Les réservations ne sont pas acceptées. Toilettes, douches à Kicking Horse.

Emerald Lake Lodge
$$$$$
ℑ, ℜ
Field
(403) 609-6150 ou 800-663-6336
(403) 609-6158
www.emeraldlakelodge.com
L'Emerald Lake Lodge du parc national de Yoho a été construit par le Canadien Pacifique en 1902 et constitue aujourd'hui une exquise retraite montagnarde. Le chalet central, bâti de bois équarri à la main, marque le cœur des activités, tandis que les hôtes de passage logent dans l'une ou l'autre des 24 cabanes qui l'entourent. Chacune des chambres bénéficie d'une cheminée en pierre, de chaises en saule, d'un édredon, d'un balcon privé et d'une vue splendide du lac. À 40 km seulement de Lake Louise.

Golden

Whispering Spruce Campground & RV Park
$
mi-avr à mi-oct
1422 Golden View Rd.
(250) 344-6680
Le Whispering Spruce Campground & R.V. Park dispose de 135 emplacements pour tentes et véhicules récréatifs. Arrivez tôt pour réserver votre place. Laverie, douches.

Golden Municipal Campground
$
1407 9th St. S.
☎(250) 344-5412
⇄(250) 344-6577
Le Golden Municipal Campground compte 70 emplacements pour tentes et véhicules récréatifs. Le terrain de camping est situé à côté des courts de tennis et de la piscine municipale. Douches, toilettes.

Columbia Valley Lodge
$$ pdj
route 95, à 23 km au sud de Golden
☎(250) 348-2508 ou 800-311-5008
⇄(250) 348-2505
www.columbiavalleylodge.com
Le Columbia Valley Lodge propose 12 chambres rustiques. L'établissement se présente plutôt comme un refuge en montagne, au confort spartiate, mais tout à fait correct. L'endroit constitue une bonne halte pour les cyclistes qui sillonnent la région.

McLaren Lodge
$$ pdj
au-dessus de la route 95, à la sortie de Golden vers le parc national de Yoho
☎(250) 344-6133 ou 800-668-9119
⇄(250) 344-7650
www.wetnwild.bc.ca
Le McLaren Lodge est une adresse intéressante à Golden pour les amateurs de plein air. En effet, des excursions en radeau pneumatique sont organisées par les propriétaires de ce petit hôtel. Les chambres, plutôt petites, ont un petit air vieillot qui n'est pas désagréable. Le meilleur rapport qualité/prix à Golden.

Golden Rim Motor Inn
$$
≡, ℂ, ≈, ℜ, ⌂
☎(250) 344-2216
⇄(250) 344-6673
Le Golden Rim Motor Inn dispose de chambres quelconques de catégorie motel.

Prestige Inn
$$$
⊛, ℂ, ≈, ℜ
1049 route transcanadienne
☎(250) 344-7990
⇄(250) 344-7902
www.prestigeinn.com
Le Prestige Inn constitue le meilleur hôtel de Golden. Les chambres sont assez spacieuses, et les salles de bain sont toutes équipées.

Circuit E: Région de Kananaskis

Eau Claire Campground
$
un peu au nord de Fortress Junction et près de la station de ski Fortress Mountain
☎(403) 591-7226
www.kananaskiscamping.com
L'Eau Claire Campground est un petit terrain de camping aménagé en pleine forêt. Habillez-vous chaudement car les nuits sont fraîches à cet endroit. Les réservations ne sont pas acceptées.

Mount Kidd RV Park
$
⌂
route 40, quelques kilomètres plus au sud que Kananaskis Village
☎(403) 591-7700
www.mountkiddrv.com
Le Mount Kidd RV Park surprend toujours à première vue, tant le site a été bien aménagé. Installé au bord d'une rivière en pleine forêt, il est indiscutablement le plus agréable terrain de camping de la région. Les clients peuvent en outre profiter des courts de tennis ou partir sur les sentiers de randonnée qui foisonnent dans le coin. Comme il s'agit du plus bel endroit où camper, n'oubliez pas de réserver à l'avance, surtout si vous formez un groupe. Toilettes, douches, laverie

Kananaskis Interlakes Campgrounds
$
en sortant d'Upper Kananaskis Lake, prenez à gauche et poursuivez votre route pendant quelques kilomètres jusqu'à Interlakes
☎(403) 591-7226
www.kananaskiscamping.com
Les Kananaskis Interlakes Campgrounds vous réservent une vue superbe des lacs et de la forêt. Il n'y a pas de politique de réservation dans ces terrains de camping, et les premiers arrivés sont les premiers servis.

Kananaskis Village

Kananaskis Wilderness Hostel
$
le long de la route menant à la place centrale de Kananaskis Village
☎(403) 762-4122 ou 866-762-4122
⇄(403) 762-3441
www.hihostels.ca
L'auberge de jeunesse Kananaskis Wilderness Hostel est une agréable petite auberge toujours bondée de visiteurs. Ne vous y prenez pas à la dernière minute pour réserver, sous peine de vous faire répondre qu'il n'y a déjà plus de place. Il fait bon le soir de se retrouver dans la salle commune, autour d'un bon feu de cheminée, pour se remettre des efforts physiques fournis dans la journée.

The Delta Lodge at Kananaskis
$$$$-$$$$$
≈, ℜ, ⌂
sur la place centrale de Kananaskis Village
☎(403) 591-7711 ou 888-244-8666
⇄(403) 591-7770
www.deltalodgeatkananaskis.ca
Le Delta Lodge at Kananaskis fait partie de la chaîne hôtelière du Canadien Pacifique. Il comprend un *lodge* et un hôtel. Le Lodge dispose de 250 chambres de grand confort, spacieuses et chaleureuses. Une très bonne adresse; mais, en toute saison, les réservations doivent être faites à l'avance. L'hôtel, quant à lui, propose 70 chambres tout confort. Le personnel sympathique rend cet hôtel très agréable.

Canmore

Deux terrains de camping sont aménagés pour accueillir véhicules récréatifs et tentes à moins de 10 km de Canmore, en direction de Calgary. Il s'agit du **Bow River Campground** *(réservations acceptées; début mai à fin sept; à 4 km à l'ouest de Dead Man's Flats sur la route 1, ☎403-673-2163)* et du **Three Sisters Campground** *(réservations pas acceptées; mi-avr à fin nov; Dead Man's Flats)*, où les prix varient autour de 17$.

Alpine Club of Canada
$
Indian Flats Rd., 4,5 km à l'est de Canmore sur la route 1A
☎(403) 678-3200
⇄(403) 678-3224
Les huttes de l'Alpine Club of Canada offrent une intéressante solution de rechange pour les amoureux de la nature qui veulent dormir «dans le bois». Cette association possède des huttes, non seulement près de Canmore, mais dans plusieurs coins des Rocheuses. Vous pouvez même combiner des randonnées pédestres à l'hébergement dans ces huttes.

Restwell Trailer Park
$ camping
$$$ chalets
1A502 3rd Ave., de l'autre côté de la route 1A et de la ligne de chemin de fer, près de Policeman Creek
☎(403) 678-5111
www.restwelltrailerpark.com
Le Restwell Trailer Park propose 247 emplacements pour les véhicules récréatifs et les tentes. Des chalets sont aussi offerts en location *(125$)*. Électricité, toilettes, salle de douches et points d'eau y sont disponibles.

Rocky Mountain Ski Lodge
$$
ℂ
1711 Mountain Ave.
☎(403) 678-5445 ou 800-665-6111
⇄(403) 678-6484
www.rockymtnskilodge.com
Le Rocky Mountain Ski Lodge donne sur un petit jardin agréable. Les chambres sont propres et spacieuses. Les appartements, loués à compter de 130$, comprennent un salon avec cheminée, et la cuisine est équipée de façon assez complète.

Riverview and Main Bed and Breakfast
$$-$$$ pdj
98 Main St.
☎(403) 678-9777
www.riverviewandmain.com
Le Riverview and Main Bed and Breakfast bénéficie d'un beau site, à l'extrémité sud de Main Street, et se trouve à quelques minutes seulement des boutiques et des restaurants. Il abrite

deux chambres champêtres attrayantes et une suite tout équipée, pourvue de lits en bois de pin. La chambre d'hôte au grand lit s'avère très jolie avec ses murs bordeaux et son mobilier en osier. Les vues qu'il offre sur la Rundle Range se révèlent assez intéressantes, et un court de tennis public est accessible derrière la maison.

Lady Macdonald Country Inn
$$-$$$$$ pdj
⊛, 𝔍
1201 Bow Valley Trail
☎(403) 678-3665 ou 800-567-3919
⇄(403) 678-9714
www.ladymacdonald.com
Le Lady Macdonald Country Inn est une magnifique petite auberge aménagée dans une fort jolie maison. Douze chambres élégamment décorées sont mises à votre disposition. Certaines pièces ont été particulièrement aménagées pour recevoir les personnes en fauteuil roulant; d'autres ont été réparties sur deux étages pour accueillir les familles de quatre personnes. À noter, la superbe chambre appelée «chambre des trois sœurs», qui offre, en plus d'une vue magnifique sur les montagnes Rundle Range et Three Sisters, un foyer et une baignoire à remous.

Ambleside Lodge
$$$ pdj
bc/bp
123A Rundle Dr.
☎(403) 678-3976
⇄(403) 678-3919
www.amblesidelodge.com
L'Ambleside Lodge vous accueille dans une belle et grande demeure de style chalet savoyard, à quelques minutes seulement du centre-ville. La salle commune, grande et très chaleureuse, est agrémentée d'une belle cheminée. Certaines chambres ont leur propre salle de bain privée.

Georgetown Inn
$$$ pdj
⊛
1101 Bow Valley Trail
☎(403) 678-3439 ou 800-657-5955
⇄(403) 678-6909
www.georgetowninn.ab.ca
Le Georgetown Inn s'est résolument donné un petit air britannique vieillot. Les chambres sont confortables, et certaines sont dotées d'une baignoire à remous. Le petit déjeuner, que vous pourrez prendre dans la salle à manger Three Sisters, est compris dans le prix de votre chambre. La cheminée, les vieux livres et les reproductions accrochées aux murs confèrent une ambiance chaleureuse à l'endroit.

Rundle Mountain Lodge
$$$
ℂ, ≈
1723 Bow Valley Trail
☎(403) 678-5322 ou 800-661-1610
⇄(403) 678-5813
www.rundlemountain.com
Le Rundle Mountain Lodge est un motel construit sur le schéma des chalets savoyards. Il compte 61 chambres conformes au style de ce type d'établissement.

Quality Resort/Chateau Canmore
$$$$
≡, ⊛, ⊘, 𝔍, ≈, ℝ, ✪, ℜ, ⌂
1720 Bow Valley Trail
☎(403) 678-6699 ou 800-261-8551
⇄(403) 678-6954
www.chateaucanmore.com
Le Quality Resort, un élégant hôtel situé sur le Bow Valley Trail à Canmore, offre nombre d'installations et de services aux voyageurs. S'y trouvent un relais santé qui offre des soins esthétiques et des massages, un panier pour lancer un ballon de basket-ball, un court de tennis se tranformant en patinoire l'hiver venu et un hall avec jeu d'eau et mobilier en bois de pin. Choisissez une chambre sur la face nord de l'hôtel puisque la face sud a vue sur des voies ferrées.

Four Points Sheraton
$$$$-$$$$$
≡, ♞, ⊙, ℑ, ✪, ℜ
1 Silver Tip Trail
☎(403) 609-4702 ou 888-609-4422
⇄(403) 609-0008
www.fourpointscanmore.com

Le Four Points Sheraton acquiert un cinquième point (quant à nous!) car il fait partie des quelques grands hôtels à ne pas être situés près des voies ferrées bruyantes de Canmore. Il se trouve juste en retrait de la route transcanadienne, mais il en est assez éloigné pour profiter d'un site paisible dans les bois. Les 99 unités de l'éta-blissement incluent 19 suites de style loft pourvues de réfrigérateurs et de micro-ondes. Les chambres traditionnelles se veulent plutôt standards, mais elles offrent toutes de belles vues sur les Rocheuses. Accès au réseau Internet dans chacune des chambres et suites.

Paintbox Lodge
$$$$$ pdj
ℑ
629 10th St.
☎(403) 678-2463 ou 888-678-6100
www.creekhouse.com

Récemment ouvert, le Paintbox Lodge de Gail et Greg se révèle impeccable. Ils savaient sûrement ce qu'ils faisaient: si vous avez un portefeuille bien garni, payez-vous le luxe de loger ici une nuit ou deux. L'ensemble des poutres apparentes affiche une élégance certaine, que vous trouverez dans les cinq suites haut de gamme de style chalet avec foyers et lits douillets. À vrai dire, le style en est parfait, et Gail et Greg ont pour leurs invités des attentions délicates, un désir de faire plaisir; par exemple, ils leur offrent des bons-cadeaux pour prendre le petit déjeuner au restaurant Chez François (voir p 446) et ils disposent des flacons de shampooing luxueux dans les salles de bain.

Bear and Bison Inn
$$$$$ pdj
≡, ⊛, ✪
705 Benchlands Trail
☎(403) 678-2058
⇄(403) 678-2086
www.bearandbisoninn.com

L'été 2002 fut la première saison du Bear and Bison, et il va y en avoir beaucoup d'autres car ce lieu d'hébergement s'avère fantastique. Beaucoup de bonne volonté et d'efforts de la part des propriétaires Lonny et Fiona Middleton ont fait de cet établissement un hôtel hors classe. Les 10 chambres du Bear and Bison ont été construites sur un seul côté du bâtiment; elles offrent ainsi une vue sur les Three Sisters depuis n'importe quel oreiller ou baignoire. Les unités sont aménagées sur trois thèmes: les voyageurs historiques, *Canadiana*, sans oublier les suites de luxe pour lune de miel, avec lits à baldaquin. Le petit déjeuner se veut gastronomique, et des paniers-repas sont offerts à tous ceux qui s'en vont explorer les montagnes. Les journées de Lonny semblent compter plus de 24 heures: il a fabriqué artisanalement chacun des superbes lits des chambres même s'il avait alors un emploi à temps plein. Eh oui, c'est cher! Mais aussi très, très agréable!

The Creek House
$$$$$ pdj
701 Mallard Alley
☎(403) 678-2463 ou 888-678-6100
⇄(403) 678-8721
www.creekhouse.com

L'un des plus beaux endroits où passer la nuit à Canmore, voire même dans toutes les Rocheuses, se nomme The Creek House. Gail et Greg ont acheté et complètement rénové cette vieille maison sur le bord de Policeman's Creek, d'où l'on entrevoit les montagnes Three Sisters. La décoration des chambres est absolument inégalable. Un artiste a exécuté de magnifiques peintures murales, notamment dans la cage d'escalier. À la fin de l'été 1999, Greg mettait la touche finale au bassin à remous sur le toit!

Depuis qu'ils ont ouvert le Paintbox Lodge (voir p 439), Gail et Greg louent maintenant la maison au complet plutôt que des chambres individuelles. La maison peut loger jusqu'à cinq personnes.

Restaurants

Circuit A: Parc national de Banff

Banff

Barpa Bill's Souvlaki
$
223 Bear St.
☎(403) 762-0377
Barpa Bill's se présente comme un tout petit établissement grec avec service au comptoir, situé à côté de la salle de cinéma de Banff. Ce trésor est bien caché (l'entrée en est partagée avec une laverie automatique), mais, si vous avez terriblement envie d'un *souvlaki pita* ou d'une salade grecque, c'est l'endroit où aller. Il n'y a pas beaucoup d'espace à l'intérieur (peut-être une demi-douzaine de chaises), alors emportez vos mets grecs jusqu'à l'un des parcs de Banff s'il fait beau, et offrez-vous un pique-nique.

Sunfood Café
$-$$
215 Banff Ave., à l'étage du Sundance Mall
☎(403) 760-3933
Le Sunfood Café, un incontournable pour les végétariens et végétaliens de cette province carnivore qu'est l'Alberta, concocte des entrées comme le steak de tofu teriyaki et les pâtes aux champignons portabella. Les pâtes fraîches sont faites maison, le riz est biologique, et l'on y sert même du vin biologique provenant d'Italie. Le décor de l'établissement se veut simple, avec dominante de motifs de tournesols. Le chef Christian Lendi adore la cuisine végétarienne, et, si vous êtes chanceux, vous pourrez, à l'heure du dîner, entendre son épouse chilienne jouer du piano. Le Sunfood Café ne compte que 17 sièges; alors, si vous faites partie d'un groupe, vous devriez probablement appeler pour réserver.

St. James Gate
$$
205 Wolf St.
☎(403) 762-9355
L'Irlande a posé ses marques sur le menu du St. James Gate, car on y sert entre autres une tourte mariant steak, Guinness et champignons, ainsi qu'une coquille d'aloyau au whiskey Jameson's. Les plats sont nourrissants et à bon prix pour Banff, et l'atmosphère pseudo-celtique s'avère chaleureuse. Essayez le ragoût irlandais de *dumplings* (boulettes de pâte) au babeurre. Des musiciens s'y produisent souvent sur scène la fin de semaine, et c'est un bon endroit où s'en jeter un derrière la cravate. *Fáilte*!

Balkan Restaurant
$$
120 Banff Ave.
☎(403) 762-3454
Le Balkan est un restaurant grec. Les décors peints de bleu et de blanc et la pergola, avec ses faux pieds de vigne et grappes de raisins, rappellent les régions méditerranéennes. Les plats préparés, bien que sans grande imagination, sont bons, mais sont souvent influencés par la cuisine nord-américaine. Le personnel, débordé, n'est pas toujours des plus agréables.

Joe BTFSPLK'S
$$
fermé en nov
221 Banff Ave., en face du centre d'information touristique
☎(403) 762-5529
Le Joe BTFSPLK'S (prononcer Bi-tif'-spliks) est un petit restaurant décoré à la façon des années 1950 où vous pourrez déguster de bons hamburgers. Vous y apprendrez peut-être que Joe BTFSPLK était un étrange personnage de bandes dessinées qui se promenait toujours avec un nuage sur la tête et qui causait des désastres partout où il allait. Le seul moyen d'éviter aujourd'hui des désagréments (par exemple, dépenser trop d'argent) serait, paraît-il, de se rendre à ce petit restaurant, très fréquenté par la jeunesse locale, pour y manger hamburgers, frites, salades et croquettes de poulet, et y boire des laits fouettés. Le restaurant sert égale-

ment des petits déjeuners à moins de 6$.

Rose and Crown
$$
à l'étage du 202 Banff Ave.
☎(403) 762-2121
Le Rose and Crown prépare des petits repas légers, composés essentiellement de hamburgers, d'ailes de poulet, de *nachos* et du genre de plats que l'on retrouve dans les pubs anglais. Dans la soirée, les lieux se transforment en bar pour accueillir des musiciens.

The Saltlik
$$-$$$$
221 Bear St.
☎(403) 762-2467
Le Saltlik, un grill branché pour les mordus de steak, a ouvert ses portes en 2001. Attablez-vous et attaquez la viande: filet de bœuf, bifteck de faux-filet à coupe californienne et sauce au bleu, contrefilet au poivre, côtes levées de flanc à parage spécial, et tout le reste. La salle à manger, à l'étage, s'orne de tableaux colorés, arbore un grand foyer et jouxte une terrasse. Une «police montée» souriante vous souhaite la bienvenue à l'entrée du pub, au rez-de-chaussée.

The Pines
$$-$$$$
petit déjeuner 7h à 10h30; dîner dès 17h30
537 Banff Ave.
☎(403) 760-6690
À Banff, vous ne trouverez pas un grand éventail de vraiment bons restaurants, mais vous pourriez justement bien tomber en vous attablant au restaurant The Pines. Vous vous sentirez un peu perdu dans la grande salle à manger, mais vous serez réconforté par la présence de l'attrayant mobilier brut ancien de style champêtre. La nourriture y est vraiment bonne, avec dominante de produits canadiens sur le menu et sur la carte des vins. Ainsi vous pourrez vous y offrir du homard de l'Atlantique ou du saumon de la Colombie-Britannique, ou peut-être un steak d'autruche au poivre. Si c'est disponible pendant que vous êtes ici, commencez votre repas par un bol de soupe de venaison. Génial!

Sukiyaki House
$$$
à l'étage du 211 Banff Ave.
☎(403) 762-2002
Il propose une excellente cuisine japonaise à prix abordable. Les sushis sont parfaits, et le personnel se révèle très courtois. Le décor de la salle laisse cependant un peu froid, tant il est impersonnel.

Magpie & Stump
$$$
203 Caribou St.
☎(403) 762-4067
Avec son intérieur de vieux saloon du Far West, Magpie et Stump sert des plats mexicains accompagnés de fèves mijotées, de riz espagnol, de salade, de crème sûre et de salsa. Son décor sombre lui confère une atmosphère encore plus spéciale.

Ticino
$$$
415 Banff Ave.
☎(403) 762-3848
Le Tifino sert une assez bonne cuisine suisse-italienne ainsi que des fondues savoyardes. Le décor de la salle est assez quelconque, et la musique a tendance à être trop forte.

Silver Dragon Restaurant
$$$
211 Banff Ave.
☎(403) 762-3939
Ce restaurant prépare une cuisine chinoise correcte. Il est possible de se faire livrer un repas à domicile.

Caboose
$$$-$$$$
angle Elk St. et Lynx St.
☎(403) 762-3622 ou 762-2102
Le Caboose est une bonne table de Banff. Les assiettes de poisson, truite ou saumon, sont excellentes, mais vous avez aussi la possibilité de choisir le homard accompagné d'un steak, à la façon américaine, ou le crabe. Une bonne adresse reconnue des habitués.

Le Beaujolais
$$$$
212Buffalo St.
☎(403) 762-2712
Le Beaujolais prépare une excellente cuisine française. La salle à manger est très élégante, et le personnel des plus attentionnés. Le saumon de Colombie-Britannique

braisé est un vrai délice. La meilleure table de Banff!

Grizzly House Fondue Dining
$$$$
207 Banff Ave.
☎***(403) 762-4055***
Ce restaurant a pour spécialité les fondues et les gros et tendres steaks bien juteux. L'ambiance très «western» fait un peu sourire, mais on se concentre vite sur le contenu de son assiette.

Lake Louise

Lake Louise Grill & Bar
$$$
Samson Mall, au centre du village de Lake Louise
☎***(403) 522-3879***
Ce restaurant sert, sans façon, des mets chinois et de la cuisine traditionnelle américaine.

Moraine Lake Lodge
$$$$
au bord du lac Moraine
☎***(403) 522-3733***
Cet établissement abrite un bon restaurant qui vous permettra, tout en dégustant de bons plats, de jouir de la superbe vue du lac et des Ten Peaks qui s'étend sous vos yeux.

Post Hotel
$$$$
au bord de la rivière Pipestone, près de l'auberge de jeunesse
☎***(403) 522-3989***
Cet hôtel abrite un très bon restaurant de l'association «Relais et Châteaux». Les réservations sont nécessaires car il s'agit d'une des meilleures tables de Lake Louise. Le cadre de l'hôtel est enchanteur (voir p 426).

Fairview Dining Room
$$$$
Chateau Lake Louise
☎***(403) 522-3511***
Ce restaurant propose une délicieuse cuisine canadienne à tendance internationale dans un décor des plus élégants avec vue sur le lac. Les réservations sont préférables.

Deer Lodge Restaurant
$$$$
près du lac, sur la droite, avant d'arriver au Chateau Lake Louise
☎***(403) 522-3747***
Le Deer Lodge est un beau restaurant aménagé dans un décor un peu rustique. La table est excellente.

Circuit B: Promenade des glaciers

De Lake Louise à la Promenade des Glaciers

Ce circuit sillonne une région encore peu peuplée; et rares sont les endroits où vous pourrez vous restaurer. Il existe néanmoins quelques petits cafés qui servent des repas légers.

Num-Ti-Jah Lodge
$-$$$$
début déc à mi-oct
au bord du lac Bow, à environ 35 km de Lake Louise
☎***(403) 522-2167***
La boutique de souvenirs du Num-Ti-Jah Lodge vend des sandwichs, des muffins et des gâteaux. Vous pourrez vous réchauffer dans ce tout petit café en consommant un thé ou une boisson chaude. L'endroit, très touristique, en fait un lieu bondé.

The Crossing
$$
mi-mars à fin oct
au croisement des routes 93 et 11, à 80 km de Lake Louise
☎***(403) 761-7000***
Le restaurant abrite une assez grande cafétéria où, semble-t-il, tous les voyageurs s'arrêtent. Il en résulte que les lieux sont très fréquentés et qu'il faut parfois attendre longtemps en file avant de pouvoir commander un petit repas.

Circuit C: Parc national de Jasper

Jasper

Spooner's Coffee Bar
$
610 Patricia St.
☎***(780) 852-4046***
Vous pourrez y prendre des repas légers et y boire des jus de fruits fraîchement pressés. Le café dispose d'une bonne sélection de thés. La vue des montagnes avoisinantes et l'ambiance assez jeune

du café concourent à rendre l'endroit très sympathique.

Coco's Café
$
608 Patricia St.
☎*(780) 852-4550*
Le Coco's Café est un petit café qui sert des *bagels*, des sandwichs et des gâteaux au fromage.

Jasper Marketplace
$
627 Patricia St.
☎*(780) 852-9676*
Ce restaurant est un sympathique établissement où l'on vient casser la croûte à toute heure du jour. Repas-santé de qualité.

Bear's Paw Bakery
$
Cedar Ave., près de Connaught Dr.
☎*(780) 852-3233*
La boulangerie Bear's Paw prépare ses brioches et autres douceurs dès l'aube. On y sert également de bons cafés et du jus. Un bon endroit pour le premier repas de la journée ou pour une collation après une randonnée.

Soft Rock Internet Cafe
$-$$
633 Connaught Dr.
☎*(780) 852-5850*
Le Soft Rock Internet Cafe est plus qu'un endroit où envoyer quelques courriels. On y sert en effet de bons et énormes petits déjeuners toute la journée.

Jasper Pizza Place
$$
402 Connaught Dr.
☎*(780) 852-3225*
On y sert des pizzas cuites au four à bois ou au four conventionnel, au choix. Beaucoup de combinaisons originales sont disponibles: épinards et feta, à la mexicaine avec *jalapeños*...

Cantonese Restaurant
$$
en face de la gare d'autocars, sur Connaught Dr.
☎*(780) 852-3559*
À ce restaurant, on sert de la cuisine sichuanaise et cantonaise dans un décor typiquement chinois.

Miss Italia Ristorante
$$
610 Patricia St., à l'étage du Centre Mall
☎*(780) 852-4002*
Le Miss Italia Restorante prépare une cuisine italienne correcte. Le personnel est aimable et empressé.

L&W Restaurant
$$-$$$
angle Hazel Ave. et Patricia St.
☎*(780) 852-4114*
Ce restaurant se présente comme un restaurant pour toute la famille. On y sert, entre autres plats, des steaks et des spaghettis dans une belle salle à manger remplie de plantes.

Anthony's Restaurant
$$$$
200 Connaught Dr., hôtel Amethyst Lodge
☎*(780) 852-3394*
Anthony's Restaurant a été entièrement rénové. Le résultat en fait un établissement à l'atmosphère détendue. La cuisine traditionnelle se révèle très bonne.

Jasper Inn Restaurant
$$$$
Jasper Inn, 98 Geikie St.
☎*(780) 852-3232*
Ce restaurant cuisine d'excellents produits de la mer. Une bonne table à Jasper.

Environs de Jasper

Becker's Chalet Restaurant
$$$$
Icefields Parkway, 5 km au sud de Jasper
☎*(780) 852-3535*
Ce restaurant, situé au bord de la rivière Athabasca, sert une cuisine traditionnelle tout à fait correcte. Il est cependant regrettable que le décor de la salle à manger soit très impersonnel.

Hinton et les environs

Rancher's
$$
Hill Shopping Centre
☎*(780) 865-9785*
Le Rancher's cuisine toutes sortes de pizzas. L'établissement est en général assez fréquenté.

Fireside Lounge
$$
Holiday Inn
☎*(780) 865-3321*
Ce restaurant est le plus beau et le meilleur restaurant de Hinton.

Greentree Café
$$-$$$
Holiday Inn
☎(780) 865-3321
Ce café prépare de délicieux petits déjeuners copieux à prix imbattables.

Overlander Mountain Lodge
$$$$
Overlander Mountain Lodge, voir p 433, 2 km après les guérites de péage de la sortie du parc national de Jasper; en vous rendant vers Hinton, prenez à gauche en direction de l'hôtel
☎(780) 866-2330
L'Overlander Mountain Lodge est un très bel établissement où l'on vous servira une excellente cuisine. Le menu change régulièrement, mais, si vous en avez l'occasion, laissez-vous tenter par les bons plats de poisson ou leur spécialité, l'agneau.

Circuit D: Parcs nationaux de Kootenay et de Yoho

De Castle Junction à Radium Hot Springs

Kootenay Park Lodge Restaurant
$$$
mi-mai à fin sept tlj 8h à 10h, 12h à 14h et 18h à 20h30
route 93 direction sud, à 42 km de Castle Junction
☎(403) 762-9196
Ce restaurant propose des repas légers en toute simplicité. Ce restaurant étant un peu retiré, au milieu d'un paysage grandiose, vous aurez tout le loisir, après votre repas, de vous promener dans les environs.

Radium Hot Springs

Melting Pot Eatery
$$$
tlj avr à fin oct; fermé lun-mar de fin oct à début avr
3945 route 93
☎(250) 347-9848
Ce restaurant prépare une excellente cuisine fusion.

Fairmont Hot Springs

Mountain Flowers Dining Room
$$$
route 93-95
☎(250) 345-6311 ou 800-663-4979
Le restaurant nouvellement mis à jour du Fairmont Hot Springs Resort saura contenter les clients les plus exigeants. Sa cuisine santé est excellente, et le décor de style romain agréable.

Invermere

Strands
$$$-$$$$
818 12th St.
☎(250) 342-6344
Le charmant Strands est l'établissement sur lequel on peut compter pour se payer un excellent dîner à Invermere. Ce restaurant exceptionnel occupe un bâtiment historique du village, avec ses quatre salles à manger intimes de style champêtre, ornées de vitraux et de lambris en chêne. Le Strands a bonne réputation; donc il est préférable de réserver, surtout qu'il se remplit très vite l'été venu. La cuisine du chef Anthony Wood inclut des plats fusion tels que crevettes polynésiennes et poulet, ou encore steak au poivre de Madagascar et faisan *shitake*. Bien sûr, le menu change régulièrement, sauf qu'il affiche en permanence le poulet Oscar, une constante géniale: offrez-vous cette poitrine de poulet fourrée au crabe et arrosée d'une sauce crémeuse à la moutarde et vous ne serez pas déçu. Des dîners à trois services pour ceux qui s'y attablent tôt (pour 13,95$, quelle aubaine!) sont offerts entre 17h et 18h.

Parc national de Yoho

Emerald Lake Lodge
$$$$
à l'intérieur de l'hôtel du même nom, Field
☎(250) 343-6321
Cet établissement possède une des meilleures salles à manger des Rocheuses canadiennes. On y sert une cuisine typique de la région alliant certains des plats les plus fins jadis servis à bord des wagons-restaurants du Canadien Pacifique, des aliments nourrissants autrefois privilégiés par les guides de montagne, ainsi que des

ingrédients locaux tels que baies et gibier sauvage. Le décor naturel environnant, tout à fait exceptionnel, contribuera par ailleurs à rendre votre repas mémorable.

Golden

Vous croiserez, en traversant la ville, plusieurs comptoirs de restauration rapide.

ABC Restaurant
$$
1049 Highway TransCanada, à l'intérieur du Prestige Inn
☎***(250) 344-7661***
Le restaurant du Prestige Inn apprête la meilleure cuisine de type traditionnelle à Golden.

Golden Village Inn
$$
sur la transcanadienne, à l'entrée de Golden
☎***(250) 439-1188***
Le restaurant du Golden Village Inn, perché sur le haut d'un mont, est relativement tranquille. La cuisine est acceptable.

Golden Rim Motor Inn
$$$
1416 Golden View Rd.
☎***(250) 344-5056***
Cet établissement abrite un petit restaurant plutôt morose où l'on prépare une cuisine traditionnelle assez simple.

Circuit E: Région de Kananaskis

Mount Engadine Lodge
$$$$
Spray Lakes Rd.
☎***(403) 678-2880***
Le Mount Engadine Lodge propose une table d'hôte intéressante. La cuisine, à l'européenne, est très bonne.

Bistro Wild Flower
$$$$
à l'intérieur du Kananaskis Mountain Lodge, en plein centre du village
☎***(403) 591-7500***
Ce restaurant du Kananaskis Mountain Lodge est un bon restaurant au décor très simple, mais chaleureux. Le menu est intéressant, et la cuisine fort bonne.

Canmore

Bella Crusta
$
902 Sixth Ave.
☎***(403) 609-3366***
Pour le moins sans prétention, Bella Crusta, avec ses deux simples tables, propose des pointes de pizza et des sandwichs sur *focaccia* (fougasse). Bon endroit pour un déjeuner léger ou un casse-croûte en soirée, le petit resto se prolonge d'une mini-terrasse l'été. Ne manquez pas, pendant que vous y êtes, l'amusante reproduction de *La Création d'Adam*, une des fresques que Michel-Ange a peintes sur l'axe de la voûte de la chapelle Sixtine: ici Dieu offre une pointe de pizza à Adam!

Village Bistro
$
718 10th St.
☎***(403) 678-3747***
Au Village Bistro, un petit établissement lumineux, le service s'effectue au comptoir, pour d'abordables petits déjeuners ou déjeuners. On y sert aussi bien des croque-monsieur, des œufs, des *bagels* et des cafés de toute sorte que des pâtisseries et des croissants. Le service amical du propriétaire fait du Village Bistro un restaurant agréable. Soupes et sandwichs sont disponibles ici toute la journée.

The Grizzly Paw
$ $$
622 Main St.
☎***(403) 678-9983***
The Grizzly Paw, un pub tout en bois de pin qui brasse sa propre bière et qui a reçu un prix, s'affiche sur l'artère commerciale de Canmore. Hamburgers, plats de pâtes, sandwichs, pizzas et salades sont tous populaires au déjeuner. L'établissement est abordable et assez fréquenté, et l'on y offre, pour accompagner la bière, des *potato skins* (pelures de pommes de terre croustillantes), des *nachos* et des biscottes de *focaccia* (fougasse) au fromage. Vous y trouverez évidemment une bonne sélection de bières en fût.

Summit Café
$-$$
102-1001 Cougar Creek Dr.
☎(403) 609-2120
Le Summit Café, un restaurant qui prépare des petits déjeuners substantiels comme les *huevos rancheros* et les autres plats d'œufs habituels, se transforme, pour le dîner, en *casa* mexicaine. *Enchiladas, fajitas, tacos* et *tostados* y sont servis avec du riz mexicain, des haricots noirs, des *tortillas* et de la *salsa* piquante. Les murs arborent des couleurs vives, dont l'un s'orne d'un soleil aztèque. Durant la journée, le service s'effectue au comptoir, tandis que, le soir, un serveur (ou une serveuse) vous apportera vos *margaritas* à votre table.

Crazyweed Kitchen
$-$$
2-626 Eighth St.
☎(403) 609-2530
Crazy («fou!») est un mot approprié pour désigner ce café à l'heure du déjeuner en semaine, quand il est pratiquement impossible d'y trouver un siège. Le Crazyweed Kitchen est populaire pour ses plats originaux tels que le curry de fruits de mer rouges à la thaïlandaise sur riz au jasmin et les *quesadillas* au saumon fumé. Vous vous y retrouverez peut-être dans une situation de promiscuité le long du comptoir de service qui s'étire devant la cuisine à aire ouverte, mais la bonne nourriture qu'on y offre compense cet inconvénient. Une mini-terrasse comporte quelques sièges de plus.

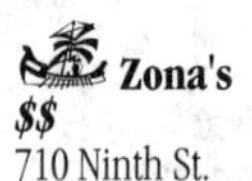

Zona's
$$
710 Ninth St.
☎(403) 609-2000
Zona's se présente comme le restaurant le plus original, et ayant le plus de classe, en ville. Le menu est super, avec ses influences nord-américaines, thaïlandaises, indiennes et mexicaines, tandis que le décor s'avère accueillant. Un DJ, caché dans un coin, fait jouer de la musique douce; les lanternes chinoises sur les tables et la lumière tamisée romantique qui en émane ajoutent à l'ambiance. La spécialité de la maison est un savoureux curry d'agneau marocain à la mélasse, et, si la soupe au miso, copieuse et épicée, est disponible le soir que vous serez ici, ne manquez pas d'en commander un bol. Zona's se veut aussi un rendez-vous nocturne, et vous ne vous y ennuierez pas, entouré de la faune locale qui vient aussi bien siroter des martinis que lamper de la bière le jeudi soir.

Sherwood House
$$-$$$
lun-ven 16h à 23h, sam-dim 9h à 23h
838 8th St.
☎(403) 678-5211
La salle à manger du Sherwood House occupe un attrayant réfectoire en rondins de pin, et les fenêtres se doublent de verrières multicolores. Le menu se veut un mélange de mets *Canadiana* et internationaux, tel le *vindaloo* (plat indien au curry très épicé) à l'agneau. Pour un repas gastronomique, vous pourrez vous gaver de bifteck de côte de bison, de gratin de venaison sauce béarnaise ou de poulet *korma*. Pour un repas plus économique, essayez les pizzas ou les pâtes. S'y trouve également un bon pub, prolongé d'une terrasse qui se remplit dès l'arrivée de l'été.

Santa Lucia
$$-$$$
fermé mar
714 8th St.
☎(403) 678-3414
Ce restaurant se présente comme un petit restaurant italien à l'atmosphère familiale. Les *gnocchis* sont excellents. Vous avez en outre la possibilité de vous faire livrer votre repas à domicile.

Chez François
$$$
attenant à l'hôtel Best Western, route 1A
☎(403) 678-6111
Le restaurant Chez François est probablement la meilleure table de Canmore. Son chef québécois vous propose une excellente cuisine française dans son restaurant à l'atmosphère chaleureuse.

Sinclairs
$$$$
637 8th St.
☎(403) 678-5370
Le Sinclairs sert, dans un décor chaleureux agrémenté d'un feu de foyer, une bonne cuisine. Les réservations sont préférables en saison, car le restaurant est souvent complet. Le restaurant propose en outre une excellente sélection de thés, ce qui n'est pas courant dans les environs.

Sorties

Circuit A: Parc national de Banff

Banff

La vocation essentiellement touristique de la petite ville de Banff a suscité l'ouverture de plusieurs établissements appelés à divertir les visiteurs. Il y en a pour tous les goûts.

Fairmont Banff Springs Hotel
Spray Ave.
☎(403) 762-6860
Cet hôtel offre des divertissements variés, au gré de vos préférences. Les amateurs de danse peuvent ainsi s'ébattre à l'Alhamber Restaurant, tandis que ceux et celles qui recherchent une ambiance plus feutrée peuvent passer la soirée au Rundle Lounge, où un pianiste joue des airs classiques.

Outabounds
137 Banff Ave.
☎762-8454
Outabounds, ce bistro installé dans un sous-sol sombre, s'avère populaire auprès de la jeune armée d'employés touristiques de Banff. Résultat, c'est un bon endroit où rencontrer des gens du monde entier et battre la mesure avec le DJ ou du hip-hop. La fin de semaine, on demande un léger droit d'entrée.

Rose and Crown
202 Banff Ave.
☎(403) 762-2121
Ce bar fait vibrer le western dans un décor de pub anglais. Vous y trouverez une piste de danse, de fréquentes prestations musicales, un jeu de fléchettes et une table de billard.

Si vous préférez battre du pied dans un décor authentiquement western, enfilez vos jeans, chaussez vos bottes de cow-boy, coiffez votre Stetson et dirigez votre monture vers le **Wild Bill's Legendary Saloon** *(à l'étage du 201 Banff Ave., ☎403-762-0333)*. Avec un peu de chance, un cow-boy amical pourrait même s'offrir à vous enseigner le *two-step*.

Barbary Coast
à l'étage du 119 Banff Ave.
☎(403) 762-4616
Le Barbary Coast est un endroit chaleureux et accueillant.

Les amateurs de billard se tiennent au **King Eddy's Billiards** *(à l'étage du 137 Banff Ave., ☎403-762-4629)*.

Buffalo Paddock Lounge and Pub
124 Banff Ave.
☎(403) 762-7181
C'est un bar immense et quelque peu bruyant aménagé au sous-sol du Mount Royal Hotel.

Loft Lounge at Bumper's Beef House Restaurant
603 Banff Ave.
☎(403) 762-2622
Cet établissement projette souvent de courtes séquences filmées sur le thème du ski tout en faisant jouer de la musique populaire ou folk.

Lake Louise

À Lake Louise, les soirées se veulent beaucoup plus détendues. Vous y trouverez néanmoins deux établissements fort appréciés de certains oiseaux de nuit.

Lake Louise Inn
Village Rd.
☎(403) 522-3791
Le charmant petit **Explorer's Lounge** se trouve à l'intérieur du Lake Louise Inn. Il s'agit d'un endroit agréable où prendre un verre tout en écoutant de la musique. On y sert en outre des plats simples.

Le **Glacier Saloon** *(Chateau Lake Louise, ☎403-522-3511)* attire en général une foule jeune et sportive.

Canmore

Canmore Hotel
738 Eighth St.
☎678-5181
Surnommé *The Ho*, le Canmore Hotel, d'aspect criard, se veut LE rendez-vous des résidants du coin. Passez outre au décor... pittoresque? et vous pourrez vous donner du bon temps: vous vous défoulerez en écoutant les musiciens rock et punk tout en descendant quelques pintes de bière en fût d'un seul élan.

Sherwood House
838 Eighth St.
☎678-5211
Montrez patte blanche à l'entrée du Sherwood House: c'est ce vieil établissement qui devient LA place où prendre un verre au cours de l'été. Sa terrasse est très populaire, et vous pourrez y boire entre autres la bière brassée spécialement pour le Sherwood, fabriquée par l'albertaine Big Rock Brewing Company.

Circuit C: Parc national de Jasper

Jasper

Vous trouverez à Jasper deux boîtes s'adressant aux amateurs des plus récents succès: **Pete's on Patricia** *(à l'étage du 614 Patricia St., ☎780-852-6262)* et l'**Atha-B Pub** *(Athabasca Hotel, 510 Patricia St., ☎780-852-3386)*, qui possèdent toutes deux un bar, disposent d'une piste de danse et diffusent des airs récents. Le **Tent City** *(au sous-sol du Jasper Park Lodge, ☎780-852-3301)* se veut quant à lui un bon choix pour les amateurs de sport.

Le **Nick's Bar** *(Juniper St., entre Connaught Dr. et Geikie St., ☎780-852-4966)* projette des séquences de ski acrobatique sur grand écran, de quoi faire rêver tous ceux et celles qui aimeraient bien pouvoir dévaler les pentes avec autant d'adresse. Quelques plats légers s'offrent au menu, et un pianiste divertit la galerie certains soirs.

Les âmes en quête d'un pub à l'anglaise ont ici deux choix: le **Whistler Inn** *(105 Miette Ave., ☎780-852-3361)*, tout indiqué pour une bonne chope et une partie de fléchettes ou de billard au coin du feu, et le **Champs** *(Sawridge Hotel, 82 Connaught Dr., ☎780-852-5111)*, qui propose lui aussi des jeux de fléchettes et des tables de billard.

Les amateurs de musique country peuvent entre autres manger au **Buckles Saloon** *(à l'extrémité ouest de Connaught Dr., ☎780-852-7074)*, dont le décor reste fidèle à l'Ouest sauvage canadien. Bière, hamburgers et sandwichs.

Circuit D: Parcs nationaux de Kootenay et de Yoho

Golden

Mad Trapper Neighbourhood Pub
1205 9th St. S.
☎(250)-344-6661

Radium Hot Springs

Horsethief Creek Pub & Eatery
7538 Main St. E.
☎(250)-347-6400

Activités culturelles

Banff

Banff Centre
107 Tunnel Mountain Dr.
☎ (403) 762-6180 ou 800-565-9989
www.banffcentre.ab.ca
Centre culturel réputé, le Banff Centre se veut le lieu central pour le ballet classique et contemporain, le théâtre, la musique, la photographie et la céramique, et l'on y organise quelques festivals renommés (voir ci-dessous).

Festivals et événements

Banff

En juillet et en août, le Banff Centre est l'hôte du **Banff Arts Festival** *(☎762-6301)*, pendant lequel ont lieu des événements culturels et des spectacles qui représentent un large éventail artistique, incluant les arts amérindiens, le journalisme culturel, la danse, la musique, les nouveaux médias, l'opéra, le théâtre et les arts visuels.

Les passionnés de littérature canadienne voudront sûrement être en ville aussi au mois d'octobre pour le **Wordfest** *(☎762-6301 ou 800-413-8368)*, nom en abrégé du Banff-Calgary International Writers Festival. Plus grand événement littéraire en Alberta, le Wordfest est également le troisième festival de littérature en importance au Canada. Plus de 50 écrivains sont invités chaque année, à Banff même mais aussi à Calgary, pendant les cinq jours qu'il dure.

Finalement, le très occupé Banff Centre met aussi à l'affiche le **Banff Mountain Film Festival** *(☎762-6301 ou 800-413-8368)* la première fin de semaine du mois de novembre. Ce festival international met en vedette les meilleurs films du monde sur des thèmes comme la montagne et l'aventure.

Achats

Circuit A: Parc national de Banff

Banff

L'artère principale de Banff est bordée de comptoirs de souvenirs, de magasins de sport et de boutiques de vêtements de toutes sortes. Les lieux sont entre autres constellés de bijoux, de babioles, d'articles de plein air et de t-shirts.

La **Hudson's Bay Company** *(125 Banff Ave., ☎403-762-5525)* appartient au plus ancien fabricant de vêtements au Canada, établi depuis 1670, et vend d'ailleurs toujours des vêtements, mais aussi des cadeaux, des cosmétiques et bien d'autres choses encore.

The Shirt Company *(200 Banff Ave., ☎403-762-2624)* propose, ainsi que son nom l'indique, des t-shirts de toute taille et pour tous les goûts.

Monod Sports *(129 Banff Ave., ☎403-762-4571)* est l'endroit tout indiqué pour combler tous vos besoins en matériel de plein air. Vous y trouverez un bel assortiment de bottes de randonnée, mille et un accessoires de camping et même des vêtements.

Réputée à travers le pays pour la qualité de ses articles de cuir, **Roots Canada** *(227 Banff Ave., ☎403-762-9434)* vend des chaussures, des sacs à main, de magnifiques vestes de cuir ainsi que des vêtements tout confort.

Chez **Orca Canada** *(121 Banff Ave., ☎403-762-2888)*, un joaillier, vous aurez sûrement des idees de cadeaux. Nombre de pièces proposées ici, comme dans d'autres bijouteries de la région, renferment de l'ammolite, soit un minéral fossilisé trouvé dans le sol albertain; quoique parfois assez coûteux, ces objets constituent des souvenirs on ne peut plus représentatifs de la région.

A Bit of Banff *(120 Banff Ave., ☎403-762-4996)* vend tous les souvenirs imaginables: cartes postales, affiches, livres d'images sur les Rocheuses, masques amérindiens et sculptures autochtones en «pierre de savon». Soyez toutefois prévenu que ces dernières ont souvent un prix exorbitant par ici.

La **Luxton Museum Shop** *(Luxton Museum of the Plains Indian, 1 Birch Ave., ☎403-762-2388)* est une petite boutique de cadeaux qui vend des œuvres d'art autochtones ainsi que des ouvrages traitant de la culture amérindienne.

La **Chocolaterie Bernard Callebaut** *(111 Banff Ave., ☎403-762-4106)* fait le bonheur de tous les amateurs de chocolat belge. Ses truffes sont excellentes.

Mountain Magic Sportswear and Equipment *(224 Bear St., ☎403-762-2591)* se présente comme un grand magasin à plusieurs étages où vous trouverez tout l'équipement dont vous aurez besoin pour explorer les Rocheuses. Il dispose entre autres d'un mur d'escalade, sans parler des patins à roues alignées, des kayaks, des vélos, etc.

Hemp and Company *(101-230 Bear St., ☎760-4402)* propose des vêtements en fibres de chanvre résistantes, comme quoi on trouve de tout à Banff... Ces articles sont haut de gamme, tels les cardigans et les jupes raffinés. À ce qu'on dit, vous pouvez encore acheter des graines et du savon ici.

Canada House *(201 Bear St., ☎762-3757)* se révèle très chérot, mais le magasin abrite des tableaux, des sculptures et des objets de verre finement ouvragés, toutes d'attrayantes œuvres d'art canadiennes et amérindiennes, et l'on vous laissera avec plaisir jeter un coup d'œil sur les pièces. Dans le même esprit, la **Quest Gallery** et **Very Canada** *(105 Banff Ave., ☎762-2722)*, deux boutiques d'artisanat, se trouvent côte à côte. La Quest Gallery a en montre des articles de plus grande valeur et plus intéressants, mais plus chers aussi, que Very Canada.

Lake Louise

Moraine Lake Trading *(début juin à début oct; Moraine Lake Lodge, ☎403-522-2749)* est une petite boutique où vous trouverez des œuvres d'art amérindien et de superbes produits d'importation.

Woodruff and Blum Booksellers *(Samson Mall, Lake Louise, ☎403-522-3842)* possède une excellente collection d'ouvrages illustrés et de guides pratiques sur la randonnée pédestre, l'escalade, la pêche et le canotage dans la région. Vous y trouverez par ailleurs des cartes postales, des disques compacts, des affiches et des cartes topographiques.

Circuit C: Parc national de Jasper

Jasper

Maligne Lake Books *(Beauvert Promenade, Jasper Park Lodge, ☎780-852-4779)* vend de magnifiques recueils de photographies, des journaux et des romans.

Exposures Keith Allen Photography *(Building 54, Stan Wright Industrial Park, ☎780-852-5325)* fait des encadrements sur mesure et dispose d'un vaste assortiment de photos de la région datant des années quarante, y compris des photos inédites de Marilyn Monroe prises au cours du tournage de *Rivière sans retour*, filmé à Jasper même.

Outre un service de développement, le **Film Lab** *(Beauvert Promenade, Jasper Park Lodge, ☎780-852-4099)* offre des services de photographie professionnels.

Jasper Originals *(15 Jasper Park Lodge St., Jasper Park Lodge, ☎780-852-5378)* vend d'intéressantes œuvres d'art (peintures, sculptures, poteries et bijoux) qui font de charmants cadeaux.

Jasper Camera and Gifts *(412 Connaught Dr., ☎780-852-3165)* possède un bon assortiment de livres sur les

Rocheuses et des produits Crabtree & Evelyn. Vous y trouverez même des jumelles pour observer la faune de plus près lors de vos excursions en montagne. On y développe enfin les pellicules photographiques.

The Liquor Hut *(Jasper Marketplace, angle Patricia St. et Hazel Ave., ☎780-852-3152)* dispose d'un bon choix de vins et de spiritueux.

Environs de Jasper

La **Sunwapta Falls Resort Gift Shop** *(53 km au sud de Jasper, Icefields Parkway, ☎780-852-4852)* vend des œuvres d'art amérindiennes telles que couvertures, mocassins et sculptures en «pierre de savon». Parmi les bijoux également étalés dans un coin de la boutique, vous retrouverez du jade, du lapis-lazuli et de l'ammolite.

Orignal

Calgary
Edgemont Blvd.
Sarcee Trail
Shaganappi Trail
80th Ave. NE
72nd Ave. NE
Red Deer, Edmonton
Aéroport international de Calgary
Barrow Trail
N
Nose Hill Dr.
1a
John Laurie Blvd.
Nose Hill Park
64th Ave. NE
Crowchild Trail
Bow
48th Ave. NW
Bowness Park
Banff
Brisebois
McKnight Blvd.
Deerfoot Trail
McKnight Blvd.
36th St. NE
River
Bowness Rd.
40th Ave. NW
32nd Ave. NW
Shaganappi Trail
Northmount Dr.
4th St. NW
Centre St.
Edmonton Trail
32nd Ave. NE
10th St. NW
Medicine Hat
Old Banff Coach Rd.
16th Ave. NW
19th St. NW
14th St. NW
16th Ave. NW
8th Ave. NE
Barrow Trail
Memorial Drive
1st Ave. NE
Memorial Dr.
Bow Trail
4th Ave. SW
85th St. SW
89th St. SW
Sarcee Trail
45th St. NW
37th St. NW
29th St. NW
17th Ave. SW
Voir Calgary Centre
17th Ave. SE
28th Ave SW
14th St. SW
Inglewood Bird Sanctuary
26th Ave. SE
33rd Ave. SW
Richmond Rd.
Sarcee Rd.
Crowchild Trail
Macleod Trail
Ogden Rd.
42nd Ave. SE
Peigan Trail
46th Ave. SW
16th St. SW
Glenmore Trail
50th Ave. SE
Elbow River
Elbow Dr.
58th Ave. SE
61st Ave. SE
66th Ave. SW
72nd Ave. SE
76th Ave. SE
18th St. SE
Glenmore Reservoir
Heritage Dr.
Blackfoot Trail
Deerfoot Trail
Glenmore Trail
70th Ave. SW
14 St. NW
Elbow Dr.
90th Ave. SW
Shepard Rd.
Barrow Trail
SARCEE INDIAN RESERVE No. 145
Southland Dr.
Southland Dr.
24th St. SW
Anderson Rd.
Macleod Trail
Deerfoot Trail
114th Ave. SE
Bow River
0 2 4km
Légende: C-Train (LRT)
Fish Creek Provincial Park
©ULYSSE
ATTRAITS
Circuit C: Le Sud-Est et le Sud-Ouest
1. Naval Museum of Alberta
2. Musée des Régiments
3. Village historique du Heritage Park
4. Musée Tsuu T'ina
5. Spruce Meadows
Circuit D: Le Nord
6. Canada Olympic Park (R)
(R) établissement avec restaurant décrit
HÉBERGEMENT
1. Best Western Calgary Centre Inn
2. Best Western Port O' Call Inn
3. Best Western Village Park Inn
4. Blackfoot Inn
5. Coast Plaza Hotel
6. Country Inn and Suites
7. Econo Lodge Banff Trail
8. Elbow River Manor
9. Executive Royal Inn
10. Greenwood Inn
11. Holiday Inn Express
12. Quality Inn Motel Village
13. Red Carpet Inn
14. Sweet Dreams and Scones Bed and Breakfast
15. Université de Calgary
RESTAURANTS
1. 4th Street Rose
2. Blue House Café
3. Mamma's Restaurant
4. Peter's Drive-In
5. Pho Kim/Kim's Vietnamese Noodle House
6. Wildwood Grill

Calgary ★★, florissante métropole de béton et d'acier campée entre les Rocheuses, à l'ouest, et les ranchs des plaines, à l'est, a toutes les caractéristiques d'une ville de l'Ouest.

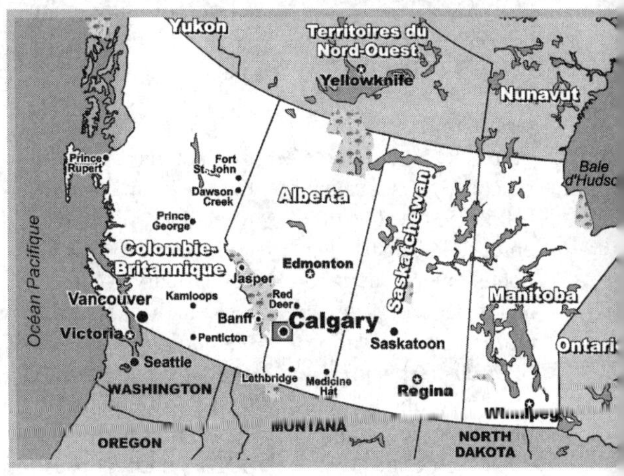

Jeune et prospère, elle s'est épanouie avec la fièvre répétée de l'or noir des années 1940, 1950 et 1970, bien que son surnom de Cowtown (ville des vaches) témoigne d'un passé tout autre. Car avant le pétrole, il y avait les cow-boys et les grands propriétaires terriens; à l'origine, c'est d'ailleurs grâce à une poignée de riches familles d'éleveurs que Calgary s'est développée.

La région actuelle de Calgary a d'abord attiré l'attention des chasseurs et des commerçants à la suite de la disparition du bison au cours des années 1860. Le commerce illégal des trafiquants de whisky venus des États-Unis faisait généralement des ravages, ce qui provoqua l'intervention dans la région de la «police montée» du Nord-Ouest. En 1875, après avoir construit le fort Macleod, les forces de l'ordre se rendent plus au nord et construisent un autre fort, cette fois au confluent des rivières Bow et Elbow, le baptisant du nom de Calgary «eaux vives et claires» en gallois. Les premiers colons n'arrivent toutefois qu'avec le chemin de fer: le Canadien Pacifique décide que sa voie ferroviaire franchira les montagnes par le col de Kicking Horse. La gare émerge en 1883, et les plans de la ville sont dressés; moins de neuf ans plus tard, Calgary accède au statut de ville constituée.

Un incendie tragique la rase toutefois presque entièrement en 1886, incitant les urbanistes municipaux à faire adopter un règlement voulant que toute nouvelle construction soit de grès. C'est ainsi que Calgary s'est donné des airs de grandeur et de pérennité qui demeurent très manifestes à ce jour.

Puis vinrent l'élevage et les ranchs. Le surpâturage des terres américaines et la politique de pâturage à volonté en vigueur au nord de la frontière américano-canadienne poussèrent de nombreux propriétaires de ranchs à s'installer dans les plaines fertiles qui entourent Calgary. De riches investisseurs anglais et américains ne tardèrent pas à s'approprier des terres près de la ville et, une fois de plus, Calgary reprit son essor. Le début du XXe siècle vit croître la population et donna lieu à une forte expansion à peine entravée par la Première Guerre mondiale.

Ce fut ensuite au tour du pétrole de faire mousser l'économie locale. Avec la découverte de pétrole brut à Turner Valley en 1914, Calgary était déjà en voie de devenir une ville moderne. La population grimpa en flèche, et la construction ne cessa de croître tout au long des années 1950, 1960 et 1970. Qui plus est, lorsque la crise mondiale du pétrole fit monter les prix du brut, les multinationales du monde entier déménagèrent leur siège social à Calgary et, bien que le pétrole fût puisé ailleurs, c'est ici que les transactions se déroulèrent désormais.

Il y a de cela 30 ans maintenant, Robert Kroetsch, un conteur, romancier, poète et critique albertain, décrivait Calgary comme une ville qui rêve de bétail, de pétrole, d'argent et de femmes. À n'en point douter, le bétail, l'argent et le pétrole figurent toujours en tête de liste des priorités locales et, au fur et à mesure que la ville mûrit, les arts, la culture et les questions environnementales prennent également de l'importance. Les habitants de cette ville se préoccupent au plus haut point de leur qualité de vie, et des parcs urbains, des voies cyclables ainsi qu'une rivière alimentée par un glacier leur rendent les grands espaces on ne peut plus accessibles.

La ville a beaucoup à offrir à ses résidants, et ceux-ci le lui rendent bien. En 1988, ils en furent d'ailleurs récompensés lorsque Calgary fut choisie pour accueillir les Jeux olympiques d'hiver. Après avoir souffert de la chute des cours du pétrole, la ville connaît un nouveau regain de vigueur.

Pour s'y retrouver sans mal

En voiture

La plupart des rues de Calgary sont numérotées, et la ville se découpe en quatre quartiers, soit NE (nord-est), NW (nord-ouest), SE (sud-est) et SW (sud-ouest). Il vous semblera sans doute que les urbanistes ont fait preuve de bien peu d'imagination en adoptant un tel découpage, mais accordez-leur qu'il a au moins l'avantage de faciliter l'orientation. Les avenues suivent un axe est-ouest, et les rues, un axe nord-sud. **Centre Street** sépare l'est et l'ouest de la ville, tandis que la rivière Bow en départage le nord du sud.

L'autoroute transcanadienne traverse également la ville, où elle prend le nom de

16th Avenue N. Plusieurs artères importantes ont toutefois un nom plus évocateur, et non seulement elles ne sont pas identifiées par un numéro, mais encore ont-elles l'appellation de *trail* (piste) qui rappelle leur vocation première. Il s'agit de **Macleod Trail**, qui s'éloigne du centre-ville en direction du sud et qui finit par atteindre le fort Macleod, d'où son nom; de **Deerfoot Trail**, qui traverse la ville du nord au sud et fait partie de la route 2; et de **Crowchild Trail**, qui prend la direction du nord-ouest et se confond avec **Bow Trail**, avant de devenir la route 1A.

Le «village de motels» de Calgary se trouve sur 16th Avenue NW, entre 18th Street NW et 22nd Street NW.

Location de voitures

National Car Rental

Aéroport
☎(403) 221-1692
Nord-est de Calgary
2335 78th Ave. NE
☎(403) 250-1396
Sud-est de Calgary
114 5th Ave. SE
☎(403) 263-6386

Budget
Aéroport
Centre-ville
140 6th Ave. SE
☎(403) 226-1550 ou 800-267-0505

Avis
Aéroport
☎(403) 221-1700
Centre-ville
211 6th Ave. SO
☎(403) 269-6166 ou 800-879-2847

Thrifty
Aéroport
☎(403) 221-1961
Centre-ville
123 5th Ave. SE
☎(403) 262-4400 ou 800-367-2277

Discount
Aéroport
☎(403) 299-1222
Centre-ville
240 9th Ave. SO
☎(403) 299-1224 ou 888-412-3733

Hertz
Aéroport
☎(403) 221-1676
Centre-ville
The Bay, 227 6th Ave. SO
☎(403) 221-1300 ou 800-263-0600

Dollar
Aéroport
☎(403) 221-1888

En avion

Le **Calgary International Airport** se trouve au nord-est du centre-ville de Calgary; il s'agit du quatrième aéroport en importance au Canada, et vous y trouverez une foule de services: restaurants, centre d'information, lignes téléphoniques directes vers les hôtels, comptoirs de location de voitures des grandes compagnies, bureau de change et agence d'excursions.

Les grandes compagnies aériennes, comme Air Canada, proposent toutes des vols réguliers vers cet aéroport. Les compagnies aériennes régionales desservent aussi l'aéroport international de Calgary.

Une navette transporte les passagers de l'aéroport de Calgary vers les principaux hôtels du centre-ville: l'***Airporter*** *(6h30 à 11h30 aux demi-heures; 9$ ou 15$ aller-retour ☎403-531-3907 ou 800-661-6161)*. Un taxi vous coûtera autour de 25$ pour le même trajet.

En train

La société ferroviaire VIA ne dessert pas Calgary. Le train passe plutôt par Edmonton, les deux villes étant reliées par un service d'autocar.

Le seul et unique service ferroviaire offert au départ de Calgary relève de **Rocky Mountaineer Railtours** *(☎403-221-8224 ou 800-665-7245)*.

En autocar

Les autocars **Greyhound** couvrent la plus grande partie du territoire albertain. Vous pouvez vous procurer vos billets directement à l'endroit d'où vous voulez partir; aucune réservation n'est possible, mais vous obtiendrez une réduction si vous achetez votre billet sept jours à l'avance. Le service est régulier et relativement peu coûteux.

Calgary Greyhound Bus Depot
850 16th St. SW
☎(403) 260-0850 ou 800-661-8747
www.greyhound.ca
Services: restaurant, consigne automatique, panneau d'information touristique.

Brewster Transportation and Tours *(☎403-762-6700 ou 800-661-1152; www.brewster.ca)* offre un service en voiture-coach de Calgary à Banff au départ de l'aéroport international de Calgary.

Transport en commun

Le transport en commun de Calgary se compose d'un vaste réseau d'autobus et d'un système de transport léger sur rail connu sous le nom de **C-Train**. Il y a trois circuits de C-Train: le *Fish Creek Park*, qui suit Macleod Trail vers le sud jusqu'à Fish Creek-Lacombe, le *Whitehorn*, qui circule vers le nord-est au-delà des limites de la ville, et le *Brentwood*, qui suit 7th Avenue puis file vers le nord-ouest passé l'University of Calgary.

Les C-Train sont gratuits au centre-ville. Vous pouvez correspondre d'un autobus à un C-Train; les tickets se vendent 1,75$ pour un simple trajet et 5,60$ pour un laissez-passer d'une journée. Des livrets de 10 tickets sont aussi offerts dans les dépanneurs au coût de 16,50$. Pour plus de renseignements sur le réseau d'autobus, adressez-vous à la **Calgary Transit** *(☎262-1000, www.calgarytransit.com)*; pour vous rendre d'un point à un autre, dites simplement où vous êtes et où vous désirez aller, et l'on se fera un plaisir de vous expliquer le trajet.

À pied

Un réseau de passerelles couvertes et reliées entre elles permet d'atteindre plusieurs sites touristiques, hôtels et commerces du centre-ville de Calgary. Ce réseau, connu sous le nom de «**+15**», a été construit à 15 m au-dessus du sol. Les galeries marchandes de 7th Avenue SW sont toutes reliées au réseau, de même que la tour de Calgary, le musée Glenbow et l'hôtel Palliser.

Renseignements pratiques

Indicatif régional de Calgary: ***403***

Pour obtenir des renseignements sur à peu près tout, de l'état des routes aux horaires de cinéma et aux parcs provinciaux, songez à utiliser les «Pages Jaunes Parlantes». À Calgary, composez le ☎521-5222. Une variété de messages enregistrés vous seront alors accessibles en composant l'un ou l'autre des codes numériques qui figurent au début de l'annuaire des *Pages Jaunes*, dont un exemplaire se trouve généralement dans chaque cabine téléphonique.

Bureau d'information touristique

Visitor Centre Calgary
220 Eighth Ave. SW (à l'intérieur du magasin Riley & McCormick)
☎263-8510 ou 800-661-1678

B&B Association of Calgary
P.O. Box 1462, Station M, Calgary, AB, T2P 2L6
☎277-0023
⇄295-3823
www.bbcalgary.com

Internet

Ce ne sont pas les cafés Internet qui manquent à Calgary. Généralement, on vous chargera 10$ l'heure pour naviguer dans Internet. Le **Wired** *(1032 17th Ave. SW, ☎244-7070)* est situé tout près du centre-ville.

Attraits touristiques

Circuit A: Centre-ville de Calgary

Nous vous suggérons de commencer votre visite de la ville à la **Calgary Tower** ★★ *(7,95$; en été tlj 7h30 à 24h, en hiver 8h à 22h; angle 9th Ave. et Centre St. SW, ☎508-5808)*, une tour de 55 étages et de 762 marches qui fait 190 m de hauteur. Le point de repère le plus célèbre de la ville n'en offre pas qu'une vue à couper le souffle, englobant tout à la fois les tours de saut à ski du Canada Olympic Park, le Saddledome et les Rocheuses; il renferme de plus un restaurant tournant. Les photographes noteront que le verre teinté des fenêtres de la plate-forme d'observation donne de belles images.

De l'autre côté de la rue, à l'angle de 1st Street SE, se dresse l'époustouflant **Glenbow Museum** ★★★ *(11$; mar-dim 9h à 17h; 130 9th Ave. SE, ☎268-4100, www.glenbow.org)*. Trois étages de collections permanentes et d'expositions temporaires témoignent dans ce musée de l'histoire passionnante de l'Ouest canadien. On y présente, entre autres, des objets d'art autochtone et contemporain, de même qu'un aperçu des différentes étapes de la colonisation de l'Ouest traitant des Autochtones, de l'arrivée des premiers colons, de la traite des fourrures, de la «police montée» du Nord-Ouest, des ranchs, du pétrole et de l'agriculture.

Des photographies, des costumes et des objets de la vie quotidienne rappellent les difficultés et les formidables obstacles que durent affronter les premiers habitants de la région. On y présente en détail les peuples indigènes du Canada tout entier ainsi qu'une nouvelle exposition permanente sur la nation Blackfoot locale. Jetez également un coup d'œil sur le tipi grandeur nature et les minéraux scintillants, autant d'aspects de l'histoire complexe de cette province. Une partie de la collection permanente relate par ailleurs l'histoire des guerriers à travers les âges. On y trouve une intéressante boutique et un café. Des visites gratuites des galeries d'art de la ville sont aussi organisées par le musée une ou deux fois par semaine.

Donnant sur 7th Avenue SE (la rue du C-Train), la **Cathedral Church of the Redeemer** *(tlj 11h30 à 13h30; 604 1st St. SE, ☎269-1905)* contraste et illumine de tranquillité le fébrile quartier des affaires. L'édifice d'influence victorienne terminé en 1905 compte de nombreux vitraux. Le silence et la contemplation règnent ici en maître.

Sortez sur 8th Avenue SE et dirigez-vous vers l'Olympic Plaza et l'hôtel de ville.

Spécialement aménagée pour les cérémonies de remise des médailles lors des Jeux olympiques d'hiver de 1988, l'**Olympic Plaza** ★★★ *(205 8th Ave. SE)* constitue un bel exemple des capacités réalisatrices de Calgary. Cette charmante place comporte un grand bassin peu profond qui se transforme en patinoire en hiver; entourée de piliers et de colonnes, elle a presque l'allure d'un temple grec. Dans le parc adjacent, on présente désormais des concerts et des événements spéciaux, sans oublier les amuseurs de rue qui s'y produisent toute l'année et les employés de bureau qui l'envahissent à l'heure du déjeuner. Chacun des piliers du Legacy Wall honore la mémoire d'un médaillé des Jeux, et les pavés portent les noms des personnes qui ont contribué au financement des Jeux en achetant un pavé au coût de 19,88$!

En face de l'Olympic Plaza se trouve l'**hôtel**

de ville *(2nd St. SE)*, un des rares exemples encore debout des édifices d'architecture civile monumentale érigés à l'époque faste des Prairies. Construit en 1911, il abrite toujours des bureaux.

Prenez vers l'ouest par Stephen Avenue.

Le **Stephen Avenue Mall** *(8th Ave., entre 1st St. SE et 6th St. SW)*, en partie un rendez-vous piétonnier animé et en partie un espace désert peu invitant, incarne merveilleusement bien tous les contrastes qui caractérisent cette métropole vouée à l'élevage. Vous y trouverez des fontaines, des statues, des bancs, des voies pavées, des restaurants et des boutiques. Une bonne partie des devantures placardées et des comptoirs de souvenirs et de t-shirts bon marché qui la caractérisaient sont depuis quelques années rénovés à divers degrés.

Les bâtiments historiques ont été restaurés, et l'on 3trouve désormais dans ce quartier des galeries d'art, des restaurants haut de gamme et des commerces de luxe, en plus du **TELUS Convention Centre** *(120 9th Ave. SE, angle First Ave. SE, ☎261-8500 ou 800-822-2697)*.

Les magnifiques bâtiments de grès qui bordent l'avenue et les commerces qu'ils abritent témoignent certes d'une autre époque; on y trouve toujours un cordonnier à l'ancienne et plusieurs magasins de vêtements et d'accessoires «western». Parmi ces bâtiments, retenons l'**Alberta Hotel**,

● ATTRAITS

Circuit A: Le centre-ville
1. Calgary Tower
2. Musée Glenbow
3. Olympic Plaza
4. Hôtel de ville
5. Stephen Avenue Mall
6. Devonian Gardens
7. Calgary Science Centre
8. Arsenal Mewata

Circuit B: Le long de la rivière Bow
9. Marché Eau Claire
10. Prince's Island Park
11. Crescent Road Viewpoint
12. Centre culturel chinois
13. Fort Calgary
14. Deane House (R)
15. Zoo, Jardin botanique et Parc préhistorique de Calgary

Circuit C: Le Sud-Est et le Sud-Ouest
16. Stampede Park
17. Saddledome
18. Grain Academy

(R) établissement avec restaurant décrit

○ HÉBERGEMENT

1. Calgary City Centre Hostel
2. Calgary Marriott Hotel
3. Fairmont Palliser (R)
4. Hawthorn Hotel & Suites
5. Hyatt Regency Calgary
6. Inglewood Bed & Breakfast
7. Plaza Regis Hotel
8. Riverpath Bed and Breakfast
9. Riverwynde Bed and Breakfast
10. Sandman Hotel
11. Sheraton Suite Eau Claire
12. Tumble Inn

(R) établissement avec restaurant décrit

● RESTAURANTS

1. 1886 Café
2. Arden Diner
3. Barley Mill
4. Buchanan's
5. Caesar's Steakhouse
6. Cannery Row
7. Casablancan Chef at the Sultan's Tent
8. Catch
9. Drinkwaters Grill
10. Fiore Cantina
11. Galaxie Diner
12. Good Earth Café
13. Heartland Café
14. Hy's Steakhouse
15. King & I Thai Restaurant
16. La Caille on the Bow
17. Latin Corner
18. Marathon
19. Mescalero
20. Mongolie Grill
21. Moti Mahal Restaurant
22. Nellie's Kitchen
23. Old Spaghetti Factory
24. Owl's Nest
25. Passage To India
26. Pongo
27. River Café
28. Rose Garden
29. Schwartzie's Bagel Noshery
30. Silver Dragon
31. Stromboli Inn
32. Sukiyaki House
33. Sumo Lounge
34. Teatro
35. Wicked Wedge Pizza

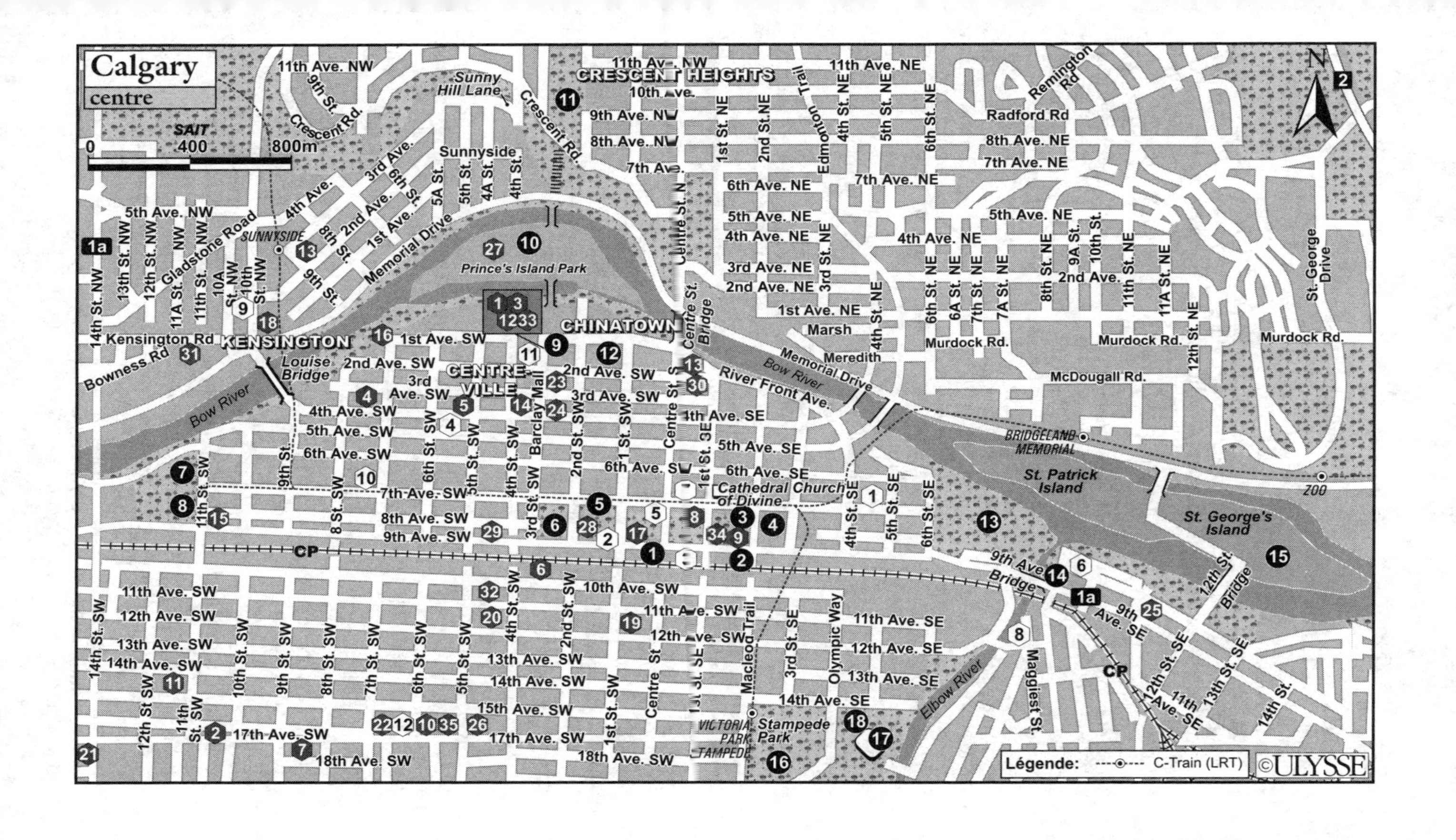

Calgary
centre
SAIT
0
400
800m
CRESCENT HEIGHTS
KENSINGTON
CHINATOWN
CENTRE-VILLE
SUNNYSIDE
Sunnyside
Sunny Hill Lane
Crescent Rd.
Prince's Island Park
Bow River
Elbow River
Louise Bridge
Centre St. Bridge
Memorial Drive
River Front Ave.
Gladstone Road
Kensington Rd
Bowness Rd
Barclay Mall
Edmonton Trail
Macleod Trail
Olympic Way
Cathedral Church of Divine
BRIDGELAND MEMORIAL
St. Patrick Island
St. George's Island
St. George Drive
ZOO
9th Ave. Bridge
12th St. Bridge
Maggiest St.
Murdock Rd.
McDougall Rd.
Marsh
Meredith
Radford Rd
Remington Rd
VICTORIA PARK STAMPEDE
Stampede Park
CP
Légende:
C-Train (LRT)
©ULYSSE

un lieu très fréquenté aux jours de la Prohibition, mais qui abrite aujourd'hui un restaurant à l'étage et une boutique de vêtements au rez-de-chaussée. D'autres logent des cafés et des galeries d'art à la mode fréquentés par les avocats, les médecins, les hommes d'affaires importants et le tout Calgary.

À l'ouest de 1st Street SW, vous pouvez accéder au réseau de passerelles «**+15**» du centre-ville et ainsi observer l'activité des rues avec un certain recul. Les puristes s'empressent de décrier ce réseau de passerelles aériennes couvertes et reliées entre elles, à même de vous conduire à peu près n'importe où, mais il n'en constitue pas moins une brillante option pour les passages souterrains de plusieurs grandes villes. Quoi qu'il en soit, personne ne se fait prier pour l'emprunter par les froides journées d'hiver, lorsque ses couloirs chauds et clairs deviennent de véritables havres de douceur.

Parmi les imposants édifices que vous croiserez sur votre chemin, retenons le magasin à rayons de la Compagnie de la Baie d'Hudson, à l'angle de First Street SW. De l'autre côté de First Street, à l'angle de 8th Avenue, se trouve A+B Sound, une boutique de musique établie dans l'ancien bâtiment magnifiquement restauré de la Banque de Montréal.

Des galeries marchandes reliées entre elles bordent la voie publique à l'ouest de 1st Street SW, parmi lesquelles on retrouve le Scotia Centre, Le Penny Lane, le TD Square, le Bankers Hall, et l'Eaton Centre. Même si cette forme d'urbanisme commercial ne fait pas le bonheur de tous, le TD Square recèle une attraction unique en son genre: le plus grand jardin intérieur de l'Alberta, les **Devonian Gardens** ★★ *(entrée libre, dons appréciés; tlj 9h à 21h; 317 7th Ave. SW, entre Second St. et Third St. SW, niveau 4, TD Square, ☎221-3782).*

Pour souffler un peu entre deux boutiques, rendez-vous à l'étage, où 1 ha de verdure, de fleurs et d'étangs avec poissons tropicaux vous attend. Baladez-vous le long des sentiers, et profitez des expositions d'art et des spectacles qu'on présente régulièrement ici, loin du béton et de l'acier.

Marchez vers l'ouest sur 8th Avenue SW. Si la fatigue se fait sentir, vous pouvez prendre gratuitement le LRT sur 7th Avenue SW jusqu'au bout, puis marchez la distance d'un pâté de maisons jusqu'au Calgary Science Centre, bien que le trajet à pied soit facile et plus intéressant.

La structure de béton d'allure particulière qui se trouve sur 11th Street SW est le **Calgary Science Centre** ★★★ *(9$; juin à août tlj; sept à mai mar-dim mar-jeu 10h à 16h, sam-dim 10h à 17h; 701 11th St. SW, ☎268-8300, www.calgaryscience.ca)*, un musée fascinant qui saura faire le bonheur des enfants. Des éléments d'exposition à interaction tactile et des appareils multimédias y traitent de sujets aussi intéressants que variés.

Le musée comprend en outre un planétarium, un observatoire, un hall des sciences et deux salles de spectacle où l'on présente des mystères et des séances d'effets spéciaux. Une salle coiffée d'un dôme et pouvant accueillir 220 spectateurs dotée d'une acoutisque exceptionnelle, elle n'en convient que mieux pour explorer les merveilles du monde scientifique.

Vers le sud, sur 11th Street SW, apparaît l'**arsenal Mewata**, un endroit historique qui sert aujourd'hui de siège au King's Own Calgary Regiment et aux Calgary Highlanders. Si vous désirez obtenir plus de renseignements sur l'histoire militaire internationale de Calgary, visitez le musée des Régiments (voir p 464).

Circuit B: Le long de la rivière Bow

Ce circuit, qui débute dans le quartier à la page de Kensington, comporte une charmante promenade le long de la rivière Bow.

Kensington est un quartier branché pour le moins difficile à cerner. Pour bien saisir l'atmosphère «alternative» dont s'imprègnent ses cafés, librairies et boutiques, parcourez Kensington Road entre 10th Street NW et 14th Street NW.

De Kensington, traversez le pont Louise et suivez le trottoir qui longe la rivière Bow jusqu'au marché Eau Claire.

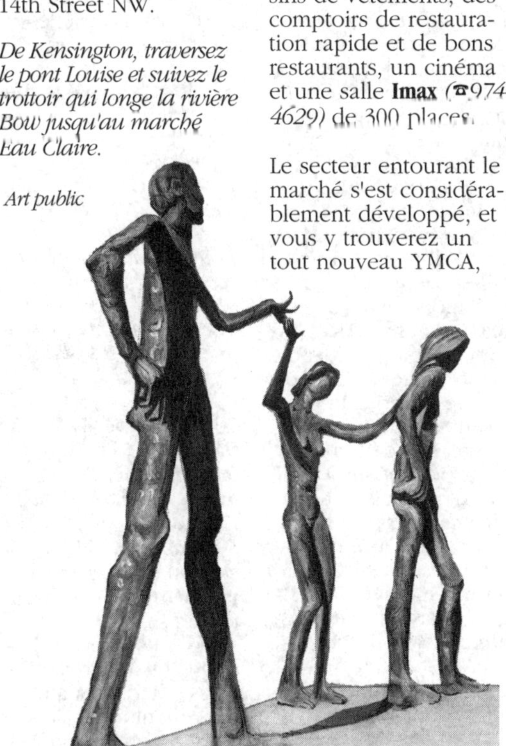

Art public

L'**Eau Claire Market** ★★ *(sam-mer 10h à 18h, jeu-ven 10h à 20h, dim 12h à 17h; en bordure de la rivière Bow et du Prince's Island Park, ☎264-6460)* fait partie de diverses mesures prises par la municipalité pour garder les gens dans le centre-ville après les heures de travail. Ce grand bâtiment abrite des commerces d'alimentation spécialisés proposant fruits et légumes frais, poisson, viande, *bagels* et autres produits de boulangerie, mais aussi des boutiques d'œuvres d'art et d'artisanat local et importé, des magasins de vêtements, des comptoirs de restauration rapide et de bons restaurants, un cinéma et une salle **Imax** *(☎974-4629)* de 300 places.

Le secteur entourant le marché s'est considérablement développé, et vous y trouverez un tout nouveau YMCA, d'ailleurs très beau, de même qu'un grand nombre de copropriétés de yuppies et plusieurs édifices rénovés et transformés en restaurants et en bars. Le fait est qu'il s'agit d'un quartier fort agréable à explorer.

Prenez le 2nd Street Bridge jusqu'au **Prince's Island Park** ★, un pittoresque espace vert pourvu de sentiers pédestres et de tables de pique-nique. Vous y trouverez en outre l'adorable River Café (voir p 477), qui sert un délicieux brunch de fin de semaine. Poursuivez à travers l'île, et prenez le prochain pont jusqu'à la rive nord de la Bow.

Un long escalier mène au **Crescent Road Viewpoint** ★, au sommet du McHugh Bluff, quoiqu'un sentier irrégulier s'ouvrant sur la gauche conduit également au poste d'observation, pour ceux qui préfèrent ne pas gravir les quelque 160 marches de l'escalier. Tout en haut, la vue de la ville se fait grandiose.

Traversez de nouveau Prince's Island, et continuez de marcher vers l'est jusqu'aux lions en pierre du pont de Centre Street. Le quartier chinois de Calgary s'étend au sud.

Tout près apparaît le **Centre culturel chinois** ★★ *(entrée libre; tlj 9h30 à 21h; 197 First St. SW, ☎262-5071)*, le plus important du genre au

Canada. On a fait venir des artisans de Chine pour concevoir le bâtiment, dont le dôme central s'inspire du Temple du Ciel de Pékin. Quant à la mosaïque complexe, elle figure un étincelant dragon d'or. Le centre abrite par ailleurs une boutique de souvenirs, un musée *(2$; tlj 11h à 17h)*, une galerie d'art et un restaurant.

Le petit **quartier chinois** de Calgary s'étend autour de Centre Street. Bien qu'il ne compte qu'environ 2 000 résidants, les noms de rues écrits en chinois et les stands proposant à qui mieux mieux durions, ginseng, litchis et mandarines contribuent à créer une atmosphère pour le moins exotique. Les marchés et les restaurants de ce quartier sont tenus par les descendants d'immigrants chinois venus dans l'Ouest pour travailler à la construction des chemins de fer dans les années 1880.

Bien que la promenade se poursuive le long de la Bow jusqu'au fort Calgary, elle est assez longue et peu sûre. Du Chinatown, rendez-vous donc plutôt sur 7th Avenue et prenez l'autobus n° 1 ou n° 411 jusqu'au fort.

Le **Fort Calgary** ★★★ *(6,50$; mai à mi-oct, tlj 9h à 17h; 750 9th Ave. SE, ☎290-1875, www.fortcalgary.ab.ca)* fut érigé dans le cadre de la ruée vers l'Ouest (March West), l'intervention de la «police montée» du Nord-Ouest afin de mettre un terme aux activités des trafiquants de whisky. Le détachement *F* arriva au confluent des rivières Bow et Elbow en 1875, et choisit d'y établir son campement, soit parce qu'il s'agissait du seul endroit à pouvoir fournir de l'eau propre ou simplement parce que ce point se trouvait à mi-chemin entre le fort Macleod et le fort Saskatchewan.

Aucun vestige du fort Calgary ne subsiste, les structures et les tracés formés par les fondations d'origine qu'on peut aujourd'hui apercevoir sur le site faisant partie d'un projet de fouilles essentiellement entrepris par des volontaires. De fait, le fort ne sera jamais entièrement reconstitué, car un tel ouvrage compromettrait les efforts actuels des archéologues. Un excellent centre d'interprétation aménagé sur les lieux offre d'intéressants éléments d'exposition à interaction tactile (les panneaux précisent «prière de toucher»), des démonstrations portant sur le travail du bois et une chance unique d'essayer le célèbre uniforme écarlate de la «police montée». Des guides amicaux en costume d'époque proposent des visites.

Directement en face, de l'autre côté de la rivière Elbow, au-delà du 9th Avenue Bridge, apparaît la **Deane House** *(lun-sam 11h à 14h, dim 10h à 14h; 806 9th Ave. SE, ☎269-7747)*, le dernier bâtiment de garnison encore debout. Cette maison a été construite en 1906 pour Richard Burton Deane, commandant du fort Calgary, puis responsable de la prison de Regina au cours de la rébellion de 1885, où il fut le geôlier de Louis Riel. Elle se dressait à l'origine tout près du fort, de l'autre côté de la rivière, et elle a depuis été déplacée à trois reprises. Ayant servi de pension à une certaine époque, puis de siège à une coopérative d'artistes, elle a été rénovée et abrite aujourd'hui l'un des meilleurs salons de thé de la ville (voir p 465).

Prenez le C-Train de Whitehorn dans le centre-ville en direction du nord-est jusqu'à l'entrée nord du zoo de Calgary, ou traversez à pied le 12th Street Bridge, et marchez jusqu'à St. George's Island et l'entrée sud du zoo.

Le **Calgary Zoo, Botanical Gardens and Prehistoric Park** ★★ *(12$; tlj 9h à 17h; St. George's Island, 1300 Zoo Rd. NE, ☎232-9300 ou 232-9372)* est le second zoo en importance au Canada. Il a ouvert ses portes en 1920 et est réputé pour ses reconstitutions réalistes d'habitats naturels, à l'intérieur desquels vivent désormais 300 espèces d'animaux

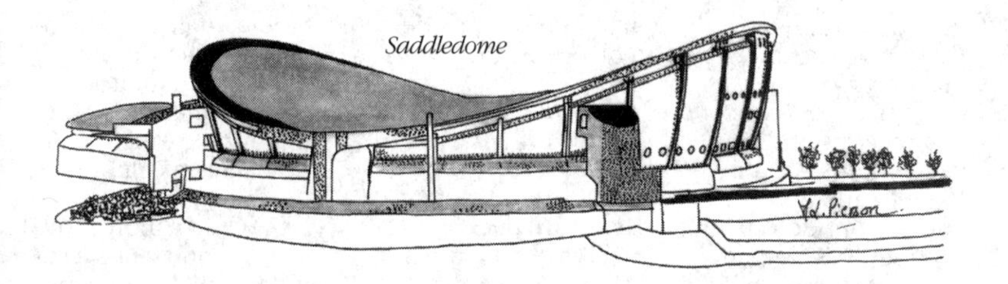

Saddledome

et 10 000 spécimens d'arbres et de plantes.

L'exposition est divisée en continents et permet aussi bien de contempler des oiseaux tropicaux que des tigres de Sibérie, des léopards des neiges ou des ours polaires, sans oublier les animaux originaires de la région même. Quant au Parc préhistorique, il fait revivre le monde des dinosaures grâce à 27 répliques grandeur nature campées parmi des plantes et des formations rocheuses de la préhistoire albertaine.

Au-delà de ces deux attraits riverains s'étend un secteur du nom d'**Inglewood**. Des magasins intéressants, et plus particulièrement des boutiques d'antiquités, y bordent 9th Avenue SE tout juste au-delà de la rivière Elbow.

Circuit C: Sud-Est et Sud-Ouest

Ce circuit explore le sud immédiat du centre-ville de Calgary, soit un secteur que nous définissons, pour les besoins du présent guide, comme délimité par les voies ferrées du Canadien Pacifique entre 9th Avenue et 10th Avenue.

Le sud-est accueille la zone industrielle de Calgary, mais aussi le plus grand parc urbain au Canada, le Fish Creek Provincial Park (qui empiète sur le Southwest – voir p 466), sans parler de l'emplacement du «plus grand spectacle extérieur sur terre», le fameux Stampede de Calgary. Là où 9th Avenue SE rencontre la Bow, se trouve le refuge d'oiseaux d'Inglewood (Inglewood Bird Sanctuary), un bon endroit pour flâner et observer la faune ailée (voir p 468).

Quant au sud-ouest, il accueille les beaux quartiers de la ville, dont la plupart dominent la rivière Elbow. Les propriétés et les maisons luxueuses de Mount Royal, entre autres, sont ainsi beaucoup plus grandes que celles des autres secteurs de la ville. La première colonie des environs fut par ailleurs celle du Mission District, établie par des missionnaires catholiques dans les années 1870 et alors connue sous le nom de Rouleauville.

Du centre-ville, prenez le C-Train de Fish Creek-Lacombe en direction sud jusqu'à l'arrêt Victoria Park/Stampede.

À moins que vous ne vous trouviez à Calgary en juillet, à l'époque du célèbre Stampede, il n'y a pas grand-chose à voir au **Stampede Park** *(angle 14th Ave. et Olympic Way SE)*. Si vous êtes en ville à cette époque de l'année, dépoussiérez votre stetson, enfourchez votre monture et préparez-vous à passer un très bon moment. Le **Saddledome**, qui mérite d'ailleurs fort bien son nom («dôme en forme de selle»), possède le plus grand toit suspendu par câbles au monde, et il s'impose comme un gigantesque témoignage aux racines «cow-boys» de la ville.

Il semble que le choix de son nom ait suscité une certaine controverse, quoiqu'on ait du mal à s'imaginer quel autre nom on aurait bien pu lui donner! Il sert de siège à l'équipe locale de la Ligue nationale de hockey, les Flames de Calgary, mais on y organise également des concerts, des congrès et divers événements sportifs. Par ailleurs, c'est ici que se sont déroulées les épreuves de patinage artistique et de hockey sur glace des Jeux olympiques d'hiver de 1988. Des visites sont offertes l'été *(☎777-1375)*.

Le site du parc est aussi celui de la **Grain Academy** ★ *(entrée libre; toute l'année lun-ven 10h à 16h, réservations requises pour les sam; au niveau «+15» du Round-Up Centre, ☎263-4594)*, qui retrace l'histoire de la culture des céréales et présente un élévateur de grains de même qu'une voie ferrée vouée au transport des céréales, d'ailleurs toujours en exploitation. Enfin, des courses de pur-sang et des courses sous harnais sont présentées sur les lieux tout au long de l'année, et s'y trouve aussi un casino.

Après avoir visité les installations du Stampede, longez 17th Avenue vers l'ouest, à pied ou en prenant l'autobus n°7 à First Street SW. Une fois à l'angle de 17th Avenue SW et de 4th Street SW, que vous choisissiez de continuer tout droit vers l'ouest ou de bifurquer vers le nord, les cafés, les boutiques et les galeries qui borderont votre route ne manqueront pas de vous captiver.

Continuez sur 17th Avenue en voiture ou en autobus (n°2) jusqu'à 24th Street, où se trouve le Naval Museum.

Aussi incroyable que cela puisse paraître, le second musée naval en importance au Canada, le **Naval Museum of Alberta** *(5$; début sept à fin juin mar-ven 13h à 17h, sam-dim 10h à 17h; début juil à fin août tlj 10h à 16h; 1820 24th St. SW, ☎242-0002)*, se trouve à plus de 1 000 km de l'océan! Il rend hommage aux marins canadiens, tout spécialement à ceux des Prairies. L'histoire de la Marine royale du Canada depuis 1910 revit ici devant nos yeux à travers des photographies, des uniformes et des maquettes, sans oublier de véritables avions de combat.

Pour atteindre le Museum of Regiments, suivez Crowchild Trail à pied vers le sud, ou prenez l'autobus n°63.

Le **Museum of the Regiments** *(5$; lun-jeu 10h à 21h, ven-dim 10h à 16h; 4520 Crowchild Trail SW, ☎974-2850)*, le second musée militaire en importance au Canada, a été inauguré par la reine Élizabeth II en 1990. Il rend hommage à quatre régiments: le Lord Strathcona's Horse Regiment, le Princess Patricia's Canadian Light Infantry, le King's Own Calgary Regiment et les Calgary Highlanders. Vous pourrez y admirer des uniformes, des médailles, des photographies et des cartes de batailles célèbres.

Des effets sonores, qu'il s'agisse du bruit saccadé des mitrailleuses ou du fracas lointain des bombes, créent une atmosphère dramatique au cours de la visite du musée. Des chars et des véhicules de transport des troupes d'une autre époque se laissent par ailleurs approcher d'aussi près que vous pouvez le désirer sur les pelouses impeccables tout autour de l'impressionnante structure du musée.

Pour atteindre le Heritage Park, continuez vers le sud sur Crowchild, puis empruntez Glenmore Trail; tournez à droite par 14th Street SW et prenez enfin Heritage Drive jusqu'au parc.

Le **Heritage Park Historical Village** ★★ *(11$; mai à août tlj 9h à 17h; sept, fins de semaine et fêtes 9h à 17h; oct-nov horaire variable; 1900 Heritage Dr. SW, ☎259-1900)* occupe un parc de 26 ha en bordure du Glenbow Reservoir. Remontez le temps à travers les rues d'une authentique petite ville de 1910 aux maisons historiques garnies de meubles d'époque, sans oublier les trottoirs de bois, le forgeron, le tipi, la vieille école, le bureau de poste, la divine confiserie et la boulangerie Gilbert and

Jay, réputée pour son pain au levain. Les employés du site, en costume d'époque, jouent du piano dans les maisons et recréent les débats des suffragettes faisant valoir les droits des femmes à l'hôtel Wainwright.

D'autres secteurs du parc font renaître une colonie des années 1880, un poste de traite des fourrures, un ranch, une ferme ainsi que l'avènement du chemin de fer. Il ne s'agit pas seulement d'un lieu magique pour les enfants grâce à ses balades à bord d'une locomotive à vapeur et de son bateau à roue sur le bassin, mais encore d'un endroit reposant où il fait bon s'évader de la ville et faire un bon pique-nique. Un petit déjeuner de crêpes *(9h à 10h)* vous est offert gratuitement à l'achat du billet d'entrée.

Continuez vers le sud sur 14th Street SW, et tournez à droite sur Anderson Road pour atteindre le Tsuu T'ina Museum; vous pouvez également prendre le C-Train de Fish Creek-Lacombe vers le sud jusqu'à la station Anderson puis l'autobus n° 92 ou n° 94.

Le **Tsuu T'ina Museum** ★ *(dons acceptés; réservations requises, lun-ven 9h à 16h; 3700 Anderson Rd. SW, ☎238-2677)* célèbre l'histoire des Tsuu T'ina, une tribu de Sarsis (Sarcee). Tsuu T'ina signifie «grand nombre de personnes», et c'est ainsi que cette tribu amérindienne se désigne elle-même. Pratiquement décimés à plusieurs reprises au cours du XIXe siècle par des maladies apportées par les Européens, les Tsuu T'ina furent déplacés de réserve en réserve pendant de nombreuses années, mais ils ne se laissèrent pas abattre pour autant et finirent par se voir attribuer leur propre réserve aux limites de Calgary en 1881. Ils s'accrochèrent à leurs terres, résistant aux pressions répétées exercées sur eux pour les inciter à les vendre. Certains des objets exposés ont été légués par des familles calgariennes qui avaient coutume de faire du commerce avec cette tribu, dont la communauté s'étend immédiatement à l'ouest du musée. D'autres objets, y compris un tipi et deux coiffures d'apparat des années 1930, proviennent du musée provincial d'Edmonton.

Si vous appréciez les concours hippiques, sans doute n'hésiterez-vous pas à vous rendre plus au sud encore, à **Spruce Meadows** *(Marquis de Lorne Trail, ☎974-4200)*. En effet, quatre événements équestres y ont lieu au cours des mois de juin, juillet et septembre. Le reste de l'année, les visiteurs sont tout de même invités à jeter un coup d'œil sur les installations.

Circuit D: Nord-Est et Nord-Ouest

Au nord de la rivière Bow, les plus grands attraits du nord-ouest sont le Canada Olympic Park, le Nose Hill Park (voir ci-dessous) et le Bowness Park (voir p 466); le nord-est s'est développé considérablement ces dernières années et abrite désormais plusieurs hôtels et restaurants, en plus de l'aéroport.

Suivez Bow Trail, Sarcee Trail et 16th Avenue NW en direction du nord-ouest jusqu'au Canada Olympic Park.

Le **Canada Olympic Park** ★★★ *(visites guidées 15$, visites non guidées 10$; tlj; 16th Ave. NW, ☎247-5452)*, communément appelé le «COP», a été construit pour les Jeux olympiques d'hiver aux limites occidentales de Calgary. C'est ici qu'ont eu lieu en 1988 les compétitions de saut à ski, de bobsleigh, de luge et de descente en ski de style libre, de même que les épreuves pour handicapés, et il s'agit d'installations de niveau mondial aussi bien pour l'entraînement que pour la compétition. On assure l'achalandage des pistes de ski tout l'hiver en produisant de la neige artificielle, sans compter que le parc donne l'occasion d'essayer le Road Rocket (un bobsleigh sur roues) pendant l'été *(45$/pers.)* sur la piste olympique, de même que la luge et le Bobsleigh Bullet l'hiver *(luge 13$, Bobsleigh Bullet 45$; horaire restreint).*

Les visiteurs du COP peuvent choisir parmi sept visites guidées différentes, de la simple brochure de promenade autoguidée au Grand Olympic Tour *(15$)*, qui comprend une visite guidée en autocar, une ascension en remonte-pente, la visite du Temple de la renommée olympique et celle de la tour. N'hésitez pas à prendre le car qui vous emmène jusqu'à la plate-forme d'observation de la tour de saut à ski de 90 m, visible de tous les points de la ville.

On vous renseignera sur le système de refroidissement, à même de produire 1 250 tonnes de neige et de glace en 24 heures, sur l'équipe de bobsleigh jamaïquaine, sur les tours de saut de 90 m et de 70 m, ainsi que sur la surface de saut plastifiée utilisée en période estivale. Si vous optez pour le car, choisissez un siège du côté gauche pour mieux voir les tours et les pistes.

La **Naturbahn Teahouse** *(☎247-5465)* occupe l'ancienne loge de départ des compétitions de luge; des délices sucrés et un somptueux brunch du dimanche y feront votre bonheur, à condition toutefois que vous ayez pris le soin de réserver à l'avance. Le Temple de la renommée olympique, ou **Olympic Hall of Fame** *(droit d'entrée inclus dans l'achat du billet pour une visite non guidée; mi-mai à début sept tlj 8h à 21h, début sept à mi-mai 10h à 17h)* s'impose comme le plus grand musée consacré aux Jeux olympiques en Amérique du Nord. On y présente toute l'histoire des Jeux au moyen d'expositions, de projections vidéo, de costumes et d'objets divers, sans oublier un simulateur de bobsleigh et de saut à ski. Vous trouverez un bureau d'information touristique et une boutique de souvenirs à l'entrée.

Parcs

Le **Prince's Island Park** se trouve de l'autre côté du pont, au bout de 3rd Street SW. Il s'agit d'un petit havre de paix, tout indiqué pour un pique-nique ou un jogging matinal à deux pas du centre-ville.

Le **Fish Creek Provincial Park** *(de 37th St. W. à la rivière Bow)* s'étend au sud de la ville. Prenez Macleod Trail vers le sud, et tournez à gauche sur Canyon Meadows Drive, puis à droite sur Bow Bottom Trail, où se trouve le centre d'information du parc *(☎297-5293)*. Il s'agit du plus grand parc urbain du Canada, et vous y trouverez des sentiers revêtus ou non qu'empruntent marcheurs, joggeurs et cyclistes à travers des massifs de trembles et d'épinettes, des prairies et des plaines inondables parsemées de peupliers et de saules. Le parc regorge de fleurs sauvages, de cerfs-mulets, de cerfs de Virginie et de coyotes. Un sentier d'interprétation, un lac artificiel bordé d'une plage, un terrain de jeu et des aires de pique-nique ne sont que quelques-unes des installations dont il est doté. La pêche y est exceptionnelle et vous pouvez être à peu près sûr de prendre du poisson. On loue également des chevaux sur place.

Le **Bowness Park** *(en retrait de 85th St., angle 48th Ave. NW)* a toujours été l'un des lieux d'évasion favoris des Calgariens. En été, vous pourrez vous relaxer autour de ses jolies lagunes qui, l'hiver venu, deviennent les plus grandes patinoires de la ville.

Le **Nose Hill Park** *(en retrait de 14th St., entre John Laurie Blvd. et Berkshire Dr. NW)* a une superficie de 1 127 ha, soit à peine 26 ha de moins que le Fish Creek Provincial Park. Cette colline balayée par les vents, couverte d'herbes indigènes et

Les rodéos

Les rodéos revêtent un caractère on ne peut plus sérieux en Alberta. Dans certains établissements scolaires, l'enseignement des techniques utilisées par les cow-boys fait même partie du programme d'activités sportives au même titre que le football américain et le hockey sur glace. On dénombre essentiellement six événements officiels dans un rodéo. Au cours des épreuves de monte à cru (sans selle ni bride) *(bareback riding)*, de ***monte d'un cheval sauvage*** (avec selle) *(saddle bronc riding)* et de **monte d'un taureau** *(bull riding)*, le cow-boy doit se maintenir au moins huit secondes sur le dos d'un animal parfaitement obstiné, ne serait-ce que pour se qualifier, après quoi il est jugé en fonction de son style, de son rythme et de sa maîtrise. Pour les deux premières de ces épreuves, l'animal à monter est un cheval, et, dans les trois cas, on place une sangle autour de l'arrière-train de la bête pour la faire ruer. La dernière épreuve est sans contredit la plus enlevante, mettant en vedette des taureaux pesant autour de 815 kg. Au cours de l'épreuve dite du ***calf roping***, le cow-boy, monté sur son cheval, doit attraper un jeune taureau au lasso, puis courir vers l'animal et lier trois de ses pattes. Il s'agit d'une épreuve contre la montre, le temps enregistré incluant les six secondes finales, au cours des-quelles la bête doit demeurer entravée. Ce sont généralement des cow-boys de forte stature qui participent à l'épreuve de la **mise à bas du taurillon** *(steer wrestling)*, qui consiste à sauter de cheval sur un taurillon pour l'attraper par les cornes et le faire tournoyer de manière à le renverser au sol. Une fois de plus, le meilleur temps détermine le gagnant. Quant à la **course de tonneaux** *(barrel racing)*, il s'agit de la seule épreuve réservée aux cow-girls; les cavalières doivent contourner le plus rapidement possible trois tonneaux suivant un parcours en trèfle, le renversement d'un tonneau entraînant une pénalité de cinq secondes. D'autres activités secondaires contribuent, avec le clown du rodéo, à divertir la foule entre les épreuves. L'une des plus amusantes, le ***mutton busting***, qu'on pourrait librement traduire par «la bringue aux moutons», voit de jeunes vachers attachés à un mouton se faire projeter de part et d'autre de l'enclos.

de quelques buissons, s'élève à 230 m et se voit sillonnée de jolis sentiers de randonnée.

Activités de plein air

Golf

Le **Mapleridge Golf Course** *(29$ pour 18 trous; 1240 Mapleglade Dr. SE, ☎974-1825)*, le **Shaganappi Point** *(29$ pour 18 trous; 1200 26th St. SW, ☎974-1810)* et le **Lakeview Golf Course** *(10,50$ pour 18 trous; 5840 19th St. SW, ☎974-1815)* sont trois des plus beaux golfs municipaux de Calgary. Les heures de départ pour tous les golfs de la ville peuvent être réservées jusqu'à quatre jours à l'avance au ☎221-3510.

Réservé au golfeur raffiné, le **Heritage Point Golf Country Club** *(110$/18 trous; Heritage Point Dr., ☎256-2002)*, situé à environ 10 min au sud de la ville, comporte 27 trous et offre l'un des meilleurs parcours de golf au Canada. S'étendant au sud-est de la ville, le **McKenzie Meadows Golf Club** *(47,50$/18 trous; 17215 McKenzie Meadows Dr. SE, ☎257-2255)*, bien qu'y jouer coûte beaucoup moins cher qu'au précédent, propose quand même un beau parcours.

Patin

Si vous vous sentez attiré par une patinoire olympique, prenez plutôt la direction de l'**Olympic Oval** *(4,50$; University of Calgary, 2500 University Dr. NW, ☎220-7890)* de Calgary. Cette installation de niveau international, créée pour les Jeux d'hiver de 1988, sert aussi de lieu d'entraînement. Les heures d'ouverture au public varient, mais vous pourrez généralement vous y rendre entre midi et 13h ou en soirée. Sachez toutefois qu'il est toujours plus sage de téléphoner avant de vous déplacer.

Pour le patin extérieur, rien ne bat les lagunes gelées du Bowness Park.

Randonnée pédestre

Le réseau de voies pédestres de Calgary est très étendu. Il y a des chemins balisés tout le long de la rivière Bow, de la rivière Elbow et du Nose Creek, autour du Glenmore Reservoir et à l'intérieur du Nose Hill Park.

Observation des oiseaux

L'**Inglewood Bird Sanctuary** *(dons acceptés; mai à fin sept tlj 10h à 17h, oct à fin avr mar-dim 10h à 17h; 2429 9th Ave. SE, ☎269-6688)* est une bande riveraine de 32 ha où l'on a dénombré plus de 250 espèces d'oiseaux au fil des ans. Un centre d'interprétation vous y renseigne sur les espèces évoluant ici et sur les autres représentants de la faune calgarienne. Les sentiers sont ouverts tous les jours, du lever au coucher du soleil.

Hébergement

Bon nombre d'hôtels et de motels de Calgary pratiquent deux tarifs: un durant la période du Stampede et un autre le reste de l'année. La différence entre les deux peut parfois être marquée. La fin de semaine, les tarifs sont plus bas qu'en semaine dans plusieurs hôtels, car les gens d'affaires faisant partie de corporations y logent du lundi au vendredi.

La **Bed and Breakfast Association of Calgary** *(☎543-3900, ⇄543-3901)* peut vous aider à vous loger dans un des quelque 40 *bed and breakfasts* de la ville.

Circuit A: Centre-ville de Calgary

Calgary City Centre Hostel
$
520 7th Ave. SE
www.hihostels.ca
☎269-8239 ou 866-762-4122
⇄266-6227
La Calgary International Hostel peut loger jusqu'à 120 personnes dans ses chambres de type dortoir. Quatre chambres familiales sont aussi disponibles en hiver. Vous aurez accès à la salle de lavage et aux cuisines, de même qu'à une salle de jeu et à un casse-croûte. Cette auberge bénéficie d'un emplacement avantageux, à deux rues à l'est de l'hôtel de ville et de l'Olympic Plaza. Réservations recommandées.

L'auberge de jeunesse est située à deux pas du centre-ville, mais aussi dans un quartier plutôt lugubre quoique sans risque. Si l'auberge est remplie à pleine capacité, vous pourrez choisir un des hôtels du coin pour vous dépanner. Cependant, soyez averti que ces endroits sont loin d'être sympathiques et qu'ils ne rendront service qu'à votre porte-monnaie.

Plaza Regis Hotel
$$
124 7th Ave. SE
☎262-4641
⇄262-1125
Avec le Plaza Regis Hotel, on entre dans une catégorie supérieure. Les 100 chambres sont de bonne dimension, les lits sont confortables et le décor est soigné.

The Fairmont Palliser
$$$-$$$$$
≡, ◷, ≈, ℝ, ✪, ℜ, ⌂
133 9th Ave. SE
www.fairmont.com
☎262-1234 ou 800-441-1414
⇄260-1260
The Fairmont Palliser propose un hébergement des plus distingués selon la tradition du Canadien Pacifique. Cet hôtel a été construit en 1914, et son vaste hall, qui a été rénové en 1997, a conservé son escalier de marbre original, ses portes en laiton massif et son superbe lustre à l'ancienne. Les chambres se révèlent un peu exiguës, mais elles n'en possèdent pas moins de hauts plafonds et leur décoration classique est magnifique.

Hyatt Regency Calgary
$$$$
≡, ⊛, ◷, ℂ, ≈, ✪, ℜ, ⌂
700 Centre St. S.
www.hyatt.com
☎717-1234 ou 800-233-1234
⇄537-4444
Le Hyatt Regency Calgary, plus récent ajout à l'équipement hôtelier du centre-ville de Calgary, axé sur les services, a ouvert ses portes au mois de mai 2000, et les 355 chambres de l'établissement sont réparties sur 25 étages. Il bénéficie d'un emplacement de choix, juste en retrait de la grouillante Stephen Avenue, quoique ce nouvel édifice moderne contraste un peu avec les vieux moellons de grès de Calgary. Chambres et suites sont ici disponibles, et le personnel nombreux de l'hôtel prendra soin de vous à tout moment. Le Hyatt Regency Calgary affiche sur ses murs une grande collection originale d'œuvres d'art de l'Ouest canadien.

Calgary Marriott Hotel
$$$$
≡, ◷, ≈, ℜ, ⌂
110 9th Ave. SE
☎266-7331 ou 800-896 6878
⇄262-8442
En face du Fairmont Palliser (voir ci-dessus) se dresse le Calgary Marriott Hotel, un établissement pour gens d'affaires qui s'impose comme le plus grand de tous les hôtels du centre-ville. Ses chambres spacieuses sont colorées de tons chauds et confortablement meublées.

Circuit B: Le long de la rivière Bow

Riverpath Bed and Breakfast
$$ pdj
ℝ, ✪
1011 Maggie St. SE
☎262-1191
Ce n'est pas le traditionnel gîte victorien,

mais le Riverpath se veut un bon choix d'établissement pour les cyclistes et pour tous ceux qui surveillent leur budget de près et qui souhaitent se loger en retrait du centre-ville. Située à seulement 5 min d'Inglewood et à 15 min du centre-ville, cette grande résidence brun roux arbore des planchers de bois dur et affiche un aspect contemporain. Les hauts lits de bois s'avèrent intéressants, tout comme l'est la vue qu'on y a de la ville. Le Riverpath se trouve à quelques minutes du vaste réseau de pistes cyclables de Calgary, et il y a même possibilité d'y emprunter des vélos.

Riverwynde Bed and Breakfast
$$-$$$ pdj
bp/bc
220 10A St. NW
☎/⇄270-8448
www.riverwynde.com

Le Riverwynde, installé dans une belle vieille demeure victorienne de style cottage, se trouve juste derrière la branchée Kensington Road et près de l'arrêt «Sunnyside» du *C-Train*. La petite Sun Room, comme son nom l'indique, s'avère lumineuse avec ses murs saumon et ses briques rouges. L'Earth Room se révèle l'option la moins chère, à 90$ par nuitée. La charmante Forest Room arbore des tons terreux et se prolonge d'un balcon équipé. La rue se veut paisible, vu que les véhicules n'y ont pas vraiment d'accès direct, et le quartier de Kensington est probablement le secteur le plus sympathique de la ville où loger.

Inglewood Bed & Breakfast
$$-$$$, pdj
1006 8th Ave. SE
☎/⇄262-6570
www.inglewoodbedand-breakfast.com

L'une des nombreuses options proposées par la Bed & Breakfast Association of Calgary est l'Inglewood Bed & Breakfast. Non loin du centre-ville, cette charmante maison victorienne se trouve à proximité du réseau de sentiers de la rivière Bow. Le petit déjeuner est préparé par le chef Valinda.

Sandman Hotel
$$$
≡, ≈, ℜ
888 7th Ave. SW
www.sandmanhotels.com
☎237-8626 ou 800-726-3626
⇄290-1238

Les voyageurs à la recherche de nombreux services et de chambres de qualité devraient songer au Sandman Hotel. Le stationnement chauffé et le service de repas aux chambres jour et nuit peuvent s'avérer des atouts.

Hawthorn Hotel & Suites
$$$ pdj
≡, ℂ, ℜ
618 5th Ave. SW
www.hawthorncalgary.com
☎263-0520 ou 800-661-1592
⇄298-4888

Les prix spéciaux à la semaine et le tarif pour les entreprises et les groupes du Hawthorn Hotel & Suites, qui ne loue que des suites, font probablement de cet établissement le moins cher de tous ceux qui se trouvent directement dans le centre-ville. Qui plus est, les cuisines complètement équipées permettent de réaliser des économies supplémentaires.

Sheraton Suites Eau Claire
$$$-$$$$$
≡, ℜ, ≈, ℂ
255 Barclay Parade SW
☎266-7200 ou 888-784-8370
⇄366-1300
www.sheratonsuites.com

Le Sheraton Suites, au hall lumineux avec ses verrières, se trouve à seulement quelques minutes du marché Eau Claire. Les suites spacieuses renferment un secrétaire et comportent un petit coin cuisine pourvu d'un évier et d'un micro-ondes. Ceux qui voudraient travailler pendant leur séjour trouveront un accès Internet à haute vitesse dans les chambres et un centre d'affaires. Les enfants profiteront de la glissade d'eau qui se jette dans la piscine. Malheureusement, la réception semble quelque peu arrogante.

Circuit C: Sud-Est et Sud-Ouest

Sud-Est

Blackfoot Inn
$$$-$$$$
≡, ♞, ◷, ≈, ✪, ℜ, ⌂
5940 Blackfoot Trail SE
www.blackfootinn.com
☎252-2253 ou 800-661-1151
⇄252-3574
L'extérieur du Blackfoot Inn, un établissement indépendant, s'avère plutôt affreux, mais, une fois que vous serez à l'intérieur, vous y verrez un hall arborant une belle maçonnerie et un foyer au feu clair invitant à la découverte de cet hôtel agréable. Du fait qu'il est indépendant, le Blackfoot se doit d'offrir un excellent service pour concurrencer les nombreuses chaînes d'hôtels qui se sont établies à Calgary, c'est pourquoi vous serez très bien traité pendant votre séjour ici. On y tire une juste fierté d'accueillir les animaux de compagnie, et le K-9 Centre – une sorte de chenil de jour – est situé à seulement trois pâtés de maisons, plus loin sur la même rue. Yuk Yuk's, un cabaret qui présente des humoristes de renommée internationale, se trouve en ses murs.

Sud-Ouest

Tumble Inn
$$ pdj
♞, *bc*
1507 Sixth St. SW
☎228-6167
⇄802-1955
Quand l'auberge de jeunesse affiche complet, on envoie les gens au Tumble Inn, l'établissement d'Arlene Roberge installé dans une maison victorienne juste en retrait de 17th Avenue SW. Le rapport qualité/prix s'avère excellent ici – une nuitée y coûte seulement 60$, et la maison est merveilleusement située, dans un secteur branché à faible distance de marche du centre-ville. Vous y aurez le choix entre trois chambres confortables, et la salle de bain dispose d'une belle baignoire à pieds-de-biche. Arlene, qui a un vieux chien gentil du nom de Casey, parle aussi bien l'anglais que le français.

Elbow River Manor Bed and Breakfast
$$-$$$ pdj
⊛, ℝ
2511 Fifth St. SW
www.elbowrivermanor.com
☎802-0799 ou 866-802-0798
⇄547-9151
L'Elbow River Manor, un magnifique établissement, comporte quatre chambres regardant vers la petite et sinueuse rivière Elbow. Les *bed and breakfasts* sont plutôt rares dans cette ville encline au corporatisme, et celui-ci se veut la crème des B&B à Calgary. La maison a fait l'objet de travaux de restauration qui lui font revivre ses beaux jours de 1908: on y a mis en évidence les boiseries originales, sans oublier les plafonds anciens à caissons décorés. L'ensemble fait penser à une résidence branchée de style Cape Cod, avec son assemblage à clins de cèdre pourpres et ses cadres de fenêtres jaune vif. Les chambres d'hôte arborent des planchers de bois dur, et certaines renferment même un lit à baldaquin. Le «loft», qui se loue pour 150$ par nuitée, dispose d'une table de billard et d'une baignoire à pieds-de-biche.

Best Western Calgary Centre Inn
$$$
≡, ⊛, ◷, ≈, ℝ, ✪
3630 MacLeod Trail S.
☎287-3900 ou 877-287-3900
⇄287-3906
Le nom en est quelque peu trompeur, car le Best Western Calgary Centre Inn est situé à 5 min de route au sud du centre-ville de Calgary. L'hôtel fut inauguré en 1999, c'est pourquoi le mobilier et le décor se trouvent encore en bon état, sans parler de l'excellent service. Vu qu'il se dresse sur le passant MacLeod Trail, choisissez une chambre sur la face est du bâtiment. En raison de son petit déjeuner-buffet continental et ses bons ta-

rifs, cet établissement est une bonne aubaine.

Circuit D: Nord-Est et Nord-Ouest

Nord-est de Calgary (aux environs de l'aéroport)

Executive Royal Inn
$$
≡, ⊛, ⊙, ✪, ℜ, ⌂
2828 23rd St. NE
☎291-2003 ou 877-769-2562
⇄291-2019
Un hall à dôme éclairé par la voûte céleste et des couloirs revêtus de pierre ne sont que quelques-unes des particularités de l'Executive Royal Inn, peut-être l'établissement qui affiche les meilleurs tarifs de tous les hôtels d'aéroport à Calgary. Un léger esprit champêtre en enveloppe les 201 chambres. Vous y trouverez une foule de services, sans compter la navette gratuite qui fait l'aller-retour entre l'hôtel et l'aéroport.

Best Western Port O' Call Inn
$$-$$$
≡, ⊛, ⊙, ≈, ℜ
1935 McKnight Blvd. NE
www.bestwesternportocall.com
☎291-4600 ou 800-661-1161
⇄250-6827
Ce Best Western a été rénové en l'an 2000, aussi les chambres et les couloirs ont-ils une apparence neuve. Les 201 chambres de l'établissement disposent de lits de grand format ou de très grand format, de même que les trois suites principales. Les chambres standard arborent des tons terreux. Un autobus fait la navette entre l'hôtel et l'aéroport 24 heures sur 24, et une salle de racquetball s'y trouve.

Country Inn and Suites
$$$ pdj
≡, ⊙, ≈, ℝ, ✪
2481 39th Ave. NE
☎250-1800
⇄250-2121
Le Country Inn and Suites se révèle être le meilleur hôtel d'aéroport à Calgary, en plus d'être habillé de chaleureux tissus imprimés à grands motifs de fleurs et orné d'un décor tout en bois. L'établissement s'avère aussi charmant qu'abordable, autant qu'un hôtel axé sur les services peut l'être, et il n'est pas du tout collet monté. Les lits en sont très confortables, et, comme vous vous en seriez peut-être douté, les chambres et les 50 suites arborent un style champêtre.

Greenwood Inn
$$$
≡, 🐕, ⊙, ℂ, ≈, ℝ, ✪, ℜ, ⌂
3515 26th St. NE
www.greenwoodinn.ca
☎250-4575 ou 888-233-6730
⇄250-8050
Le gîte de charme qu'est le Greenwood Inn procure une sensation de confort. En plus de leur prix abordable à longueur d'année (139$ par nuitée), les chambres s'avèrent attrayantes avec leur décor en bois foncé. Cet établissement très propre, à quatre niveaux, a gagné plusieurs prix pour l'entretien dont il bénéficie. La 26th Street est parallèle au Barlow Trail.

Coast Plaza Hotel
$$$$
≡, 🐕, ⊛, ⊙, ≈, ℜ, ⌂
1316 33rd St. NE
www.calgaryplaza.com
☎248-8888 ou 800-663-1144
⇄248-0749
Le Coast Plaza Hotel offre un luxe suprême près de l'aéroport et à deux pas du C-Train. Les 248 chambres sont spacieuses et confortables, et le service y est irréprochable.

Nord-ouest de Calgary (Motel Village)

Le «village de motels» de Calgary est pour le moins unique; vous y trouverez des centres de location de voitures, d'innombrables motels et hôtels, des comptoirs de restauration rapide, des restaurants de type familial et la station Banff Trail du C-Train. La majorité des lieux d'hébergement se ressemblent, mais les plus chers sont généralement aussi plus neufs, sans compter qu'ils possèdent des installations plus complètes. Retenez enfin que la plupart des établissements augmentent considérablement leurs tarifs durant la semaine du Stampede.

Université de Calgary
$-$$
ℂ, ℜ, *bc/bp*
2500 University Drive Ave. NW
www.ucalgary.ca/residence
☎220-3203
Une option peu coûteuse, quoique valable en été seulement, consiste à loger dans les résidences d'étudiants de l'université de Calgary.

Red Carpet Inn
$$
≡, ℝ
4635 16th Ave. NW
www.ctdmotels.com/red carpetinn/
☎286-5111
⇄247-9239
Le Red Carpet Inn présente un des meilleurs rapports qualité/prix du Motel Village. Certaines suites disposent d'un petit réfrigérateur.

Econo Lodge Banff Trail
$$
≡, 🐕, ℂ, ≈, ℜ
2231 Banff Trail NW
☎289-1921 ou 800-917-7779
⇄282-2149
www.econolodgecalgary.com
L'Econo Lodge est tout indiqué pour les familles et propose 62 chambres. Les enfants apprécieront particulièrement la piscine extérieure et le terrain de jeu, mais la laverie et les grandes chambres avec cuisinette sont aussi très pratiques tandis que le service est impeccable.

Sweet Dreams and Scones Bed and Breakfast
$$-$$$ pdj
2443 Uxbridge Dr. NW
www.sweetdreamsandscones.com
☎289-7004
La propriétaire Karen MacLeod loue les chambres de sa charmante demeure depuis 1992, et elle ne semble pas s'en lasser. Antiquités et autres produits artisanaux garnissent les chambres d'hôte, incluant quelques superbes meubles anciens en bois de pin en provenance de l'Ontario. Les têtes de lit faites à la main s'avèrent remarquables, tout comme le sont les sentiers sinueux du jardin qui s'étend sur l'arrière-cour. La maison se trouve dans un quartier résidentiel près de l'université.

Holiday Inn Express
$$$ pdj
≡, 🐕, ⏲, ≈, ⌂, ✪
2227 Banff Trail NW
www.holidayinnexpress.com
☎289-6600 ou 800-HOLIDAY
⇄289-6767
Le Holiday Inn Express, de construction récente, propose un hébergement de qualité à prix abordable. Les chambres sont équipées de grands lits et de très grands lits.

Quality Inn Motel Village
$$$ pdj
≡, 🐕, ⏲, ≈, ℜ, ⌂
2359 Banff Trail NW
www.qualityinnmotelvillage.com
☎289-1973 ou 800-661-4667
⇄282-1241
Le Quality Inn Motel Village possède un beau hall d'entrée, de même qu'un atrium où se trouvent un restaurant et un bar chic. Chambres et suites sont offertes en location. Bon rapport qualité/prix.

Best Western Village Park Inn
$$$
≡, 🐕, ≈, ℝ, ℜ
1804 Crowchild Trail NW
www.villageparkinn.com
☎289-0241 ou 800-774-7716
⇄289-4645
Le Best Western Village Park Inn est un autre maillon de cette chaîne réputée. Vous y bénéficierez de nombreux services, y compris un comptoir de location de voitures Budget. Les chambres arborent un joli décor rehaussé d'agencements de couleurs au goût du jour. Cet hôtel est celui qui a le plus de classe parmi tous ceux qui se retrouvent dans le Motel Village.

Restaurants

Circuit A: Centre-ville de Calgary

Schwartzie's Bagel Noshery
$
8th Ave. SW
☎296-1353
Si vous n'avez pas l'impression de pouvoir tenir jusqu'au dîner, attrapez en passant un *bagel* de la Schwartzie's Bagel Noshery. Que vous songiez au plus

traditionnel ou au plus original des *bagels* qui soit, vous le trouverez sans doute ici. Outre le comptoir de commandes à emporter, vous pouvez également manger à l'intérieur dans une salle invitante et confortable.

Rose Garden Thai Restaurant
$$
207 Eighth Ave. SW
☎**263-1900**
Au Rose Garden, un populaire restaurant thaïlandais, trône un petit bouddha sculpté veillant sur les convives. Au menu, vous trouverez aussi quelques mets inspirés de la Chine, de l'Inde et du Pacifique, et beaucoup de plats de fruits de mer. Les critiques gastronomiques de Calgary adorent ce restaurant avec ses sautés du Sud-Est asiatique, ses currys et ses salades. Le décor n'y est pas étonnant, mais les clients qui l'emplissent régulièrement ne semblent pas s'en préoccuper.

The Silver Dragon
$$
106 3rd Ave. SE
☎**264-5326**
Le Silver Dragon compte parmi les meilleurs restaurants du quartier chinois. Son personnel se révèle particulièrement amical, sans parler de ses boulettes de pâte (*dumplings*) tout à fait savoureuses.

Latin Corner
$$-$$$
lun-sam: dîner
lun-ven: déjeuner
109 Eighth Ave. SW
☎**262-7248**
Le Latin Corner sert sa cuisine du centre de l'Amérique du Sud dans une étroite salle à manger éclairée par la voûte céleste, sans parler des murs de brique et de l'éclairage aux chandelles, ainsi que de la musique latino-américaine sur scène la fin de semaine. Le chef est originaire du Venezuela, le serveur (ou la serveuse) vous appellera peut-être *amigo*, et la carte des vins affiche entre autres des crus chiliens, espagnols et argentins. Puisque le menu propose des plats principaux pour deux personnes, comme la paella aux calmars, aux moules et aux crevettes ou encore une queue de langouste sur riz au safran, vous ne devriez peut-être pas manger ici si vous êtes seul, bien qu'il y ait une carte de tapas, au prix de 8$ à 12$.

Grand Isle
$$$
128 2nd St. SE
☎**269-7783**
Le Grand Isle propose de nombreux favoris de la cuisine cantonaise et s'enorgueillit surtout de ses plats frais et légers ainsi que de ses assaisonnements d'inspiration sichuanaise. Le décor est feutré et le personnel, particulièrement amical.

Drinkwaters Grill
$$$-$$$$
237 8th Ave. SE
☎**264-9494**
Les prétentions à la cuisine «contemporaine» du Drinkwaters Grill sont parfaitement justifiées. Ses énormes colonnes bleu ciel, ses tableaux modernes, ses chaises classiques en bois foncé et ses banquettes rembourrées ne manquent pas d'attrait. Au menu, la spécialité de la maison, le bœuf de l'Alberta. Des spéciaux du jour sont aussi offerts, selon les aliments en saison. Carte spéciale pour les oiseaux de nuit et *Happy Hour* de 15h30 à 19h du lundi au vendredi.

Catch
$$$-$$$$
100 Eighth Ave. SE
☎**206-0000**
La salle à manger du Catch comporte des murs aux couleurs crème éclatantes, des planchers de bois dur, des porte-bouteilles de vin le long d'un des murs et des chandeliers modernes en fer qui ressemblent à des collections d'hameçons. Et il y a une raison pour cela: le menu affiche surtout des plats de fruits de mer (comme le homard servi avec risotto aux fines herbes) et de poisson (tel le flétan Queen Charlotte braisé au pinot noir). La salle à manger se trouve à l'étage, mais, au rez-de-chaussée, un buffet d'huîtres plus abordable permet de s'offrir des plats principaux à

compter de 15$. Le menu d'huîtres compte quelque 20 compositions d'huîtres provenant aussi bien de l'Est que de l'Ouest canadien, et une carte des vins de 26 pages, spécialement choisis pour accompagner les différentes huîtres et préparations, y est disponible. Le buffet d'huîtres est aussi ouvert pour le déjeuner.

Teatro
$$$-$$$$
200 8th Ave. SE
☎290-1012
Le Teatro, qui occupe l'ancien édifice de la Dominion Bank juste à côté de l'Olymic Plaza, bénéficie d'un cadre somptueux et d'une atmosphère recherchée. Sa traditionnelle «cuisine italienne du marché», cuite au four à bois, devient innovatrice et enivrante aux mains du chef Andreas Wechselverger.

Caesar's Steakhouse
$$$$
512 4th Ave. SW, et
10816 Macleod Trail S.
☎264-1222 (4th Ave.)
☎278-3930 (Macleod Trail)
Le Caesar's Steakhouse compte parmi les rendez-vous les plus populaires de Calgary lorsqu'il s'agit de mordre à pleines dents dans un bon steak juteux, quoiqu'on y mange aussi des fruits de mer. Des colonnes romaines et un éclairage feutré composent un décor raffiné.

Hy's Steakhouse
$$$$
316 4th Ave. SW
☎263-2222
Le Hy's, qui a pignon sur rue depuis 1955, est l'autre rendez-vous par excellence des amateurs de bifteck. Les plats principaux y sont à peine moins chers qu'au Caesar's, et l'atmosphère se veut un peu plus détendue dans son décor lambrissé. Il est recommandé de réserver.

Owl's Nest
$$$$
Westin Hotel
angle 4th Ave. et Third St. SW
☎266-1611
On apprête avec art des mets français et européens à l'Owl's Nest. Certains sont même préparés à votre table et flambés sous vos yeux. Les dames se voient offrir une rose. Un endroit très chic.

The Rimrock
$$$$
133 9th Ave. SW
☎262-1234
Le restaurant Rimrock, de l'hôtel The Fairmont Palliser (voir p 469), vous promet un brunch formidable tous les dimanches et, bien entendu, de généreuses portions de bœuf albertain de toute première qualité. Le décor classique du Fairmont Palliser et les fins mets élaborés ici contribuent à faire de cet établissement l'un des endroits les plus raffinés de Calgary pour un dîner spécial.

Circuit B: Le long de la rivière Bow

Good Earth Café
$
200 Barclay Parade SW, marché Eau Claire
☎237-8684
Le Good Earth Café est un merveilleux bistro où l'on vous sert des plats composés d'ingrédients on ne peut plus frais. Un endroit de choix pour un bon déjeuner, mais aussi pour vous approvisionner en vue d'un pique-nique. Les végétariens y seront ravis!

The 1886 Café
$-$$
tlj 6h à 15h
petit déjeuner seulement
187 Barclay Parade SW
☎269-9255
Le 1886 Café est situé tout à côté du marché dans l'ancien édifice de l'Eau Claire & Bow River Lumber Company. Des têtes de bison et une grande collection d'horloges anciennes parent son intérieur. On y sert des petits déjeuners gargantuesques.

Old Spaghetti Factory
$-$$
222 Third St. SW
☎263-7223
L'Old Spaghetti Factory se trouve à l'extérieur du marché Eau Claire, et, même si ce n'est pas un endroit spectaculaire, son atmosphère et ses prix s'avèrent intéressants. Cette immense salle à manger bruyante loge dans un bâtiment de briques rouges, et,

bien entendu, il existe six différentes façons de se faire servir ses spaghettis ici: avec une sauce tomate, avec une riche sauce à la viande, avec une sauce épicée à la viande, avec une sauce aux palourdes, avec une sauce aux champignons, ou encore avec une sauce au fromage *mizithra* et au beurre roux. Malgré le manque d'intimité, le restaurant a quand même du charme, et tous les plats principaux comprennent une soupe ou une salade, du pain, de la crème glacée et un café ou un thé.

Marathon
$-$$
lun-sam. déjeuner et dîner
dim: dîner seulement
130 10th St. NW
☎283-6796
Le Marathon fait sensation dans cette province se nourrissant de viande et de pommes de terre qu'est l'Alberta, en proposant une abordable cuisine éthiopienne dans un petit café de Kensington sous le porte-drapeau de la nation. La cuisine éthiopienne offre une délicieuse expérience manuelle gastronomique, avec ses plats d'agneau, de bœuf et végétariens, tous servis avec la traditionnelle corbeille de pain *injera*. Vous n'aurez qu'à tremper un bout de pain dans un des «ragoûts» souvent piquants, appelés *wats*.

Heartland Café
$$
angle 940 2nd Ave. NW et 9th St. NW
☎270-4541
Le Heartland Café propose un des meilleurs cafés au lait en ville. On y sert également des brioches à la cannelle et de délicieuses soupes, le tout dans un chaleureux décor où le vieux bois verni est en honneur.

The Barley Mill
$$
201 Barclay Parade SW, à côté du marché Eau Claire
☎290-1500
Le Barley Mill occupe ce qui semble être un bâtiment historique, mais il s'agit en fait d'une construction toute récente. On y a recréé un intérieur à l'ancienne en le dotant de planchers de bois vieilli, d'un magnifique foyer, d'une vieille caisse enregistreuse et d'un bar importé directement d'Écosse. Au menu, des plats de pâtes, de viande et de poulet arrosés d'un choix de bières pression importées.

Deane House Restaurant
$$
806 9th Ave. SE, immédiatement après le pont en venant du fort Calgary
☎269-7747
L'historique Deane House Restaurant est un agréable pavillon de thé aménagé à l'intérieur de la résidence de l'ancien officier de la Gendarmerie royale du Canada qu'était Richard Burton Deane. Soupes et salades occupent une place dominante au menu.

Sumo Lounge
$$-$$$
200 Barclay Parade SW, Eau Claire Market
☎290-1433
Le Sumo Lounge, un restaurant-comptoir à sushis branché, est installé dans le tout aussi branché marché Eau Claire. Pour les puristes, le menu n'y est pas complètement japonais... Il donne plutôt dans la cuisine fusion, avec ses influences thaïlandaises et chinoises. Cependant les sushis et le saké viennent directement du pays du Soleil levant. Le massif comptoir à sushis pivotant s'entoure de box et de pièces fermées tapissées de tatamis. Tous les soirs, vous pourrez vous y offrir tous les fruits de mer crus que vous pourrez manger, pour environ 20$.

Stromboli Inn
$$$
1147 Kensington Cr. NW
☎283-1166
Le Stromboli Inn offre un service et une ambiance sans prétention où les honneurs reviennent à la cuisine italienne classique.Les gens du coin le recommandent pour sa pizza, bien que le menu comprenne également des gnocchis maison, des raviolis bien dodus et un délicieux veau gorgonzola.

La Caille on the Bow
$$$-$$$$
lun-ven: déjeuner et dîner
sam-dim: dîner
100 LaCaille Place, angle First Ave. et Seventh St. SW
☎262-5554
La Caille, une institution gastronomique qui jouit depuis longtemps d'une excellente réputation, surplombe la rivière Bow. Le restaurant fait penser à un chalet européen, avec sa série de salles à manger intimes, aux murs de brique et aux planchers de bois dur. La nourriture se veut d'inspiration française, sans oublier les quelques mets *Canadiana* comme son «ragoût»de coquilles saint-Jacques et de venaison braisée, glacé au cidre. Le service y est parfait et formel, mais les portions se révèlent plutôt petites... genre nouvelle cuisine. La carte des vins se compose surtout de crus californiens de cépages français ainsi que de crus australiens, et elle inclut le vin de glace de la vallée de l'Okanagan. La Caille comporte également, au rez-de-chaussée, une aire de restauration plus informelle et moins chère.

The River Café
$$$$
fermé en jan
Prince's Island Park
☎261-7670
Le River Café vous propose au cours de la saison estivale le brunch ou le déjeuner en plein air au Prince's Island Park. Établie dans un ancien garage de bateau, cette perle est l'occasion d'une merveilleuse escapade du centre-ville de Calgary tout juste de l'autre côté de la rivière Bow. Réservation recommandée.

Buchanan's
$$$$
738 3rd Ave. SW
☎261-4646
Le Buchanan's fait l'unanimité, non seulement pour ses côtelettes et ses biftecks novateurs, au fromage bleu, mais également pour son excellente carte des vins (choix de vins fins au verre) et son impressionnante sélection de scotchs pur malt. Un grand favori des gens d'affaires de Calgary à l'heure du déjeuner.

Circuit C: Sud-Est et Sud-Ouest

Nellie's Kitchen
$
738B 17th Ave. SW, entre 6th St. et 7th St. SW
☎244-4616
On prépare tout sur place chez Nellie's Kitchen, un charmant petit rendez-vous décontracté où il fait bon déjeuner tout en prenant le pouls de Calgary. Attendez-vous à y faire la file les fins de semaine, le petit déjeuner y étant particulièrement populaire.

Wicked Wedge Pizza Co.
$
618 17th Ave. SW
☎228-1024
La meilleure pointe de pizza au sud de la Bow River est servie chez Wicked Wedge Pizza Co. Chaque jour, on y cuisine trois sortes de pizzas différentes aux ingrédients multiples allant des piments mexicains à la sauce tahini en passant par les cœurs d'artichauts marinés. Très populaire la nuit, à la sortie des bars.

Galaxie Diner
$
lun-ven 7h à 15h, sam-dim 8h à 16h
11th St. SW, près de 15th Ave. SW
☎228-0001
Pour des petits déjeuners peu dispendieux et servis à toute heure du jour, rendez-vous au Galaxie Diner. Dans un décor qui semble inchangé depuis un demi-siècle, on y sert des petits déjeuners copieux ainsi que des hamburgers maison savoureux.

The Arden Diner
$-$$
lun-sam: déjeuner et dîner
dim: déjeuner seulement
1112 17th Ave. SW
☎228-2821
Jann Arden, auteur-compositeur-interprète de Calgary qui a connu beaucoup de succès au Canada, est la propriétaire de ce *diner* branché, situé sur la tout aussi branchée 17th Avenue. Le style en est franchement *in*, avec

ses prix abordables et sa bouffe copieuse, comme les hamburgers, les salades, le poisson frites, le bifteck de faux-filet et le thon *ahi*. Et ce n'est pas un *diner* ordinaire – scotchs et martinis y sont aussi proposés. Le sandwich au poulet épicé à l'italienne est particulièrement savoureux ici.

Fiore Cantina
$$
638 17th Ave. SW
☎***244-6603***
Fiore, un populaire petit bistro italien, est à l'image d'un «western spaghetti» de Clint Eastwood! Oui, c'est vrai qu'on y prépare des spaghettis, aussi bien que des douzaines d'autres plats de pâtes arrosés de sauces diverses. Vous trouverez ici quelques compositions culinaires originales, comme ces tortellini Bombay, soit des tortellini au curry servis avec du brocoli. De plus, des pizzas à croûte fine y sont apprêtées, avec diverses garnitures, et la soupe minestrone s'avère géniale! L'addition ne creusera pas de trou dans votre budget non plus.

The Mongolie Grill
$$
1108 4th Ave. SW
☎***262-7773***
Le Mongolie Grill relève d'une véritable expérience culinaire. Vous y choisirez viandes et légumes au comptoir d'aliments frais, qu'on pèsera ensuite (pour en déterminer le coût) avant de les faire griller sous vos yeux. Roulez le tout dans un pain mongol avec un peu de riz et de sauce *hoisin*, et régalez-vous.

Moti Mahal Restaurant
$$
1805 14th St. SW
☎***228-9990***
Le Moti Mahal Restaurant offre un bon rapport qualité/prix. Il s'agit en fait d'un buffet indien où l'on se sert soi-même à volonté. Contrairement à bien des établissements du genre, la nourriture y est de qualité (servez-vous et resservez-vous de pudding au riz) et l'aménagement intérieur à l'indienne est de bon goût. Il est préférable de réserver si vous comptez y aller le soir.

Passage to India
$$
1325 9th Ave. SE
☎***263-4440***
Le propriétaire du Passage to India a quitté l'Inde pour venir au Canada il y a 30 ans, avec dans ses valises les recettes dont il a le secret. Il vient de laisser son boulot de fonctionnaire pour se consacrer entièrement à sa passion culinaire. Au menu, une variété impressionnante d'assiettes qui combleront les fanas de nourriture indienne (bœuf, poulet, légumes...). Même le vin et la bière proviennent de l'Inde.

The King & I Thai Restaurant
$$-$$$
822 11th Ave. SW
☎***264-7241***
The King & I Thai Restaurant propose un vaste menu de mets thaïlandais, y compris un délicieux *ChuChu Kai*. L'ambiance se veut à la fois moderne et élégante.

Sukiyaki House
$$-$$$
lun-ven: déjeuner et dîner
sam-dim: dîner
517 10th Ave. SW
☎***263-3003***
Le très *feng shui* Sukiyaki House accueille ses convives au rez-de-chaussée, au-dessus d'un étang, dans une grande salle à manger bordée de pièces intimes revêtues de papier de riz et tapissées de tatamis. De la simple et fraîche cuisine japonaise est élaborée ici depuis 28 ans – le Sukiyaki House fut le premier restaurant japonais à ouvrir ses portes à Calgary. Vous pouvez aussi aller au comptoir à sushis, ou encore vous attabler pour goûter à plusieurs petits mets comme le sukiyaki (ragoût japonais), les tempuras, les sushis et les sashimis.

Pongo
$$-$$$
524 17th Ave. SW
☎***209-1073***
Ouvert sur la rue, le restaurant Pongo ne passe pas inaperçu. Difficile de faire plus moderne et Art déco. La décoration blanche tout en rondeur crée un

univers frôlant la science-fiction, le tout baigné d'une musique de jazz. On y sert de la cuisine orientale correcte.

4th Street Rose
$$$
2116 4th St. SW
☎***228-5377***
Le 4th Street Rose est un favori. La cuisine est très californienne et offre un choix abondant de savoureux plats végétariens, des sautés thaïlandais, des fruits de mer et des pâtes garnies d'ingrédients merveilleusement frais. Des desserts doux à mourir couronnent le tout. Par les chaudes journées d'été, n'hésitez pas à prendre la direction de la terrasse.

Wildwood Grill
$$$-$$$$
lun-sam: déjeuner et dîner
dim: dîner
2417 Fourth St. SW
☎***228-0100***
Le Wildwood Grill, un superbe restaurant, offre une atmosphère très chaleureuse. Le feu du foyer d'angle, couronné de feuilles d'érable, se reflète sur les tables, alors que le menu de venaison inclut du steak de wapiti et des *linguine bolognese* servis avec du cuissot de sanglier ou une paupiette de bison. Il n'y a pas grand-chose à manger ici si vous êtes végétarien, mais la nourriture est vraiment excellente, et vous vous y sentirez transporté dans un cellier romantiquement éclairé. Le pub du rez-de-chaussée pratique des prix moins élevés.

McQueen's Upstairs
$$$$
☎***269-4722***
Installé à l'étage du Cannery Row (voir ci-dessous), le McQueen's Upstairs présente un menu comparable tout en se voulant un peu plus huppé.

The Casablancan Chef at the Sultan's Tent
$$$$
909 17th Ave. SW
☎***244-2333***
Le chef casablancais du Sultan's Tent concocte une authentique cuisine marocaine qui réjouira votre palais. Selon la tradition, on vous accueillera en vous présentant un bol d'eau parfumée, dans lequel vous pourrez vous laver les mains. La salle est garnie d'une myriade de coussins moelleux et de tapisseries, tandis que des lanternes et une douce musique arabe vous plongeront dans l'atmosphère des *Mille et Une Nuits*. Votre hôte parle aussi français. (Rappelez-vous que la tradition vous demande également de manger avec la main droite, la gauche étant tenue pour impure.)

Mescalero
$$$$
1315 St. 1st SW
☎***266-3339***
Le Mescalero sert un mélange éclectique des cuisines du Sud-Ouest américain, mexicaine et espagnole. Le jardin est très spacieux mais le service est parfois capricieux.

Cannery Row
$$$$
317 10th Ave. SW
☎***269-8889***
Le Cannery Row sert les meilleurs fruits de mer à la mode cajun de cette ville enclavée. Un buffet d'huîtres et une atmosphère détendue visent à vous faire sentir comme si vous étiez au bord de la mer, et ça fonctionne! Flétan, saumon et espadon y sont apprêtés de différentes façons.

Circuit D: Nord-Est et Nord-Ouest

Peter's Drive-In
$
219 166th Ave. NE
☎***277-2747***
Bien sûr, c'est de la restauration rapide, mais Peter's est une institution à Calgary depuis 40 ans. Commandez puis emportez vos hamburgers, vos frites et vos laits fouettés pour les manger à votre aise, ou encore repérez une table de pique-nique ou installez-vous sur l'herbe. C'est bon et gras, et le grand format de frites est offert dans un contenant de la grosseur d'un cercueil!

Pho Kim/Kim's Vietnamese Noodle House
$-$$
1511 Centre B St. NW
☎276-7425
Pour de la nourriture vietnamienne bon marché, savoureuse et authentique, rendez-vous au Pho Kim, juste en retrait de Centre Street et de 16th Avenue NW. Cet établissement est populaire auprès de la communauté asiatique de Calgary, ainsi que des autres résidants qui l'ont découvert. Le long menu inclut de la *pho* (soupe aux nouilles), des rouleaux de printemps et du poulet à la citronnelle, et le tout s'accompagne de l'omniprésent thé vert. Pour un vrai repas vietnamien, essayez le *bun*: viande grillée, légumes, sauce au poisson et à la citronnelle, déposés sur du vermicelle de riz.

The Naturbahn Teahouse
$$
déjeuner-buffet et thé dimanche seulement 9h30 à 14h15
Canada Olympic Park
☎247-5465
La Naturbahn Teahouse, située au sommet des pistes de luge et de bobsleigh du Parc olympique, en est en fait le pavillon de départ. Le *Naturbahn*, dont le nom signifie «piste naturelle», ne sert pas aux compétitions de luge, mais propose plutôt un brunch intéressant le dimanche. Les réservations sont impératives.

Blue House Café
$$-$$$
3843 19th St. NW
☎284-9111
Le Blue House Café ne paie pas de mine, mais les créations argentines du chef, particulièrement les poissons et les fruits de mer, le rachètent largement. Un autre de ses atouts tient à la guitare, flamenco ou autre, qu'on peut y entendre certains soirs. Atmosphère plutôt décontractée, quoiqu'un peu plus guindée en soirée.

Mamma's Restaurant
$$$
320 16th St. NW
☎276-9744
Mamma's sert de la cuisine italienne aux Calgariens depuis plus de 20 ans. L'ambiance et le menu sont tout aussi raffinés l'un que l'autre, ce dernier comportant des plats de pâtes, de veau et de fruits de mer.

Sorties

The Calgary Mirror, ***ffwd*** and ***Straight*** sont des hebdomadaires d'information et de divertissement gratuits, avec les programmes de tout ce qui se passe en ville et tout autour, incluant les spectacles sur scène et les pièces de théâtre.

Bars et discothèques

Les choses ont changé depuis les beaux jours d'**Electric Avenue** *(11th Ave. SW)*, maintenant fermée. Le cœur du centre-ville reprend vie, de même que 12th Avenue et 17th Avenue. Le **Crazy Horse** *(1315 First St. SW, ☎266-1133)* est surtout populaire auprès des jeunes professionnels (rock classique). **The Warehouse** *(733 10th Ave. SW)*, le **Drum and Monkey** *(1201 First St. SW, ☎261-6674)* et le **Night Gallery** *(1209B First St. SW, ☎264-4484)* constituent pour leur part des options plus «alternatives».
Se trouve également sur cette artère commerciale qu'est First Street le **Castle Pub**, qui possède peut-être bien le jukebox le plus génial de tout l'Ouest canadien.

De jour comme de nuit, la terrasse du populaire **Ship & Anchor Pub** *(534 17th Ave. SW, ☎245-3333)* est pleine à craquer. N'importe quel prétexte semble bon pour la clientèle dans la vingtaine qui s'y retrouve pour déguster l'une des nombreuses bières pression. Menu frais et léger disponible.

L'engouement pour les cocktails a frappé Calgary, et les meilleurs endroits pour se délasser devant un martini

Le lieu de naissance du Bloody Caesar

Peu de gens ont conscience de ce que le Bloody Caesar a été inventé, ici même à Calgary, par un certain Walter Chell en 1969, alors qu'il assurait la gestion des rafraîchissements au Calgary Inn (aujourd'hui devenu le Westin Hotel). Et non seulement a-t-il imaginé ce désormais célèbre cocktail, mais il a en outre conçu son principal ingrédient, soit un mélange de jus de tomate et de palourdes broyées qu'il baptisa du nom de Clamato. Les incrédules pourront même vérifier ces dires auprès de la société qui a par la suite breveté le jus en question.

D'autres ont bien tenté de copier, de modifier et même de revendiquer la recette de Chell pour leur propre compte, mais les vrais amateurs de Bloody Caesar savent fort bien qu'il n'est d'autre façon de le préparer qu'en ajoutant à 35ml (1,25 oz) de vodka 145ml (5 oz) de Clamato et trois jets de sauce Worcestershire, et de givrer le rebord du verre d'un mélange de sel et de poivre pour ensuite y plonger une branche de céleri.

sont l'**Auburn Saloon** *(200 8th Ave. SW, ☎290-1012)*, le **Mercury** *(801 17th Ave. SW, ☎541-1175)* et le **Quincy's** *(609 7th Ave. SW, ☎264-1000)*, qui vend également des cigares.

Le **Boystown** *(213 10th Ave. SW)* réunit une foule gay, tandis que **Detours** et le **Victoria's Restaurant** *(angle 17th Ave. et Second St. SW, ☎244-9991)*, tous deux logés à la même enseigne, accueillent un public de tout horizon.

Le **Kaos Jazz Bar** *(droit d'entrée mer-sam; 718 17th Ave. SW)* est un bar de jazz populaire où se produisent différentes formations. Du jeudi au samedi, il se transforme en «café d'humour» au menu intéressant.

Pour plus de musique, rendez-vous au minable King Edward Hotel, surnommé le **King Eddy** *(438 Ninth Ave. SE, ☎262-1680)*. C'est le repaire du blues à Calgary, où se produisent régulièrement des formations formidables. Soyez prudent dans ce secteur à la tombée du jour.

Si vous brûlez de danser le *two-step*, la chance est avec vous car Calgary possède deux excellents bars country. Au **Ranchman's** *(9615 Macleod Trail SW)*, la piste de danse en forme de fer à cheval donne lieu à des cours de *two-step* le mardi et à des cours de danse en ligne le mercredi; les autres soirs, attendez-vous à retrouver l'endroit bondé. Quant au **Outlaws** *(7400 Macleod Trail SE)*, il s'impose comme le rendez-vous par excellence des vrais cowboys et cow-girls.

Pour être dans le feu de l'action d'une boîte de nuit du centre-ville, **The Drink** *(355 10th Ave. SW, ☎264-0202)* vous attend. Propriété du tristement célèbre homme d'affaires qui tient la populaire boîte qu'est Cowboys (où le personnel de service s'était fait offrir... des traitements chirurgicaux gratuits pour rehausser l'image de marque de la boîte, après une certaine période à son service!), The Drink se veut un endroit convenable où aller danser, si c'est ce que vous recherchez.

Pour une expérience moins factice, pointez-vous aux deux très bons pubs irlandais de Calgary. Le **James Joyce** *(114 Eighth Ave. SW, ☎262-0708)* offre des cinq à sept bruyants où se retrouve une clientèle en costume-cravate; c'est néanmoins un bon endroit où prendre une bière. À Kensington, **Molly Malone's** *(1153 Kensington Cres., ☎296-3220)* se révèle être un autre lieu authentique pour boire une pinte de Kilkenny ou de Guinness.

Théâtre et cinéma

L'**Alberta Theatre Projects** *(☎294-7402, www.atlive.com)* est une excellente troupe théâtrale qui présente de très bonnes pièces contemporaines.

Si vous êtes en mal de grande culture, renseignez-vous sur les programmations respectives du **Calgary Opera** *(☎262-7286, www.calgaryopera.com)*, du **Calgary Philharmonic Orchestra** *(☎571-0270, www.cpo-live.com)* et de l'**Alberta Ballet** *(☎245-4222, www.albertaballet.com)*.

Calgary possède en outre un cinéma **Imax** situé au marché Eau-Claire *(☎974-4700)*.

The Uptown *(612 8th Ave. SW, ☎265-0120)* propose, pour sa part, un mélange de premières et de productions maison à l'européenne dans un vieux cinéma remis à neuf du centre-ville. Vous pourrez aussi voir les grandes primeurs à l'affiche dans les différents cinémas de la ville. Consultez les quotidiens pour connaître la programmation et les heures des représentations, ou appelez les «Pages Jaunes Parlantes» *(☎521-5222)*.

Fêtes et festivals

Le **Calgary Exhibition and Stampede** n'est pas qualifié pour rien de «plus grand spectacle sur terre». Il a fait son apparition en 1912, à une époque où nombreux étaient ceux qui croyaient que l'industrie du blé finirait par surclasser l'élevage, et devait être une occasion unique de rendre un dernier hommage aux talents des cowboys traditionnels.

Il va sans dire que l'élevage a continué à prospérer, et ce spectacle annuel n'a cessé de remporter un vif succès depuis. Chaque fois que revient juillet, quelque 100 000 personnes convergent vers le Stampede Park pour assister à cet événement grandiose. Le tout débute par un défilé, qui part à l'angle de 6th Avenue SE et de 2nd Street SE à 9h, mais soyez-y tôt (dès 7h) si vous voulez avoir une chance de voir quoi que ce soit. La principale attraction demeure incontestablement le rodéo (voir encadré), où cow-boys et cow-girls font valoir leurs aptitudes.

Les épreuves préliminaires se déroulent tous les après-midi à 13h30, et la grande finale a lieu au cours de la dernière fin de semaine. Les sièges réservés en vue de cet événement disparaissent très vite, et vous feriez bien de vous en procurer à l'avance si vous tenez à être de la fête. Il y a aussi des courses de chariots couverts; les éliminatoires du Rangeland Derby se tiennent chaque soir à 20h, et la finale a lieu la dernière fin de semaine.

L'**Olympic Plaza** du centre-ville devient le **Rope Square** pour la durée du festival, et l'on y sert chaque matin des petits déjeuners par l'ouverture arrière de chariots couverts; les festivités se poursuivent ensuite toute la journée sur la place. De retour au Stampede Park, vous pourrez entre autres visiter un village amérindien et une foire agricole. Le soir venu, des spectacles mettant en vedette certaines des plus grandes étoiles de la musique canadienne vous enchanteront. Un droit d'entrée de 10$ est exigé, donnant libre accès à tous les spectacles sauf ceux qu'on présente au Saddledome, pour lesquels vous devez vous procurer des billets à l'avance. Pour vous renseigner sur les meil-

Le plus grand spectacle en plein air sur Terre!

Le **Calgary Exhibition and Stampede** a fait ses débuts en 1912, à une époque où nombreux étaient ceux qui croyaient que l'industrie du blé finirait par surclasser l'élevage, et se voulait dès lors une occasion unique de rendre un ultime hommage aux talents des cow-boys traditionnels. Il va toutefois sans dire que l'élevage a continué de prospérer, et ce spectacle, devenu annuel, n'a cessé de remporter un vif succès depuis. Chaque fois que revient juillet, ce sont en effet quelque 100 000 personnes qui convergent vers le Stampede Park pour assister à cet événement grandiose. Le tout débute par un défilé qui part de l'intersection de 6th Avenue SE et de 2nd Street SE à 9h, mais soyez-y tôt (dès 7h) si vous voulez avoir une chance de voir quoi que ce soit. La principale attraction demeure incontestablement le rodéo, où cow-boys et cow-girls font valoir leurs aptitudes et se disputent près d'un million de dollars en prix. Les épreuves préliminaires se déroulent tous les après-midi, et la grande finale a lieu au cours de la dernière fin de semaine de l'événement. L'Olympic Plaza du centre-ville devient le Rope Square (square de la Corde) pour la durée du festival, et l'on y sert chaque matin des petits déjeuners par l'ouverture arrière de chariots couverts; les festivités se poursuivent ensuite toute la journée sur la place. De retour au Stampede Park, vous pourrez entre autres visiter un village amérindien et une foire agricole. Quant au spectacle de l'arène principale, il s'impose comme une grandiose «comédie musicale» sans fin, tandis que, le soir venu, des prestations mettant en vedette certains des plus grands noms de la musique country vous enchanteront. Un droit d'entrée vous donnera accès à tous les spectacles, sauf à ceux qu'on présente au Saddledome et pour lesquels vous devrez vous procurer des billets à l'avance.

leures places disponibles pour le rodéo, adressez-vous au **Calgary Exhibition and Stampede** *(P.O. Box 1060, Station M, Calgary, Alberta, T2P 2L8, ☎261-0101 ou 800-661-1260, www.calgarystampede.com).*

Le **Festival international de jazz de Calgary** *(☎249-1119, www.jazzfestivalcalgary.ca)* se tient la dernière semaine de juin. Le **Festival international des arts autochtones** *(☎233-2227)* et l'**Afrikadey** *(☎254-9110, www.afrikadey.com)* se déroulent tous deux la troisième semaine d'août et mettent tous deux en lumière des divertissements et des réalisations artistiques de diverses cultures à l'échelle de la planète. Enfin, le **Festival d'hiver de Calgary** *(☎543-5480, www.calgarywinterfest.com)* a lieu à la fin de janvier ou au début de février.

Spruce Meadows, qui se trouve à l'ouest de la ville, s'impose comme le plus important centre équestre du Canada. On y présente trois concours annuels, le **National**, au début de juin, le **North American**, en juillet (en même temps que le Stampede), et le **Spruce Meadows Masters** *(www.sprucemeadows.com)*, la deuxième semaine de septembre. Au cours de ce dernier événement, le vainqueur du Du Maurier International mérite la plus importante bourse de tout le monde équestre. Pour de plus amples renseignements, composez le ☎947-4200.

La **nation Tsuu T'ina** tient son pow-wow annuel la dernière fin de semaine de juillet. Il s'agit certes d'un événement beaucoup moins flamboyant que le fameux Stampede, quoique infiniment plus intime. Pour la modique somme de 7$, vous y verrez un vrai rodéo, en plus de faire l'expérience de l'authentique culture autochtone. Pour information, composez le ☎281-4455.

Événements sportifs

Les **Calgary Stampeders** de la Ligue canadienne de football disputent leurs matchs locaux au **McMahon Stadium** *(1817 Crowchild Trail NW, ☎282-2044)* de juillet à novembre. Quant aux **Calgary Flames** de la Ligue nationale de hockey, ils jouent au **Pengrowth Saddledome** *(555 Saddledome Rise SE, ☎261-0475 ou 777-2177)* d'octobre à avril (ou plus longtemps si l'équipe se rend en séries éliminatoires).

Achats

L'**Eaton Centre**, le **TD Square**, le **Scotia Centre** et le magasin à rayons **The Bay** se trouvent tous sur 8th Avenue SW, de même qu'un assortiment de boutiques chics et huppées, parmi lesquelles on retrouve **Holt Renfrew** et les boutiques du **Penny Lane**. Le **Chinook Centre** *(6455 Macleod Trail S., angle Glenmore Trail)* comprend une énorme aire de restauration ainsi qu'une aile de divertissement.

Le **marché Eau Claire** est un bon endroit pour se procurer à peu près tout; des articles importés, comme des pulls péruviens, et des objets de décoration à la mode du Sud-Ouest américain y côtoient en effet fruits et légumes frais.

Non seulement aurez-vous plaisir à arpenter **Kensington Avenue** et les rues avoisinantes, mais ce quartier recèle en outre une foule de magasins spécialisés plus intéressants les uns que les autres qui méritent bien le coup d'œil. L'un d'entre eux, le **Heartland Country Store** *(940 Second Ave. NW)*, vend de magnifiques poteries.

Autre boutique, **Livingstone and Cavell Extraordinary Toys** *(1124 Kensington Rd. NW, ☎270-4165)* étale des jouets traditionnels qui réveillent l'enfant en chacun de nous. Dans ce magasin génial, vous verrez entre autres des trains en miniature exceptionnels, des jouets à remontoir rétro et des animaux en peluche provenant de tous les coins de la planète.

Divers commerces, des cafés et des galeries d'art sont regroupés le long de 17th Avenue SW, qui se pare d'une auréole résolument à la page.

Hemporium *(926 17th Ave., ☎245-3155)* a en montre des vêtements, des chapeaux et même de la pommade pour les lèvres fabriquée à partir de chanvre. Repérez son enseigne au-dessus de la porte: une représentation d'une feuille plutôt familière. Quelques portes plus loin se trouve **Megatunes** *(932 17th Ave., ☎229-3022)*, un bon magasin de musique où vous aurez de l'information sur les spectacles et concerts locaux.

Puis, sur 9th Avenue SE, à l'est de la belle rivière Elbow, dans Inglewood, les maisons embourgeoisées renferment désormais des boutiques et des cafés.

L'**Alberta Boot Co**. *(614 10th Ave. SW, ☎263-4623)* est l'endroit tout indiqué pour vous chausser en prévision du Stampede, avec ses bottes de tout style et de toute taille, histoire de cadrer dans le décor.

Le royaume des disques, cassettes et films d'occasion à Calgary se nomme **Recordland** *(1204 9th Ave. SE, près de 11th St. SE, ☎262-3839)*. On y trouve tous les genres de musique à des prix imbattables: trois CD pour 25$!

La **Mountain Equipment Co-op** *(830 10th Ave. SW)* est une coopérative a priori ouverte à ses seuls membres, mais il ne vous en coûtera que 5$ pour le devenir, et vous ne le regretterez pas! Articles de camping et de plein air de qualité supérieure, et vêtements et accessoires sont en effet proposés ici à des prix très raisonnables.

Arnold Churgin Shoes *(221 8th Ave. SW, ☎262-3366; Chinook Centre, angle Macleod Trail et Glenmore Trail, ☎258-1818)* vend des chaussures pour dames de haute qualité à des prix raisonnables et offre un excellent service. Un rendez-vous incontournable pour toutes celles qui accusent un certain penchant pour les chaussures!

La **Chocolatarie Bernard Callebaut** *(1313 First St. SE, ☎266-4300)* confectionne de délicieux chocolats belges ici même à Calgary. Ses créations sont vendues un peu partout en ville, mais si vous vous rendez à la fabrique, dans le Southeast, vous pourrez en contempler la production.

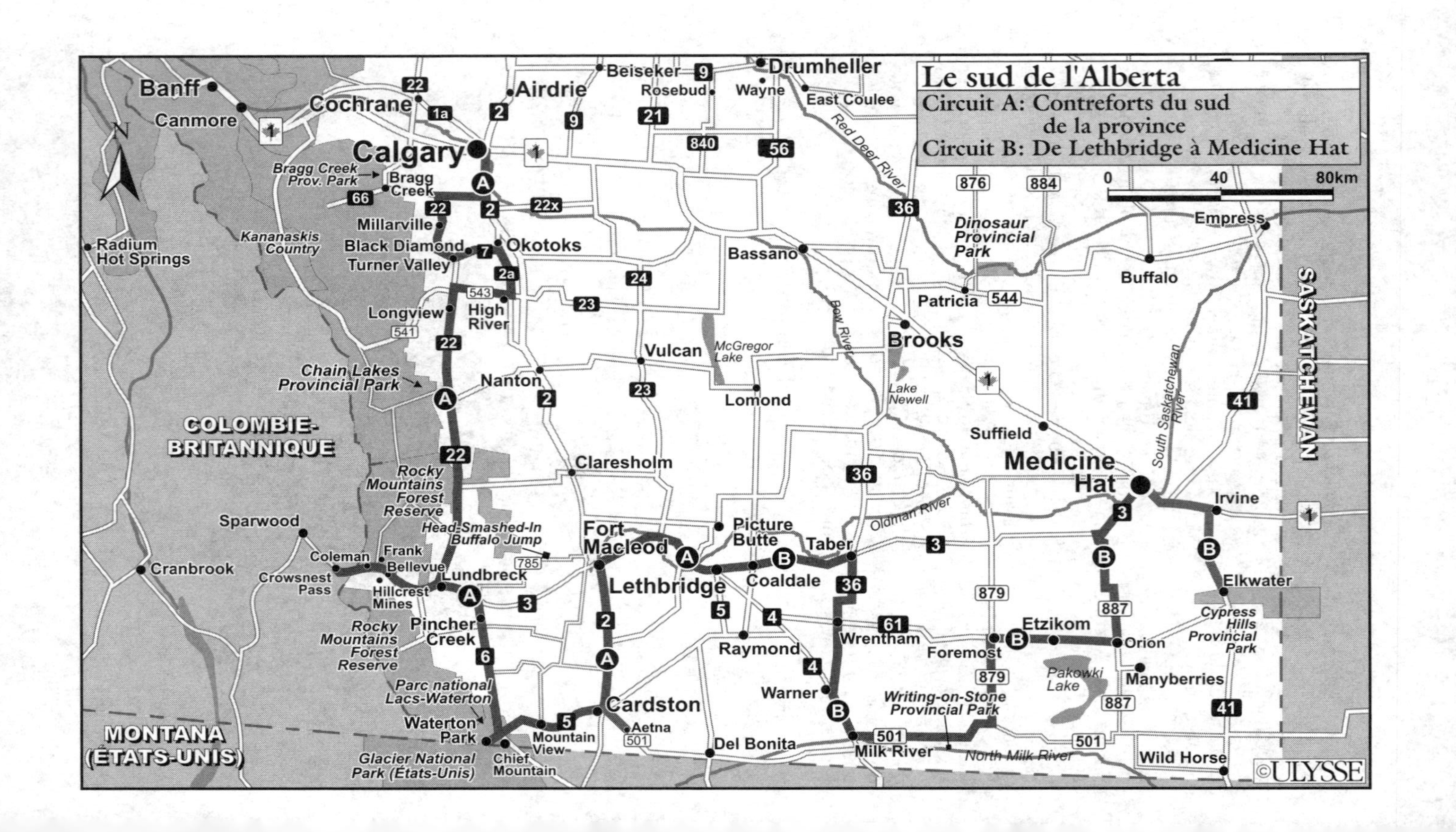
Le sud de l'Alberta
Circuit A: Contreforts du sud de la province
Circuit B: De Lethbridge à Medicine Hat
0
40
80km
Banff
Canmore
Cochrane
Calgary
Airdrie
Beiseker
Rosebud
Drumheller
Wayne
East Coulee
Red Deer River
Bragg Creek Prov. Park
Bragg Creek
Millarville
Black Diamond
Turner Valley
Okotoks
Kananaskis Country
Radium Hot Springs
Bassano
Dinosaur Provincial Park
Patricia
Buffalo
Empress
Longview
High River
Vulcan
McGregor Lake
Bow River
Brooks
Lake Newell
Lomond
Nanton
Chain Lakes Provincial Park
COLOMBIE-BRITANNIQUE
SASKATCHEWAN
Suffield
South Saskatchewan River
Medicine Hat
Claresholm
Rocky Mountains Forest Reserve
Head-Smashed-In Buffalo Jump
Sparwood
Coleman
Frank
Bellevue
Cranbrook
Crowsnest Pass
Hillcrest Mines
Lundbreck
Fort Macleod
Lethbridge
Picture Butte
Coaldale
Taber
Oldman River
Irvine
Elkwater
Cypress Hills Provincial Park
Pincher Creek
Raymond
Wrentham
Foremost
Etzikom
Orion
Manyberries
Pakowki Lake
Warner
Cardston
Aetna
Parc national Lacs-Waterton
Waterton Park
Mountain View
Chief Mountain
Glacier National Park (États-Unis)
MONTANA (ÉTATS-UNIS)
Del Bonita
Milk River
Writing-on-Stone Provincial Park
North Milk River
Wild Horse
©ULYSSE

Sud de l'Alberta

Au moment de quitter Calgary, vous aurez du mal à résister à l'attrait des Rocheuses, visibles au loin, mais prenez plutôt la direction du sud.

Le sud de l'Alberta recèle certains des plus beaux sites et paysages de toute la province, du parc national Lacs-Waterton en passant par les villes minières de Crowsnest Pass jusqu'au rendez-vous amérindien historique de Head-Smashed-In, sans oublier l'immensité des prairies.

Les vastes étendues que vous traverserez en parcourant l'Alberta méridionale d'ouest en est contrastent durement avec les hauts sommets enneigés des montagnes Rocheuses culminant derrière vous.

Rangs de blé et d'autres graminées soigneusement alignés, balles de foin d'une rondeur étudiée, collines légèrement ondulantes soumises à des conditions pour ainsi dire désertiques et silos à grains épars sont à peu près toutes les distractions auxquelles vous aurez droit dans cette partie de la province.

Ce chapitre est divisé en deux circuits que vous pouvez parcourir en voiture:

Circuit A: Contreforts du sud de la province ★★

Circuit B: De Lethbridge à Medicine Hat ★★

Pour s'y retrouver sans mal

En voiture

Circuit A: Contreforts du sud de la province

Bien que la route 2 soit celle qui relie le plus directement Calgary et Fort Macleod, les somptueux paysages qui bordent la route 22, dans ce que d'aucuns qualifient de «pays de Dieu», méritent largement un détour. Cette paisible route à deux voies s'éloigne tout d'abord de Calgary, en direction du sud-ouest, à travers une région identifiée à l'essor économique de l'Alberta grâce à l'exploitation des ressources pétrolières et gazières, puis traverse d'incroyables ranchs historiques avec les Rocheuses en toile de fond.

À la jonction avec la route 3 s'étendent à l'ouest la communauté de Crowsnest Pass, puis le col du même nom et enfin la Colombie-Britannique. À l'est, le présent circuit se poursuit le long de la route 6 jusqu'au parc national Lacs-Waterton avant de remonter vers le nord par la route 2 jusqu'à Fort Macleod et Lethbridge, qui marque le point de départ du circuit B.

Circuit B: De Lethbridge à Medicine Hat

Une voie rapide et relativement panoramique relie Lethbridge et Medicine Hat, mais un détour par le sud jusqu'au Writing on Stone Provincial Park, suivi d'une paisible balade le long des routes 507, 879 et 61, vous promet de plus beaux paysages et vaut bien quelques kilomètres supplémentaires.

Le Cypress Hills Interprovincial Park vous attend à une vingtaine de kilomètres au sud de Medicine Hat sur la route 41. Ce parc est toutefois également accessible par une route de gravier filant vers l'est au départ d'Orion; elle est en assez bon état, mais vous n'y trouverez aucune station-service et elle s'avère passablement lente.

Lethbridge et Medicine Hat ont toutes deux des rues numérotées. La majorité des hôtels et des motels de Lethbridge se trouvent sur Mayor Magrath Drive, alors que vous entrez dans la ville par la route 5. Quant à ceux de Medicine Hat, ils se trouvent sur l'autoroute transcanadienne, à l'est du centre-ville.

Location de voitures

Lethbridge

Budget
3975 1st Ave. S.
☎(403) 328-6555 ou 800-461-5276
www.budget.com

Avis
à l'aéroport
☎800-272-5871
www.avis.com

National Car Rental
2351 2nd Ave. N
☎(403) 380-3070
www.nationalcar.com

Medicine Hat

Budget
à l'aéroport
☎(403) 527-7368 ou 877-283-4389
centre-ville
1566 Gershaw Dr. SW
☎(403) 527-7368 ou 877-283-4389
www.budget.com

National Car Rental
à l'aéroport
☎(403) 527-5665
www.nationalcar.com

En autocar

Les autocars **Greyhound** *(☎800-661-8747, www.greyhound.ca)* couvrent la plus grande partie du territoire albertain. Vous pouvez vous procurer vos billets directement à l'endroit d'où vous voulez partir; aucune réservation n'est possible, mais vous obtiendrez un rabais si vous achetez votre billet sept jours à l'avance.

Gares routières

Lethbridge
411 5th St. S
☎(403) 327-1551
Services: restaurant, consigne automatique

Medicine Hat
557 Second St. SE
☎(403) 527-4418

Renseignements pratiques

Indicatif régional du sud de l'Alberta: ***403***

Bureaux d'information touristique

Travel Alberta South
2805 Scenic Dr. S
Lethbridge, AB, T1K 5B7
☎329-6777 ou 800-661-1222
⇄329-6177
www.albertasouth.com

Chinook Country Tourist Association
2805 Scenic Dr. S
Lethbridge, AB, T1K 5B7
☎329-6777 ou 800-661-1222

Medicine Hat Tourist Information
P.O. Box 605
Medicine Hat, AB, T1A 7G5
☎527-6422 ou 800-481-2822
⇄528-2682
www.albertasouth.com/town/medhat

Bed and breakfasts

Alberta B&B Association
P.O. Box 1462, Station M
Calgary, AB, T2P 2L6
☎277-0023

Attraits touristiques

Circuit A: Contreforts du sud de la province

À l'instar du circuit des contreforts du centre de la province (voir p 524), le présent circuit emprunte la route 22. Ces deux circuits partagent en effet le segment rectiligne qui relie Cochrane au Bragg Creek Provincial Park.

Bragg Creek

Le village de Bragg Creek repose en bordure des terres appartenant à la nation amérindienne Tsuu T'ina, dont l'extrémité orientale de la communuaté se trouve accolée aux banlieues envahissantes du sud-ouest de Calgary. On visite cette communauté pour deux très bonnes raisons: son paysage et ses tartes. Le premier se laisse apprécier au Bragg Creek Provincial Park, un joli parc convenant aux courtes promenades et aux pique-niques, et les secondes s'obtiennent à la Pie Shop.

Prenez l'autoroute 752 vers le sud en direction de Millarville.

Millarville

Au sud de Calgary, suivez la route 22 jusqu'à Millarville, berceau de l'historique **hippodrome de Millarville** *(4$, enfant entrée libre; première fin de semaine de juillet, sam-dim 13h; ☎931-3411)*. Les courses ont lieu chaque année depuis 90 ans, mais les paris ne sont autorisés que depuis 1995. Des jeux et diverses festivités entourent cet événement. Des cinq villes construites pour accueillir les ouvriers transitoires des champs pétrolifères de Turner Valley, celle-ci est la seule survivante. Il n'y a pas grand-chose à voir dans ce hameau en semaine, mais si vous y passez un samedi, ne manquez pas de faire une halte au **Farmer's Market** *(stationnement 1$; juin à début oct, sam 8h30 à 12h; Millarville Racetrack, ☎931-2404)*. Des marchands venus de partout y proposent de l'artisanat, des fruits et légumes frais, des produits de boulangerie et des vêtements. Un marché de Noël de trois jours s'y tient par ailleurs la première fin de semaine de novembre, sans compter la foire agricole du troisième dimanche d'août.

Suivez la route 22 vers le sud jusqu'à Turner Valley.

Turner Valley

C'est ici, à Turner Valley, qu'on a découvert

pour la première fois, en 1914, du pétrole brut en Alberta (et au Canada), mais c'est surtout au gaz naturel, découvert 11 ans plus tôt, que Turner Valley doit son renom. Le **Dingman No. 1** a été le premier puits en exploitation de la région, ainsi nommé en l'honneur d'un homme d'affaires de Calgary qui, en compagnie de R.B. Bennett, futur premier ministre du Canada, fut amené sur le site par William Herron en 1903. Herron enflamma une émergence gazeuse et cuisina sur place un petit déjeuner pour ses hôtes. C'est ainsi que Dingman et Bennett acceptèrent de financer le puits, lequel demeura en activité jusqu'en 1952. Une aire connue sous le nom de **zone de brûlage**, où des torches se consument encore jour et nuit, marque en fait l'emplacement de l'ancien Dingman No. 2. Le suintement gazeux fut enflammé en 1977 par mesure de précaution. C'est du haut du Hell's Half Acre Bridge, qui enjambe la rivière Sheep, qu'on peut le mieux contempler ce site unique.

Black Diamond

À quelques kilomètres à l'est de Turner Valley apparaît la petite ville de Black Diamond, une autre localité dont la gloire repose sur d'abondantes ressources naturelles. Les façades factices de la rue principale témoignent de l'époque plus prospère où le charbon était un véritable diamant noir. La mine a ouvert ses portes en 1899 et, au sommet de sa productivité, on en extrayait 650 tonnes de charbon chaque année.

Prenez vers l'est sur la route 7, puis vers le nord sur la route 2A jusqu'à Okotoks.

Okotoks

Okotoks est la plus grande ville entre Calgary et Lethbridge. Vous y trouverez en outre un nombre impressionnant de boutiques d'artisanat et d'antiquités. Le bureau de tourisme *(53 Railway St. N, ☎938-3204)* offre par ailleurs un plan de promenade qui couvre plusieurs des bâtiments historiques datant de l'époque où la ville servait de halte sur la Macleod Trail entre Fort Calgary et Fort Macleod.

Le nom de la ville est dérivé du mot amérindien des Pieds-Noirs (Blackfoot), *okatok*, qui signifie «rocher», en référence au **Big Rock**, l'une des plus importantes roches erratiques glaciaires jamais trouvées en Amérique du Nord et sans conteste la plus grande attraction de la ville. Ce rocher de 18 000 tonnes a été déposé à 7 km à l'ouest d'Okotoks au cours de la période glaciaire, après avoir atterri sur un glacier en mouvement à l'occasion d'un glissement de terrain survenu à l'intérieur de l'actuel parc national de Jasper.

Okotoks abrite également la **réserve ornithologique d'Okotoks** (Okotoks Bird Sanctuary), où un belvédère en surplomb permet d'observer oies, canards et autres oiseaux aquatiques. Il s'agit d'un projet permanent de l'association régionale de chasse et de pêche.

High River

Une autre halte sur la Macleod Trail, High River, qui se trouve à 24 km au sud d'Okotoks sur la route 2A, était le seul endroit où hommes, chevaux, bétail et chariots pouvaient franchir la rivière Highwood. High River n'est plus aujourd'hui qu'une petite localité entourée de ranchs et dotée d'un intéressant musée régional, le **Museum of the Highwood** *(droit d'entrée; mai à sept tlj 10h à 17h, oct à mai mer-sam 12h à 16h, dim 12h30 à 16h30; 406 First St. W., ☎652-7156).* Les North American Chuckwagon Racing Championships (championnats de courses de chariots de l'Amérique du Nord) se tiennent ici chaque année à la fin de juin. Vous êtes également ici dans la ville natale du seizième premier ministre du Canada, Joe Clark.

Revenez sur vos pas par la route 543, puis prenez la route 22 en direction du sud jusqu'à Longview et le Bar U Ranch.

Longview

Le **Bar U Ranch National Historic Site** ★★★ *(6,50$; mi-mai à mi-oct tlj 10h à 18h, mi-oct à mi-mai téléphonez pour connaître les heures d'ouverture; ☎395-2212 ou 800-568-4996)* a été inauguré à l'été de 1995 et célèbre la contribution de l'élevage sur ranch au développement du Canada. Il s'agit d'un des quatre ranchs qui couvraient jadis la presque totalité du territoire albertain et, jusqu'à tout récemment, il était toujours en activité. Le site est en période transitoire, Parcs Canada et Patrimoine Canada prenant actuellement le contrôle de son administration, de concert avec l'association des amis du Bar U Ranch. Les visiteurs peuvent cependant errer à travers la propriété et se familiariser avec les activités du ranch, bien que celles-ci ne soient que simulées. «Bar U» fait référence au symbole dont est marqué le bétail de ce ranch. Le magnifique centre d'accueil des visiteurs présente une exposition documentaire sur les races de bovins, sur le rassemblement des bêtes, sur le marquage et sur l'usage du fouet d'écuyer *(quirt)*. Une projection vidéo de 15 min sur le Mighty Bar U révèle toute la poésie du mode de vie des cow-boys et explique comment les pâturages et le chinook, ce vent unique à l'Alberta, ont toujours été les pierres angulaires de l'exploitation des ranchs. Le centre d'accueil abrite en outre une boutique de souvenirs et un restaurant où vous pourrez déguster un authentique hamburger à la viande de bison.

Parcourez encore une centaine de kilomètres vers le sud sur la route 22 jusqu'à la route 3.

Le **Chain Lakes Provincial Park** ★ (voir p 504) est le seul véritable attrait de ce tronçon routier. Il se trouve entre les Rocheuses et les monts Porcupine dans une zone de transition ponctuée de lacs alimentés par des sources. S'y trouvent un terrain de camping (voir p 510), une rampe de mise à l'eau et une plage à l'extrémité méridionale du bassin. Plus au sud, les splendides pâturages d'un blond clair, parsemés ici et là de lacs au bleu sombre, ondulent jusqu'aux lointaines Rocheuses. La vue sur les montagnes à l'horizon est tout simplement surréaliste.

Après avoir rejoint la route 3, filez vers l'ouest pour découvrir un autre tronçon de route panoramique. Vous vous enfoncerez plus avant dans les contreforts en passant par une succession de villes minières jusqu'à Crowsnest Pass et la Colombie-Britannique.

Crowsnest Pass

L'espace compris entre Pincher Creek et la ligne continentale de partage des eaux, en bordure de la route 3, délimite la municipalité de Crowsnest Pass. Bon nombre des communautés minières, autrefois prospères, qui longent cette route recèlent quelques sites offrant une perspective historique intéressante sur l'industrie minière locale. On découvrit du charbon dans cette région pour la première fois en 1845, mais ce n'est qu'en 1898, lorsque le Canadien Pacifique fit passer sa ligne ferroviaire par le col *(pass)*, que les localités ont vraiment commencé à pousser. L'extraction du charbon constituait la seule industrie du secteur et, lorsque le minerai s'avéra de qualité inférieure et difficile d'accès, les mauvais jours pointèrent à l'horizon. Le charbon de la région se commercialisa à un prix plus bas que celui de la Colombie-Britannique, et, en 1915, la première mine avait déjà fermé ses portes, suivie peu après des autres. Cette municipalité constitue le seul écomusée de la province, et on l'a classée site historique en 1988.

Le premier point d'intérêt que vous croiserez en roulant vers l'ouest sur la route 3 est celui des **Lietch Collieries** *(dons acceptés; visite guidée mi-mai à sept tlj 10h à 16h, visite autoguidée sept à mai; ☎562-7388)*. Il s'agissait là de la seule mine du col à appartenir à des intérêts canadiens et de la première à fermer ses portes, en 1915. Diverses panneaux d'interprétation expliquent le processus d'extraction du minerai, et un sentier parcourt les ruines de la mine.

Plus bas sur la route 3, suivez les indications pour Hillcrest.

Le 19 juin 1914, **Hillcrest** devint le théâtre de la pire catastrophe minière de l'histoire du Canada, lorsqu'une explosion ravagea les galeries de la mine et emprisonna 235 hommes sous terre. Plusieurs de ceux qui avaient survécu à la déflagration finirent par mourir d'asphyxie sous l'effet des gaz délétères (CO_2 et CO) laissés en suspension dans l'air, après que l'explosion eut brûlé tout l'oxygène disponible. Ce même phénomène, auquel s'ajoutait la fumée, força d'ailleurs les sauveteurs à renoncer à leurs tentatives pour porter secours aux malheureux. La mine est restée inactive depuis sa fermeture, en 1939, et vous ne verrez pas grand-chose si ce n'est son entrée scellée. Les 189 victimes de l'accident furent enterrées dans une fosse commune d'un cimetière situé 1 km plus loin sur la route 3.

Poursuivez vers l'ouest à travers Hillcrest et traversez la route 3 pour atteindre la mine Bellevue.

La **mine Bellevue** a débuté ses activités en 1903, et, pendant sept ans, elle ne connut aucun incident, jusqu'au jour où une explosion souterraine l'ébranla, le 9 décembre 1910. Les gaz délétères causèrent la mort de 30 mineurs. L'exploitation reprit par la suite et se poursuivit jusqu'en 1962. Aujourd'hui, on remet aux visiteurs un casque et une lampe de mineur pour une **visite guidée ★★** *(6$; mi-mai à début sept, départs aux demi-heures 10h à 18h; ☎564-4700)* d'une centaine de mètres de galeries sombres, froides et humides. Il s'agit de la seule mine du col accessible aux visiteurs, et le déplacement en vaut vraiment la chandelle pour les petits comme pour les grands. Prévoyez toutefois vous munir d'un bon chandail.

En poursuivant sur la route 3, vous noterez un changement radical de paysage. De part et d'autre de la route, sur une étendue de 3 km^2, les débris du glissement de terrain de Frank (Frank Slide) créent un spectacle irréel, quasi lunaire. D'énormes rochers se sont ici enfoncés dans le sol à une profondeur moyenne de 14 m, certains se trouvant à plus de 30 m sous la surface. Le **Frank Slide Interpretive Centre ★★** *(6,50$; mi-mai à mi-sept tlj 9h à 18h, mi-sept à mi-mai 10h à 17h; du côté droit de la route, ☎562-7388)*, situé au nord de la route sur une légère élévation, présente un compte rendu audiovisuel de la croissance de la ville et du glissement de terrain lui-même. On y expose les différentes théories concernant les événements du 29 avril 1903, alors que 82 millions de tonnes de calcaire dévalèrent du sommet du mont Turtle sur la ville de Frank, qui se trouvait à cette époque du côté sud de la route au pied de la montagne. Il ne reste aujourd'hui de la ville qu'une vieille borne-fontaine. On croit que la structure instable de la montagne, les opérations minières, l'eau et le mauvais temps ont tous contribué au désastre. Un sentier autoguidé à travers les débris du glissement de terrain permet d'avoir une bonne idée de son ampleur. Soixante-huit des habitants de la ville furent ensevelis, mais la catastrophe aurait pu prendre des proportions plus graves encore, n'eût été d'un aiguilleur du Canadien Pacifique qui courut miraculeusement à travers les rochers pour arrêter un train de passagers qui s'approchait. Ceux et celles qui en ont le courage pourront faire l'ascension du mont Turtle pour observer de plus près les fissures et les crevasses encore menaçantes qui se trouvent près du sommet. Le sentier n'est pas trop ardu, mais comptez deux ou trois heures de marche à l'aller comme au retour.

Le village de **Coleman** se trouve un peu plus au nord. La Coleman Colliery (houillère) a cessé ses activités en 1983, et la rue principale de cette localité témoigne des temps difficiles qui ont suivi. Le **Crowsnest Museum** ★ *(3$; mai à début sept tlj 10h à 12h et 13h à 16h, sept à mai lun-ven 10h à 16h; appelez avant de vous y rendre; 7701 18th Ave., Coleman, ☎563-5434)* relate l'histoire du col (Crowsnest Pass) de 1899 à 1950. Vous y verrez des maquettes de sauvetages miniers, des chariots à charbon de la mine Greenhill et un diorama sur les animaux et les poissons du col.

En quittant Coleman, revenez sur vos pas en prenant la route 3 vers l'est jusqu'à Pincher Creek. Empruntez ensuite la route 6 Sud en direction du parc national Lacs-Waterton.

Pincher Creek est réputé être l'endroit le plus venteux de toute l'Alberta, ce qui explique la présence d'autant d'éoliennes dans les environs. Ce village sert de porte d'entrée au parc national Lacs-Waterton.

★★★

Parc national Lacs-Waterton

Le parc national Lacs-Waterton (voir p 504) fait partie, avec le Glacier National Park du Montana, du premier «parc international de la Paix». Que ce soit pour ses paysages renversants, pour la variété exceptionnelle des activités de plein air qu'il permet ou pour sa faune diversifiée, il ne faut pas manquer ce parc. Son principal attrait est toutefois l'atmosphère qui y règne. Nombreux sont ceux et celles qui prétendent qu'on se sent ici comme à Banff et à Jasper il y a 25 ans, avant l'invasion des touristes et la commercialisation de masse.

Du parc national Lacs-Waterton, prenez la route 5 vers l'est jusqu'à Cardston.

Cardston

Cardston est une petite ville d'allure prospère nichée dans les contreforts ondulants, là où les pâturages commencent à céder le pas aux champs de blé et de colza d'un jaune radieux. La ville a été fondée par des pionniers mormons, après qu'ils eurent fui les persécutions religieuses pratiquées en Utah, aux États-Unis. Leur aventure marqua d'ailleurs la fin des grandes migrations en chariot couvert du XIXe siècle. Cardston ne semble peut-être pas avoir grand-chose à offrir aux touristes, mais elle possède pourtant l'un des monuments les plus impressionnants et l'un des musées les plus uniques de l'Alberta. Le monument en question est le **Mormon Temple** *(entrée libre; mai à sep tlj 9h à 21h; 348 3rd St. W, ☎653-1696)*, qu'on dirait vraiment égaré au beau milieu de la plaine. Il a fallu 10 ans pour bâtir cet édifice pour le moins majestueux, et il s'agit du premier temple de cette Église construit hors des États-Unis. Le marbre vient d'Italie, et le granit, des carrières de Nelson, en Colombie-Britannique. Lorsque vint le temps, d'effectuer une rénovation, un problème se posa du fait qu'il n'y avait plus de granit à Nelson; fort heureusement, on en trouva tout à fait par hasard plusieurs blocs dans le champ d'un fermier de la région; ils avaient été entreposés là au moment de la construction du temple. Seuls les mormons en règle peuvent pénétrer à l'intérieur du temple même, mais les photographies et les enregistrements

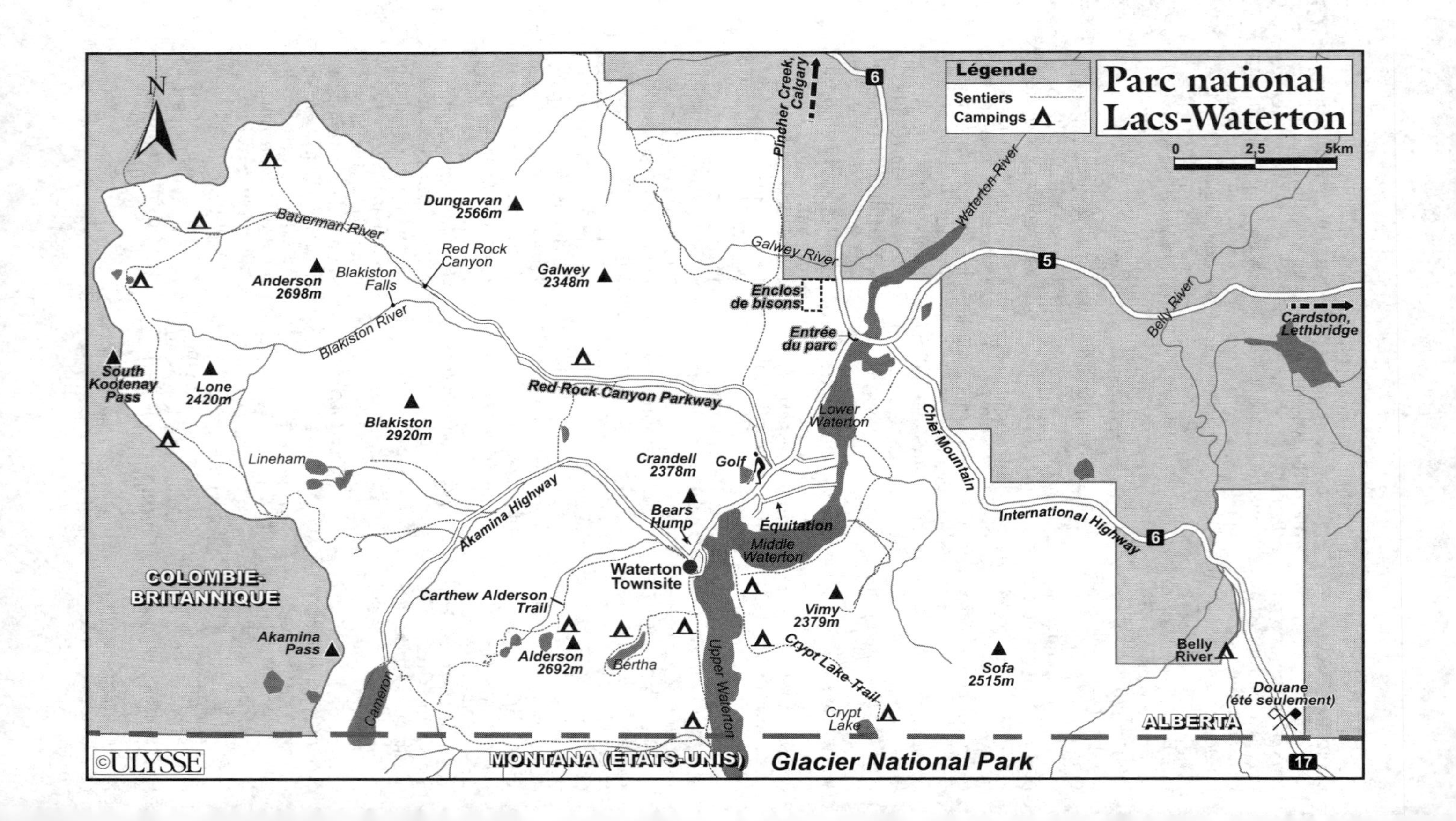

Parc national
Lacs-Waterton
Légende
Sentiers
Campings
0
2,5
5km
N
Pincher Creek, Calgary
Cardston, Lethbridge
Dungarvan 2566m
Bauerman River
Red Rock Canyon
Galwey 2348m
Galwey River
Waterton River
Belly River
Anderson 2698m
Blakiston Falls
Blakiston River
Enclos de bisons
Entrée du parc
South Kootenay Pass
Lone 2420m
Blakiston 2920m
Red Rock Canyon Parkway
Lower Waterton
Chief Mountain
Lineham
Crandell 2378m
Golf
Bears Hump
Équitation
Middle Waterton
International Highway
Akamina Highway
Waterton Townsite
COLOMBIE-BRITANNIQUE
Carthew Alderson Trail
Vimy 2379m
Crypt Lake Trail
Akamina Pass
Alderson 2692m
Bertha
Upper Waterton
Sofa 2515m
Belly River
Douane (été seulement)
Cameron
Crypt Lake
ALBERTA
©ULYSSE
MONTANA (ÉTATS-UNIS)
Glacier National Park
6
5
17

vidéo présentés au centre d'accueil des visiteurs devraient partiellement satisfaire votre curiosité. De plus, il est fortement conseillé de se promener sur les terrains adjacents au temple, qui sont de toute beauté.

Quant au musée, il s'agit du **Remington-Alberta Carriage Centre** ★★★ *(6,50$; mi-mai à mi-sept tlj 9h à 18h, mi-sept à mi-mai tlj 10h à 17h; 623 Main Street, ☎653-5139)*, inauguré en 1993. «Un musée de voitures à attelage?», demanderez-vous. Le sujet peut en effet sembler limité, mais le musée n'en mérite pas moins une visite. Quarante-neuf des 300 voitures exposées ont été léguées par monsieur Don Remington, de Cardston, à la condition expresse que le gouvernement de l'Alberta construise un centre d'interprétation pour les mettre en valeur. Les voitures magnifiquement remises à neuf et le personnel enthousiaste et dévoué de ce lieu fascinant en font un attrait de premier ordre. Faites une visite guidée de la galerie d'exposition de 1 675 m², où des décors et des scènes de rue animées donnent vie à la collection, l'une des plus belles du monde en ce qui a trait aux voitures à attelage de prestige. Un film intéressant, *Wheels of Change*, raconte l'histoire de cette méga-industrie d'autrefois qui s'est pratiquement éteinte dès 1922. Les visiteurs peuvent en outre apprendre à conduire une voiture hippomobile, observer le travail des artisans qui redorent les voitures, faire un simple tour de voiture *(3$)* ou se faire photographier dans un décor à l'ancienne.

Aetna

Au sud de Cardston, immédiatement en retrait de la route 2, s'étend le village autrefois florissant d'Aetna. Le **Jensen's Trading Post** *(Hwy. 501, ☎653-2500)* possède une intéressante collection d'antiquités. La route 2 continue jusqu'à la frontière américano-canadienne et le **Police Outpost Provincial Park**, ainsi nommé en souvenir d'un avant-poste des forces de l'ordre établi en 1891 pour enrayer la contrebande. Un terrain de camping se trouve dans le parc.

Quittez Cardston par le nord sur la route 2 jusqu'à Fort Macleod et Head-Smashed-In. S'il se fait tard, peut-être voudrez vous filer vers le nord sur la route 5, de manière à passer la nuit à Lethbridge. Fort Macleod et le «saut de bison» de Head-Smashed-In sont aussi facilement accessibles de Lethbridge.

★

Fort Macleod

La ville de Fort Macleod gravite autour du fort du même nom, originellement construit par la «police montée» du Nord-Ouest dans le but de mettre fin au trafic du whisky. Des troupes furent dépêchées pour lancer une attaque contre le fort Whoop-Up (voir p 498) en 1874, mais se perdirent en chemin, si bien que, lorsqu'elles arrivèrent sur les lieux, les trafiquants avaient pris la fuite. Les forces de l'ordre poursuivirent leur route vers l'ouest jusqu'à un endroit situé en bordure de la rivière Oldman et décidèrent d'y établir un poste permanent. La colonie des premiers jours occupait une île à 2 km à l'est de la ville actuelle, mais des inondations répétées obligèrent la population à se déplacer en 1882. Le fort tel qu'il apparaît aujourd'hui a été reconstruit en 1956-1957 pour devenir un musée. Le **Fort Museum** ★ *(6$; mars à fin juin tlj 9h à 17h, juil à fin août 9h à 20h, sept à fin déc tlj 9h à 17h; 219 25th St., angle 3rd Ave., ☎553-4703)* renferme des pièces d'exposition retraçant la vie des pionniers, des dioramas du fort, des pierres tombales du cimetière et une intéressante section présentant des objets et des photographies des nations kainah (Blood) et pégane (Peigan) qui vivaient dans les plaines. Une patrouille à cheval décrit un manège musical quatre fois par jour en juillet et en août.

Le centre-ville est tout à fait représentatif d'une période importante de l'histoire de Fort Macleod. La plupart des bâtiments ont en effet été érigés entre 1897 et 1914, sauf la cabane Kanouse, qui se trouve à l'intérieur de l'enceinte du fort et qui date d'une époque beaucoup plus reculée. Des brochures pour un tour de ville sont proposées au bureau de tourisme. La visite porte entre autres sur des édifices aussi notoires que l'**Empress Theatre**, qui a conservé ses plafonds anciens à caissons décorés, sa scène et ses loges d'acteurs (encore ornées de graffitis datant d'aussi loin que 1913). On y présente encore des films, et ce, malgré la présence d'un fantôme qui n'apprécie pas toujours la façon dont l'établissement est géré! Le **Silver Grill**, un vieux saloon situé de l'autre côté de la rue, possède toujours son bar d'origine et son miroir criblé de balles. L'**hôtel Queen**, bâti de grès, loue toujours des chambres (non recommandées!).

Quittez Fort Macleod par la route 785 en direction du nord-ouest jusqu'au «saut de bison» de Head-Smashed-In.

L'arrivée du cheval dans la région, au milieu du XVIIIe siècle, a marqué la fin d'une technique de chasse au bison traditionnelle chez les Amérindiens des Plaines. Pendant 5 700 ans, ces autochtones avaient été tributaires du **Head-Smashed-In Buffalo Jump** ★★★ *(8,50 $; mi-mai à mi-sept tlj 9h à 18h, mi-sept à mi-mai tlj 10h à 17h; 15 km au nord-ouest de Fort Macleod, sur la route 785, ☎553-2731)*, que ce soit pour la viande qu'ils consommaient (fraîche ou séchée pour le pemmican), pour les peaux servant à la fabrication de leurs tipis, de leurs vêtements et de leurs mocassins, ou pour les os et les cornes utilisés comme outils ou décorations. Head-Smashed-In constituait un endroit de premier choix pour faire sauter les bisons du haut de la falaise, d'autant plus qu'un vaste pâturage s'étendait immédiatement à l'ouest de ce point. Les Amérindiens aménageaient des couloirs flanqués de cairns rocheux qui conduisaient à la falaise. Quelque 500 personnes participaient à la chasse annuelle, au cours de laquelle des hommes vêtus de peaux de jeunes bisons et de loups attiraient le troupeau vers le précipice. Une fois parvenus au bord du gouffre, les bisons de tête se voyaient poussés dans le vide par le troupeau en débandade. Les Amérindiens ne refoulaient pas vraiment eux-mêmes le troupeau jusqu'au gouffre; ils se contentaient de semer la panique parmi les bêtes pour les lancer dans une course folle. L'endroit n'a guère changé depuis des milliers d'années, si ce n'est que la distance entre le haut de la falaise et le fond du gouffre s'est peu à peu considérablement réduite, les ossements des bisons y ayant trouvé la mort atteignant une hauteur de 10 m par endroits!

Bison

Aujourd'hui, ce «saut de bison» compte parmi les mieux conservés de l'Amérique du Nord et fait partie des sites du patrimoine mondial de l'Unesco. Nombreux sont ceux et celles qui croient que le nom de l'endroit provient des crânes fracassés qu'on y trouve, mais il tire en fait son origine d'une légende pégane voulant qu'un jeune brave se soit rendu au pied de la falaise pour voir les bisons s'écraser; or, la chasse fut exceptionnellement bonne ce jour-là, et le jeune guerrier fut enseveli sous les bêtes. Lorsque son peuple vint dépecer les carcasses après la chasse, il découvrit le corps du brave parmi les dépouilles, sa tête complètement écrasée, d'où le nom du «saut de bison en question».

En approchant du saut, la falaise vous apparaîtra comme une petite corniche au milieu d'une vaste plaine. Les signes de civilisation se font rares; de fait, le centre d'interprétation se fond tellement bien dans le paysage qu'on a peine à le distinguer. Vous vous attendrez presque à voir surgir un troupeau de bisons derrière l'élévation et n'aurez aucun mal à vous représenter l'aspect que pouvait revêtir la plaine avant l'arrivée de l'homme blanc. L'endroit s'entoure véritablement d'une aura de mystère.

Le centre d'interprétation, construit à même la falaise, comporte cinq niveaux, et la visite se fait du haut vers le bas. Suivez d'abord la piste qui longe la falaise jusqu'au saut lui-même, et imprégnez-vous de la vue spectaculaire sur la plaine et le saut de Calderwood, sur votre gauche. Vous verrez des marmottes en train de se faire dorer au soleil sur les rochers, en contrebas, et de contempler la scène. Puis, à l'intérieur du centre, vous en apprendrez davantage sur *Napi*, le créateur mythique du peuple selon les Pieds-Noirs (Blackfoot). Le centre vous entraîne dans l'univers de *Napi*, du peuple et de ses coutumes, du bison, de la chasse, de l'interaction des cultures et de la colonisation européenne. Un excellent film intitulé *In Search of the Buffalo* (À la recherche du bison) est présenté aux demi-heures. La visite se termine par une exposition archéologique sur les fouilles effectuées sur le site. De retour à l'extérieur, vous pourrez suivre un sentier jusqu'au lieu où les Amérindiens dépeçaient les bisons. La célébration annuelle des Buffalo Days (l'époque des bisons) a lieu ici même en juillet. Le centre renferme enfin une excellente boutique de souvenirs et une petite cafétéria où vous pourrez déguster des hamburgers à la viande de bison.

La ville de Lethbridge (voir ci-dessous) est située à environ 20 km du fort Macleod sur la route 3.

Circuit B: De Lethbridge à Medicine Hat

Lethbridge

Lethbridge, que ses habitants appellent affectueusement «Downtown L.A.», est la troisième ville en importance de l'Alberta et une agréable oasis urbaine au cœur des Prairies. Chargée d'histoire, elle s'enorgueillit d'un vaste réseau de parcs, de jolies rues bordées d'arbres, d'attraits intéressants et d'une communauté culturelle diversifiée. Vous pourrez tout aussi bien y croiser des exploitants de ranchs que des gens d'affaires et des huttériens. Somme toute, un bref séjour à Lethbridge s'impose.

L'**Indian Battle Park** ★★, situé dans la vallée de la rivière Oldman, en plein cœur de la ville, est l'endroit par excellence pour revivre l'histoire de Lethbridge. Le 25 octobre 1870, les Cris (Cree), repoussés en territoire pied-noir par les colons européens, attaquèrent une bande de Kainah pieds-noirs qui campait sur les berges de la rivière

Oldman. Au cours du combat qui s'ensuivit, les Kainah (Blood) furent aidés par un groupe de Péganes pieds-noirs se trouvant non loin de là et, au bout du compte, 300 Cris et 50 Pieds-Noirs (Blackfoot) avaient trouvé la mort.

Un an plus tôt, des négociants américains en provenance de Fort Benton (Montana) étaient venus s'installer dans le sud de l'Alberta afin d'y commercialiser une mixture particulièrement létale qu'ils présentaient comme du whisky aux autochtones; ce mélange mortel pouvait contenir, outre du whisky, de l'alcool éthylique, du piment fort, du tabac à chiquer, du gingembre jamaïquain et de la mélasse. Il était contraire à la loi de vendre de l'alcool aux autochtones aux États-Unis, et c'est pourquoi ces négociants avaient pris la route du Canada, où aucune loi semblable n'existait. Ils s'établirent à Fort Hamilton, au confluent des rivières St. Mary et Oldman, faisant de ce lieu le centre des activités américaines dans le sud de l'Alberta et de la Saskatchewan. Un incendie détruisit le fort, mais on en construisit un second qu'on baptisa **Fort Whoop-Up ★★**, si bien que le whisky et les armes à feu continuèrent à s'échanger contre des peaux de bison. Fort Whoop-Up fut le premier et le plus notoire des 44 comptoirs commerciaux voués au trafic du whisky. L'intrusion des Américains sur le territoire canadien, le commerce illégal aux effets abrutissants sur la population autochtone et la nouvelle du massacre des monts Cypress (voir p 508) amenèrent le gouvernement canadien à créer la «police montée» du Nord-Ouest. Conduites par l'éclaireur Jerry Potts, les forces policières, sous les ordres du colonel Macleod, arrivèrent à Fort Whoop-Up en octobre 1874. La nouvelle de leur arrivée les avait toutefois précédées, si bien que l'endroit était désert lorsqu'elles y parvinrent enfin. Un cairn marque l'emplacement du fort original, le fort actuel n'étant qu'une reconstruction du premier. Vous y trouverez un intéressant **centre d'interprétation** *(2,50$; oct à mi-mai mar-ven 10h à 16h, dim 13h à 16h; mi-mai à fin sept lun-sam 10h à 18h, dim 12h à 18h; Indian Battle Park, ☎329-0444)*, où vous pourrez vous familiariser avec l'époque pour le moins tumultueuse du libre commerce du whisky. Vous pourrez en outre y déguster du *bannock* frais, un pain amérindien rond et plat fait d'orge et d'avoine, cuit sur une plaque en fonte. Des guides en costume d'époque proposent des visites.

Après que la «police montée» eut rétabli l'ordre (si l'on peut dire), l'attention se tourna vers un filon de charbon à découvert sur la rive orientale de la rivière Oldman. La première mine prit le nom de Coalbanks, tout comme d'ailleurs la ville qui se développa par la suite à l'entrée de la mine. Le **Coalbanks Interpretive Site** se trouve maintenant à l'entrée originale de la mine à l'intérieur de l'Indian Battle Park. Grâce au soutien financier de son père (Sir Alexander Galt), Elliot Galt créa une importante mine exploitée à travers une galerie. On ne tarda pas à comprendre qu'il fallait un chemin de fer pour transporter le charbon, et c'est ainsi que la ville de Lethbridge fut bientôt fondée sur les berges en terrasses de la rivière. Elle prit le nom d'un homme qui n'avait jamais mis le pied en Alberta, mais qui comptait parmi les amis de Galt et avait largement contribué au financement de toute l'opération.

Soixante-deux kilomètres de sentiers pédestres, de pistes cyclables et d'allées équestres offrent de multiples possibilités d'activités de plein air à l'intérieur de l'Indian Battle Park. Vous y trouverez aussi des abris de pique-nique et des terrains de jeu.

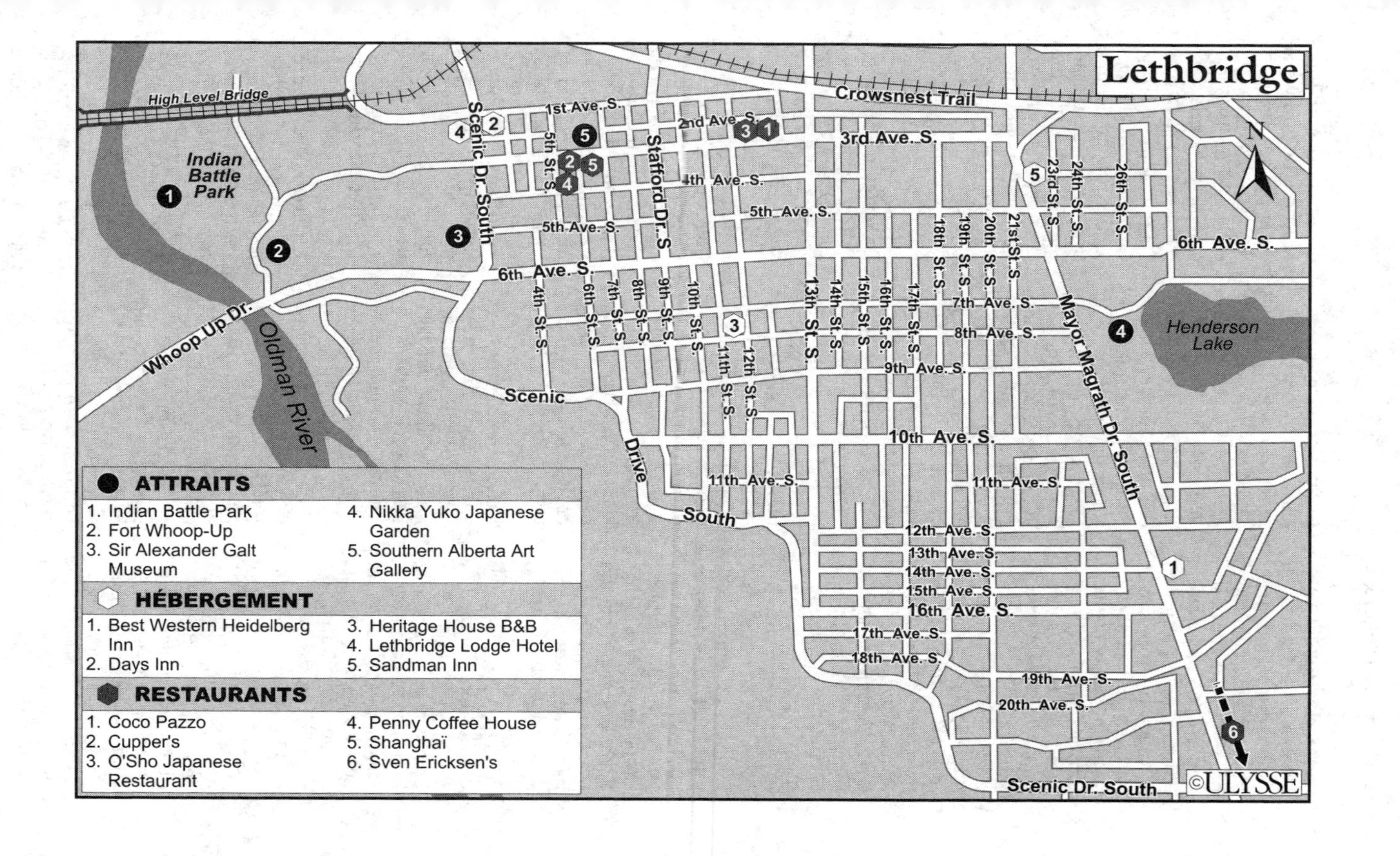
Lethbridge
N
Crowsnest Trail
High Level Bridge
Indian Battle Park
Oldman River
Whoop-Up Dr.
Scenic Dr. South
Stafford Dr. S
Mayor Magrath Dr. South
Henderson Lake
Scenic Drive South
1st Ave. S.
2nd Ave. S.
3rd Ave. S.
4th Ave. S.
5th Ave. S.
6th Ave. S.
7th Ave. S.
8th Ave. S.
9th Ave. S.
10th Ave. S.
11th Ave. S.
12th Ave. S.
13th Ave. S.
14th Ave. S.
15th Ave. S.
16th Ave. S.
17th Ave. S.
18th Ave. S.
19th Ave. S.
20th Ave. S.
4th St. S.
5th St. S.
6th St. S.
7th St. S.
8th St. S.
9th St. S.
10th St. S.
11th St. S.
12th St. S.
13th St. S.
14th St. S.
15th St. S.
16th St. S.
17th St. S.
18th St. S.
19th St. S.
20th St. S.
21st St. S.
23rd St. S.
24th St. S.
26th St. S.
ATTRAITS
1. Indian Battle Park
2. Fort Whoop-Up
3. Sir Alexander Galt Museum
4. Nikka Yuko Japanese Garden
5. Southern Alberta Art Gallery
HÉBERGEMENT
1. Best Western Heidelberg Inn
2. Days Inn
3. Heritage House B&B
4. Lethbridge Lodge Hotel
5. Sandman Inn
RESTAURANTS
1. Coco Pazzo
2. Cupper's
3. O'Sho Japanese Restaurant
4. Penny Coffee House
5. Shanghaï
6. Sven Ericksen's
©ULYSSE

La **réserve naturelle de Lethbridge** se trouve également à l'Indian Battle Park. Cette zone protégée de 82 ha est vouée à la conservation d'une grande partie de la vallée de la rivière Oldman, et elle abrite le **Helen Schuler Coulee Centre** ★ *(juin à fin août dim-jeu 10h à 20h, ven-sam 10h à 18h; sept mar-sam 13h à 16h, dim 13h à 18h; oct à fin avr mar-dim 13h à 16h; mai mar-sam 13h à 16h, dim 13h à 18h; Indian Battle Park, ☎320-3064)*, qui présente des éléments d'exposition à interaction tactile, de même que diverses données sur la faune et la flore de la région qui sauront combler les enfants de tout âge (êtes-vous un véritable gourou des Prairies ou un simple cadet des plaines?). La réserve sert par ailleurs d'habitat à l'oiseau-emblème de l'Alberta, le grand duc, ainsi qu'à des porcs-épics, des cerfs de Virginie et des crotales des Prairies.

Le niveau changeant de la rivière Oldman cause encore périodiquement des dégâts à Lethbridge. Au printemps de 1995 par exemple, le niveau de l'eau était tellement haut que le centre Helen Schuler en a été à demi submergé. Le High Level Bridge du Canadien Pacifique enjambe la rivière et, au moment de sa construction en 1907-1909, il était le plus long et le plus haut pont-aqueduc du monde.

Le **Sir Alexander Galt Museum** *(dons acceptés; tlj 10h à 16h30, fermé lors des congés fériés entre sept et avr; tout juste en retrait de Scenic Dr., angle 5th Ave. S, ☎320-4258)*, qui domine l'Indian Battle Park, fut construit pour servir d'hôpital en 1910. Depuis lors, on l'a agrandi de manière à y aménager cinq galeries qui offrent une excellente perspective sur l'histoire humaine de la ville de Lethbridge. Une galerie d'observation à pans vitrés présente une vue particulièrement impressionnante sur la vallée. Le musée retrace le développement de la ville depuis la découverte du charbon jusqu'aux vagues d'immigrants en provenance de toutes les parties du monde. Vous trouverez ici une collection permanente, des expositions temporaires et des archives complètes.

Des sentiers serpentent à travers les cinq jardins japonais traditionnels du **Nikka Yuko Japanese Garden** ★★ *(5$; mi-mai à fin juin tlj 9h à 17h, juil et août tlj 9h à 21h, sept à mi-oct tlj 10h à 16h; angle 7th Avenue S et Mayor Magrath Dr., ☎328-3511)*. Il ne s'agit pas là de jardins fleuris et luxuriants, mais plutôt de simples arrangements d'arbustes, de sable et de pierres dans la plus pure tradition des jardins japonais – l'endroit rêvé pour une méditation paisible. Créé par le célèbre concepteur japonais qu'est le docteur Tadashi Kudo, de l'université de la préfecture d'Osaka, le Nikka Yuko vit le jour en 1967 comme projet de centenaire et de symbole d'amitié nippo-canadien (Nikka Yuko signifie d'ailleurs «amitié»). La cloche du jardin incarne cette amitié et, lorsqu'on la fait sonner, on prétend que d'heureux événements surviennent simultanément dans les deux pays.

La **Southern Alberta Art Gallery** *(entrée libre; mar-sam 10h à 17h, dim 13h à 17h; 601 3rd Ave. S, ☎327-8770)* bénéficie d'une réputation internationale grâce à sa quinzaine d'expositions présentées chaque année dans trois espaces aux architectures différentes. D'autres événements y prennent place régulièrement: musique, théâtre, cinéma et conférences. Téléphonez et jetez-y un coup d'œil.

Empruntez la route 3 vers l'est jusqu'à Coaldale.

Coaldale

Le **Birds of Prey Centre** *(6,50$; mi-mai à mi-sept. tlj 9h30 à 17h; 2124 Burrowing Owl Lane, au nord de la route 3, ☎345-4262)* est un musée vivant peuplé d'oiseaux de proie de l'Alberta et de toutes les parties du monde. Ce centre est voué à la protection, entre autres, des aigles, des faucons, des éper-

Faucon des prairies

viers et du grand duc. Nombre de ses hôtes ont été amenés ici alors qu'ils étaient blessés ou encore à peine naissants. Une fois qu'ils ont pris suffisamment de forces, on les relâche dans la nature.

Continuez votre route jusqu'à Taber.

Taber

Taber est célèbre pour son maïs sucré, vendu à travers toute la province. La ville sert également de base à l'industrie de la transformation des aliments. La saison du maïs survient en août, et la municipalité organise pour l'occasion des festivités regroupées sous le nom de **Cornfest** et rehaussées de petits déjeuners aux crêpes, de montgolfières et de diverses activités.

Revenez sur vos pas par la route 3, puis prenez vers le sud sur la route 36 en direction de Milk River.

Warner

Le village de Warner se trouve au croisement des routes 4 et 36. En 1987, un paléontologue amateur y découvrit une couvée d'**œufs de dinosaure** renfermant des embryons parfaitement constitués d'hadrosaure. Des excursions en car permettent de visiter cet important site fossilifère, tandis que les œufs eux-mêmes sont exposés au Royal Tyrell Museum de Drumheller.

À Milk River, prenez la route 501 et surveillez les indications vers le Writing-on-Stone Provincial Park.

Rivière Milk

La rivière Milk est le seul cours d'eau de l'Ouest canadien à se trouver du côté est de la ligne continentale de partage des eaux sans pour autant se jeter dans la baie d'Hudson. Elle se déverse plutôt dans le fleuve Missouri, qui lui-même rejoint le fleuve Mississippi, lequel coule jusqu'au golfe du Mexique. Pour cette raison, la région a fait l'objet de revendications territoriales de la part de huit gouvernements et pays. Au moment où la France revendiqua toutes les terres se drainant dans le fleuve Mississippi, cette partie de l'Alberta se trouvait sous juridiction française. Plus tard, les Espagnols, les Anglais, les Américains et la Compagnie de la Baie d'Hudson tentèrent tous à tour de rôle de s'en rendre maîtres.

Le **Writing-on-Stone Provincial Park ★★** (voir p 506) préserve de fascinants spécimens de pétroglyphes, dont certains dateraient de 1 800 ans. Une foule d'espèces animales et végétales ont élu domicile en ces lieux arides, quasi désertiques, où l'on enregistre les températures les plus chaudes de toute la province. Il existe de merveilleuses possibilités de randonnée pédestre, mais les plus beaux exemples de dessins gravés sur la pierre se trouvent à l'intérieur d'un espace que seules les visites guidées rendent accessible. Pour éviter toute déception, téléphonez au préalable pour connaître les heures des randonnées organisées.

★★
À travers les prairies jusqu'à Medicine Hat

Poursuivez vers l'est par la route 501, jusqu'à la route 879 nord, que vous prendrez jusqu'à la route 61, que vous emprunterez vers l'est.

Les prairies ondulent sans fin aussi loin que

se porte le regard sur ce tronçon routier, tous ces champs dorés étant déserts, à l'exception d'un occasionnel hameau ou d'une maison de ferme abandonnée. La Canadian Pacific Railway Co. a fait passer l'une de ses lignes ferroviaires à travers cette région et a construit un silo à grains avoisinant une petite ville à environ tous les 16 km. Aussi les cultivateurs ne se trouvaient-ils jamais à plus d'une journée de route d'un silo. Si vous empruntez cette route, vous atteindrez ce qui fut jadis le village de Nemiskam, à quelque 16 km de Foremost. Seize kilomètres plus loin, vous verrez **Etzikom**, qui compte moins de 100 habitants de nos jours; de plus, à la suite de l'abolition de la Loi sur le transport du grain de l'Ouest, sans parler de l'attrait qu'exerce la grande ville, les jours d'Etzikom sont sans doute comptés. Pour mieux saisir ce que la vie pouvait être ici à l'époque, rendez-vous à l'**Etzikom Museum** ★ *(3$; mi-mai à début sept lun-sam 10h à 17h, dim 12h à 18h; Etzikom, ☎666-3737 ou 666-3915).* Il existe des musées locaux comme celui-ci un peu partout en Alberta, mais c'est sans doute là un des meilleurs qui soit, et vous ne regretterez pas d'avoir quitté la route pour y faire une halte. Le musée occupe l'école d'Etzikom et abrite une merveilleuse reconstitution de la rue principale d'une petite ville typique d'autrefois, avec son barbier, son magasin général et son hôtel. À l'extérieur se dresse le **Windpower Interpretive Centre**, qui présente une collection de moulins à vent, dont un qui provient de Martha's Vineyard, au Massachusetts (É.-U.).

Continuez vers l'est sur la route 61, puis prenez vers le nord la route 887 et enfin vers l'est la route 3 jusqu'à Medicine Hat.

Medicine Hat

Rudyard Kipling a un jour appelé Medicine Hat «la ville au sous-sol d'enfer», faisant ainsi référence au fait que la ville repose sur une des plus grandes nappes de gaz naturel de l'Ouest canadien. C'est d'ailleurs grâce à cette ressource naturelle que la ville a prospéré, et le gaz continue d'alimenter une industrie pétrochimique locale prospère. Des dépôts argileux voisins ont également marqué les destinées de la ville, puisqu'elle exploitait jadis une importante industrie de poterie. Comme nombre d'autres localités albertaines, Medicine Hat possède de nombreux parcs. Quant à son nom, la légende veut qu'une grande bataille opposant les Cris (Cree) et les Pieds-Noirs (Blackfoot) se soit déroulée ici; au cours du combat, le sorcier cri aurait déserté son peuple et, pendant qu'il traversait la rivière pour prendre la fuite, il aurait perdu sa coiffure de plumes au fil du courant. Voyant là un mauvais présage, les Cris renoncèrent au combat et furent massacrés par les Pieds-Noirs. Le site même de la bataille fut nommé Saamis, ce qui signifie «la coiffure du sorcier», «sorcier» se traduisant en anglais par *medicine man* et «coiffure» par *hat.* Lorsque la «police montée» arriva plus tard dans la région, le nom amérindien fut traduit puis abrégé pour devenir Medicine Hat.

Musée et galerie d'art de Medicine Hat *(dons acceptés; lun-ven 9h à 17h, heures prolongées mer 19h à 22h, sam-dim 13h à 17h; 1302 Bomford Cr. SW, ☎502-8580).* Ce centre d'exposition national présente des œuvres locales, nationales et internationales de tout premier choix. Le musée possède une collection permanente retraçant l'histoire de Medicine Hat, des Amérindiens des Prairies, de la «police montée» du Nord-Ouest, des ranchs, de l'agriculture et du chemin de fer.

Continuez sur la route 1 jusqu'au tipi de Saamis et le bureau d'information touristique.

Le **tipi de Saamis** est le plus haut du monde. Il fut construit pour les

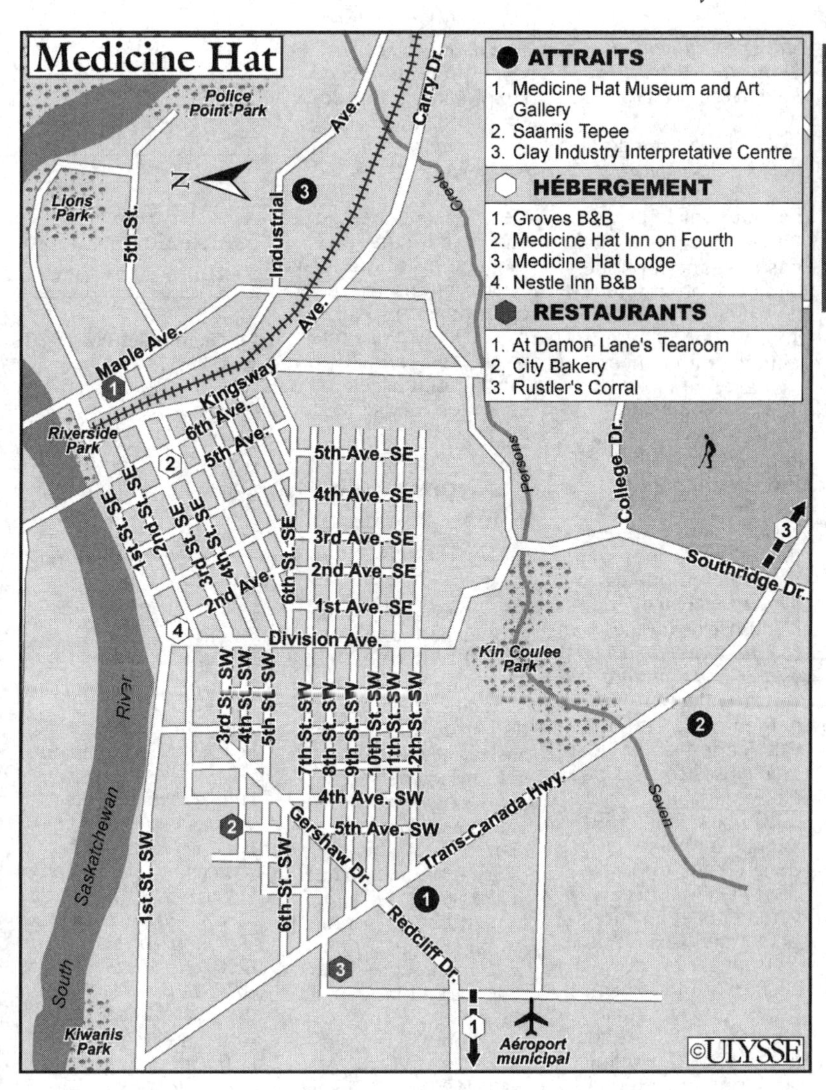

Jeux olympiques d'hiver de Calgary, puis acheté par un homme d'affaires de Medicine Hat. Le tipi symbolise le mode de vie des Amérindiens, qui gravite autour de la spiritualité, du cycle de la vie, de la famille et du sacro-saint foyer. Il s'agit à n'en point douter d'une merveille architecturale, quoique sa structure d'acier et sa taille gigantesque ne semblent guère s'accorder au mode de vie traditionnel des Amérindiens. Sous le tipi de Saamis s'étend le **site archéologique de Saamis**, où plus de 80 millions d'objets fabriqués seraient enfouis. Une promenade autoguidée vous fera découvrir un campement de chasse au bison, laquelle se pratiquait à la fin de l'hiver et au début du printemps, ainsi qu'un site de traitement de la viande.

Suivez les indications jusqu'au Clay Industry Interpretive Center.

Vous aurez sans doute déjà eu l'occasion de voir les brochures touristiques sur le **Great Wall of China**; il ne s'agit pas ici d'une réplique de la célèbre muraille de Chine, mais plutôt, au sens littéral, d'une muraille de faïences (*china* en anglais) créée par les usines de poterie de Medicine Hat entre 1912 et 1988. Bien qu'un grand nombre des objets exposés soient des pièces de collection inestimables, le clou du **Centre d'interprétation de l'industrie de l'argile ★★** *(5$; mi-mai à fin oct 9h à 17h30, nov à mi-mai 10h à 16h30; ☎529-1070)* demeure la visite de l'ancienne usine Medalta avec ses fours à poterie. Medalta a déjà fourni la vaisselle de faïence à tous les hôtels de la chaîne du Canadien Pacifique. Les vêtements et les effets personnels des ouvriers se trouvent encore dans l'usine, qui ferma ses portes de façon inattendue en 1989. Medalta Potteries, Medicine Hat Potteries, Alberta Potteries et Hycroft China ont toutes contribué à faire de Medicine Hat un centre de poterie important et réputé. Des visites guidées vous font voir l'usine et vous expliquent le travail complexe à forte main-d'œuvre que nécessitait la confection de chaque pièce. La visite prend fin avec l'exploration d'un des six grands fours ronds qui se dressent à l'extérieur.

Des dépliants permettant de faire une promenade historique vous attendent au bureau d'information, pour le cas où vous vous intéresseriez à l'architecture du début du siècle du centre de Medicine Hat.

★★ Cypress Hills Interprovincial Park

Le Cypress Hills Interprovincial Park (voir p 508) se trouve à 65 km au sud-est de Medicine Hat, tout près de la frontière avec la Saskatchewan. Ces montagnes ne furent pas recouvertes par les glaciers à l'époque glaciaire et, à 1 466 m d'élévation maximale au-dessus du niveau de la mer, elles constituent les plus hauts sommets du Canada entre Banff et le Labrador. C'est ici qu'eut lieu le massacre des monts Cypress à l'hiver de 1872-1873, celui-là même qui suscita la création de la «police montée» du Nord-Ouest. Des espèces animales et végétales qu'on ne trouve nulle part ailleurs dans le sud de l'Alberta font la richesse de ce parc.

Parcs

Circuit A: Contreforts du sud de la province

Le **Chain Lakes Provincial Park** *(☎646-5887)* reste ouvert toute l'année et offre toutes sortes de possibilités d'activités de plein air, entre autres la navigation de plaisance, la pêche conventionnelle (truite arc-en-ciel et corégone des Rocheuses), la pêche sur glace, le camping d'été et d'hiver, de même que le ski de fond. Vous y trouverez également une rampe de mise à l'eau pour les bateaux.

Le **parc national Lacs-Waterton ★★★** *(5$; pour de plus amples renseignements, composez le ☎859-5133 ou écrivez à Parc national Lacs-Waterton, à l'attention du Directeur, Waterton Park, AB, T0K 2M0, http://parkscanada.pch.gc.ca)* se trouve à cheval sur la frontière américano-canadienne et forme le premier «parc international pour la Paix» de la planète (la moitié américaine se trouve dans le Montana et porte le nom de Glacier National Park). Waterton recèle certains des plus beaux paysages de la province, et le détour

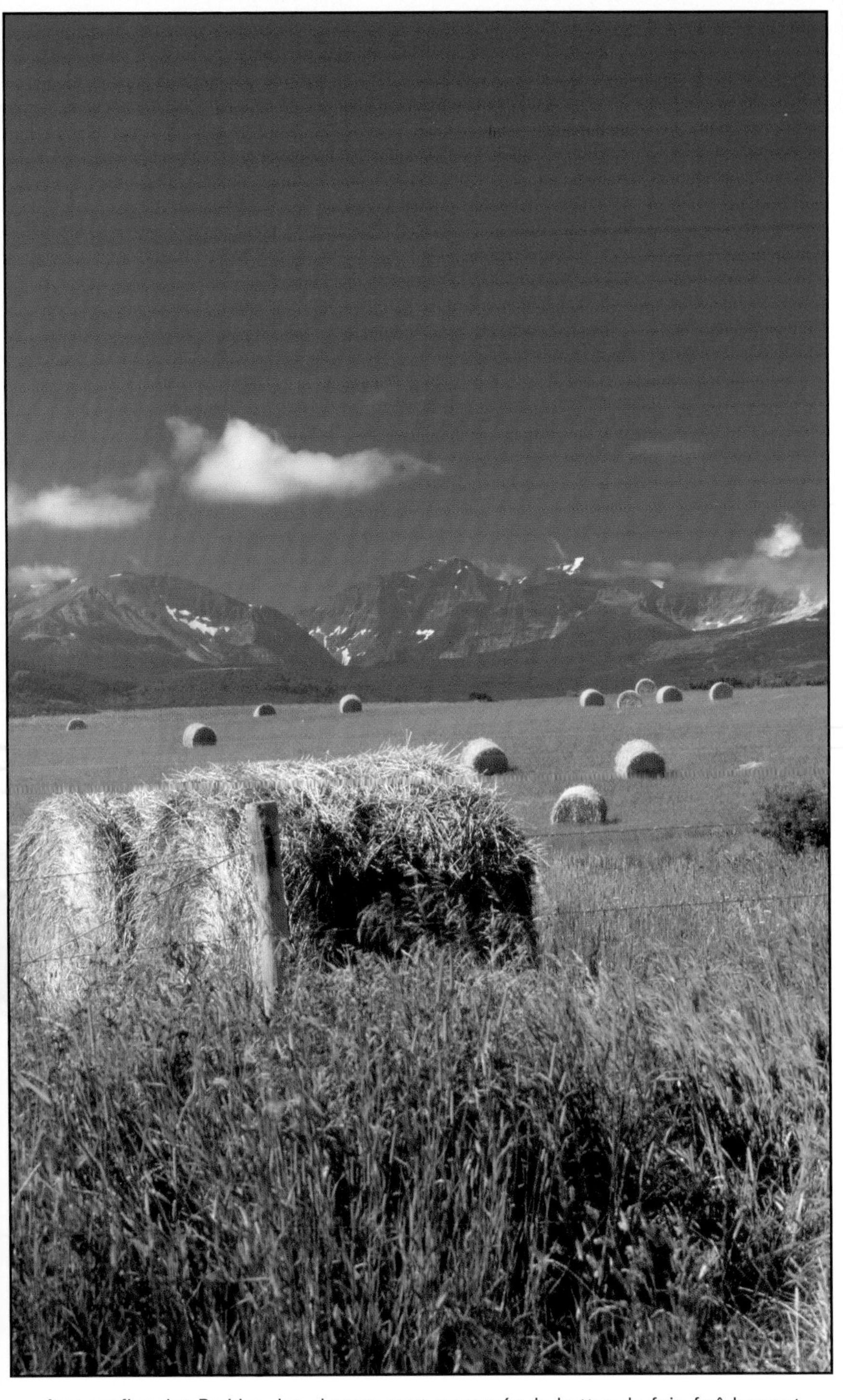

Aux confins des Prairies, les champs sont parsemés de bottes de foin fraîchement coupé, tandis qu'à l'horizon apparaît la silhouette des Rocheuses. - *Troy & Mary Parlee*

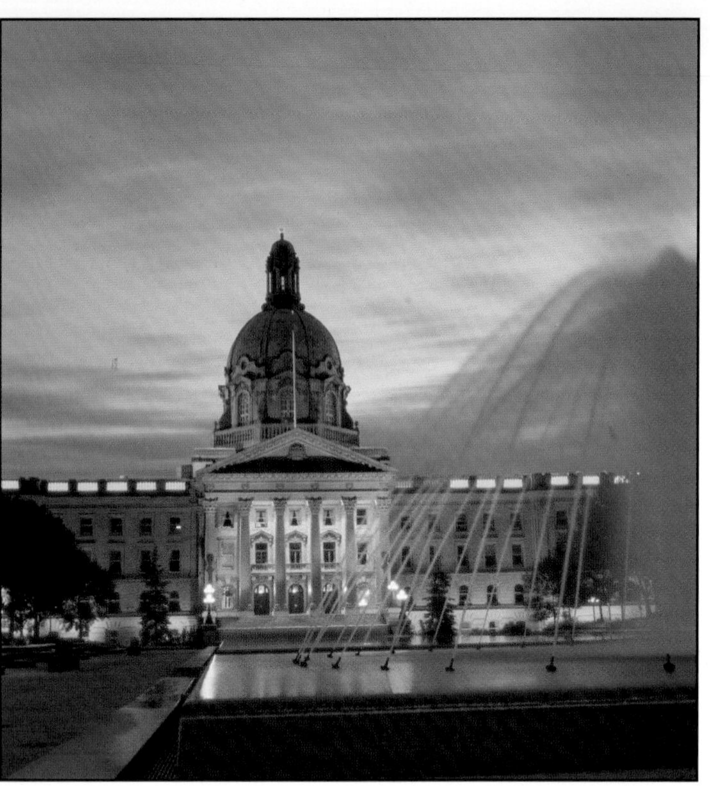

Comme les autres capitales des provinces de l'Ouest, Edmonton possède un fier parlement. *- Troy & Mary Parlee*

Une foule de paysages diversifiés jalonnent l'Ouest canadien. Ici, des plaines de sable en Saskatchewan. *- M. Michaelnuk*

en vaut largement la chandelle. Caractérisée par un chapelet de profonds lacs glaciaires et de montagnes aux sommets irréguliers, cette région où les cimes rencontrent les prairies offre de merveilleuses possibilités de randonnée pédestre, de ski de randonnée, de camping et d'observation de la faune. La configuration géologique de cette région se compose de roches sédimentaires vieilles de 1,5 milliard d'années qui proviennent des montagnes Rocheuses et qui ont été déposées ici, sur l'argile vieille de 60 millions d'années des prairies, au cours de la dernière période glaciaire. Il n'existe en fait aucune zone de transition entre ces deux pôles naturels, riches d'une faune et d'une flore abondantes et variées, et les espèces animales et végétales des Prairies cohabitent ici avec celles des régions alpines et subalpines (quelque 800 espèces végétales et 250 espèces ailées). Vous devez toutefois vous rappeler, et l'on vous le répétera à l'entrée du parc, que les animaux sauvages doivent être considérés tels. Aussi doux et apprivoisés qu'ils puissent sembler, ils demeurent imprévisibles et possiblement dangereux, et vous êtes le seul responsable de votre propre sécurité.

Vous pouvez accéder à l'une des entrées du parc par la route 6 ou la route 5. En venant de la route 6, vous verrez un **enclos de bisons** peu après la grille du parc. Un petit troupeau vit en effet ici, et vous pouvez faire le tour de l'enclos en voiture pour mieux les observer. Ces bêtes sont vraiment magnifiques, surtout lorsque leur silhouette se détache sur la toile de fond montagneuse du parc. Vous devez acquitter le droit d'entrée à la grille; le centre d'information se trouve un peu plus loin à l'intérieur du parc, et son personnel vous renseignera sur le camping, sur l'observation de la vie sauvage et sur les diverses activités de plein air que vous pouvez pratiquer ici, y compris la randonnée pédestre, le ski de randonnée, le golf, l'équitation, la navigation de plaisance et la baignade (voir p 509).

Vous pourrez sillonner cinq routes panoramiques, entre autres l'**Akamina Highway**, qui part près du village et se rend jusqu'au lac Cameron, 16 km plus loin. À environ 1 km du croisement avec la route du parc se trouve un point de vue dominant le Bear's Hump, où vous avez de bonnes chances d'apercevoir des mouflons. Des aires de pique-nique agrémentent les lieux, de même que le site du premier puits de pétrole canadien et de la ville qui devait l'entourer, mais qui ne vit finalement jamais le jour. Le mont Custer et le glacier Herbst (du côté américain) sont visibles du lac Cameron, où canots et pédalos sont offerts en location. De ce point partent plusieurs sentiers. Le **Red Rock Canyon Parkway** est une autre de ces routes panoramiques. Elle caractérise mieux que toute autre la région «des prairies aux cimes», parcourant la prairie ondulante de la Blakiston Valley jusqu'aux rochers couleur rouille de la profonde gorge sculptée par l'eau du Red Rock Canyon. On peut souvent apercevoir des ours noirs et des grizzlys en train de manger des baies sur les versants. Vous verrez en outre le plus haut sommet du parc, le mont Blakiston. Un sentier d'interprétation descend dans le canyon au bout de la route. Une autre route panoramique, la **Chief Mountain International Highway**, traverse le parc jusqu'au Glacier National Park, au Montana. Les voyageurs qui franchissent la frontière américano-canadienne doivent se présenter à la station de rangers de Goat Haunt.

Le parc national Lacs-Waterton fut à l'origine, en 1895, constitué en réserve forestière, et John George «Kootenai» Brown en fut le premier gardien. Brown avait obtenu son surnom à force de fréquenter les Kootenays. Il mena une vie d'aventurier et la perdit presque aux mains des Pieds-Noirs (Blackfoot), sans compter qu'il faillit aussi laisser son scalp au grand chef Sitting Bull avant de se résoudre à poursuivre des occupations plus paisibles. En 1911, Waterton devint un parc national et, en 1932, il fut uni au Glacier National Park pour former le premier «parc international pour la Paix». Il fut enfin inscrit au registre des réserves internationales de la biosphère en 1979. Entre parenthèses, son histoire a aussi été marquée par un bref boum pétrolier en 1901.

Contrairement aux parcs nationaux de Banff et de Jasper, plus au nord, Waterton n'a jamais été desservi par le chemin de fer, ce qui est encore le cas aujourd'hui, de sorte qu'il demeure peu fréquenté et pour ainsi dire inviolé. Il s'imprègne d'une authentique atmosphère des Rocheuses, et demeure pour l'instant libre du lourd battage touristique susceptible de ternir toute aventure dans les Rocheuses canadiennes.

Le célèbre **hôtel Prince of Wales** (voir p 511) a été construit en 1926-1927 pour Louis Hill, alors à la tête du Great Northern Railway, pour loger les touristes américains que la société ferroviaire transportait par autocar entre le Montana et Jasper (la majorité des visiteurs du parc sont encore aujourd'hui des Américains). Bien que l'hôtel ait été vendu deux fois, ses propriétaires et ses gestionnaires se trouvent toujours aux États-Unis; la vue qu'offre le hall d'entrée sur le haut lac Waterton demeure également la même; l'hôtel dispose toujours de 90 chambres et n'ouvre toujours ses portes que pour la saison estivale. Cet hôtel de style chalet suisse a été classé monument historique national en 1994 par le gouvernement canadien, et vous devriez le visiter même si vous ne pouvez vous permettre d'y loger. Le Waterton Townsite (village de Waterton) possède des restaurants, des bars, des boutiques, des épiceries, des laveries, un bureau de poste et des hôtels. Il y a aussi une marina d'où partent des excursions sur le lac. L'hiver venu, tout devient beaucoup plus calme, le seul hôtel qui reste ouvert étant le Kilmorey Lodge (voir p 511); le ski de randonnée est par contre fabuleux.

Circuit B: De Lethbridge à Medicine Hat

À l'approche du **Writing-on-Stone Provincial Park** ★★ *(entrée libre; bureau du parc, ☎647-2877)*, situé à environ 10 km de la frontière américano-canadienne, vous remarquerez la vallée sculptée par les eaux de la rivière Milk et, au loin, les monts Sweetgrass de l'État du Montana. La rivière Milk coule au fond d'une large vallée verdoyante, entourée d'étranges formations rocheuses et d'abruptes falaises de grès. Les cheminées des fées, formées par des strates de grès riches en fer qui protègent les couches inférieures du sol, ressemblent à de mystérieux champignons. Les autochtones, attirés en ces lieux tenus pour sacrés il y a déjà environ 3 000 ans, croyaient que ces formations, tout comme les falaises qui les entourent, abritaient les puissants esprits-maîtres de tout ce qui existe en ce bas monde. Le Writing-on-Stone Provincial Park protège plus de merveilles rocheuses – pétroglyphes (dessins gravés dans le roc) et pictogrammes (peintures sur roc) – que tout autre site des plaines nord-américaines. Il s'avère toutefois difficile de mettre une date précise sur ces œuvres d'art, les seuls points de repère étant le style de l'exécution et les thèmes représentés; la présence de chevaux et de fusils, par exemple, révèle des œuvres des XVIIIe et XIXe siècles, alors que d'autres dessins remontent à la fin de la préhistoire.

On pouvait jadis voir évoluer dans le parc des bisons, des loups et des grizzlys. Ces espèces ayant aujourd'hui disparu, il n'en reste pas moins une grande variété faunique et végétale. Surveillez les antilopes d'Amérique, les cerfs de Virginie et les cerfs-mulets, les marmottes à ventre jaune et les castors.

Merlechats, tourterelles tristes, pinsons aux yeux rouges et troglodytes des rochers ont également élu domicile dans le parc. Enfin, tendez bien l'oreille pour repérer les crotales, quoique ces serpents venimeux ne présentent aucun danger, à moins que vous ne les provoquiez.

La «police montée» du Nord-Ouest a aussi joué un rôle de premier plan dans l'histoire de ce parc, puisqu'elle y a établi un poste en 1889 afin d'enrayer le trafic du whisky et de mettre un terme aux conflits qui opposaient entre elles les différentes nations amérindiennes. Au cours de leur séjour dans la région, nombre d'officiers ont gravé leur nom dans le grès des falaises. Le poste du XIXe siècle a été balayé par le temps, mais on l'a depuis reconstruit à son emplacement d'origine. Vous devez prendre part à une visite guidée pour explorer les lieux.

La *Scène de bataille*, l'une des compositions pétroglyphiques les plus élaborées du parc, se laisse admirer le long de deux sentiers d'interprétation autoguidés. La scène pourrait dépeindre une bataille amérindienne survenue en 1886, mais personne n'en a la certitude. L'un des sentiers, la Hoodoo Interpretive Trail, permet par ailleurs de découvrir un écosystème unique du parc; vous trouverez une brochure explicative au bureau du parc.

La majorité des sites pétroglyphiques et pétrographiques se trouvent à l'intérieur de la zone principale du parc, constitué en réserve archéologique. On n'y accède que par les visites d'interprétation programmées, de sorte qu'il est de la plus haute importance

Le chinook

Le chinook souffle quand les vents chargés d'humidité en provenance de l'océan Pacifique frappent les Rocheuses et qu'ils sont forcés à décharger leur humidité sous forme de pluie ou de neige. Cela laisse les vents froids et secs. Cependant, comme l'air descend sur les versants Est, il demeure sec mais est condensé par l'augmentation de la pression atmosphérique et se réchauffe. Ce vent chaud et sec apporte des conditions climatiques douces qui peuvent faire fondre 30 cm de neige en quelques heures. C'est essentiellement à cause du chinook que les plantes indigènes de l'Alberta ont survécu aux hivers et que le bétail peut brouter dans les prairies à longueur d'année. Le souffle chaud et sec du chinook fait partie de l'histoire légendaire de l'Alberta, avec ses histoires de fermiers se précipitant chez eux à la vue de l'arc témoin du chinook (un nuage en forme d'arc qui est créé quand l'air pousse le système nuageux vers l'ouest), avec les pattes de devant de leurs chevaux dans la neige et les pattes de derrière dans la boue!

d'appeler au préalable le bureau du **naturaliste du parc** *(☎647-2364)* pour s'informer des heures de départ. On offre ces visites guidées tous les jours de la mi-mai au début de septembre, et les billets, quoique gratuits, demeurent limités. Vous pouvez vous les procurer au bureau du naturaliste une heure avant le début de la visite. Vous trouverez par ailleurs à ce même bureau des listes d'espèces sauvages et diverses données d'intérêt.

Le parc abrite un excellent terrain de camping, et les visiteurs peuvent ici s'adonner à une foule d'activités de plein air, y compris la randonnée pédestre et le canot. Il s'agit d'ailleurs d'un endroit pratique pour entamer ou terminer une excursion en canot sur la rivière Milk.

Le **Cypress Hills Interprovincial Park** ★ se présente comme une oasis boisée de pins de Murray surgissant de la prairie et abritant une faune variée, composée entre autres de cerfs, d'élans et d'orignaux, sans compter quelque 215 espèces ailées (y compris des dindons sauvages). Au moins 18 variétés d'orchidées poussent également dans le parc. Il n'y a toutefois ici pas le moindre cyprès; c'est que le pin de Murray est parfois aussi désigné sous le nom de «cyprès», et une traduction malheureuse de «montagnes de cyprès» a donné, en anglais, *cypress hills*.

Il s'agit là du second parc provincial en superficie de l'Alberta, et de son seul parc interprovincial. Il n'est que rarement très fréquenté, ce qui donne aux visiteurs l'occasion de s'y livrer à de merveilleuses randonnées pédestres et d'y pêcher en toute quiétude. Il est ouvert toute l'année, et l'on peut y louer des embarcations et des bicyclettes, jouer au golf, faire du ski alpin et glisser en toboggan. Le parc recèle également une multitude d'étonnantes et fragiles orchidées, dont certaines fleurissent tout l'été, quoique la meilleure période pour les admirer demeure la mi-juin.

Cet endroit est par ailleurs le site du massacre des monts Cypress. Deux comptoirs de whisky américains avaient été installés dans les montagnes au début des années 1870. Or, en 1872-1873, des Assiniboines campaient sur les hauteurs, tout près des deux comptoirs, lorsqu'un groupe de chasseurs américains dont on avait volé les chevaux, et qui étaient ivres de surcroît, tomba sur les Assiniboines. Persuadés que les Amérindiens étaient leurs voleurs, les chasseurs tuèrent 20 innocents. Cet incident amena la «police montée» du Nord-Ouest à intervenir pour rétablir l'ordre dans la région. C'est ainsi que 300 cavaliers se rendirent à Fort Walsh, de l'autre côté de la frontière, pour arrêter les responsables. Bien que ceux-ci ne furent pas condamnés, faute de preuves suffisantes, le fait que la «police montée» ait poursuivi et mis aux arrêts des hommes blancs donna beaucoup de crédibilité à cette nouvelle force policière.

On dénombre ici 13 terrains de camping, et vous pouvez louer des canots et des bicyclettes sur place. Le centre d'accueil des visiteurs *(mi-mai à début sept tlj 10h à 17h; ☎893-3833 ou 893-3782 pour le camping)* se trouve dans le village d'Elkwater. Hors saison, rendez-vous au bureau du parc *(☎843-3777)*, à l'entrée est du village, ou écrivez à l'adresse suivante: P.O. Box 12, Elkwater, AB, T0J 1C0.

Activités de plein air

Golf

Le **Paradise Canyon** *(45-50 pour 18 trous; début avr à fin oct; 185 Canyon*

Blvd., ☎381-7500) possède un parcours de 18 trous à normale 71 situé au sud-ouest de Lethbridge entre la plaine ondulante et la rivière Oldman.

Le **Waterton Lakes Golf Club** *(30-32 pour 18 trous; ☎859-2114)*, un golf panoramique de haut niveau, a été dessiné par Stanley Thompson. Il se trouve à 4 km au nord de la ville et dispose d'une boutique de pro où vous pourrez louer des bâtons et des voiturettes.

Canot et rafting

Au cours des chauds mois d'été, il fait bon explorer la rivière Milk en canot tout en essayant de repérer les antilopes d'Amérique, les cerfs-mulets, les cerfs de Virginie, les coyotes, les blaireaux, les castors et les lapins de garenne, sans compter les nombreuses espèces ailées. Parcourant le sud aride de l'Alberta, cette rivière est la seule du Canada à rejoindre le golfe du Mexique. Vous pourrez louer des canots à Lethbridge.

Milk River Raft Tours *(Milk River, ☎647-3586)* organise des descentes de rivière dans les environs du Writing-on-Stone Provincial Park. Les excursions durent de deux à six heures, coûtent entre 20$ et 40$, et peuvent comprendre des randonnées à travers les coulées.

Randonnée pédestre et ski de fond

Le **parc national Lacs-Waterton** offre certaines des meilleures possibilités de randonnée du sud de l'Alberta. Huit sentiers donnent ainsi l'occasion aux randonneurs et aux skieurs d'explorer les confins de ce parc situé au point de rencontre des montagnes et des prairies. Vous trouverez des descriptions détaillées des sentiers au centre d'information du parc, mais notez tout de même que certains des plus beaux paysages vous attendent sur la Crypt Lake Trail (8,7 km aller seulement) et la Carthew Alderson Trail (20 km aller seulement); il y a aussi un sentier plus court mais non moins populaire, le Bear's Hump (1,2 km aller seulement), jalonné de très beaux panoramas. Rappelez-vous que tous ces sentiers ne sont pas entretenus à l'intention des amateurs de ski de randonnée et que vous devez vous inscrire au bureau du parc avant d'entreprendre toute exploration des zones isolées du parc, et ce, été comme hiver (voir p 504).

Équitation

Le **Willow Lane Ranch** *(25$ l'heure avec minimum de 2 heures, 125$ pour une journée, déjeuner compris; PO Box 114, Granum, T0L 1A0, ☎687-2284 ou 800-665-0284)* est un ranch des contreforts des Rocheuses situé à quelque 20 km au nord de Fort Macleod. Les citadins peuvent y prendre part au rassemblement ou à l'acheminement du bétail (deux fois l'an; 600$ pour trois nuitées, réservez plusieurs mois à l'avance), aider à la réparation des clôtures, se faire la main au vêlage et au marquage, ou participer à une excursion (de jour seulement ou avec nuitée) dans les Porcupine Hills.

L'hébergement se fait dans la maison principale du ranch (dont un étage reste privé) ou dans une confortable cabane en rondins. Le service est amical, et l'on n'accueille que les enfants âgés de 16 ans et plus. Informez-vous également des forfaits proposés et de leur prix.

Blue Ridge Outfitters *(fin juin à fin août; Cardston, ☎653-2449)* propose également des forfaits excursions. Celles-ci sont d'une durée de deux à six jours et ont lieu le plus souvent dans la partie des Rocheuses à proximité du parc national Lacs-Waterton. L'hébergement se fait dans des tipis ou dans des tentes conventionnelles, au choix. On organise ici un grand nombre de forfaits, y compris des excursions de fin de semaine et des randonnées à cheval; téléphonez pour plus de détails.

Hébergement

Circuit A: Contreforts du sud de la province

Chain Lakes Provincial Park

Le Chain Lakes Provincial Park compte plus de 120 emplacements de camping *(13$; à l'intersection des routes 22 et 533, ☎646-5887)*, dont 27 déneigés en hiver *(18$)*. Les réservations ne sont pas acceptées.

Crowsnest Pass

Rum Runner's Roost
$$
C
2413 23rd Ave.
☎563-5111
Le Rum Runner's Roost, sur le lac Crowsnest, offre huit chalets autonomes.

Coleman

Grand Union International Hostel
$
7719 17th Ave.
☎563-3433
⇄563-3433
La Grand Union International Hostel occupe les locaux de l'ex-Grand Union Hotel de Coleman, bâti en 1926. L'intérieur a été rénové par les soins de la Southern Alberta Hostelling Association et a été aménagé pour abriter des chambres d'auberge de jeunesse standards ainsi que les différentes installations qu'on retrouve généralement dans ce genre d'établissement, y compris une laverie et une cuisine commune.

Kosy Knest Kabins
$
K, C
☎563-5155
⇄563-5155
Vous pouvez aussi loger aux Kosy Knest Kabins, qui dominent le lac Crowsnest. Les 10 petits chalets de cet ensemble se trouvent à 12 km à l'ouest de Coleman sur la route 3.

Waterton

Le rythme ralentit considérablement par ici au cours de la saison hivernale, si bien que nombre d'hôtels et de motels ferment leurs portes, alors que plusieurs autres réduisent leurs prix ou offrent des forfaits spéciaux.

Waterton Springs Campground
$
≈
parc national Lacs-Waterton
route 5, à l'est de l'entrée du parc
☎859-2247
www.thecowboytrail.com/springs.html

Townsite Campground
$
parc national Lacs-Waterton
☎859-2224
Le Townsite Campground se trouve près du lac et à proximité de tous les services offerts au village; il dispose de toutes les installations voulues, notamment des raccords, des douches et des abris-cuisines.

Crandell Mountain Campground
$
parc national Lacs-Waterton
Le Crandell Mountain Campground se trouve à 10 km sur la route d'Akamina et propose 129 emplacements (toilettes, abris-cuisines), mais pas d'électricité.

Belly River Campground
$
parc national Lacs-Waterton
Le Belly River Campground s'avère pour sa part encore plus primitif, puisqu'il n'a que des toilettes sèches et des abris. Vous trouverez aussi sur les lieux 13 emplacements sauvages (permis requis).

Kilmorey Lodge
$$
ℜ
117 Evergreen Ave., parc national Lacs-Waterton
www.watertoninfo.ab.ca/kilmorey.html
☎859-2334
⇄859-2342

Le Kilmorey Lodge est l'un des rares établissements de Waterton ouverts toute l'année. On ne peut mieux situées, au-dessus de la baie d'Émeraude, beaucoup de ses chambres offrent une vue splendide. Antiquités et édredons contribuent à donner au lieu un air de chez-soi à l'ancienne. Le Kilmorey peut en outre se vanter de posséder l'un des meilleurs restaurants de Waterton, The Lamp Post Dining Room (voir p 514).

Northland Lodge
$$$ pdj
ℝ, *bc/bp*
mi-mai à mi-oct
Evergreen Ave., parc national Lacs-Waterton
www.northlandlodgecanada.com
☎859-2353

Le Northland Lodge est une ancienne résidence familiale réaménagée de manière à compter neuf chambres intimes. Quelques chambres ont un balcon sur lequel est installé un barbecue.

Crandell Mountain Lodge
$$$
ℂ, ℑ
102 Mountview Rd. , parc national Lacs Waterton
☎859-2288 ou 866-859-2288
⇄859-2288

L'ambiance d'auberge champêtre rustique et chaleureuse qui règne dans ce petit établissement s'harmonise parfaitement avec l'environnement et vous changera agréablement des motels conventionnels. Quatre suites de trois chambres avec cuisine sont offertes en location, et quatre chambres ont une cuisinette.

Waterton Lakes Lodge
$$$$
≡, ⊛, ⌚, ℂ, ≈, ✪, ℜ, ⌂
angle Windflower et Cameron Falls Dr.
www.watertonlakeslodge.com
☎859-2151 ou 888-985-6343
⇄859-2229

Le Waterton Lakes Lodge est un nouveau complexe hôtelier établi dans l'agglomération du parc national Lacs-Waterton. Terminé en 1998, le complexe compte 80 chambres réparties dans neuf bâtiments de deux étages chacun, de même que 20 chambres supplémentaires affiliées au réseau des auberges de jeunesse YHA. Chacun des neuf bâtiments précités arbore un thème distinctif (les forêts, les lacs, les oiseaux, etc.), tandis que les chambres bénéficient chacune d'un nom et d'un décor individuel, certaines disposant même d'une cuisinette, d'une baignoire à remous et d'un foyer. Vous y trouverez des programmes de sensibilisation à la nature et un relais-santé.

Prince of Wales Hotel
$$$$$
ℜ
mi-mai à fin sept
parc national Lacs-Waterton
www.princeofwaleswaterton.com
☎859-2231
⇄859-2630

Le vénérable Prince of Wales Hotel s'impose sans contredit comme le plus chic lieu d'hébergement de Waterton, ainsi qu'en témoignent les chasseurs vêtus de kilts et le thé d'honneur servi dans la Valerie's Tea Room, sans compter la vue imbattable. Le hall et les chambres sont tous garnis de lambris d'origine. Ces dernières se révèlent toutefois petites et ordinaires, plutôt rustiques et pourvues de salles de bain minuscules. Celles des autres étages possèdent par contre un balcon. Essayez d'obtenir une chambre donnant sur le lac; après tout, c'est pour lui qu'on loge ici plutôt qu'ailleurs.

Fort Macleod

Red Coat Inn
$$
≡, ♞, ℂ, ≈, ⌂
359 Col. Blvd. Macleod, ou Main St.
www.redcoatinn.com
☎553-4434
⇌553-3731
Le Red Coat Inn compte parmi les meilleurs motels de Fort Macleod. Ses chambres propres et invitantes, ses cuisinettes et sa piscine en font une bonne affaire.

Mackenzie House Bed and Breakfast
$$ pdj
1623 3rd Ave.
☎553-3302
⇌553-3302
Le Mackenzie House Bed and Breakfast occupe une maison historique construite en 1904 pour un membre de l'Assemblée législative albertaine, à l'époque où la province fut fondée, soit en 1905. On y sert le thé et le café en après-midi, et les hôtes se régalent au réveil d'un délicieux petit déjeuner maison.

Circuit B: De Lethbridge à Medicine Hat

Lethbridge

Best Western Heidelberg Inn
$$
≡, ⊙, ℜ, ⌂
1303 Mayor Magrath Dr. S
www.bestwestern.com/ca/heidelberginn/
☎329-0555 ou 800-791-8488
⇌328-8846
Le Best Western Heidelberg Inn représente une option fiable et économique le long de la rangée de motels qui s'étire au sud de la ville. Les chambres ont été rénovées récemment et sont immaculées, le personnel se veut cordial, et vous recevrez gracieusement le journal du matin.

Heritage House B&B
$$ pdj
bc
1115 8th Ave. S
☎328-3824
⇌328-9011
Bâti en 1937, le Heritage House B&B, de style Art déco, se dresse dans une des jolies rues résidentielles bordées d'arbres de Lethbridge à quelques minutes de marche du centre-ville. Les chambres bénéficient toutes d'un décor individuel s'accordant avec le style de la maison, et vous pouvez vous attendre à un petit déjeuner copieux.

Sandman Inn
$$
≡, ⊛, ⊙, ≈, ℜ
421 Mayor Magrath Dr. S
www.sandmanhotels.com
☎328-1111 ou 800-726-3626
⇌329-9488
Le Sandman Inn constitue une autre valeur sûre, avec sa jolie piscine intérieure et ses chambres propres et modernes.

Days Inn
$$, pdj
≡, ♞, ⊛, ⊙, ℂ, ≈
100 Third Ave. S
www.daysinn.com
☎327-6000 ou 800-661-8085
⇌320-2070
Le nouvellement rénové Days Inn constitue votre meilleur choix au chapitre des motels du centre-ville. Les chambres ne se distinguent guère de celles des autres établissements de cet ordre, mais elles se révèlent tout de même modernes et propres. Laverie sur place. De plus, on peut profiter de la récente piscine.

Mouflons d'Amérique

Lethbridge Lodge Hotel
$$$
≡, ⊛, ⏲, ≈, ℜ
320 Scenic Dr.
www.lethbridgelodge.com
☎328-1123 ou 800-661-1232
⇄328-0002
Le meilleur établissement hôtelier de Lethbridge est sans conteste le Lethbridge Lodge Hotel, qui domine la vallée. Ses chambres confortables bénéficient d'un décor chaleureux aux teintes agréables qui les rendent presque luxueuses, compte tenu des prix tout à fait raisonnables auxquels on les loue. Elles sont toutes disposées autour d'une cour tropicale intérieure où de petits ponts relient la piscine, le salon-bar et le restaurant Anton (voir p 515).

Medicine Hat

Groves B&B
$ pdj
≡
www.bbalberta.com/grovesbb
☎529-6065
Le Groves B&B se trouve à environ 10 km du centre-ville de Medicine Hat et bénéficie d'un emplacement paisible aux abords de la rivière South Saskatchewan. Le petit déjeuner comprend du pain maison et peut être servi sur la terrasse en été. Sentiers pédestres à proximité. Du centre-ville, prenez la route de Holsom vers l'ouest, tournez à gauche sur la Range Road 70, faites 3,3 km et engagez-vous à droite sur la route 130.

The Medicine Hat Inn on Fourth
$$
≡, ℜ
530 4th St. SE.
☎526-1313 ou 800-730-3887
⇄526-4189
Le seul hôtel situé en plein centre-ville est le petit Medicine Hat Inn on Fourth, qui ne dispose que de 34 chambres. Les chambres sont propres et l'hôtel a été entièrement rénové en 1997.

Nestle Inn
$$ pdj
271 First St. SE
www.nestle-inn.20m.com
☎526-5846
Le Nestle Inn est une grandiose demeure georgienne arborant un intérieur victorien. Ses trois chambres présentent un décor *Arts and Crafts*, et chacune d'elles dispose de sa propre salle de bain. Un vaste terrain planté d'arbres feuillus entoure la maison. Les crêpes au levain ne sont qu'un des délices qui vous attendent au petit déjeuner. Assurez-vous de téléphoner à l'avance pour réserver.

Medicine Hat Lodge
$$$ pdj
≡, ⊛, ≈, ℜ
1051 Ross Glen Dr. SE
www.medhatlodge.com
☎529-2222 ou 800-661-8095
⇄529-1538
Le Medicine Hat Lodge vous en donne pour votre argent. Quoique conventionnelles, les chambres ont été rénovées récemment et se révèlent étonnamment accueillantes avec leurs meubles classiques en bois foncé et leurs jolis couvre-lits (certaines disposant même d'un canapé), et toutes sont équipées d'une cafetière et d'un sèche-cheveux. L'hôtel possède par ailleurs un toboggan nautique, histoire d'occuper les enfants, et son restaurant est recommandé.

Elkwater

Cypress Hills Provincial Park
$
☎893-3782
Le Cypress Hills Provincial Park compte 12 emplacements de camping pour tentes et véhicules récréatifs, avec ou sans raccords. Réservations exigées pour seulement deux emplacements, ceux du Beaver Creek et du Lodge Pole; pour les 10 autres, c'est premier arrivé, premier servi.

Restaurants

Circuit A: Contreforts du sud de la province

Okotoks

La P'tite Table
$$$-$$$$
52 North Railway St.
☎938-2224
La P'tite Table est si petite qu'il faut absolument réserver. Le chef cuisinait autrefois au Palliser et à La Chaumiere de Calgary, et élabore aujourd'hui des mets français classiques de bistro intégrant des ingrédients variés, comme le bœuf, le canard et l'autruche. Ses pâtisseries clôturent bien la soirée.

Longview

Memories Inn
$$
mar-dim
Main St.
☎558-3665
Le Memories Inn se pare des accessoires du film *Unforgiven* de Clint Eastwood. L'atmosphère peut parfois devenir turbulente, surtout pendant les buffets de fin de semai-ne, où l'on sert entre autres de succulents hamburgers, des «côtes levées» et des tartes maison.

Waterton

Lamp Post Dining Room
$$$$
Kilmorey Lodge
☎859-2334
La Lamp Post Dining Room propose ce que d'aucuns qualifient de meilleur dîner à Waterton. Le charme traditionnel, les recettes primées et les prix raisonnables de cet établissement font tous honneur à sa réputation.

Royal Stewart Dining Room
$$$$
parc national Lacs-Waterton
☎859-2231
L'atmosphère de la Royal Stewart Dining Room, la salle à manger de l'hôtel Prince of Wales (voir p 511), demeure imbattable. Ce chic restaurant propose un menu complet ainsi que des plats du jour souvent composés de fruits de mer ou de pâtes. Les réservations ne sont pas acceptées. Également au Prince of Wales, et tout aussi élégants, sans parler du panorama incomparable, se trouvent le **Windsor Lounge** et la **Valerie's Tea Room**, où l'on sert aussi bien des petits déjeuners que le thé en après-midi.

Fort Macleod

Silver Grill
$$
24th St., entre Second Ave. et Third Ave.
☎553-3888
Le Silver Grill constitue un choix intéressant par rapport aux quelques comptoirs de restauration rapide établis près des motels. Ce saloon historique sert un médiocre buffet chinois, désigné sous le nom de «Smorg», mais aussi des mets typiquement nord-américains. Quoi qu'il en soit, c'est le décor qui vole ici la vedette; le bar d'origine et la glace criblée de balles vous donneront l'impression que vous feriez mieux de protéger vos arrières!

Circuit B: De Lethbridge à Medicine Hat

Lethbridge

Penny Coffee House
$
331 5th St. S
☎320-5282
Le Penny Coffee House, voisin du libraire B. Macabee's, est l'endroit idéal pour apprécier un bon bouquin, et ne vous en faites pas si vous n'en avez pas un avec vous, car les murs sont tapissés de lectures intéressantes. On sert ici des potages savoureux et nourrissants, ainsi que du bœuf aux haricots rouges, des sandwichs alléchants, un fromage divin et des *scones* aux tomates, sans oublier les boissons gazeuses et l'excellent café.

Shanghaï
$$
610 3rd Ave. S
☎***327-3552***
Malgré son intérieur quelque peu défraîchi, le restaurant Shanghaï propose un menu chinois complet. On y sert aussi de la cuisine familiale nord-américaine (*club sandwich*, steaks...). Les plats de poulet sont la spécialité du chef.

Sven Ericksen's
$$-$$$
1714 Mayor Magrath Dr. S
☎***328-7756***
Le restaurant familial Sven Ericksen's est un des rares établissements qui se démarque de l'interminable suite de comptoirs de restauration rapide de Mayor Magrath Drive. Ce restaurant existe depuis 1940 et l'on y sert des plats maison préparés avec soin. Le menu diversifié devrait plaire à tout un chacun.

O'Sho Japanese Restaurant
$$-$$$
1219 Third Ave. S
☎***327-8382***
Pour vous changer du bœuf albertain, pourquoi ne pas essayer l'O'Sho Japanese Restaurant, où vous pourrez déguster des mets japonais traditionnels autour de tables basses tout aussi traditionnelles à l'intérieur de salles individuelles séparées par des cloisons.

Coco Pazzo
$$$-$$$$
1249 3rd Ave. S
☎***329-8979***
Le décor méditerranéen branché du Coco Pazzo a certainement quelque chose à voir avec le succès de ce nouveau café italien, mais la nourriture n'y est pas non plus étrangère. La sauce Strascinati, une sauce à la crème et aux tomates inventée par le chef, bonne quoique sans trop d'originalité, accompagne bien le veau au *capicollo* du Modo Mio. L'autre spécialité de la maison sont les fettuccine de Pescatore, garni de pétoncles, de palourdes et de crevettes tigrées.

Anton's
$$$$
Lethbridge Lodge
☎***328-1123***
Le Lethbridge Lodge abrite Anton's, le meilleur restaurant en ville. Les plats de pâtes sont particulièrement appréciés, tout comme l'environnement d'ailleurs puisque le restaurant est aménagé dans la cour tropicale intérieure de l'hôtel. Il est recommandé de réserver.

Le **Botanica Restaurant** *($$$)* constitue une alternative plus économique dans l'enceinte du Lethbridge Lodge, et le cadre en est tout aussi enchanteur. Ouvert de 6h30 à 22h, il vous servira un déjeuner copieux ou des desserts tout bonnement divins.

Medicine Hat

City Bakery
$
5th Ave. SW, entre 3rd St. et 4th St. SW
☎***527-2800***
La City Bakery prépare de délicieux pains frais ainsi que des *bagels* à la new-yorkaise.

Damon Lane's Tearoom
$
10h à 16h, fermé lun
730 3rd St. SE
☎***529-2224***
À la Damon Lane's Tearoom, vous pourrez prendre un déjeuner composé de simples potages, salades et sandwichs, tous faits maison, à moins que vous n'y fassiez qu'une halte pour une tasse de thé et quelques achats. Vous y trouverez en effet de l'artisanat, de la poterie et des objets décoratifs pour la maison.

Rustler's Corral
$$-$$$
901 8th St. SW
☎***526-8004***
Le Rustler's Corral est un autre de ces établissements qui vous font revivre l'époque de l'Ouest sauvage, ne serait-ce que par sa table de jeu tachée de sang et protégée par une plaque de verre pour immortaliser l'impression qu'elle ne manque pas de laisser sur les imaginations! Au menu, des biftecks, du poulet, des côtes levées, des pâtes et plusieurs plats mexicains. Les petits déjeuners se

veulent particulièrement copieux et attirent une clientèle nombreuse.

Mamma's Restaurant
$$$-$$$$
1051 Ross Glen Dr. SE, Medicine Hat Lodge
☎529-2222
Le Mamma's Restaurant présente un menu varié faisant une place de choix aux fins biftecks de l'Alberta et à plusieurs plats de pâtes. La nourriture est irréprochable, quoique le bruit et l'odeur de chlore émanant des toboggans nautiques de l'hôtel troublent quelque peu l'atmosphère.

Sorties

Circuit A: Contreforts du sud de la province

Fort Macleod

L'**Empress Theatre** *(235 24th St., ☎553-4404 ou 800-540-9229)* de la rue principale est une structure originale du début du XXe siècle. Il s'agit en fait du plus vieux théâtre de la province. On y présente des films populaires à longueur d'année. Pendant la saison estivale, des spectacles musicaux, des pièces de théâtre et des conférences alternent avec la programmation cinématographique.

Chaque année, à la mi-juillet, l'**Annual Pow-wow** a cours au «saut de bisons» de Head Smashed-In. On érige un énorme tipi sur les lieux, à l'intérieur duquel les visiteurs peuvent assister à des danses amérindiennes traditionnelles et déguster des mets autochtones. Pour de plus amples renseignements, composez le ☎553-2731.

Circuit B: De Lethbridge à Medicine Hat

Lethbridge

La troisième semaine de juillet marque la tenue des **Whoop-Up Days** à Lethbridge. Des défilés, des festivités dans la rue, un casino, des spectacles tous les soirs et, bien sûr, un rodéo ne sont que quelques-uns de ses points forts. Pour de plus amples renseignements, composez le ☎328-4491 ou tapez le www.lethbridgeexhibition.com.

Medicine Hat

Le **Medicine Hat Exhibition and Stampede**, qui se tient la dernière fin de semaine de juillet, n'est surpassé en grandeur et en fantaisie que par celui de Calgary. Pour de plus amples renseignements, composez le ☎527-1234 ou tapez le www.mhstampede.com.

Achats

Circuit B: De Lethbridge à Medicine Hat

Lethbridge

B Macabee's Bookseller *(333-5th St. S, angle Fourth Ave. S, ☎329-0771)* est une charmante petite librairie adjacente au Penny Coffee House (voir p 514). Laissez-vous tenter par le vaste choix d'œuvres d'auteurs locaux et d'ouvrages traitant de questions locales. Non seulement s'agit-il d'un bon endroit pour trouver un bon livre, mais l'atmosphère se prête aussi merveilleusement bien à la lecture.

Medicine Hat

Le Centre d'interprétation de l'industrie de l'argile (voir p 504) vend des faïences Hycroft China et Medalta, aussi bien des pièces originales que des reproductions, entre autres des copies de ces chaudrons Medalta, si prisés des collectionneurs d'antiquités.

Centre de l'Alberta

Le centre de l'Alberta couvre un vaste pan de la province qui englobe les Canadian Badlands, les contreforts et la Rocky Mountain Forest Reserve de même que les terres centrales, soit une région qui recèle une quantité inestimable de ressources naturelles.

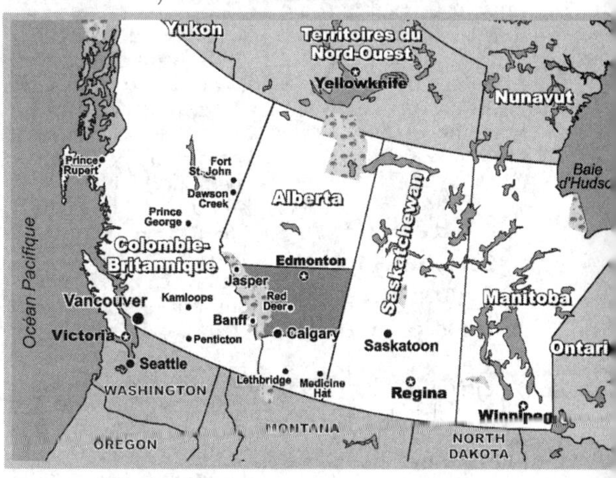

La sylviculture, l'agriculture et les exploitations pétrolières en commandent l'économie, sans toutefois oublier le tourisme, considérablement stimulé par la découverte occasionnelle d'un ou deux os de dinosaure.

Ce chapitre est divisé en quatre circuits:

Circuit A: En quête de dinosaures et d'autres trésors ★★★

Circuit B : Les contreforts du centre de la province ★

Circuit C : L'intérieur des terres ★

Circuit D : La route de Yellowhead ★★

Pour s'y retrouver sans mal

Les visiteurs qui désirent se rendre à Edmonton au départ de Calgary disposent de plusieurs options. L'une d'entre elles, quoique plutôt indirecte, consiste à passer par les spectaculaires montagnes Rocheuses en suivant la route 93, ce qui ne les empêche pas de ne l'emprunter qu'à l'aller et de prendre un chemin plus direct au retour. Ce tracé pourrait réunir des segments des trois premiers circuits de ce chapitre, tandis que le dernier pourrait tous les relier.

En voiture

Circuit A : En quête de dinosaures et d'autres trésors

Ce circuit mène aux Canadian Badlands, depuis le Dinosaur Provincial Park jusqu'aux abords de Drumheller. Le Dinosaur Provincial Park s'étend au nord de la

Transcanadienne (route 1) en bordure de la route 876. De ce point, roulez vers l'ouest sur la route 550 puis sur la route 1. Prenez ensuite vers le nord sur la route 56 jusqu'à Drumheller. Pour atteindre Rosebud, piquez à l'ouest sur la route 9, puis au sud sur la route 841. Le circuit se poursuit au nord de Drumheller sur la route 9 jusqu'à Morrin et Rowley, puis à l'ouest sur la route 585 jusqu'à Trochu.

Circuit B : Les contreforts du centre de la province

Ce circuit reprend là où s'interrompt le circuit A du sud de l'Alberta («Les contreforts du sud de la province»), et débute à Cochrane à l'intersection des routes 1A et 22, au nord de la Transcanadienne (route 1). De Cochrane, empruntez la route 22 en direction nord puis la route 580 vers l'est jusqu'à Carstairs. Poursuivez ensuite vers le nord sur la route 2A jusqu'à Innisfail, vers l'ouest sur la route 592 jusqu'à Markerville, de nouveau vers le nord sur la route 781 jusqu'à Sylvan Lake, et enfin vers l'ouest sur la route 11 jusqu'à Rocky Mountain House. Retenez que la route 11 n'est autre que la David Thompson Highway, permettant d'atteindre la route 93 ou Icefields Parkway, qui s'enfonce dans les Rocheuses au passage de la Saskatchewan River.

Circuit C : L'intérieur des terres

Ce circuit débute à Olds avant d'aller vers le nord jusqu'à Red Deer, puis jusqu'à Ponoka. De là, il retourne vers Lacombe au sud avant de filer vers l'est sur la route 12 jusqu'à Stettler, vers le nord sur la route 56 jusqu'à Camrose, vers l'ouest sur la route 13 jusqu'à Wetaskiwin, vers le nord sur la route 2A jusqu'à Leduc, vers l'ouest sur la route 39 puis vers le nord sur la route 6 jusqu'à Devon. Edmonton ne se trouve plus alors qu'à 15 km au nord par la route 60.

Location de voitures

Red Deer

Budget
5214 Gaetz Ave.
☎ ***(403) 346-7858***
☎ ***800-268-8900***
www.budget.com

National Car Rental
2319 Taylor Dr.
☎ ***(403) 347-5811***
☎ ***800-387-4747***
www.nationalcar.com

Avis
4702 51st Ave.
☎ ***(403) 343-7010***
www.avis.com

Circuit D : La route de Yellowhead

La Yellowhead Highway (route 16) traverse la province d'est en ouest et part de la ville de Lloydminster pour rejoindre Jasper et la frontière de la Colombie-Britannique au col de Yellowhead.

En autocar

Gare routière Greyhound de Drumheller
308 Center St.
☎ ***(403) 823-7566***
☎ ***800-661-1145***
www.greyhound.ca

Gare routière Greyhound de Red Deer
4303 Gaetz Ave. angle 50th Ave. (en face du Red Deer Inn)
☎ ***(403) 343-8866***
☎ ***800-661-1145***
www.greyhound.ca

Gare routière Greyhound de Wetaskiwin
4122 49th St.
☎ ***(780) 352-4713***

Gare routière Greyhound de Lloydminster
5217 51st St.
☎ ***(780) 875-9141***

Gare routière Greyhound de Hinton
128 North St., derrière le restaurant Kentucky Fried Chicken
☎ ***(780) 865-2367***

En train

Les trains de VIA Rail suivent le tracé de la Yellowhead Highway jusqu'à Edmonton puis Jasper. Pour plus de détails sur les horaires et les points d'arrêt, veuillez vous reporter au chapitre "Renseignement généraux".

Alberta Prairie Railway Excursions *(horaire et réservations, ☎403-742-2811)* exploite un service de train panoramique au départ de Stettler (voir p 533).

Renseignements pratiques

Les indicatifs régionaux du centre de l'Alberta sont le ***403*** et le ***780***.

Renseignements touristiques

Central Tourism Destination Region
☎888-414-4139

Drumheller Tourist Information
60 First Ave. W.
☎866-823-8100

Red Deer Visitor and Convention Bureau
25 Riverview Park
☎(403) 346-0180
☎800-215-8946
www.tourismreddeer.net

Rocky Mountain House
Le bureau d'information touristique se trouve dans une caravane au nord de la ville sur la route 11.
Ouvert en été seulement
☎(403) 845-2414
☎800-565-3793

Rocky Mountain Chamber of Commerce
à l'intérieur de l'hôtel de ville
P.O. Box 1374, T4T 1B1
Ouvert toute l'année
☎(403) 845-5450

Attraits touristiques

Circuit A: En quête de dinosaures et d'autres trésors

À l'emplacement actuel de la vallée de la rivière Red Deer se trouvait jadis la portion côtière d'une vaste mer intérieure; son climat s'apparentait sans doute à celui des Everglades de la Floride et constituait un habitat tout indiqué pour les dinosaures.

Après l'extinction de ces derniers, la glace recouvrit le territoire et, au moment de se retirer, il y a 10 000 ans, elle creusa de profondes tranchées dans la prairie. Cette érosion de même que d'autres subséquentes ont mis au jour des ossements de dinosaures et ont donné forme à un fabuleux paysage de cheminées des fées et de «coulées».

Brooks

Brooks a fait ses débuts comme halte ferroviaire au cours des années 1880 et n'a pas tardé à s'équiper d'un important système d'irrigation qui forme aujourd'hui le **lieu historique national Aqueduc de Brooks** *(mi-mai à début sept tlj 10h à 18h; 3 km au sud-est de Brooks, ☎403-362-4451 ou 403-653-5139)*. En activité dès le printemps de 1915, ce système formait à l'époque la plus longue structure d'irrigation en béton au monde (3,2 km) et il demeura vital pour l'agriculture du sud-est de l'Alberta pendant 65 ans.

Au sud de Brooks sur la route 873 se trouvent le **Kinbrook Island Provincial Park ★** (voir p 536) et Lake Newell, où les possibilités d'observation de la faune sont excellentes.

★★★ Dinosaur Provincial Park

La ville de Brooks constitue en outre un excellent tremplin vers le Dinosaur Provincial Park, site du patrimoine mondial de l'Unesco depuis 1979. Le paysage de ce parc se compose principalement de badlands, que les explorateurs français appelaient «mauvaises terres», du fait qu'on n'y trouvait ni nourriture ni castors.

Cette région pour le moins mystérieuse recèle des gisements fossilifères d'intérêt mondial, puisqu'on y a trou-

Centre de l'Alberta

vé plus de 300 squelettes de dinosaures. L'eau de fonte des glaciers a d'ailleurs sculpté les badlands à même l'assise rocheuse friable, révélant du même coup des collines chargées d'ossements de dinosaures. L'érosion se poursuit aujourd'hui sous l'effet du vent et de la pluie, ce qui donne un aperçu de la façon dont ce paysage de cheminées des fées, de mesas et de gorges a pu prendre forme.

Vous trouverez dans le parc une route circulaire et deux sentiers pédestres autoguidés, mais la meilleure façon de le voir consiste à faire une visite guidée à l'intérieur de la réserve naturelle, d'accès restreint. Cela demande toutefois une certaine préparation.

Assurez-vous d'abord d'obtenir par téléphone les heures des visites guidées, à moins que vous ne préfériez vous présenter très tôt sur les lieux pour vous assurer d'une place.

Vous pourrez par ailleurs visiter la **station expérimentale du musée royal Tyrrell** ★ *(4,50$; mi-mai à début sept tlj 9h à 21h, sept à mai lun-ven 8h15 à 16h30; ☎403-378-4342)* (voir p 536) pour vous initier aux fouilles archéologiques portant sur les ossements de dinosaures avant de vous lancer à l'aventure.

L'odyssée des dinosaures se poursuit à Drumheller. Du Dinosaur Provincial Park, prenez la route 550 vers l'ouest jusqu'à Bassano, la route 1 vers l'ouest et enfin la route 56 vers le nord jusqu'à Drumheller.

★★★ Drumheller

Les principaux attraits de Drumheller se trouvent le long de la Dinosaur Trail et de la Hoodoo Trail; il s'agit, entre autres, du musée royal de paléontologie Tyrrell, du traversier *Blériot*, du pont suspendu Rosedale, des cheminées des fées (*hoodoos*), d'East Coulee, de la mine de charbon Atlas et du Last Chance Saloon. L'érosion dans la vallée de la rivière Red Deer a mis au jour des ossements de dinosaures et a donné forme au fabuleux paysage de cheminées des fées et de «coulées» qu'on peut aujourd'hui admirer à Drumheller. Outre les ossements, les premiers colons découvrirent ici du charbon, mais ce sont l'agriculture et les industries pétrolière et gazière qui soutiennent aujourd'hui l'économie locale.

En arrivant de Calgary par la route 9, un des premiers bâtiments sur votre droite renferme le **Reptile World** *(4,50$; mi-mai à mi-sept tlj 9h à 22h, mi-sept à mi-mai jeu-mar 10h à 18h; Sun City Market, ☎403-823-8623)*. On y trouve la plus vaste sélection de reptiles et d'amphibiens au Canada. Il est possible, entre autres, de faire connaissance avec *Britney* le boa constricor. Il semble que les serpents ne mordent que s'ils se sentent agressés. Or, Britney est manipulé quotidiennement depuis sa naissance et n'y voit aucune menace.

Au centre-ville se trouve le **Badlands Historical Centre** *(4$; mai à oct 10h à 18h; 335 1st St. E., ☎403-823-2593)*, un musée qui permet de se familiariser avec la culture amérindienne des badlands. On y présente aussi des fossiles et squelettes de dinosaures, en plus d'une mise en contexte instructive sur l'histoire géologique de la vallée.

★★★ Dinosaur Trail

La Dinosaur Trail parcourt les deux rives de la rivière Red Deer. Votre premier arrêt sur la route 838 ou North Dinosaur Trail se fera au **Homestead Antique Museum** *(3$; mi-mai à mi-oct tlj 10h à 20h, mi-oct à mi-mai 10h à 17h30; ☎403-823-2600)*, qui possède une collection de 4 000 objets datant de l'époque des premiers colons, mais qui ne constitue pas pour autant le clou du circuit.

Votre deuxième arrêt sera le **Royal Tyrrell Museum of Paleontology** ★★★ *(10$; mi-mai*

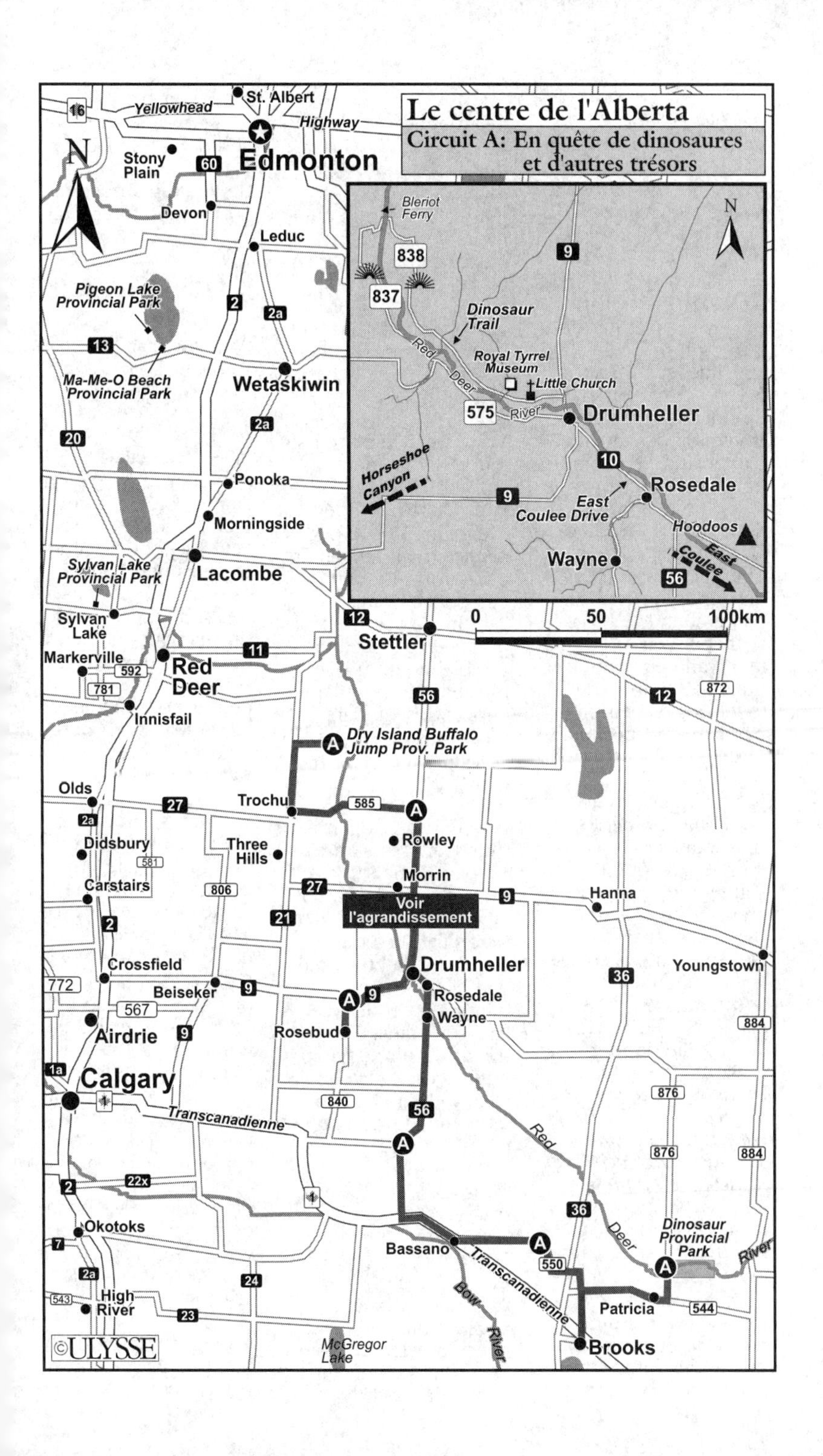

Le centre de l'Alberta
Circuit A: En quête de dinosaures et d'autres trésors
Edmonton
St. Albert
Yellowhead Highway
Stony Plain
Devon
Leduc
Pigeon Lake Provincial Park
Ma-Me-O Beach Provincial Park
Wetaskiwin
Ponoka
Morningside
Lacombe
Sylvan Lake Provincial Park
Sylvan Lake
Markerville
Red Deer
Innisfail
Stettler
Dry Island Buffalo Jump Prov. Park
Olds
Trochu
Rowley
Didsbury
Three Hills
Carstairs
Morrin
Hanna
Voir l'agrandissement
Crossfield
Drumheller
Rosedale
Wayne
Youngstown
Beiseker
Rosebud
Airdrie
Calgary
Transcanadienne
Okotoks
Bassano
High River
McGregor Lake
Bow River
Red Deer River
Dinosaur Provincial Park
Patricia
Brooks
Bleriot Ferry
Dinosaur Trail
Royal Tyrrel Museum
Little Church
Horseshoe Canyon
East Coulee Drive
Hoodoos
East Coulee
0 50 100km
©ULYSSE

à début sept tlj 9h à 21h, début sept à mi-oct tlj 1h à 17h, mi-oct à mi-mai mar-dim 10h à 17h; 6 km à l'ouest de Drumheller sur la route 838, ☎403-823-7707 ou 888-440-4240, www.tyrrellmuseum.com), ce gigantesque musée qui renferme plus de 80 000 spécimens, y compris 50 squelettes complets de dinosaures. Vous y trouverez des éléments d'exposition à interaction tactile, des ordinateurs, de la fibre optique et des projections audiovisuelles. Le Royal Tyrrell est également un important centre de recherche, et les visiteurs peuvent observer le travail des scientifiques s'affairant à nettoyer des os et à préparer divers spécimens destinés à être exposés.

Il y a largement de quoi émerveiller les plus jeunes dans ce musée, quoique la somme de renseignements à digérer soit un peu trop considérable. Des expositions spéciales se renouvellent constamment. Vous pourrez enfin participer à la fouille du jour, soit la **Day Dig** *(90$, incluant un repas, le transport et l'entrée au musée; réservations requises; juin sam-dim; juil à début sept tlj; début sept à fin sept mar, jeu et sam; pour toutes ces journées l'horaire est de 8h30 à 16h)*, ce qui vous donnera l'occasion de visiter une fosse à dinosaures et de déterrer vous-même des fossiles; ou encore à l'observation des fouilles, soit la **Dinosite!** *(12$; tlj 10h, 11h, midi, 13h et 14h; départ au musée)*, une visite guidée de 90 min d'un véritable site d'excavation où l'on procédera sous vos yeux à des fouilles. Téléphonez à l'avance pour connaître les heures des fouilles accessibles au public.

Votre troisième arrêt se fera à la plus petite église du monde, la **Little Church**, qui peut accueillir «10 000 personnes, mais seulement 6 à la fois». Ce lieu de culte de 2,13 m sur 2,13 m a ouvert ses portes en 1958 et semble avoir eu une plus grande popularité auprès des vandales qu'auprès des fidèles, si bien qu'on a dû le reconstruire en 1990.

Plus loin sur la Dinosaur Trail, vous aurez un panorama saisissant de la rivière Red Deer au **point de vue du canyon Horsethief**. Vous trouverez ici des sentiers menant à des bancs d'huîtres pétrifiés. Le canyon a ainsi été baptisé après être devenu une cachette rêvée pour le butin des voleurs de chevaux au début du siècle.

Tournez à droite sur la route 838 et rendez-vous jusqu'au traversier ***Bleriot***, un des derniers traversiers à câble de l'Alberta. Le bateau fut ainsi nommé en l'honneur du célèbre pilote et aéronaute français Louis Blériot. La piste longe ensuite la rive sud de la Red Deer jusqu'à un autre point de vue remarquable, l'**Orkney Hill Viewpoint**.

★★★ Hoodoo Trail

À Drumheller, engagez-vous sur l'Hoodoo Trail, qui longe la rivière Red Deer en direction du sud-est. La ville de **Rosedale** s'étendait à l'origine de l'autre côté de la rivière, à côté de la mine Star. Le pont suspendu qui enjambe la Red Deer ne semble pas très solide, mais on le dit sûr pour ceux et celles qui désireraient l'emprunter. Faites un détour pour traverser les 11 ponts qui permettent d'accéder à **Wayne**.

Ces ponts seront sans doute le clou de votre aventure, car le principal attrait de la ville, l'hôtel Rosedeer et son **Last Chance Saloon** *(saloon de la dernière chance, ☎403-823-9189)*, laisse quelque peu à désirer. Le troisième étage est fermé car, selon plusieurs, l'esprit d'un meurtrier du début du XXe siècle y rôde toujours. On loue ici des chambres à 25$, mais contentez-vous d'une bière et d'un soupçon de nostalgie. Vous pouvez aussi y déguster un bon steak cuit sur le grill!

À mi-chemin entre Rosedale et East Coulee, vous apercevrez certaines des **cheminées des fées** ★★★ les plus spectaculaires du centre de l'Alberta; ces étranges formations aux allures de champignons sont créées par l'érosion du calcaire friable qui se trouve dans le sous-sol. **East Coulee**, la ville qui a failli disparaître, comptait à une certaine époque 3 000 habitants, mais seulement 200 personnes y vivent aujourd'hui.

L'**East Coulee School Museum** *(3$; début mai à fin sept tlj 10h à 18h, oct à début mai, lun-ven, 9h à 17h; ☎403-822-3970)* occupe une ancienne école datant de 1930. À l'intérieur, vous trouverez une salle d'exposition et un salon de thé. Bien que la mine de charbon Atlas ait mis fin à ses activités en 1955, l'**Atlas Coal Mine National Historic Site** *(5$; mai à début sept lun-ven 9h à 16h, sam-dim 11h à 16h; ☎403-822-2220)* maintient l'endroit en vie à ce jour.

À la recherche des os de dinosaures

La nature même de la vallée de la rivière Red Deer fait en sorte que chaque nouvelle pluie dévoile de nouveaux ossements de dinosaures. Ainsi que nous l'avons déjà mentionné, le Royal Tyrrell Museum organise divers types de fouilles à l'intention des paléontologues en herbe; cela dit, simplement en effectuant le présent circuit, il se pourrait très bien que vous fassiez quelque découverte par vous-même. Sachez donc que tout os ou fragment trouvé à la surface d'une propriété privée peut être gardé avec la permission du propriétaire en titre. Mais vous n'en devenez alors que le «gardien» (la propriété ultime en revenant à la province d'Alberta), de sorte que vous ne pouvez le vendre ou l'emporter hors de la province sans autorisation expresse. De plus, aucun fossile ne doit jamais quitter son emplacement stratigraphique d'origine sans que ses coordonnées précises aient d'abord été consignées, et vous devez au préalable obtenir un permis avant de procéder à toute excavation. Bref, ces trésors jouent un rôle important dans l'histoire de notre planète et devraient toujours être traités en tant que tels.

Le dernier culbuteur en existence au Canada (un dispositif permettant de charger les chariots de charbon) se trouve parmi les bâtiments de la mine, que vous pouvez explorer à votre guise ou en participant à une visite guidée. L'excentrique propriétaire du Wildhorse Saloon, établi devant la mine, a joué un rôle de premier plan dans le sauvetage du School Museum et de l'Atlas Coal Mine. Ne buvez rien qui n'ait été embouteillé sur place.

Le **Horseshoe Canyon** *(à 19 km de Drumheller sur la route 9)* s'ouvre sur la version albertaine du Grand Canyon. Ces impressionnantes formations de roche volcanique et sédimentaire se laissent contempler de près grâce à des sentiers faciles qui descendent dans le canyon depuis le belvédère.

Continuez sur la route 9 et tournez à gauche sur la route 840 pour vous rendre à Rosebud.

Rosebud

Cette petite ville qui a failli disparaître est en

passe de devenir un attrait touristique de plein droit grâce à l'ouverture du tout nouveau Rosebud Country Inn (voir p 541) et à la popularité croissante de son atout le plus prometteur, le **Rosebud Theatre ★★★**. Les rues de cette ville minuscule dominant la rivière Rosebud sont bordées de **bâtiments historiques ★** qui vous transporteront dans le temps, la plupart d'entre eux arborant des plaques commémoratives.

Au nord de Drumheller

Au nord de Drumheller, sur la route 56, vous attendent deux villages singuliers. Le premier se nomme **Morrin** et abrite le **Sod House and Historical Park** *(dons acceptés; début juil à fin août, mer-dim 9h à 17h; ☎403-772-2180)*. Le sol en terre battue des maisons de pionniers reconstituées ici souligne les rudes conditions dans lesquelles ils vivaient.

Puis, en continuant vers le nord sur la route 56 et en tournant à gauche sur Range Road, vous atteindrez **Rowley**, incontournable pour les mordus de cinéma. Sa rue principale a en effet des airs de ville morte, ce qui la prédispose naturellement à une vocation cinématographique, et elle a d'ailleurs été utilisée pour de nombreux tournages. Parmi ses principaux attraits, retenons sa vieille école de campagne, sa gare ferroviaire remise en état, sa buvette à l'ancienne (Trading Post) et son saloon (Sam's), où s'arrêtent en outre les Alberta Prairie Railway Excursions partant de Stettler (voir p 533).

Prenez la route 585 West, puis la route 21 North jusqu'à Trochu.

Trochu

La **St. Ann Ranch and Trading Company** *(2$; tlj 9h à 21h; aux limites sud-est de Trochu, ☎403-442-3924 ou 888-442-3924)* fut fondée en 1903 au sein d'une colonie d'origine française. La communauté prospéra et se développa jusqu'à s'équiper d'une école, d'une église et d'un bureau de poste, mais la déclaration de la Première Guerre mondiale poussa nombre d'habitants à quitter les lieux et à retourner en France. Le ranch a été restauré et est aujourd'hui exploité par un descendant d'un des premiers colons.

Un petit musée y renferme des objets historiques, tandis qu'un salon de thé adjacent *(2e et 4e fins de semaine de juil et août 14h à 16h)* et un gîte (voir p 540) vous donneront l'occasion de vivre une expérience à la française. Le 90e anniversaire du ranch a été célébré en 1996.

À 30 km au nord-est de Trochu sur la route 21, vous découvrirez le **Dry Island Buffalo Jump Provincial Park**, un parc accueillant des visiteurs d'un jour qui met en lumière le contraste frappant qui existe entre le relief de la vallée de la rivière Red Deer et les terres cultivées des environs. Le «saut de bison» *(buffalo jump)*, jadis utilisé par les Cris (Cree), est plus élevé que la plupart des autres formations similaires de l'Alberta; les bisons rassemblés au bord de cette falaise y faisaient en effet une chute de 50 m avant d'être dépecés par les Autochtones pour leur viande et leur peau.

Vous pouvez vous rendre à Red Deer en filant vers l'est sur la route 590, puis vers le nord sur la route 2. Calgary se trouve plus au sud sur la route 2.

Circuit B: Les contreforts du centre de la province

★ Cochrane

Cette ville amicale repose aux limites septentrionales des terres de ranchs albertaines, et elle marque l'emplacement du premier grand ranch à bétail de la province. L'élevage sur ranch joue encore un rôle dans l'écono-

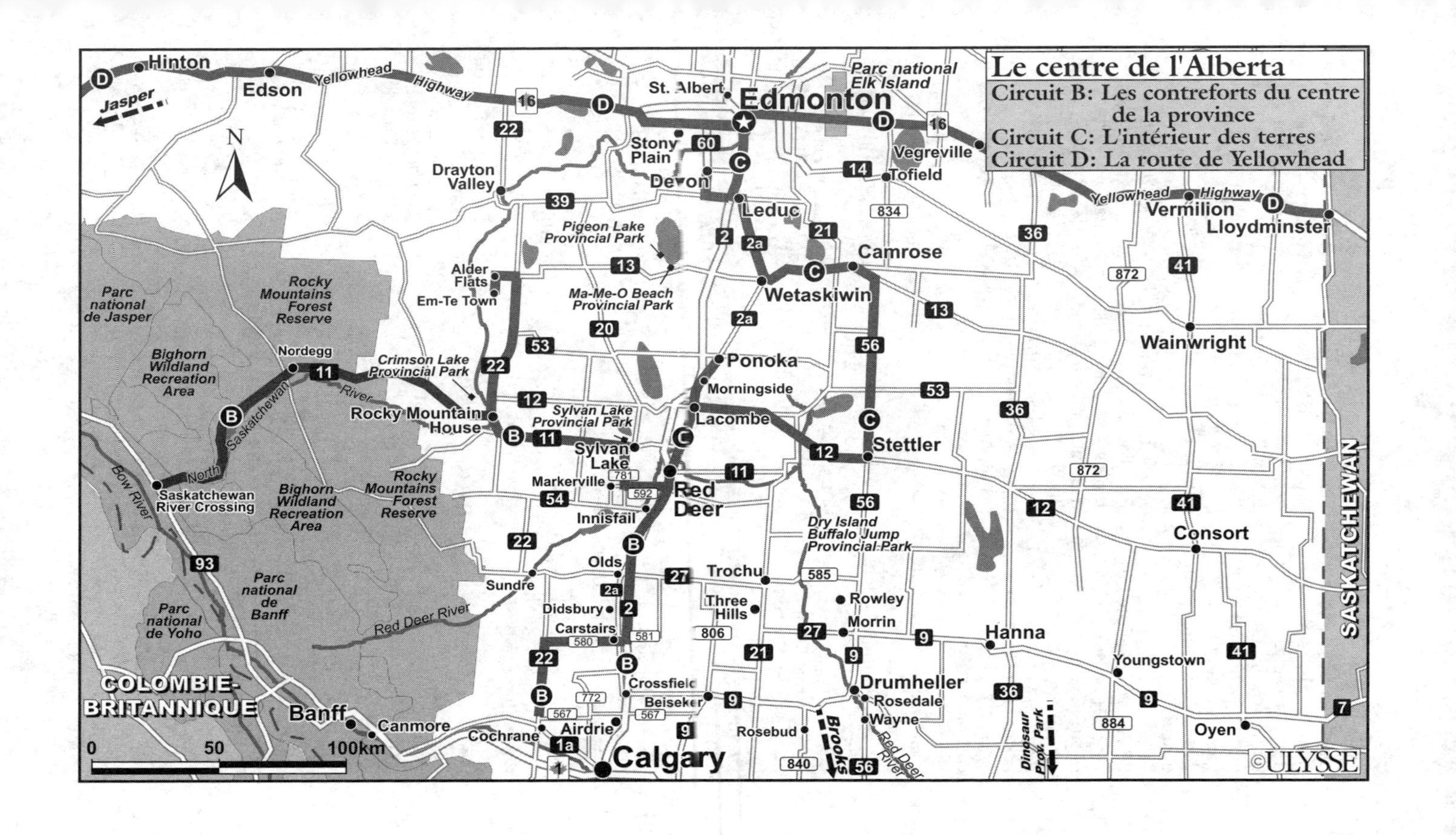

Le centre de l'Alberta
Circuit B: Les contreforts du centre de la province
Circuit C: L'intérieur des terres
Circuit D: La route de Yellowhead
Hinton
Edson
Yellowhead Highway
Jasper
Edmonton
St. Albert
Parc national Elk Island
Stony Plain
Devon
Vegreville
Tofield
Drayton Valley
Leduc
Vermilion
Lloydminster
Pigeon Lake Provincial Park
Ma-Me-O Beach Provincial Park
Camrose
Wetaskiwin
Alder Flats
Em-Te Town
Parc national de Jasper
Rocky Mountains Forest Reserve
Wainwright
Bighorn Wildland Recreation Area
Nordegg
Crimson Lake Provincial Park
Ponoka
Morningside
Rocky Mountain House
Sylvan Lake Provincial Park
Lacombe
Sylvan Lake
Stettler
Saskatchewan River Crossing
North Saskatchewan River
Bow River
Markerville
Red Deer
Innisfail
Dry Island Buffalo Jump Provincial Park
Consort
Olds
Sundre
Trochu
Parc national de Banff
Parc national de Yoho
Didsbury
Three Hills
Rowley
Morrin
Red Deer River
Carstairs
Hanna
Youngstown
COLOMBIE-BRITANNIQUE
Crossfield
Drumheller
Beiseker
Rosedale
Banff
Canmore
Airdrie
Wayne
Cochrane
Rosebud
Brooks
Dinosaur Prov. Park
Oyen
Calgary
SASKATCHEWAN
0 50 100km
©ULYSSE

mie régionale, mais de plus en plus de résidants de cette communauté font la navette entre Cochrane et Calgary, à seulement 20 min de route, pour travailler.

Le **Cochrane Ranche Historic Site** ★★ *(dons appréciés; centre d'accueil des visiteurs : mi-mai à début sept tlj 9h à 18h; ranch : toute l'année; 0,5 km à l'ouest de Cochrane sur la route 1A, ☎403-932-1193 ou 403-932-2902)* commémore la fondation, en 1881, de la Cochrane Ranche Company par un homme d'affaires québécois, le sénateur Matthew Cochrane, ainsi que la naissance de l'industrie bovine albertaine.

L'entreprise exploitait 189 000 ha de prairies et couvrait ainsi, avec trois autres ranchs, dont le Bar U, la plus grande partie du territoire de l'Alberta. Bien qu'il ait fait faillite après seulement deux ans d'activité, son héritage demeure. Les voyageurs peuvent aujourd'hui revivre cette époque romantique à travers les programmes d'interprétation du centre d'accueil des visiteurs.

La **Studio West Art Foundry and Gallery** *(entrée libre; tlj 8h à 17h30; 205 Second Ave. SE, ☎403-932-2611)*, située dans le parc industriel de Cochrane, est la plus grande fonderie artistique de tout l'Ouest canadien. Les sculpteurs y pratiquent la très ancienne méthode de coulage du bronze dite «à cire perdue», un procédé inchangé depuis 3 000 ans. Vous assistez ici au processus complet de la réalisation d'une sculpture, depuis l'idée originale jusqu'au produit final. On vend sur place des bronzes, des sculptures sur bois et des peintures représentant des animaux et divers aspects de la vie dans l'Ouest.

En ville, ne ratez pas l'occasion de savourer une glace chez **McKay's Ice Cream** ★, tenu pour un des meilleurs glaciers du Canada. Vous voudrez même sans doute y venir spécialement de Calgary, ou arrêter sur la route de Banff, tellement ses cornets de glace sont délicieux.

Empruntez la route 22 en direction nord, puis la route 580 vers l'est jusqu'à Carstairs pour y faire un peu d'emplettes.

Carstairs

Deux des attraits les plus intéressants de Carstairs, qui ne sont ni plus ni moins que d'excellents endroits où magasiner, se trouvent aux limites de cette ville aux rues flanquées de grandes demeures anciennes. La **Pa-Su Farm** vous attend à 9 km à l'ouest de la ville sur la route 580, tandis que vous trouverez les **Custom Woolen Mills** en parcourant environ 20 km vers l'est sur la route 581, puis 4,5 km vers le nord sur la route 791 (voir p 545).

Optez d'abord pour l'autoroute A2, plus agréable que l'autoroute 2, puis prenez l'autoroute 592 en direction ouest jusqu'à Markerville.

Markerville

Markerville était à l'origine, en 1888, une colonie islandaise du nom de Tindastoll, ses premiers habitants étant venus du Dakota, aux États-Unis. Un an plus tard, un autre groupe d'Islandais vint s'y établir, parmi lesquels se trouvait le poète Stephan G. Stephansson (voir plus loin), et s'installa dans un secteur qu'ils nommèrent Hola. S'ils choisirent cette région, c'est en partie à cause de son isolement, car les colons désiraient préserver leur langue et leurs coutumes.

En 1899, le gouvernement fédéral procéda à la construction de la crémerie de Markerville, et le village qui se développa autour de la fabrique devint une sorte de pôle économique, attirant divers groupes de colons, entre autres des Danois, des Suédois et des Américains. La culture islandaise n'en continua pas moins à prospérer jusqu'aux années 1920, après quoi les mariages mixtes et les phénomènes migratoires finirent par modifier la situation. Aujourd'hui, moins de 10% de la population locale est de souche islandaise.

La **crémerie de Markerville** ★★ *(2$; mi-mai à début sept tlj 10h à 17h30; Creamery Way, ☎403-728-3006)*, une tête de file de l'industrie laitière albertaine à une certaine époque, est la seule crémerie entièrement restaurée de la province.

Elle a été créée par le ministère fédéral de l'Agriculture; une association régionale de cultivateurs islandais assurait l'entretien des installations, tandis que le gouvernement se chargeait de tenir les livres et d'engager un fabricant de beurre. Ce dernier payait les fermiers en fonction de la teneur en matières grasses de leur crème. La crémerie fut le pilier de l'économie locale jusqu'à sa fermeture en 1972, produisant près de 90 000 kg de beurre par année à ses meilleurs jours. Restaurée de manière à retrouver l'aspect qu'elle avait vers 1934, elle est aujourd'hui devenue une ressource historique provinciale.

Vous pouvez en faire une visite guidée et ainsi tout apprendre sur les opérations et l'équipement de la crémerie, où l'on trouve encore d'anciens pasteurisateurs. Deux boutiques de souvenirs proprettes avoisinent le bâtiment principal, de même que la «Kaffistofa», où vous pourrez déguster le *vinarterta* (gâteau étagé islandais).

Pour atteindre la maison Stephansson, continuez vers l'ouest sur la route 3 64A, de l'autre côté de la rivière Medicine; peu après la rivière, tournez à droite sur une route non identifiée, que vous suivrez jusqu'à la route 371. Tournez alors à droite, traversez la rivière de nouveau, et vous ne tarderez pas à apercevoir l'entrée de la maison sur votre gauche.

Maison Stephansson ★ *(2$; mi-mai à début sept tlj 10h à 18h; ☎403-728-3929)*. Stephan G. Stephansson faisait partie du second groupe de colons islandais partis du Dakota en 1889 pour s'établir dans la région aujourd'hui connue sous le nom de Markerville. Peu de gens ont entendu parler de Stephansson, sans doute un des poètes les plus prolifiques du Canada, pour la simple et bonne raison qu'il écrivait dans sa langue maternelle.

Sa première cabane en rondins se révéla très vite trop exiguë, si bien qu'il y ajouta graduellement un bureau, un hall d'entrée, un étage supérieur, une cuisine et une chambre à coucher près de l'entrée. Isolée avec du papier journal et aménagée de manière à reproduire le style pittoresque, la maison est tout à fait typique de celles des pauvres familles de cultivateurs canadiens de l'époque.

Tout comme les autres colons islandais, Stephansson se souciait tout particulièrement de préserver sa culture d'origine, qu'il parvint à perpétuer à travers sa maîtrise de la langue et ses opinions percutantes. Le plus célèbre de ses ouvrages à avoir été traduit est *Androkur* ou *Nuits d'insomnie* (Stephansson était insomniaque). Des guides font visiter la maison et allument chaque jour le poêle pour y faire cuire de délicieux gâteaux islandais connus sous le nom d'*asturbollur* ou «brioches d'amour».

Prenez l'autoroute 781 en direction nord vers Sylvan Lake.

Sylvan Lake

Cette ville lacustre, pourvue d'une marina, d'une plage, de boutiques de souvenirs, d'hôtels, d'un toboggan nautique et de constructions à toiture de bardeaux, fait presque songer à une station balnéaire de la côte Atlantique. Le **Sylvan Lake Provincial Park** ★ *(☎403-34-7683)* accueille des visiteurs d'un jour qui désirent se faire bronzer, se baigner et pique-niquer.

Quant au **Jarvis Bay Provincial Park**, qui se trouve également en bordure du lac Sylvan, il est tout aussi populaire les fins de semaine. Des sentiers de randonnée sillonnent la tremblaie canadienne et offrent de belles occasions d'observer les oiseaux.

Songez à passer la nuit à Red Deer, qui possède beaucoup d'hôtels, avant de poursuivre vers l'ouest. Si vous retenez cette option, filez vers l'est sur la route 11; sinon, prenez vers l'ouest jusqu'à Rocky Mountain House.

Rocky Mountain House

Bien qu'elle porte un nom évocateur, Rocky Mountain House ne désigne pas une pittoresque cabane en rondins située en plein bois, mais plutôt une petite ville servant de tremplin vers les majestueuses montagnes Rocheuses.

La ville, que les gens d'ici appellent tout simplement *Rocky*, ne compte que 6 000 habitants et constitue une zone de transition entre la tremblaie canadienne et les montagnes. Son cadre exceptionnel est certes l'un des grands atouts de cette localité, qui n'en offre pas moins toute une gamme de services : des hôtels, des stations-service et des restaurants.

Tout juste aux limites de Rocky apparaît toutefois le centre d'intérêt qui lui vaut son nom, le Rocky Mountain House National Historic Site, près duquel on peut s'adonner à une foule d'activités de plein air comme la descente de rivière en canot de voyageur, le golf, la pêche, la randonnée pédestre et le ski de randonnée à l'intérieur du Crimson Lake Provincial Park (voir p 537).

Le **Rocky Mountain House National Historic Park** ★★ *(2,50$; mi-mai à fin sept tlj 10h à 17h, téléphonez pour connaître les heures d'ouverture en hiver; 4,8 km au sud-ouest de Rocky sur la route 11A, ☎403-845-2412)* s'impose comme le seul et unique parc historique national de l'Alberta, et il renferme pas moins de quatre sites historiques connus. Ce parc s'avère particulièrement intéressant en ce qu'il illustre, peut-être mieux que n'importe quel autre poste de traite, le lien incontournable qui existe entre la traite des fourrures et la découverte ainsi que l'exploration du Canada.

Deux forts rivaux furent construits ici en 1799, la Rocky Mountain House de la Compagnie du Nord-Ouest et l'Acton House de la Compagnie de la Baie d'Hudson, les deux entreprises étant séduites à l'idée d'établir un commerce lucratif avec les Kootenay vivant à l'ouest des Rocheuses. Ce n'est qu'après la fusion de la Compagnie de la Baie d'Hudson et de la Compagnie du Nord-Ouest, en 1821, que l'ensemble de la région prit le nom de Rocky Mountain House.

Le commerce tant convoité avec les Kootenay ne se concrétisa jamais; pour tout dire, exception faite d'une brève période d'échanges profitables avec des tribus pieds-noirs (Blackfoot) au cours des années 1820, le fort ne fut jamais prospère, tant et si bien qu'il fut fermé et reconstruit à plusieurs reprises. On le condamna à tout jamais en 1875, après que la «police montée» du Nord-Ouest eut rendu le commerce sûr dans les régions plus au sud.

C'est alors que la Compagnie de la Baie d'Hudson ouvrit un comptoir commercial dans les environs de Calgary. Fait intéressant à noter, la Compagnie de la Baie d'Hudson, aujourd'hui devenue La Baie, ce géant du magasin à rayons à travers le Canada, tire davantage de revenus de ses biens immobiliers que du commerce de détail.

Le centre d'accueil des visiteurs présente une exposition des plus intéressantes sur l'époque de la traite des fourrures à Rocky Mountain House, tout

David Thompson

David Thompson fit ses débuts avec la Compagnie de la Baie d'Hudson en 1784, occupant les fonctions de commis dans plusieurs postes de la baie d'Hudson et de la rivière Saskatchewan. S'étant fracturé une jambe, il commença à s'intéresser au levé de plans et à l'astronomie appliquée. Puis, en 1797, après avoir passé nombre d'années à explorer et à arpenter une grande partie des territoires actuels du nord du Manitoba et de la Saskatchewan, il décida de changer d'employeur et de se ranger du côté de la Compagnie du Nord-Ouest. La compagnie retint ses services dans le cadre de la «Columbia Enterprise», vouée à la recherche d'un passage à travers les Rocheuses. En 1806-1807, Thompson se prépara à franchir les Rocheuses à Rocky Mountain House. Les Péganes (Peigans) qui fréquentaient le poste s'opposaient toutefois à son projet, car, si le commerce s'étendait à l'ouest des montagnes, leurs ennemis, les Kootenays et les Flatheads, pourraient aussi se procurer des fusils. Thompson remonta alors la rivière de Rocky Mountain House au défilé de Howse; c'était en 1807. En 1810, la course vers l'embouchure du fleuve Columbia atteignit son apogée, lorsque Thompson apprit que les Américains avaient organisé leur propre expédition. Il se lança sans tarder vers l'ouest, mais fut arrêté par les Péganes, après quoi il dut remonter vers le nord en longeant le territoire des Amérindiens, résolus à faire échouer son projet. En 1811, il atteignit le défilé d'Athabasca, puis le Pacifique et l'embouchure du fleuve Columbia, mais quatre mois après que les Américains y eurent déjà établi un poste de traite. Thompson s'installa par la suite à Terrebonne, près de Montréal, où il œuvra à l'établissement de la frontière devant séparer le Haut-Canada du Bas-Canada. Il ne fut pas prospère en affaires et mourut en 1857 dans la pauvreté et l'anonymat presque total.

en jetant un regard sur l'habillement des Amérindiens des Prairies et sur la façon dont il s'est modifié après l'arrivée des traiteurs de pelleteries; s'y ajoutent des objets divers ainsi que des témoignages des premiers explorateurs.

Vous pourrez aussi y visionner de nombreux documentaires réalisés par l'Office national du film. Deux sentiers d'interprétation ponctués de postes d'écoute (en anglais et en français) sillonnent le site en bordure de la rivière aux flots rapides qu'est la North Saskatchewan.

Arrêtez-vous près de l'enclos de bisons et des différents sites de démonstration, comme celui où l'on prépare le thé et cet autre où est exposée une barge de York, autrefois utilisée par les traiteurs de la Compagnie de la Baie d'Hudson (ceux de la Compagnie du Nord-

Ouest préféraient le canot d'écorce, et ce, bien qu'il fût moins rapide). Il ne reste de l'ancien fort que deux cheminées.

Rocky Mountain House servait également de base d'exploration. David Thompson, un explorateur, géomètre et géographe à l'emploi de la Compagnie du Nord-Ouest qui joua un rôle majeur dans la recherche d'une route viable vers le Pacifique à travers les Rocheuses, vécut à Rocky Mountain House pendant un certain temps. Finalement devancé par les Américains dans sa quête, il parcourut au total quelque 88 000 km au fil des années qu'il consacra au commerce des pelleteries, dressant au fur et à mesure la carte de l'Ouest canadien.

Un crochet au nord par la route 22 vous mènera au tout petit village d'Alder Flats.

Alder Flats

À l'extrémité ouest de la route 13 s'étend la petite ville d'Alder Flats, qui ne présente en elle-même que peu d'intérêt pour les visiteurs. Quelques kilomètres plus au sud cependant, une autre localité regorge d'attraits; il s'agit d'un endroit ironiquement appelé **Em-Te Town** (déformation de *empty*, qui signifie «vide»). Vous y trouverez un saloon, une prison, un atelier de harnais, une école, une église et un bazar, le tout dans un cadre agréable au bout d'un chemin de gravier.

Ce village a été construit de toutes pièces en 1978 et permet de se familiariser agréablement avec la vie d'antan dans l'Ouest, de faire des balades sur les pistes et de savourer les repas maison apprêtés à l'hôtel Lost Woman (l'hôtel de la femme perdue). D'aucuns qualifient toutefois la mise en scène de surfaite. Outre les attractions, s'y trouvent des emplacements de camping et des cabanons à louer, de même qu'un restaurant.

★★★ David Thompson Highway

La route qui mène à Rocky Mountain House longe le périmètre de la Rocky Mountain Forest Reserve. À l'approche du village, des vues renversantes sur les Rocheuses se succèdent à l'horizon. La route 11 ou David Thompson Highway se détache de Rocky Mountain House vers l'ouest et se faufile jusque dans l'Aspen Parkland (tremblaie canadienne) et le parc national de Banff (voir p 379).

Le village de **Nordegg** repose à mi-chemin de ce trajet. Outre un **musée** intéressant (le musée de Nordegg), la petite localité offre d'excellentes occasions de pêche, permet d'accéder à la Forestry Trunk Road (chemin forestier) et à son camping, et possède une auberge de jeunesse, la Shunda Creek Hostel (voir p 542). À l'ouest de Nordegg, vous ne trouverez pas de services, mis à part ceux du David Thompson Resort.

Circuit C : L'intérieur des terres

Olds

À une trentaine de kilomètres au sud de Red Deer, surgit Olds, une petite localité agricole au sol fertile où voudront s'arrêter ceux qui s'intéressent à l'agriculture. C'est en effet à Olds que se trouve l'**Agricultural College** *(4500 50th St., ☎403-556-8281 ou 888-661-6537)*, où l'on peut en apprendre davantage en visitant les serres et les différentes aires de recherche dispersées sur l'énorme propriété.

Red Deer

Red Deer, une ville de 60 000 habitants, a d'abord pris l'allure d'une simple halte pour les voyageurs de commerce qui empruntaient la piste reliant Calgary

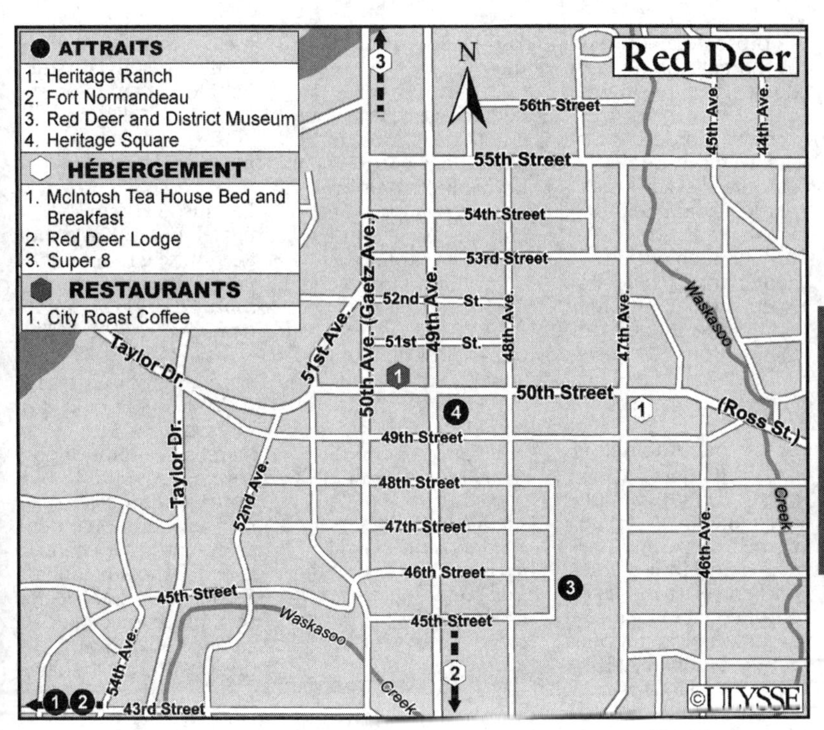

et Edmonton. L'appellation de Red Deer est en fait une traduction erronée de *waskasoo* (élan), son pendant dans la langue crie. Les berges de la rivière étaient autrefois fréquentées par les élans, et les colons écossais leur trouvaient une ressemblance avec le cerf rouge *(red deer)* de leur pays natal.

Au cours de la révolte de Riel en 1885, la milice canadienne érigea le fort Normandeau à cet emplacement, et le poste fut plus tard occupé par la «police montée» du Nord-Ouest. La construction ferroviaire, l'agriculture, le pétrole et le gaz naturel ont tous contribué à l'essor de Red Deer, qui fut à une certaine époque la ville à la croissance la plus rapide de tout le Canada.

Red Deer est une autre de ces villes albertaines dont le vaste réseau de parcs constitue le principal attrait. Le **Waskasoo Park System** couvre une partie de la ville elle-même et de la vallée de la rivière Red Deer et est sillonné de sentiers pédestres et de pistes cyclables. Son centre d'information (Greater Red Deer Visitor Centre) se trouve à côté de l'**Heritage Ranch** *(mi-mai à début juil tlj 9h à 18h, début juil à début sept, lun-jeu 9h à 18h, ven-dim 9h à 19h, début sept à mi-mai, lun-ven 9h à 17h, sam-dim 10h à 17h; 30 Riverview Park, au bout de Cronquist Dr., ☎403-346-0180)*, à l'extrémité ouest de la ville; empruntez la sortie de 32nd Street sur la route 2, tournez à gauche sur 60th Street puis à gauche sur Cronquist Drive. Le ranch Heritage dispose par ailleurs d'un centre équestre et d'abris pour les pique-niqueurs, et donne accès aux sentiers du réseau.

Le **fort Normandeau** ★ *(entrée libre; fin mai à fin juin tlj 12h à 17h, juil à début sept tlj midi à 20h; ☎403-347-2010, www.city.red-deer.ab.ca/kerry/ftnorm)* se trouve à l'ouest de la route 2 sur 32nd St. Le fort tel qu'il se présente aujourd'hui est en fait une réplique de la structure originale. Un poste d'arrêt situé en bordure de la rivière fut fortifié et entouré de palissades par les carabiniers de Mont-Royal, sous le commandement du lieutenant J.E. Bédard Normandeau, en prévision d'une attaque des Cris au cours de la révolte de Louis Riel en 1885.

Le fort ne fut toutefois jamais attaqué. Un centre d'interprétation, aménagé à côté de ce dernier, dépeint la vie dans les colonies amérindiennes, métisses et européennes de la région. Les visiteurs peuvent y observer le filage de la laine et la confection de cordes, de savonnettes, de bougies et de crème glacée selon les techniques d'antan.

Dans le centre-ville de Red Deer, le **Red Deer and District Museum** *(dons appréciés; début sept à mi-mai, lun-mar et ven 10h à 17h, mer-jeu 10h à 21h, sam-dim 13h à 17h, mi-mai à début sept, heures d'ouverture prolongées; 4525 47A-Ave., ☎403-309-8405)* s'enorgueillit de différentes galeries réservées aux arts canadien et international, mais il abrite en outre une collection permanente traitant de l'histoire de la région depuis les temps préhistoriques. Les visites à pied du quartier historique de Red Deer partent de ce musée.

Le **Heritage Square**, tout à côté du musée, présente un regroupement de bâtiments historiques, y compris l'unique Aspelund Laft Hus, une réplique d'une maison norvégienne au toit gazonné du XVIIe siècle. Puis, au nord-ouest du Heritage Square, se trouve le **City Hall Park ★**, le parc de l'hôtel de ville, un adorable jardin garni de 45 000 fleurs annuelles.

Après Red Deer, filez vers le nord par la route 2 jusqu'à Ponoka, en passant par Lacombe où vous reviendrez ensuite pour continuer vers l'est.

Lacombe

Lacombe est une petite localité agricole typique du centre de l'Alberta. Elle fut, au tournant du XIXe siècle, plus importante que Red Deer. Aujourd'hui, elle ne compte plus que 8 000 habitants. Il y a plus de 25 bâtiments restaurés dans le centre-ville historique de Lacombe. La ville s'enorgueillit même d'un remarquable immeuble triangulaire (**Flat Iron Building**) érigé sur 50th Avenue. À une rue de là surgit par ailleurs le **Mitchener House Museum** *(dons appréciés; mi-mai à début sept tlj 10h à 16h; 5036-51 St., ☎403-782-3933)*, le lieu de naissance du gouverneur général du Canada de 1967 à 1974; la maison a été remise en état et garnie de souvenirs de famille, de meubles et accessoires d'époque, ainsi que de vieilles photographies.

Le musée administre également le **Blacksmith Shop Museum** *(dons appréciés; juin à sept ven-dim 10h à 16h ou sur rendez-vous; 5020 49th St., ☎403-782-3933)*, situé à deux rues de là. Il s'agit en fait d'un des rares ateliers de maréchal-ferrant originaux en Alberta. Vous pouvez admirer ici l'artisan qui moule délicatement le fer chaud avec les moyens utilisés au début du XXe siècle. Son importance était capitale à l'époque puisqu'il ferrait les chevaux et réparait la machinerie lourde.

Deux autres attraits se trouvent sur la route de Stettler. L'**Ellis Bird Farm** *(dons appréciés, visites guidées 2,50$; mi-mai à début sept; faire 8 km vers Stettler sur la route 12, puis 8 km au sud sur Prentiss Road, ☎403-346-2211)* constitue une intéressante propriété où l'on s'occupe, depuis près d'un demi-siècle, de la préservation d'espèces d'oiseaux menacés. On y conserve donc des espaces sauvages assurant la survie de la faune et de la flore du centre de l'Alberta. Plusieurs sentiers permettent d'apprécier l'endroit à sa juste valeur.

Si l'on continue sur la route 12 vers l'est au lieu de tourner sur Prentiss Road, on aboutit en quelques minutes au **Doug's Exotic Zoo** *(5$; début mai à début sept, tlj 10h à 19h, début sept à début mai, tlj 10h à 18h; ☎403-784-3400)*. On y trouve 54 espèces animales, allant du hérisson au zèbre en passant par le tigre sibérien. Certaines cages sont malheureusement trop exiguës.

Ponoka

Si vous visitez la région vers la fin du mois de juin ou le début du mois de juillet, faites un détour par Ponoka (au nord de Lacombe sur la route 2A), où se tient le second rodéo en importance de la province (le premier étant naturellement le Stampede de Calgary).
Le **Stampede de Ponoka** ★ *(☎403-783-0100)* a lieu la dernière fin de semaine de juin et la première fin de semaine de juillet, comme toujours depuis plus de 60 ans.

Revenez à Lacombe et prenez la route 12 Est jusqu'à Stettler.

Stettler

Pour ceux et celles qui désirent parcourir le somptueux paysage des Prairies, **Alberta Prairie Railway Excursions** *(47th Ave., horaire et réservations ☎403-742-2811)* organise des excursions à bord de wagons du début du siècle. Le train part de Stettler et dessert de petites localités comme Halkirk, Castor et Coronation à l'est, ou encore Big Valley, au sud. Ces excursions d'une demi-journée ou d'une journée complète comprennent respectivement un ou deux repas, et pourquoi ne pas rendre l'expérience encore plus mémorable en prenant un train «meurtre et mystère» ou un train «casino»? Le train circule de mai à octobre et certaines fins de semaine de novembre à avril.

Prenez la route 56 vers le nord jusqu'à Camrose.

Camrose

Le **plus petit aéroport d'Alberta** *(dons appréciés; juin à août mer-dim midi à 20h; de Camrose, faites 22 km vers l'est sur la route 13 puis 4 km vers le sud sur Kelsey Road, ☎780-373-3953)* possède des mini-pistes où décollent et atterrissent des avions radiocommandés. Camrose accueille également, au début d'août, le Big Valley Jamboree, un merveilleux festival de musique country réunissant de grands noms canadiens et américains.

Prenez la route 26 vers l'ouest jusqu'à Wetaskiwin.

Wetaskiwin

La ville de Wetaskiwin possède un des plus beaux musées de la province. À l'instar du musée de voitures à attelage Remington de Cardston (voir p 495), le Reynolds-Alberta Museum prouve une fois de plus que l'Alberta ne se limite pas à Calgary, à Edmonton et aux Rocheuses. Bien qu'il n'y ait pas grand-chose à voir à Wetaskiwin, outre le musée Reynolds et le panthéon de l'aviation, cette agréable ville possède tout de même une rue principale intéressante ainsi que des hôtels et des restaurants tout à fait respectables.

Le **Reynolds-Alberta Museum** ★★★ *(6,50$; juin à début sept 10h à 18h, sept à juin mar-dim 10h à 17h; à l'ouest de Wetaskiwin sur la route 13, ☎780-361-1351 ou 800-661-4726, www.machinemuseum)* célèbre «l'esprit de la machine» et s'avère on ne peut plus fascinant. Des programmes interactifs à l'intention des enfants donnent vie à tout ce qui s'y trouve. Une irréprochable collection d'automobiles, de camions, de bicyclettes, de tracteurs et de machines aratoires entièrement remis à neuf se laissent également contempler.

Parmi les voitures anciennes, il faut mentionner la présence d'une des quelque 470

Duesenberg Phaeton Royales de modèle J à avoir été construites. Cette voiture absolument unique avait coûté 20 000$ à son propriétaire au moment de son achat en 1929! Les visiteurs du musée y apprendront par ailleurs le fonctionnement d'un élévateur de grains et pourront observer les travaux de l'atelier de réfection à travers une grande baie vitrée. On propose deux fois par jour des visites de l'entrepôt, où plus de 800 pièces attendent d'être restaurées *(téléphonez au préalable pour connaître les heures de visite, et enregistrez-vous à l'accueil)*; des visites guidées d'une heure (50$) sont également organisées sur réservation.

Le **Canada's Aviation Hall of Fame**, situé sur le site du musée Reynolds, rend hommage aux pionniers de l'aviation canadienne. Y sont exposés des photographies, des objets variés, des effets personnels et l'avion favori des 140 membres et plus du panthéon. Il s'agit entre autres de pilotes civils et militaires, de médecins, d'hommes de science, d'inventeurs, d'ingénieurs en aéronautique et d'administrateurs.

Poursuivez vers le nord sur la route 2A jusqu'à Leduc, site de la découverte d'un des plus importants gisements de pétrole au monde.

Leduc

L'Alberta trouva sa voie le jour où l'on découvrit du pétrole brut au sud d'Edmonton. Le **puits de pétrole n°1 de Leduc** *(4$; mi-avr à mi-sept, 10h à 18h; 2 km au sud de Devon sur la route 60, ☎780-987-4323, www.c-pic.org)* fut en exploitation dès le 13 février 1947, marquant du même coup l'envol du boum pétrolier. Le pétrole avait en fait été découvert sur une ferme au nord-ouest de Leduc, dans ce qui allait devenir la municipalité de Devon. Une réplique du derrick original de 53 m, de type conventionnel, se dresse maintenant sur le site, et les visiteurs peuvent observer l'équipement de près en descendant jusqu'à la plateforme de forage.

Devon

La ville de Devon et son **University of Alberta Devonian Botanic Garden** *(6,50$; début mai à mi-sept tlj 11h à 19h, mi-sept à mi-oct tlj 11h à 18h, mi-oct à début déc sam-dim 11h à 16h; route 60, ☎780-987-3054 ou 987-3055)* ont été nommés ainsi d'après la formation dévonienne, dans laquelle de l'huile fut découverte dans les années 1940. Des plantes indigènes, un jardin japonais et la Butterfly House (verrière à papillons), remplie de beautés tropicales, occupent quelque 45 ha.

Edmonton (voir p 547) se trouve à 30 min au nord d'ici par la route 60.

Circuit D : La route de Yellowhead

Le **tracé panoramique de la Yellowhead Highway** emprunte la route 16 à l'ouest de Winnipeg (Manitoba) et traverse les Prairies en passant par Saskatoon (Saskatchewan) avant d'atteindre la frontière albertaine à Lloydminster. Il franchit ensuite l'Alberta en passant par sa capitale, Edmonton, ainsi que par Jasper. Une fois en Colombie-Britannique, il se dédouble, la route 5 conduisant à Merritt, au sud, et la route 16 filant vers l'ouest jusqu'à Prince Rupert.

Un trappeur et guide de sang partiellement iroquois, Pierre Bostonais, s'est rendu dans l'Ouest vers l'an 1800 alors qu'il était à l'emploi de la Compagnie de la Baie d'Hudson. La teinte plus claire de ses cheveux (par rapport à ses congénères) ne tarda pas à lui valoir le surnom de Tête Jaune (Yellow-Head) parmi les trappeurs français. Il a dirigé des expéditions dans tout le nord de l'Alberta et de la Colombie-Britannique telles que nous les connaissons aujourd'hui, en suivant les rivières Smoky et Athabasca, ainsi que le fleuve Fraser. Il a en outre exploité le col de Yellowhead et a établi sa fameuse cache de fourrures en un endroit désormais connu sous le nom de Tête Jaune Cache, à la jonction des routes 5 et 16. Il a finalement été tué par les Beaver, des Amérindiens, en 1827.

Lloydminster

Lloydminster a été colonisée en 1903, alors que la région faisait partie des vastes Territoires du Nord-Ouest. En 1930, soit 25 ans après la création des provinces de la Saskatchewan et de l'Alberta, les deux communautés qui la constituaient fusionnèrent pour former la seule ville dotée d'une administration unique répartie dans deux provinces distinctes. Le coût de la vie n'étant pas le même dans les deux provinces, la situation de Lloydminster est pour le moins intéressante : il n'y a pas de taxe de vente provinciale en Alberta; le salaire minimum est plus élevé en Saskatchewan, quoique les impôts le soient aussi; l'âge auquel on peut consommer de l'alcool est de 19 ans en Saskatchewan et de 18 ans en Alberta, et ainsi de suite.

Le **Barr Colony Heritage Centre** *(4$; mi-mai à début sept mer-ven 12h à 17h, sam-dim 13h à 17h; à l'intersection de la route 16 et de 45th Ave., ☎306-825-5655)* relate les débuts de Lloydminster en 1903, alors que 2 000 colons britanniques s'y sont installés avec le pasteur Isaac Barr. Le centre abrite cinq galeries d'art.

Le **Bud Miller Park** *(tlj 7h à 23h; 59th Ave., au sud de la route 16, ☎780-875-4499)* recèle 81 ha de sentiers pédestres entourés de bosquets de trembles. Vous y trouverez aussi un labyrinthe arboré, des boulingrins, des terrains de volleyball de plage, un parc aquatique, un jardin classique et le plus grand cadran solaire au Canada.

Prenez vers l'ouest sur la route 16, traversez le village de Vermillion, ainsi dénommé en raison des dépôts rougeâtres de la rivière du même nom, et poursuivez jusqu'à Vegreville.

Vegreville

Vegreville fut à l'origine colonisé par des cultivateurs français venus du Kansas. De nos jours, ce village est surtout connu pour sa communauté ukrainienne et son monument pour le moins étonnant, soit le plus gros *pysanka* au monde, un œuf de Pâques ukrainien traditionnel de 7 m de long!

En poursuivant vers l'ouest sur la route 16, vous ne tarderez pas à croiser le **Village du patrimoine culturel ukrainien** ★ *(8$, mi-mai à début sept tlj 10h à 18h, sept à mi-oct sam-dim 10h à 18h; route 16, à environ 30 km à l'est d'Edmonton, ☎780-662-3640)*, où la fascinante histoire des colons ukrainiens de la région revit sous vos yeux.

On y recrée en effet, à travers un village historique entièrement reconstitué et un personnel en costume d'époque, la vie telle qu'elle se déroulait dans la colonie du Centre-Est albertain entre 1892 et 1930. Chassés de leur pays natal, ces colons s'étaient enfuis vers les Prairies canadiennes, où l'on donnait pratiquement les terres. Ils se vêtaient et travaillaient comme s'ils étaient encore dans leur pays, enrichissant ainsi le paysage culturel du Canada. On célèbre ici, à la fin d'août, la «Récolte du passé», ponctuée de divertissements colorés et marquée par une compétition au cours de laquelle les concurrents doivent engloutir le plus grand nombre de *pirogies* (beignets de pomme de terre) possible.

★★ Parc national Elk Island

En suivant la route 16, la Yellowhead Highway, à l'est d'Edmonton, vous arriverez bientôt au parc national

Elk Island (voir p 537). Cette zone sauvage de type insulaire, perdue dans une mer d'herbe, assure la protection de deux troupeaux de bisons, l'un de bisons des plaines et l'autre, plus rare, de bisons des bois. Il abrite également nombre d'autres espèces animales. Vous y trouverez des terrains de camping, des sentiers de randonnée et un lac grâce auxquels vous pourrez vous adonner à toutes sortes d'activités de plein air.

La route de Yellowhead vers l'ouest jusqu'à Jasper

À 160 km à l'ouest de Stony Plain surgit la petite ville d'**Edson,** qui, bien qu'elle ne paie pas de mine, n'en possède pas moins deux petits musées consacrés à l'histoire de la région : le **Galloway Station Museum** *(1$; mi-mai à début sept tlj 10h à 17h; 5425 3rd Ave., ☎780-723-5696)* et le **Red Brick Arts Centre and Museum** *(lun-ven 9h à 16h30; 4818 7th Ave., ☎780-723-3582)*, aménagé dans une école datant de 1913.

Hinton se trouve au seuil du parc national de Jasper et constitue une alternative peu coûteuse sur le plan de l'hébergement et des services (voir p 543). L'**Alberta Forest Service Museum** *(entrée libre; lun-ven 8h15 à 16h30; 1176 Switzer Dr., ☎780-865-8220)* porte sur l'industrie forestière albertaine. Des espaces sauvages d'une beauté spectaculaire entourent par ailleurs Hinton, y compris les **Cadomin Caves**, les grottes les mieux connues et les plus accessibles de la province (des excursions y sont organisées en ville).

Parcs

Pour de plus amples renseignements sur les parcs provinciaux de l'Alberta: ***www3.gov.ab.ca/env/parks***

Circuit A: En quête de dinosaures et d'autres trésors

★

Kinbrook Island Provincial Park

Les rives du lac Newell, le plus grand plan d'eau artificiel de la province, accueillent plus de 250 espèces d'oiseaux; des colonies de cormorans à aigrette et de pélicans blancs d'Amérique occupent plusieurs des îles protégées du lac. Le meilleur endroit pour observer la faune des lieux est sans doute la rive est du lac, où l'on trouve quelque 170 emplacements de camping. Des sentiers pédestres parcourent également le marais de Kinbrook. Pour de plus amples renseignements ou pour réserver, composez le ☎403-362-4525.

★★★

Dinosaur Provincial Park

Le Dinosaur Provincial Park donne aux paléontologues amateurs l'occasion de fouler le territoire des dinosaures. Classée site historique par l'Unesco en 1979, cette réserve naturelle recèle une mine de renseignements sur ces formidables créatures qui ont jadis vécu sur notre planète. Aujourd'hui, le parc abrite environ 35 espèces animales différentes.

Le petit musée de la **station expérimentale du musée Tyrrell** *(6,50$; mi-mai à début sept tlj 9h à 21h, sept à mi-mai lun-ven 9h à 16h; ☎403-378-4342 ou 403-378-4344)*. La route qui fait le tour des lieux et deux sentiers autoguidés, la **Cottonwood Flats Trail** et la **Badlands Trail**, vous donneront un bon aperçu du parc. Vous verrez deux squelettes de dinosaures à l'endroit même où ils ont été découverts. La meilleure façon de visiter le parc consiste toutefois à participer à l'une des excursions organisées dans la réserve même, qui compte pour la plus grande partie du parc et dont l'accès est restreint.

Le **Badlands Bus Tour**, d'une durée de 1 heure 30 min, vous entraîne au cœur de la réserve et permet d'admirer des paysages inoubliables, des squelettes et des animaux sauvages; quant à la **Centrosaurus Bone Bed Hike** et à la **Fossil Safari Hike**, il s'agit de deux randonnées guidées permettant d'examiner de près d'authentiques sites de fouilles. Le nombre de places pour ces sorties est limité, en particulier en juillet et en août; donc, pour ne pas les manquer, les visiteurs sont priés de téléphoner à l'avance pour connaître l'horaire et pour réserver leurs places.

Ce parc possède en outre des terrains de camping et un centre de services (Dinosaur Service Centre) pourvu d'une laverie, de douches, d'aires de pique-nique et d'un comptoir d'alimentation. La cabane de John Ware, un important cow-boy noir, se trouve près du terrain de camping.

Circuit B: Les contreforts du centre de la province

Crimson Lake Provincial Park

Le Crimson Lake Provincial Park *(bureau du gardien pour urgence, ☎403-845-2340 information et réservations de camping ☎403-845-2330 ou 866-427-3552)* est situé immédiatement à l'ouest de Rocky Mountain House. Vous y trouverez des emplacements de camping paisibles et pourrez y pratiquer la pêche à la truite arc-en-ciel, d'ailleurs très bonne. Les nombreux sentiers pédestres se transforment en pistes de ski de randonnée en hiver.

Ma-Me-O Beach Provincial Park

Le Ma-Me-O Beach Provincial Park *(usage diurne seulement; bureau du parc ☎780-586-2645)* et le **Pigeon Lake Provincial Park** *(bureau du parc ☎780-586-2645; réservations de camping ☎780-586-2644)* sont tout indiqués pour ceux et celles qui en ont assez de la montagne et qui souhaitent passer une journée à la plage. Tous deux offrent d'excellentes occasions de baignade, tenues pour les meilleures en Alberta, sans oublier la pêche au lac Pigeon. Vous pourrez louer des embarcations au terrain de camping Zeiner du Pigeon Lake Provincial Park.

Circuit D : La route de Yellowhead

★★ Parc national Elk Island

Le somptueux parc national Elk Island *(4$; ouvert toute l'année; administration du parc et gardien lun-ven 8h à 16h, ☎780-992-5790)* s'attache à préserver une partie de la région des monts Beaver en son état premier, soit avant l'arrivée des colons, à l'époque où les Sarsis (Sarcee) et les Cris (Cree) des Plaines chassaient et trappaient sur ces terres.

L'arrivée des colons a considérablement mis en danger les castors, les élans et les bisons, si bien que les habitants de la région et les défenseurs de l'environnement ont soumis au gouvernement une pétition visant à créer une réserve d'élans, et ce, dès 1906.

Les bisons des plaines vivant dans le parc s'y trouvent en fait par accident, puisqu'ils se sont détachés d'un troupeau temporaire-

Castor

ment logé ici au moment d'ériger une clôture autour du Wood Buffalo National Park de Wainwright (voir p 574). Le troupeau actuel provient des quelque 50 têtes ayant participé à cette escapade. Elk Island sert également d'habitat à un petit troupeau de rares bisons des bois, le plus gros mammifère d'Amérique du Nord.

En 1940, on croyait disparu le bison des bois à l'état pur, mais, tout à fait par hasard, on en découvrit quelque 200 têtes dans un coin reculé du Wood Buffalo National Park en 1957, et une partie de ce troupeau fut alors abritée dans une réserve clôturée du parc national Elk Island.

Aujourd'hui, on retrouve le bison des plaines, de moindre envergure, au nord de la route 16, tandis que le bison des bois vit au sud de cette même route. En parcourant le parc, rappelez-vous que vous êtes dans le territoire des bisons, et que ce sont là des animaux sauvages. Aussi dociles qu'ils puissent paraître, ils n'en demeurent pas moins dangereux et imprévisibles, et ils peuvent très bien charger sans crier gare. Restez donc à bord de votre véhicule, et maintenez-vous à une distance raisonnable des animaux (de 50 m à 75 m).

Devenu un parc national en 1930, Elk Island est aujourd'hui une réserve naturelle de 195 km^2 pour 44 espèces de mammifères, y compris l'orignal, l'élan, le cerf, le lynx, le castor et le coyote. Il s'agit d'un des meilleurs endroits de la province pour observer les animaux sauvages. D'importants couloirs de migration aviaire passent au-dessus du parc, et vous apercevrez sans doute des cygnes trompettes en automne.

Le bureau du parc qui se trouve à la barrière sud, tout juste au nord de la route 16, est à même de vous renseigner quant aux deux terrains de camping, à l'observation des animaux et aux 12 sentiers qui sillonnent le parc, offrant d'excellentes occasions de randonnée pédestre et de ski de randonnée. Vous pourrez également pêcher et faire de la navigation de plaisance sur le lac Astotin, ou même jouer au golf sur le parcours à neuf trous du parc.

Activités de plein air

Canot et rafting

Alpenglow Mountain Adventures *(R.R.1, Rocky Mountain House, ☎403-844-4715)* propose des descentes de rivière et des excursions en kayak ou en canot sur la rivière North Saskatchewan entre Nordegg et Rocky Mountain House. Une excursion d'une journée complète coûte de 39$ à 64$, tandis qu'une excursion de deux ou trois jours peut varier entre 149$ et 249$. Cette entreprise organise aussi des excursions sur la rivière Athabasca en été et des forfaits d'escalade de glace en hiver.

Voyageur Adventure Tours *(P.O. 278, Rocky Mountain House, ☎403-845-7878)* organise pour sa part des excursions d'une ou plusieurs journées à bord de canots de voyageur.

Baignade

Croyez-le ou non, tout enclavée qu'elle soit, l'Alberta possède quelques plages idéales pour faire trempette ou se dorer au soleil. Dans le centre et le nord de la province, d'innombrables lacs créés par des glaciers en retraite font aujourd'hui le bonheur des estivants.

Le **Pigeon Lake Provincial Park** s'enorgueillit d'une longue plage sablonneuse équipée de douches et de tables de pique-nique, tandis que le **Ma-Me-O Provincial Park**, à l'autre extrémité du lac Pigeon, accueille les visiteurs d'un jour en quête d'un pique-nique mémorable ou d'un bain de soleil. Le **Sylvan Lake**, quant à lui, est une véritable station balnéaire; on y trouve une magnifique plage sur un des lacs les plus spectaculaires de l'Alberta, et les amateurs de planche à voile ou de pédalo peuvent y louer le matériel nécessaire à la pratique de leur activité favorite.

Randonnée pédestre et ski de fond

Le **parc national Elk Island** vous donne l'occasion d'observer une incroyable variété d'animaux sauvages. La **Shoreline Trail** (3 km aller seulement) et la **Lakeview Trail** (3,3 km aller-retour) sillonnent les environs du lac Astotin, où l'on aperçoit des castors à l'occasion. La **Wood Bison Trail** (18,5 km aller-retour) décrit une boucle autour du lac Flying Shot, dans la partie du parc qui s'étend au sud de la route 16, là où vivent les bisons des bois. Ces trois sentiers sont en outre entretenus pour le ski de randonnée pendant la saison hivernale.

Parapente

C'est à une demi-heure à l'ouest de Calgary, tout juste avant le village de Cochrane, que l'école de parapente et de deltaplane **Muller** *(Big Hill Road, Site 13, R.R.2, ☎/⇄ 403-932-6760)* donne des cours. Le cours pour débutants coûte 100$ et permet quelques vols. La sensation de voler est évidemment extraordinaire! Le jeune instructeur a grandi sur la pente et il participe aujourd'hui aux compétitions internationales.

Hébergement

Circuit A: En quête de dinosaures et d'autres trésors

Vous trouverez des emplacements de camping au **Kinbrook Island Provincial Park** *($; ☎403-362-4525)* de même qu'au **Dinosaur Provincial Park** *($; ☎403-378-3700)*, ce dernier offrant des installations plus complètes, entre autres des douches et une laverie automatique.

Brooks

Douglas Country Inn
$$, pdj
≡, ✱, ℜ
P.O. Box 463
☎(403) 362-2873
⇄(403) 362-2100
À 6,5 km au nord de la ville, sur la route 873, se dresse le Douglas Country Inn. On a su créer une atmosphère campagnarde détendue dans chacune des sept chambres merveilleusement décorées, de même que dans le reste de l'auberge. Le seul téléviseur de la maison trône dans une petite pièce rarement fréquentée.

Tel-Star Motor Inn
$$
≡, ℂ, ℝ, ℜ
813 Second St. W., en entrant dans la ville
☎(403) 362-3466
☎800-260-6211
⇄(403) 362-8818
À environ 30 min de route du Dinosaur Provincial Park se trouvent la petite ville de Brooks et le Tel-Star Motor Inn. Les chambres de cet établissement n'ont rien d'extraordinaire, si ce n'est qu'elles sont propres et que chacune d'elles est équipée d'un four à micro-ondes et d'un réfrigérateur. Les appels locaux sont gratuits, et vous pourrez conserver vos prises du

jour dans un congélateur mis à votre disposition.

Drumheller

Pope Lease Pines Bed and Breakfast and RV Resort
$-$$, pdj
≡, ℑ, *bc*
P.O. Box 1058
Range Rd. 22-1, 21 km à l'ouest de Drumheller par la route 575
☎(403) 823-8281
⇄(403) 572-2370
www.popeleasepines.com
Pope Lease Pines se cache dans une forêt de pins au beau milieu des prairies albertaines. Le gîte, avec ses trois chambres d'hôte, est installé dans une paisible résidence champêtre, tandis que le terrain de camping attenant dispose de 14 emplacements tout équipés pour accueillir les autocaravanes. La construction de la demeure date des années 1940, et les propriétaires, Kent et Janice Walker, ont essayé d'en reconstituer l'atmosphère en conservant les planchers de bois franc, les antiquités d'époque, les lits à baldaquin et les tissus à motifs floraux. Deux chambres ensoleillées ont de grands lits alors que la troisième, beaucoup plus petite, renferme deux lits jumeaux.

Taste the Past B&B
$$, pdj
⊗
281 Second St. W.
☎(403) 823-5889
Le Taste the Past B&B, qui porte très bien son nom («Goûtez le passé»), se présente comme une maison victorienne de 1910 décorée d'antiquités. Vous pourrez profiter de son grand jardin et de sa véranda, et, le matin venu, on vous proposera un choix de petits déjeuners.

Badlands Motel
$$
≡, 🐕, ℂ, ℝ, ℜ
P.O. Box 2217
Dinosaur Trail
☎(403) 823-5155
⇄(403) 823-7653
Le Badlands Motel se trouve à l'extérieur de la ville en bordure de la panoramique Dinosaur Trail. Ses chambres n'ont rien de particulier.

Best Western Jurassic Inn
$$-$$$
≡, ⊛, ≈, ℝ, ℜ
103 Highway 9 S.,
☎(403) 823-7700
☎888-823-3466
⇄(403) 823-5002
www.bestwestern.com
Le Best Western Jurassic Inn compte 49 chambres. Celles-ci, quoique conventionnelles, se révèlent très propres et fort bien équipées, puisqu'elles possèdent toutes un réfrigérateur, un four à micro-ondes et un sèche-cheveux.

The Inns at Heartwood Manor
$$$
≡, 🐕, ⊛, ℂ, ℑ
320 Railway Ave. NW
☎(403) 823-6495
☎888-823-6495
⇄(403) 823-4935
www.innsatheartwood.com
De loin le plus coquet établissement de la ville, le Inn at Heartwood Manor est aménagé dans une maison historique rénovée où le choix des couleurs, pour le moins frappant, crée une atmosphère à la fois intime et luxueuse. Un spacieux cottage et une suite de deux chambres sont également mis à votre disposition. Le petit déjeuner de crêpes s'accompagne de sirops de fruits maison. On y parle l'anglais et le français.

Trochu

St. Ann Ranch
$$, pdj
bc/ bp
P.O. Box 670
☎(403) 442-3924
☎888-442-3942
⇄(403) 442-4264
www.bbalberta.com/st-ann-ranch
Le *bed and breakfast* champêtre de la St. Ann Ranch (voir p 524) vous offre la possibilité de loger dans un véritable gîte français. Vous y aurez le choix de sept chambres privées et meublées d'antiquités (dont cinq avec salle de bain privée), à l'intérieur de la maison de ranch ou du Pioneer Cottage. Vous pourrez accéder à loisir au sa-

lon doté d'un foyer, à la bibliothèque et aux terrasses.

Rosebud

Queen Regent Guest House
$$
bc/ bp
un pâté de maisons au nord du Rosebud Theatre
www.experiencerosebud.-com
☎(403) 677-2451

La Queen Regent Guest House, une auberge absolument charmante, arbore des murs astucieusement peints et affiche des couleurs vives. La jeune femme qu'est Alana Bowker a fait de la belle ouvrage! Son gîte occupe l'ancien bâtiment réservé aux enseignants de la communauté. De l'extérieur, il s'avère plutôt ordinaire, mais, une fois que vous serez à l'intérieur, vous y trouverez sept belles chambres d'hôte avec dessus-de-lit faits à la main. Les bien-nommées Angel Room et Queen's Chambers se révèlent particulièrement de toute beauté, sans compter les ciels qui enveloppent romantiquement les lits à baldaquin.

Rosebud Country Inn
$$$
≡
P.O. Box 631
☎(403) 677-2211
⇄(403) 677-2106

Les chambres du Rosebud Country Inn s'enorgueillissent de lits bateaux, d'étoffes signées Laura Ashley, de lavabos sur pied et de balcons, sans compter la couleur rose qui rehausse partout l'atmosphère des lieux. Cette auberge offre des installations de tout premier ordre et un hébergement irréprochable. Son salon de thé sert le petit déjeuner, le brunch du dimanche, le déjeuner, le dîner et, naturellement, le thé en après-midi. Il n'y a ici aucun téléviseur (par choix) ni enfant.

Circuit B: Les contreforts du centre de la province

Sylvan Lake

Le **Jarvis Bay Provincial Park** *(réservations de camping, ☎403-887-05522, www.jarvisbay campground.com)* se trouve en bordure du Sylvan Lake.

Rocky Mountain House

Walking Eagle Motor Inn
$$
≡, ⊛, ℂ, ℝ, ℜ
route 11
☎(403) 845-2804
⇄(403) 845-3685

L'intérieur en rondins du Walking Eagle Motor Inn abrite 63 grandes chambres propres, décorées dans l'esprit qui anime cet établissement typique de l'Ouest canadien. L'hôtel a fière allure depuis qu'on l'a complètement rénové et repeint. En plus, un motel entièrement neuf de 35 chambres a été construit juste à côté. On trouve un four à micro-ondes et un réfrigérateur dans chacune des chambres, par ailleurs un peu trop stériles et sans âme dans leurs matériaux immaculés.

Voyageur Motel
$$
≡, ℂ, ℝ
route 11 Sud
☎(403) 845-3381
☎888-845-3569
⇄(403) 845-6166
www.voyageurmotel.com

Le Voyageur Motel constitue un choix pratique en raison de ses chambres spacieuses et propres, équipées d'un réfrigérateur. Des cuisinettes sont également disponibles. Chaque chambre possède son propre magnétoscope.

Nordegg

David Thompson Resort
$$
≡, 🐕, ≈, ℜ
P.O. Box 17
Cline River
☎(403) 721-2103
⇄(403) 721-2267
www.davidthompsonresort-.com

Le David Thompson Resort est plus un motel et un parc de caravanes qu'un complexe hôtelier à proprement parler, mais il n'en s'agit pas moins du seul lieu d'hébergement entre Nordegg et la route 93 ou Icefield Parkway, et le paysage reste imbattable. Location de bicyclettes et visites de la région en hélicoptère.

Shunda Creek Hostel
$
bc
à l'ouest de Nordegg
3 km au nord de la route 11 sur la Shunda Creek Recreation Area Road
☎(403) 721-2140
⇄(403) 721-2140
www.hihostels.ca
Adossée aux fabuleuses montagnes Rocheuses, au cœur du pays de David Thompson, à portée d'innombrables possibilités d'activités de plein air, brille la Shunda Creek Hostel. Ce «chalet» de deux étages dispose d'une cuisine, d'installations de lavage, d'une salle commune rehaussée d'un foyer et de 10 chambres pouvant accueillir 48 personnes au total. Il y a même un bassin à remous à l'extérieur. Vous pourrez pratiquer la randonnée pédestre, le vélo de montagne, la pêche, le canot, le ski de randonnée et l'escalade de glace dans les environs.

Circuit C : L'intérieur des terres

Red Deer

Nombre de congrès se tiennent à Red Deer, de sorte que les chambres de plusieurs hôtels sont souvent moins chères les fins de semaine.

McIntosh Tea House Bed and Breakfast
$$, pdj
4631 50th St.
☎(403) 346-1622
Pendant votre séjour à Red Deer, vous pouvez loger au McIntosh Tea House Bed and Breakfast, aménagé dans l'ancienne résidence de l'arrière-petit-fils du créateur de la fameuse pomme McIntosh. Chacune des trois chambres qui se trouvent à l'étage de cette demeure victorienne en brique rouge est garnie d'antiquités. Profitez-en pour faire une partie de «dames aux pommes» dans le salon privé. On sert le thé en soirée et un petit déjeuner complet le matin.

Super 8
$$
≡, ℜ
7474 Gaetz Ave.
☎(403) 343-1102
⇄(403) 341-6532
Le Super 8 est un des nombreux hôtels qui bordent Gaetz Avenue de part et d'autre du centre-ville. Il est préférable d'avoir une voiture pour justifier sa décision de dormir dans une de ces agréables chambres donnant sur le stationnement.

Red Deer Lodge
$$$
≡, ⊛, ⊙, ≈, ℜ
4311 49th Ave.
☎(403) 346-8841
☎800-661-1657
⇄(403) 341-3220
www.reddeerlodge.net
Le Red Deer Lodge a gagné la faveur des congressistes avec ses installations modernes et complètes. Ainsi que vous pouvez vous en douter, les chambres sont confortables, immaculées, et entourent une sympathique cour intérieure à thème tropical.

Wetaskiwin

Rose Country Inn
$$
≡, ℂ, ℝ, ℜ
4820 50th St.
☎(780) 352-3600
⇄(780) 352-2127
Non loin du Reynolds-Alberta Museum (voir p 533), le Rose Country Inn représente une des meilleures affaires en ville. Chacune de ses chambres rénovées est équipée d'un réfrigérateur et d'un four à micro-ondes.

Circuit D : La route de Yellowhead

Parc national Elk Island

Le parc national Elk Island compte deux terrains de camping *($; Site 4, RR 1, Fort Saskatchewan, réservations, ☎780-992-5790)*. Le bureau du parc se trouve à l'entrée sud, tout juste au nord de la route 16, et peut vous renseigner sur les emplacements disponibles.

Hinton

Black Cat Guest Ranch
$$$$, 3 repas inclus
P.O. Box 6267
☎(780) 865-3084
☎800-859-6840
⇌(780) 865-1924
www.blackcatguestranch.ca
Le Black Cat Guest Ranch constitue une paisible retraite et offre un grand nombre de distractions pour toute la famille. Sentiers pédestres, randonnées guidées et ski de fond en hiver.

L'hébergement se veut rustique et intime, et chaque chambre a vue sur la montagne, qui se laisse également apprécier du bassin à remous extérieur. Le ranch propose en outre des fins de semaine thématiques et organise diver ses excursions.

Restaurants

Circuit A: En quête de dinosaures et d'autres trésors

Drumheller

Whif's Flapjack House
$
tlj 6h à 15h
801 North Dinosaur Trail
☎(403) 823-7595
Endroit populaire pour le petit déjeuner, le restaurant Whif's Flapjack House, établi dans les murs du Badlands Motel, sert notamment des *flapjacks* (crêpes américaines) et d'autres sortes de crêpes, ainsi que des gaufres belges et les traditionnels plats d'omelettes et d'œufs, apprêtés de toutes les façons. L'établissement campagnard se veut très simple, avec son décor en bois de pin. Le café est frais, et, après le petit déjeuner, qui vous aura donné plein d'énergie pour bien commencer la journée, vous serez prêt à entreprendre la chasse aux os de dinosaures. Pour le déjeuner, on y concocte une grande variété de hamburgers et de sandwichs.

Whistling Kettle
$
lun-sam 7h30 à 17h
109 Centre St.
☎(403) 823-9997
Le Whistling Kettle, un petit café ensoleillé proposant un menu qui change constamment, est situé plus loin que le Heartland Office of Alberta Travel, sur la même route. Les plats proposés se composent entre autres de soupes et de biscotins, et l'on y propose toujours un repas chaud, en plus de la salade au poulet, de la salade aux œufs et des sandwichs au pastrami. Les murs jaunes de cet établissement lumineux s'ornent de produits artisanaux. Si vous aimez les sucreries, essayez la renommée tarte à la rhubarbe et à la crème sûre.

Sizzling House
$$
160 Centre St.
☎(403) 823-8098
La Sizzling House est également recommandée par les gens du coin. On y sert une savoureuse cuisine pékinoise, sichuanaise et thaïlandaise, et l'endroit est tout indiqué à l'heure du déjeuner. Service rapide et amical.

Yavis Family Restaurant
$$
249 3rd Ave. W.
☎(403) 823-8317
Le Yavis Family Restaurant existe depuis des années. L'intérieur en est plutôt commun, tout comme le menu, quoique les plats proposés soient très bons et que les petits déjeuners soient carrément exceptionnels.

Athens Cafe & Greek Restaurant
$$
71 Bridge St. N.
☎(403) 823-9400
Le Athens Cafe & Greek Restaurant sert un peu de tout, notamment des biftecks et des plats de pâtes. Les mets grecs remportent toutefois la palme; légèrement graisseux, ils n'en sont pas moins servis en généreuses portions et accompagnés de *tzatziki* (n'en commandez donc pas séparément!). L'intérieur rappelle vaguement la Méditerranée sous les effluves de la musique grecque.

Family Corner Stop Restaurant
$$$
15 3rd Ave. W.
☎(403) 823-5440
Le Corner Stop Restaurant loge au centre de la ville. La décoration à la grecque est soignée et le menu propose salades, pizzas, pâtes, fruits de mer et steaks.

Rosebud

Rosebud Dinner Theatre
$$$$
☎(403) 677-2001
☎800-267-7553
Le Rosebud Dinner Theatre, un restaurant-théâtre, vous fera passer une agréable soirée. La nourriture est simple, mais les pièces sont toujours bien montées. Réservation obligatoire. (voir p 545).

Circuit B: Les contreforts du centre de la province

Cochrane

Mackay's Ice Cream
$
220 First St.
☎(403) 932-4126
Mackay's Ice Cream vous régalera de ce que beaucoup considèrent comme les meilleures glaces au pays. À vous de vérifier!

Home Quarter Restaurant & Pie Shoppe
$$$
216 First St. W.
☎(403) 932-2111
L'amical Home Quarter Restaurant & Pie Shoppe est le berceau du toujours populaire Rancher's Special, ce petit déjeuner d'œufs au bacon et à la saucisse. Des tartes maison peuvent également être savourées sur place ou emportées. Au déjeuner et au dîner, le menu se compose entre autres d'un délicieux poulet au parmesan.

Circuit C : L'intérieur des terres

Red Deer

City Roast Coffee
$
4940 50th St.
☎(403) 347-0893
Le City Roast Coffee se distingue par ses potages et ses sandwichs nourrissants au déjeuner, sans oublier son bon café. Les murs sont couverts d'affiches annonçant des expositions et divers événements locaux.

Wetaskiwin

The MacEachern Tea House & Restaurant
$-$$
lun-ven jusqu'à 16h, début juin à fin août tlj 10h à 16h
4719 50th Ave.
☎(780) 352-8308
The MacEachern Tea House & Restaurant sert des cafés de spécialité et plus de 20 thés différents. Le menu se compose de potages et «chaudrées» maison tout à fait nourrissants, mais aussi de sandwichs et de salades. Il est recommandé de réserver à l'avance.

Sorties

Circuit A: En quête de dinosaures et d'autres trésors

Drumheller

The Canadian Badlets Passion Play
25$
deux dernières semaines de juillet
pour obtenir des billets, écrivez à P.O. Box 457, Drumheller, T0J 0Y0
☎(403) 823-2001
www.canadianpassionplay.-com
Les badlets campent cette émouvante représentation en plein air de la vie, de la mort et de la résurrection du Christ dans un étrange décor tout à fait approprié.

Rosebud

Le **Rosebud Dinner Theatre** constitue une merveilleuse façon de passer une soirée amusante entre amis. On y présente alternativement en matinée et en soirée des pièces comiques tous les jours sauf le dimanche. Réservations obligatoires; pour obtenir l'horaire des représentations ou tout autre renseignement, composez le ☎403-677-2001 ou 800-267-7553. Rosebud se trouve à une heure de route de Calgary sur la route 840 à environ mi-chemin de Drumheller.

Achats

Circuit B: Les contreforts du centre de la province

Markerville

Au moins deux boutiques de souvenirs vous attendent dans les environs de la crémerie de Markerville (voir p 527). La **Gallery and Gift Shop**, directement adjacente à la crémerie, propose toutes sortes de jolies babioles et de cadeaux à offrir. À la porte voisine, la **Butterchurn** présente une remarquable collection de petits meubles en bois tels qu'étagères, bancs et tables.

Carstairs

Pa-Su Farm
9 km à l'ouest de Carstairs, sur la route 580, suivez les indications
☎*337-2800*
La Pa-Su Farm est une ferme ovine où vous trouverez un assortiment d'espèces rares ou en voie de disparition. Une salle d'exposition de 280 m² présente des tissus africains, des peaux de moutons de la région et des lainages. La partie active de cette ferme d'élevage de moutons n'est accessible que par le biais d'une visite guidée. La Devonshire Tea Room sert en outre le thé accompagné de délicieux *scones* tout chauds.

Custom Woolen Mills
21 km à l'est de Carstairs, sur la route 581, puis 4,5 km plus au nord sur la route 791
☎*337-2221*
À l'autre bout de Carstairs, les Custom Woolen Mills se présente comme un petit endroit pour le moins curieux. On y traite en effet la laine à l'aide de machines dont certaines ont plus de 100 ans d'âge. Écheveaux et tricots peuvent être achetés sur place.

Circuit C : L'intérieur des -- terres

Lacombe

The Gallery on Main
4910 50th Ave., 2e étage
☎*(403) 782-3402*
The Gallery on Main expose, depuis 1996, une impressionnante variété d'œuvres d'artistes natifs du centre de l'Alberta. Cette galerie d'art représente 45 artistes utilisant des médiums tels que l'acrylique, l'huile, le bois sculpté et la poterie. On y trouve des œuvres de qualité.

Coyote

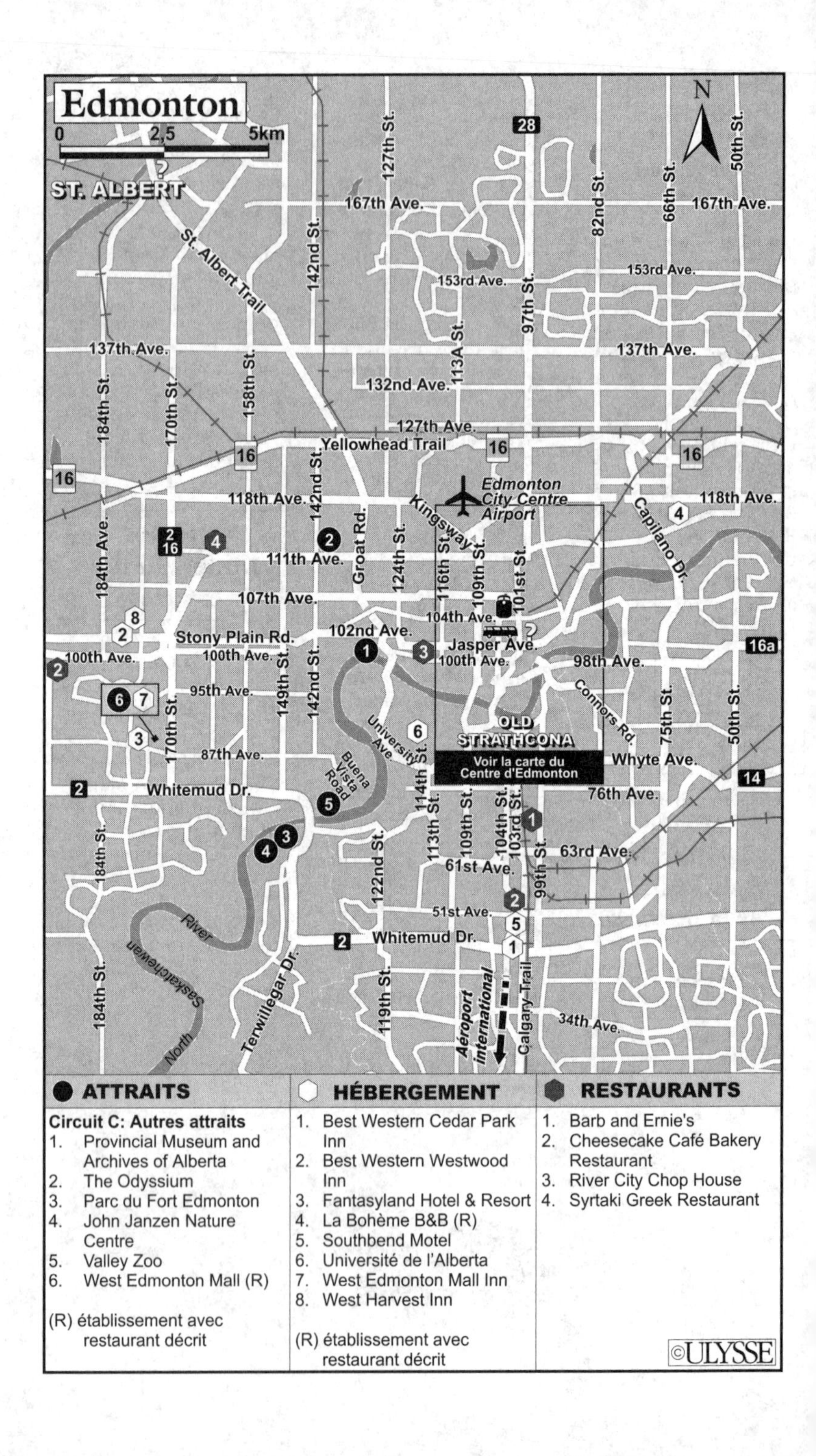
Edmonton
0
2,5
5km
N
ST. ALBERT
St. Albert Trail
167th Ave.
153rd Ave.
137th Ave.
132nd Ave.
127th Ave.
Yellowhead Trail
118th Ave.
111th Ave.
107th Ave.
104th Ave.
102nd Ave.
Stony Plain Rd.
Jasper Ave.
100th Ave.
98th Ave.
95th Ave.
87th Ave.
Whyte Ave.
76th Ave.
63rd Ave.
61st Ave.
51st Ave.
34th Ave.
Whitemud Dr.
127th St.
142nd St.
113A St.
97th St.
82nd St.
66th St.
50th St.
184th St.
170th St.
158th St.
149th St.
Groat Rd.
124th St.
116th St.
109th St.
101st St.
Kingsway
Capilano Dr.
Connors Rd.
75th St.
University Ave.
Buena Vista Road
114th St.
113th St.
104th St.
103rd St.
99th St.
122nd St.
119th St.
Terwillegar Dr.
Calgary Trail
North Saskatchewan River
Edmonton City Centre Airport
Aéroport international
OLD STRATHCONA
Voir la carte du Centre d'Edmonton
28
16
16a
14
2
ATTRAITS
Circuit C: Autres attraits
1. Provincial Museum and Archives of Alberta
2. The Odyssium
3. Parc du Fort Edmonton
4. John Janzen Nature Centre
5. Valley Zoo
6. West Edmonton Mall (R)
(R) établissement avec restaurant décrit
HÉBERGEMENT
1. Best Western Cedar Park Inn
2. Best Western Westwood Inn
3. Fantasyland Hotel & Resort
4. La Bohème B&B (R)
5. Southbend Motel
6. Université de l'Alberta
7. West Edmonton Mall Inn
8. West Harvest Inn
(R) établissement avec restaurant décrit
RESTAURANTS
1. Barb and Ernie's
2. Cheesecake Café Bakery Restaurant
3. River City Chop House
4. Syrtaki Greek Restaurant
©ULYSSE

Edmonton ★★ semble avoir du mal à dépoussiérer son image de marque, et ce n'est pourtant pas faute d'essayer.

Le fait est que les gens persistent à n'y voir qu'une ville champignon pourvue d'un gigantesque centre commercial. Bien sûr, nul ne peut nier qu'il s'agisse d'une ville champignon, tributaire des abondantes ressources naturelles qui l'entourent, mais elle a crû jusqu'à devenir l'une des plus grandes villes nordiques du monde en se pourvoyant d'un centre-ville attrayant, du réseau de parcs urbains le plus important au Canada et de nombreux événements et installations culturels, incluant des théâtres et plusieurs festivals (voir p 565). Quoi qu'il en soit, le plus grand attrait de cette ville semble toujours être son éléphantesque centre commercial! À vous d'en juger.

En réalité, Edmonton a connu trois grandes phases de croissance, respectivement dues aux pelleteries, à l'or et au pétrole. Depuis fort longtemps, la région avait été fréquentée par des autochtones en quête de quartzite pour la confection de leurs outils, sans parler de la chasse au castor et au rat musqué qui foisonnaient dans les environs. C'est d'ailleurs cette dernière ressource qui attira les traiteurs de pelleteries à la fin du XVIIIe siècle et qui incita, en 1795, la Compagnie de la Baie d'Hudson à construire le fort Edmonton à côté du fort Augustus de la Compagnie du Nord-Ouest, en surplomb sur la rivière North Saskatchewan, là où se dresse aujourd'hui l'édifice de l'Assemblée législative. La traite des fourrures employait à cette époque des Cris (Cree) et des Assiniboines du Nord, de même que des Pieds-Noirs du Sud (Blackfoot), les rapports entre ces peuples normalement belliqueux demeurant pacifiques du fait que les farouches Pieds-Noirs se montraient moins agressifs lorsqu'ils se trouvaient à l'extérieur de leur territoire.

Edmonton connut des hauts et des bas au cours de cette période, et ce, jusqu'à la prochaine manne, lorsque des marchands s'efforcèrent d'inciter les prospecteurs du Klondike à passer par Edmonton avant de se rendre à Dawson City, au Yukon, pour participer à la grande ruée vers l'or. On encourageait ces prospecteurs à s'équiper à Edmonton puis à emprunter une route «canadienne d'un bout à l'autre» comme alternative à la Chilkoot Trail, ce qui leur évitait de passer par l'Alaska. La route en question ne constituait toutefois pas un choix aussi heureux qu'on était en droit de l'espérer, s'avérant ardue et peu pratique, si bien qu'aucun des quelque 1 600 prospecteurs venus à Edmonton n'atteignit à temps les champs aurifères pour profiter de la ruée de 1899. Certains périrent en route, tandis que d'autres ne prirent jamais le départ. Six ans plus tard, le 1er septembre 1905, la province de l'Alberta était fondée et Edmonton en devenait la capitale. Les habitants de Calgary, de Cochrane, de Wetaskiwin, d'Athabasca et de Banff, entre autres, prétendaient tous que cet honneur revenait à leur ville, mais rien n'y fit. Puis, en 1912, les municipalités de Strathcona et d'Edmonton s'unirent, portant ainsi la population de l'agglomération à plus de 50 000 habitants.

L'agriculture demeura par la suite le gagne-pain de la capitale de l'Alberta jusqu'à la percée du puits de pétrole de Leduc (voir p 534) et l'avènement du troisième grand boum. Depuis lors, Edmonton n'a cessé de compter parmi les villes à plus forte croissance du Canada. Les pipelines, les raffineries, les derricks et les réservoirs de pétrole ont poussé comme des champignons dans les fermes qui entourent la ville; quelque 10 000 puits de forage ont vu le jour et, en 1965, Edmonton était devenue la capitale pétrolière du Canada. Le centre-ville se développa au rythme de l'accroissement de la population de manière à servir la communauté des affaires, qui gravite d'ailleurs toujours autour du pétrole, même si le boum est passé. Fort heureusement, la ville a pris soin de ne pas laisser cours à un développement débridé et, pour une ville champignon, on peut aujourd'hui affirmer qu'elle baigne dans une atmosphère exceptionnellement raffinée grâce à ses bons restaurants et à sa communauté artistique vigoureuse, à condition d'ignorer, cela va sans dire, son fameux centre commercial. Bref, Edmonton est devenue le nerf technologique et le centre de services et d'approvisionnement par excellence de l'Alberta.

Pour s'y retrouver sans mal

En voiture

Les rues d'Edmonton sont numérotées; les avenues suivent un axe est-ouest, et les rues sont orientées nord-sud. Parmi les principales artères de la ville, retenons **Gateway Boulevard**, anciennement connu sous le nom de Calgary Trail Northbound, qui pénètre dans la ville par le nord; **Calgary Trail**, autrefois appelé Calgary Trail Southbound, qui file vers le sud depuis le centre-ville; **Whitemud Drive** est une artère est-ouest du sud de la ville qui permet d'accéder au West Edmonton Mall, au Fort Edmonton Park et au Valley Zoo; **Jasper Avenue** est une autre artère est-ouest, mais qui traverse le centre-ville, là où devrait normalement se trouver 101st Avenue; la route 16 ou **Yellowhead Highway** sillonne pour sa part le nord du centre-ville et donne accès au circuit du nord de l'Alberta.

Une série d'hôtels bordent Calgary Trail, au sud du centre-ville, et Stony Plain Road, à l'ouest.

Location de voitures

Budget
Aéroport
☎(780) 448-2000 ou 800-661-7027
Centre-ville
10016 106th St.
☎(780) 448-2001

Hertz
Aéroport
☎(780) 890-4435 ou 800-263-0600
Centre-ville
10048 103rd St. NW
☎(780) 423-3431

National
Aéroport
☎(780) 890-7232 ou 800-387-4747
Centre-ville
10133 100th St. NW
☎(780) 422-6097

Avis
Aéroport
☎(780) 890-7596 ou 800-879-2487
Centre-ville
Sheraton Hotel, 10235 101st St.
☎(780) 448-3892

Thrifty
Aéroport
☎(780) 890-4555 ou 800-847-4389
Centre-ville
10036 102nd St.
☎(780) 428-8555

En avion

L'**Edmonton International Airport**, récemment agrandi, se trouve au nord du centre-ville d'Edmonton, et ses installations et services sont très complets. Il possède des restaurants, des boutiques, un centre d'informa-tion, des lignes téléphoniques directes vers les hôtels, des comptoirs de location de voitures des grandes firmes, un bureau de change et un organisateur de tours de ville en autocar. Une aire de restauration et de magasinage encore plus grande est censée ouvrir en 2003.

Les compagnies internationales, comme Air Canada, et nationales, comme WestJet, proposent toutes des vols réguliers vers cet aéroport. Les compagnies aériennes régionales (Smart Air, Peace Air, Quik Air) utilisent l'Edmonton City Centre Airport, situé au nord de la ville.

La **Sky Shuttle** *(11$ -18$; ☎780-465-8515 ou 800-268-7134)* est une navette qui dessert aussi bien les hôtels du centre-ville que l'aéroport municipal. Elle passe toutes les 30 min les fins de semaine, et aux 20 min en semaine.

Un taxi pour le centre-ville coûte environ 40$.

En train

Le train de passagers transcontinental de **VIA Rail** s'arrête à Edmonton trois fois par semaine avant de poursuivre sa route vers Jasper et Vancouver, à l'ouest, ou Saskatoon et d'autres villes plus à l'est, dans l'autre direction. La gare VIA est située au 12360 121st Street, à environ 15 min du centre-ville.

En autocar

Les autocars **Greyhound** *(☎800-661-8747, www.greyhound.ca)* couvrent la plus grande partie du territoire albertain. Vous pouvez vous procurer vos billets directement à l'endroit d'où vous voulez partir; aucune réservation n'est possible, mais vous obtiendrez un rabais si vous achetez votre billet sept jours à l'avance.

Gare d'autocars Greyhound d'Edmonton
10324 103rd St.
☎*(780) 413-8747*
Services: restaurant, consigne automatique

Edmonton South Greyhound Depot
5723 104th St.
☎*(780) 433-1919*

Transport en commun

Le transport en commun d'Edmonton se compose d'un réseau d'autobus et du *LRT*, un système de transport léger sur rail. Le *LRT* circule d'est en ouest le long de Jasper Avenue, vers le sud, jusqu'à l'université, et vers le nord, jusqu'à 139th Ave. Avec seulement 10 stations, le train circule sous terre dans le centre-ville. Le *LRT* est gratuit entre les stations Churchill et Grandin en semaine entre 9h et 15h et le samedi entre 9h et 18h. Le prix du billet est de 2$ et celui du laissez-passer d'une journée est de 6$. Pour de plus amples renseignements sur les trajets et les horaires, composez le ☎(780) 496-1611.

À pied

Le centre-ville d'Edmonton possède son propre réseau de passerelles, connu sous le nom de **Pedway**. Les passerelles en question se trouvent aussi bien au niveau de la rue qu'au-dessus ou en dessous; sa conception pourra vous sembler quelque peu complexe au départ, mais les indications sont très claires, et vous n'aurez aucun mal à vous y retrouver une fois que vous vous serez procuré un plan au centre d'information.

Renseignements pratiques

Indicatif régional d'Edmonton: ***780***

Bureaux d'information touristique

Edmonton Tourism Information Centre
Shaw Conference Centre, 9797 Jasper Ave. NW (au centre-ville)
T5A 0A3
aussi au Gateway Park, au sud du centre-ville, sur Calgary Trail (Hwy. 2)
☎*496-8400 ou 800-463-4667*
www.tourism.ede.org

Bed and breakfasts

Alberta Bed & Breakfast Association
15615 81st St.
Edmonton, Alberta
T5Z 2T6
☎/⇄*456-5928*
www.bbalberta.com
Regroupe diverses associations régionales de *bed and breakfasts* à travers la province.

Edmonton Bed & Breakfast
13824 110A Ave.
Edmonton, Alberta
T5M 2M9
☎*455-2297*

Tours guidés

Si vous préférez être escorté à travers les rues du secteur d'Old Strathcona (circuit B), l'**Old Strathcona Business Association** *(☎737-4182)* offre plusieurs options, tandis qu'**Edmonton Ghost Tours** *(☎469-3187)* propose des tournées différentes.

Attraits touristiques

Circuit A: Centre-ville et rive nord de la North Saskatchewan

Commencez votre visite de la ville à l'**Edmonton Tourism Information Centre**, situé à l'intérieur du **Shaw Conference Centre** *(9797 Jasper Ave. NW)*; ses heures d'ouverture ne sont pas très pratiques, mais son personnel ne s'en montre pas moins très amical et serviable. Tandis que vous y êtes, procurez-vous un exemplaire du *Ride Guide* pour mieux vous familiariser avec le système de transport en commun.

L'impressionnant **City Hall** d'Edmonton *(angle 99th St. et 102A Ave.)*, l'hôtel de ville qui se distingue par sa pyramide de verre de huit étages, constitue sans doute la pièce maîtresse de l'**Edmonton Arts District**.

Du centre d'information touristique, dirigez-vous vers 97th Street.

Il faut reconnaître que, par les temps qui courent, l'hôtel de ville se fait voler la vedette par le **Francis Winspear Centre for Music** ★★ *(4 Sir Winston Churchill Sq., angle 99th St. et 102nd Ave.)*. Construite grâce à un don de six millions de dollars émanant d'un homme d'affaires local, Francis Winspear, cette salle de concerts de 1 900 places est reconnue pour son acoustique unique, qui attire une grande variété de musiciens professionnels. Elle arbore une façade en calcaire de Tyndall et en brique afin de s'harmoniser avec l'hôtel de ville, et loge désormais l'orchestre symphonique d'Edmonton.

À l'est du Sir Winston Churchill Square apparaît l'**Edmonton Art Gallery** ★★ *(5$, entrée libre jeu dès 16h; lun-mer et ven 10h30 à 17h, jeu 10h30 à 20h, sam-dim 11h à 17h; 2 Sir Winston Churchill Square, ☎422-6223)*. Ce musée renferme une grande collection d'art canadien et présente également des expositions temporaires variées toute l'année.

Montez 97th Street.

La partie de 97th Street comprise entre 105th Avenue et 108th Avenue est le berceau du quartier chinois d'Edmonton, truffé de boutiques et de restaurants.

Le point de mire du **quartier chinois** d'Edmonton est son portail, à l'angle de 97th Street et de 102nd Ave. Ce portail symbolise en outre l'amitié qui unit Edmonton à sa jumelle chinoise, Harbin. Faites tourner la boule que le lion tient dans sa mâchoire porte-bonheur.

Entre 95th Street et 116th Street s'étend sur 107th Avenue un secteur connu sous le nom d'«**Avenue des Nations**», dont les commerces et les restaurants représentent une variété de cultures originaires d'Asie, d'Europe et des Amériques.

À l'angle de 97th Street et de 108th Avenue se dresse la **cathédrale catholique ukrainienne St. Josephat** ★. D'entre les nombreuses églises ukrainiennes d'Edmonton, celle-ci est la plus richement ornée, et un arrêt s'impose pour contempler son admirable décor ainsi que ses œuvres d'art. Une rue plus à l'est, 96th Street figure dans le *Ripley's Believe It or Not* comme la rue comptant le plus d'églises (16 au total) sur une aussi courte distance. On l'appelle aussi d'ailleurs Church Street (la rue de l'Église).

À l'angle de 95th Street et de 110th Avenue se trouve l'**Ukrainian Canadian Archives and Museum of Alberta** ★ *(dons acceptés; mar-ven 10h à 17h, sam midi à 17h; 9543 110th Ave., ☎424-7580)*, qui renferme une des plus importantes collections d'archives ukrainiennes au Canada. On y fait la chronique des pionniers ukrainiens et de leur mode de vie au tournant du siècle dernier à travers des objets variés et des photographies. Une dizaine de rues plus à l'ouest, vous trouverez le **Musée ukrainien du Canada** ★ *(entrée libre; mi-mai à fin août lun-ven 9h à 16h, sept à mi-mai sur rendez-vous seulement; 10611 110th Ave., ☎483-5932)*, de moindre envergure, qui expose une collection de costumes ukrainiens, d'œufs de Pâques et d'articles ménagers.

Revenez sur vos pas jusqu'à 97th Street, puis faites-vous un chemin vers 100th Street, que vous descendrez jusqu'au sud de Jasper Avenue.

Fidèle à la plus pure tradition du Canadien

Pacifique, le **Fairmont Hotel Macdonald ★★**, qui revêt des allures de château, s'impose comme l'endroit le plus chic où loger à Edmonton. Réalisé par les architectes montréalais Rosset et MacFarlane, et achevé en 1915 sous les auspices de la Grand Trunk Railway Company, il fut pendant de nombreuses années le pôle d'attraction et le rendez-vous par excellence d'Edmonton. Le boulet de démolition passa bien près de le faire disparaître au moment de sa fermeture en 1983, mais, au bout du compte, des travaux de réfection réalisés au coût de 28 millions de dollars lui rendirent toute sa gloire.

Votre prochaine halte est l'édifice de l'Assemblée législative. De l'hôtel Macdonald, cela vous fera une bonne marche, mais vous aurez plaisir à emprunter la **Heritage Trail ★★★**, entièrement bordée d'arbres. Ce tronçon de route historique qu'empruntaient les traiteurs de pelleteries entre la vieille ville et l'ancien fort Edmonton représente une bonne demi-heure de marche, essentiellement le long de la rivière. Un trottoir de briques rouges, des lampadaires à l'ancienne et les panneaux d'identification des rues vous aideront à rester sur la bonne voie. La vue sur la rivière, le long de Macdonald Drive, est particulièrement remarquable, surtout au coucher du soleil.

Le dôme en voûte de 16 étages de l'**Alberta Legislative Building ★★** *(entrée libre; mai à mi-oct lun-ven 8h30 à 17h, sam-dim 9h à 17h; mi-oct à avr lun-ven 9h à 16h30, sam-dim 12h à 17h; les visites guidées se font aux heures le matin et aux demi-heures l'après-midi; angle 107th St. et 97th Ave., ☎427-7362)*, de style édouardien, est un point de repère dans le ciel d'Edmonton, capitale de l'Alberta. Du grès de Calgary, du

● ATTRAITS

Circuit A: Centre-ville et rive nord de la North Saskatchewan

1. Francis Winspear Centre for Music
2. Edmonton Art Gallery
3. Cathédrale catholique ukrainienne St. Josephat's
4. Ukrainian Canadian Archives et Musée de l'Alberta
5. Musée ukrainien du Canada
6. Chinatown Gate
7. Édifice de l'Assemblée

Circuit B: Old Strathcona et rive sud de la North Saskatchewan

8. Maison Rutherford
9. Musée John Walter
10. Musée du chemin de fer C&E
11. Centre d'information historique de la téléphonie
12. Marché agricole de Strathcona

Circuit C: Autres attraits

13. Muttart Conservatory

HÉBERGEMENT

1. Alberta Place Suite
2. Best Western City Centre
3. Days Inn Downtown
4. Delta Edmonton Centre Suite Hotel
5. Econo Lodge
6. Edmonton House Suite Hotel
7. Fairmont Hotel Macdonald
8. Grand Hotel
9. Hostelling Internation Edmonton
10. Inn on Seventh
11. Thornton Court Hotel
12. Union Bank Inn Hotel
13. Varscona
14. Westin Edmonton Hotel

RESTAURANTS

1. Bagel Tree
2. Bee-Bell Health Bakery
3. Bistro Praha
4. Block 1912
5. Café de la Gare
6. Café Select
7. Chianti Café
8. De Vine's Restaurant & Lounge
9. Funky Pickle Pizza Co.
10. Hardware Grill
11. Hy's Steakloft
12. Julio's Barrio
13. Packrat Louie Kitchen & Bar
14. Symposium
15. Turtle Creek
16. Unheard of Restaurant

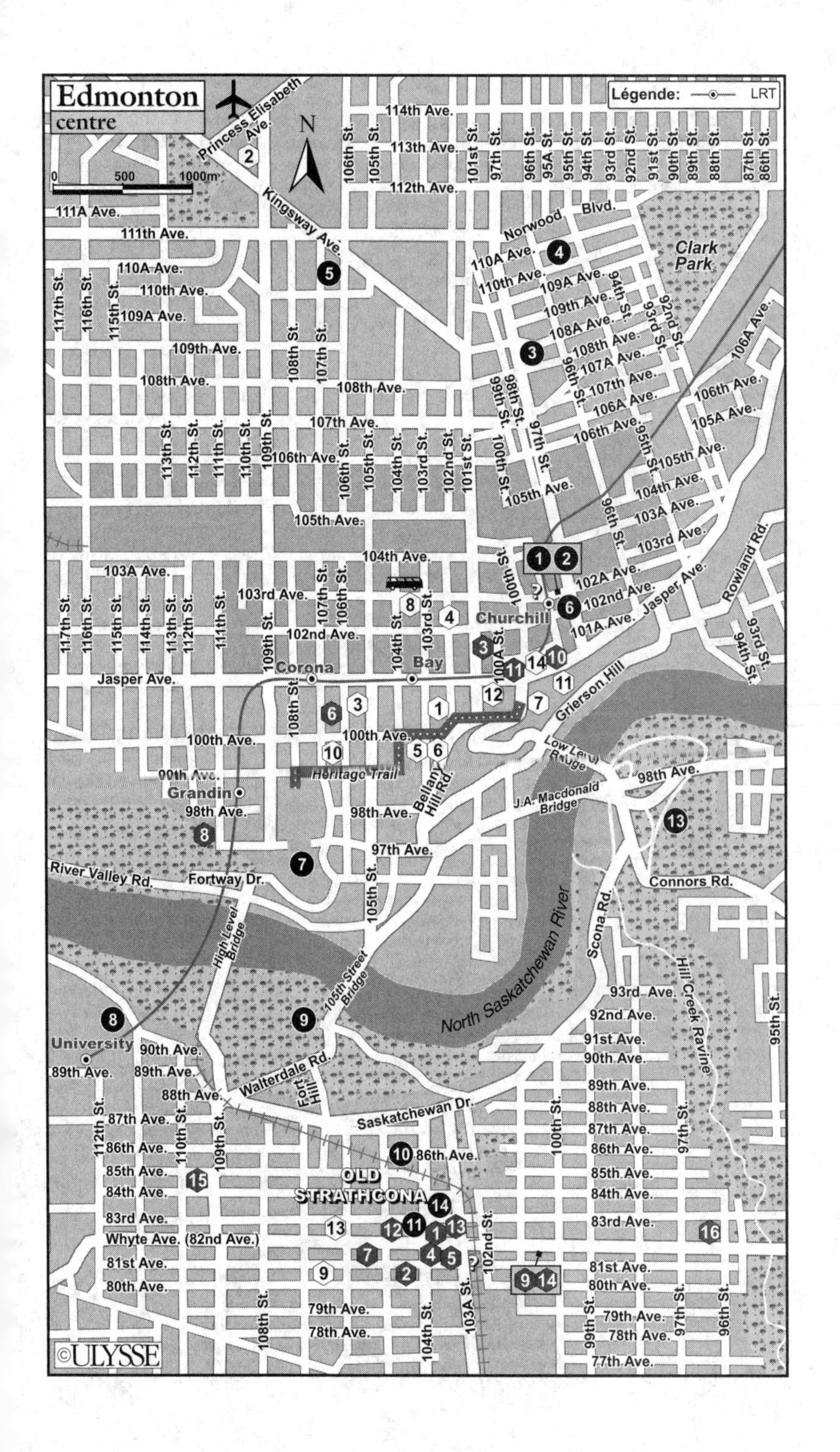
Edmonton
centre
Légende: LRT
0
500
1000m
N
Princess Elisabeth Ave.
Kingsway Ave.
114th Ave.
113th Ave.
112th Ave.
111A Ave.
111th Ave.
110A Ave.
110th Ave.
109A Ave.
109th Ave.
108th Ave.
107th Ave.
106th Ave.
105th Ave.
104th Ave.
103A Ave.
103rd Ave.
102nd Ave.
Jasper Ave.
100th Ave.
99th Ave.
98th Ave.
97th Ave.
Norwood Blvd.
Clark Park
108A Ave.
107A Ave.
106A Ave.
102A Ave.
101A Ave.
Rowland Rd.
106th St.
105th St.
104th St.
103rd St.
102nd St.
101st St.
100th St.
100A St.
99th St.
98th St.
97th St.
96th St.
95A St.
95th St.
94th St.
93rd St.
92nd St.
91st St.
90th St.
89th St.
88th St.
87th St.
86th St.
117th St.
116th St.
115th St.
114th St.
113th St.
112th St.
111th St.
110th St.
109th St.
108th St.
107th St.
Churchill
Corona
Bay
Grandin
University
Heritage Trail
Bellamy Hill Rd.
Grierson Hill
Low Level Bridge
J.A. Macdonald Bridge
River Valley Rd.
Fortway Dr.
High Level Bridge
105th Street Bridge
North Saskatchewan River
Scona Rd.
Connors Rd.
Hill Creek Ravine
Walterdale Rd.
Fort Hill
Saskatchewan Dr.
93rd Ave.
92nd Ave.
91st Ave.
90th Ave.
89th Ave.
88th Ave.
87th Ave.
86th Ave.
85th Ave.
84th Ave.
83rd Ave.
Whyte Ave. (82nd Ave.)
81st Ave.
80th Ave.
79th Ave.
78th Ave.
77th Ave.
OLD STRATHCONA
103A St.
©ULYSSE

marbre du Québec, de la Pennsylvanie et de l'Italie, ainsi que du bois d'acajou du Belize, ont tous été utilisés pour la construction du siège du gouvernement albertain en 1912. À cette époque, l'Assemblée législative se trouvait tout à côté du fort Edmonton. Aujourd'hui, la structure est entourée de jardins et de fontaines. Ne manquez surtout pas de visiter les serres gouvernementales du côté sud. Les visites partent du centre d'interprétation, où l'on vous renseigne sur la tradition parlementaire de l'Alberta et du Canada.

Circuit B: Old Strathcona et rive sud de la North Saskatchewan

Traversez le High Level Bridge, poursuivez dans 109th Street, tournez à droite par 88th Avenue, puis encore à droite par 110th Street et à gauche sur Saskatchewan Drive jusqu'à la maison Rutherford.

La **maison Rutherford** ★ *(3$; mi-mai à début sept mar-dim 9h à 17h, sept à mai tlj midi à 17h; 11153 Saskatchewan Dr., ☎427-3995)* est l'ancienne résidence édouardienne classique du premier premier ministre de l'Alberta, le Dr A.C. Rutherford. Des guides en costume d'époque y font cuire des *scones*, présentent des démonstrations de techniques artisanales et entraînent les visiteurs à travers les différentes pièces du manoir élégamment restauré. Ils exploitent par ailleurs un salon de thé au cours de la saison estivale *(☎422-2697)*.

Si vous visitez la ville un dimanche, retournez à 88th Avenue, et suivez-la en direction est, où elle devient Walterdale Road. Continuez jusqu'à Queen Elizabeth Park Road, et tournez à gauche pour entrer dans le stationnement du John Walter Museum.

Le **John Walter Museum** *(entrée libre; dim 13h à 16h, jusqu'à 17h de fin avr à fin août; 10627 93rd Ave., Kinsmen Park, ☎496-4852)* regroupe en fait trois maisons construites par John Walter entre 1874 et 1900. Walter conduisait un traversier sur la rivière North Saskatchewan, et sa toute première maison servait d'aire de repos aux voyageurs. L'exposition met en lumière la croissance d'Edmonton à cette époque.

Dirigez-vous ensuite vers **Old Strathcona** ★★★. Jadis une ville indépendante d'Edmonton, Strathcona a été fondée au moment où le chemin de fer de la Calgary and Edmonton Railway Company s'acheva en ces lieux en 1891. Des bâtiments de briques de cette époque subsistent encore dans ce quartier historique, le mieux préservé de la région métropolitaine d'Edmonton. Tandis que la partie de la ville qui s'étend au nord de la rivière North Saskatchewan se veut à la fois propre, pimpante et fraîche, imprégnée du cachet inachevé d'une ville frontière, ce sentiment de vieille ville devient beaucoup plus manifeste au sud de la rivière, à Old Strathcona, où flotte une atmosphère historique, artistique et cosmopolite. Vous trouverez des plans de promenade autoguidée à l'**Old Strathcona Foundation** *(lun-ven 8h30 à 16h30; 10324 Whyte Ave., Suite 401, ☎433-5866)*.

Trois autres haltes intéressantes en cours de route sont le **Musée du chemin de fer C&E** *(dons acceptés; juin à début sept mer-dim 10h à*

Alberta Legislative Building

16h; 10447 86th Ave. NW, ☎433-9739), installé à l'intérieur d'une réplique de la gare ferroviaire originale; le **Centre d'information historique de la téléphonie** ★ *(3$; mar-ven 10h à 16h, sam midi à 16h; 10437 83rd Ave., ☎441-2077)*, aménagé dans les locaux du premier central téléphonique et à même de vous apprendre tout ce que vous avez toujours voulu savoir sur les standards téléphoniques et les trous d'homme; et enfin le **marché agricole de Strathcona** ★ *(toute l'année sam 8h à 15h; 10310 83rd Ave., ☎439-1844)*, où vous pourrez vous procurer des fruits et légumes, de l'artisanat et une foule de petits trésors. À l'angle de Whyte Avenue et de 103rd St., le **Caboose Tourist Information Centre** propose des brochures traitant des promenades à faire dans le quartier historique d'Old Strathcona.

Promenez-vous ensuite sur **Whyte Avenue** (82nd Avenue) pour explorer les boutiques et les cafés, ou simplement pour vous imprégner de l'atmosphère des lieux.

Circuit C: Autres attraits

La ville recèle quelques autres attraits dignes de mention que vous atteindrez plus facilement en voiture ou en utilisant le transport en commun.

Les quatre serres en forme de pyramide du **Muttart Conservatory** ★★★ *(5$; lun-ven 9h à 18h, sam-dim 11h à 18h; 9626 96A St., près de l'intersection avec 98th Ave., ☎496-8755)* sont d'autres points de repère importants dans le ciel d'Edmonton. Sous trois de ces structures de verre poussent des fleurs respectivement caractéristiques des climats aride, tempéré et tropical. Quant à la quatrième pyramide, on y présente chaque mois une nouvelle exposition florale à couper le souffle. Vous pouvez atteindre les serres en prenant l'autobus n° 51 ou n° 45 Sud dans 100th Street.

À environ 6 km à l'ouest du centre-ville, au nord de la rivière, se trouve le **Provincial Museum and Archives of Alberta** ★★ *(7$; sam-jeu 9h à 17h, ven 9h à 21h; 12845 102nd Ave., ☎453-9100, www.pma.edmonton.ab.ca)*. On y retrace l'histoire humaine et naturelle de l'Alberta, du crétacé à la période glaciaire en passant par les pictogrammes des premiers peuples indigènes de la province. Entre autres, la Syncrude Gallery of Aboriginal Culture explore 11 000 ans d'histoire des nations autochtones à travers une intéressante exposition multimédia. La galerie réservée aux sciences naturelles reproduit quatre habitats albertains, tandis que la Bug Room pullule d'insectes exotiques vivants. Des expositions temporaires viennent s'ajouter à la collection permanente.

La **Government House** ★ *(dim 11h à 16h30; visites guidées gratuites aux demi-heures; fermé mi-déc à fin jan; ☎427-2281)*, l'ancienne résidence du lieutenant-gouverneur de l'Alberta, jouxte le Provincial Museum and Archives of Alberta. Ce manoir de grès de trois étages possède encore sa bibliothèque d'origine et ses lambris de chêne, et renferme des salles de conférences. Pour vous y rendre, prenez l'autobus n° 1 sur Jasper Avenue, ou l'autobus n° 116 sur 102nd Avenue.

Toujours au nord de la rivière, vous trouverez l'**Odyssium** ★ *(9,95$; dim-jeu 10h à 17h, ven-sam 10h à 21h; 11211 142nd St., ☎451-3344, www.odyssium.com)*, soit l'ancien Edmonton Space and Science Centre. Toutes sortes d'expositions interactives plus fascinantes les unes que les autres ne manqueront pas d'intéresser jeunes et moins jeunes dans ce musée des sciences nouvellement agrandi. Vous pouvez expérimenter comment fonctionnent nos corps à travers des mannequins 3-D ou résoudre un crime en accumulant les indices et en les analysant dans un laboratoire. Vous pouvez même explorer les différents aspects de l'Univers ou encore faire l'expérience des techniques du sport.

La Forensics Gallery abrite désormais la collection de l'ancien Edmonton Police Museum (maintenant fermé). Cette galerie retrace l'histoire des forces de l'ordre en Alberta à travers des uniformes, des menottes et d'autres objets. Le Margeret Ziedler Star Theatre présente, quant à lui, des spectacles multimédias, et un cinéma Imax (voir p 565) se trouve également sur les lieux.

Dans la vallée de la rivière North Saskatchewan, en marge de Whitemud Drive et Fox Drive, s'étend le **Fort Edmonton Park ★★★** *(8$; mi-mai à fin juin lun-ven 10h à 16h, sam-dim jusqu'à 18h; fin juil à début sept tlj 10h à 18h; aussi tous les dimanches de septembre de 10h à 18h et ouvert les autres jours pour des balades en diligence; ☎496-8787)*, le plus vaste parc historique du Canada et le site d'une authentique réplique du fort Edmonton tel qu'il apparaissait en 1846. Quatre villages historiques font revivre différentes périodes autour du fort: l'époque de la traite des fourrures au fort lui-même, l'époque d'avant le chemin de fer dans 1885 Street, l'époque du développement de la municipalité dans 1905 Street et l'époque d'après-guerre dans 1920 Street. Les bâtiments, les costumes, les voitures et les commerces, tous d'époque, y compris un bazar, un magasin général, un saloon et une boulangerie, vous feront tous faire des bonds dans le temps.

Le Reed's Bazaar et la Tea Room servent du thé anglais convenable et des *scones* de 12h30 à 17h. Des activités thématiques sont organisées pour les enfants tous les samedis après-midi. De nouvelles attractions, comme la reconstitution du Selkirk Hotel, originellement construit au centre-ville dans les années 1920, ainsi que la reconstitution d'un champ de foire et d'une d'une exposition des années 1920, seront ajoutées au parc entre 2003 et 2005. L'entrée est libre après 16h30, mais soyez-y à l'heure pour attraper le dernier train qui se rend au fort. Sachez toutefois que vous ne disposerez pas de beaucoup de temps si vous retenez cette option; il vous appartient donc de déterminer quelle importance vous accordez à cette visite.

Pour une agréable promenade à travers la vallée de la rivière North Saskatchewan, empruntez le sentier d'interprétation autoguidé de 4 km qui part du **John Janzen Nature Centre** *(1,50$; mi-mai à juin lun-ven 9h à 16h, sam-dim 11h à 17h; fin juin à début sept lun-ven 10h à 17h, sam-dim 11h à 17h; sept à mi-mai lun-ven 9h à 16h, sam-dim 13h à 16h; à proximité du Fort Edmonton Park, ☎496-2939)*. Vous trouverez en outre dans ce centre des éléments d'exposition à interaction tactile et des animaux vivants, y compris une ruche en activité.

La navette du zoo de la vallée du fort Edmonton part de l'University Transit Centre et relie ces deux points les dimanches et fêtes entre le Victoria Day (troisième dimanche de mai) et la fête du Travail (premier lundi de septembre). L'aller simple est de 1,60$ pour les adultes, 0,80$ pour les aînés et les enfants de 6 à 15 ans, et gratuit pour les 5 ans et moins. Comme alternative, l'autobus nº 12 vous dépose à l'intersection de Buena Vista Road et de 102nd Avenue, d'où vous devrez encore faire 1,5 km à pied pour atteindre le Jardin zoologique.

Au nord de la rivière apparaît le **Valley Zoo ★** *(6$; début mai à fin juin tlj 9h30 à 18h; juil et août lun-ven jusqu'à 20h; sept à mi-oct lun-ven 9h30 à 16h, sam-dim 9h30 à 18h; mi-oct à début mai tlj 9h30 à 16h; au bout de Buena Vista Rd., angle 134th St., ☎496-6912)*, un endroit de choix pour les enfants. Il aurait, au départ, été conçu autour du thème d'un conte pour enfants, mais il a pris de l'ampleur et inclut désormais un veldt africain et des quartiers d'hiver qui lui permettent de rester ouvert toute l'année. Outre des espèces plus caractéristiques de la région, on retrouve parmi ses hôtes des tigres de Sibérie et des gibbons à mains blanches. Les enfants adorent par ailleurs le manège de poneys et les balades plus exotiques à dos de chameau, pour un petit supplément.

Le dernier mais non le moindre des attraits d'Edmonton, dont la ville est d'ailleurs très fière, est bien entendu le **West Edmonton Mall** ★★★ *(87th Ave., entre 170th St. et 178th St., ☎444-5200 ou 800-661-8890)*, le plus grand centre commercial et complexe d'attractions au monde. L'idée que des gens puissent venir à Edmonton pour son seul centre commercial, et qu'ils n'en ressortent plus, vous fait sans doute sourire, et vous vous jurez peut-être même de ne pas y mettre les pieds, histoire de ne pas jouer le jeu de toute la publicité qui l'entoure. Mais ces seules considérations devraient suffire pour vous inciter à y faire un tour, ne serait-ce que pour pouvoir dire que vous y étiez!

Vous verrez de véritables submersibles au Deep-Sea Adventure; le plus grand parc d'attractions intérieur qui soit; une patinoire dont les dimensions sont conformes aux exigences de la Ligue nationale de hockey et où les Oilers d'Edmonton viennent occasionnellement s'entraîner; un mini-golf de 18 trous; un parc nautique complet avec piscine à vagues, toboggans, rapides, benji et bassins à remous; un casino; une salle de bingo; la plus grande salle de billard en Amérique du Nord; de très bons restaurants sur Bourbon Street; une réplique pleine taille, sculptée et peinte à la main de la *Santa María*, le vaisseau amiral de Christophe Colomb; des copies des joyaux de la Couronne d'Angleterre; une pagode en ivoire massif; des sculptures de bronze; de fabuleuses fontaines, dont une inspirée de la grande fontaine du château de Versailles; Playdrum, un centre de divertissement comportant 150 jeux et attractions; enfin l'hôtel Fantasyland, un lieu d'hébergement qui fait entièrement honneur à son nom. Il ne faudrait bien sûr pas oublier les 800 commerces et services qui complètent l'ensemble; après tout, il s'agit d'un centre commercial! Comprenez-vous un peu mieux maintenant comment on peut ne plus vouloir en sortir? Encore une fois, bien qu'il ne s'agisse que d'un centre commercial, le West Edmonton Mall doit être vu, et il mérite très bien ses trois étoiles.

Si vous n'avez pas les moyens d'y loger dans un igloo ou dans un carrosse tiré par des chevaux, donnez-vous au moins la peine de visiter les chambres à thème du **Fantasyland Hotel & Resort** *(visite gratuite; tlj 14h; réservez à l'avance au ☎444-3000)* (voir p 560).

Parcs

Les **River Valley Parks** *(Edmonton Community Services, ☎496-4999)* s'étendent au nord de la rivière North Saskatchewan et regroupent plusieurs petits parcs où vous pourrez faire de la bicyclette, courir, vous baigner, jouer au golf ou tout simplement profiter de la nature. Le pourcentage de terres réservées aux parcs par habitant est plus élevé à Edmonton que partout ailleurs au pays. Les cyclistes ont tout intérêt à se procurer un exemplaire du plan *Cycle Edmonton* dans l'un ou l'autre des bureaux d'information touristique.

Activités de plein air

Golf

En matière de golf, Edmonton a vécu son boum sur le tard, mais plusieurs nouveaux terrains y ont été inaugurés dernièrement.

Parmi ceux-ci figure le golf **Northern Bear** *(51055 Range Rd. 222, Sherwood Park, ☎922-2327)*, le troisième parcours signé Jack Nicklaus au Canada.

Le **Riverside Golf Course** *(8630 Rowland Road, ☎496-4914)*, qui domine la rivière North Saskatchewan à Edmonton, est un des 30 parcours de cette ville.

Vélo

Grâce à son relief relativement plat (exception faite, il va sans dire, des Rocheuses), l'Alberta se laisse merveilleusement bien découvrir à vélo. L'**Alberta Bicycle Association** *(11759 Groat Rd., ☎427-6352 ou 877-646-2453)* est à même de vous renseigner davantage sur le cyclotourisme à l'intérieur de la province. Un plan des voies cyclables d'Edmonton, ***Cycle Edmonton***, est proposé au bureau de tourisme de cette ville.

Hébergement

Circuit A: Centre-ville et rive nord de la North Saskatchewan

Centre-ville

Grand Hotel
$$ pdj
10266 103rd St., angle 103rd Ave.
☎422-6365 ou 425-9070
C'est au Grand Hotel que vous serez touché par le passé cow-boy d'Edmonton. Avec sa taverne, son *diner*, son *dancing* et ses 75 chambres sombres et anonymes, le Grand Hotel semble tout droit sorti d'une bande dessinée de Lucky Luke. Malgré son confort minimum et son charme décrépi, on y vient pour son prix et pour la gare d'autocars Greyhound située en face.

Days Inn Downtown
$$
≡, 🐕, ℜ
10041 106th St.
☎423-1925 ou 800-267-2191
⇌424-5302
www.daysinn.com
Le Days Inn Downtown propose des chambres modernes et confortables. Un autre établissement du centre-ville au bon rapport qualité/prix.

Inn on Seventh
$$
≡, ⊛, ⏲, ℜ
10001 107th St.
☎429-2861 ou 800-661-7327
⇌426-7225
www.innon7th.com
Quinze des quelque 200 chambres propres et modernes de l'Inn on Seventh sont «respectueuses de l'environnement», ce qui veut tout simplement dire qu'elles sont réservées aux non-fumeurs (il s'agit dans certains cas d'étages complets). Prix de fin de semaine proposés. Parmi les installations, on retrouve une laverie.

Econo Lodge
$$
≡, 🐕, ⊛, ℜ
10209 100th Ave.
☎428-6442 ou 800-613-7043
www.choicehotels.com
L'Econo Lodge dispose de 73 chambres, dont quelques suites avec baignoires à remous. Son stationnement et son service de navette pour l'aéroport en font une bonne affaire pour ceux et celles qui désirent loger au centre-ville, quoique les chambres ne présentent aucun attrait particulier.

Thornton Court Hotel
$$$ pdj
ℝ, ℜ, ⊘, 🐕
One Thornton Court, angle 99th St. et Jasper Ave.
☎423-9999 ou 877-588-9988
⇄423-9998
www.thorntoncourt.com
Le plus récent des hôtels du centre-ville d'Edmonton offre des vues incroyables sur la vallée de la rivière, avec sa terrasse qui la surplombe littéralement. Ses 200 chambres sont spacieuses et bien équipées, et l'établissement offre parfois des rabais substantiels. Les petits animaux de compagnie sont admis dans la section des chambres pour fumeurs moyennant un supplément de 10$.

Union Bank Inn
$$$ pdj
ℜ, ⊛, ⊙
10053 Jasper Ave.
☎423-3600 ou 888-423-3601
⇄423-4623
www.unionbankinn.com
Le seul hôtel-boutique d'"Edmonton est installé dans l'ancienne Union Bank, construite en 1911. Ce bâtiment historique unique est bien situé au centre-ville et compte 34 chambres ayant chacune leur propre décor. De petites attentions comme le plateau de vins et fromages livré chaque soir à votre chambre, un centre de bureautique et un déjeuner continental complet font de cet établissement un merveilleux endroit où loger.

Edmonton House Suite Hotel
$$$
🐕, ⊘, ℂ, ≈, ℜ, ⌂
10205 100th Ave.
☎420-4000 ou 800-661-6562
⇄420-4364
www.edmontonhouse.com
L'Edmonton House Suite Hotel est en fait une résidence hôtelière dont les suites sont équipées d'une cuisinette et disposent d'un balcon. Il s'agit d'ailleurs d'un des meilleurs établissements de ce type en ville. Il est recommandé de réserver.

Best Western City Centre
$$$
≡, ⊛, ≈, ℜ
11310 109th St.
☎479-2042 ou 800-528-1234
⇄474-2204
www.bestwestern.com
Le Best Western City Centre ne se trouve pas exactement dans le centre-ville, et son apparence extérieure gagnerait à être rafraîchie. Ses chambres récemment rénovées se révèlent néanmoins très confortables et joliment garnies de meubles en bois.

Fairmont Hotel Macdonald
$$$$
≡, 🐕, ⊛, ⊘, ≈, ℜ, ⌂
10065 100th St.
☎424-5181 ou 800-441-1414
⇄429-6481
www.fairmont.com
Le Fairmont Hotel Macdonald, fidèle à la tradition des grands châteaux, est tout simplement ahurissant. La classe qu'exsudent les chambres et les salles à manger en fait un endroit parfaitement exquis. Divers forfaits de fin de semaine sont proposés, y compris des forfaits de golf. Téléphonez pour plus de détails.

Delta Edmonton Centre Suite Hotel
$$$$
≡, ⊛, ⊘, ℜ, ⌂
10222 102nd St.
☎429-3900 ou 800-661-6655
⇄426-0562
Le Delta Edmonton Centre Suite Hotel se trouve à l'intérieur du centre commercial Eaton du centre-ville, ce qui signifie que, en plus des installations complètes de l'hôtel, boutiques et cinémas sont à la portée de ceux et celles qui y logent. Les chambres s'avèrent confortables, tandis que les suites sont décorées avec faste.

Westin Edmonton Hotel
$$$$
≡, ⊘, ≈, ℜ
10135 100th St.
☎426-3636 ou 428-1454
www.thewestinedmonton.com
L'hôtel Westin Edmonton a été bâti sur l'emplacement du premier bureau de poste d'Edmonton. L'édifice moderne de 413 chambres est aujourd'hui situé en plein cœur du quartier des affaires. La clientèle, majoritairement issue du quartier des affaires, aime bien fréquenter le restaurant, la piscine et l'énorme terrasse, tous de qualité et d'un luxe sobre et irréprochable.

Alberta Place Suite Hotel
$$$$
≡, ☒, ⊘, ℂ, ≈, ⌂
10049 103rd St., près de Jasper Ave.
☎423-1565 ou 800-661-3982
⇄426-6260
www.albertaplace.com
Comme son nom l'indique en anglais, l'Alberta Place Suite Hotel propose des mini-appartements avec cuisinette et espace de travail. Avec son personnel affable et ses chambres sans prétention et de bon goût, cet établissement est le parfait compromis entre les complexes luxueux impersonnels et les établissement bas de gamme.

À l'ouest du centre-ville

West Harvest Inn
$$
≡, ⊛, ℜ
17803 Stony Plain Rd.
☎484-8000 ou 800-661-6993
⇄486-6060
www.westharvest.com
Le West Harvest Inn est un établissement économique à très faible distance du West Edmonton Mall. L'endroit est assez paisible et accueille bon nombre de gens d'affaires.

West Edmonton Mall Inn
$$$
≡
17504 90th Ave.
☎444-9378 ou 800-737-3783
⇄423-4623
www.westedmontonmall.com
Propriété de la même compagnie qui possède le West Edmonton Mall, cet hôtel a pour atout d'être situé juste de l'autre côté de la rue du centre commercial. Ses 88 chambres sont confortables et chacune renferme deux grands lits et, entre autres commodités, une cafetière et un sèche-cheveux.

Best Western Westwood Inn
$$$
≡, ⊛, ⊘, ≈, ℝ, ℜ, ⌂
18035 Stony Plain Rd.
☎483-7770 ou 800-557-4767
⇄486-1769
www.bestwestern.com
Le Best Western Westwood Inn se trouve lui aussi à proximité du West Edmonton Mall. Les chambres y sont un peu plus chères qu'au West Harvest Inn, mais aussi beaucoup plus grandes et confortables, sans compter qu'elles présentent un décor plus attrayant.

Fantasyland Hotel & Resort
$$$$
≡, ☒, ⊛, ⊘, ℜ, ⌂
17700 87th Ave.
☎444-3000 ou 800-737-3783
⇄444-3294
www.fantasylandhotel.com
Les voyageurs venus à Edmonton pour magasiner voudront sans nul doute loger aussi près que possible du West Edmonton Mall, ce qui fait du Fantasyland Hotel & Resort le choix rêvé. Naturellement, il se peut aussi que vous choisissiez de loger ici pour le simple plaisir de passer la nuit sous des cieux africains ou arabes!

Est d'Edmonton

La Bohème B&B
$$$ pdj
ℂ, ℜ
6427 112th Ave.
☎474-5693
⇄479-1871
www.laboheme.ca
Installée à l'étage de l'historique édifice Gibbard, au-dessus du restaurant du même nom, La Bohème B&B occupe les locaux d'un ancien immeuble d'appartements de luxe. Toutes les chambres présentent un décor charmant et sont équipées d'une cuisinette, mais vous aurez du mal, croyez-le, à résister aux délices gastronomiques qu'on sert au rez-de-chaussée (voir p 562).

Circuit B: Old Strathcona et rive sud de la North Saskatchewan

Les hôtels les moins chers se situent dans Strathcona. Nous en avons identifié deux. Le **Strathcona Hotel** *($; bc/bp; 10302 82nd Ave., près de 103rd St., ☎439-1992)* est moins cher et plus beau, avec ses 40 chambres sises dans un des plus vieux édifices en bois d'Edmonton, que son voisin d'en face, le **Commercial Hotel** *($; bc/bp; 10329 82nd Ave., ☎439-3981)*, tout de même confortable et propre, mais parfois bruyant. Dans ces deux établissements, attendez-vous à payer un supplément si vous désirez une salle de bain privée.

Université de l'Alberta
$
angle 116th St. et 87th Ave.
☎*492-4281*
⇄*492-7032*
www.ualberta.ca
Les résidences d'étudiants de l'université de l'Alberta sont accessibles de mai à août uniquement. Vous dormez alors dans de sympathiques dortoirs, à la manière des auberges de jeunesse. Il est recommandé de réserver.

Hostelling International Edmonton
$
10647 81st Ave.
☎*988-6836 ou 877-467-8336*
⇄*988-8698*
Cette auberge de jeunesse membre de Hostelling International Canada peut loger 88 personnes et est située dans le voisinage d'Old Strathcona. Elle renferme un vaste salon et une cuisine commune, et offre à sa clientèle, en plus d'un stationnement, l'accès au réseau Internet et les services de buanderie. On y trouve des dortoirs et des chambres semi-privées (un peu plus chères). Sa localisation, près de la North Saskatchewan River, permet de rejoindre facilement les sentiers pédestres et les pistes cyclables qui la longent (l'auberge fait la location de vélos). L'été, des sorties et des barbecues y sont organisés, et le personnel fera pour vous les réservations nécessaires pour que vous profitiez des attractions locales et récréatives.

Southbend Motel
$-$$
≡, ✗, ℂ, ℜ
5130 Calgary Trail Northbound
☎*434-1418*
⇄*435-1525*
www.southbendmotel.ca
Pour un prix très raisonnable, vous pourrez descendre au Southbend Motel, dont les chambres ne sont plus toutes fraîches certes, mais où, sans avoir à débourser un sou de plus, vous pourrez profiter de toutes les installations du Best Western Cedar Park Inn voisin. Parmi celles-ci, retenons la piscine et le sauna.

The Best Western Cedar Park Inn
$$-$$$ pdj
≡, ✗, ⊙, ≈, ℜ, ⌂
5116 Calgary Trail Northbound
☎*434-7411 ou 800-661-9461*
⇄*437-4836*
www.bestwestern.com
Le Best Western Cedar Park Inn est un grand hôtel de 190 chambres toutes plus spacieuses les unes que les autres. Des spéciaux de fin de semaine sont proposés, et une limousine peut gratuitement vous emmener à l'un ou l'autre des aéroports ou au West Edmonton Mall.

Varscona
$$$ pdj
≡, ℜ, ✗, ⊙, ℝ
8208 106th St.
☎*434-6111 ou 888-515-3355*
⇄*439-1195*
www.varscona.com
Le Varscona vous propose de très grands lits et vous offre la chaleur d'une cheminée accueillante lors des froides journées d'hiver d'Edmonton. Vins et fromages sont offerts du lundi au samedi, de 17h30 à 18h30. Établi en plein cœur d'Old Strathcona, il s'impose facilement comme un des hôtels les mieux situés de la ville.

Restaurants

Circuit A: Centre-ville et rive nord de la North Saskatchewan

La Bourbon Street du **West Edmonton Mall** voit se succéder une série de restaurants de catégorie moyenne. Le **Café Orleans** *($$$; ☎780-444-2202)* se spécialise dans les mets créoles et cajuns; le **Sherlock Holmes** *($$; ☎780-444-1752)* propose des repas typiques des pubs anglais et le **Albert's Family Restaurant** *($; ☎780-444-1179)* sert des sandwichs à la viande fumée de Montréal.

DeVine's Restaurant & Lounge
$$
9712 111th St.
☎482-6402
DeVine's est établi dans une maison entièrement réaménagée qui surplombe la vallée de la rivière North Saskatchewan. Ses plats inventifs et savoureux sont servis dans plusieurs petites salles à manger, de même que, au cours de la saison estivale, sur une terrasse d'où vous jouirez d'une vue spectaculaire et de couchers de soleil incomparables. Le service peut devenir lent lorsqu'il y a foule, mais la tarte au chocolat et aux pacanes qui vous attend au dessert vaut bien un peu de patience.

Bistro Praha
$$$
10168 100A St. NW
☎424-4218
Le premier bistro à l'européenne d'Edmonton, le Bistro Praha, s'est acquis une grande popularité, qui se reflète dans ses prix. La soupe au chou, le *wiener schnitzel*, le filet mignon, les tourtes et les strudels, tous des favoris, sont présentés dans un décor raffiné et confortable.

River City Chop House
$$$
11811 Jasper Ave.
☎482-1140
L'Alberta est réputée pour son bœuf, et cet établissement est un excellent endroit où s'offrir un steak. Vous ferez la lecture du vaste menu de plats de viande et de poisson dans une des plus élégantes salles à manger modernes d'Edmonton.

Hardware Grill
$$$$
9698 Jasper Ave.
☎423-0969
Installé dans un bâtiment historique qui jadis abrita la quincaillerie la plus populaire d'Edmonton, ce restaurant haut de gamme se spécialise au gré des saisons dans la cuisine des Prairies canadiennes. Cet établissement s'est vu décerner nombre de prix internationaux pour sa vaste cave à vins comportant plus de 500 crus, et il est réputé pour être un des meilleurs restaurants au Canada.

Syrtaki Greek Restaurant
$$$-$$$$
16313 111th Ave.
☎484-2473
Le décor blanchi à la chaux et rehaussé de bleu du Syrtaki Greek Restaurant suffit à lui seul à vous faire oublier que vous êtes à Edmonton. Des danseuses du ventre animent les soirées du vendredi et du samedi. Gibier frais, fruits de mer, viandes, poulet et légumes sont tous préparés selon d'authentiques recettes grecques.

Café Select
$$$$
10018 106th St.
☎423-0419
Le décor chic du Café Select peut être trompeur. Bien qu'il soit élégant, cet endroit se veut en fait sans prétention, ce qui vous fera d'autant plus apprécier les plats délicieux que l'on sert ici. De plus, comme ce restaurant reste ouvert jusqu'à 2h, il est tout indiqué pour un bon souper en fin de soirée.

Madison Grill
$$$$
10053 Jasper Ave.
☎421-7171
Le Madison Grill est le restaurant du magnifique hôtel Union Bank Inn (voir p 559). Le décor de la salle à manger est aussi soigné que les chambres de l'établissement. On y sert une nourriture de qualité venant des quatre coins du monde qui lui a valu une place parmi les 100 meilleures adresses du pays.

La Bohème
$$$$
6427 112th Ave.
☎474-5693
La Bohème se trouve à l'intérieur de l'édifice Gibbard, magnifiquement restauré. Une délicieuse variété d'entrées et de plats principaux à la fois classiques et originaux, inspirés de la cuisine française, vous y attend dans un cadre on ne peut plus romantique au coin du feu. Il y a même un *bed and breakfast* à l'étage (voir p 560).

Hy's Steakloft
$$$$
10013 101A Ave.
☎*424-4444*
Comme son pendant de Calgary, le Hy's Steakloft propose de juteux steaks albertains cuits à la perfection. Des plats de pâtes et de poulet s'ajoutent au menu. Une magnifique verrière trône sur le décor huppé de ce restaurant.

Circuit B: Old Strathcona et rive sud de la North Saskatchewan

Bagel Tree
$
10354 Whyte Ave.
☎*439-9604*
Comme vous pouvez vous en douter, le Bagel Tree prépare sur place ses propres *bagels*, mais il en importe aussi de chez Fairmount Bagels, à Montréal, qu'on dit être les meilleurs au Canada.

Block 1912
$
10361 Whyte Ave.
☎*433-6575*
Le Block 1912 est un café à l'européenne qui a gagné un prix pour ses efforts en vue d'embellir le quartier d'Old Strathcona. Avec son agencement de tables, de chaises et de canapés, son intérieur fait songer à une salle de séjour comme on en trouve dans nombre de foyers. La lasagne compte parmi les meilleurs choix offerts au menu, d'ailleurs simple. La douce musique et l'atmosphère décontractée des lieux se prêtent fort bien à une discussion entre amis ou à un agréable dîner en tête-à-tête.

Bee-Bell Health Bakery
$
10416 80th Ave.
☎*439-3247*
La Bee-Bell Health Bakery vend de merveilleux pains et pâtisseries.

Café La Gare
$
10308A 81st Ave.
☎*433-5138*
Parmi les nombreux cafés d'Old Strathcona, le Café La Gare semble surclasser tous les autres. Ses chaises et ses tables en devanture rappellent celles des cafés parisiens. On ne sert ici que des *bagels* et des *scones*. L'endroit baigne dans une mystérieuse atmosphère intellectuelle.

Funky Pickle Pizza Co.
$
10041 Whyte Ave.
☎*433-3865*
Chez Funky Pickle Pizza Co., on a porté l'art de la pizza à des sommets encore inégalés. Bien sûr, à 3,75$ la pointe, ce n'est pas donné. Mais on oublie très vite ce qu'on a déboursé dès l'instant où la pâte de blé entier, la sauce maison, les différentes variétés de fromages, les légumes frais et les épices fondent dans la bouche: un vrai régal. À manger dehors, car l'endroit est tout juste plus spacieux qu'un comptoir.

Barb and Ernie's
$-$$
9906 72nd Ave.
☎*433-3242*
Barb and Ernie's est un petit restaurant exceptionnellement populaire qui sert de bons repas à bon prix dans une ambiance amicale et sans prétention. Parce qu'il est particulièrement achalandé à l'heure du petit déjeuner, attendez-vous à devoir patienter un peu avant qu'on ne vous assigne une table, mais vous pouvez décider de venir plus tard étant donné que le petit déjeuner est servi jusqu'à 16h.

Turtle Creek
$$
8404 109th St.
☎*433-4202*
Le Turtle Creek est un favori d'Edmonton pour plusieurs raisons, dont les moindres ne sont certes pas ses vins californiens ni son ambiance détendue. Les plats qu'on y sert reflètent très bien les plus récentes tendances des cuisines californienne et fusion, quoique de façon assez prévisible. Le brunch de fin de semaine constitue une bonne affaire, et le stationnement intérieur est gratuit.

Chianti Café
$$
10501 82nd Ave.
☎*439-9829*
Le Chianti Café, qui occupe l'ancien bureau

de poste d'Old Strathcona, vous suggère plus de 40 variétés de pâtes. Réservation recommandée la fin de semaine.

Julio's Barrio
$$-$$$
10450 82nd Ave.
☎431-0774
Le Julio's Barrio peut être fier de son décor original où se mêlent les styles mexicain et du Sud-Ouest, rehaussé de *piñatas* suspendues au plafond, de porte-manteaux en forme de cactus et de fauteuils en cuir souple. Le menu propose un bon éventail de *nachos* et de potages, sans oublier les mets mexicains traditionnels. Les portions sont plus que généreuses et le service s'avère rapide.

Packrat Louie Kitchen & Bar
$$-$$$
10335 83rd Ave.
☎433-0123
Le Packrat Louie Kitchen & Bar s'enorgueillit de sa carte des vins variée et de son atmosphère agréable, en partie assurée par une musique intéressante. Menu également varié de plats généralement bien apprêtés. Les pizzas et poissons grillés sont particulièrement populaires.

Symposium
$$$
10039 Whyte Ave.
☎433-7912
Directement en haut du Funky Pickle se trouve le Symposium, un restaurant grec dont la terrasse s'ouvre agréablement sur Whyte Avenue. Le sympathique personnel vous sert une cuisine allant bien au-delà du simple *souvlaki* et de la salade grecque.

The Unheard of Restaurant
$$$$
9602 82nd Ave.
☎432-0480
The Unheardof Restaurant : le nom de cet établissement («un restaurant comme on n'en a jamais entendu parler») lui sied et ne lui sied pas. En effet, on ne peut plus dire de ce restaurant qu'il est vraiment unique en son genre, mais il continue néanmoins à faire figure d'exception à Edmonton. Récemment agrandi, il propose un menu à la carte ainsi qu'une table d'hôte. Le menu change aux deux semaines, mais on y retrouve habituellement des plats de gibier frais en automne et de poulet ou de bœuf le reste de l'année, de même que de délicieux repas végétariens. La nourriture, est-il besoin de le dire, est exquise et raffinée. Réservation obligatoire.

Sorties

Le ***Vue Weekly*** et le ***See Magazine***, hebdomadaires d'information gratuits et de divertissement, présentent tous les événements courants qui se passent dans la ville.

Bars et discothèques

Le **Barry T's** *(104th St., ☎438-2582)* est un bar sportif qui attire une jeune clientèle avec son mélange de musiques country et populaire. L'**Urban Lounge** *(8111 105th St., ☎439-3388)* attire une clientèle décontractée à ses spectacles sur scène et dans ses salles à activités multiples. L'**Iron Horse** *(8101 103rd St., ☎438-1907)* possède une belle terrasse rattachée à cette ancienne gare ferroviaire qui offre beaucoup d'espace aux nombreuses foules. Il se passe toujours quelque chose au **Sidetrack Cafe** *(10333 112th St., ☎421-1326)*, un restaurant-bar proposant un mélange de comédie et de concerts de rock ou de jazz.

Le **Sherlock Holmes** *(10012 101A Ave., ☎426-7784)* propose un choix impressionnant de bières pression anglaises et irlandaises; son atmosphère décontractée semble attirer une foule mixte. D'autres pubs irlandais populaires ont pour nom **O'Byrnes** *(10616 Whyte Ave.)*, **Druid** *(11606 Jasper Ave.* et **Ceili's** *(10338 109th St.)*. Le **Yardbird Suite** *(11 Tommy Banks Way,*

☎432-0428) est le siège de la section locale de la Jazz Society et il présente des concerts tous les soirs de la semaine; un faible droit d''entrée est exigé. Quant au **Blues on Whyte** *(10329 82nd Ave., ☎439-5058)*, il présente des spectacles sur scène.

Le **Parliament Club** *(10551 Whyte Ave., ☎434-5366)* est un bar dansant très populaire parmi les cohortes collégiales, tandis que le **New City Likwid Lounge** *(10161 112th St., ☎413-4578)* attire une grande variété de spectacles sur scène et une foule éclectique de tout âge.

The Roost *(10345 104th St., ☎426-3150)* se distingue comme un des rares bars gays d'Edmonton.

Le **Cook County Saloon** *(8010 103rd St.)*, bien connu comme le plus important bar country de la ville, donne des cours amateurs de danse en ligne et dispose d'un taureau mécanique pour tous les cow-boys de salon en quête de huit secondes d'adrénaline.

Casinos

Ceux et celles qui aiment vivre dangereusement pourront se rendre dans l'un des casinos d'Edmonton: **Casino Edmonton** *(7055 Argyll Rd., ☎463-9467)*; **Casino Yellowhead** *(12464 153rd St., ☎424-9467)*; **Palace Casino** *(West Edmonton Mall, Upper Level, Entrance 9 sur 90th Ave., ☎444-2112)*. Les courses de chevaux ont lieu de mars à octobre au **Northlands Spectrum** *(Northlands Park, ☎471-7378 ou 888-800-7275, poste 7378)*.

Théâtres et salles de spectacle

Le **Citadel Theatre** se présente comme un immense complexe de cinq salles. Toutes sortes de spectacles y sont présentés, depuis les pièces de théâtre pour enfants en passant par les œuvres expérimentales jusqu'aux grandes productions. Pour de plus amples renseignements, adressez-vous au guichet en composant le ☎425-1820 ou 888-425-1820, ou tapez le www.citadeltheatre. com.

Le **Northern Light Theatre** *(☎471-1586, www.northernlighttheatre.com)* présente des pièces innovatrices et intéressantes. Pour ne pas laisser dépérir votre culture classique, informez-vous du programme de l'**Edmonton Opera** *(☎424-4040, www.edmontonopera.com)*, de l'**Edmonton Symphony Orchestra** *(à l'intérieur du Francis Winspear Centre for Music; billetterie ☎428-1414)* ou de l'**Alberta Ballet** *(☎428-6839, www.alber taballet. com)*.

Edmonton compte quelques grands complexes cinématographiques offrant des salles modernes et confortables présentant les dernières productions de Hollywood. Pour en connaître les lieux de diffusion et les horaires, achetez un quotidien ou tapez sur le Web ***www.edmovieguide.com***.

L'**Odyssium** (voir p 555) offre la plus spectaculaire expérience cinématographique avec son Imax géant *(8$; 11211 142nd St., ☎451-3344)*.

Fêtes et festivals

Edmonton est réputée pour être une ville de festivals, et les **Edmonton's Klondike Days** constituent sans doute l'évenement le plus important de tous. À l'époque de la ruée vers l'or du Klondike, au Yukon, on incita nombre de prospecteurs à emprunter «la route canadienne d'un bout à l'autre» au départ d'Edmonton. Cette route devait se révéler quasi impraticable, et aucun de ceux qui s'y engagèrent n'atteignit le Yukon avant la fin de la grande ruée. Ce lien pour le moins ténu avec la ruée vers l'or n'en donne pas moins l'occasion aux habitants d'Edmonton de célébrer pendant 10 jours en juillet. C'est ainsi que, à partir du troisième jeudi de juillet, des festivités, des défilés, des courses de baignoires, des courses de radeaux précaires et un casino mettent la ville en effervescence. Chaque matin, des petits déjeuners de crêpes sont servis à travers la ville. Pour de plus amples renseignements, composez le ☎471-7210 ou 888-800-7275, www.klondikedays.com.

Parmi les autres festivals d'Edmonton, retenons le **Jazz City International Festival** *(☎433-4000)*, qui se tient la dernière semaine de juin. À la fin de ce même mois et au début juillet, **The Works Visual Arts Celebration** *(☎426-2122, www. theworks.ab.ca)* donne lieu à des expositions d'art dans les rues de la ville. L'**Edmonton Heritage Festival** *(☎488-3378, www.edmontonheritagefest.ca)* présente des mets, de l'artisanat et du divertissement provenant d'un peu partout dans le monde entier, et ce, la première fin de semaine d'août. L'**Edmonton Folk Music Festival** *(☎429-1899, www.edmontonfolkfest.org)*, un événement folklorique, se tient la deuxième semaine d'août; il est recommandé de se procurer des billets à l'avance. Le **Fringe Theatre Festival** *(☎448-9000, www.fringe.alberta.com)* compte, quant à lui, parmi les plus importants festivals de théâtre «alternatif» de toute l'Amérique du Nord; il a lieu à Old Strathcona à partir du deuxième vendredi d'août et dure 10 jours.

Sport professionnel

Les **Oilers d'Edmonton** de la Ligue nationale de hockey jouent au Northland Coliseum *(angle 118th Ave. et 74th St., ☎414-4400)*; la saison s'étend d'octobre à avril, ou plus longtemps si l'équipe se rend en séries éliminatoires.

Achats

Outre l'incontournable **West Edmonton Mall** *(angle 87th Ave. et 170th St.)* (voir p 557) et ses 800 commerces et services, vous trouverez des centres commerciaux plus conventionnels un peu partout au nord, au sud et à l'ouest du centre-ville.

L'**Edmonton City Centre** a été rénové et a inauguré ses nouvelles boutiques à l'automne 2002, ce qui devrait réactiver le centre-ville.

Old Strathcona sera pour vous l'occasion d'une expérience beaucoup plus intéressante côté magasinage, grâce aux originales boutiques spécialisées, aux librairies et aux magasins de vêtements pour femmes qui bordent Whyte Avenue (82nd Avenue), parmi lesquels on retrouve **Avenue Clothing Co.** *(☎433-8532)* et **Etzio** *(☎433-2568)*, de même que 104th St. Le **Strathcona Square** *(8150 105th St.)* occupe un ancien bureau de poste entièrement réaménagé et regroupe un heureux éventail de cafés et de boutiques dans une joyeuse atmosphère de marché.

High Street at 124th Street *(délimité par 124th St., 125th St., 102nd Ave. et 109th Ave.)* se présente comme une arcade extérieure où se succèdent galeries d'art, cafés et commerces divers au sein d'un joli quartier résidentiel.

Nord de l'Alberta

Le nord de l'Alberta, qui fait l'objet de ce chapitre, couvre plus de la moitié de la province.

Ce vaste arrière-pays offre d'excellentes occasions d'activités de plein air, mais aussi la chance de découvrir certaines des communautés culturelles de l'Alberta. Les distances sont toutefois si grandes qu'on ne peut concevoir de faire le tour de cette région tout entière à moins d'avoir tout son temps à soi. Le parcours exposé dans ces pages se compose donc de trois circuits menant aux confins de la province et permettant de voir au passage les attraits majeurs de ce coin de pays.

Le premier de ces circuits vous conduit à l'est, jusqu'à la frontière de la Saskatchewan; le deuxième emprunte une trajectoire nord-est pour atteindre Fort McMurray et le parc national Wood Buffalo; quant au troisième, il vous entraîne vers le nord-ouest, pour ensuite monter plus au nord par la Mackenzie Highway ou bifurquer à l'ouest vers le nord de la Colombie-Britannique (voir p 319).

Ce chapitre comporte trois circuits:

Circuit A: Le nord-est jusqu'à Cold Lake

Circuit B: Au nord d'Edmonton ★

Circuit C: La vallée de la Paix ★

Pour s'y retrouver sans mal

En voiture

Circuit A: Le nord-est jusqu'à Cold Lake

Au départ d'Edmonton, empruntez la route 15 en direction nord, puis la route 45. Prenez ensuite la route 855, toujours vers le nord, jusqu'à ce que vous atteigniez le Victoria Settlement Historic Site et Smoky Lake, à la jonction avec la route 28, menant à St. Paul. Au-delà, au croisement avec la route 41, prenez vers le sud jusqu'à Elk Point et remontez enfin jusqu'à la route 28 pour vous rendre à Bonnyville et Cold Lake.

Circuit B: Au nord d'Edmonton

Il s'agit là d'un circuit ambitieux qui, pratiquement, ne peut pas être entièrement effectué en voiture. Fort McMurray est bien accessible par voie de terre, mais le parc national Wood Buffalo peut être rejoint plus facilement en passant par Fort Chipewyan (Alberta) ou Fort Smith (Territoires du Nord-Ouest). Le circuit débute sur la route 2, au nord d'Edmonton; à la route 55, vous aurez toutefois à choisir entre l'embranchement nord-est, conduisant à Lac La Biche et à Fort McMurray, et l'embranchement ouest, offrant une balade panoramique jusqu'à High Prairie.

Circuit C: La vallée de la Paix

Cette boucle suit le tracé de la route 2 de High Prairie à Grande Prairie et se referme sur les routes 32 et 43. La Mackenzie Highway (route 35) file vers le nord au départ de Grimshaw, alors que la route 2 se fait panoramique jusqu'à Dawson Creek, dans le nord de la Colombie-Britannique, où vous pourrez rejoindre le circuit de l'Alaska Highway, décrit dans le chapitre portant précisément sur le nord de la Colombie-Britannique.

En autocar

Gare routière d'Athabasca
Teg's Store
☎ ***675-2112***

Gare routière Greyhound de Lac La Biche:
Almac Motor Inn
☎ ***(780) 623-4123***

Gare routière Greyhound de Cold Lake:
5504 55th St.
☎ ***(780) 594-2777***

Gare routière Greyhound de Slave Lake:
Sawridge Truck Stop, Highway 88
☎ ***(780) 849-4003***

Gare routière Greyhound de High Prairie:
4853 52nd Ave.
☎ ***(780) 523-3733***

Gare routière Greyhound de Peace River:
9801 97th Ave.
☎ ***(780) 624-2558***

Gare routière Greyhound de Grande Prairie:
9918 121st Ave. au nord du Prairie Mall
☎ ***(780) 539-1111***

Renseignements pratiques

Indicatif régional du nord de l'Alberta: ***780***

Alberta North
C.P. 1518, Slave Lake, T0G 2A0
☎ ***800-756-4351***
www.travelalberta-north.com

Mighty Peace Tourist Association
mi-mai à mi-sept lun-ven 9h à 19h et sam-dim 11h à 19h; mi-sept à mi-mai, lun-ven 8h30 à 16h30
Peace River, T8S 1S4
dans l'ancienne station NAR
☎ ***624-2044 ou 800-215-4535***

Grande Prairie Regional Tourism Association
11330 106th St.
☎ ***539-7688 ou 866-202-2202***

Fort McMurray Visitors Bureau
lun-ven 8h30 à 16h30
400 Saskitawaw Trail
☎ ***791-4336 ou 800-565-3947***
www.fortmcmurrayvisitors-.com

Athabasca Country Tourism
3602 48th Ave., Atahbasca
☎ ***675-2273 ou 675-4035***
www.athabascacountry.com

Attraits touristiques

Circuit A: Le nord-est jusqu'à Cold Lake

Fort Saskatchewan

Érigé par la «police montée» du Nord-Ouest en 1875, le fort Saskatchewan, qui donne sur la rivière North Saskatchewan, a été démoli en 1913, au moment où il est tombé sous le joug d'Edmonton. Le **Fort Saskatchewan Museum** *(2$; jan à mars, lun-ven 11h à 15h; avr à juin et sept à déc, tlj 11h à 15h; juil et août, tlj 10h à 18h; 10104 101st St., ☎998-1750)* vous ramène toutefois à l'époque de l'ancienne bourgade et présente neuf bâtiments datant de 1900 à 1920, entre autres le tribunal d'origine, une école, une église de campagne, une forge et une bonne vieille ferme. Visites guidées en été. Fort Saskatchewan est devenue une municipalité indépendante en 1985.

Filez vers le nord sur la route 855 jusqu'à ce que vous atteigniez le Victoria Settlement Provincial Historic Site et Smoky Lake.

Smoky Lake

Avant d'atteindre Smoky Lake comme tel, surveillez les panneaux indiquant l'emplacement du Victoria Settlement Provincial Historic Site, à environ 16 km au sud de Smoky Lake sur Hwy 855.

Le **Victoria Settlement Provincial Historic Site** ★ *(2$; mi-mai à début sept tlj 10h à 18h; 5025 49th Ave., St-Paul, ☎656-2333)*, une mission méthodiste, a été fondé ici en 1862 et, deux ans plus tard, la Compagnie de la Baie d'Hudson érigeait le fort Victoria pour faire concurrence aux traiteurs indépendants de la colonie. Cet endroit merveilleusement paisible en bordure de la rivière North Saskatchewan, jadis un village très fréquenté, était aussi le siège d'une communauté métisse. La localité avait reçu le nom de Pakan, en l'honneur d'un chef cri qui avait appuyé la révolte de Riel. Lorsque le chemin de fer parvint à Smoky Lake, tous les bâtiments furent déplacés, ne laissant sur place que les quartiers du commis en poste. Une exposition et des sentiers mettent en relief les aspects les plus marquants de ce village, autrefois prospère, qui n'a plus d'existence propre aujourd'hui. L'atmosphère sereine des lieux en fait un excellent endroit où pique-niquer.

Le petit **Smoky Lake Museum** *(dons appréciés; mi-mai à sept, lun-sam 10h à 16h et dim 10h à 17h; situé dans le complexe Agriculturel)* présente une curieuse et pittoresque collection d'objets datant de l'époque des valeureux pionniers et leur donnant d'ailleurs un visage. Des photos, de vieilles robes, du linge de maison, de l'équipement agricole d'autrefois et des représentants empaillés de la faune y sont fièrement exposés dans une école rurale d'antan.

Prenez vers l'est sur la route 28 jusqu'à St. Paul.

En faisant route vers l'est sur les routes 28 et 28A jusqu'à la frontière avec la Saskatchewan, vous traverserez une région constellée de communautés francophones, entre autres **St. Paul**, **Mallaig**, **Thérien**, **Franchère**, **La Corey** et **Bonnyville**.

St. Paul

La petite ville de St. Paul a été fondée en 1896, lorsque le père Albert Lacombe y a formé une colonie métisse dans l'espoir d'attirer des membres de cette communauté de tous les coins de l'Ouest canadien. Seulement 300 d'entre ces gens que le gouvernement avait persisté à ignorer se rendirent à son invitation. Par la suite, des colons de différentes souches culturelles vinrent grossir les rangs de la population. Le **St. Paul Culture Centre** *(lun-ven 8h30 à 16h30; 4537 50th Ave., ☎645-4800)* jette d'ailleurs un regard sur la diversité culturelle de cette région. L'ancien **presbytère anglican** *(5015 47th St.)* se trouve également à quelques rues de là.

De nos jours, les résidants de St. Paul tentent d'attirer une tout autre catégorie de visiteurs dans leurs parages, ce qui pourrait d'ailleurs un jour diversifier davantage la mosaïque culturelle de cette municipalité, à condition bien entendu que les extraterrestres (car c'est bien d'eux qu'il s'agit) choisissent de se poser sur son **UFO Landing Pad** *(tlj 9h à 17h; près du bureau de tourisme sis à l'angle de 50th Ave. et de 53rd St.).*

Continuez vers l'est sur la route 28, puis vers le sud sur la route 41 jusqu'à la jonction avec la route 646 et Elk Point.

Elk Point

Pour avoir une idée de l'histoire et de la culture de cette ville, il suffit de jeter un coup d'œil sur la **100 Foot Historical Mural** *(à l'ouest de la route 41 sur 50th Ave.).* De cette peinture murale, prenez vers l'est sur la route 646 jusqu'au **Fort George - Buckingham House Provincial Historic Site** *(adulte 3$; mi-mai à sept tlj 10h à 18h; ☎724-2611)*, qui marque l'emplacement de deux comptoirs de pelleteries rivaux. L'un et l'autre furent construits en 1792; le premier appartenait à la Compagnie du Nord-Ouest et le second, à la Compagnie de la Baie d'Hudson. Ils ont été abandonnés peu de temps après le tournant du siècle, et il ne reste plus grand-chose à voir aujourd'hui, si ce n'est quelques dépressions dans le sol et des amas de pierres. Le centre d'interprétation aménagé sur les lieux fait toutefois un bon travail et relate l'excavation et l'histoire des deux postes. La rivière North Saskatchewan coule non loin de là, et de courts sentiers font le tour des lieux.

Suivez la route 41 vers le nord jusqu'à la route 28, puis tournez à droite en direction de Bonnyville.

Les amateurs de *pirogies* (beignets ukrainiens aux pommes de terre et à l'oignon) pourraient toutefois s'offrir un détour en prenant à gauche plutôt qu'à droite, histoire de contempler le plus gros *pirogie* du monde à **Glendon**, où semble avoir frappé cet engouement de plus en plus répandu pour les sculptures géantes à l'effigie d'objets plus ineptes les uns que les autres.

Bonnyville

Bonnyville, autrefois connue sous le nom de St. Louis de Moose Lake, sert aujourd'hui de tremplin vers de belles régions naturelles. Le **lac Jessie**, entre autres, est une zone marécageuse se prêtant bien à l'observation des oiseaux (voir p 578), tandis que le **Moose Lake Provincial Park** est apprécié des baigneurs, des plaisanciers, des marcheurs et des pêcheurs à la ligne.

Cold Lake

Siège d'une base militaire des Forces armées canadiennes, cette ville s'en remet en fait aux sables bitumineux des environs pour son bien-être économique. Le village voisin de Medley est pratiquement réduit à un bureau de poste, alors que Grand Centre regroupe tous les magasins. Le lac qui donne son nom à la ville est le septième en importance de la province et couvre une superficie de 370 km^2. Et ce nom de «lac Froid», il le porte très bien, puisque sa surface reste gelée cinq mois par année. Ses profondeurs (de quelque 100 m) donnent en outre lieu à des prises phénoménales.

Les **Kinosoo Totem Poles** sont deux totems de 6,7 m taillés dans des troncs de cèdre par le chef Ovide Jacko. Ils dominent la plage de

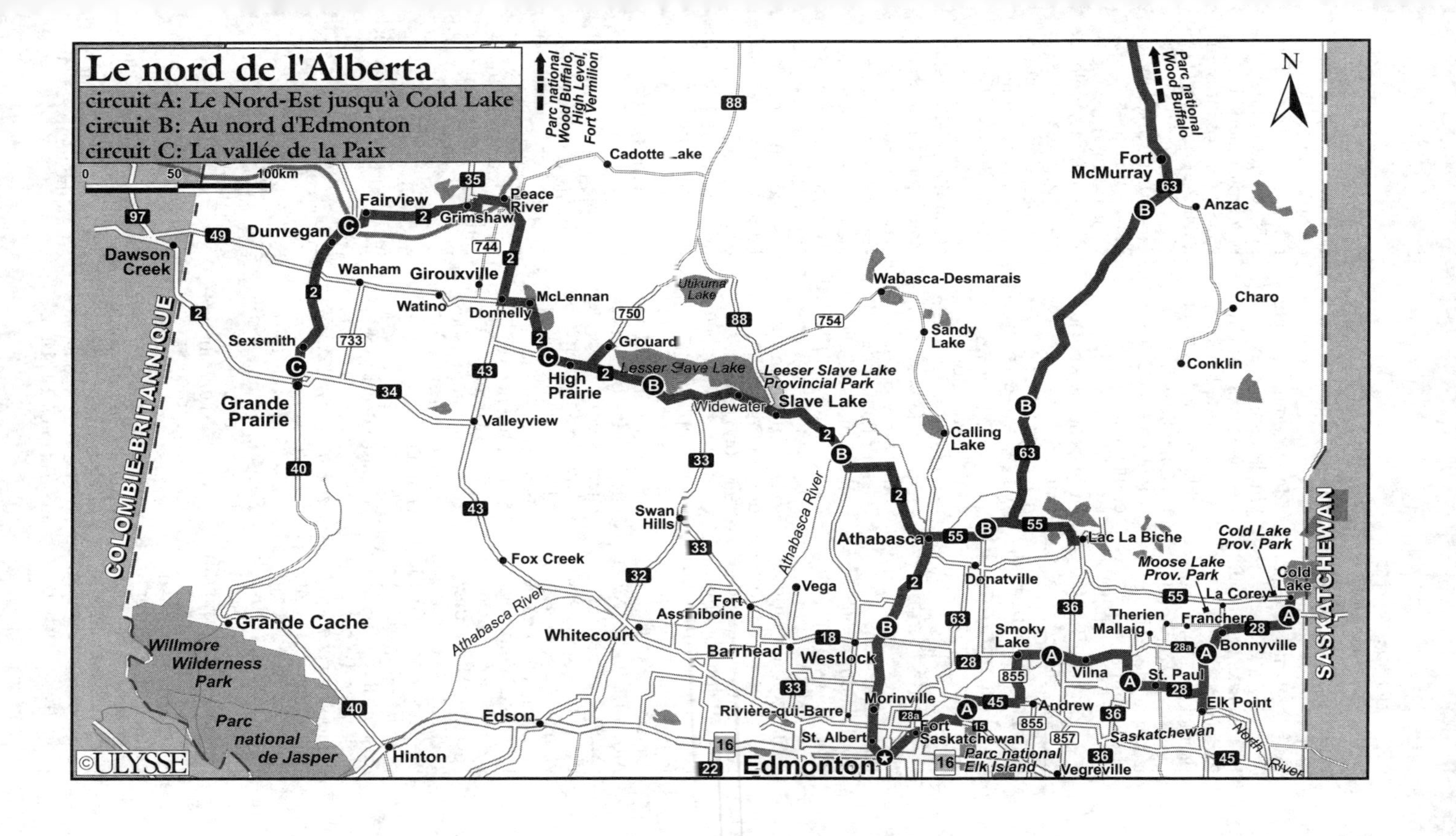
Le nord de l'Alberta
circuit A: Le Nord-Est jusqu'à Cold Lake
circuit B: Au nord d'Edmonton
circuit C: La vallée de la Paix
0
50
100km
N
Parc national Wood Buffalo, High Level, Fort Vermilion
Parc national Wood Buffalo
Fort McMurray
Anzac
Charo
Conklin
Cadotte _ake
Peace River
Fairview
Grimshaw
Dunvegan
Dawson Creek
Wanham
Girouxville
Watino
Donnelly
McLennan
Sexsmith
Grande Prairie
Grouard
High Prairie
Lesser Slave Lake
Leeser Slave Lake Provincial Park
Widewater
Slave Lake
Utikuma Lake
Wabasca-Desmarais
Sandy Lake
Calling Lake
Valleyview
Swan Hills
Athabasca River
Athabasca
Lac La Biche
Cold Lake Prov. Park
Moose Lake Prov. Park
Cold Lake
La Corey
Therien
Franchere
Mallaig
Bonnyville
Smoky Lake
Vilna
St. Paul
Elk Point
Donatville
Fox Creek
Vega
Fort Assiniboine
Grande Cache
Whitecourt
Barrhead
Westlock
Willmore Wilderness Park
Parc national de Jasper
Morinville
Andrew
Rivière-qui-Barre
Fort Saskatchewan
St. Albert
Saskatchewan
North River
Parc national Elk Island
Edson
Hinton
Edmonton
Vegreville
COLOMBIE-BRITANNIQUE
SASKATCHEWAN
©ULYSSE

Kinosoo, un populaire lieu de pique-nique sur les berges du lac Cold.

Le **Cold Lake Provincial Park** (voir p 577) permet de se livrer à la pêche, de contempler la faune, de se baigner et de camper.

Circuit B: Au nord d'Edmonton

St. Albert

Immédiatement au nord d'Edmonton s'étend la communauté de St. Albert, la plus vieille colonie agricole de l'Alberta. Tout commença avec une petite chapelle en rondins construite en 1861 par la mission de Marie-Immaculée et le père Albert Lacombe. Né au Québec en 1827, ce dernier fit ses débuts comme missionnaire à St. Boniface, près de l'actuelle Winnipeg. Il parvint à convaincre l'évêque Alexandre Taché du besoin d'une mission consacrée à la population métisse, et c'est ainsi que St. Albert vit le jour. Le père Lacombe ne vécut que quatre ans dans cette mission, après quoi il poursuivit son œuvre à travers les Prairies. L'évêque Vital Grandin déplaça son siège à St. Albert en 1868 en emmenant avec lui un groupe de frères oblats particulièrement doués, ce qui fit de St. Albert le centre de l'activité missionnaire en Alberta. Grandin joua un rôle important lorsque vint le temps d'exercer des pressions sur Ottawa pour que les Autochtones, les Métis et les Canadiens français soient traités de façon équitable.

La **chapelle du père Lacombe** *(2$; mi-mai à début sept tlj 10h à 18h; St. Vital Ave., ☎459-7663)* est la plus ancienne structure connue de l'Alberta. Cette humble chapelle de bois rond, construite en 1861, était le cœur battant de la colonie métisse. Elle a été restaurée en 1929 et s'est, dès lors, vu entourer d'une construction en brique. En 1980, on l'a restaurée de nouveau et déplacée à son emplacement actuel sur Mission Hill, où elle bénéficie d'une vue imprenable sur les champs et la vallée de la rivière Sturgeon. Mission Hill se trouve également être le site de la résidence de l'évêque Grandin, aujourd'hui connue sous le nom de «centre Vital-Grandin».

Le **musée Heritage** ★ *(entrée libre; juil et août lun-sam 10h à 17h, début sept à fin juin, lun-sam 10h à 17h et dim 13h à 17h; 5 St. Ann St., ☎459-1528)* se trouve à l'intérieur d'une intéressante construction de briques profilée connue sous le nom de St. Ann Place. Le musée abrite une exposition exceptionnelle de vestiges et d'objets liés à l'histoire des premiers habitants de St. Albert, y compris les Métis, les Autochtones, les missionnaires et les pionniers. Les visites sont offertes en anglais et en français.

En poursuivant vers le nord sur la route 2, vous découvrirez bientôt un autre chapelet de communautés francophones, dont certaines aux noms poétiques, comme Rivière-Qui-Barre, avant d'arriver à **Morinville**. L'**église Saint-Jean-Baptiste** *(visites guidées; ☎939-4412)* y fut construite en 1907, tandis que la chapelle d'origine avait été érigée en 1891 sous les auspices du père Jean-Baptiste Morin. Vous trouverez à l'intérieur un orgue Casavant et de grandes fresques.

Athabasca

À un peu plus d'une centaine de kilomètres plus au nord, la municipalité d'Athabasca se trouve tout près du centre géographique de l'Alberta. La rivière Athabasca, qui coule à travers la ville, constituait le principal couloir d'accès vers le nord de la province, si bien qu'on considéra même à une certaine époque la candidature d'Athabasca comme capitale provinciale.

La ville était au départ un poste de traite de la Compagnie de la Baie d'Hudson du nom d'Athabasca Landing, en même temps qu'une halte sur une des voies d'accès riveraines aux régions situées plus au nord. Les traiteurs et les explorateurs partaient vers l'ouest en empruntant la rivière North Saskatchewan pour se rendre jusqu'à Edmonton, après quoi ils poursuivaient leur route par voie de terre le long d'un dangereux portage de 130 km tracé en 1823 pour rejoindre la rivière Athabasca, à Fort Assiniboine, au sud-ouest de l'actuelle ville d'Athabasca. C'est cette pitoyable piste qui, en 1897-1898, sonna le glas des chercheurs d'or qui désiraient atteindre le Klondike, au Yukon, par la fameuse «route canadienne d'un bout à l'autre» partant d'Edmonton. Une nouvelle piste, l'Athabasca Landing Trail, fut aménagée en 1877 et devint bientôt la principale voie d'accès au nord ainsi qu'un point de transbordement vers les postes septentrionaux et la rivière Peace. Les chalands de la Compagnie de la Baie d'Hudson construits à Athabasca étaient confiés à un groupe connu sous le nom de Brigade d'Athabasca et principalement composé de Cris (Cree) et de Métis. Cette brigade guidait habilement les chalands le long de la rivière Athabasca, à travers les rapides et les eaux peu profondes, jusqu'aux destinations plus au nord. La majorité des chalands étaient ensuite détruits à leur arrivée pour en faire des matériaux de construction, mais ceux qui ne l'étaient pas devaient être tirés de nouveau par les membres de la brigade. Des bateaux à aubes finirent par remplacer les chalands.

La ville était réputée pour être un tremplin vers le nord auprès des traiteurs et des aventuriers, et, à ce jour, elle continue de servir de tremplin, mais cette fois aux aventuriers des grands espaces, puisqu'elle repose en bordure de l'hinterland septentrional tout en n'étant qu'à une heure et demie de route au nord d'Edmonton. Parmi les possibilités d'activités de plein air offertes dans la région, retenons le ski de randonnée en hiver, les descentes de rivière, la pêche et même le golf sur un magnifique parcours à 18 trous récemment aménagé dans les environs. Un dépliant décrivant une promenade historique autour de la ville est également offert au bureau de tourisme (mi-mai à mi-sept tlj 10h à 18h), qui occupe un ancien wagon sur 50th Avenue. Athabasca est en outre le siège de l'Athabasca University, l'université la plus septentrionale du Canada, par ailleurs réputée pour ses programmes d'enseignement à distance.

Lac La Biche

Vers l'est, sur la route 55, apparaît le lac La Biche, situé sur la ligne de partage des eaux séparant le bassin hydrographique de la rivière Athabasca, qui se draine dans le Pacifique, et celui du fleuve Churchill, qui se déverse dans la baie d'Hudson. Ce portage constituait un lien vital sur la route transcontinentale du commerce des fourrures, et était emprunté par les voyageurs pour franchir les 5 km qui séparaient le lac Beaver du lac La Biche. La Compagnie du Nord-Ouest et la Compagnie de la Baie d'Hudson établirent toutes deux un poste de traite dans les environs vers 1800, mais l'un comme l'autre furent abandonnés lorsqu'on trouva un chemin plus court vers Edmonton en passant par la rivière North Saskatchewan.

En 1853, le père René Remas organisa la construction de la **mission du Lac La Biche** *(2$, mai à sept tlj 9h à 18h; Mission Old Trail; ☎623-3274).* La mission restaurée que vous pouvez aujourd'hui visiter se trouve à 11 km du site original puisqu'elle a été déplacée en 1855. Les bâtiments d'origine, notamment la plus vieille structure en bois de sciage de l'Alberta, sont encore debout. La mission servait de centre d'approvisionnement pour les voyageurs et d'autres missions de la région, et elle finit par s'équiper d'un moulin à scie, d'un moulin à céréales, d'une imprimerie et d'un atelier de construction. Une visite guidée d'une heure est proposée.

Fort McMurray

Environ 250 km plus au nord sur la route 63 se trouve Fort McMurray, qui s'est développée autour des gisements de sables bitumineux de l'Athabasca, le plus important gisement pétrolifère au monde. Le pétrole d'ici est en réalité du bitume, une variété beaucoup plus lourde qui nécessite un traitement complexe et coûteux; le gisement lui-même se compose de sable tassé et mêlé de bitume. On achemine le sable vers la surface où l'on en extrait le bitume pour le traiter de manière à obtenir un pétrole plus léger et plus utile. Le milliard de tonneaux de bitume présents dans le sable devrait constituer une source d'énergie majeure pour le futur.

Le **Fort McMurray Oil Sands Interpretive Centre** ★★ *(3$; mi-mai à début sept tlj 9h à 17h, début sept à mi-mai lun-sam 10h à 16h; 515 Mackenzie Blvd., ☎743-7167, www.oilsandsdiscovery.com)* explique les techniques de traitement des sables pétrolifères, et beaucoup plus encore, à travers des éléments d'exposition à interaction tactile. L'ampleur et les possibilités phénoménales des installations se font évidentes lorsqu'on regarde l'équipement minier et l'excavateur à godets de sept étages présentés ici. Vous pouvez en outre visiter l'usine de traitement **Suncor/Syncrude** *(18$; avril à mi-oct, ven-sam 12h à 15h30, adressez-vous au centre des visiteurs, 400 Sakitawaw Trail; ☎791-4336 ou 800-565-3947).*

★★ Parc national Wood Buffalo

Les limites du parc national Wood Buffalo (voir aussi p 577) se trouvent à environ 130 km plus au nord à vol d'oiseau. Bien que cette distance ne soit pas très grande, le parc demeure difficile d'accès, et les voyageurs pleins de ressources qui décident de s'y aventurer peuvent le faire au départ de Fort Chipewyan (Alberta) ou de Fort Smith (Territoires du Nord-Ouest).

Pour atteindre les limites occidentales et septentrionales de l'Alberta, poursuivez votre route en direction du nord-ouest au départ d'Athabasca jusqu'à la petite ville de Slave Lake.

Slave Lake

Le Petit Lac des Esclaves, d'une superficie de 1 150 ha, est le plus grand lac de la province que l'on peut atteindre par voiture. Sur sa rive sud-est s'étend la petite ville de Slave Lake, jadis un centre très fréquenté sur la route des champs aurifères du Yukon. Il n'y a pas grand-chose à voir ici, si ce n'est le paysage spectaculaire des abords du lac, qui ressemble à une véritable mer intérieure dans cette province dépourvue de littoral. Ses eaux peu profondes regorgent de brochets du Nord, de dorés et de poissons blancs. Roulez jusqu'au sommet de la Marten Mountain pour admirer une vue spectaculaire. Le Lesser Slave Lake Provincial Park (voir p 578) est l'attrait principal du côté est du lac.

Continuez vers l'ouest sur la route 2 jusqu'à la route 750 et Grouard.

Grouard

Fondé en 1884 sous le nom de Mission Saint-Bernard par le père Émile Grouard, Grouard, un village de moins de 400 âmes, repose à l'extrémité nord-est du Petit Lac des Esclaves. Le père Grouard a œuvré dans le nord de l'Alberta comme linguiste, missionnaire pionnier et traducteur pendant 69 ans. Il est enterré dans le cimetière adjacent à la mission. Divers objets anciens sont exposés à l'arrière de l'église, classée monument historique *(pour des visites guidées, adressez-vous au Native Cultural Arts Museum de Grouard, voir ci-dessous).*

Le **Native Cultural Arts Museum** *(dons appréciés; lun-ven 9h à 16h; à l'intérieur du Moosehorn Lodge Building de l'Alberta Vocational College,* ☎*751-3306)* se présente comme un intéressant petit musée dont la vocation est de promouvoir une meilleure compréhension des cultures autochtones de l'Amérique du Nord par des expositions d'art et d'artisanat. Parmi les objets exposés, retenons un ouvrage en écorce de bouleau, des pièces décoratives et des vêtements contemporains.

Circuit C: La vallée de la Paix

Au départ de Grouard, le dernier arrêt sur le circuit B, continuez par la route 2 pour traverser **High Prairie**, le meilleur endroit pour la pêche au doré jaune (voir p 578), et **McLennan**, la capitale aviaire canadienne (voir p 578), puis poursuivez jusqu'à Donnelly.

Donnelly

Donnelly est le siège de la **Société historique et généalogique** *(5$; lun-ven 10h à 16h; Main Street,* ☎*925-3838)*, qui a retracé l'histoire de la colonisation française en Alberta. Il n'y a pas grand-chose à voir, sauf peut-être une intéressante carte de la province indiquant l'emplacement des principales colonies françaises. Des archives détaillées sont mises à la disposition de quiconque veut dresser son arbre généalogique.

Continuez vers le nord sur la route 2 jusqu'à Peace River.

Peace River

La majestueuse rivière Peace (rivière de la Paix) suit son cours de l'intérieur de la Colombie-Britannique au lac Athabasca, dans le nord-est de l'Alberta. Les trappeurs et les traiteurs l'empruntaient pour remonter de Fort Forks vers les postes de Dunvegan et de Fort Vermillion. Fort Forks fut fondé en 1792 par Alexander Mackenzie à l'endroit où se trouve aujourd'hui Peace River. Mackenzie fut la première personne à traverser le Canada tel que nous le connaissons aujourd'hui pour atteindre l'océan Pacifique. Des paysages exceptionnels attendent tous ceux et celles qui visitent cette région, et la légende veut que quiconque boit de l'eau de la rivière y reviendra un jour.

En ville, le **Peace River Centennial Museum** *(dons appréciés; mi-mai à fin août lun-sam 9h à 17h, fin août à mi-mai lun-ven 9h à 16h; 10302 99th St., près de l'angle de 100th St. et de 103rd Ave.,* ☎*624-4261)* présente une exposition didactique sur les Autochtones de la région, le commerce des fourrures, les premiers explorateurs et le développement de la ville. Une foule de photographies anciennes témoignent fort bien de la vie d'une ville frontière d'antan.

Amérindiens, explorateurs, constructeurs navals, traiteurs, missionnaires et chercheurs d'or en route vers le Klondike, au Yukon, passaient tous par ce qui est aujourd'hui devenu Peace River, lorsqu'ils empruntaient la **Shaftesbury Trail**, qui longe la route 684 du côté ouest de la rivière. Prenez le **traversier de Shaftesbury** *(mai à déc, tlj 7h à 23h30,* ☎*624-1753)* à partir de Blakely's Landing, dans la colonie historique de Shaftesbury.

12- Foot Davis n'était pas un homme de «12 pieds», mais plutôt un chercheur d'or et un traiteur indépendant du nom de Henry Fuller qui découvrit un filon de 15 000$ sur une concession de «12 pieds» (4 m) aux Cariboo Goldfields (champs aurifères) de la Colombie-Britannique. Il est enterré sur Grouard Hill, en surplomb sur la ville. Vous aurez une vue à couper le souffle sur le confluent des rivières Peace, Smoky et Heart à partir du **12-Foot Davis Historical Site**, auquel vous accéderez en vous rendant au bout de 100th Avenue. Un autre poste d'observation, celui-là du nom de **Sagitawa Lookout** *(Judah Hill Road)*, offre également un panorama saisissant des environs.

La Mackenzie Highway part de la ville de **Grimshaw** et passe par les centres plus importants de **Manning** et de **High Level**, où vous trouverez une variété de services, y compris de l'essence et de l'hébergement.

Fort Vermillion est au second rang des plus anciennes colonies de l'Alberta. Il a été fondé par la Compagnie du Nord-Ouest en 1788, la même année où la Compagnie du Nord-Ouest établissait Fort Chipewyan sur le lac Athabasca. Rien ne subsiste du fort original.

*Plus loin, les localités de **Meander River**, de **Steen River** et d'**Indian Cabins** n'ont guère de services à offrir, mis à part un terrain de camping. Le prochain centre d'envergure est **Hay River**, près des rives du Grand Lac des Esclaves, dans les Territoires du Nord-Ouest.*

À l'ouest de la rivière Peace, la route 2 finit par rejoindre la ville historique de Dunvegan.

Dunvegan

Avec le plus long pont suspendu de l'Alberta en toile de fond, **Historic Dunvegan** ★ *(adulte 3$, aîné 2$, enfant 1,50$; mi-mai à début sept tlj 10h à 18h; en retrait de la route 2, immédiatement au nord de la rivière Peace, ☎835-7150 ou 835-5525)* domine paisiblement la rivière. Autrefois situé sur le territoire amérindien des Dunne-za (Beaver), ce site fut choisi en 1805 pour l'établissement d'un fort de la Compagnie du Nord-Ouest, puis d'un autre de la Compagnie de la Baie d'Hudson. Dunvegan devint un important centre de commerce et d'approvisionnement pour l'Upper Peace River, puis le siège de la Compagnie de la Baie d'Hudson pour l'ensemble du district de l'Athabasca. Dès les années 1840, Dunvegan recevait déjà la visite des missionnaires catholiques, dont celle de l'éminent père Albert Lacombe en 1855. En 1867, la mission catholique Saint-Charles fut établie et, en 1879, ce fut au tour de la mission anglicane St. Savior, faisant de Dunvegan un important centre de l'activité missionnaire. On finit par abandonner les missions à la suite de la découverte de l'or et de la signature du traité n° 8, car les Dunne-za devinrent alors de plus en plus nombreux à quitter la région. Le fort demeura toutefois en activité jusqu'en 1918, époque à laquelle l'établissement de propriétés familiales rurales *(homesteads)* gagna en importance sur le commerce, la chasse et la trappe. L'église de la mission (1884), le presbytère (1889) et la maison de l'intendant de la Compagnie de la Baie d'Hudson (1877) sont encore visibles sur le site, sans compter la présence d'un centre d'interprétation, malheureusement aménagé à l'intérieur d'un horrible bâtiment moderne. Dunvegan dispose de quelques emplacements de camping.

Poursuivez vers le sud jusqu'au village de Grande Prairie.

Grande Prairie

À titre de ville à plus forte croissance de l'Alberta, de capitale forestière du Canada et de ville du cygne (Swan City), Grande Prairie compte parmi les grands centres d'affaires et de services du nord de la province, ce qu'elle doit surtout à ses réserves de gaz naturel. La ville est ainsi nommée en raison de ses terres agricoles hautement fertiles, un fait exceptionnel dans une région aussi boréale. Contrairement à la plupart des autres localités du nord de l'Alberta, Grande Prairie n'est pas que le vestige d'un ancien poste de traite; dès le départ, des familles d'agriculteurs avaient été attirées par ses terres fertiles.

Le **Pioneer Village at Grande Prairie Museum** *(3$; début mai à fin sept tlj 10h à 18h, début oct à fin avr dim-ven 13h à 16h; angle 102nd Ave. et 102nd St., ☎532-5482)* jette un regard sur la vie du Peace Country au tournant du siècle, à travers des bâtiments historiques, des guides en costume d'époque, des objets variés et une importante collection d'histoire naturelle.

Le musée se trouve près du **parc Muskoseepi**, un parc urbain de 446 ha que sillonnent un sentier d'interprétation et quelque 40 km de sentiers pédestres et cyclables.

La conception exemplaire du **Grande Prairie Regional College** *(10726 106th Ave.)*, aux courbes extérieures revêtues de briques rouges, est l'œuvre du grand architecte d'origine amérindienne Douglas Cardinal.

La **Prairie Gallery** ★ *(lun-ven 10h à 17h, sam-dim 13h à 17h; 10209 99th St., ☎532-8111)* renferme une collection très respectable d'art canadien et d'œuvres internationales.

Dawson Creek

(voir p 331)

Parcs et plages

Circuit A: Le nord-est jusqu'à Cold Lake

Les rives du lac peu profond du **Moose Lake Provincial Park** accueillaient en 1789 un poste de traite de la Compagnie du Nord-Ouest. Des sentiers bordent son littoral et sa plage ténue, tandis qu'une petite zone marécageuse abrite une foule de représentants de la faune ailée. Vous pouvez également y pêcher le brochet et le vairon, de même que camper sur les lieux *(5$ par véhicule; ☎437-2285)*.

Le petit **Cold Lake Provincial Park** repose sur une langue de terre au sud de la ville. Principalement boisé de sapins baumiers et d'épinettes blanches, il s'impose comme le royaume des orignaux, des rats musqués et des visons. Le Hall's Lagoon s'y prête bien à l'observation d'oiseaux, et vous pouvez également y camper *(15$ par nuit; ☎639-3341)*.

Circuit B: Au nord d'Edmonton

Le **parc national Wood Buffalo** ★★ est accessible depuis les communautés de Fort Chipewyan (Alberta) et de Fort Smith (Territoires du Nord-Ouest). Fort Chipewyan est desservi par avion deux fois par semaine au départ de Fort McMurray; en été, des bateaux à moteur empruntent en outre les rivières Athabasca et Embarras; une route d'hiver demeure ouverte entre décembre et mars depuis Fort McMurray jusqu'à Fort Chipewyan, mais nous ne saurions vous la recommander; enfin, pour les plus aventureux, il est possible d'accéder au parc en canot par les rivières Peace et Athabasca.

Ce parc abrite le plus important troupeau de bisons en liberté au monde, sans compter qu'il est aussi le dernier lieu de nidification des grues blanches d'Amérique. Ces deux facteurs ont contribué à faire de Wood Buffalo un site du patrimoine mondial. Le parc a été créé à l'origine pour protéger le dernier troupeau de bisons des bois du nord du Canada. Mais lorsque des bisons des plaines y furent acheminés entre 1925 et 1928, du fait que les prairies du parc national Wood Buffalo de Wainwright (Alberta) souffraient de surpâturage, bisons des plaines et bisons des bois se mélangèrent, faisant ainsi disparaître le bison des bois à l'état pur. C'est du moins ce que l'on croyait à l'époque, puisqu'un autre troupeau fut découvert à l'intérieur du parc national Elk Island (voir p 537), une partie de ce troupeau devant par la suite être expédiée au Mackenzie Bison Sanctuary des Territoires du Nord-Ouest. Cela dit, il n'y a plus vraiment de purs bisons des bois au parc national Wood Buffalo.

Ceux et celles qui veulent bien s'en donner la peine profiteront des possibilités de randonnée pédestre (la majorité des sentiers se trouvent aux environs de Fort Smith), de canot (excellentes) et de camping, mis à part le fait qu'ils auront l'occasion de faire l'expérience de la vie sauvage dans le nord du Canada à l'intérieur du plus grand parc national du pays. Un minimum de préparation s'impose toutefois pour tirer pleinement parti de votre expédition, et vous devez savoir qu'un permis (Park Use Permit) est exigé de ceux et celles qui désirent passer une ou plusieurs nuits dans le parc. Enfin, n'oubliez pas de vous munir d'une bonne quantité d'insectifuge. Pour de plus amples renseignements, adressez-vous directement au parc *(P.O. Box 750, Fort Smith, NWT, X0E 0P0, le code régional pour Fort Smith est le 867; ☎872-3910 ou Fort Chipeny ☎697-3662).*

Le **Lesser Slave Lake Provincial Park**, voisin du troisième lac en importance de l'Alberta, présente mille et un attraits, y compris la plage Devonshire, une magnifique bande de sable de 7 km.

Activités de plein air

Golf

L'**Athabasca Golf & Country Club** *(30$; mi-avril à mi-oct; du côté nord de la rivière Athabasca, juste à la sortie d'Athabasca, ☎675-4599 ou 888-475-4599)* est un nouveau terrain offrant 18 trous de haut calibre et de magnifiques paysages.

Observation des oiseaux

McLennan s'impose comme la capitale aviaire du Canada. Trois importants couloirs de migration convergent en effet ici, offrant aux amateurs de faune ailée l'occasion d'observer plus de 200 espèces différentes. Cette petite ville possède un intéressant centre d'interprétation et des passerelles menant à des caches d'observation.

Le village de Bonnyville s'est construit autour des anses septentrionales du **lac Jessie**, une zone marécageuse qui héberge plus de 230 espèces ailées. La Wetlands Viewing Trail la parcourt et permet d'atteindre plusieurs plateformes d'observation. Au printemps et à l'automne, soit le meilleur temps de l'année pour épier les oiseaux d'ici, vous pourriez repérer l'orfraie, l'aigle à tête blanche et l'aigle royal.

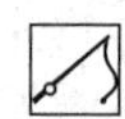

Pêche

Les vrais mordus voudront sans doute participer au Golden Walleye Classic, un concours de pêche au doré jaune qui se tient à **High Prairie** la troisième semaine d'août. Avec des milliers de dollars en prix, qui ne voudrait pas tenter sa chance? N'importe qui peut s'inscrire; pour de plus amples renseignements, composez le *☎751-3906.*

Le grand brochet, le vairon et la truite sont les prises du jour au **Cold Lake**. Vous pourrez louer embarcations et attirail de pêche à la Cold Lake Marina, tout au bout de la rue principale.

Si vous avez l'intention de pêcher au **Lesser Slave Lake**, mieux vaut sans doute vous éloigner du rivage. Vous trouverez des bateaux à louer à la Sawridge Recreation Area, sur la Cariboo Trail.

Hébergement

Circuit A: Le nord-est jusqu'à Cold Lake

St. Paul

King's Motel
$$
≡, ℝ, ℜ
5638 50th Ave.
☎(780) 645-5656 ou 800-265-7407
⇄(780) 645-5107
Le King's Motel and Restaurant propose des chambres propres et convenables dont la plupart sont équipées d'un réfrigérateur.

Cold Lake

Harbour House B&B
$$ pdj
ℑ, ℜ
615 Lakeshore Dr.
☎(780) 639-2337
⇄(780) 639-2338
Le Harbour House B&B est une charmante auberge installée sur les rives du Cold Lake. Chaque chambre arbore un thème différent, et nous vous suggérons de demander celle qui possède une cheminée et un lit à baldaquin — un vrai joyau! Salon de thé adjacent. Chaque chambre possède maintenant sa propre salle de bain, et un restaurant familial propose tous les repas de la journée.

Circuit B: Au nord d'Edmonton

Athabasca

Best Western Athabasca Inn
$$
≡, ✗, ⊙, ℜ
5211 41st Ave.
www.bestwesternathabascainn.com
☎(780) 675-2294 ou 800-567-5718
⇄(780) 675-3890
L'Athabasca Inn propose des chambres dont l'air est filtré. La clientèle de cet établissement se compose principalement de gens d'affaires. Les chambres se veulent propres et spacieuses.

Donatville

Donatberry Inn B&B
$$ pdj
⌂
R.R.1, Boyle
☎(780) 689-3639
⇄(780) 689-3380
Situé à mi-chemin entre Lac La Biche et Athabasca sur la route 63, le village de Donatville vous réserve son Donatberry Inn B&B. Cette maison de construction récente se trouve sur une grande propriété, non loin d'un verger de petits fruits connus sous le nom de *northern berries* (dont on fait sur place des confitures que vous pourrez déguster au petit déjeuner). Les chambres, grandes et claires, ont leur propre salle de bain, et vous pourrez en outre profiter d'un bassin à remous et d'un bain de vapeur.

Lac La Biche

Parkland Motel
$$
≡, ⊛, ℂ
9112 101st Ave.
☎(780) 623-4424 ou 888-884-8886
⇄(780) 623-4599
Le Parkland Motel propose des chambres standards et des suites avec cuisinette, certaines d'entre elles étant dotées d'un foyer et d'une mezzanine. Bon rapport qualité/prix.

Fort McMurray

Quality Hotel & Conference Centre Fort McMurray
$$$
≡, ⊛, ≈, ℜ
424 Gregoire Dr.
☎(780) 791-7200 ou 800-582-3273
⇄(780) 790-1658
www.qualityhotelfortmcmurray.com
Le Quality Hotel & Conference Centre, comprenant un bon restaurant (voir p 581), un salon-bar, une piscine et une salle de billard, est sans

conteste le lieu d'hébergement le plus adéquat de cette ville. Il se trouve à environ 4 km du centre-ville.

Slave Lake

Northwest Inn
$$
≡, ⊛, ⊘, ℂ, ℝ, ℜ, ⌂
P.O. Box 2459
☎(780) 849-3300 ou 888-849-5450
⇄(780) 849-2667
www.northwest-inn-.com
Plus loin sur Main Street, en pénétrant dans la ville, vous apercevrez le Northwest Inn. Propres et modernes, ses chambres se révèlent malheureusement on ne peut plus fades et ordinaires. Ici encore, certaines disposent d'un réfrigérateur.

Sawridge Hotel
$$
≡, ⊛, ℝ, ℜ, ⌂
immédiatement en retrait de la route 2, sur Main St.
☎(780) 849-4101 ou 800-661-6657
⇄(780) 849-3426
www.sawridge.com
L'extérieur pour le moins intéressant du Sawridge Hotel cache des chambres pour le moins ordinaires, et un tantinet défraîchies. Plusieurs sont par contre équipées d'un réfrigérateur.

Circuit C: La vallée de la Paix

Peace River

Traveller's Motor Hotel
$$
≡, ♞, ⊘, ℂ, ℜ, ⌂
P.O. Box 7290
☎(780) 624-3621 ou 800-661-3227
⇄(780) 624-4858
www.travellershotel.com
Le Traveller's Motor Hotel loue des chambres standards ainsi que des suites. Comme il y a une boîte de nuit à l'intérieur de l'hôtel, ce n'est certainement pas là l'endroit le plus tranquille de la ville. Toutes les chambres viennent d'être rénovées. Notez que le prix inclut un laissez-passer spécial donnant gratuitement accès au terrain de golf, à la piscine municipale et au club sportif de Peace River.

The Best Canadian Motor Inn
$$
≡, ℂ, ≈, ℜ
9810 98th St.
☎(780) 624-2586 ou 888-700-2264
⇄(780) 624-1888
www.bestcdn.com
Le Best Canadian Motor Inn se trouve près du centre de la ville et propose des chambres plutôt simples quoique propres. Les suites familiales avec cuisinette constituent un choix résolument économique.

Grande Prairie

Canadian Motor Inn
$$
≡, ♞, ⊛, ℂ, ℝ
10901 100th Ave.
☎(780) 532-1680 ou 800-291-7893
⇄(780) 532-1245
www.canadianmotorinn.com
Le meilleur lieu d'hébergement de Grande Prairie est le Canadian Motor Inn, où chaque chambre dispose de deux grands lits, d'un réfrigérateur et d'un téléviseur grand écran. L'hôtel propose un hébergement impeccable à la fois moderne et très confortable. Des chambres équipées d'une cuisinette complète sont également proposées *(89$)*, de même qu'une suite pour gens d'affaires pourvue d'une baignoire à remous *(150$)*.

Fieldstone Inn B&B
$$ pdj
⊛, ℑ
P.O. Box 295
☎(780) 532-7529
⇄(780) 513-8752
www.bbalberta.-com/fieldstone
Établi sur une propriété lacustre retirée, le Fieldstone Inn B&B constitue une véritable trouvaille, pour autant que vous ne vous objectiez pas à cette nouvelle politique de «célébration du mariage» voulant que les couples non mariés fassent chambre à part. Cette maison en pierre des champs nouvellement construite révèle une atmosphère chaleu-

reuse, due sans doute à son décor à l'ancienne et à son style classique. Certaines chambres disposent d'un foyer ou d'une baignoire à remous. Le balcon se prête merveilleusement bien à la contemplation du jardin de roses et, avec un peu de chance, des aurores boréales.

Quality Hotel & Conference Centre Grande Prairie
$$
≡, ℂ, ℜ
11201 100th Ave.
☎(780) 539-6000 ou 800-661-7954
⇄(780) 532-1961
www.qualityhotelgrande-prairie.com
Le Quality Hotel & Conference Centre, au nord de la ville, se trouve à proximité des services et des commerces. Le décor des chambres et du hall d'entrée est quelque peu dépassé.

Restaurants

Circuit A: Le nord-est jusqu'à Cold Lake

St. Paul

King's Motel Restaurant
$-$$
5638 50th Ave.
☎(780) 645-5656
Le restaurant du King's Motel sert des petits déjeuners de crêpes chaudes et de pain perdu (pain doré), mais aussi des déjeuners et des dîners. L'atmosphère n'a rien de particulier, mais la nourriture reste bonne et peu coûteuse.

Cold Lake

Harbour House Tea Room
$
615 Lakeshore Dr.
☎(780) 639-2337
La Harbour House Tea Room sert des repas légers tels que sandwichs et gâteaux tous les après-midis.

Sun Flower Café
$$
902 8th Ave.
☎(780) 639-3261
Le Marina View Hotel n'est pas tellement recommandé comme lieu d'hébergement mais son restaurant, le Sun Flower Café, sert des repas conventionnels du matin au soir.

Circuit B: Au nord d'Edmonton

Athabasca

Green Spot
$$
4820 51st St.
☎(780) 675-3040
Le Green Spot n'est ouvert qu'en début de journée, du petit déjeuner au déjeuner. On y mange un peu de tout, depuis les bonnes soupes en passant par les sandwichs jusqu'aux gros hamburgers bien juteux.

Fort McMurray

Garden Café
$
24 heures sur 24
9924 Biggs Ave.
☎(780) 791-6665
Le Garden Café se présente comme un endroit frais et gai où il fait bon savourer un potage, un sandwich ou un bon dessert. Ouvert jour et nuit.

Athabasca Grill
$$$
424 Gregoire Dr.
☎(780) 791-7200
L'Athabasca Grill du Quality Hotel & Conference Centre est réputé pour son gargantuesque brunch du dimanche.

Slave Lake

Joey's Incredible Edibles
$$
angle Third Ave. et Main St.
☎(780) 849-5577
Joey's Incredible Edibles est un agréable restaurant familial proposant un menu complet, y compris un vaste choix de succulents hamburgers.

Circuit C: La vallée de la Paix

Peace River

Peace Garden
$$
10016 100th St.
☎(780) 624-1048
Le Peace Garden est le meilleur des quelques restaurants chinois de cette ville. Outre de

bons plats de fruits de mer, on y sert des mets nord-américains tels que steaks et pizzas.

Grande Prairie

Java Junction
$
9931 100th Ave.
☎(780) 539-5070
Le Java Junction se présente comme un établissement original du petit centre-ville de Grande Prairie. Au menu: des muffins, des soupes et des sandwichs économiques.

 **Earl's**
$$$-$$$$
9825 100th St.
☎(780) 538-3275
Grande Prairie possède enfin l'un des nombreux Earl's de l'Alberta. Grâce à sa terrasse extérieure et à son menu aussi varié que fiable, il s'agit d'un des endroits les plus courus en ville.

Sorties

Circuit C: La vallée de la Paix

Grande Prairie

Le **Grande Prairie Live Theatre** (*10130 98th Ave.*) est le siège d'une petite compagnie théâtrale fort populaire. Pour de plus amples renseignements, composez le ***☎538-1616***.

Mésange à tête noire

Saskatchewan

Selon la croyance populaire, la Saskatchewan n'est qu'un champ de blé à perte de vue.

Ne s'agit-il pas, après tout, du grenier du Canada, produisant soixante pour cent du blé de la nation sur des hectares et des hectares de champs dorés qui s'étendent, pratiquement, jusqu'à l'horizon?

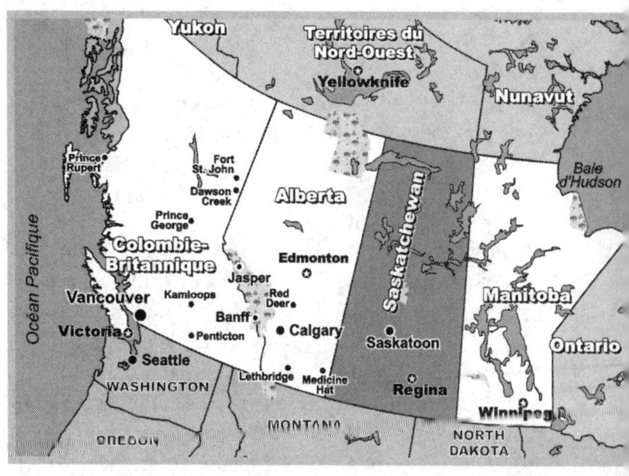

C'est d'ailleurs pour cette raison qu'on dépeint le plus souvent cette terre comme une prairie froide et monotone perdue entre les lacs du Manitoba et les montagnes de l'Alberta, sans plus. D'autant que la province entière connaît des hivers si amèrement froids que les «raccords électriques» (ces dispositifs qui gardent les batteries d'automobiles au chaud toute la nuit) font partie des services réguliers des bons hôtels.

Cela dit, il suffit de gratter quelque peu la surface pour percer le masque du stéréotype. La spectaculaire vallée de Qu'Appelle s'étend sur près des deux tiers de la largeur de la province en creusant dans la plaine un large sillon ponctué de profondes dépressions glaciaires qui se fraient un chemin jusqu'à la rivière. Aventurez-vous un peu plus au nord, jusqu'aux deux principales villes de la Saskatchewan, et d'étonnants accents architecturaux s'offriront à votre regard. Dans d'autres régions, c'est la prépondérance des églises est-européennes qui saute aux yeux avec leurs dômes peints, tels de somptueux et délicats œufs de Pâques, qui s'élèvent au-dessus de la prairie, vibrants témoignages à l'incontournable influence ukrainienne.

Plus au nord, les prairies cèdent abruptement le pas aux collines, puis aux montagnes, aux forêts et aux lacs, atténuant quelque peu la surprise d'apprendre qu'ici, les terres boisées recouvrent la moitié de la province et occupent davantage d'espace que les terres cultivées! Enfin, la plupart des cours d'eau majeurs de la province coulent vers l'est, en direction du Manitoba, où ils se jettent dans la baie d'Hudson.

Les premiers peuples de la Saskatchewan formaient des tribus, tels les Assiniboines et les Blackfoots, ou Pieds-Noirs. Par la suite, les Cris sont devenus les plus influents, poussant toujours plus à l'ouest pour satisfaire l'appétit vorace des négociants en fourrures. Tôt ou tard, la plupart des terres autochtones de la province ont été vendues ou cédées au gouvernement par voie de traité.

Louis Riel et les Métis, descendants de voyageurs français et d'Autochtones, ont grandement marqué l'histoire des Prairies dans les collines et les vallées de la Saskatchewan. En 1884, après avoir défendu les droits des Métis et s'être réfugié aux États-Unis, Riel a été rappelé par les colons de l'actuelle Saskatchewan, qui faisait alors partie des vastes Territoires du Nord-Ouest. Sa petite bande, qui combattait pour le statut provincial de la Saskatchewan ainsi que pour un meilleur traitement des Autochtones et des Métis, eut d'entrée de jeu le meilleur sur les troupes du Dominion à l'occasion d'escarmouches répétées. Mais il faut savoir que Riel n'a jamais voulu d'un conflit armé; il espérait plutôt des négociations.

Cependant, les Canadiens, menés par le général James Middleton, anticipaient l'inévitable. Sans compter qu'ils étaient supérieurs en nombre, et que le nouveau chemin de fer transcontinental leur amenait continuellement des renforts. Les Métis ont finalement été défaits à Batoche lors du dernier conflit armé en sol canadien, tandis que Riel, déclaré traître, fut pendu. Il n'en demeure pas moins un héros dans certaines régions de la province, entre autres pour sa détermination inébranlable à préserver la souveraineté des siens. La Saskatchewan a adhéré à la Confédération canadienne en 1905.

Aujourd'hui les efforts de Riel sont reconnus: la route 11, qui mène de Regina à Prince Albert en passant par Saskatoon, a également été nommée *The Louis Riel Trail*.

Depuis l'époque de Riel, peu d'individus ont aussi profondément marqué les destinées de la province, exception faite de John Diefenbaker. Après avoir grandi sur une minuscule ferme à proximité de la rivière North Saskatchewan, ce simple avocat de campagne s'est en effet hissé au rang de premier ministre du Canada au début des années 1960. Son cabinet juridique, sa maison d'enfance, sa résidence principale et son bureau universitaire sont d'ailleurs aujourd'hui de populaires attraits dont la population est fière. Un lac porte également son nom. Plus près de nous, la chanteuse populaire Joni Mitchell (née Joan Anderson) est probablement la plus célèbre fille de la province; elle a grandi à Saskatoon, et l'on raconte qu'elle fait encore une apparition occasionnelle dans une boîte de cette ville, où elle chante volontiers une mélodie ou deux.

Tout compte fait, cependant, le temps s'écoule toujours aussi lentement en Saskatchewan. Les fermiers cherchent à diversifier leur production en faisant pousser entre autres du lin, tandis que les mines de potasse et les barrages hydroélectriques fournissent des emplois réguliers. Mais ce sont essentiellement le blé et le pétrole qui continuent de soutenir l'économie. Les deux principales villes de la province comptent l'une comme l'autre un peu plus de 200 000 habitants, et tâchent de meubler leurs courts étés de festivités. Regina l'élégante s'impose comme la capitale de la province, si anglaise qu'elle semble ne jamais avoir quitté le giron de la Couronne britannique. Saskatoon, pour sa part, accueille une grande université, une scène culturelle florissante et est situé à proximité des attraits naturels de la province.

Pour s'y retrouver sans mal

En voiture

Il est facile de traverser le sud de la Saskatchewan par la transcanadienne (route 1). En outre, nombre de routes et d'autoroutes bien entretenues sillonnent ce vaste territoire.

En avion

Les deux plus grands aéroports de la province sont ceux de Regina et de Saskatoon; plusieurs grandes compagnies aériennes desservent la province, faisant la navette entre Calgary, Toronto, Vancouver et d'autres villes canadiennes.

Les bureaux d'**Air Canada** *(www.aircanada.com)* à Regina *(☎888-422-7533)* ainsi que ceux de Saskatoon *(☎306-652-4181)* sont situés à l'aéroport municipal.

L'aéroport de Saskatoon se trouve à 7 km au nord de la ville. Une succession de motels en indique l'approche. Comptez environ 12$ pour le trajet en taxi jusqu'au centre-ville.

L'aéroport de Regina se trouve aux abords sud-ouest de la ville, à environ 5 km; un taxi pour le centre-ville coûte 10$ ou un peu plus.

En autocar

Greyhound Canada *(☎800-661-8747, www.greyhound.ca)* dessert les principales villes de la province. À Regina, la gare d'autocars *(☎306-787-3340)* se trouve au 2041 Hamilton Street. À Saskatoon, vous la trouverez à l'angle de Pacific Avenue et de 23rd Street East *(☎306-933-8019).*

La **Saskatchewan Transportation Company** *(www.stcbus.com)* dessert également les régions moins visitées de la province. À Regina, ses autocars *(☎306-787-3340)* partent de la même gare que ceux de Greyhound, au 2041 Hamilton Street; à Saskatoon, composez le ☎933-8000 pour joindre la compagnie d'autocars.

En train

Le service ferroviaire transcanadien de **VIA Rail** *(☎800-561-8630 de l'ouest du pays, www.viarail.ca)* vous amène en Saskatchewan dans la soirée, ce qui rend un arrêt difficile, bien que non impossible; en venant de l'est, par exemple, le train s'arrête trois fois par semaine à Saskatoon à 2h40, tandis qu'en sens inverse il y marque une halte à 2h45.

La **gare ferroviaire de Saskatoon** *(angle Cassino Ave. et Chappell Dr., ☎800-561-8630)*, située à l'extrême sud-ouest de la ville, est la plus grande de la province et, dès lors, le point habituel d'embarquement ou de débarquement en Saskatchewan (le train transcontinental ne passe plus par Regina). De plus petites gares existent par contre à Watrous et à Biggar, le train ne s'arrêtant toutefois qu'à la demande des passagers. Aucun train ne dessert la ville de Regina.

Transport en commun

Regina Transit *(333 Winnipeg St., ☎306-777-7433, www.reginatransit.com)* couvre la capitale et offre des rabais sur les passages multiples.

Saskatoon Transit *(301 24th St. W.; ☎306-975-3100, www.stn-biz.com/saskatoontransit)* assure le service d'autobus de cette ville à raison de 1,10$ par trajet.

Taxi

Capital Cab *(☎306-791-2225)* dessert toute la ville de Regina. À Saskatoon, la compagnie de taxis à appeler est **Radio Cabs** *(☎306-242-1221)*.

Renseignements pratiques

Indicatif régional: ***306***

Bureaux d'information touristique

Tourism Saskatchewan *(1922 Park St., Regina, SK, S4P 3V7, ☎787-2300 ou 877-237-2273)* peut être joint toute l'année. Les centres provinciaux d'information touristique, dispersés le long des grands axes routiers de la province, ont des horaires variables.

Les heures d'ouverture des bureaux de tourisme locaux varient beaucoup, mais les plus grands restent ouverts toute l'année.

Tourism Regina *(route transcanadienne, PO Box 3355, Regina, SK, S4P 3H1; ☎306-789-5099 ou 800-661-5099, www.tourismregina.com)* se trouve à l'extrême périphérie est de la ville et n'est accessible qu'en voiture, mais il est bien approvisionné et le service y est courtois.

Tourism Saskatoon *(305 Idylwyld Dr. N., nº 6, SK, S7L 0Z1, ☎306-242-1206 ou 800-567-2444, www.tourismsaskatoon.com)* se trouve au centre-ville dans l'ancienne gare ferroviaire du Canadien Pacifique.

Bureaux de poste

Les principaux bureaux de poste sont situés au 2200 Saskatchewan Dr. à Regina et au 202 Fourth Avenue North à Saskatoon.

Sécurité

La province est relativement sûre, y compris dans les rares secteurs urbains. Néanmoins, en cas d'expérience malencontreuse, adressez-vous aux commissariats de police de Regina *(Regina Police Station 1717 Osler St., ☎777-6500)* ou de Saskatoon *(Saskatoon Police Station, 130 4th Ave. N., ☎975-8300)*. Vous trouverez en outre un dépôt de la **Gendarmerie royale du Canada** à Saskatoon *(1721 8th St. E., ☎975-5173)* et à Regina *(1601 Dewdney Ave. W., ☎975-5173)*.

Climat

Les étés sont habituellement chauds, secs et très ensoleillés, avec des températures qui atteignent souvent les 30°C. Cependant les hivers sont caractérisés par d'importantes tempêtes de neige et peuvent également faire chuter le mercure en

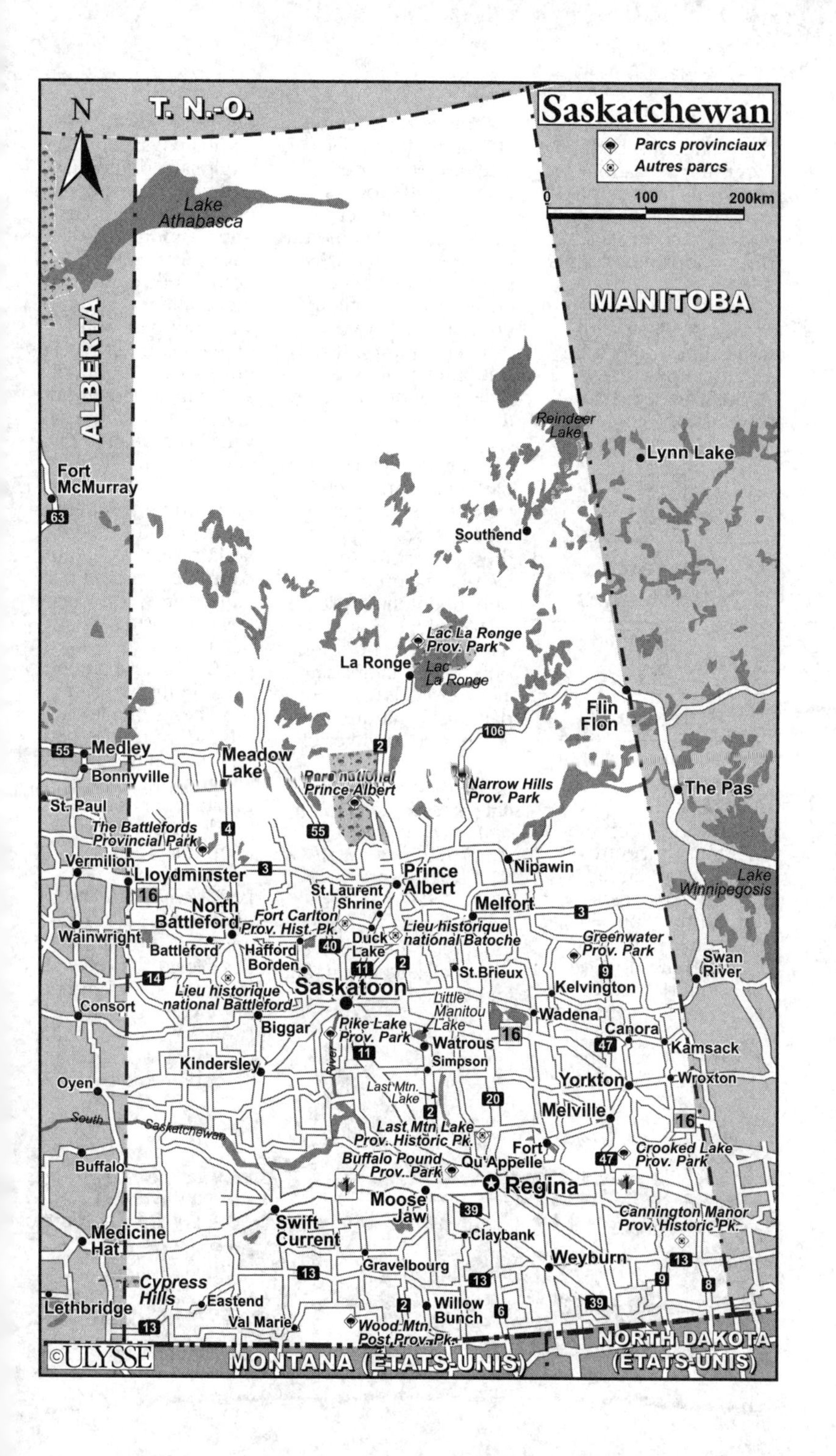
Saskatchewan
Parcs provinciaux
Autres parcs
0
100
200km
N
T. N.-O.
MANITOBA
ALBERTA
Lake Athabasca
Reindeer Lake
Lynn Lake
Fort McMurray
63
Southend
Lac La Ronge Prov. Park
La Ronge
Lac La Ronge
Flin Flon
106
2
55
Medley
Bonnyville
Meadow Lake
Parc national Prince Albert
Narrow Hills Prov. Park
The Pas
St. Paul
The Battlefords Provincial Park
4
55
Vermilion
Lloydminster
3
Nipawin
Prince Albert
Lake Winnipegosis
16
St.Laurent Shrine
North Battleford
Melfort
3
Fort Carlton Prov. Hist. Pk.
Lieu historique national Batoche
Wainwright
Duck Lake
Greenwater Prov. Park
Battleford
Hafford
40
Borden
2
Swan River
11
9
14
St.Brieux
Saskatoon
Kelvington
Lieu historique national Battleford
Little Manitou Lake
Consort
Wadena
Biggar
Pike Lake Prov. Park
Canora
16
Watrous
47
Kamsack
11
Simpson
Kindersley
River
Yorkton
Wroxton
Oyen
Last Mtn. Lake
20
2
Melville
South Saskatchewan
16
Last Mtn Lake Prov. Historic Pk.
Fort Qu'Appelle
Buffalo Pound Prov. Park
Crooked Lake Prov. Park
47
Buffalo
1
Regina
1
Moose Jaw
39
Cannington Manor Prov. Historic Pk.
Swift Current
Medicine Hat
Claybank
Weyburn
Gravelbourg
13
13
Cypress Hills
13
9
8
Eastend
Lethbridge
Willow Bunch
2
39
6
Val Marie
Wood Mtn. Post Prov. Pk.
13
NORTH DAKOTA (ÉTATS-UNIS)
MONTANA (ÉTATS-UNIS)
©ULYSSE

deçà de –30°C, le facteur vent contribuant à créer une sensation de froid plus intense encore. Nous vous suggérons de prendre les précautions nécessaires.

Pour obtenir de l'information sur les conditions climatiques à Regina, composez le ☎780-5744; à Saskatoon, composez le ☎975-4266.

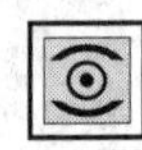

Attraits touristiques

Regina

Le **Wascana Centre** ★★★ ne s'impose pas d'emblée comme un attrait du centre-ville. Il s'agit en fait d'un immense espace vert, réputé pour être le plus grand parc urbain en Amérique du Nord (plus grand encore que le Central Park de New York!), et du point de départ logique d'une visite de la ville. Ce complexe de quelque 400 ha réunit un lac, une université, des ponts, des pelouses, des jardins, un centre de congrès et même un refuge d'oiseaux. Des sentiers pédestres et équestres se profilent en tout sens, et vous trouverez partout du stationnement et des toilettes publiques bien tenues.

Une institution locale particulièrement intéressante est le **Speaker's Corner** ★★, un podium dressé en bordure du lac où chacun peut publiquement exprimer ses opinions. Et pas n'importe quel podium, puisque les lampadaires à gaz et les bancs de parc qui l'entourent viennent d'Angleterre!

Le **Legislative Building** ★★★ *(entrée libre; mai à sept 8h à 21h, oct à avr 8h à 17h; angle Albert St. et Legislative Dr., ☎787-5358)*, l'édifice cruciforme qui abrite l'Assemblée législative de la Saskatchewan, fait face au lac Wascana ainsi qu'à des pelouses et des jardins paysagers. Il s'agit sans doute du bâtiment gouvernemental provincial le plus impressionnant au Canada. Son énorme dôme s'élève au-dessus de la ville, et la fontaine qui pare son entrée est une de celles qui appartenaient jadis au Trafalgar Square de Londres (l'autre se trouvant maintenant à Ottawa).

À l'intérieur, les députés traitent les affaires de la province, et, au cours des séances parlementaires, il est possible d'assister à leurs débats. Une galerie patrimoniale d'origine canadienne et divers ornements architecturaux, dont une rotonde, agrémentent également le bâtiment; les visites guidées partent toutes les demi-heures du comptoir d'accueil.

Le **Wascana Waterfowl Park** ★ abrite des cygnes, des pélicans et des oies, dont certaines migratrices et d'autres qui vivent ici toute l'année. La petite taille de l'étang qui agrémente les lieux permet

Legislative Building

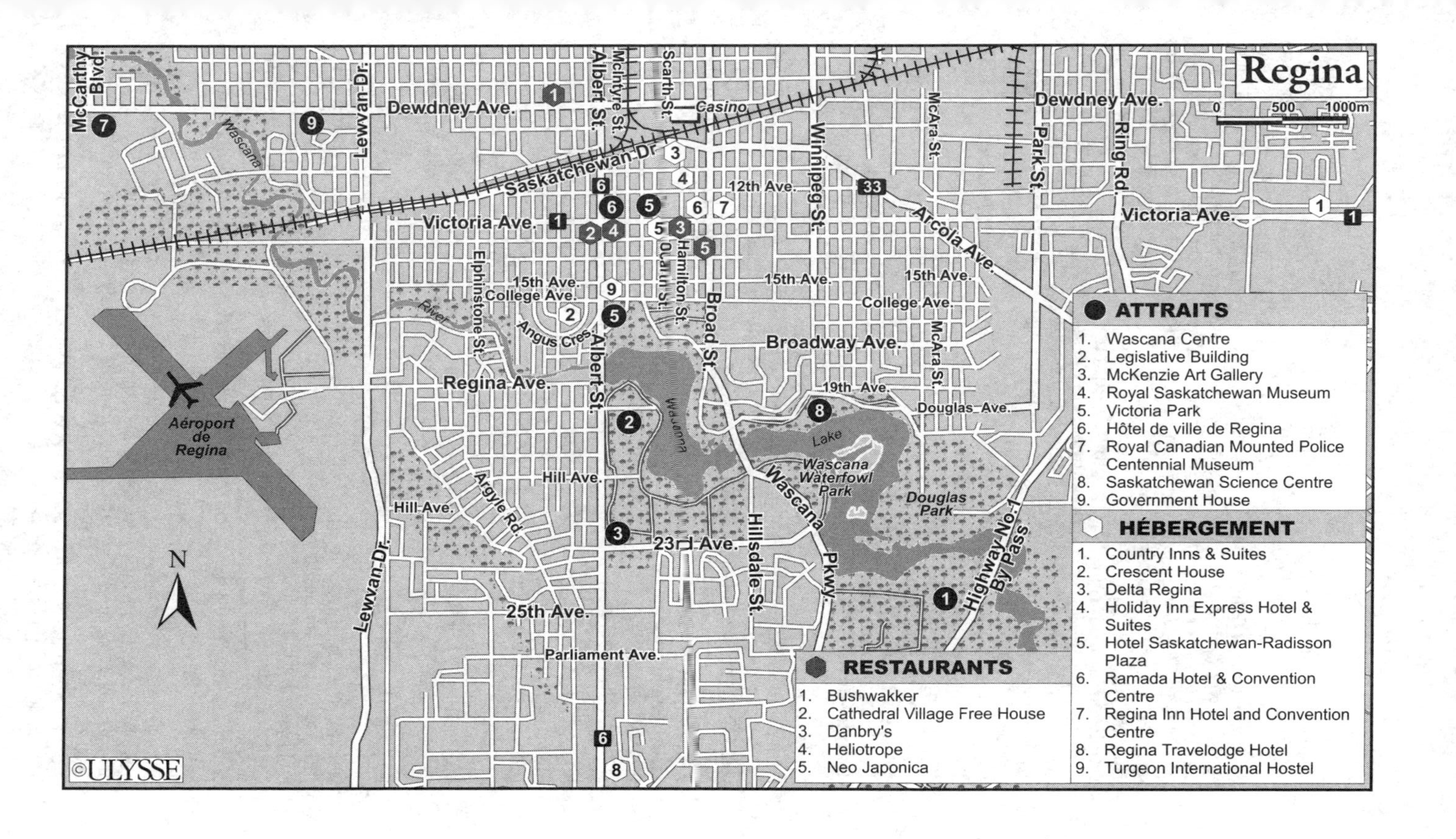
Regina
0
500
1000m
ATTRAITS
1. Wascana Centre
2. Legislative Building
3. McKenzie Art Gallery
4. Royal Saskatchewan Museum
5. Victoria Park
6. Hôtel de ville de Regina
7. Royal Canadian Mounted Police Centennial Museum
8. Saskatchewan Science Centre
9. Government House
HÉBERGEMENT
1. Country Inns & Suites
2. Crescent House
3. Delta Regina
4. Holiday Inn Express Hotel & Suites
5. Hotel Saskatchewan-Radisson Plaza
6. Ramada Hotel & Convention Centre
7. Regina Inn Hotel and Convention Centre
8. Regina Travelodge Hotel
9. Turgeon International Hostel
RESTAURANTS
1. Bushwakker
2. Cathedral Village Free House
3. Danbry's
4. Heliotrope
5. Neo Japonica
McCarthy Blvd.
Dewdney Ave.
Lewvan Dr.
Albert St.
McIntyre St.
Scarth St.
Casino
Saskatchewan Dr
12th Ave.
Winnipeg St.
McAra St.
Park St.
Ring Rd.
Victoria Ave.
Arcola Ave.
15th Ave.
College Ave.
Elphinstone St.
Hamilton St.
Broad St.
Angus Cres.
Broadway Ave.
River
Wascana
Regina Ave.
19th Ave.
Douglas Ave.
Lake
Wascana Waterfowl Park
Douglas Park
Hill Ave.
Argyle Rd.
Wascana Pkwy.
Hillsdale St.
23rd Ave.
Highway No.1 By Pass
25th Ave.
Parliament Ave.
Aéroport de Regina
N
©ULYSSE

aux visiteurs de voir de très près plusieurs des oiseaux.

La **MacKenzie Art Gallery** ★ *(entrée libre; tlj 10h à 17h30 et jeu-ven jusqu'à 22h; 3475 Albert St., ☎522-4242)*, située dans le centre de Wascana, à l'angle de la rue Albert et de la 23e Avenue, présente des expositions temporaires de même qu'une collection permanente. La galerie d'art, financée par le legs d'un juriste local, abrite entre autres une statue en bronze peint de John Diefenbaker debout sur une chaise.

En passant le pont du Prince-Albert en direction du centre-ville, vous découvrirez, joliment niché dans un coin de parc, le **Royal Saskatchewan Museum** ★ *(entrée libre; tlj 9h à 16h30; angle College Ave. et Albert St., ☎787-2815 ou 787-2810)*. C'est là le musée d'histoire naturelle de Regina, récemment rénové, et ses salles renferment une abondance de présentoirs de type diorama sur les dinosaures, rehaussés de caverneuses voix hors-champ. Vous y trouverez en outre plus de renseignements sur la géologie de la Saskatchewan que vous ne pourriez rêver d'en obtenir. Quoi qu'il en soit, il s'agit du meilleur endroit en ville pour voir des objets façonnés par les Autochtones du Canada et pour entendre des enregistrements amérindiens. Un impressionnant assortiment de photographies noir et blanc de chefs autochtones, ainsi que des séquences filmées sur bande vidéo de danse et de cérémonies amérindiennes, clôturent on ne peut mieux la visite.

Toujours en direction du centre-ville, à quelques rues au nord du musée, s'étend le charmant **Victoria Park** ★★★, un parc urbain exceptionnel – d'ailleurs le plus beau des Prairies – planté en plein centre de Regina, dont il offre une vue fantastique sur les gratte-ciel. Une série de sentiers se dessinent tels les rayons d'une roue à partir du cénotaphe érigé en son centre, et les épinettes qui agrémentent le site offrent un joli contraste avec les pelouses et les jardins.

Tout près, le City Hall, soit l'**hôtel de ville de Regina** ★★ *(entrée libre; lun-ven 8h à 16h45; 2476 Victoria Ave., ☎777-7003)*, vaut également le coup d'œil, d'autant plus que les lumières de son toit sont conçues pour rappeler la couronne d'une reine à la tombée de la nuit. Les visites, pour lesquelles vous devez réserver à l'avance, offrent un aperçu de la salle du Conseil, du foyer et de la tribune. Une boutique de cadeaux est également aménagée sur les lieux.

Scarth Street est le mail piétonnier du centre-ville, débouchant sur le grand ensemble commercial qui a pour nom Corwall Centre et qu'on préférerait oublier. À quelques portes seulement du centre commercial, le **Regina Plains Museum** ★★ *(entrée libre; fin juin à fin août mar-sam 10h à 16h, début sept à fin juin lun-ven 10h à 16h; 1835 Scarth St., ☎780-9435 ou 780-9434)* est un peu difficile à trouver, mais vaut le déplacement. Aménagé au quatrième étage de l'édifice qui loge le Globe Theatre, il constitue une bonne introduction à la vie dans les plaines.

Le musée présente les incontournables chapelle, école, chambre à coucher et bureau de poste typiques des Prairies, mais vous serez sans doute davantage intéressé par un petit présentoir décrivant les migrations autochtones à travers la province; la sculpture signée Jacqueline Berting *The Glass Wheatfield*, qui se compose de 14 000 tiges de blé en verre travaillées artisanalement à la main et qui arrivent à hauteur de taille; une vitrine sur le procès de Louis Riel; les outils d'arpenteur jadis utilisés pour lotir la plaine (sur papier, tout au moins), sans oublier un ancien registre de police contenant des photographies de criminels; les délits des malfaiteurs, consignés dans une écriture cursive («a triché aux cartes», «vit dans une maison close» et autres semblables infractions), font l'objet d'une lecture divertissante.

Les deux seuls attraits majeurs nécessitant un déplacement en voiture se trouvent à seulement quelques minutes à l'ouest du centre-ville, l'un étant presque à côté de l'autre.

Le **Royal Canadian Mounted Police Centennial Museum** ★★★ *(entrée libre; mi-mai à début sept tlj 8h à 18h45, début sept à mi-mai 10h à 16h45; Dewdney Ave. W., ☎780-5838)*, aménagé sur la base de formation de la Gendarmerie royale du Canada, se veut populaire et témoigne d'une conception intéressante.

Les objets exposés dans ce musée conventionnel comprennent beaucoup de fusils, d'uniformes rouges et de vestiges datant de l'époque (1873) où la Gendarmerie royale fut créée, pour maintenir l'ordre et réprimer les trafiquants d'alcool du Nord-Ouest canadien. L'histoire de la mise sur pied de la célèbre force d'intervention, de sa «marche vers l'ouest» à travers les Prairies (y compris sa marche inaugurale de 3 200 km au départ de Montréal) et de son installation définitive au poste militaire de Regina y est retracée en détail pour la postérité.

Le musée met naturellement une emphase particulière sur la chose militaire à travers les âges, mais il renferme également en prime certains éléments d'un indéniable intérêt concernant les plus obscures facettes de l'entreprise pionnière dans l'Ouest canadien: les traités d'attribution des terres autochtones, une peau de bison gravée de victoires, l'étui du fusil de Sitting Bull, un crâne de bison accompagné d'une citation ironique sur la chasse telle que la pratiquaient les Autochtones, les effets personnels de Louis Riel et bien d'autres curiosités encore. Le mardi, il y a un exercice pendant lequel on abaisse le drapeau et qui porte le nom de *Sunset Retreat Ceremonies*, qui rappelle les racines militaires de la Gendarmerie royale du Canada.

Le **Saskatchewan Science Centre** ★ *(7$ pour Imax ou 12$ pour Imax + Powerhouse; lun 18h à 21h, mar-jeu 12h à 21h30, ven-sam 12h à 22h30, dim 12h à 21h30; angle Winnipeg St. et Wascana Dr., Wascana Centre, ☎800-667-6300 ou 522-4629)* est surtout reconnu pour son cinéma Imax avec son écran de plus de 15 m et son numérique. La **Powerhouse of Discovery** *(6,50$; mar-jeu 9h à 17h, ven 9h à 20h30, sam-dim 12h à 17h, fermé lun)*, une autre section du musée, présente des expositions et des conférences, qui se révèlent très intéressantes pour les enfants.

Enfin, la **Government House** ★ *(entrée libre; mar-dim 10h à 16h; 4607 Dewdney Ave. W., ☎787-5773)*, située tout près de l'école militaire de la Gendarmerie royale, a logé certains des plus hauts fonctionnaires de la province depuis la fin du XIXe siècle. Elle sert d'ailleurs encore de résidence au lieutenant-gouverneur de la Saskatchewan, quoiqu'on puisse la visiter. Un salon de thé est ouvert de mars à décembre, une fin de semaine par mois, de 13h à 16h. Appelez à l'avance pour connaître les dates précises.

Sud de la Saskatchewan

La route transcanadienne parcourt la Saskatchewan méridionale d'est en ouest, à travers les champs de blé et de rares villages. À l'est de Regina, rien ne laisse présager le panorama spectaculaire qui vous attend à peine quelques kilomètres plus au nord dans la vallée de Qu'Appelle, dont la configuration lui est parallèle à cette hauteur. À l'ouest de Regina, le relief est parfaitement plat et révèle les paysages qu'on associe le plus souvent à la Saskatchewan, réduisant l'humain à la taille d'un vulgaire insecte au milieu d'un océan.

★★★
Vallée de la rivière Fort Qu'Appelle

La vallée de la rivière Fort Qu'Appelle constitue cependant un détour étonnant, puisque la rivière y a creusé une dépression au beau milieu d'un territoire autrement complètement plat. La **route 247** (au nord de la route transcanadienne entre Whitewood et Grenfell), à peine connue des touristes, longe la rivière au fil de son tracé plongeant parmi les collines brunes et vertes. Elle croise **Round Lake ★★**, puis le **Crooked Lake Provincial Park ★★**, où se nichent de beaux lacs propres à la baignade, à la pêche et au simple tourisme d'agrément. Un chapelet de minuscules villages lacustres ombragés par des arbres propose des terrains de camping et quelques magasins de campagne épars.

En continuant par la route 22, d'ailleurs fort mal entretenue, vous atteindrez un site d'intérêt, quoique plutôt isolé: le **Motherwell Homestead National Historic Site** *(4$; début mai à fin juin tlj 9h à 17h, début juil à fin sept tlj 10h à 18h; Abernethy, ☎333-2116)*. Cette impressionnante demeure victorienne en pierres des champs rehaussée de dentelles de bois a été construite par W.R. Motherwell, rendu célèbre pour avoir développé des techniques de culture sans irrigation pour le moins innovatrices au début du XXe siècle. La propriété, qu'on pourrait facilement qualifier de domaine, a vraiment tout pour plaire, du court de tennis et du jeu de croquet aux tonnelles, au jardin d'herbes aromatiques et à l'enclos de ferme. Quant à l'intérieur de la maison, il constitue un exemple frappant d'aménagement de haut standing au cœur de la déserte prairie. Vous pourrez tout aussi bien visiter la maison que le reste de la propriété, et serez même invité à prendre part aux tâches de la ferme. Il y a un comptoir de restauration sur les lieux.

À un détour de la vallée, là où la rivière s'approvisionne à une série de lacs, la petite ville de **Fort Qu'Appelle** charme les visiteurs par son cadre naturel au milieu des collines, mais aussi par les quelques sites historiques qu'on y découvre. Le centre d'information touristique se trouve à l'intérieur d'une vieille gare ferroviaire, et une ancienne cabane en rondins de la Compagnie de la Baie d'Hudson – qui a d'ailleurs donné ce nom à la ville – abrite aujourd'hui un petit **musée ★** *(2$; début juil à fin août 10h à 17h; angle Bay Ave. et Third St., ☎332-6443 ou 332-4319)*. C'est en outre dans ce fort que fut signé un traité historique cédant de vastes pans de terres tribales de la Saskatchewan au gouvernement canadien. Fort Qu'Appelle abrite désormais le grand tipi du Treaty 4 Governance Centre.

Moose Jaw

Moose Jaw, un ancien haut lieu de la contrebande d'alcool sous la Prohibition américaine, surgit des terres planes qui s'étendent à l'ouest de Regina et présente aux visiteurs un aperçu des aspects moins connus du passé de la province. Bien qu'il ne s'agisse plus que d'une petite ville endormie dont les parcomètres acceptent encore les pièces de 5¢, ses imposants édifices bancaires et son hôtel de ville richement orné témoignent d'antécédents plus glorieux.

Le **Moosejaw Western Development Museum: The History of Transportation ★** *(6$; tlj 9h à 18h, sauf jan à mars fermé lun; 50 Diefenbaker Dr., ☎693-5989 ou 693-6556)*, situé au nord du centre-ville dans un endroit quelque peu perdu, raconte l'histoire des transports au Canada, des canots d'écorce aux chalands et aux chevaux de trait de la rivière Rouge, aux voitures de chemin de fer, aux automobiles et aux avions d'antan. Derrière le musée, un train roulant sur voie étroite accueille des passagers les fins de semaine et jours fériés de la fin mai à la fête du Travail. Les visiteurs apprécient également la **Snowbirds Gallery**, consacrée à l'équipe acrobatique aérienne nationale du Canada. Dans le simulateur de vol qui se trouve à l'intérieur du cinéma du musée, les spectaculaires manœuvres des pilotes prennent en effet vie sur un écran géant.

Le **Crescent Park ★**, immédiatement à l'est du centre-ville, borde la rivière Moose Jaw et se veut l'occasion d'une courte et plaisante promenade sous des arbres et sur un pont pittoresque.

Les passages secrets du sous-sol de Moose Jaw faisaient figure de simples rumeurs jusqu'à ce qu'une voiture se retrouve à 4 m sous le niveau de la rue à la suite d'un affaissement de la chaussée. On désigne aujourd'hui ces passages sous le nom de **Tunnels of Moose Jaw ★★★** *(12$; début mai à fin juin dim-jeu 10h à 17h30, ven-sam 12h à 20h; début juil à début sept lun-jeu 9h à 19h, ven-sam 9h à 20h; appeler à l'avance pour les heures d'ouverture le reste de l'année; 18 Main St. N., ☎693-5261 ou 693-7273)*. Aujourd'hui les curieux ont droit à deux visites guidées à travers les passages souterrains récemment rénovés. Au cours de la visite intitulée *The Passage to Fortune*, des interprètes vous expliqueront comment les tunnels ont été creusés par des ouvriers chinois venus travailler à la construction du chemin de fer et ayant résolu de vivre dans la clandestinité après que le Canada fut revenu sur sa décision de leur accorder la citoyenneté une fois la tâche achevée. La visite révèle les conditions abominables que les Chinois eurent à endurer dans ces gouffres sombres et exigus.

Il est recommandé d'amener sa *Tommy Gun* (mitraillette) pour s'imprégner de l'ambiance qu'offre la deuxième visite: *The Chicago Connection!* Les passages secrets servirent plus tard de cachettes à diverses entreprises de contrebande, et des bandits partant d'aussi loin que Chicago commencèrent à affluer vers la ville pour échapper au long bras de la justice. Les guides en costumes d'époque (affichant la mine patibulaire des personnages qu'ils incarnent) font revivre aux visiteurs la contrebande de boissons alcoolisées des années 1920, sans compter le coup de théâtre.

On raconte que l'illustre Al Capone lui-même s'y serait réfugié au moment de faire face à des tensions de plus en plus insoutenables au sud de la frontière. Bien que le musée adjacent présente un intérêt moindre, la visite des tunnels en soi offre une excellente occasion de s'immerger dans l'histoire de cette ville jadis électrisante à une époque dominée par les bars clandestins et la corruption.

Claybank

Au sud-est de Moose Jaw, sur la route 339, apparaissent la petite Claybank et sa briqueterie historique, la **Claybank Brick Factory National Historic Site ★** *(3$; juil et août, sam-dim 10h à 16h; ☎868-4774)*. L'usine a fonctionné de 1914 à 1989 et a compté parmi les deux briqueteries les plus importantes du Canada au cours de cette période, ses briques ayant même paré la façade de bâtiments tels que le Château Frontenac de Québec. Le complexe de hautes cheminées et de fours aux allures de dômes peut être visité sur rendez-vous, et vous trouverez même un salon de thé sur les lieux.

Gravelbourg

Au sud-ouest de Moose Jaw, en vous éloignant de 115 km de la transcanadienne par les routes 2 et 43, vous atteindrez Gravelbourg, le noyau par excellence de la culture francophone en Saskatchewan. Un centre culturel et une troupe de danse, tous les deux canadiens-français, y ont d'ailleurs élu domicile.

Le plus impressionnant des bâtiments du centre-ville est la **Our Lady of Assumption Co-Cathedral** ★★ *(2$, visites guidées juil et août; tlj 9h à 17h; ☎648-3322)*. Construite en 1918, cette église fait partie du patrimoine et arbore de magnifiques fresques peintes sur une période de 10 ans par Charles Maillard, le pasteur qui l'a fondée.

Tout près, sur la 5e Avenue Est, le **Musée de Gravelbourg** ★ *(début juil à fin août 13h à 17h; ☎648-3349)* préserve des souvenirs des premiers colons de langue française de la région, parmi lesquels on retrouvait le père missionnaire L.P. Gravel, de qui la ville tient son nom.

Autres attraits

Non loin de là, le **Wood Mountain Post Provincial Historic Park** ★★ *(dons acceptés; juin à mi-août tlj 10h à 17h; ☎266-5525 ou 694-3659 hors saison)*, un ancien poste de la «police montée», est intéressant pour ses liens avec le chef sioux Sitting Bull et son peuple. Sitting Bull est en effet venu ici au printemps de 1877 après avoir mis en déroute l'armée des États-Unis pendant la bataille de Little Big Horn, survenue alors que 5 000 Sioux se cachaient déjà dans les collines environnantes.

Le chef amérindien s'est rapidement lié d'amitié avec le major de police James Walsh, mais des pressions politiques des gouvernements canadien et américain ont conduit au remplacement de Walsh par un autre officier qui a aussitôt entrepris d'assiéger les Sioux. Les deux bâtiments du parc, où vous accueillent des interprètes, expliquent toute l'histoire plus en détail.

L'ancien camp de Sitting Bull se trouve près du village de Willow Bunch, à l'intérieur du **Jean-Louis-Legare Park** ★. Legare, un commerçant métis, fournit de la nourriture aux Sioux pendant leur exil et les approvisionna également avant leur longue marche de retour aux États-Unis en 1881.

À environ 40 km au nord de Regina, sur la route 20, s'étend le **Last Mountain House Provincial Park** ★ *(entrée libre; juil à sept; ☎787-2700)*, une modeste mais tout de même intéressante reconstitution d'un poste de traite de la Compagnie de la Baie d'Hudson qui ne fut utilisé que bien peu de temps. Construit avec du bois et de l'argile blanche de la région, ce poste a en effet été établi en 1869 tout près d'une vallée riveraine où vivait un troupeau de bisons; mais les bisons migrèrent vers l'ouest dès l'année suivante et ne revinrent jamais plus par ici.

Aujourd'hui, les attraits de ce parc balayé par les vents comprennent une presse à fourrure, un magasin général, une glacière où l'on conservait la viande, des baraquements à l'usage des trappeurs et des quartiers plus spacieux à l'intention des officiers. L'été, des interprètes employés par le parc se tiennent à votre disposition pour vous faire revivre cette époque.

Saskatoon

Campée sur les berges de la rivière Saskatchewan Sud, Saskatoon s'impose comme le nid branché de la province. En plus de posséder une grande université et d'être un chef de file mondial dans le domaine de la biotechnologie agricole, la ville recèle une foule d'activités de plein air et d'événements culturels répartis au fil de l'année, qu'il s'agisse de ses festivals (jazz, folk et autres) ou de sa réputée célébration du théâtre shakespearien sur les rives de la Saskatchewan. Autrefois une halte de premier plan sur la route du chemin de fer transca-

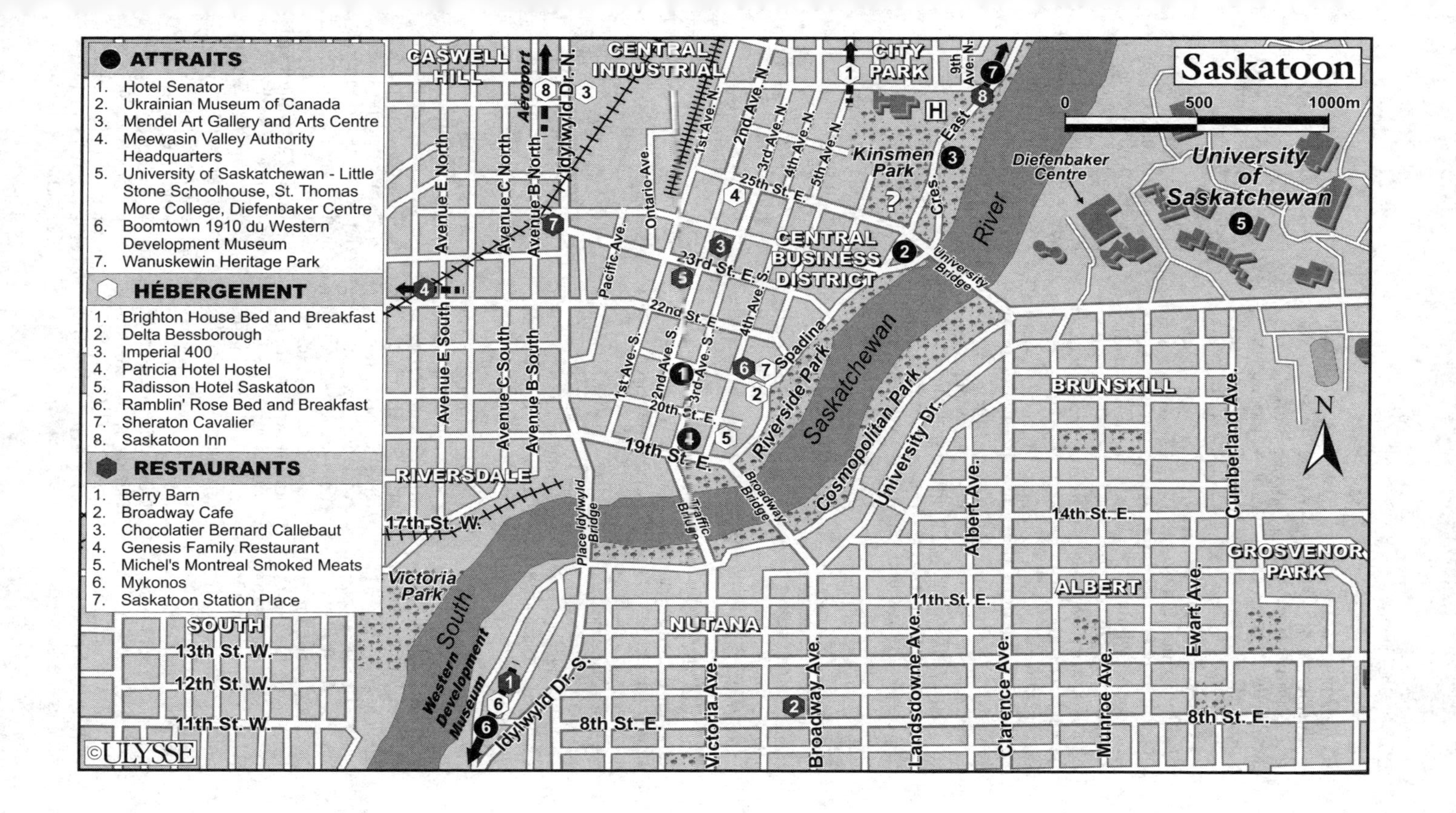
Saskatoon
ATTRAITS
1. Hotel Senator
2. Ukrainian Museum of Canada
3. Mendel Art Gallery and Arts Centre
4. Meewasin Valley Authority Headquarters
5. University of Saskatchewan - Little Stone Schoolhouse, St. Thomas More College, Diefenbaker Centre
6. Boomtown 1910 du Western Development Museum
7. Wanuskewin Heritage Park
HÉBERGEMENT
1. Brighton House Bed and Breakfast
2. Delta Bessborough
3. Imperial 400
4. Patricia Hotel Hostel
5. Radisson Hotel Saskatoon
6. Ramblin' Rose Bed and Breakfast
7. Sheraton Cavalier
8. Saskatoon Inn
RESTAURANTS
1. Berry Barn
2. Broadway Cafe
3. Chocolatier Bernard Callebaut
4. Genesis Family Restaurant
5. Michel's Montreal Smoked Meats
6. Mykonos
7. Saskatoon Station Place
0
500
1000m
N
CASWELL HILL
CENTRAL INDUSTRIAL
CITY PARK
Aéroport
Idylwyld Dr. N.
1st Ave. N.
2nd Ave. N.
3rd Ave. N.
4th Ave. N.
5th Ave. N.
9th Ave. N.
Kinsmen Park
East
Cres.
River
Diefenbaker Centre
University of Saskatchewan
Avenue E North
Avenue C North
Avenue B North
Ontario Ave.
Pacific Ave.
25th St. E.
23rd St. E.
CENTRAL BUSINESS DISTRICT
University Bridge
22nd St. E.
4th Ave. S.
3rd Ave. S.
2nd Ave. S.
1st Ave. S.
20th St. E.
19th St. E.
Spadina
Riverside Park
Saskatchewan
Cosmopolitan Park
University Dr.
BRUNSKILL
Cumberland Ave.
Avenue E South
Avenue C South
Avenue B South
RIVERSDALE
17th St. W.
Place Idylwyld Bridge
Traffic Bridge
Broadway Bridge
Albert Ave.
14th St. E.
GROSVENOR PARK
ALBERT
Victoria Park
South
Western Development Museum
11th St. E.
NUTANA
SOUTH
13th St. W.
12th St. W.
11th St. W.
Idylwyld Dr. S.
8th St. E.
Victoria Ave.
Broadway Ave.
Landsdowne Ave.
Clarence Ave.
Munroe Ave.
Ewart Ave.
8th St. E.
©ULYSSE

nadien, son centre-ville renferme encore quelques bâtiments impressionnants de cette époque.

Parmi les édifices les plus frappants de la ville, il convient de mentionner l'hôtel ferroviaire aux allures de château qu'est le **Bessborough**, construit par des travailleurs d'appoint à l'époque de la Crise, tout comme l'ont d'ailleurs été les gracieux ponts en arc qui enjambent la rivière depuis le centre-ville.

Si le Bessborough est sans conteste l'hôtel le mieux connu de Saskatoon, l'**Hotel Senator** *(243 2st St. E.)* en est le plus vieux. Construit en 1908 sous le nom de Flanagan Hotel, il se targuait d'extravagances telles que calorifères à vapeur, eau courante chaude et froide, et téléphones dans chaque chambre. Bien qu'on ne puisse plus considérer le Senator comme un établissement de luxe (loin de là!), il conserve une part de sa gloire d'antan, que ce soit dans le pilier de marbre qui se dresse au pied du grand escalier, dans la salle à manger lambrissée de bois et dominée par son lustre d'origine, ou dans le sol de marbre du hall d'entrée, autant d'atouts précieux qui témoignent de jours plus fastes.

L'artère commerciale la plus intéressante de Saskatoon est **Broadway Avenue**, au sud de la rivière. Dans le centre-ville, **Second Avenue** se borde de petits magasins qui vendent de tout, des disques aux livres, à la poterie et à l'artisanat des quatre coins du monde. Elle croise par ailleurs **2nd Street East**, qu'honorent les plus grandes banques, quelques boutiques un peu plus huppées, ainsi que quelques vieilles et attrayantes devantures, notamment la façade Art déco de l'ancien grand magasin Eaton (qui abrite désormais un Surplus de l'armée).

À l'angle de 2nd Street East et de 1st Avenue s'élève une intéressante sculpture commémorant la rencontre fortuite de deux des plus importantes personnalités de l'histoire du Canada; on y voit Sir Wilfrid Laurier acheter un journal du jeune John Diefenbaker aux environs de 1910.

Les sites historiques se font toutefois plutôt rares, tout comme les attraits culturels d'ailleurs. Presque tous ceux qui méritent d'être mentionnés se trouvent au centre-ville, en bordure de la rivière, et vous pourrez facilement en faire le tour en une seule journée bien remplie.

L'**Ukrainian Museum of Canada** ★★ *(2$; lun-sam 10h à 17h, dim 13h à 17h, sauf mi-mai à mi-sept fermé lun; 910 Spadina Cr. E., ☎244-3800)* offre, sous un toit relativement modeste, une leçon d'histoire étonnamment édifiante. À travers une succession de salles de plain-pied, le musée fait appel à des objets et à un langage simples pour dépeindre les origines et les persécutions est-européennes du peuple ukrainien, sa migration vers l'Amérique du Nord, sa colonisation des Prairies et son endurance subséquente.

Parmi les points saillants de l'exposition, retenons l'excellente section qui traite de la signification religieuse profonde de l'art *pysanka* (décoration somptueuse des œufs de Pâques), l'étude soignée des églises ukrainiennes, au dôme si distinctif, et l'explication des motifs qui ont poussé les Ukrainiens à s'installer là où ils sont. Quelques pains ornementaux savamment façonnés et de beaux exemples de *rozpys* (peintures décoratives sur les meubles, les murs et les portes des demeures) comptent également parmi les détails dignes de mention.

Le **Mendel Art Gallery and Arts Centre** ★★★ *(entrée libre; tlj 9h à 21h; 950 Spadina Cr. E., ☎ 975-7610)* s'impose comme le meilleur musée d'art de la province. Ses expositions varient régulièrement, et les œuvres présentées sont toujours d'un grand intérêt, peu importe qu'elles proviennent de la collection permanente ou qu'elles aient été prêtées pour les besoins de la cause. Vous pourriez ainsi y admirer tout ensemble les acryliques étonnamment épaisses de l'Américain James Walsh dans une galerie, différents montages multimédias dans une autre et, parsemés parci, par-là, une collection de gravures, de peintures et d'autres créations modernes réalisées par des artistes autochtones. Le musée propose en outre diverses installations appréciables telles qu'une salle de jeu pour enfants, un café, une bonne boutique de cadeaux et une véranda, petite mais charmante.

Une voie piétonnière aménagée derrière le centre descend jusqu'à la rivière, où elle rejoint un vaste réseau étendu de sentiers courant du nord au sud le long des deux rives de la South Saskatchewan. Les sentiers de la **Meewasin Valley ★★** *(www.meewasin.com)* parcourent plus de 50 km en bordure de la rivière et font aussi bien le bonheur des cyclistes que des marcheurs. Les autres installations de la vallée comprennent une patinoire extérieure et une zone de plaine protégée en milieu urbain. Les bureaux de la **Meewasin Valley Authority ★** *(402 Third Ave. S., ☎665-6888)* proposent une introduction à la rivière et à la ville.

Au sud-est, de l'autre côté de la rivière, repose le grand et joli campus de l'**University of Saskatchewan ★★**. Plusieurs attraits d'intérêt historique vous y attendent, bien que certains ne soient accessibles que l'été, lorsqu'il n'y a pas de cours. Entre autres, tout à fait pittoresque, la **Little Stone Schoolhouse ★** *(☎966-8384)*, la première école de Saskatoon, construite en 1887. La chapelle du **St. Thomas More College ★** *(☎966-8900)* vaut également le coup d'œil pour sa peinture murale signée par l'artiste canadien William Kurelek, et l'**observatoire de l'université** *(☎966-6429)* s'ouvre au public le samedi soir.

À ne pas manquer non plus, le **Diefenbaker Centre ★** *(2$; lun et ven 9h30 à 16h30, sam-dim 12h à 16h30; ☎966-8384)*, qui conserve une grande partie des papiers et effets personnels de Diefenbaker, sa pierre tombale se trouvant tout près, sur le campus de l'université. Également en montre, une reproduction de l'ancien bureau du premier ministre et de la chambre du Conseil privé. Le centre, dont le site privilégié offre une vue splendide sur la rivière et sur le centre- ville, est en outre connu du fait qu'il abrite le meuble sans doute le plus réputé de la province: un simple bureau en érable qui a jadis appartenu à John A. Macdonald, considéré comme le père de la Confédération canadienne.

À la périphérie de la ville s'étire la section **Boomtown 1910 du Western Development Museum ★** *(6$; tlj 9h à 17h; 2610 Lorne Ave. S., ☎931-1910)*, qui recrée la rue principale d'une ville minière de l'Ouest à la façon d'un décor de cinéma. Le complexe compte plus de 30 bâtiments, et, comme dans beaucoup d'autres musées de la province, les objets exposés portent sur l'équipement agricole et les instruments aratoires. Également à l'extérieur de la ville, à 4 km, la **Valley Road** est une route rurale conduisant à un certain nombre de fermes fruitières, maraîchères et céréalières de la région.

Pour terminer ce circuit, à moins de 10 min de route vers le nord, découvrez le magnifique **Wanuskewin Heritage Park ★★★** *(6$; mi-mai à début sept 9h à 21h, début sept à mi-oct tlj 9h à 17h, mi-oct à fin mars mer-dim 9h à 17h, début avr à mi-mai tlj 9h à 17h; ☎931-6767)*, peut-être le meilleur musée autochtone des Prairies. Les environs de Saskatoon ont été habités sans interruption pendant des milliers d'années avant que les premiers colons blancs n'y fassent leur apparition; une vallée riveraine située immédiatement au nord de la ville a ainsi longtemps été utilisée comme «saut de bisons» par les tribus autochtones locales, qui y chassaient et y dressaient leurs quartiers d'hiver. Les lieux sont désormais accessibles au public et présentent une variété de sites archéologiques (entre autres des cercles de tipis et des quadrants symboliques représentant les éléments fondamentaux de la vie), en plus d'un musée et d'un centre d'interprétation traitant de l'histoire des peuples des Premières Nations dans la région.

«Un peuple sans histoire est comme un champ d'herbe à bisons balayé par le vent», peut-on lire sur un panneau affiché à l'intérieur du musée, qui jette de fait beaucoup de lumière sur les Autochtones des Prairies. Une vitrine y dépeint soigneusement les traits qui distinguent les Cris, les Dénés, les Lakotas, les Dakotas et les Assiniboines, dont vous pouvez d'ailleurs entendre les voix en appuyant sur un bouton. D'autres salles présentent des objets d'art et des projections de diapositives, tandis que des exposés et des conférences sont régulièrement organisés, sans oublier le café servant des mets amérindiens. Les recherches archéologiques se poursuivent en outre sur les lieux.

Route de Yellowhead

Yorkton

Principal attrait de Yorkton, le **Story of People du Western Development Museum ★★** *(6$; mai à mi-sept, 9h à 18h; route 16, ☎783-8361)* retrace les diverses populations d'immigrants ayant contribué au kaléidoscope culturel de la province.

Yorkton est aussi connue comme le siège de la première église ukrainienne en brique de l'ouest du Canada, la **St. Mary's Ukrainian Catholic Church ★★** *(155 Catherine St., ☎783-4594)*. Construite en 1914, elle arbore un dôme cathédrale de 21 m peint par Steven Meush entre 1939 et 1941, qui en a d'ailleurs fait un des plus beaux du genre sur le continent. À l'intérieur, vous pourrez en outre apprécier les somptueuses icônes d'Ihor Suhacev. Si l'église n'est pas ouverte, adressez-vous au presbytère adjacent pour qu'on vous laisse jeter un coup d'œil à l'intérieur. L'église accueille enfin, en juin, une célébration du nom de «Vid Pust» (jour du Pèlerinage).

Veregin

À environ 50 km au nord de la Yellowhead Highway, Veregin s'enorgueillit de son **National Doukhobour Heritage Village ★★** *(3$; mi-mai à mi-sept 10h à 18h, mi-sept à mi-mai sur réservation seulement; ☎542-4441)*, un complexe de 11 bâtiments qui met en lumière un des groupes ethniques les plus étranges de la province. Les Doukhobours sont venus en Saskatchewan en 1899 et y ont établi, sur une courte période, une communauté renonçant à la viande, à l'alcool et au tabac au profit d'une existence agreste. Ils n'ont pas tardé à se déplacer plus à l'ouest, mais ce musée préserve tout de même leur maison de prière et leur magasin d'outils, de même qu'un four en brique, un bain public, de l'équipement agricole et une forge.

Canora

À seulement 25 km à l'ouest de Veregin, Canora accueille les voyageurs avec une statue slave de 7,6 m, à côté de laquelle un kiosque d'information touristique les oriente, de juin à septembre, vers les attraits de la région. Ce petit village est également celui d'une église patrimoniale bien restaurée, l'**Ukrainian Orthodox Heritage Church ★** *(juin à mi-sept 8h à 18h; 710 Main St., ☎563-5482 ou 563-*

5211). Construite en 1928, elle révèle l'architecture de Kiev et possède des vitraux; vous pouvez en obtenir la clé à la porte voisine, au 720 Main Street, en dehors des heures d'ouverture.

Wroxton

Le village de Wroxton se trouve à une certaine distance, plus précisément à 35 km, au nord de la Yellowhead Highway, mais il mérite le détour pour les deux églises ukrainiennes qui en gardent les extrémités. Les deux dômes sont visibles de la route principale, et les églises sont accessibles par un des nombreux chemins de terre qui mènent au bourg.

Autour de Wadena

Dans la région de Wadena, le lac **Big Quill** et les divers autres marais qui s'étendent de part et d'autre de la Yellowhead Highway fournissent de bonnes occasions d'observer les oiseaux. Le groupe environnemental Ducks Unlimited contribue à la préservation d'une grande partie de ces terres et s'offre à en faire l'interprétation auprès du grand public. Le **Little Quill Lake Heritage Marsh** ★, plus facilement accessible par la route 35, a été constitué en «réserve faunique mondiale» en 1994 et demeure ouvert toute l'année. Bon an, mal an, ce marais accueille en effet plus de 800 000 oiseaux de rivage, migrateurs et locaux, et les visiteurs peuvent y faire des randonnées, parfaire leurs connaissances grâce à des panneaux d'interprétation et même gravir une tour d'observation.

St. Brieux

St. Brieux possède un petit **musée** ★ *(dons acceptés; début juin à fin août tlj 10h à 16h; 300 Barbier Dr., ☎275-2229)* aménagé à l'intérieur d'un ancien presbytère catholique. Il renferme des objets façonnés par les premiers colons venus du Québec, de la France et de la Hongrie, et les visites sont aussi bien offertes en anglais qu'en français.

Muenster

En continuant vers l'ouest, non loin de la route 5 vous verrez la petite ville de Muenster, notable pour sa belle cathédrale à double clocher et le monastère qui la jouxte. La **St. Peter's Cathedral** ★★ *(dons acceptés; mi-mai à mi-sept tlj 9h à 21h, mi-sept à fin déc et début mars à mi-mai 9h au crépuscule, fermé en jan et fév; ☎682-1777)*, construite en 1910, arbore des peintures de Berthold Imhoff, un comte allemand qui finit par s'installer à St. Walburg (Saskatchewan) pour y devenir un artiste. Environ 80 personnages grandeur nature, entourés de saints et de scènes religieuses, rehaussent ainsi l'intérieur de la cathédrale. La **St. Peter's Abbey** ★★ *(mars à fin déc, 8h au crépuscule; ☎682-1777)* donne pour sa part une idée de ce que peut être la vie monastique, puisqu'une visite autoguidée permet de voir la ferme, les jardins, l'imprimerie et les autres dépendances de l'abbaye. Il est également possible de passer la nuit au monastère moyennant un modeste don.

★ Little Manitou Lake

Depuis des siècles, les voyageurs se rendent au lac Little Manitou pour «prendre les eaux». Ce plan d'eau est si riche en sels minéraux naturels – qui plus est régénérateurs – qu'on ne peut s'empêcher d'y flotter. C'est d'ailleurs ainsi qu'une étrange petite agence de tourisme s'est développée près du lac, lui-même curieusement niché parmi des collines stériles. Trois fois et demie plus salées qu'un océan, ces eaux n'existent pas ailleurs dans l'hémisphère Ouest, avec leurs sels aux propriétés thérapeutiques naturelles qu'on ne retrouve qu'en peu d'endroits dans le monde, entre autres à Karlovy Vary, en République tchèque, et dans la mer Morte, en Palestine.

The Battlefords

Battleford, l'ancienne capitale des Territoires du Nord-Ouest, bénéficiait autrefois d'une certaine importance, mais se voit aujourd'hui éclipsée par sa ville jumelle, North Battleford, de l'autre côté de la rivière Saskatchewan. Ici comme ailleurs, la politique ferroviaire a déterminé le sort des deux villes, et le **Fort Battleford National Historic Site** *(4$; mi-mai à début oct 9h à 17h; ☎937-2621)* en rappelle les origines autour d'un poste de la «police montée», recréé à partir de quatre bâtiments d'époque entièrement reconstitués. La caserne présente des vitrines historiques complémentaires, expliquées par des guides costumés en policiers de l'époque.

On visite souvent **North Battleford** pour son **Western Development Museum's Heritage Farm and Village** ★ *(6$; début mai à début sept tlj 9h à 17h, le reste de l'année mer-dim 12h30 à 16h30, fermé jours fériés; ☎445-8033)*, un musée essentiellement agricole qui abrite une profusion de matériel d'époque.

La ville est en outre célèbre en tant que lieu de résidence de l'artiste autochtone le plus connu et le plus aimé des Prairies, Allan Sapp, dont les œuvres sont exposées à l'**Allan Sapp Gallery** ★ *(dons acceptés; début juin à fin sept tlj 10h30 à 17h30, début oct à fin mai mer-dim 13h à 17h; ☎445-1760)*. Les peintures de Sapp, qui immortalisent des souvenirs de la vie autochtone datant d'un demi-siècle, et qui apparaissent également dans les musées importants du Canada, sont ici montrées et vendues; la galerie, située au rez-de-chaussée d'une bibliothèque Carnegie entièrement restaurée, compte par ailleurs des centaines d'œuvres du maître à penser de Sapp, Allan Gonor.

Centre-ouest de la Saskatchewan

Poundmaker Trail

La route 40, aussi connue sous le nom de *Poundmaker Trail*, est l'ancien bastion de la nation crie de Poundmaker. **Cut Knife** se targue de posséder le plus grand tomahawk du Canada, soit une sculpture suspendue en bois et en fibre de verre dont la poignée en sapin fait plus de 16 m de longueur et supporte une lame de six tonnes. Le parc aménagé tout autour abrite un petit musée comme on en trouve partout, et la tombe du légendaire **chef Poundmaker** *(www.poundmaker.com)* se trouve également en ville, sur la réserve amérindienne; elle fut érigée en hommage à cet homme qui a préféré la paix à la guerre, au point de se rendre aux forces de l'ordre avec les siens plutôt que de continuer à faire couler le sang. Il s'y trouve un centre d'interprétation, et vous pourrez même passer une nuit sous un tipi.

Hafford

Tout juste au nord-est de Saskatoon, près du village de Hafford, la **Redberry Lake Biosphere Reserve** ★ *(☎549-2400 ou 549-2258)* est responsable d'un des meilleurs programmes de protection des oiseaux aquatiques de la province, à l'intérieur d'une réserve ornithologique aménagée sur le lac Redberry, laquelle a été désignée en l'an 2000 par l'Unesco comme réserve mondiale de la biosphère. S'intéressant particulièrement aux pélicans, l'organisation a pour devise: *«Nous avons des amis dans les lieux humides»*. Plus de 1 000 pélicans blancs d'Amérique nichent d'ailleurs sur la New Tern Island du lac, la Saskatchewan ne comptant au total que 13 autres colonies du genre. Des excursions en bateau d'une durée approximative d'une heure et demie sont également proposées *(25$; mi-mai à mi-sept; ☎888-747-7572 ou 549-2452)*.

Prince Albert

Prince Albert, la plus vieille ville de la province, est un lieu de passage dans plus d'un sens. Il s'agit entre autres de la plus grande ville des environs du **parc national Prince-Albert** ★★★ (voir p 604), du siège d'une énorme usine qui convertit le bois des forêts nordiques en pâtes et papiers, et de la terre natale de trois premiers ministres canadiens. Bien que la ville ait fait ses débuts, en 1776, à titre de simple comptoir de traite sous l'impulsion de l'explorateur du Nord-Ouest Peter Pond, elle n'a officiellement été fondée, telle que nous la connaissons aujourd'hui, que près d'un siècle plus tard par le pasteur James Nisbet, qui créa sur les lieux une mission vouée à l'évangélisation des Cris de la région.

Le **Diefenbaker House Museum** *(dons acceptés; mi-mai à début août lun-sam 10h à 18h, dim 10h à 20h; 246 19th St. W.., ☎953-4863 ou 764-2992)* est probablement le plus célèbre attrait de la ville. La maison renferme beaucoup de meubles et d'effets personnels ayant appartenu à l'ancien premier ministre canadien, et l'on y explique ses liens avec la ville.

Le **Prince Albert Historical Museum** *(1$; mi-mai à début sept lun-sam 10h à 18h, dim 10h à 20h; visites guidées disponibles l'hiver sur rendez-vous; angle River St. et Central Ave., ☎764-2992)* met pour sa part l'accent sur l'histoire locale, à commencer par les Autochtones et les traiteurs de pelleteries, actifs dans la région à partir du milieu du XIXe siècle. Vous trouverez en outre à l'étage un salon de thé avec un balcon donnant sur la rivière North Saskatchewan.

Plusieurs autres musées de Prince Albert méritent également une visite, notamment l'**Evolution of Education Museum** *(entrée libre; mi-mai à début sept 10h à 18h; 3700 2nd Ave. W., ☎764-2992)*, situé dans une ancienne école à salle de classe unique, et le **Rotary Museum of Police and Corrections** *(entrée libre; mi-mai à sept 10h à 20h; ☎922-3313)*, aménagé dans un ancien poste de garde de la «police montée» du Nord-Ouest; vous y trouverez un fascinant étalage d'armes façonnées par des prisonniers cherchant à s'échapper des prisons provinciales.

Lac La Ronge Provincial Park ★★★ et **Holy Trinity Anglican Church Historic Site** ★★★ (voir p 604 et 605).

Autour de Duck Lake

Au sud-ouest de Prince Albert, Duck Lake est une des deux scènes sur lesquelles se joua le volet sans doute le plus connu de toute l'histoire de la Saskatchewan, soit la bataille qui opposa Louis Riel et sa bande de Métis à la «police montée» du Nord-Ouest. Le **Duck Lake Regional Interpretive Centre** ★★ *(4$; mi-mai à début sept 10h à 17h30; 5 Anderson Ave., ☎467-2057)* décrit les événements tels qu'ils se sont déroulés et expose des vestiges de la campagne menée par la résistance métisse; vous pourrez par ailleurs monter au sommet d'une tour d'observation offrant une vue sur le champ de bataille. Une série de peintures murales extérieures accueillent les visiteurs.

À environ 25 km à l'ouest de Duck Lake, le **Fort Carlton Provincial Historic Park** ★★ *(2,50$; mi-mai à début sept 10h à 18h; ☎467-5205)* date de 1810 et s'inscrit dans la lignée des postes de traite de la Compagnie de la Baie d'Hudson en Saskatchewan. Un important traité territorial a également été signé ici. Aujourd'hui, le site regroupe une estacade et des bâtiments reconstruits, et un centre d'accueil des visiteurs avec vitrines d'exposition, d'où partent des sentiers d'interprétation, expliquant que le fort servait de poste à la «police montée» jusqu'à la bataille de Duck Lake. Tout juste à l'extérieur du fort, un campement de Cris des plaines, composé de trois tipis aménagés comme au XIXe siècle, vous donnera une idée des rapports que les Amérindiens pouvaient entretenir avec les Anglais; parmi les objets qui s'y trouvent, mentionnons des vêtements, des peaux, des pipes, des armes et des accessoires d'apparat.

Situé à 8 km à l'est de Duck lake, le **St. Laurent Shrine ★** *(dons acceptés; début mai à début sept; ☎467-4447 ou 467-2060)* est l'occasion d'une agréable excursion secondaire dans le secteur. Construit en 1874 pour servir de mission aux pères oblats sur les berges mêmes de la rivière South Saskatchewan, et relativement semblable à celui de Notre-Dame de Lourdes en France, ce sanctuaire accueille les fidèles pour la messe du dimanche à 16h pendant les mois de juillet et d'août. Des pèlerinages annuels y ont également lieu au cours de ces mois, et ce, depuis 1893, date à laquelle la jambe d'un certain frère Guillet a guéri miraculeusement après qu'il eut prié ici.

Batoche

Le **Batoche National Historic Park ★★★** *(5$; début mai à fin sept tlj 9h à 17h; ☎423-6227)* marque le lieu où l'histoire de Riel prit fin en mars 1885. Cet endroit, une paisible vallée cultivée où les Métis s'étaient établis après avoir cédé leurs terres, devint la capitale de la résistance dès lors que Riel défia les Anglais. Aujourd'hui, un sentier, un musée et des guides vous font découvrir les restes du village de Batoche, y compris l'église Saint-Antoine de Padoue et son presbytère, entièrement reconstitués. Il y a également des tranchées et des abris de tirailleurs utilisés par les troupes de la «police montée» pendant le siège de Batoche, qui dura quatre jours.

Parcs

Pour de plus amples renseignements sur les parcs provinciaux de la Saskatchewan: www.serm.gov.sk.ca/saskparks ☎800-205-7070

Pour de l'information sur les parcs nationaux: www.parkscanada.pch.gc.ca/parks

Sud de la Saskatchewan

Le **Cannington Manor Provincial Historic Park ★** *(7$; mai à sept 10h à 18h; ☎577-2622 ou 739-5251)* raconte une expérience de courte durée à l'instigation du capitaine anglais Edward Pierce. Ce dernier tenta en effet de créer ici une colonie utopique fondée sur l'agriculture; et il y parvint pendant quelque temps, faisant alterner les travaux des champs avec la chasse au renard, les parties de cricket, les courses de chevaux et le thé en après-midi. L'expérience n'a pas duré, mais le manoir révèle des antiquités d'époque ainsi que des outils de ferme jadis utilisés sur les lieux. Six autres bâtiments, dont certains sont d'origine et d'autres reconstruits, complètent les installations.

Le **Buffalo Pound Provincial Park ★** *(7$; ☎694-3659)*, situé à 23 km au nord-est de Moose Jaw, offre une variété de choix récréatifs, y compris, parmi les plus populaires, l'observation de bisons en train de paître. Un certain nombre de sentiers pédestres serpentent à travers les ondulations de la vallée de la rivière Fort Qu'Appelle, dont un qui relate l'histoire de la Charles Nicolle Homestead, une habitation en pierre construite en 1930; un autre parcourt un marécage, et un autre encore franchit la jonction de deux rivières, un secteur riche d'une faune qui réunit notamment des tortues peintes, des cerfs communs et des grands hérons bleus. La rivière constitue en outre une destination populaire auprès des baigneurs, des plaisanciers et des campeurs.

La **Last Mountain Lake National Wildlife Area ★★** *(entrée libre; mai à fin oct; ☎836-2022)*, qui occupe l'extrémité nord du lac du même nom, est tenu pour la plus ancienne réserve ornithologique de tout le continent nord-américain. Plus de 250 espèces aviaires se posent ici au cours de leur migration annuelle vers le sud, y compris la remarquable grue blanche d'Amérique.

Le spectacle atteint son paroxysme au printemps (mi-mai) et à l'automne (septembre); les visiteurs peuvent faire une visite autoguidée en voiture, gravir une tour d'observation et parcourir deux sentiers pédestres aménagés sur les lieux. Pour accéder facilement à la réserve, empruntez la route 2, prenez vers l'est à Simpson et suivez les indications jusqu'au lac *(lakeshore)*.

Le **Grasslands National Park ★★** *(entrée libre; toute l'année; entre Val Marie et Killdeer, au sud de la route 18, ☎298-2257 ou 298-2042)* fut le premier parc créé en Amérique du Nord pour protéger une zone significative de la prairie mixte à l'état vierge. Parmi la variété des habitats représentés ici, retenons les plaines herbeuses, les buttes, les badlands et la vallée de la rivière Frenchman; des vues spectaculaires s'offrent au regard du haut de certaines buttes, et la faune du parc accueille le rare renard véloce, la chouette de terrier, l'antilope d'Amérique et l'aigle royal. Plus intéressant encore, vous trouverez ici une «agglomération» tout à fait unique en son genre regroupant plusieurs **colonies de chiens de prairie ★★** à queue noire qui poursuivent leur existence dans un environnement parfaitement naturel.

Des randonnées guidées sont organisées au bureau du parc, à Val Marie, et ce, tous les dimanches d'été. Le camping sauvage est en outre autorisé dans le parc, mais vous devez obtenir un droit de passage auprès de certains propriétaires terriens pour accéder à certaines zones.

Le **Cypress Hills Interprovincial Park** *(☎662-4411)*, qui s'étend de part et d'autre de la frontière entre la Saskatchewan et l'Alberta, est décrit dans le chapitre du Sud albertain.

Route de Yellowhead

Le **Duck Mountain Provincial Park ★★** *(☎542-5500)* s'étend à 25 km à l'est de Kamsack, directement sur la frontière avec le Manitoba. Ouvert toute l'année, ce parc entoure complètement le populaire lac Madge, tandis que le mont Duck s'élève à 240 m au-dessus des terres environnantes, recouvertes de trembles. Des installations récréatives complètes vous y attendent, y compris un terrain de camping, un golf, un minigolf, des attirails de pêche et une plage. Vous pourrez même loger sur place dans un chalet prévu à cet effet.

Le **Cumberland House Provincial Historic Park ★★★** *(7$; ☎888-2077)*, situé sur une île de la rivière North Saskatchewan, au nord de la Yellowhead Highway, près de la frontière avec le Manitoba, revêt une importance historique indéniable, puisqu'il marque l'emplacement du premier comptoir de pelleteries de la Compagnie de la Baie d'Hudson dans l'Ouest canadien, sans compter qu'il a plus tard été converti en port pour accueillir les bateaux à vapeur circulant sur la rivière. Il n'en reste aujourd'hui qu'un entrepôt de munitions des années 1890 et une section de navire à roue arrière, mais il s'agit toujours d'un endroit fascinant.

Le **Greenwater Lake Provincial Park ★** *(7$; ☎278-3115)* se trouve sur la route 38, au nord de Kelvington, dans la Porcupine Forest, à l'est de la province. Une marina y loue des embarcations et des attirails de pêche l'été, mais vous pourrez tout aussi bien y pratiquer le tennis, le golf ou l'équitation. L'hiver, le parc se transforme en centre de ski de randonnée. De belles cabanes en rondins sont en outre offertes en location sur place.

Le **Pike Lake Provincial Park** ★ *(7$; ☎933-6966)*, un petit parc récréatif situé à quelque 30 km au sud-ouest de Saskatoon, fait le bonheur des vacanciers d'un jour cherchant à s'éloigner de la plus grande ville de la Saskatchewan. Vous y trouverez des pelouses ombragées par des trembles, des frênes et des bouleaux, une belle plage et de la nature à profusion. Les activités nautiques sont assurées par une piscine, un toboggan nautique et des canots de location; des sentiers pédestres, des courts de tennis, un golf et un minigolf complètent les installations.

The Battlefords Provincial Park ★ *(7$; ☎386-2212)* est considéré comme un des grands paradis récréatifs de la province. Son emplacement, sur la rive nord-est du lac Jackfish, permet de s'adonner facilement aux plaisirs de la pêche et de la voile. Vous trouverez sur place tout l'équipement nécessaire à la pratique de ces sports nautiques, de même qu'un terrain de golf, un minigolf, un magasin général et un complexe d'hébergement mixte ouvert à longueur d'année.

Centre-ouest de la Saskatchewan

Le **parc national Prince-Albert** ★★★ *(4$; ☎663-4522)*, d'une superficie de 400 000 ha, est un des plus beaux parcs de la Saskatchewan. En y pénétrant par l'entrée sud, sur la route 263, vous traverserez une prairie et des champs, une tremblaie canadienne et enfin des forêts.

Le panoramique **Anglin Lake** ★★, au sud-ouest du parc national Prince-Albert, possède au moins une caractéristique distinctive : il nourrit la plus importante colonie de huards nicheurs du continent.

Le **Waskesiu Lake** s'impose comme le plus grand et le plus prisé des plans d'eau du parc, et il offre la plupart des services habituels, des plages ainsi qu'une foule d'activités. Situé hors des sentiers battus, le parc qui l'environne est réputé pour ses nombreuses voies canotables et ses beaux sentiers de randonnée, qui permettent d'admirer de plus près la faune aviaire et la flore de la région. Entre autres, les fervents d'orni-thologie viennent y observer la deuxième colonie de pélicans blancs d'Amérique en importance au Canada, qui niche sur le lac Lavallee; mais des loups, des élans et des bisons hantent également les lieux. Par ailleurs, les randonneurs s'aventurent volontiers sur le Boundary Bog Trail, qui s'enfonce dans la zone marécageuse du parc, là où poussent des plantes carnivores et des massifs de mélèzes nains, vieux de plus d'un siècle, ou encore sur le Treebeard Trail, qui se love autour des bosquets de hauts et odorants sapins baumiers et d'épinettes blanches.

Le parc a toutefois surtout été rendu célèbre par Archibald Bellaney, un vieux sage anglais qui est venu ici en 1931, a pris le nom de Grey Owl (Hibou Gris) et a vécu sur un lac isolé. La **Grey Owl's Cabin** ★, la cabane en rondins d'une seule pièce plantée sur la berge du lac Ajawaan où a vécu l'ermite pendant sept ans, n'est accessible qu'en bateau, en canot ou, l'été, par un sentier pédestre de 20 km. Le personnel du parc y organise des excursions.

Le **Lac La Ronge Provincial Park** ★★★ *(7$; ☎425-4234 ou 800-772-4064)* se trouve immédiatement au nord-est du Prince Albert National Park, sur la route 2, et présente des paysages semblables à perte de vue; car, bien qu'il soit moins connu que son homologue, il n'en s'agit pas moins du plus grand parc provincial de la Saskatchewan. Vous y trouverez plus de 100 lacs, dont l'immense lac La Ronge, parsemé de plus de 1 000 îles à ce qu'on dit. Des falaises, des peintures rupestres et des plages de sable agrémentent également la visite, et l'on peut y pratiquer le camping.

De plus, ce parc renferme un des sites historiques les plus en vue de la province, le **Holy Trinity Anglican Church Historic Site ★★★**, où se dresse le plus vieux bâtiment encore debout de la Saskatchewan, une énorme structure qu'on ne s'attend guère à retrouver en un lieu aussi éloigné de tout. Construite avec du bois de la région vers la fin des années 1850, puis rehaussée de vitraux importés d'Angleterre, cette église faisait partie de la mission historique de Stanley.

Le **Narrow Hills Provincial Park ★★** *(7$; ☎426-2622)* se trouve immédiatement à l'est du Prince Albert National Park, quoique aucune route directe n'y conduise; on ne l'atteint donc que par un dédale de chemins. Cela dit, il est célèbre pour son chapelet d'eskers, ces longues et étroites collines de dépôts glaciaires qui lui donnent d'ailleurs son nom, de même que pour ses 25 plans d'eau et plus, où s'ébattent nombre d'espèces de poissons pour pêche sportive. L'un des eskers est couronné d'une tour d'incendie, et les bureaux du poste de guet abritent un petit musée.

Hébergement

Regina

Turgeon International Hostel
$
bc
fermé fin déc à fin jan
2310 McIntyre St.
☎791-8165
⇄721-2667
Cette chaleureuse auberge de jeunesse, qui présente un excellent rapport qualité/prix pour ceux qui aiment échanger avec d'autres voyageurs, propose un hébergement de type dortoir, une chambre familiale pouvant accueillir cinq personnes et une salle destinée aux groupes. La maison a jadis appartenu à William Turgeon, un Acadien du Nouveau-Brunswick, qui est venu à Regina et y a exploité avec succès un cabinet juridique pendant de nombreuses d'années; elle a plus tard été achetée par l'association Hostelling International et déplacée sur une remorque. Son emplacement actuel est superbe – le Musée royal de la Saskatchewan est entre autres visible à l'extrémité de la rue –, et la chambre familiale constitue une aubaine sans pareille. Il y a en outre une énorme cuisine commune, une invitante bibliothèque de livres de voyage et une salle de télévision bien aérée, sans oublier le très sympathique gérant des lieux. Enfin, vous êtes ici à distance de marche de tous les principaux attraits et restaurants de la ville. Les bureaux de l'auberge sont cependant fermés pendant la journée, et l'établissement ferme complètement ses portes tout le mois de janvier.

Regina Travelodge Hotel
$$
≡, ⊙, ≈, ℜ
4177 Albert St. S.
☎586-3443 ou 800-578-7878
⇄586-9311
www.travelodgeregina.com
À la différence de nombreux autres hôtels de cette chaîne, le Travelodge de Regina possède un charme unique. Un décor à la californienne imprègne en effet toute la structure, du hall d'entrée aux douces teintes pastel et au lustre rutilant jusqu'à l'aire de la piscine, aves ses plantes et ses faux rochers. Les chambres procurent, quant à elle, un confort exceptionnel, et le restaurant hollywoodien ne manquera pas de

gagner la faveur des enfants et des futures vedettes.

Holiday Inn Express Hotel & Suites Regina
$$
≡, ⌚, ℂ, ℝ
1907 11th Ave.
www.sixcontinentshotel.com
☎569-4600 ou 800-667-9922
⇄569-3531
Le Holiday Inn Express Hotel & Suites Regina, nouvellement rénové, loue d'attrayantes et très spacieuses suites pourvues de cuisinettes, de secrétaires et de canapés, bref de toutes les commodités nécessaires à un séjour prolongé. Sa jolie façade de brique rouge et ses grandes fenêtres lui confèrent un air distingué.

Country Inns & Suites
$$ pdj
≡, ✕, ℂ
3321 Eastgate Bay
☎789-9117 ou 800-456-4000
⇄789-3010
www.countryinns.com
Cette chaîne d'hôtels tâche d'offrir une atmosphère intime. Les chambres arborent des lits en laiton et des couettes rappelant des édredons; la plupart disposent d'un bar d'honneur; tous les hôtes reçoivent gratuitement des journaux et peuvent en outre se servir sans frais du téléphone pour leurs appels locaux. Les suites sont quant à elles dotées d'un salon, d'un sofa-lit et d'un four à micro-ondes. Petit déjeuner à la française. L'hôtel est situé juste à la sortie de la route 1, à l'extrémité est de la ville.

Crescent House
$$ pdj
≡, ✕, *bc*
180 Angus Cr.
☎352-5995
Ce *bed and breakfast* est situé sur une rue en forme de croissant, à seulement quelques minutes de marche de la plupart des grands attraits de Regina. Une cheminée, trois terriers amicaux et une arrière-cour ombragée par des frênes et des ormes de 17 m ajoutent au charme des lieux.

Radisson Plaza Hotel Saskatchewan
$$$
≡, ⊛, ⌚, ℜ, ⌂
2125 Victoria Ave.
☎522-7691 ou 800-333-3333
⇄757-5521
www.hotelsask.com
L'emplacement fabuleux de cet hôtel, qui donne directement sur le joli Victoria Park et permet d'admirer la silhouette de la ville, ne vous donne qu'un faible aperçu des splendeurs qui en font le joyau par excellence des lieux d'hébergement de Regina. Construit en 1927 par le Canadien Pacifique, il révèle des accents décoratifs peu communs, dont un lustre provenant du palais impérial de Saint Petersburg, sans compter toutes les retouches qu'on y a apportées lors d'une réfection réalisée au coût de 28 millions de dollars au début des années 1990.

Vous y trouverez en outre le salon de barbier d'origine, un centre de conditionnement physique, des salons de massage thérapeutiques et une élégante salle à manger. Pour vous donner une idée de sa classe, disons simplement que la reine Élizabeth II et Richard Chamberlain logent ici chaque fois qu'ils se trouvent en ville, dans la suite royale à 995$ par nuitée, où un dispositif spécial chauffe les serviettes pendant que les occupants se prélassent dans la baignoire (sans parler des fenêtres à l'épreuve des balles). En deux mots: près de 300 m^2 de luxe et d'histoire!

Delta Regina
$$$
≡, ⊛, ≈, ℜ, ⌂
1919 Saskatchewan Dr.
☎525-5255 ou 800-209-3555
⇄781-7188
www.deltahotels.com
Le Delta Regina propose de luxueuses chambres aux abords immédiats du centre-ville. Elles affichent par ailleurs un décor à la fois discret et élégant, et la plupart d'entre elles offrent de belles vues sur la ville. Le service cordial et professionnel, les installations complètes, l'aire attrayante réservée à la piscine et l'élégance générale des lieux s'allient pour garantir un séjour des plus

agréables aux vacanciers comme aux gens d'affaires.

Ramada Hotel & Convention Centre
$$$$
≡, ♞, ⊛, ⌚, ≈, ℜ, ⌂
1818 Victoria Ave.
☎569-1666 ou 800-667-6500
⇄525-3550
www.ramada.ca
D'importants travaux de rénovation ont fait de cet établissement à proximité de tout l'un des plus attrayants lieux de séjour à Regina. S'y ajoutent des suites avec baignoires à remous et toutes les commodités d'un hôtel de catégorie supérieure.

Regina Inn Hotel and Convention Centre
$$$$
≡, ♞, ⊛, ⌚, ℜ
1975 Broad St.
☎525-6767 ou 800-667-8162
⇄525-3630
Un autre hôtel de luxe à proximité de tout, dont les installations comprennent un dîner-théâtre, des suites équipées de baignoires à remous, un centre de conditionnement physique et des raccords électriques l'hiver. Vous y aurez le choix entre quatre restaurants et salons, tantôt chics, tantôt décontractés.

Sud de la Saskatchewan

Swift Current

Swift Current Heritage Bed and Breakfast
$$ pdj
≡, *bc*
route 4, sortie Waker Rd.
☎773-6305 ou 866-773-6305
Les archéologues et les amateurs de chevaux apprécient ce petit *bed and breakfast* pour ses belles bêtes et son Swift Current Petroglyph Complex.

Fort Qu'Appelle

Country Squire Inn
$$
≡, ℜ
route 10
☎332-5603
⇄332-6708
Sans doute le meilleur motel à prix abordable de la vallée de la rivière Fort Qu'Appelle. Ses grandes chambres propres, son personnel souriant et son bon restaurant (voir p 610) contribuent tous à rendre votre séjour des plus agréable. De courts sentiers pédestres partant de l'arrière de l'établissement serpentent jusqu'au sommet des collines environnantes. Il y a un salon et un bar, mais on vend aussi de la bière sur place.

Moose Jaw

Temple Gardens Mineral Spa Hotel and Resort
$$
≡, ⊛, ⌚, ≈, ✪, ℜ, ⌂
24 Fairford St. E.
☎694-5055 ou 800-718-7727
⇄694-8310
www.templegardens.sk.ca
Ce complexe hôtelier, curieusement situé sur une rue secondaire communiquant avec la paisible artère principale de Moose Jaw, s'offre à choyer le voyageur empoussiéré des Prairies. Son grand atrium a d'ailleurs tôt fait de vous mettre au parfum. Les chambres régulières sont elles-mêmes assez spacieuses et dotées de grands canapés, mais les 25 suites complètes remportent incontestablement la palme: très grands lits, peignoirs de coton, secrétaires, énormes salles de bain de plain-pied et baignoires à remous pour deux personnes (à l'eau minérale, s'il vous plaît!) y suscitent en effet une expérience des plus romantiques. Tous les hôtes ont en outre librement accès au grand bassin d'eau minérale du quatrième étage de l'établissement, d'une superficie de près de 2 000 m^2. Un petit centre de conditionnement physique équipé d'appareils de musculation et de tapis roulants, un café adjacent à la piscine et un restaurant intégré complètent les installations.

Saskatoon

Ramblin' Rose Bed and Breakfast
$ pdj
🐕, bc/bp, ⌂
R.R. 3
☎668-4582
Située dans la partie sud de Saskatoon, près du populaire Pike Lake Provincial Park, cette maison de cèdre propose deux suites avec salles de bain privées, et deux autres avec salle de bain commune. Les services complémentaires sont nombreux et comprennent entre autres un bassin à remous, une bibliothèque, une vidéothèque, un téléviseur et un magnétoscope. Les hôtes sont invités à parcourir plusieurs sentiers aménagés sur la propriété. Les chambres sont confortables, mais tentez d'en retenir une au rez-de-chaussée plutôt que dans le demi-sous-sol.

Patricia Hotel Hostel
$
🐕, bc
345 Second Ave. N.
☎242-8861
⇄664-1119
Pour le prix d'une nuitée dans une auberge de jeunesse, vous obtiendrez ici un hébergement très rudimentaire dans un hôtel qui a franchement vu de meilleurs jours. Les avantages en sont les très bas prix et la proximité du centre-ville. Il n'y a cependant pas de cuisine ni d'installations particulières, hormis un bar local situé sous les dortoirs. Les chambres se révèlent on ne peut plus simples, équipées de deux lits superposés, et elles se partagent des salles de bain. Quelques chambres simples sont toutefois offertes en location et s'avèrent un peu plus accueillantes, tout en vous permettant de bénéficier d'un téléviseur et d'une salle de bain privée *(30$/pers., 34$ pour deux personnes).*

Imperial 400
$$
≡, 🐕, ℂ, ≈, ℜ
610 Idylwyld Dr. N.
☎244-2901 ou 800-781-2268
⇄244-6063
www.imperial400motels.com
Ce motel de 176 chambres possède un complexe de toboggans nautiques intérieurs, un bassin à remous et un petit cinéma, ce qui en fait une bonne affaire pour des familles, d'autant plus que certaines chambres sont pourvues d'une cuisinette. Il y a également un restaurant sur les lieux.

Brighton House Bed and Breakfast
$$ pdj
≡, ⊛, bc/bp
1308 Fifth Ave. N.
☎664-3278
⇄664-6822
Le Brighton House Bed and Breakfast s'est installé dans une adorable maison à revêtement de clins blancs découpée de rose et de bleu, entourée d'un jardin bien entretenu et située en retrait du centre-ville. Toutes les chambres sont délicieusement tendues de papiers peints à motifs floraux et garnies d'antiquités, et la suite «lune de miel» vous réserve une salle de bain privée de même qu'une terrasse ensoleillée. Vos hôtes, Barb et Lynne, veilleront à ce que vous vous sentiez ici chez vous. Il y a même, à l'étage supérieur, une suite familiale où les enfants auront suffisamment de place pour jouer, et le bassin à remous extérieur est mis à votre disposition, tout comme le jeu de croquet, d'ailleurs.

Radisson Hotel Saskatoon
$$$
≡, ⊛, ⏲, ≈, ℜ, ⌂
405 20th St. E.
www.radisson.com
☎665-3322 ou 800-333-3333
⇄665-5531
Cet hôtel de luxe élégant répond aux besoins de tout un chacun avec ses trois étages d'affaires, ses six salles de réunion, ses toboggans nautiques, son sauna, son bassin à remous et son gymnase. Il est par ailleurs directement planté au bord de la rivière South Saskatchewan, ce qui signifie qu'il donne accès à une foule d'activités de plein air. Vous trouverez même ici 14 suites de luxe avec téléphone à rallonge et bar intégré.

Sheraton Cavalier
$$$
≡, ⊛, ⏲, ≈, ℜ, ⌂
621 Spadina Cr. E.
☎652-6770 ou
☎800-325-3535
⇄244-1739
www.sheraton.com
Magnifiquement situé en bordure de la rivière, le nouvellement rénové Sheraton Cavalier est un hôtel somptueux au style contemporain recherché. Ses chambres bénéficient de tout le confort et de toutes les commodités modernes, et le service à la fois courtois et efficace vous assure d'un agréable séjour. Les installations de l'hôtel comprennent deux toboggans nautiques intérieurs, une salle de bal, un fumoir à l'intention des amateurs de cigares et un service de location de vélos tout-terrain.

Delta Bessborough
$$$
≡, ⊛, ⏲, ≈, ℜ, ⌂
601 Spadina Cr. E.
☎244-5521 ou
800-268-1133
⇄653-2458
www.deltahotels.com
Le Delta Bessborough qui compte parmi les plus grandes institutions de Saskatoon, est un ancien hôtel du Canadien National établi dans un simili-château à la française rehaussé de nombreux pignons et tourelles. Même si le hall et le restaurant entièrement rénovés ne rendent pas tout à fait justice à ce grandiose bâtiment d'une autre époque, les chambres récemment rénovées s'avèrent confortables (quoiqu'un peu sombres) et ont su conserver certains accents luxueux, entre autres les appliques originales des salles de bain et les profondes baignoires en céramique. Cela dit, on les a dotées de diverses commodités modernes telles que cafetières, service de boîte vocale, sèche- cheveux et autres. Les élégantes salles de bal et le vaste terrain de l'établissement en bordure de la rivière en font un des lieux les plus prisés lorsqu'il s'agit de célébrer un événement d'une quelconque importance.

Route de Yellowhead

Manitou Beach

Manitou Springs Hotel & Mineral Spa
$$
≡, ⊛, ⏲
MacLachlan Ave.
☎946-2233 ou
800-667-7672
⇄946-2554
www.manitouspringsspa.sk.ca
Ce complexe hôtelier, connu de longue date dans l'Ouest canadien, est surtout réputé pour ses trois piscines d'eau minérale chauffées, alimentées à même le lac Little Manitou. Parmi les autres installations et services offerts, mentionnons les massages thérapeutiques et la réflexologie, sans oublier le centre de conditionnement physique.

Centre-ouest de la Saskatchewan

North Battleford

Battlefords Inn
$$
≡, 🐕, ℜ
11212 Railway Ave. E.
☎445-1515 ou
800-691-6076
⇄445-1541
Connue pour ses chambres spacieuses, cette auberge vous offre des lits de grand ou très grand format, l'accès au téléphone pour vos appels locaux et le café dans les chambres.

Prince Albert

South Hill Inn
$$
≡, 🐕, ⊛, ℜ
3245 Second Ave. W.
☎922-1333 ou
800-363-4466
⇄763-6408
www.southhillinn.com
Les principaux atouts de cette auberge commodément située sont ses grandes chambres confortables, ses téléviseurs doublés de magnétoscopes (films en location sur place) et son café gratuit. Il y a également un restaurant avec permis d'alcool sur les lieux.

Restaurants

Regina

Bushwakker
$-$$
fermé dim
2206 Dewdney Ave.
☎***359-7276***
Un pub où l'on s'amuse ferme à la limite d'un secteur industriel. Les gens du coin ne se font d'ailleurs pas prier pour conduire jusqu'ici afin de déguster la toute dernière cuvée de la Harvest Ale ou quelque autre mixture accompagnée d'un hamburger gastronomique ou d'un autre de ces plats qu'on sert volontiers dans les bars. Agréablement conçu et on ne peut plus chaleureux, cet établissement vend aussi, outre les marques courantes, de petites et très grandes bouteilles de la bière brassée sur place.

Heliotrope
$$
2204 McIntyre St.
☎***569-3373***
Le seul restaurant végétarien de la Saskatchewan, et très probablement l'un des meilleurs du Canada tout entier. L'aménagement intérieur de cette maison de brique en fait un lieu intime, d'autant plus qu'une cheminée vous y réchauffe l'hiver, mais il y a aussi une grande terrasse extérieure offrant une vue sur le centre de Regina. Les plats sont tous élaborés de main experte, des déjeuners de *falafel* et de hamburgers végétariens aux dîners de currys thaïlandais et de *gado-gado*. Quant aux desserts, ils se veulent tout aussi renversants, tel le gâteau au fromage aux fruits de saison. Étourdissant!

Neo Japonica
$$-$$$
2167 Hamilton St.
☎***359-7669***
Le plus chouette de tous les restaurants de Regina, le Neo Japonica sert une exquise cuisine japonaise dans une petite maison sans prétention mais tout de même pourvue d'un décor invitant. L'art de la présentation des plats n'y a d'égal que leur insurpassable préparation. En commandant l'assiette «spéciale», vous pourrez goûter au poulet *teriyaki*, aux *nigri sushis* ainsi qu'au thé japonais pour moins de 12$! Le thé vert maison et la glace au gingembre couronneront enfin votre repas à la perfection.

Cathedral Village Free House
$$$
2062 Albert St.
☎***359-1661***
Des mets contemporains et nourrissants des quatre coins du globe: un concept qui ne fonctionne pas toujours, mais qui fait tout de même parfois très bien l'affaire. Le déjeuner peut se composer de hamburgers à la viande de bison, de salades, de légumes sautés, de pizzas sur feu de bois et d'autres plats semblables, tandis que le dîner comprend plutôt des pâtes et d'autres spécialités italiennes. Ce restaurant gagne aussi des points pour les huit bières pression qu'il sert. En dépit de son nom quelque peu empâté, il attire une clientèle jeune et branchée, ce qui explique sans doute le fait que le service soit aussi erratique. À tout le moins, il se trouve à proximité de tout, et le décor, avec ses couleurs audacieuses, est invitant.

Sud de la Saskatchewan

Fort Qu'Appelle

The Country Squire
$$$
route 10
☎***332-5603***
Rattaché à l'auberge du même nom, ce restaurant sert de généreuses et savoureuses portions dans une atmosphère conviviale. Les gens du coin y font souvent un saut pour déguster du saumon grillé, des hamburgers (choix de viandes d'élan, de bison et de bœuf!), une bonne salade ou du poisson-frites.

Caronport

The Pilgrim
$$
route transcanadienne
☎756-3335
Un autre restaurant installé dans une ancienne station-service, celui-là dans la petite ville de Caronport, tout juste à l'ouest de Moose Jaw. Il sert une nourriture familiale, sans oublier son buffet de soupes et salades (60 choix au total), qui, avec sa généreuse cuisine des Prairies, lui confère une solide réputation.

Saskatoon

Michel's Montreal Smoked Meats
$
101-129 Second Ave. N.
☎384-6664
Établi comme par hasard juste à côté du chocolatier belge de Saskatoon, ce Canadien français entreprenant s'efforce de reproduire la qualité des *smoked meats* de Montréal, à quelque 3 000 km de distance, et y réussit passablement bien. Sa viande fumée et poivrée, couchée entre deux tranches de pain de seigle et arrosée de généreux jets de moutarde, n'a sans doute pas tout le mordant de sa contrepartie québécoise, mais elle n'en demeure pas moins succulente. Entre autres merveilles, vous trouverez également ici des cornichons marinés maison, une salade de chou toute simple (donc savoureuse et croquante) ainsi qu'un cola aux cerises noires.

Broadway Cafe
$-$$
814 Broadway Ave.
☎652-8244
Ce restaurant se trouve en plein cœur du quartier le plus branché de Saskatoon, ce qui risque de vous induire en erreur puisqu'il ne s'agit que d'un simple *diner* servant des hamburgers, des œufs et d'autres plats courants à une foule d'habitués des environs. Le service est rapide et enjoué, mais quelque peu déroutant dans cette province où tout est si décontracté, et nous vous recommandons fermement de rester à l'écart des plats un tant soit peu audacieux qui figurent au menu. Dans l'ensemble, toutefois, attendez-vous à une expérience locale authentique.

Genesis Family Restaurant
$$
901D 22nd St. W.
☎244-5516
Largement acclamé comme le meilleur resto-santé de Saskatoon, cet établissement propose une carte plutôt axée sur les mets chinois. *Dim sum* tous les midis.

Wanuskewin Cafe
$$
R.R. 4
☎931-6767, poste 223
Situé à l'intérieur du parc autochtone patrimonial du même nom, immédiatement au nord de Saskatoon, ce petit café présente un bon assortiment de mets autochtones. Les portions ne sont pas très généreuses, mais les plats sont savoureux, variant d'un nourrissant ragoût de bison accompagné de *bannock* (pain) au filet de bison servi sur lit de riz sauvage. Comme dessert: des pâtisseries arrosées de boissons amérindiennes non alcoolisées mises en bouteille par une firme appartenant à des intérêts autochtones.

Berry Barn
$$
830 Valley Rd.
☎978-9797
Située à quelque 10 km au sud de la ville, la Berry Barn est l'occasion d'une agréable sortie à la campagne. Des arbustes gorgés de baies de Saskatoon bordent le terrain de stationnement et laissent présager les délices qui vous attendent à l'intérieur. Tartes, gaufres, sirop et infusion (tous aux fameuses baies, il va sans dire) accompagnent ici de nourrissants repas de pirojkis et de saucisses fermières. La salle à manger rustique en bois de pin offre par ailleurs une très belle vue sur la rivière. Après votre repas, vous pourrez même parcourir la boutique de cadeaux (naturellement axée sur les baies) ou cueillir vos propres fruits. Réservations recommandées.

Mykonos
$$$-$$$$
416 21st St. E.
☎244-2499
Le Mykonos sert les habituels fruits de mer, brochettes, agneau et moussaka, quoique les saveurs n'en soient pas tout à fait authentiques. La salle à manger classique se pare d'un décor méditerranéen qui lui-même n'est pas vraiment grec. Sans doute un peu trop cher, mais tout de même un des meilleurs restaurants en ville. Le service courtois a l'avantage de rendre l'expérience plus agréable.

Saskatoon Station Place
$$$-$$$$
221 Idylwyld Dr. S.
☎244-7777
Le Saskatoon Station Place attire les amateurs de décors ferroviaires, de douillettes «voitures-restaurants» rehaussées d'acajou y entourant un semblant de gare. Bien que la Belle Époque soit ici à l'honneur, le service et le menu se veulent plutôt familiaux, avec des mets de base tels que côtes levées, steaks et fruits de mer. On s'en accommode toutefois très bien pour un dîner à l'extérieur, d'autant qu'on peut alors y prendre l'apéro au salon.

Centre-ouest de la Saskatchewan

The Battlefords

DaVinci's Ristorante Italiano
$$$
1001 route 16
☎446-4700
Leonardo lui-même serait sans doute étonné que le menu ne soit pas exclusivement italien dans ce restaurant dont le nom suggère pourtant le contraire. Le fait est, cependant, que la cuisine traditionnelle de la Louisiane y occupe une place de choix auprès de certains plats d'Europe continentale.

Prince Albert

Amy's on Second
$$
2990 Second Ave.
☎763-1515
Des ingrédients frais et une approche santé, voilà qui change agréablement les habitants de cette ville (et les visiteurs de passage) des sempiternels comptoirs de restauration rapide. Les salades y sont préparées sur commande et s'accompagnent de potages maison. Vous y trouverez aussi des biftecks, du poulet à toutes les sauces et des plats de pâtes.

Sorties

Il y a beaucoup de grands événements annuels en Saskatchewan. Visitez le site Internet de **Tourism Saskatchewan** *(www.sasktourism.com/events)* pour plus de détails.

Regina

Fêtes et festivals

Le festival des **Buffalo Days** *(781-9200 ou 888-734-3975)* dure une semaine chaque été. Il débute habituellement à la fin de juillet et se poursuit pendant les premiers jours d'août. Un pique-nique dominical dans le beau Wascana Centre marque le début des festivités; se succèdent ensuite une série de spectacles, et le tout se termine par un feu d'artifice.

Saskatoon

Fêtes et festivals

Le **SaskTel Saskatchewan Jazz Festival** *(☎652-1421, www.saskjazz.com)* fait vibrer le jazz de haut niveau, le gospel et les rythmes du monde aux abords de la rivière pendant 10 jours consécutifs en juin.

Le **Great Northern River Roar** est soit une abomination, soit une grande fête, selon la perception que vous avez des bateaux à moteur filant à toute allure sur la rivière. D'un côté comme de l'autre, vous ne pouvez toutefois ignorer ces courses lorsqu'elles arrivent à Saskatoon en juillet.

Bars

La plupart des pubs et des boîtes de nuit de Saskatoon sont regroupés le long de **Second Avenue South**.

Black Duck Freehouse
154 2nd Ave. S.
☎244-8850
La Black Duck Freehouse est un pub qui sert une douzaine de bières pression et un large éventail de spiritueux. Un endroit détendu pour bavarder, prendre un verre ou même une bouchée dans le centre-ville.

Parmi les établissements nocturnes établis sur Broadway Avenue, mentionnons **The Living Room** *(733 Broadway Ave., ☎244-1070)* pour ses cafés et desserts, et **Lydia's** *(650 Broadway Ave., ☎652-8595)*, un pub à l'anglaise qui lui fait face.

Achats

Regina

Les commerces sont concentrés à l'extrémité sud d'Albert Street et à l'extrémité est de Victoria Avenue (respectivement au sud et à l'est de la ville). Le Corwall Centre et le Scarth Street Mall, tous deux au centre-ville, sont de bonnes adresses où magasiner.

Saskatoon

Chocolatier Bernard Callebaut
$
107-1526 8th St. E.
☎652-0909
Cette succursale d'une petite chaîne canadienne dont la maison mère se trouve à Calgary sert de somptueux chocolats à la crème ainsi que des tablettes de chocolat pur ne contenant que des ingrédients entièrement naturels. Et il ne faut surtout pas oublier les barres de crème glacée trempées dans le chocolat (à la main, s'il vous plaît!), un incomparable délice offert à seulement quelques dollars l'unité.

Sans doute le secteur le plus populaire est-il celui du **Bayside Mall**, au centre-ville *(255 2nd Ave. N.)*. La **Midtown Plaza**, située sur First Avenue South entre 22nd Street East et 20th Street East, constitue cependant une autre bonne option.

The Original Bulk Cheese Warehouse
732 Broadway Ave.
☎652-8008
L'Original Bulk Cheese Warehouse est l'endroit tout indiqué pour faire le plein de provisions en vue d'un pique-nique, qu'il s'agisse de *samosas*, de quiches, de salades, de couronnes de crevettes ou de desserts, sans parler d'un impressionnant assortiment de fromages (dont une mozzarella au lait de bisonne).

Bison

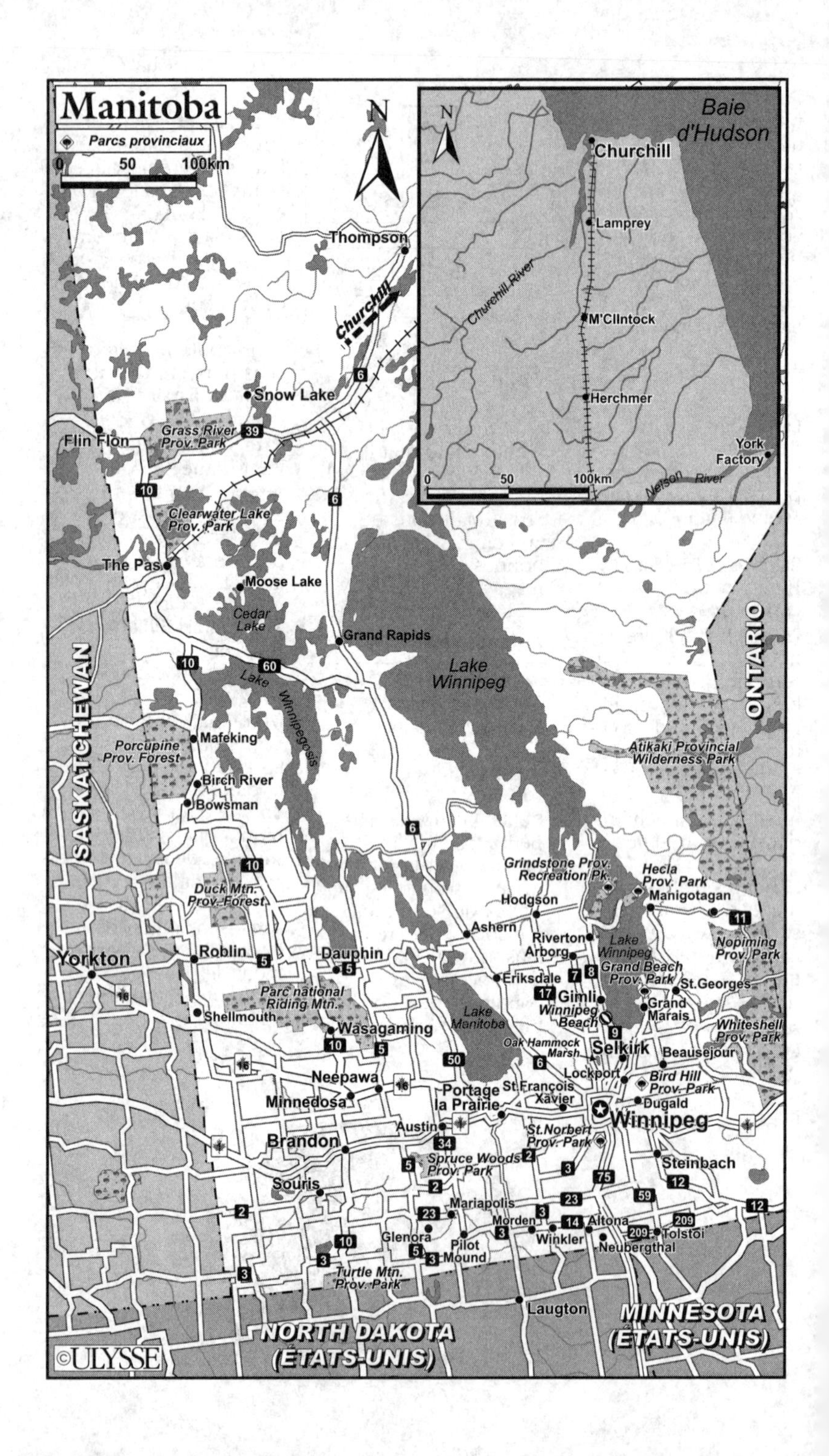
Manitoba
Parcs provinciaux
0
50
100km
N
Baie d'Hudson
Churchill
Lamprey
Churchill River
M'Clintock
Herchmer
York Factory
Nelson River
Thompson
Churchill
Snow Lake
Grass River Prov. Park
Flin Flon
Clearwater Lake Prov. Park
The Pas
Moose Lake
Cedar Lake
Grand Rapids
Lake Winnipeg
Lake Winnipegosis
Mafeking
Porcupine Prov. Forest
Birch River
Bowsman
SASKATCHEWAN
ONTARIO
Atikaki Provincial Wilderness Park
Duck Mtn. Prov. Forest
Grindstone Prov. Recreation Pk.
Hecla Prov. Park
Manigotagan
Hodgson
Ashern
Riverton
Arborg
Lake Winnipeg
Nopiming Prov. Park
Yorkton
Roblin
Dauphin
Eriksdale
Grand Beach Prov. Park
St.Georges
Gimli
Winnipeg Beach
Grand Marais
Parc national Riding Mtn.
Shellmouth
Wasagaming
Lake Manitoba
Whiteshell Prov. Park
Oak Hammock Marsh
Selkirk
Beausejour
Lockport
Bird Hill Prov. Park
Neepawa
Minnedosa
Portage la Prairie
St.François Xavier
Dugald
Winnipeg
Austin
Brandon
St.Norbert Prov. Park
Spruce Woods Prov. Park
Steinbach
Souris
Mariapolis
Morden
Altona
Tolstoi
Winkler
Neubergthal
Glenora
Pilot Mound
Turtle Mtn. Prov. Park
Laugton
NORTH DAKOTA (ÉTATS-UNIS)
MINNESOTA (ÉTATS-UNIS)
©ULYSSE

Découvrir le Manitoba

se fait beaucoup plus qu'avec les yeux. Bien que la seule mention de son nom tire un sourire des touristes habitués à explorer des coins plus connus au Canada, le Manitoba réserve aux visiteurs plein de belles surprises.

En effet, cela fait maintenant plus d'un siècle qu'on visite le Manitoba – et qu'on y reste –, si bien que sa capitale, Winnipeg, est devenue la huitième ville en importance au Canada.

Elle présente par ailleurs une étonnante mosaïque ethnique et offre une plus grande diversité culturelle que toute autre ville entre Vancouver et Toronto.

À l'origine, la province n'était peuplée que de quelques nations amérindiennes, qui lui ont d'ailleurs donné son nom: Manitou était le «grand esprit», et l'on croyait, à l'époque, que les rapides du lac Manitoba représentaient sa voix.

Puis, avec l'arrivée des Français et des Anglais, l'histoire du Manitoba devint très rapidement celle d'une querelle constante entre deux compagnies de pelleteries: la Compagnie de la Baie d'Hudson, qui appartenait aux Anglais, et la Compagnie du Nord-Ouest, qui appartenait aux Français. Cette dernière vit le jour plus tard que la première, mais elle parvint néanmoins à la supplanter pendant un certain temps.

À cet égard, l'explorateur canadien-français Pierre Gauthier de Varennes et de La Vérendrye a exercé une influence pour le moins marquante sur le commerce des fourrures. Il fut entre autres le premier Blanc à pénétrer dans les prairies du Manitoba, et ses comptoirs de traite ont rassemblé des populations appelées à créer les communautés de Dauphin, La Pas, Selkirk et

Portage la Prairie. Cette influence française perdure d'ailleurs encore de nos jours; de fait, Saint-Boniface, banlieue est de Winnipeg annexée à la capitale provinciale en 1972, possède la plus importante concentration de francophones au Canada à l'ouest du Québec.

Les Métis comptaient pour une part importante de cette population francophone. Descendants de trappeurs français et d'Autochtones, les Métis, catholiques et francophones, vivaient au confluent de la rivière Rouge et de la rivière Assiniboine, sur des territoires qui furent annexés au Canada en 1869. Craignant de perdre leur langue, leurs traditions d'enseignement, leur liberté religieuse et, surtout, leurs terres, ils nommèrent Louis Riel à leur tête pour les guider dans leur quête d'une forme de gouvernement responsable sur leur territoire. Mais le peu qu'ils parvinrent à obtenir leur fut peu à peu retiré, ce qui poussa les Blancs et les Métis à former ensemble leur propre gouvernement provisoire. Le tollé soulevé par le procès et l'exécution de l'Ontarien Thomas Scott, accusé d'avoir défié l'autorité dudit gouvernement, a cependant obligé Riel à s'exiler aux États-Unis. Il devait toutefois revenir au Canada, en Saskatchewan cette fois, pour poursuivre sa lutte et mener la rébellion du Nord-Ouest. Riel, l'homme qui aurait pu devenir le premier premier ministre du Manitoba, fut finalement pendu pour trahison en 1885, et beaucoup le considèrent comme un martyr depuis cette date.

Les influences ukrainiennes et mennonites, ces peuples s'installant au Manitoba au moment de la «découverte» de l'Ouest canadien, se font également sentir dans cette province, de même que celles des nombreux immigrants islandais. En 1875, une succession d'éruptions volcaniques a en effet conduit en Amérique du Nord de nombreux Islandais à la recherche d'une terre hospitalière. Or, beaucoup d'entre eux s'établirent dans l'est du Manitoba, aux abords des lacs Winnipeg et Manitoba, où ils mirent à profit leur expérience de la pêche en eau salée pour faire valoir leur aptitude à capturer le corégone. Les Manitobains ont déployé moult efforts pour préserver l'histoire de tous ces immigrants, qu'ils font aujourd'hui revivre dans de nombreux musées et parcs historiques.

Il est vrai que, aplatie par les grands glaciers de la dernière époque glaciaire, la partie sud de la province ne comporte aucune dénivellation. Là où des milliers de kilomètres carrés de hautes prairies ininterrompues ondulaient autrefois sous l'effet du vent, poussent aujourd'hui des champs colorés couverts de blé dur, de lin, de canola et de tournesol. Et dans les régions humides, des milliers de petits marais accueillent une variété d'espèces aquatiques d'ici et d'ailleurs.

Cependant, la topographie de la province présente aussi des terres agricoles fertiles et d'immenses lacs autour desquels d'innombrables oiseaux ont élu domicile. En réalité, la partie plane de la province ne compte que pour 40% de sa superficie totale; le reste se compose de collines et de cours d'eau sculptés dans le Bouclier canadien, cet immense anneau de roche dure et ancienne qui entoure la baie d'Hudson et qui se fait plus visible ici et dans le nord de l'Ontario. De profondes forêts de pins, des falaises et des lacs se disputent cette surface, et il n'est pas rare d'y voir des élans (orignaux), des cerfs et des ours, à condition de regarder aux bons endroits.

Dans le Grand Nord peu peuplé, la taïga devient prédominante et la faune, plus spectaculaire encore, puisque bélugas et ours polaires y envahissent les lumineux étés subarctiques.

Pour s'y retrouver sans mal

En avion

Le **Winnipeg International Airport** *(www.waa.ca)* se trouve à environ 5 km du centre-ville.

Entre autres compagnies aériennes, **Air Canada** *(☎888-247-2262, www.aircanada.ca),* assure le transport des passagers à travers tout le pays.

En voiture

La route transcanadienne (route 1) traverse tout le sud du Manitoba en passant par Winnipeg. Un bon réseau routier sillonne la province.

En autocar

Greyhound Canada *(☎800-661-8747, www.greyhound.ca)* dessert très bien les principales villes et villages du Manitoba. À Winnipeg, la gare d'autocars se trouve à l'angle de l'avenue Portage et de la rue Colony.

En train

La ligne transcanadienne de **VIA Rail** *(☎800-561-8630)* passe par le Manitoba, et le train s'arrête habituellement à Winnipeg vers 16h (direction ouest) ou 11h (direction est). La grandiose **Union Station de Winnipeg** *(132 Main St.)*, située en plein centre-ville à l'angle de l'avenue Broadway et de la rue Main, est la plus grande gare ferroviaire du Manitoba et le point d'arrêt habituel des trains.

Des gares plus modestes se trouvent à Brandon, à Portage la Prairie et dans d'autres petits villages parallèles à la route transcanadienne.

Transport en commun

Winnipeg Transit *(☎204-986-5717)*, qui occupe des bureaux souterrains à l'angle de l'avenue Portage et de la rue Main, exploite un réseau d'autobus efficace; le droit de passage est de 1,65$, ou un peu moins si vous achetez une lisière de billets.

La ville met en outre à votre disposition une ligne d'information téléphonique sur le transport en commun *(☎204-986-5700)*.

Taxis

Unicity *(☎204-925-3131)* est la pricipale compagnie de taxis à Winnipeg.

Renseignements pratiques

Indicatif régional: ***204***

Bureaux d'information touristique

Tourism Winnipeg *(279 Portage Ave., Winnipeg, ☎800-665-0204 ou 943-1970, www.tourism.winnipeg.mb.ca)* a un bureau d'information. Il est ouvert en semaine à longueur d'année, mais sept jours sur sept durant l'été. Il y a aussi un bureau de tourisme à l'aéroport *(☎982-7543)*.

L'**Explore Manitoba Centre** *(10h à 18h; 24 Forks Market Rd., ☎800-665-0040 ou 945-3777, www.travel manitoba.com)*, à l'intérieur du Forks Johnston Terminal, est ouvert toute l'année. Dans les autres régions de la province, les heures d'ouverture des bureaux de tourisme varient grandement, mais les plus importants restent ouverts à longueur d'année.

Sécurité

Dans l'ensemble, le Manitoba ne présente aucun danger, bien qu'on rapporte des vols de voitures dans certains secteurs du centre-ville de Winnipeg. Le service policier de la ville possède 17 postes répartis à travers six quartiers; faites le **☎911** pour les urgences. Il y a également un détachement de la **Gendarmerie royale du Canada** *(1091 Portage Ave., ☎983-2091)* en ville.

Bureau de poste

Le principal bureau de poste est situé au centre-ville *(266 Graham Ave., ☎987-5054)*.

Climat

Les étés sont chauds et secs. Cependant l'hiver apporte des températures très basses et des tempêtes de neige. La température peut chuter en deçà de –30°C, le facteur vent contribuant à créer une sensation de froid plus intense encore. C'est pourquoi vous devez prendre les précautions nécessaires, surtout si vous prévoyez vous déplacer en dehors des villes durant l'hiver. Pour de l'information récente sur les conditions météorologiques à Winnipeg, composez le ☎983-2050.

Attraits touristiques

Winnipeg

Winnipeg, une authentique métropole de plus de 680 000 habitants s'élevant des plaines au point de convergence de deux rivières, est le point de départ le plus plausible vers les autres destinations de la province. Le nom de la capitale manitobaine est d'origine crie (*Winnipi* ou «eaux boueuses»), et les Amérindiens l'avaient d'abord donné au lac éponyme qui se trouve à 65 km au nord de Winnipeg.

La ville doit son existence à un Écossais du nom de Thomas Douglas, 5e comte de Selkirk, qui fonda sur les lieux une colonie de 187 000 km² à laquelle il donna le nom de Red River Colony (un monument au bout de l'avenue Alexander en marque l'emplacement exact). Douglas agissait à titre d'émissaire pour le compte de la Compagnie de la Baie d'Hudson, et ses charges lui permettaient de lotir des *river lots*, soit de longues et étroites parcelles de terre dont une extrémité donnait sur la rivière (Rouge).

Toutes les routes de Winnipeg semblent, depuis toujours, mener à **The Forks ★★** *(derrière l'Union Station, angle Main St. et Broadway Ave., ☎943-6757)*, ce point de convergence fertile des rivières Rouge et Assiniboine choisi comme lieu de campement par les premiers peuples autochtones des environs, et plus tard devenu le camp de base de la Compagnie du Nord-Ouest, la première entreprise de pelleterie de la région. Le siège so-

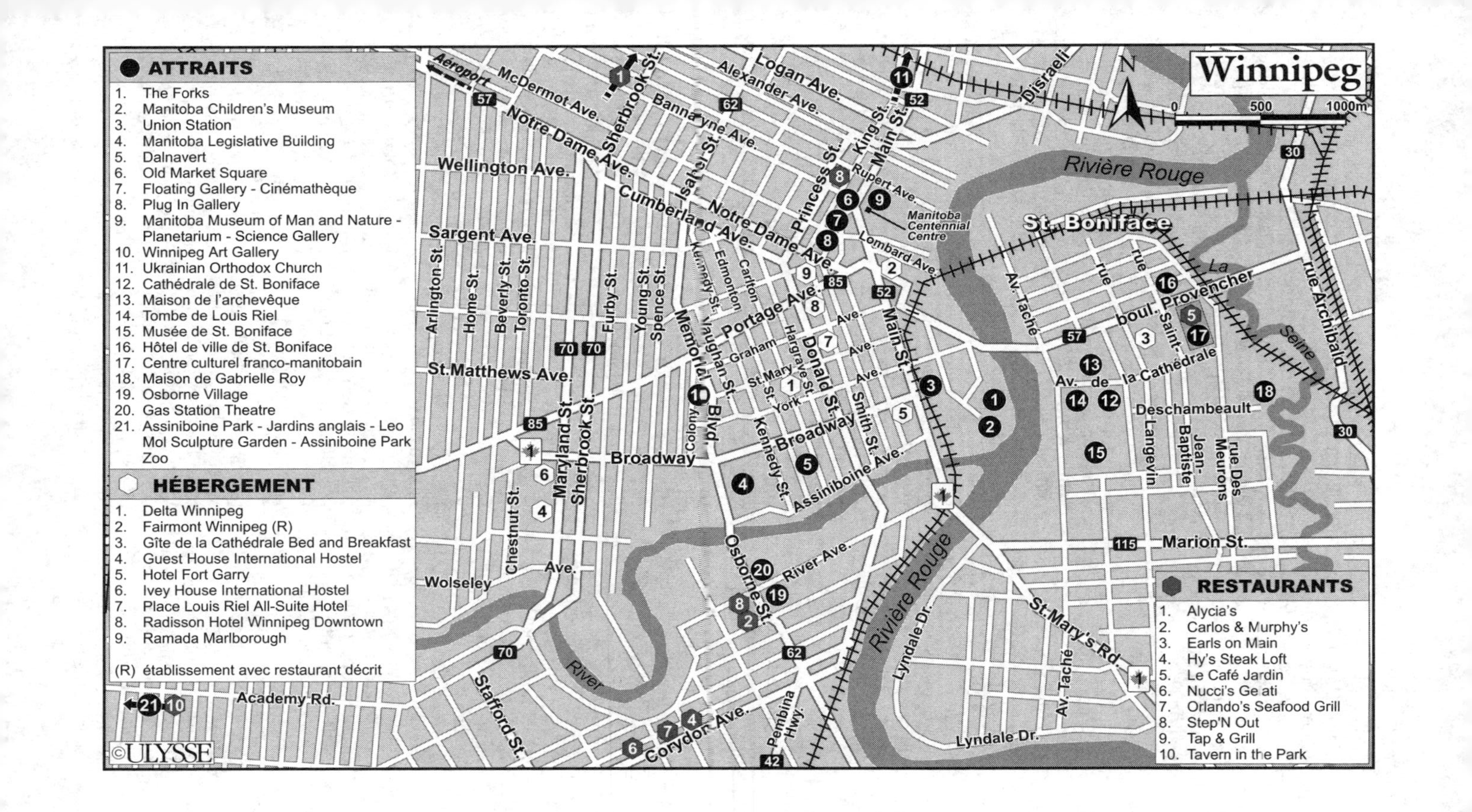
Winnipeg
ATTRAITS
1. The Forks
2. Manitoba Children's Museum
3. Union Station
4. Manitoba Legislative Building
5. Dalnavert
6. Old Market Square
7. Floating Gallery - Cinémathèque
8. Plug In Gallery
9. Manitoba Museum of Man and Nature - Planetarium - Science Gallery
10. Winnipeg Art Gallery
11. Ukrainian Orthodox Church
12. Cathédrale de St. Boniface
13. Maison de l'archevêque
14. Tombe de Louis Riel
15. Musée de St. Boniface
16. Hôtel de ville de St. Boniface
17. Centre culturel franco-manitobain
18. Maison de Gabrielle Roy
19. Osborne Village
20. Gas Station Theatre
21. Assiniboine Park - Jardins anglais - Leo Mol Sculpture Garden - Assiniboine Park Zoo
HÉBERGEMENT
1. Delta Winnipeg
2. Fairmont Winnipeg (R)
3. Gîte de la Cathédrale Bed and Breakfast
4. Guest House International Hostel
5. Hotel Fort Garry
6. Ivey House International Hostel
7. Place Louis Riel All-Suite Hotel
8. Radisson Hotel Winnipeg Downtown
9. Ramada Marlborough
(R) établissement avec restaurant décrit
RESTAURANTS
1. Alycia's
2. Carlos & Murphy's
3. Earls on Main
4. Hy's Steak Loft
5. Le Café Jardin
6. Nucci's Ge ati
7. Orlando's Seafood Grill
8. Step'N Out
9. Tap & Grill
10. Tavern in the Park
Aéroport
McDermot Ave.
Notre-Dame Ave.
Sherbrook St.
Logan Ave.
Alexander Ave.
Bannatyne Ave.
Isabel St.
Princess St.
King St.
Main St.
Disraeli
Rupert Ave.
Manitoba Centennial Centre
Lombard Ave.
Wellington Ave.
Cumberland Ave.
Notre Dame Ave.
Sargent Ave.
Rivière Rouge
St. Boniface
Arlington St.
Home St.
Beverly St.
Toronto St.
Furby St.
Young St.
Spence St.
Kennedy St.
Edmonton
Carlton
Portage Ave.
Memorial Blvd.
Vaughan St.
Graham
Hargrave St.
Donald St.
St. Mary
York
Smith St.
Broadway
Colony
St.Matthews Ave.
Maryland St.
Sherbrook St.
Kennedy St.
Assiniboine Ave.
Av. Taché
rue
boul. Provencher
La
Seine
rue Archibald
Saint-
Av. de la Cathédrale
Deschambeault
Langevin
Jean-Baptiste
rue Des Meurons
Marion St.
Chestnut St.
Wolseley Ave.
Osborne St.
River Ave.
Rivière Rouge
Lyndale Dr.
St.Mary's Rd.
Av. Taché
River
Stafford St.
Academy Rd.
Corydor Ave.
Pembina Hwy.
©ULYSSE

cial *(77 Main St.)* s'en trouve encore d'ailleurs en face de son emplacement d'origine, de l'autre côté d'une rue passante. Aujourd'hui, toutefois, on associe plutôt The Forks au marché couvert du même nom.

À l'intérieur, on retrouve des douzaines de comptoirs avec des vendeurs en tous genres, proposant à qui mieux mieux du poisson frais, des friandises, des denrées multiethniques, du yogourt glacé et des bijoux confectionnés à la main. Il y a même une voyante!

On peut faire de belles promenades le long des sentiers au bord de la rivière Rouge, tout en profitant d'une belle vue de la ville de Saint-Boniface et, surtout, de sa cathédrale (voir p 623), juste de l'autre côté de la rivière. Il y a une petite marina où l'on peut louer des canots l'été et beaucoup d'espaces verts qui sont parfaits pour un pique-nique au centre-ville. Beaucoup d'événements se déroulent sur cette place à proximité du marché, et plusieurs restaurants sont agrémentés de terrasses charmantes.

Dans le Forks Johnson Terminal adjacent, une ancienne gare ferroviaire, le bureau touristique de la province, soit l'**Explore Manitoba Centre** ★, diffuse une foule de renseignements utiles, sans oublier les fascinants dioramas que les enfants adorent. Le Forks Johnson Terminal abrite également de nombreux magasins et cafés.

À l'intérieur du même complexe, mais dans un autre édifice, le **Manitoba Children's Museum** ★★★ *(4,50$; dim-mer 9h30 à 16h30, jeu-sam 9h30 à 20h; 45 Forks Market Rd., ☎956-5437)* s'impose comme l'unique musée pour enfants dans l'Ouest canadien. Le bâtiment a jadis servi d'entrepôt ferroviaire et regroupait à l'époque un hangar de locomotives, des ateliers de réparation ainsi qu'une forge. Aujourd'hui, une main fantaisiste y crée des éléments d'exposition variés, tels un studio de télévision opérationnel et une locomotive diesel des années 1950.

Les amateurs de sport seront intéressés par la vitrine intitulée «Goals for Kids» (des buts pour les enfants), qui, par le biais de divers objets liés aux Jets de Winnipeg, rend hommage à cette équipe de la Ligue nationale de hockey aujourd'hui disparue.

Les plus récentes additions aux Forks sont le terrain de baseball CanWest Global et le Manitoba Theatre For Young People, un édifice de conception imaginative situé sur Forks Market Road. Informez-vous, à l'intérieur, de son programme d'activités axées sur la famille.

Voisine du complexe The Forks, face au centre-ville, se dresse l'**Union Station** ★ *(132 Main St.)*, créée par la même équipe d'architectes que la Grand Central Station de New York. La station a été construite pendant l'âge d'or de Winnipeg, à l'époque où la ville était considérée comme la «porte de l'Ouest», et donc un centre économique important. Aujourd'hui, la démesure de cette gare semble un peu déplacée. Elle arbore un immense dôme dont l'intérieur est tapissé de rose et de blanc, et percé de fenêtres en forme de demi-cercle. Les murs se parent quant à eux du célèbre calcaire local dolomitique de Tyndall.

Quelques rues plus à l'ouest, par l'avenue Assiniboine, ou, le long de la rivière, surgit le **Manitoba Legislative Building** ★★★ *(entrée libre; juil et août tlj 9h à 18h, sept à juin lun-jeu 9h à 15h sur rendez-vous; 450 Broadway, ☎945-5813)*. C'est à l'intérieur de cet impressionnant édifice, rehaussé d'accents intéressants (chemins de fer en pierres fossilisées, deux bisons de bronze et un buste de Cartier), que se déroulent les sessions parlementaires de la province. Son dôme est surmonté du ***Golden Boy***, une sculpture française haute de 5,25 m à l'effigie d'un jeune garçon portant une gerbe de blé sous un bras et levant de l'autre un flambeau vers le ciel. L'été, des tours guidées ont lieu en français et en anglais toutes les heures.

Derrière le «Leg» s'étendent des jardins paysagers où se dressent une fontaine et une statue de Louis Riel. La sculpture originale (et plus controversée) représentant ce leader métis pointe désormais de l'autre côté de la rivière, derrière le Collège de Saint-Boniface (voir p 623).

Un peu plus loin sur l'avenue Assiniboine, **Dalnavert** ★ *(4$; juin à août lun-ven 10h à 16h30, sept à déc et mars à mai 12h à 16h30; jan et fév sam-dim 12h à 16h30; 61 Carlton St., ☎943-2835)* se présente comme une vieille résidence de style néo-Reine-Anne construite pour Sir Hugh John Macdonald, fils de l'ex-premier ministre John A. Macdonald. Son intérêt tient à son mobilier d'époque et au fait qu'elle fut une des toutes premières résidences de la ville à être dotée de l'eau courante.

Notez qu'une des meilleures façons de se familiariser avec l'histoire et l'architecture du centre-ville de Winnipeg consiste à prendre part à l'un ou l'autre des **Exchange District Walking Tours** *(5,50$; mai à sept lorsque la température le permet; ☎942-6716)* Ces visites à pied guidées, d'une durée variant entre 1 heure 30 min et deux heures, sont offertes en anglais, quoique vous puissiez vous informer de la possibilité d'obtenir un guide francophone.

Dôme du Manitoba Legislative Building

L'**Exchange District** ★★★, à proximité du centre-ville, au nord-ouest de Portage et de Main, constitue l'ancien quartier des entrepôts de Winnipeg. Aujourd'hui cependant, ses immeubles industriels de style sont recouverts de peinture fraîche et abritent de nouveaux occupants, entre autres des imprimeries, des librairies et des compagnies théâtrales. Le gouvernement fédéral a désigné le quartier comme lieu national historique en 1997.

Le quartier se trouve près de l'**Old Market Square**, un petit parc où sont souvent présentés des concerts en plein air. Le Winnipeg Fringe Theatre Festival s'y déroule également en juillet (voir p 647).

Vous découvrirez certains des plus beaux bâtiments en vous baladant dans les environs de la rue Albert et de l'avenue Notre-Dame. Le **Paris Building** *(269 Portage Ave.)* arbore de nombreux ornements architecturaux, comme des voûtes, des urnes, des cupidons et d'autres éléments décoratifs en terre cuite. Tout près, de l'autre côté de l'avenue Portage, le **Birks Building** *(angle Smith St. et Portage Ave.)* révèle une mosaïque égyptienne. Le bâtiment a été restauré en l'an 2000.

À proximité, mais loin de l'incessante circulation de l'avenue Portage, se trouve l'**Alexander Block** *(78-86 Albert St.)*, la première construction de style édouardien du quartier et la seule résidence représentative de ce style. Finalement, à quelques pas de là, sur la rue Albert, se dressent les spectaculaires **Notre Dame Chambers** *(213 Notre Dame Ave.)*, aussi connues sous le nom d'Electric Railway Chambers Building. Il s'agit d'un immeuble ocre brun au sommet voûté et illuminé de quelque 6 000 ampoules blanches la nuit.

L'Exchange District recèle également nombre de petites galeries indépendantes qui se spécialisent dans l'art contemporain. Entre autres, la **Floating Gallery** *(entrée libre; mar-sam 12h à 17h; 218-100 Arthur St., ☎942-8183)* se distingue par ses expositions de photographies. Cette galerie se trouve directement sur l'Old Market Square, à l'intérieur de l'édifice Artspace, qui abrite aussi la **Cinémathèque**, où sont projetés des films produits par des réalisateurs indépendants. Vous trouverez par ailleurs des expositions multimédias tout à fait avant-gardistes dans l'entrepôt dépouillé de la **Plug In Gallery** *(mar-sam 11h à 17h; 286 McDermot Ave., ☎942-1043)*, à quelques rues de là.

Les plus beaux musées de la ville se trouvent tout près de l'Exchange District. Aménagé dans l'enceinte d'un complexe abritant des attraits scientifiques à l'intérieur d'un même édifice, le **Manitoba Museum of Man and Nature** ★★★ *(6,50$; 15$ pour les trois sites: le musée, le Planétarium et la Science Gallery; mi-mai à début sept tlj 10h à 18h; le reste de l'année mar-ven 10h à 16h, sam-dim et jours fériés 10h à 17h; 190 Rupert Ave., ☎956-2830 ou 943-3139, www.manitobamuseum.mb.ca)* s'impose comme le plus beau de tous, un véritable tour de force mettant l'accent sur l'histoire naturelle et sociale du Manitoba. Diverses galeries instruisent les visiteurs sur la géologie de la province, l'écologie des Prairies, l'écologie arctique – le clou en est un diorama sur les ours polaires – et l'histoire amérindienne. D'autres salles d'exposition spéciales illustrent le voyage du navire anglais *Nonsuch* (qui a permis à la Compagnie de la Baie d'Hudson de s'implanter dans l'Ouest canadien en 1670), une réplique de ce navire permettant aux visiteurs de visiter les cabines et le pont principal, ainsi que la construction d'un chemin de fer menant à la ville portuaire de Churchill, dans le nord du Manitoba.

La visite se termine par une reconstitution historique très appréciée et bien conçue du centre-ville de Winnipeg à la fin du XIXe siècle, intégrant une cordonnerie, une chapelle, une salle de cinéma et beaucoup plus encore. La nouvelle Hudson's Bay Company Gallery présente une collection impressionnante d'objets reliés à la Compagnie de la Baie d'Hudson. Le musée en lui-même est incontournable. Parmi les autres attraits qui vous attendent au niveau inférieur du même immeuble, retenons le **Planetarium** *(5$; mi-mai à début sept tlj 11h à 18h, début sept à mi-mai sam-dim et jours fériés 12h à 16h; ☎943-3142)* et le **Science Gallery** *(5$; même horaire que le musée)*, où les visiteurs s'instruisent à propos de la science et des technologies à l'aide d'activités spécialement conçues à cet effet. Les enfants l'apprécient grandement.

La **Winnipeg Art Gallery** ★★★ *(6$, entrée libre mer 17h à 19h et sam toute la journée; tlj 11h à 17h, mi-juin à début sept ouverture à 10h, fermé lun en hiver; 300 Memorial Blvd, ☎786-6641, www.wag.mb.ca)*, aménagée dans un bâtiment spectaculaire de forme triangulaire, est reconnue pour sa vaste collection d'art et de sculptures inuites. Fondé en 1912, ce musée présente de tout, des tapisseries flamandes du XVIe siècle aux arts modernes; il est particulièrement riche en œuvres d'artistes canadiens, en porcelaines décoratives, en argenterie et en collections acquises auprès de la Compagnie de la Baie d'Hudson et du ministère fédéral des Affaires indiennes et du Nord. Des œuvres autochtones sont aussi présentées sur la mezzanine dans le cadre d'expositions temporaires. On y trouve aussi une boutique de cadeaux, de même qu'un agréable restaurant au niveau supérieur, avec terrasse.

À l'extrémité nord de la ville, sur North Main Street, l'**Ukrainian Orthodox Church ★★** est un des points d'intérêt les plus distinctifs de la ville avec ses jolis tons bordeaux et dorés ainsi qu'avec son dôme typiquement ukrainien. L'église abrite une collection d'artisanat ukrainien, une bibliothèque et une boutique de souvenirs.

Saint-Boniface

Juste de l'autre côté de la rivière Rouge, à Saint-Boniface, les murs facilement reconnaissables de la **cathédrale de Saint-Boniface ★★★** *(190 av. de la Cathédrale)* doivent absolument être vus. Ils constituent en effet la seule partie de l'église qui n'a pas été détruite pendant l'incendie qui l'a rasée en 1968, mais ils demeurent toutefois très impressionnants, d'autant qu'il s'agissait de la quatrième cathédrale à être érigée à cet endroit. Il n'est donc pas surprenant que ce temple demeure une sorte de lieu de pèlerinage pour les francophones. L'immense ouverture circulaire que vous apercevez dans la pierre accueillait autrefois une grande rosace. La **maison de l'archevêque** *(141 av. de la Cathédrale)* est située tout près, et elle est un des plus vieux bâtiments en pierre de l'ouest du Canada encore debout.

Située dans le cimetière de la cathédrale Saint-Boniface, la **tombe de Louis Riel** est marquée d'une simple pierre rouge sur la pelouse frontale, un bien maigre hommage à l'homme célèbre qui y repose. D'autres pierres tombales dispersées tout autour appartiennent à des colons français et à des Métis, entre autres le chef One Arrow. Ce poste d'observation offre également une vue spectaculaire sur la rivière et sur la silhouette de la ville. Derrière la cathédrale surgit le dôme argenté du **Collège de Saint-Boniface** *(200 av. de la Cathédrale)*, dont la fondation remonte au XIXe siècle. Une statue de Louis Riel se dresse devant son entrée nord.

À la porte voisine de la cathédrale se trouve le **Musée de Saint-Boniface ★★** *(3$; toute l'année lun-ven 9h à 17h; mars à mai ainsi qu'oct et nov dim 12h à 16h; juin à sept sam 10h à 16h, dim 10h à 20h; 494 av. Taché, ☎237-4500)*, construit en 1846. Cet ancien couvent raconte des histoires fascinantes sur les racines françaises de la ville; il s'agit du plus vieux bâtiment de Winnipeg et de sa plus grande structure en bois rond. Le récit des quatre sœurs Grises qui ont fondé le couvent est particulièrement prenant, en ce qu'elles ont parcouru quelque 2 400 km en canot depuis Montréal, et mis presque deux mois à terminer leur périple.

Parmi les autres points saillants du musée, il convient de noter ses bénitiers et ses objets liturgiques, de même qu'une Vierge Marie en papier mâché vêtue d'une écharpe bleue; réalisée par sœur Lagrave, une religieuse artiste membre du groupe initial des sœurs Grises, cette Vierge Marie est la plus ancienne statue de l'Ouest canadien.

En marchant vers le nord le long de la rivière, vous atteindrez le pont Provencher, où vous pourrez vous arrêter pour casser la croûte à la crêperie qui occupe l'ancienne cabine de contrôle aménagée au beau milieu du pont. De l'autre côté, vous déboucherez sur le boulevard Provencher, la principale artère commerciale et ludique de Saint-Boniface, d'ailleurs bordée de quelques boutiques et établissements d'intérêt. L'ancien **hôtel de ville de Saint-Boniface**

(219 boul. Provencher) et le récent **Centre Culturel Franco-Manitobain** *(340 boul. Provencher)* se trouvent également sur cette rue.

Les passionnés de Gabrielle Roy peuvent voir au passage la maison où elle a grandi et où se déroule l'action de plusieurs de ses romans, entre autres un de ses plus célèbres, *Rue Deschambault*. Marquée d'une plaque commémorative, la maison était en réaménagement au moment de mettre sous presse. Son inauguration étant prévue pour le printemps 2003, la **Maison Gabrielle Roy** *(appelez pour connaître le prix d'entrée et l'horaire; 375 rue Deschambault, ☎231-8503)* posera un remarquable coup d'œil sur la vie de cette célèbre auteure canadienne-française. Les 10 pièces de la maison d'enfance de Gabrielle Roy auront été alors complètement rénovées et garnies de mobilier d'époque, et un centre d'interprétation sera situé au sous-sol. Des activités et des événements seront aussi au programme. Après plusieurs années d'abandon, ce lieu historique se sera enfin positionné en tant que vrai point de repère sur la rue Deschambault.

À l'est de Saint-Boniface, aux abords de la ville, s'élève l'ultramoderne **Royal Canadian Mint** ★ *(2$, entrée libre fin sept à début mai lun-ven 10h à 14h; début mai à fin sept lun-ven 9h à 17h, sam 10h à 14h; fin sept à début mai lun-ven 10h à 14h; 520 boul. Lagimodière, ☎983-6429)*, l'endroit où toute la monnaie canadienne en circulation est produite. Des visites guidées et des galeries d'observation permettent d'apprécier les techniques de fabrication utilisées.

Agglomération de Winnipeg

Au sud de la rivière Assiniboine, quoiqu'il soit facilement accessible par des voies pédestres et le Memorial Boulevard, l'**Osborne Village** est reconnu comme le secteur le plus à la mode en ville, boutiques et restaurants fusant de partout. On vient ici pour fureter, prendre un café ou assister à l'un ou l'autre des spectacles variés du **Gas Station Theatre** *(454 River Ave., ☎284-9477)*, qui présente un peu de tout, du théâtre à proprement parler aux concerts, en passant par les spectacles de danse et les improvisations à saveur humoristique.

L'**Assiniboine Park** ★★ est une destination populaire auprès des marcheurs et des cyclistes.

Tout près, les **jardins anglais** ★★ vous réservent une merveilleuse surprise lorsqu'ils sont en fleurs; vous y verrez des tapis floraux de marguerites, de soucis, de bégonias et autres, disposés de façon artistique sous de sombres colonnes d'épinettes broussailleuses.

Les jardins se confondent avec le **Leo Mol Sculpture Garden** ★★ *(entrée libre; début juin à fin sept 12h à 20h; ☎986-6531)*, une section adjacente regroupant les œuvres d'un seul sculpteur, soit Mol, un Ukrainien qui a immigré à Winnipeg en 1949 et créé, entre autres, des ours, des chevreuils et des silhouettes nues qui se baignent, tous plus fantaisistes les uns que les autres. Une **galerie** *(entrée libre; juin à sept 10h à 20h; ☎986-6531)* vitrée expose d'autres de ses œuvres par centaines, un bassin réfléchissant capture la grâce de plusieurs de ses créations, et les curieux peuvent visiter son atelier, récemment déménagé derrière la galerie.

L'attrait le plus prisé du parc est l'**Assiniboine Park Zoo** ★★★ *(3$; tlj 10h à 16h, sam-dim 10h à 18h; ☎986-2327)*. Plus de 1 600 animaux y vivent, y compris un lynx russe, un ours polaire, un kangourou, des harfangs des neiges et des grands ducs; on y trouve même des espèces aussi exotiques que la vigogne sud-américain et des tigres de Sibérie. De plus, une statue de l'ours *Winnie* sur le site du zoo honore les origines du célèbre *Pooh*, un ourson acheté en Ontario par un soldat de Winnipeg et amené en Angleterre, où l'auteur A.A. Milne le vit et diffusa son histoire pour le grand bonheur des enfants du monde entier.

Le ***Prairie Dog Central*** *(18$; mai, juin et sept dim et les lundis fériés 10h et 15h, juil et août sam-dim et les lundis fériés 10h et 15h; 0,5 km au nord d'Inkster Blvd. sur Prairie Dog Trail; ☎888-780-7328 ou 832-5259)* est un train à vapeur qui date de 1882 et qui accueille les visiteurs à son bord pour une balade unique de 2 heures 30 min jusqu'à Warren, au nord-ouest de Winnipeg.

On dit du **Living Prairie Museum**, situé dans la banlieue ouest de Winnipeg, qu'il renferme les derniers vestiges des hautes prairies du Canada. Si tel est bien le cas, ces 14 ha témoignent brutalement de la perte des vastes prairies d'antan, puisqu'il s'agit d'un petit terrain peu impressionnant entouré d'un aérodrome, d'une école et d'ensembles résidentiels. Bref, on ne s'y sent nullement au cœur d'une vaste prairie. Toutefois, l'**Interpretation Centre** ★ *(entrée libre; 2,25$ pour une randonnée guidée; avr à juin dim 10h à 17h, juil et août tlj 10h à 17h; 2795 Ness Ave., ☎832-0167)*, situé juste à côté, recrée et explique bien ce qui existait ici auparavant, et un festival annuel, tenu en août, attire davantage l'attention sur cet écosystème particulier.

Quelque peu au sud-ouest du centre-ville, le **Fort Whyte Nature Centre** ★★ *(5$; lun-ven 9h à 17h, sam-dim 10h à 17h, ferme plus tard l'été; 1961 McCreary Rd., ☎989-8355)* s'impose comme un refuge naturel un peu plus vivant: sa faune comprend des renards et des rats musqués, de même que de nombreux oiseaux. Son centre d'interprétation renferme en outre un aquarium, une ruche d'enseignement et d'autres expositions conçues pour favoriser la participation des enfants.

La minuscule **Riel House** ★★ *(contribution de 2$ suggérée; mi-mai à début sept tlj 10h à 18h; 330 River Rd., au sud de Bishop Grandin Blvd., St. Vital, ☎257-1783)* se dresse sur un étroit lotissement en bordure de la Red River (rivière Rouge). Ce logis a accueilli le fameux chef métis Louis Riel et sa famille pendant de nombreuses années et a ensuite appartenu à ses descendants jusqu'en 1969. La dépouille de Riel y a été exposé en décembre 1885. Par ailleurs, outre l'emphase accordée à Riel, le musée aménagé sur les lieux dépeint de façon troublante la vie des Métis à l'époque de la colonie de la Red River. Des visites guidées sont offertes en français et en anglais.

Le **St. Norbert Farmers Market** *(fin juin à mi-oct sam 8h à 15h, juil et août aussi mer 15h jusqu'à la tombée de la nuit; 849 Elise St., ☎275-8349)* se trouve au sud de Winnipeg, dans le périmètre du côté est de l'autoroute Pembira. Durant la saison estivale, on y vient de tout le sud du Manitoba pour vendre divers produits sur des étals en plein air, entre autres des fruits et légumes cultivés dans la région, des produits de boulange maison, des plantes, de l'artisanat et des saucisses de fabrication mennonite traditionnelle.

Est du Manitoba

Dugald

Juste à l'est de Winnipeg, dans le petit village de Dugald, se trouve le **Costume Museum** ★ *(5$; avr à mi-nov mar-ven 10h à 17h, sam-dim 12h à 17h; à l'intersection de la route 35 et de Dugald Rd.; ☎853-2166)*, le premier musée du genre au Canada. Une collection de 35 000 pièces d'habillement, dont certaines datent de 400 ans, y est présentée sous forme de tableaux à l'intérieur d'une maison de pionniers de 1886. Des expositions spéciales illustrent par ailleurs divers aspects de la confection des costumes; une exposition récente, par exemple, racontait la longue histoire du commerce de la soie. Le musée a également acquis quelques serviettes de table ayant appartenu à la reine Élisabeth Ire et datant de la fin du XVIe siècle.

Oak Hammock

Les oiseaux sont les visiteurs les plus satisfaits de l'**Oak Hammock Marsh and Interpretative Centre** ★★ *(4$; mai à août tlj 10h à 20h, sept et oct tlj 8h30 au coucher du soleil, nov à avr 10h à 16h30; direction nord par la route 8, puis vers l'est par la route 67, ☎800-665-3825 ou 467-3300)*, un marais protégé où s'étendaient jadis des terres agricoles à quelques kilomètres au nord de l'actuel centre-ville de Winnipeg. Parmi les arrivants annuels, on retrouve les bernaches, des canards et plus de 295 autres espèces aviaires; les mammifères aiment aussi ce parc, et vous pourrez tous les voir en vous baladant le long des promenades (construites de façon à ne pas perturber la vie des marais) et des digues aménagées sur les lieux. Visites guidées et excursions en canot offertes.

Un excellent centre d'interprétation explique l'importance du marais et permet aux visiteurs de l'admirer à distance grâce à des caméras télécommandées disposées autour du marais. Le siège canadien de Ducks Unlimited se trouve également ici.

★★ Red River Heritage Road

En vous dirigeant vers le nord par la route 9, la Red River Heritage Road offre un beau détour hors des sentiers battus. Le territoire qui l'entoure était autrefois au cœur des «lotissements inférieurs» gérés par Thomas Douglas pour le compte de la Compagnie de la Baie d'Hudson. Cette route de terre historique longe somptueusement la rivière, et divers sites historiques y sont clairement identifiés. Elle mène à de vieux bâtiments en pierre calcaire, y compris la ferme de William Scott et le **Captain Kennedy Museum and Tea House** ★★ *(entrée libre; début mai à fin sept lun-sam 10h30 à 16h30, dim 10h30 à 18h; à 300 m de St. Andrews Rd., sur River Rd. Heritage Parkway, ☎334-2498 ou 945-6784)*, construit en 1866 par le Captain William Kennedy, négociant, et présentant trois pièces d'époque restaurées, un jardin anglais et une vue splendide de la rivière. Vous pouvez aussi vous offrir des scones avec un thé au restaurant du musée.

De l'autre côté du chemin, l'église anglicane **St. Andrews-on-the-Red** ★★★ est la plus ancienne église en pierre de l'Ouest canadien encore utilisée pour des offices publics. Cette charmante structure se pare de fenêtres en pointe typiquement anglaises (les vitraux auraient été transportés d'Angleterre dans de la mélasse afin d'en empêcher le bris) et de murs en pierre massifs. À l'intérieur, les bancs sont toujours recouverts de leurs peaux de bison d'origine.

Au sud de l'église se dresse le **lieu historique national Presbytère-St. Andrews** ★★ *(☎785-6050)*, un étonnant petit presbytère. Des affiches disposées çà et là racontent son histoire, et des interprètes sont disponibles tout l'été pour vous éclairer quant au rôle de cet établissement.

Selkirk

Sur la route 9, Selkirk, un petit village riverain identifié par un immense poisson-chat, recèle plusieurs attraits importants. Le **lieu historique national Lower Fort Garry** ★★★ *(5,50$; mai à sept 9h à 17h; route 9, au sud de Selkirk, ☎877-534-3678 ou 785-6050)*, juste au sud de l'agglomération, est un village de pionniers et de traite des fourrures entièrement reconstitué. Il rappelle l'importance passée de ce poste créé pour remplacer le premier fort Garry de Winnipeg, emporté par une forte crue de la rivière. Parmi les constructions qui s'y trouvent, retenons la boulangerie, le cabinet de médecin, la poudrière, le campement autochtone et la forge. Des personnages costumés interagissent avec les visiteurs tout en jouant leurs rôles de boulanger, de commerçant ou autre. Une maison de pierre, construite sur la propriété pour le gouverneur de la Compagnie de la Baie d'Hudson, présente des articles ménagers et un ancien piano, amené en canot de Montréal.

Plusieurs ponts de la région enjambent la rivière Rouge et offrent une excellente vue sur les paysages environnants. Au centre-ville, le **Selkirk Park** (voir p 637) borde la rivière. Vous y trouverez la plus grande charrette à bœufs de la rivière Rouge, qui fait 6,5 m de haut et 13,7 m de long, de même que le **Marine Museum of Manitoba** ★★ *(3,50$; mai à sept lun-ven 9h à 17h, sam-dim 10h à 18h; 490 Evelyn St., ☎482-7761)*, aménagé à l'entrée du parc sur six navires dont le plus ancien vapeur du Manitoba, sans oublier un authentique phare du lac Winnipeg.

Cet endroit offre une belle vue sur la **St. Peter's Dynevor Church** ★ d'East Selkirk, de l'autre côté de la rivière Rouge. Cette église de pierre, construite en 1854, rappelle la première colonie agricole de l'Ouest canadien, où œuvraient missionnaires et Autochtones. Les dépouilles du chef **Peguis** et d'autres colons reposent dans l'enclos paroissial.

Au nord de Selkirk

Au nord de Selkirk, sur la route 9, la **Little Britain United Church** ★ est une des cinq églises de pierre datant des colonies de la rivière Rouge encore intactes de la province. Elle fut érigée entre 1872 et 1874.

Lockport

À l'est du village, au pied du grand pont de Lockport, s'étire un parc accueillant le **Kenosewun Centre** *(entrée libre; mi-mai à mi-sept, 11h à 18h30; route 44, sur la rive sud de la Red River, ☎757-2902)*, le mot d'origine crie *Kenosewun* signifiant «il y a beaucoup de poissons». Le centre présente des outils agricoles autochtones, de même que des écrits sur l'histoire du village et divers renseignements touristiques. Des sentiers mènent à l'écluse de St. Andrews et à la digue du même nom.

En filant en voiture vers le nord-est au départ de Selkirk, vous atteindrez une série de magnifiques plages de sable blanc parmi les plus belles de la province, y compris **Winnipeg Beach** (voir p 635) et Camp Morton.

Gimli

Situé sur la rive du lac Winnipeg, Gimli demeure le cœur battant de la population islandaise du Manitoba, et une statue viking accueille les visiteurs en son centre-ville. Ce village fut jadis, avant la création du Canada, la capitale d'une république souveraine connue sous le nom de New Iceland. Une ambiance maritime règne encore dans les rues, et ce, même si ce sont aujourd'hui surtout des voiliers de plaisance et des planches à voile qui partent de la marina et de la plage. L'histoire des pêcheries de la ville et de la formation géologique du lac vous est, pour sa part, racontée au **Lake Winnipeg Visitor Centre** *(1 Centre St., dans le port, ☎642-7974)*.

L'héritage islandais de la région se voit célébré par un festival annuel (voir p 648) de même que par l'exposition du **New Iceland Heritage Museum** *(4$; lun-ven 9h à 17h, sam-dim 12h à 16h; ☎642-7974)*, installé au Betel Waterfront Centre. Ce musée retrace l'histoire des premiers colons islandais à s'être installés sur les rives du lac Winnipeg, et sa collection comprend divers objets façonnés d'intérêt historique. Vous pouvez également admirer une petite exposition temporaire sur les Vikings à l'école de Gimli *(entrée libre; 2e étage, 62 Second Ave.)*.

Autour du lac Winnipeg

Plus à l'est, sur les rives du lac Winnipeg, la route 59 traverse des villages touristiques bordés par certaines des plus belles plages de la province: **Grand Beach** ★★ (voir p 635), **Grand Marais** et **Victoria Beach**, où il fait bon se retrouver dans leur surprenant sable blanc pendant l'été. Si vous vous dirigez une fois de plus vers le sud-est par la route 11, en direction de la frontière avec l'Ontario, vous verrez les plaines infinies de la province disparaître soudainement pour céder le pas aux rochers, aux rivières et aux arbres; tandis que la route poursuit sa course vers l'est, les villages deviennent de plus en plus boisés, et la pêche, le canot et la randonnée, encore plus spectaculaires.

Pine Falls est reconnue pour son usine de papier et son festival du papier, de l'énergie hydroélectrique et du poisson. Une série de parcs provinciaux de plus en plus éloignés tentent d'attirer l'attention des voyageurs en quête du Manitoba profond.

Sud du Manitoba

Directement au sud de Winnipeg, entre la ville et la frontière avec les États-Unis, s'étend la **vallée de la Pembina**, royaume mennonite de la province. La route est absolument plate, et la vue des champs sans fin est interrompue par les villages verts comme **Altona**, rendu célèbre par le tournesol et un festival annuel en son honneur (voir p 648).

Steinbach

Steinbach, légèrement au sud-est de Winnipeg, est le plus grand village de la région et s'enorgueillit de son populaire **Mennonite Heritage Village** ★★ *(5$; mai à sept lun-sam 10h à 17h, dim 12h à 17h; oct à avr lun-ven 10h à 16h; route 12; ☎326-9661)*. Ce complexe de 17 ha a été conçu selon le modèle traditionnel du village mennonite. Les édifices représentent la vie des mennonites hollandais qui, après avoir longuement vécu en Russie, se sont installés dans la province à partir de 1874. Parmi ses attraits, mentionnons un restaurant servant d'authentiques mets mennonites (prunes et viandes en primeur); un magasin général offrant, entre autres, de la farine moulue sur pierre et des friandises à l'ancienne; des maisons en bois rond et en brique de terre; un centre d'interprétation, des galeries d'exposition et un moulin à vent doté de voiles de 20 m.

Voiture à cheval mennonite

Mariopolis

À Mariopolis, une église d'une beauté peu commune rappelle aux visiteurs les fortes influences françaises et belges dans la province. Outre sa maçonnerie soignée, l'église catholique romaine **Our Lady of the Assumption** ★★★ arbore un clocher remarquable dont l'alternance de bandes noires et blanches attire le regard sur une simple croix perchée au sommet.

Morden

Morden, un autre bassin mennonite, est connu pour son intéressant centre de recherche agricole et les gracieux châteaux en pierres des champs qui se dressent le long de ses rues; pour un prix modique, diverses agences locales s'offrent d'ailleurs à vous les faire découvrir. Le **Morden and District Museum ★** *(2$; mai à sept tlj 13h à 17h, oct à avr mer-dim 13h à 17h; réservations nécessaires; 111B Gilmour St., ☎822-3406)* présente une belle collection de fossiles préhistoriques rappelant la vaste mer fermée qui recouvrait jadis l'Amérique du Nord. L'**Agriculture Canada Research Station** *(tlj, de l'aube au crépuscule; arboretum: lun-ven jusqu'à 17h, sam-dim toute la journée; ☎822-4471)*, également située dans le village, possède d'impressionnants jardins paysagers.

Winkler

Le très original **Pembina Thresherman's Museum ★** *(3$; mai à oct mar-dim 13h à 18h; ☎325-7497)*, rempli d'outils et de machines datant d'une autre époque, se trouve à Winkler, légèrement plus à l'est sur la route 14.

Neubergthal

Immédiatement au sud-est d'Altona, Neubergthal constitue l'un des villages mennonites les mieux préservés de la province. Son aménagement est pour le moins singulier (une seule longue rue bordée de maisons), et son architecture présente des caractéristiques non moins uniques avec ses toits de chaume et ses granges rattachées aux demeures.

Tolstoi

Juste à l'est du petit village de Tolstoi, sur la route 209, s'étend une **haute prairie ★★** *(☎945-7775)* d'une superficie de 130 ha, entretenue par la Manitoba Naturalists Society. Il s'agit du plus important lopin du genre encore protégé au Canada.

Centre du Manitoba

Deux routes principales traversent le centre du Manitoba. La **transcanadienne** (route 1) est la plus rapide; bien que moins agréable à l'œil, elle traverse les grands centres de Brandon et de Portage la Prairie. La **Yellowhead Highway–Trans Canada** (route 16) offre pour sa part un parcours un peu plus pittoresque.

Saint-François-Xavier

Par la route transcanadienne au départ de Winnipeg, la distance à parcourir est très courte. Saint-François-Xavier, un véritable village canadien-français, compte un des restaurants les plus intéressants du Manitoba, sans oublier la mystérieuse légende crie du cheval blanc. C'est là la plus ancienne colonie métisse de la province, établie en 1820 par Cuthbert Grant, un personnage légendaire pour son habileté à chasser le bison et dont la dépouille repose à l'intérieur de l'église catholique du village.

Son cadre pittoresque, au détour de la rivière Assinniboine, en fait une excellente destination pour une courte excursion hors de la ville.

D'ici, la route 26 offre un bref détour pittoresque le long de la rivière Assiniboine, bordée d'arbres et jadis ponctuée d'un chapelet de comptoirs de traite.

Portage la Prairie

Un peu plus à l'ouest se trouve la petite ville de Portage la Prairie, fondée par l'explorateur canadien-français Pierre Gaultier de Varennes et de La Vérendrye en 1738 pour servir de relais sur la voie canotable menant au lac Manitoba.

L'attrait naturel le plus intéressant de la ville est son lac en croissant de lune – en fait une branche de la rivière Assiniboine –, qui entoure presque entièrement le centre-ville.

L'**Island Park ★** repose à l'intérieur de ce croissant et offre de magnifiques espaces ombragés par les arbres où il fait bon pique-niquer au bord de l'eau, mais aussi une multitude d'autres attraits, parmi lesquels se trouvent un terrain de golf, un terrain de jeu, un refuge de chevreuils et d'oiseaux aquatiques grégaires (gardez les yeux ouverts pour les bernaches), un champ de foire et une ferme où vous pourrez vous-même cueillir vos fraises.

L'**hôtel de ville ★★** en pierre calcaire, un ancien bureau de poste planté dans la rue principale, fut dessiné par l'architecte responsable des tout premiers édifices parlementaires du Canada. Il bénéficie d'ornements étonnants, et on l'a même classé monument historique national.

Le **Fort la Reine Museum and Pioneer Village ★★★** *(5$; mai à mi-sept tlj 9h à 18h; à l'intersection des routes 1A et 26; ☎857-3259)* n'est pas vraiment un fort, mais plutôt un regroupement hétéroclite d'anciennes constructions occupant un petit terrain immédiatement à l'est de la ville. Cela ne veut toutefois nullement dire que les lieux ne méritent pas une visite, bien au contraire; sa petite taille rend en effet ce musée plus facile à explorer que d'autres, et sa collection variée se révèle souvent étonnante.

Entre autres, des étoles de vison et de vieux phonographes y incarnent les aspirations des hommes et des femmes qui vivaient jadis dans cette petite ville des Prairies, et présentent un contraste frappant avec les baquets à lessive, les chaises hautes bien usées et les pompes à gaz rouillées montrés dans d'autres salles du musée, qui donne par ailleurs une très bonne idée de ce que pouvait être la vie de tous les jours pour le colon moyen. On y trouve même un petit comptoir de traite, une cabane de trappeur, une école, une église, une grange et des maisons ayant visiblement subi les assauts des éléments, comparables à tant d'autres que vous avez pu voir abandonnées et sur le point de s'écrouler au fil de votre périple dans le vaste et plat paysage des Prairies.

Peut-être la pièce la plus remarquable du musée est-elle cependant cette voiture de chemin de fer luxueuse et fort bien aménagée pour le compte de William Van Horne, qui travaillait pour le géant ferroviaire qu'était le Canadien Pacifique et qui voyageait à son bord tout en surveillant la construction de la ligne transcontinentale. Tout à côté repose un des humbles fourgons de queue qui fermaient jadis la marche des trains à travers le Canada, mais qui disparaissent de plus en plus rapidement de notre paysage. Les enfants aimeront tout particulièrement grimper sous le dôme d'observation de cette relique d'une époque révolue.

Austin

Vers l'ouest, la route traverse d'autres champs et villages qui rappellent la riche fertilité des terres agricoles de la région. À quelques kilomètres au sud du village à rue unique d'Austin se trouve le **Manitoba Agricultural Museum ★** *(5$; mi-mai à début oct 9h à 17h; ☎637-2354, ⇄637-2395).* Le musée se spécialise plus particulièrement dans l'équipement et les anciens véhicules agricoles; les tracteurs John Deere et les anciennes motoneiges reflètent bien la collection, d'ailleurs la plus importante du genre au Canada. Pour ajouter à l'atmosphère, une ancienne école, un magasin général, une gare et un musée consacré à la radio amateur ont également été installés ici.

De plus, l'été venu, le **Trusherman's Reunion**

and Stampede anime l'endroit par ses concours agricoles et une course entre un bon vieux tracteur et une tortue (il arrive même que la tortue gagne!).

Glenboro

Un détour de 40 km au sud de la transcanadienne mène le voyageur à Glenboro, porte d'entrée du **Spruce Woods Provincial Park** (voir p 637). À 23 km vers le sud se trouve la **Frelsis Church ★**, soit la plus ancienne église luthérienne islandaise au Canada. Le seul transbordeur à câble encore en service dans la province se trouve en outre dans cette région et permet de franchir la rivière Assiniboine.

Brandon

Brandon est la deuxième ville en importance du Manitoba avec ses 42 000 habitants. Elle dépend tellement de la réussite des cultures de blé de la région que l'on y fait encore pousser la précieuse denrée à des fins expérimentales juste à côté du centre-ville. De nombreuses maisons victoriennes honorent le quartier résidentiel qui se trouve immédiatement au sud du centre-ville. La jolie **caserne de pompiers ★** *(Central Fire Station, 637 Princess Ave.)*, qui date de 1911, et le néoclassique **palais de justice** *(Courthouse, angle Princess Ave. et 11th St.)* vous attendent tous deux sur Princess Avenue, une des principales artères de la ville.

Tournez à droite pour atteindre le **Daly House Museum ★★** *(3$; mar-sam 10h à 17h, dim 12h à 17h; 122 18th St., ☎727-1722)* pour avoir le meilleur aperçu de l'histoire de Brandon. Autrefois la résidence du maire de Brandon, l'immeuble renferme aujourd'hui une épicerie, une reconstitution de l'ancienne chambre du Conseil municipal et un centre de recherche.

Un peu plus loin vous attend le joli campus de l'**université de Brandon**.

En prenant vers le nord 18th Street, vous arriverez à Grand Valley Road, qui vous conduira à l'**Agriculture and Agri-Food Canada Research Centre ★★** *(mai à sept lun-ven 8h à 16h30; Grand Valley Rd., ☎822-4471)*, dont la propriété panoramique et l'étonnant bâtiment moderne en verre bénéficient d'un emplacement idyllique en surplomb sur la vallée. Des visites guidées sont offertes les mardis et jeudis à 13h30 et à 15h30.

Pour une agréable balade au fond de la vallée, continuez vers l'ouest par Grand Valley Road, qui rejoint la route 1 environ 10 km plus loin.

Enfin, le hangar n° 1 de l'aéroport municipal, situé à la périphérie nord de Brandon, renferme un intéressant musée de l'aviation. Le **Commonwealth Air Training Plan Museum ★** *(5$; mai à sept tlj 10h à 16h, oct à avr tlj 13h à 16h; ☎727-2444)* présente des avions utilisés par les écoles de pilotage de l'Aviation royale du Canada au cours de la Seconde Guerre mondiale; un ancien simulateur de vol restauré, des plaques commémoratives, des télégrammes officiels annonçant la disparition d'aviateurs et des biographies de pilotes comptent parmi les pièces les plus intéressantes.

Souris

Au sud-ouest de Brandon, Souris est réputée pour son **pont à suspension libre ★**, long de 177 m; il fut construit au tournant du XXe siècle et restauré après qu'une inondation l'eut emporté en 1976. Le **Hillcrest Museum** *(2$; mai et juin dim 14h à 17h, juil et août tlj 10h à 18h; 26 Crescent Ave. E., ☎483-2008 ou 483-3138)*, situé à proximité, conserve des objets d'intérêt historique pour la région.

Neepawa

La Yellowhead Highway (route 16) offre une autre possibilité pour visiter le centre du Manitoba. En partant de

Winnipeg et en vous dirigeant vers l'ouest, vous rencontrerez le village de Neepawa, qui se veut la *World Lily Capital*, soit la «capitale mondiale des lis» – ce qui n'est pas une mince prétention; cela dit, il est réellement joli pendant la saison des fleurs de lis.

Le plus ancien tribunal du Manitoba encore en fonction occupe la **Margaret Laurence Home** *(2$; mai et juin lun-ven 10h à 18h, sam-dim 12h à 18h; juil et août tlj 10h à 18h; sept à mi-oct tlj 12h à 17h; 312 First Ave., ☎476-3612)*, véritable hommage à l'auteure adorée, née ici même. La machine à écrire et les meubles de Margaret Lawrence y ont la vedette.

Minnedosa

Minnedosa, un tout petit village plus loin vers l'ouest, étonne par sa population tchécoslovaque. Sur la route 262, au sud du village, une succession de cuvettes des Prairies – autant de dépressions créées par les glaciers qui se remplirent ensuite d'eau de pluie – offre des conditions idéales aux oiseaux aquatiques tels que canards, colverts et sarcelles. En poursuivant par la route 262, au nord de Minnedosa, vous atteindrez une vallée où s'ébattent des cerfs de Virginie; un observatoire permet de les apprécier encore mieux.

Wasagaming

Wasagaming, une petite ville touristique dont les origines remontent aux années 1940, se trouve à l'extrémité sud du Riding Mountain National Park (voir p 638). Construite à l'époque de la Dépression à titre de projet ouvrier, elle arbore des bâtiments d'un luxe inattendu dans ces forêts septentrionales du Manitoba. C'est d'ailleurs sans doute là le seul endroit où l'on puisse trouver une station d'essence et un Chicken Delight dans des structures en rondins!

Le **Visitor Centre** ★ *(☎848-7275)* diffuse une foule de renseignements sur tous les attraits et activités de la région, entre autres le vélo, le canot, la randonnée pédestre, l'équitation, le golf, le ski et la baignade. Faites-vous un devoir de visiter l'adorable jardin à l'anglaise aménagé derrière le bâtiment, et songez à parcourir l'intéressante exposition sur la faune locale.

Dauphin

Immédiatement au nord de la Yellowhead Highway, Dauphin se transforme pour devenir le célèbre **Selo Ukraina** («village ukrainien») dans le cadre du National Ukrainian Festival (voir p 648), qui attire des milliers de personnes en juillet chaque année.

Également à Dauphin, le merveilleux **Fort Dauphin Museum** ★ *(3$; mai à sept lun-ven 9h à 17h, juil et août sam-dim; 140 Jackson St., ☎638-6630)* recrée l'un des comptoirs français de la Compagnie du Nord-Ouest et présente des vitrines sur la traite des fourrures ainsi que sur le mode de vie des pionniers. Les expositions et les structures en montre comprennent une cabane de trappeur, un atelier de forgeron, une école rurale à salle de classe unique, une église anglicane et le comptoir de traite à proprement parler. On y trouve même un canot d'écorce entièrement fait de matériaux naturels et une collection de fossiles révélant une corne de bison, une défense de mammouth et un crâne canin d'une époque reculée.

Ouest du Manitoba

Inglis

Comme les «sentinelles des prairies» disparaissent rapidement du paysage, on a sauvé les **Inglis Grain Elevators** ★ *(mai à sept lun-ven 9h à 16h, sam-dim 13h à 16h; Railway Ave., ☎564-2243)*, qui évoquent l'âge d'or de l'Ouest canadien. Constructions standards en bois, ces cinq élévateurs de grains sont désormais protégés en tant que lieu historique national, où l'on invite les visiteurs à venir voir de près ces impressionnantes structures. Un des élévateurs renferme un centre d'interprétation, et les autres sont réaménagés pour divers usages.

Nord du Manitoba

The Pas

La route dite «des bois et des lacs» fait voir le Manitoba sous un autre angle. The Pas, dont la population est à forte composante autochtone, se fait l'hôte d'un grand rassemblement annuel de trappeurs près d'un lac dont l'eau est d'une clarté exceptionnelle. La plupart des visiteurs se dirigent sans hésiter vers le **Sam Waller Museum** ★★ *(2$; mi-mai à mi-sept tlj 10h à 17h, mi-sept à mi-mai tlj 13h à 17h; 306 Fischer Ave., ☎623-3802)*. Construit en 1916 et occupant l'ancien palais de justice du village, il relate l'histoire naturelle et culturelle de la région, et renferme la collection éclectique de Sam Waller. Des visites à pied des lieux sont offertes.

Sur une des façades de la **Christ Church** ★★ *(Edwards Ave., ☎623-2119)*, on peut lire les 10 commandements dans la langue crie. L'église fut construite en 1840 par Henry Budd, le premier Amérindien ordonné par l'Église anglicane, et abrite encore certains meubles fabriqués par des charpentiers de marine et amenés ici lors d'une expédition en 1847.

Flin Flon

Flin Flon, la municipalité canadienne au nom le plus fantaisiste, accueille les visiteurs dans un dédale de rues tracées au flanc de collines rocheuses. En partie au Manitoba et débordant quelque peu en Saskatchewan, Flin Flon constitue le plus important centre minier de cette région du Canada, et a crû jusqu'à devenir aujourd'hui la sixième ville en importance de la province.

Flin Flon fut ainsi baptisée en 1915 par un groupe de prospecteurs d'or qui avaient trouvé un exemplaire du populaire livre de science-fiction du même nom lors d'un portage dans le Nord manitobain. Plus tard, sur les rives d'un lac situé près d'ici, ils jalonnèrent une concession minière et lui donnèrent le nom du personnage principal du livre, Josiah Flintabbatey Flonatin, ou «Flinty» pour les intimes. Ainsi, la verte statue de **Josiah Flintabbatey Flonatin**, haute de 7,5 m, marque-t-elle sans équivoque l'entrée de la ville; elle fut conçue par le célèbre créateur de bandes dessinées américain Al Capp pour le compte de la ville.

Une balade à pied permet de découvrir d'anciens hôtels datant des jours glorieux de la ville, des chevalements rouge vif marquant l'emplacement de puits de mine et de vieilles cabanes en bois de séquoia. De tous ces sites historiques toutefois, le **Flin Flon Station Museum** ★★ *(2$; début juin à fin août tlj 10h à 20h; ☎687-2946)* est probablement le plus intéressant. Il renferme une belle petite collection d'objets miniers de la région, y compris une tenue et un casque de plongée pour la prospection sous-marine de l'or, un tracteur Linn, un appareil servant à nettoyer les trains et un wagon de transport de minerai. Vous y verrez également une truite de lac empaillée de 29 kg, pêchée près d'ici.

Churchill

Des démarches spéciales doivent être entreprises pour se rendre dans le Grand Nord manitobain. Bien qu'éloignée et froide, la petite ville de Churchill fascine le voyageur par son isolement et son étonnante faune. Cet endroit présente en outre une grande importance sur le plan historique, puisque c'est ici que les Anglais se sont tout d'abord établis au Manitoba, ayant choisi ce lieu en raison de son superbe port naturel donnant sur la baie d'Hudson. Il est donc approprié qu'un immense **élévateur de grains** érigé près des quais domine aujourd'hui la ville.

Incidemment, l'emplacement de la ville se trouve en plein couloir de migration des **ours polaires** de la région, ce qui constitue en quelque sorte un cadeau empoisonné pour ses habitants. En effet, s'il est vrai que ces majestueux représentants de la faune attirent chaque automne des visiteurs du monde entier, il leur arrive parfois de s'aventurer dans les rues de la ville même, ce qui met en danger quiconque croise leur chemin. Outre les ours, les gens peuvent voir aussi des caribous, des phoques, des oiseaux et, l'été, des bélugas, sans compter le spectacle toujours possible d'une sensationnelle aurore boréale.

Le **Parks Canada Visitor Reception Centre** *(☎675-8863)* oriente les visiteurs en leur offrant une description des forts et des comptoirs de traite de la région. Le **lieu historique national Fort-Prince-de-Galles** ★★ *(5$; début juin à début sept; ☎675-8863)*, une immense structure de pierre en forme de diamant située à l'embouchure de la rivière Churchill, revêt un intérêt historique considérable puisque, après quatre décennies de construction continue à l'instigation des Anglais, il fut cédé aux troupes canadiennes-françaises sans résistance aucune. Le fort n'est accessible que par bateau ou hélicoptère; l'été, les employés du parc offrent des visites d'interprétation.

Le **lieu historique national Sloops Cove** ★★ *(5$; début juin à début sept; ☎675-8863)*, à 4 km en amont du fort, est un port naturel ayant servi de havre à d'immenses voiliers de bois à compter de 1689, à tout le moins. Lorsque la compagnie de la Baie d'Hudson s'établit ici, ses sloops étaient amarrés aux rochers du port, qu'on avait pourvus d'anneaux en fer; certaines pierres portent d'ailleurs encore des inscriptions laissées par les hommes postés ici, des hommes comme l'explorateur Samuel Hearne, qui a présidé aux destinées de la compagnie à ses heures glorieuses. Tout comme le fort Prince of Wales, ce site n'est accessible que par bateau ou hélicoptère. Appelez d'avance pour en connaître l'horaire et réserver.

Sur l'autre rive de la Churchill River, le **lieu historique national Cape Merry** ★ *(juin tlj, juil à sept sam; ☎675-8863)* préserve une poudrière, seul vestige d'une batterie aménagée ici en 1746. Le Centennial Parkway y donne accès.

L'**Eskimo Museum** ★★★ *(entrée libre; juin à mi-nov lun 13h à 17h, mar-sam 9h à 12h et 13h à 17h; mi-nov à mai lun-sam 13h à 16h30; 242 La Vérendrye Ave., ☎675-2030)* possède une des plus belles collections d'objets inuits au monde. Fondé en 1944 sous les auspices diocésaines locales, il renferme des artefacts remontant jusqu'à l'an 1700 avant J.-C. Une paire de défenses de morse adroitement sculptées compte parmi les pièces les plus impressionnantes.

Le **Northern Studies Centre** *(Launch Rd., ☎675-2307)*, à 24 km à l'est de Churchill proprement dite, se trouve dans une ancienne base de lancement de missiles expérimentaux. Aujourd'hui les étudiants y viennent pour étudier les aurores boréales, l'écologie arctique, la photographie et l'ornithologie.

Le **lieu historique national York Factory** ★★★ *(5$; mi-mai à mi-sept; ☎675-8863)*, à 250 km au sud-est de Churchill, représente ce qui reste du comptoir de la Compagnie de la Baie d'Hudson qui permit initialement aux Anglais de s'établir dans l'Ouest canadien. Un entrepôt de bois construit en 1832 demeure en place, de même que les ruines d'une poudrière en pierre et un cimetière dont certaines inscriptions datent du XVIIIe siècle. Toutefois, l'endroit n'est accessible que par avion nolisé ou avec Air Canada; Parcs Canada offre également des visites guidées l'été.

Enfin, il y a les merveilleux **ours polaires**, sans conteste le principal attrait de Churchill. L'automne est le moment tout indiqué pour les observer, et le seul moyen d'y parvenir consiste à prendre part à une visite guidée. Plusieurs organisateurs d'excursions d'observation de la faune offrent leurs services au Manitoba (voir p 640).

Parcs

Pour de l'information sur les parcs provinciaux du Manitoba: ***☎800-214-6497 ou www.gov.mb.ca/natres/parks***.

Agglomération de Winnipeg

Le **Birds Hill Provincial Park**, juste au nord de Winnipeg, est situé sur une douce inclinaison érodée par les glaciers au moment de se retirer. Cette caractéristique fait du parc une destination populaire de ski de fond (niveau facile). L'été, les visiteurs se baladent le long des sentiers du parc (dont l'un est même accessible aux fauteuils roulants) afin d'admirer les fleurs sauvages des prairies (y compris plusieurs espèces d'orchidées rares) ou de se diriger vers une petite plage. Le parc se fait également l'hôte d'un important et distingué festival annuel de musique folklorique (voir p 647).

Le **Grand Beach Provincial Park ★★** abrite sans contredit la plage la plus courue du Manitoba. Située à 100 km au nord de Winnipeg, sur la rive orientale du lac Manitoba, elle est recouverte d'un beau sable blanc et de dunes herbeuses hautes de 8 m qui semblent avoir été transportées directement du Cape Cod. De plus, la plage est accessible aux fauteuils roulants. Trois sentiers pédestres sillonnent le parc – le Spirit Rock Trail, le Wild Wings Trail et l'Ancient Beach Trail – et inspirent les visiteurs avant qu'ils ne se couvrent d'écran solaire. L'endroit est également propice à la planche à voile. Les installations sont complètes et comprennent un restaurant, un terrain de camping et un amphithéâtre où sont donnés des spectacles en plein air. Enfin, un terrain de golf vous attend juste à l'extérieur du parc.

Le **St. Norbert Provincial Heritage Park** *(entrée libre; parc: mi-mai à sept tlj 11h à 19h; musée: juin lun-ven 8h30 à 15h30, juil à sept jeu-lun 8h30 à 15h30; 40 Turnbull Dr.)* se présente comme un complexe d'édifices de South Winnipeg aménagés sur 7 ha à la jonction des rivières Rouge et LaSalle; il s'agit d'une ancienne colonie métisse puis canadienne-française. La maison de ferme Bohémier, au comble brisé, et deux autres habitations s'offrent ici à la vue; ce parc possède également un sentier pédestre.

Est du Manitoba

Le **Winnipeg Beach Provincial Park ★★** *(☎389-2752)* constitue depuis longtemps une destination privilégiée pour les habitants de Winnipeg en quête d'escapades l'été. En plus de sa plage bien connue et de sa promenade, le parc renferme une marina, un terrain de camping et une baie appréciée des véliplanchistes.

Le **Whiteshell Provincial Park ★★★** *(au départ de Winnipeg, empruntez la route 1 vers l'est jusqu'à Falcon Lake ou West Hawk Lake; ou, plus au nord, empruntez la route provinciale 307 à Seven Sisters Falls ou la route 44 à Rennie)* est le plus grand et le plus beau parc du Manitoba. D'une superficie d'environ 2 720 km^2, il est cousu de lacs, de rapides et de cascades, et hanté par une multitude de poissons et d'oiseaux. Il a de tout pour tous. L'**Alf Hole Goose Sanctuary** ★ constitue l'un des meilleurs endroits où voir des bernaches, surtout durant leur migration; au **Bannock Point** ★, les roches disposées par les Autochtones de façon à représenter des serpents, des poissons, des tortues et des oiseaux, revêtent un intérêt archéologique; quant aux falaises du **Lily Pond** ★, à Caddy Lake, elles sont âgées de 3,75 milliards d'années. De plus, le West Hawk Lake, le lac le plus profond de la province, est fort populaire auprès des amateurs de plongée sous-marine. Whiteshell offre en outre de bonnes possibilités de randonnée grâce, entre autres, au Forester's Footsteps Trail (un sentier facile qui traverse une forêt de pins gris jusqu'au sommet d'une crête granitique), au Pine Point Trail (qui se prête également bien au ski de fond) et au White Pine Trail.

Un **Visitor Centre** et le **Whiteshell Natural History Museum** *(entrée libre; mai à sept tlj 9h à 17h; ☎348-2846)* orientent les voyageurs et expliquent l'écologie, la géologie ainsi que la faune et la flore du parc.

Le **Nopiming Provincial Park** *(au départ de Winnipeg, empruntez la route 59 Nord jusqu'à la route 44; prenez ensuite la route 11 vers l'est, puis la route provinciale 313 vers le nord, et finalement la route provinciale 315 vers l'est qui mène à Bird Lake, situé au sud du parc)* expose un Manitoba tout à fait différent, un lieu ponctué d'immenses affleurements de granit et de centaines de lacs. L'étonnante présence de caribous des forêts, comme les camps de pêche répartis à travers le parc et accessibles par avion ou en voiture, constitue une valeur ajoutée. Nopiming est un mot local autochtone qui signifie «entrée de la nature».

Chien de prairie

L'**Atikaki Provincial Wilderness Park** ★★★ *(au départ de Winnipeg, empruntez la route 59 Nord, puis la route provinciale 304)*, situé le long de la frontière avec l'Ontario, consiste en un assemblage hétéroclite de falaises, de formations rocheuses, de lacs vierges et de rivières sur plus de 50 ha. Toutefois, il demeure très difficile de s'y rendre puisqu'un canot, un hydravion ou une randonnée de plusieurs jours s'avèrent nécessaires pour atteindre son centre; dès lors, il n'est pas étonnant qu'il présente la nature la plus sauvage et inviolée de tous les parcs de la province. Des refuges qu'on atteint seulement par hydravion parsèment le parc. Une série de murales rocheuses peintes par les Autochtones et une chute de 20 m idéale pour le canot en eaux vives comptent parmi ses principaux attraits. Étant donné qu'Atikaki signifie «pays du caribou», il est fort possible que vous aperceviez ici des caribous ou des orignaux.

Le **Hecla Provincial Park** ★★ *(au départ de Winnipeg, empruntez la route 8 Nord, en longeant le lac Winnipeg jusqu'à Gull Harbour)* est un magnifique parc des plus intéressants avec son mélange d'écologie lacustre, de géologie insulaire pour le moins impressionnante, de couleurs variées et de faune forestière. Des programmes d'interprétation sont organisés tout au long de l'année, et un observatoire permet d'admirer et de photographier la nature. Le **Hecla Village** ajoute un court sentier ponctué de points d'intérêt historique relatifs à la culture et à l'architecture islandaises, de même qu'un **musée patrimonial ★★** *(jeu-lun 11h à 17h)* aménagé dans une maison des années 1920 entièrement restaurée.

Le **Grindstone Provincial Park ★★** voisin reste pour sa part en développement, ce qui en fait d'ailleurs toute la beauté puisque beaucoup moins de visiteurs s'y rendent.

À l'ouest du lac Winnipeg, la **Narcisse Wildlife Management Area**, sur la route 17, devient très populaire en avril et en mai, alors que des milliers de couleuvres rayées quittent leurs abris de calcaire pour se livrer au rituel de la reproduction.

Le **Selkirk Park**, un parc riverain du centre-ville de Selkirk, offre de nombreuses possibilités récréatives, entre autres des terrains de camping, des rampes de mise à l'eau et une piscine extérieure. Il est possible d'y faire de la pêche blanche ou de la raquette l'hiver; l'été et au printemps, le parc devient un refuge d'oiseaux pourvu d'un observatoire permettant d'admirer les bernaches et d'autres espèces.

Centre du Manitoba

Le **Grand Valley Provincial Park ★** *(à l'ouest de Brandon, par la route 1)* est surtout connu en raison du **Stott Site ★★**, inscrit au registre provincial du patrimoine. Des ossements et des objets fabriqués datant d'au moins 1 200 ans y ont en effet été découverts, et l'on y a reconstruit un campement amérindien ainsi qu'un enclos à bisons.

Au nord de Portage la Prairie, sur les berges du lac Manitoba, s'étend le **Delta Marsh**, un des plus vastes marais de transit pour oiseaux aquatiques grégaires en Amérique du Nord. D'une superficie de 18 000 ha, il s'étire sur 8 km en bordure du lac et constitue un lieu d'observation privilégié pour tous ceux qui songent à se munir de bonnes jumelles. Plus précisément à **Delta Beach**, un centre de recherche sur les oiseaux aquatiques et les terres marécageuses se penche de plus près sur l'écologie des habitats naturels.

À 23 km au sud de Roblin, le **Frank Skinner Arboretum Trail** célèbre les travaux de Frank Leith Skinner, un célèbre horticulteur canadien. Ce secteur servit en effet de laboratoire expérimental à Skinner, et il y croisa plusieurs nouvelles espèces végétales. Vous pourrez y monter sur une ancienne digue, visiter la serre de Skinner et parcourir le Wild Willow Trail.

Ouest du Manitoba

Les «Spirit Sands», d'énormes dunes composant un décor on ne peut plus désertique à l'intérieur du **Spruce Woods Provincial Park ★★** *(suivez la transcanadienne 1 Ouest au-delà de Carberry, et prenez la route 5 S.)*, ne manquent jamais de surprendre les visiteurs. Des sentiers d'autointerprétation y entraînent les randonneurs à travers les dunes, mais aussi à travers les forêts d'épinettes et la prairie avoisinante, jusqu'au «Devil's Punch Bowl», un curieux étang formé par des cours d'eau souterrains. Les terrains de camping et la plage sablonneuse, propice à la baignade, font du parc une destination fort prisée pendant la saison estivale.

Le **Turtle Mountain Provincial Park ★★** *(au départ de Brandon, empruntez la route 10 Sud pendant 100 km jusqu'au parc)*, dont la montagne est composée tantôt de charbon pilonné, tantôt de sédiments glaciaires, s'élève à plus de 250 m au-dessus des prairies avoisinantes. La Vérendrye l'avait surnommée «le joyau bleu des plaines», et ses pentes clémentes se prêtent bien à la randonnée pédestre, équestre et cycliste. Mais n'oublions pas pour autant les très nombreuses et magnifiques «tortues peintes» qui lui ont donné son nom. On peut ici faire du camping près de trois lacs.

Le **parc national Riding Mountain ★★★** *(☎848-2433, 800-707-8480 ou 848-7275)* s'élève au-dessus des plaines sans relief et en brise merveilleusement la monotonie. Les flancs du sommet qui donne son nom au parc offrent en outre une oasis de choix à divers animaux sauvages, tels l'élan, l'orignal, le cerf, le loup et le lynx. Le plus gros ours noir jamais vu en Amérique du Nord a par ailleurs été abattu ici par un braconnier en 1992, et des bisons y sont gardés dans un grand **enclos ★★** situé près du lac Audy.

La route 10, qui file du nord au sud, traverse le centre du parc et croise les rives de ses plus beaux lacs. La tour d'observation en bois d'Agassiz, haute de 12 m, y offre une vue sans pareille sur les territoires environnants, et les ruines d'une ancienne scierie se trouvent également à l'intérieur des limites du parc, tout comme une succession de formations géologiques désignées du nom de «crêtes de plage» (il s'agit de l'ancien pourtour d'un lac géant).

La route 19 débute au milieu du parc et emprunte un tracé sinueux jusqu'au sommet de la plus haute crête. Le naturaliste **Grey Owl**, un Anglais qui renonça à la civilisation pour vivre à la manière des Autochtones, vécut ici pendant six mois, au cours desquels il donna des conférences en compagnie de ses deux castors – bien qu'il ait en fait passé la plus grande partie de son temps à l'intérieur du parc national Prince Albert (voir p 604) –, et vous pourrez voir sa **cabane ★** isolée au kilomètre 17 d'un sentier qui part de la route 19.

Le parc national Riding Mountain s'enorgueillit de plus de 400 km de sentiers, entre autres le North Escarpment Loop Trail (qui offre les plus beaux panoramas), le Whitewater Lake Trail (qui relate l'histoire d'un camp de prisonniers de guerre jadis établi en ces lieux) et le Strathclair Trail (emprunté par les coureurs des bois à travers les collines boisées). Le parc est en outre émaillé d'un certain nombre de lacs aux eaux cristallines qui se prêtent merveilleusement bien

Pour se rendre dans le Grand Nord manitobain

Des démarches spéciales doivent être entreprises pour se rendre dans les régions éloignées du nord du Manitoba. **VIA Rail** assure le service régulier entre Winnipeg et Churchill trois fois par semaine, un trajet d'une journée et deux nuits aussi bien à l'aller qu'au retour. **Calm Air** *(☎800-839-2256)* propose pour sa part des vols réguliers tous les jours (sauf le samedi en hiver) au départ de Winnipeg, et ce, tout au long de l'année. Les vols ne sont pas bon marché, cependant. Vous paierez près de 800$, même en achetant votre billet sept jours à l'avance et en passant le nuit du samedi. À Churchill, divers services d'autocars et d'avions nolisés permettent de faire des excursions dans la toundra.

à la baignade, et c'est autour de la plage sablonneuse du **Lake Clear ★★** que vous trouverez la plus forte concentration d'activités humaines. Il y a également un superbe terrain de golf.

Le **Duck Mountain Provincial Park ★★★** *(au départ de Dauphin, empruntez la route 5 Ouest, puis la route provinciale 366 Nord)* présente un long relief inégal près de la frontière avec la Saskatchewan, là où le sol ponctué de forêts, de prés et de lacs de l'«escarpement du Manitoba» a subi un important plissage. Vous y trouverez la **Baldy Mountain ★★** (831 m), le plus haut sommet de la province, par ailleurs surmonté d'une tour offrant une vue plus étendue sur la région, de même que six sentiers de randonnée et un lac d'une limpidité telle que son fond reste visible à travers 10 m d'eau.

Nord du Manitoba

Au **Clearwater Lake Provincial Park ★** *(au départ de The Pas, empruntez la route 10 Nord jusqu'à la route provinciale 287 et dirigez-vous vers l'est jusqu'au parc)*, les eaux du lac sont si limpides qu'on en distingue le fond sous 11 m d'eau. Il s'agit d'ailleurs d'un des lacs les plus cristallins du monde, en outre réputé pour ses truites et ses grands brochets. Il convient aussi de noter la présence d'énormes blocs de calcaire amoncelés sur sa face méridionale; détachés des falaises voisines, ils donnent lieu à des formations qu'on désigne communément du nom de «grottes» *(caves)*, et vous pourrez les atteindre grâce à un sentier.

Le **Wapusk National Park** est situé entre la **Cape Churchill Wildlife Management Area ★★**, qui, avec la **Cape Tatnam Wildlife Management Area ★★**, occupe le littoral de la baie d'Hudson de Churchill à la frontière avec l'Ontario, et constitue un fabuleux pan de terres sauvages (au total près de 6 000 000 ha) où vivent des ours blancs, des caribous ainsi que d'autres animaux et des oiseaux à profusion. Ces deux zones protégées ne sont toutefois accessibles que par avion.

Le **Grass River Provincial Park ★★** *(au départ de Flin Flon, empruntez la route 10 vers le sud, tournez à gauche et prenez la route 39, qui se rend jusqu'au parc)* a été utilisé par les Autochtones pendant des milliers d'années avant que les Européens ne l'explorent à leur tour. D'innombrables îles et quelque 150 lacs interrompent la course de la rivière. Jaillissant d'une montagne, la source Karst est l'un des sites intéressants du parc.

Activités de plein air

Observation des oiseaux

Est du Manitoba

Le **Netley Marsh ★** *(route 320, à 16 km au nord de Selkirk)* est reconnu comme un des plus importants lieux de nidification au Canada pour les oiseaux migrateurs, et il est réputé être un des plus importants lieux de nidification des oiseaux palustres en Amérique du Nord. Au moins 18 espèces de canards et de bernaches viennent chaque automne s'y engraisser en vue de leur long trajet hivernal.

Nord du Manitoba

Bird Cove ★, à 16 km à l'est de Churchill, pourrait fort bien être le meilleur endroit où observer les centaines d'espèces d'oiseaux qui transitent ici, y compris la rare mouette rosée. L'épave de l'*Ithaca*, coulé par une tempête en 1961, alors qu'il transportait du minerai de nickel vers Montréal, repose à l'extrémité ouest de l'anse.

L'**Oak Hammock Marsh** *(toute l'année; au nord de la route 67 sur la route PR220; ☎467-3300)* compte parmi les meilleures aires d'observation d'oiseaux en Amérique du Nord, avec plus de 295 espèces d'oiseaux, sans oublier ses 32 km de sentiers pédestres et de voies canotables.

Sports nautiques

Est du Manitoba

Gimli possède une bonne entreprise de location d'équipements nécessaires à la pratique des sports aussi bien nautiques que terrestres.

H2O Beach and Adventure Sports *(☎642-9781)*, situé directement sur la plage sablonneuse du lac Winnipeg, loue en effet vélos, patins à roues alignées, voiliers, kayaks, ballons de volley-ball, équipement de planche à voile... en fait, tout ce dont vous pouvez avoir besoin.

Bien qu'il n'offre qu'un divertissement purement artificiel, le **Skinner's Wet 'N' Wild Waterslide Park** *(mi-mai à mi-sept; ☎757-2623)* de **Lockport** ne cesse d'attirer les foules. Ce parc nautique renferme quatre toboggans géants, deux autres plus petits, un bassin à remous géant, un minigolf, des bateaux tamponneurs, des jeux d'arcade et bien plus encore. Le complexe est impossible à manquer puisqu'il se trouve à l'extrémité ouest du pont de Lockport.

Observation de la faune

Nord du Manitoba

L'entreprise **Tundra Buggy Tours** *(☎800-544-5049 ou 675-2121)* a des véhicules spécialement conçus pour accueillir les photographes.

L'entreprise **Churchill Nature Tours** *(PO Box 429, Erickson, ☎636-2968)* se spécialise dans les «écotours» de la région de Churchill.

Seal River Heritage Lodge *(PO Box 1034, Churchill, ☎888-326-7325 ou 675-8875)*. Mike Reimer organise des «écotours» qui partent d'une auberge éloignée du Grand Nord; on peut y observer caribous, ours polaires, bélugas et phoques.

Ski

Ouest du Manitoba

L'**Asessippi Ski Area** *(32$; Asessippi Provincial Park, en retrait de la route 83, près de Russell et d'Inglis, ☎564-2000)* renferme la plus longue pente de ski entre Regina et Winnipeg, aménagée afin d'en faire un défi pour les skieurs, même si la descente s'avère plutôt brève. Les pistes satisferont aussi bien les débutants que les skieurs plus chevronnés, et le site comprend un secteur pour pratiquer le surf des neiges. Le nouveau chalet permet de se restaurer à la cafétéria, de s'amuser avec les jeux d'arcade et de s'offrir un verre au bar, tout en procurant de superbes vues de la vallée. Location d'équipement de ski, leçons de ski et ski de soirée.

Ours polaire

Hébergement

Manitoba Country Vacations Association
PO Box 53, Grp 374, RR3
☎/⇌*667-3526*
www.countryvacations.mb.ca
La Manitoba Country Vacations Association de Winnipeg permet de réserver des chambres dans quelque 40 fermes ou autres destinations rurales de vacances.

Bed and Breakfast of Manitoba
893 Dorchester Ave.
☎*661-0300*
www.bedandbreakfast.mb.ca
Bed and Breakfast of Manitoba coordonne les réservations d'environ 80 *bed and breakfasts* membres à travers la province.

Centre-ville de Winnipeg

Ivey House International Hostel
$
≡, *bc*
210 Maryland St.
☎*772-3022*
Cette auberge de jeunesse on ne peut plus accueillante et bien tenue, membre du réseau Hostelling International, se trouve à proximité du centre-ville. Hébergement au-dessus de la moyenne des auberges de jeunesse, grande cuisine, personnel exemplaire et chambres parfois pourvues d'un pratique bureau.

Guest House International Hostel
$
≡, ♞, *bc*
168 Maryland St.
☎*772-1272 ou 800-743-4423*
Cette vieille maison originale est située dans un quartier résidentiel quelque peu dangereux, tout près du centre-ville de Winnipeg. Les murs se parent d'œuvres réalisées par des enfants autochtones, et diverses formules d'hébergement s'offrent à vous. La salle de jeu du sous-sol quelque peu encombré ne fait qu'ajouter au charme des lieux, et il n'y a rien à redire sur les prix.

Ramada Marlborough
$$
≡, ♞, ℜ
331 Smith St.
☎*942-6411 ou 800-667-7666*
Grâce à sa situation centrale et à sa magnifique façade, le Ramada Marlborough fait d'emblée une vive impression. Le raffinement se poursuit jusque dans la salle à manger lambrissée de bois et l'agréable salle à petit déjeuner, quoique les chambres, légèrement sombres et exiguës, ne soient pas tout à fait à la hauteur. Il n'en reste pas moins qu'il s'agit là d'un établissement confortable.

Fairmont Winnipeg
$$$
≡, ♞, ⊛, ⊘, ≈, ℜ, ⌂
2 Place Lombard
☎*957-1350 ou 800-441-1414*
www.fairmont.com
Cette institution de Winnipeg compte parmi les établissements hôteliers les plus huppés de la ville. À l'angle de la célèbre intersection des rues Portage et Main, plutôt passante.

Hotel Fort Garry
$$$, pdj
≡, ⊘, ≈, ℜ, ⌂
22 Broadway
☎*942-8251*
☎*800-665-8088*
⇌*956-2351*
www.fortgarryhotel.com
Cet hôtel néogothique trapu, un des plus facilement reconnaissables dans le paysage de Winnipeg, a été construit par le Canadien National en 1913. L'impressionnant hall d'entrée et les non moins remarquables salles de réception vous donneront sans doute des idées de grandeur, bien que les chambres s'avèrent quelque peu décevantes pour un hôtel de ce calibre. On procède actuellement à d'importants travaux de rénovation qui devraient être terminés d'ici 2003.

Radisson Hotel Winnipeg Downtown
$$$$
≡, ♞, ⊛, ≈, ℜ, ⌂
288 Portage Ave.
☎*956-0410 ou 800-333-3333*
www.radisson.com
En plein cœur du quartier des affaires du centre-ville, ce chic établissement propose

un restaurant ainsi qu'un service de garderie et de buanderie. Remodelées d'élégante façon en décembre 1998, les chambres décorées avec goût vous assurent de tout le confort voulu et de très belles vues. Son service on ne peut plus courtois et professionnel en font un des meilleurs endroits où loger à Winnipeg.

Delta Winnipeg
$$$$
≡, ♞, ⊛, ⏲, ℂ, ≈, ℜ, ⌂
350 St. Mary Ave.
☎942-0551 ou 800-268-1133
www.deltahotels.com
Cet hôtel à proximité de tout ne manque de rien puisqu'il renferme des restaurants et un service de buanderie, s'enorgueillit d'une ravissante piscine et bénéficie d'une aire de récréation fort attrayante, sans oublier son hall accueillant. Il propose même à ses clients des leçons d'aérobic.

Place Louis-Riel All-Suite Hotel
$$$$$
≡, ♞, ⏲, ℂ, ℜ
190 Smith St.
☎947-6961 ou 800-665-0569
www.placelouisriel.com
Toutes les unités d'hébergement de cet hôtel en hauteur sont des suites renfermant plusieurs pièces et, habituellement, une cuisinette. Dix-sept d'entre elles ont même deux chambres à coucher. Un choix indiscutable pour les séjours prolongés.

Saint-Boniface

Gîte de la Cathédrale Bed and Breakfast
$ pdj
bc
581 rue Langevin
☎233-7792
Il se trouve tout juste en face du parc Provencher, dans le vieux Saint-Boniface. On y propose cinq chambres d'hôte toutes fleuries; et le petit déjeuner canadien-français traditionnel de la propriétaire, Jacqueline Bernier, peut aussi bien comporter des crêpes au sirop d'érable qu'une omelette ou du pain doré servi sur une table bien mise. Service chaleureux en français.

Agglomération de Winnipeg

Birds Hill Provincial Park Campground
$
fin avr à mi-oct
Birds Hill Provincial Park
24 km au nord de Winnipeg, sur la route 59
☎948-3333 ou 888-482-2267
www.manitobaparks.com
Le Birds Hill Provincial Park Campground permet aux familles et aux groupes de camper tout en bénéficiant de nombreuses activités dans le parc même. Des sentiers de randonnée pédestre, des pistes cyclables, un centre d'équitation et une plage se retrouvent tous dans le parc, et le centre-ville de Winnipeg est situé à seulement 40 min de route.

Est du Manitoba

Selkirk

Selkirk Inn Banquet & Conference Centre
$$
≡, ♞, ℂ, ℜ
162 St. Main
☎482-7722 ou 800-930-3888
Hébergement à coût raisonnable dans le centre de Selkirk, non loin de plusieurs attraits locaux importants. Chambre avec cuisinette moyennant un supplément de 10$, de même qu'avec magnétoscope sur demande (contre un autre supplément).

Whiteshell Provincial Park

West Hawk Lake Campground
$
mi-mai à mi-oct
en retrait de la route 1
☎948-3333 ou 888-482-2267
www.manitobaparks.com
Le West Hawk Lake Campground profite d'un superbe site, en plus d'offrir toutes les commodités d'un camping moderne. Les emplacements sont délimités par des bouleaux et des pins, offrant des degrés variés d'intimité, et comprennent aussi bien des sites individuels cachés que des sites regroupés autour des équipements collectifs. Le camping est à distance de marche de deux plages, de trois restaurants et de courts de tennis. Il se révèle également un excellent point de départ pour

des excursions à pied ou en canot.

Hecla Provincial Park

Gull Harbor Resort
$$-$$$
≡, ℑ, ≈, ℝ, ℜ, ⌂
PO Box 1000
☎279-2041 ou 800-267-6700
www.gullharbourresort.com
Le magnifique complexe hôtelier se trouve sur la pointe d'une île. Il s'agit en fait d'un centre de congrès particulièrement prisé en raison des terrains de golf voisins et des beautés naturelles des parcs Hecla et Grindstone (il se trouve d'ailleurs tout près du Heritage Home Museum).

Gimli

Lakeview Resort
$$$
≡, ♞, ⊙, ≈, ℝ, ℜ, ⌂
10 Centre St.
☎642-8565 ou 877-355-3500
www.lakeviewhotels.com
Dans cet établissement donnant directement sur le port de Gimli, vous pourrez choisir une chambre ou une suite «rustique» avec vue sur le village ou sur le grand lac dont la localité tire la plus grande partie de sa subsistance. On rompt ici avec la tradition des chambres impersonnelles offertes par les hôtels de la plupart des grandes chaînes, et les chambres arborent des courtepointes, de fraîches senteurs ainsi que des réfrigérateurs. Le chaleureux foyer du hall fait également le bonheur des clients. Chaque chambre possède un balcon.

Sud du Manitoba

Winkler

Winkler Inn
$$
≡, ♞, ⊛, ℂ, ≈, ℜ
851 Main St. N.
☎325-4381 ou 800-829-4920
www.winklerinn.com
La fertile vallée de la Pembina attire tout particulièrement les visiteurs à Winkler, et son auberge leur propose une variété de formules, des chambres à grand lit à celles qui donnent sur la piscine. Un bassin à remous pouvant accueillir 10 personnes complète les installations.

Centre du Manitoba

Wasagaming

The New Chalet
$$
≡, ℂ, ≈
PO Box 100
☎848-2892
www.newchalet.com
The New Chalet est ouvert toute l'année et offre un des meilleurs hébergements dans la région. D'allure plaisante et fraîchement rénové, cet établissement bien tenu se trouve à proximité de tout et vous donne accès à une piscine extérieure. Il convient de noter que, comme l'hôtel repose à l'intérieur des limites du Riding Mountain National Park, vous devrez acquitter le droit d'entrée au parc pour y accéder.

Roblin

Harvest Moon Inn
$$ pdj
≡, ℂ, ℝ
25 Commercial Dr.
☎937-3700 ou 888-377-3399
www.mts.net/~hmi/
Cet hôtel n'offre que des suites spacieuses où il fait bon se délasser. Chacune d'elles renferme un four à micro-ondes, un réfrigérateur, un téléviseur et un magnétoscope (la réception met gratuitement à votre disposition une petite sélection de films). En prime, la famille qui gère l'établissement peut vous donner une foule de conseils sur la pêche et vous intéresser au récit de ses voyages.

Brandon

Comfort Inn
$$
≡, ♞
925 Middleton Ave.
☎727-6232 ou 800-424-6423
www.choicehotels.com
Gestion sans reproche. Directement situé sur la transcanadienne, au nord du centre-ville de Brandon. Des superbes chambres renferment des tables de travail et des fauteuils, ce dont les gens d'affaires ne se plaignent nullement. Le seul désavantage de l'endroit tient à sa po-

pularité, de sorte qu'il est souvent complet des mois à l'avance.

Nord du Manitoba

Churchill

Polar Inn & Suites
$$$
≡, 🐕, ℂ
15 Franklin St.
☎675-8878 ou 877-765-2733
Le Polar Inn & Suites offre, en plus de ses chambres standards, des appartements à une chambre à coucher et des suites incluant une cuisinette. Les amateurs de plein air apprécieront tout particulièrement de pouvoir y louer des vélos tout-terrain, tandis que les acheteurs invétérés trouveront sur place une agréable boutique de cadeaux.

Northern Nights Lodge
$$$$
🐕, ⊛, ℜ, ⌂
PO Box 70
☎675-2403
Cet établissement des confins nordiques de la province attire les visiteurs en quête d'ours polaires, qu'on peut habituellement voir gambader sur les rives de la baie d'Hudson.

Restaurants

Centre-ville de Winnipeg

Nucci's Gelati
$
643 Corydon Ave.
☎475-8765
Ce comptoir de glaces fait le bonheur des passants en quête de rafraîchissement lorsque le soleil plombe. Et ne vous laissez surtout pas rebuter par les longues files d'attente, car les 30 saveurs de délicieux *gelati* maison qu'on y propose valent largement le détour! Servies en énormes portions, ces glaces italiennes sauront vous ravir tout au long de votre promenade à travers le quartier italien de Winnipeg, qui s'anime d'une ambiance festive à la tombée de la nuit.

Alycia's
$
559 Cathedral Ave.
☎582-8789
Sans doute le plus populaire des six ou sept restaurants ukrainiens de Winnipeg. L'endroit est bien connu pour ses soupes épaisses, ses pirojkis bien consistants, ses roulades de chou farcies et bien d'autres mets encore qui ne manqueront pas de vous réchauffer. Les boissons pétillantes rouges et crémeuses, de même que les décorations qui égaient la salle (œufs de Pâques ukrainiens, entre autres), ajoutent à l'atmosphère festive des lieux. Les propriétaires exploitent, à la porte voisine, par ailleurs, un comptoir de viandes fines et de plats d'accompagnement à emporter.

Carlos & Murphy's
$$
129 Osborne Ave.
☎284-3510
Ce petit restaurant ténébreux donne une impression de bout du monde avec ses planches clouées aux murs de façon à créer un motif de coucher de soleil, ses selles et ses accessoires caractéristiques de l'Ouest sauvage. Une cuisine Tex-Mex y est servie en généreuses portions et s'accompagne merveilleusement bien d'une *margarita* à la limette ou d'une bière mexicaine.

Tap & Grill
$$
137 Osborne St.
☎284-7455
Ce restaurant qui a pignon sur rue dans le quartier très à la mode d'Osborne Village s'imprègne d'une atmosphère méditerranéenne plutôt détendue. Chaises en osier, persiennes et sols carrelés y composent un intérieur méridional rafraîchissant, tandis qu'à l'arrière sa terrasse extérieure, entourée de treillages et de plantes, en font un rendez-vous

idyllique et d'ailleurs très couru au cours de la saison estivale. Au menu, des plats de viande, de fruits de mer et de pâtes, auxquels s'ajoute un choix de salades fraîches. Saveurs dominantes de citron, d'ail et de tomates séchées.

Hy's Steak Loft
$$$-$$$$
216 Kennedy St.
☎*942-1000*
L'apparence de simple entrepôt en brique de cette institution du centre-ville est pour le moins trompeuse, puisqu'il s'agit d'un de ces endroits où se brassent discrètement les affaires de la province devant une côte de bœuf de l'Alberta. Politiciens et autres personnalités fréquentent en effet volontiers cette grilladerie lambrissée de bois, où ils peuvent admirer le travail des chefs apprêtant chaque pièce de viande à la perfection sur un gril ouvert. Ceux qui ont réellement du pouvoir demandent à être attablés dans l'une des salles à manger privées du Loft, pour y discuter à l'aise des changements à apporter aux lois sur l'assurance ou de tout autre sujet dont ils préfèrent traiter loin des oreilles curieuses du public. Cet établissement possède également un bar-salon, propice à la détente avant et après un copieux repas.

The Velvet Glove
$$$$
Fairmont Winnipeg
2 Lombard Ave.
☎*985-6255*
Situé dans le prestigieux hôtel Fairmont Winnipeg, ce restaurant sert les grands dépensiers de Winnipeg. Les repas comprennent, entre autres plats, les dernières créations du chef, que ce soit à base de viande, de fruits de mer ou d'agneau, quoique, peu importe votre choix, vous débuterez toujours par une simple soupe et une salade.

Orlando's Seafood Grill
$$$$
709 Corydon Ave.
☎*477-5899*
Si vous êtes en quête d'un établissement un peu plus raffiné, rendez-vous dans cet élégant restaurant portugais au décor contemporain, que complète une charmante terrasse. L'endroit est réputé pour ses plats de poisson apprêtés de main de maître, et mettant parfois en vedette des raretés telles que le requin. Service attentionné et éclairé.

Saint-Boniface

Le Café Jardin
$
le midi seulement
Centre Culturel Franco-Manitobain
340 boul. Provencher
☎*233-9515*
Ce café rattaché au Centre Culturel Franco-Manitobain sert des mets canadiens-français de même que des plats légers et des pâtisseries faites sur place. Sa terrasse extérieure est fort recherchée l'été.

Est du Manitoba

Gimli

Seagull's Restaurant
$$$
10 Centre St.
☎*642-4145*
Le plus grand atout de ce restaurant est sans doute sa terrasse, aménagée directement sur la plage. Cela dit, poisson pané et *gyros* se laissent aussi déguster dans une vaste salle à manger, et vous pourrez même y faire l'essai d'une *vinetarta* islandaise au dessert. Cet établissement n'a rien de réellement particulier, si ce n'est qu'il s'agit du meilleur endroit en ville à offrir le service aux tables.

Centre du Manitoba

Brandon

Casteleyn Cappuccino Bar
$
fermé dim
908 Rosser Ave.
☎*727-2820*
Cet endroit représente une oasis dans les Prairies et vaut à lui seul le détour par Brandon. Les Casteleyn, d'origine belge, confectionnent ici des chocolats maison depuis plusieurs années ils ont même

ajouté à leurs spécialités des glaces *(gelati)*, des boissons italiennes et un bar à cappuccino. Plus café que restaurant, cet établissement propose tout de même au quotidien une savoureuse gamme de sandwichs à la viande, aux légumes ainsi que des fouguasses. Truffes au Grand Marnier, gâteau au fromage et à l'Amaretto, ainsi que gâteau aux pêches et au chocolat, contribuent pour leur part à la carte des desserts. Bref, voilà une expérience fabuleuse, que ce soit pour le déjeuner ou pour un simple goûter.

Humpty's
$
route 1
☎729-1902
Ce restaurant aménagé dans une station-service en bordure d'une voie de desserte de la transcanadienne sert des repas consistants: des hamburgers, des œufs et tout un assortiment de sandwichs copieux. Les habitants de Brandon ne jurent que par lui.

Saint-François-Xavier

Medicine Rock Cafe
$$$$
990 route 26
☎864-2451
Cet endroit propose un des menus les plus intéressants de la province, sur lequel on retrouve entre autres des plats d'autruche, d'émeu, de sanglier et de lapin. Ce restaurant étant très populaire, il est recommandé de réserver.

Wasagaming

T.R. McKoy's Italian Restaurant
$$
Wasagaming St.
☎848-2217
Ce restaurant s'impose comme un joyau inattendu où vous pourrez savourer de bonnes pâtes, pizzas et grillades dans une atmosphère chaleureuse et détendue.

Shellmouth

The Church Caffe
$$
25 km au nord de Russell par la route 83, puis 10 km à l'ouest de la route 482 et direction nord sur la route 549
☎564-2626
Installé dans un ancien temple de l'Église Unie, cet établissement sert des mets autrichiens en bordure d'un lac miroitant. Il faut le trouver, mais le jeu en vaut la chandelle puisque vous y découvrirez une savoureuse sélection de plats de bœuf, de porc et de dinde servis avec soupe et salade.

Sorties

Winnipeg

Bars et discothèques

King's Head Pub
120 King St.
☎957-7710
Il est probablement le meilleur bar de Winnipeg. Situé dans l'Exchange District, il offre plusieurs bières importées et une grande variété de scotchs, sans oublier ses tables de billard et ses jeux de fléchettes, histoire de se divertir un peu. On y sert également de la nourriture.

The Club Regent
1425 Regent Ave. W.
☎957-2700
Palmiers et cascades confèrent à l'établissement une ambiance tropicale. Ici, ce sont les jeux électroniques qui priment: bingo, poker et Keno. Vous y trouverez aussi des machines à sous.

Times Change Blues Bar
jeu-dim
234 Main St.
☎957-0982
Le temps semble presque s'être arrêté au Times Change Blues Bar, une petite boîte intime où le blues demeure à l'honneur.

Toad in the Hole
112 Osborne St.
☎*284-7201*
Le Toad in the Hole, qui a pignon sur rue dans le pittoresque Osborne Village, est un pub offrant plusieurs sortes de bières importées. On peut également y jouer au billard ou aux fléchettes.

Salles de spectacle

Royal Winnipeg Ballet
380 Graham Ave.
☎*800-667-4792 ou 956-2792*
www.rwb.org
Cette compagnie de danse la plus connue au Canada possède sa propre salle de spectacle en plein centre-ville. La troupe a remporté une médaille d'or dans le cadre du Concours international de ballet et offre parfois des visites de ses installations.

Centre Culturel Franco-Manitobain
340 boul. Provencher.
☎*233-8972*
Le mardi, une foule enjouée se presse au pour entendre du jazz, quoiqu'il accueille aussi des musiciens sur scène les vendredis.

Casino

McPhillips Street Station Casino
484 McPhillips St.
☎*957-3900*
Le McPhillips Street Station Casino invite les visiteurs à y passer une petite soirée ludique. Il offre en effet un divertissement léger, avec ses VLT, ses machines à sous et son bingo, malgré qu'on y joue aussi au Keno et au blackjack. Mais vous serez gagnant sur toute la ligne si vous prenez le temps d'observer son aménagement intérieur, sur le thème des chemins de fer historiques évoquant le riche passé de Winnipeg, tel le Royal Alexander Hotel, maintenant démoli. Vous y verrez aussi un modèle réduit du *Chattanooga Choo Choo* (un train imaginaire immortalisé par Glenn Miller), qui serpente à travers le casino. Sans oublier le plus contemporain *Manitoba Millennium Express*, une projection multimédia qui vous fera revivre le passé du Manitoba d'une autre façon.

Festivals

Folklorama
☎*800-665-0234 ou 982-6210*
www.folklorama.ca
Le gigantesque festival d'été de Winnipeg a lieu les deux premières semaines du mois d'août et affiche une grande variété de spectacles et autres activités culturelles; des représentants des nombreuses communautés culturelles de la ville – française, ukrainienne, hongroise, chinoise et japonaise, pour n'en nommer que quelques-unes – préparent la nourriture, entonnent des chansons et dansent suivant les traditions de leur pays d'origine dans les nombreux pavillons qui se répandent autour de la ville pour l'occasion.

Le **Winnipeg Fringe Theatre Festival** *(juil;* ☎*956-1340, www.winnipegfringe.com)*, qui met en vedette diverses troupes de théâtre locales et internationales sur de petites scènes du centre-ville, est un des plus importants festivals en son genre. Vous y ferez de véritables découvertes au fil des pièces présentées, qui vont du simple divertissement familial aux œuvres expérimentales. Des représentations gratuites en plein air sont également offertes à l'Old Market Square tout au long du festival.

En juillet, quelque 30 000 amateurs de musique acoustique convergent vers le Birds Hill Provincial Park (voir p 635), dans les environs de Winnipeg pour une fin de semaine de bonheur sous le signe de la chanson et de la danse, à moins que ce ne soit simplement pour s'imprégner de l'atmosphère du **Winnipeg Folk Festival** *(*☎*231-0096, www.winnipegfolkfestival.ca)*, un des meilleurs événements du genre en Amérique. S'y produisent en plein air des musiciens talentueux des quatre coins du monde, pour le plus grand plaisir d'une foule de tout âge.

Saint-Boniface

Festival du Voyageur
768 av. Taché
☎***237-7692***
www.festivalvoyageur.mb.ca
Le Festival du Voyageur, qui se tient à Saint-Boniface en février, célèbre l'hiver et la période pendant laquelle les voyageurs qui ont colonisé la province faisaient la traite des fourrures. Les activités regroupées sous le grand pavillon extérieur comprennent des courses d'attelages de chiens, des concours de sculpture sur neige et des divertissements pour les enfants, pendant que les performances musicales divertissent la foule toute la nuit.

Cercle Molière
825 rue St-Joseph
☎***233-8053***
Le Cercle Molière incarne la plus ancienne compagnie théâtrale à demeure au Canada. Elle monte chaque année quatre grandes productions dans le **Théâtre de la Chapelle**, un beau petit café intime. Les représentations se donnent en français.

Est du Manitoba

Gimli

Islendingadagurinn (le festival islandais du Manitoba) dure trois jours au début du mois d'août et célèbre l'héritage local de ce pays lointain en plein centre-ville de Gimli. Il comprend un défilé, de la musique, de la poésie, des mets islandais et bien d'autres choses encore.

Sud du Manitoba

Altona

Le **Manitoba Sunflower Festival** *(☎324-6468, www.townofaltona.com/events)* célèbre la haute fleur jaune qu'est le tournesol durant trois jours en juillet de chaque année. Au programme de cette fête de rue: des festins, des défilés et des danses mennonites.

Morris

Le **Manitoba Stampede and Exhibition** *(☎746-2552, www.manitobastampede.ca)* transforme une ville indolente en un véritable paradis du rodéo pendant cinq jours à la mi-juillet. Il s'agit du deuxième rodéo en importance au Canada (seul l'immense Stampede de Calgary parvient à le surpasser), et l'on y présente des courses de «cantines ambulantes» (*chuckwagons*), une foire agricole et, bien sûr, des concours de monte de taureau ainsi que d'autres activités de rodéo.

Centre du Manitoba

Dauphin

L'immensément populaire **National Ukrainian Festival** *(119 Main St., ☎877-474-2683 ou 622-4600)* a lieu à Dauphin pendant trois jours au mois d'août et débute un vendredi matin. Les festivités tournent autour d'un concours de boulangerie, d'un concours de broderie, d'un concours de décoration d'œufs de Pâques, d'expositions d'art populaire, de danses à profusion et d'un café en plein air.

Nord du Manitoba

The Pas

Le **Northern Manitoba Trappers' Festival** *(☎623-2912, www.trappersfestival.com)* dure cinq jours pendant le mois de février. Parmi les activités au programme, il y a une fameuse course d'attelages de chiens.

Achats

Centre-ville de Winnipeg

Les possibilités de magasinage se regroupent dans le centre-ville, et il suffit de franchir quelques quadrilatères pour atteindre sans mal les trois grands magasins d'ici, à savoir l'Eaton Centre, la Hudson's Bay Company et la NorthWest Company. Le réseau de passerelles couvertes et surélevées du centre-ville est largement utilisé et grandement apprécié l'hiver venu; il relie les centres commerciaux aux immeubles de bureaux, à la bibliothèque et à d'autres destinations.

La **Hudson's Bay Company de Winnipeg** *(angle Portage Ave. et Memorial Blvd., ☎783-2112)* était jadis le porte-étendard de cette illustre chaîne de grands magasins qui a vu le jour en 1610 à titre de compagnie de traite de fourrures. On y vend toujours les fameuses couvertures originales de La Baie de même que d'autres articles uniques.

Eaton Centre *(234 Donald St.)*, en plein centre-ville, renferme plus de 100 boutiques et se trouve relié au réseau de passerelles.

Portage Place, un autre centre commercial du centre-ville, celui-là plus conventionnel, s'étend sur trois quadrilatères et abrite environ 160 boutiques et un cinéma IMAX.

Et parmi les autres boutiques du centre-ville, il faut retenir la **Bayat Gallery** *(163 Stafford St., ☎888-88INUIT ou 475-5873)*, particulièrement intéressante du fait qu'il s'agit de la meilleure galerie d'art inuit en ville.

Avec son atmosphère à l'européenne, ses becs de gaz, ses paniers de fleurs suspendus et ses festivals de rue, **Corydon Avenue** attire une foule de gens. Elle se trouve au centre d'un quartier très populaire pour le magasinage, et, tout autour, des restaurants invitent les gens à faire une pause. On la surnomme même la Little Italy (la Petite Italie) de Winnipeg.

Le **Toad Hall** *(54 Arthur St., ☎956-2195 ou 888-333-TOAD)* est un de ces endroits à faire rêver les enfants. Les étagères regorgent de jouets de qualité, aussi bien traditionnels que contemporains, dans une atmosphère fantaisiste qui transporte jeunes et moins jeunes au royaume magique de l'imaginaire. Vous y trouverez de tout, des théâtres de marionnettes tchécoslovaques faites à la main aux trains électriques, en passant par les cerfs-volants colorés et les ensembles de magie.

McNally Robinson *(1120 Grant Ave. ☎475-0483)* s'impose sans contredit comme la meilleure librairie de la ville. Le choix y est impressionnant dans toutes les catégories, quoique les auteurs des Prairies y soient tout particulièrement à l'honneur. Un escalier en colimaçon enroulé autour d'un majestueux tronc d'arbre conduit par ailleurs les enfants à la section qui leur est réservée à l'étage. Le restaurant de la maison, le Café au Livre, sert des déjeuners légers et des desserts.

Agglomération de Winnipeg

Polo Park *(1485 Portage Ave.)*, qui se trouve plutôt sur le chemin de l'aéroport, compte plus de 180 boutiques haut de gamme.

L'**Osborne Village** abrite nombre de merveilleuses petites boutiques que vous ne sauriez ignorer. Vous y trouverez, sur Osborne Street entre River Avenue et Stradbrook Avenue, papeterie, cadeaux, vêtements, accessoires de cuisine et plus encore.

Index

Index

Index